Koch, Karl

Berliner allgemeine Gartenzeitung

Koch, Karl

Berliner allgemeine Gartenzeitung

Inktank publishing, 2018

www.inktank-publishing.com

ISBN/EAN: 9783750100534

BERLINER

Allgemeine Gartenzeitung.

Herausgegeben

vom

Professor Dr. Karl Koch,

Generalsekretair des Vereins zur Beförderung des Gartenbaues in den Königl. Preuss. Staaten.

Berlin, 1857.

Verlag der Nauck'schen Buchhandlung.

Allgemeine Gartenzeitung.

Herausgegeben von

PROFESSOR DR. KARL KOCH.

Verlag der Nauckschen Buchhandlung. Preis des Jahrgangs mit illuminirten Abbildungen 6, ohne dieselben 5 Thaler.

Mit dem 1. Januar nächsten Jahres tritt die Berliner Allgemeine Gartenzeitung ins Leben. Wenn sie auch im Allgemeinen die Principien der von Otto und Dietrich bis jetzt herausgegebenen Gartenzeitung festhält, nämlich die gesammte Gärtnerei in allen ihren Zweigen zu vertreten und nach allen Richtungen hin belebend zu sein, so glaubt sie doch hauptsächlich Zweierlei als besonders gewichtig noch ins Auge fassen zu müssen.

Werfen wir einen Blick in die Vergangenheit, vielleicht nur zwei oder drei Jahrzehende zurück, so finden wir den Zustand der damaligen Gärtnerei gegen den der heutigen gar sehr zurück. Die Kultur ist zum Theil eine ganz andere geworden. Pflanzen, die man früher ängstlich in den Warmhäusern hegte und pflegte, schmücken jetzt unsere Rasenplätze und tragen zur Erhöhung der Reize unendlich bei. Wer hätte früher gewagt Kolokasien, Farrn und Palmen, ja selbst Orchideen, im Sommer ins Freie zu bringen? Man vermehrt jetzt mit einer Gewandtheit — man möchte sagen Keckheit — wie nie früher. Man denke an die Vermehrung von Nadelhölzern, Aroideen u. dgl. m.

Aber auch die Anzahl der Blumen und Pflanzen, welche jetzt in unsern Häusern und Gärten, ja selbst in den Wohnzimmern, kultivirt werden, ist seit wenigen Jahren auf eine Höhe gestiegen, dass selbst denen, welchen man eine grössere Pflanzenkenntniss nicht absprechen kann, es schwer wird, aus der Menge der alljährlich eingeführten Arten und Formen sich zurecht zu finden oder eine gute Auswahl zu treffen. Eisenbahnen machen auf dem europäischen Kontinente und in England es möglich, dass man Pflanzen, deren Transport früher Wochen dauerte, in wenig Tagen aus den entferntesten Gegenden beziehen kann. Und während früher nur die sorgfältigste Einpackung vor den Folgen eines schwierigen Landtransportes kaum hinlänglich schützte, geschieht jetzt die Versendung zum Theil in offenen Körben. In wenig Wochen oft hat sich eine neue Pflanze aus England oder Belgien durch ganz Deutschland verbreitet und man findet ihren Namen schon in der kürzesten Zeit in den Verzeichnissen selbst der weniger grössern Handelsgärtnereien. Dampfschiffe erleichtern aber auch ferner überseeische Verbindungen. Gärtner und Botaniker, von Interesse für Pflanzen ergriffen, gehen jetzt nach unbekannten Ländern, oft unter grossen Opfern und Mühen, um uns Neues aus der Pflanzenwelt zuzuführen.

Die grosse Anzahl der alljährlich eingeführten Arten, sowie der durch die Kunst des sinnenden Menschen hervorgerufenen Ab- und Spielarten, macht aber auch die Nomenklatur schwierig. Es kommt noch dazu, dass die meisten neu eingeführten Pflanzen keiner botanischen Kontrole unterlagen und deshalb oft mit einem neuen Namen in die Welt geschickt wurden, wenn sie auch schon längst beschrieben, aber bis dahin in den Gärten noch nicht kultivirt oder aus ihnen wieder verschwunden waren. Nicht weniger schreitet die Wissenschaft rastlos vorwärts und bringt nothwendiger Weise mannigfache Umänderungen in den Benennungen hervor. Man kann doch unmöglich eine Art, die man (wie Corchorus, jetzt Kerria japonica) früher für eine Tiliacee hielt, bei näherer Untersuchung aber sehr nahe verwandt mit Spiraea fand, noch mit einem Namen benennen, der ganz andern Pflanzen zukommt! So macht sich hier eine Umänderung des Namens durchaus nothwendig. Es ist allerdings gar nicht zu leugnen, dass es manchmal von Seiten der Botaniker missbraucht wird und die Umänderung von Namen mit einer Leichtfertigkeit geschieht, als wären die übrigen Botaniker und Pflanzenliebhaber eben nur da, um die neuen Namen auswendig zu lernen.

Wir sagten oben, Zweierlei fassten wir ganz besonders ins Auge; dieses Zweierlei geht aus dem eben Gesagten wohl deutlich hervor. Die Berliner Allgemeine Gartenzeitung soll zunächst ein Organ für die deutschen Handelsgärtnereien sein, um theils deren eigene Erzeugnisse von Ab- und Spielarten, theils aber auch das an Pflanzen, was sie entweder direkt aus fremden Ländern oder indirekt durch ausländische Gärtnereien erhalten haben, möglichst schnell zur Kenntniss aller Liebhaber zu bringen. Jede der 52 Nummern, welche alljährlich von der Gartenzeitung ausgegeben werden, bringt deshalb die Beschreibung und Behandlungsweise einer oder einiger neuen und neuern Pflanzen meist gleich vorn am Anfange. Eine Anzahl tüchtiger Gärtner haben in Betreff der Kultur-Angabe, aber auch sonst, ihre Unterstützung der Redaction freundlichst zugesagt. Die schönsten und interessantesten der neuern Pflanzen oder Formen sollen abgebildet werden, und ist in dieser Hinsicht ein bekannter und tüchtiger Pflanzenmaler gewonnen. Alle Monat wird demnach eine sauber kolorirte Abbildung mit den nöthigen Analysen beigegeben. Aber auch ausserdem sollen Holzschnitte den Inhalt von Abhandlungen über Garten-Anlagen, Gewächshaus-Konstruktion, über neue Instrumente u. s. w. erläutern. Es geht nun an alle Gärtnereien die Bitte, auch ihrerseits durch Zusendung von Neuigkeiten in dieser Hinsicht die Redaktion zu unterstützen.

Die Berliner Allgemeine Gartenzeitung wird aber zweitens ein besonderes Augenmerk auf die Revidirung der Namen verwenden. Gärtner und Botaniker, namentlich Systematiker, müssen heut zu Tage, wenn Wissenschaft und Praxis gedeihen sollen, Hand in Hand gehen und sich gegenseitig unterstützen. Die Redaktion wird deshalb schon an und für sich falsche Namen, die ihr in den Gärten Berlins und in der Umgegend aber auch sonst, entgegentreten, berichtigen und haben auch in dieser Hinsicht einige tüchtige Systematiker bereits ihre Hilfe zugesagt. Heut zu Tage ist es unmöglich, alle kultivirten Pflanzen gleich zu kennen; man muss sich oft Raths bei denen einholen, die sich speciell mit einer Gruppe von Pflanzen beschäftigen. Die Redaktion ist stets bereit, Gärtnern und Pflanzenliebhabern über ihnen unbekannte oder vermuthlich mit falschen Namen versehene Pflanzen Auskunft zu geben, wenn ihr die zur Bestimmung nöthigen Theile franko mit der Post oder sonst zugesendet werden.

In allem Uebrigen wird die Redaction der Berliner Gartenzeitung sich bemühen, für alle Zweige der Gärtnerei gute Originalaufsätze zu bringen; es geht deshalb an alle Fachgenossen von Neuem die freundliche Aufforderung dergleichen, am Liebsten an die Verlagsbuchhandlung, einzusenden. Für gute Aufsätze wird Honorar bezahlt. Was nicht gebraucht werden kann, wird möglichst bald zurückgesendet.

Gegen den Schluss einer jeden Nummer kommt entweder eine Rundschau durch Gärten, damit auch das Schöne und Nachahmungswerthe zur allgemeinen Kenntniss kommt, oder als Bücherschau eine Uebersicht alles dessen, was namentlich ausserhalb Deutschland in der gärtnerischen und systematischen Literatur, besonders in Zeitschriften, erscheint. Besprechungen von dahin bezüglichen Werken sollen stets durch Sachverständige veranlasst werden und bittet die Redaction nur die Verleger und Herausgeber um Uebersendung derselben.

In Betreff gärtnerischer Annoncen, Beilagen von Verzeichnissen u. s. w. wendet man sich an die Nauck'sche Buchhandlung, welche den Verlag der Berliner Allgemeinen Gartenzeitung übernommen hat, und sind daselbst auch die nähern Bedingungen zu erfahren. Hinsichtlich der Ausstattung wird die Verlagshandlung gewiss alles thun, was in ihren Kräften steht, um auch im Aeussern dem Inhalte zu entsprechen. Auf den Wunsch einiger Ausländer, die unsere Zeitschrift gern beziehen möchten, geschieht der Druck mit lateinischen Lettern. Ebenso hat die Verlagshandlung dem hier und da ausgesprochenen Wunsche nachgegeben und neben der Ausgabe mit illuminirten Abbildungen noch eine ohne diese veranstaltet. Der Preis der ersten ist 6, der der letzteren 5 Thaler. Sollte sich die Zeitschrift einer besonderen Anerkennung erfreuen, so werden später noch mehr Abbildungen geliefert, und empfehlen wir sie deshalb ganz besonders dem gärtnerischen und Pflanzen liebenden Publikum.

Berlin, den 1. December 1856.

Die Redaction.
Professor Dr. Karl Koch.

No. 1. Sonnabend, den 3. Januar. 1857

Preis des Jahrgangs von 52 Nummern mit 12 color. Abbildungen 6 Thlr., ohne dieselben 5 -
Durch alle Postämter des deutsch-österreichischen Postvereins sowie auch durch den Buchhandel ohne Preiserhöhung zu beziehen.

Mit directer Post übernimmt die Verlagshandlung die Versendung unter Kreuzband gegen Vergütung von 25 Sgr. für Belgien, von 1 Thlr. 6 Sgr. für England, von 1 Thlr. 12 Sgr. für Frankreich.

BERLINER Allgemeine Gartenzeitung.

Herausgegeben

vom

Professor Dr. Karl Koch.

General-Secretair des Vereins zur Beförderung des Gartenbaues in den Königl. Preussischen Staaten.

Inhalt: Die in den Gärten kultivirten Petola-Arten und Sammetblätter (Anoectochilus und Physurus), von Karl Koch und Lauche. — Der Verein zur Beförderung des Gartenbaues in den Königl. Preussischen Staaten zu Berlin. — Lepachys columnaris T. et Gr. γ pulcherrima (Obeliscaria pulcherrima Cass., Ratibidia columnaris Sweet, Rudbeckia Drummondii Paxt.)

Die in Gärten kultivirten Petola-Arten und Sammetblätter.

(Anoectochilus und Physurus.)

Von Karl Koch und Lauche, Obergärtner im Augustinischen Garten bei Potsdam.

Auf hohen Bergen, besonders der Insel Amboina, die von den Molukken die Gewürznelken liefert, aber auch auf dem ostindischen Festlande, wächst im Schatten grosser, einzeln stehender Bäume und in der Regel von einer feuchten und nebeligen Atmosphäre umgeben, ein Pflänzchen, zwar klein und unscheinlich, aber mit einer Farbenpracht auf den Blättern, wie man sie sonst kaum bei Pflanzen findet. Die Eingebornen nennen es Petola, was sonst ein mit Farben reich gesiertes seidenes Gewand bedeutet. Dieses Pflänzchen haben in der neueren Zeit Reisende der Heimath entführt und wird nun in Gewächshäusern Europa's wieder von jedem Gärtner, der so glücklich ist, das theure Kleinod sich verschaffen zu können, sorgsam gehegt und gepflegt, denn es ist sein Stolz. Seitdem haben sich noch ähnliche Pflänzchen gefunden und Prof. Blume in Leiden hat zuerst ihnen allen im Systeme den griechischen Namen Anecochilus (nicht Anoectochilus) gegeben.

Das Pflanzenreich besitzt wohl kaum noch eine Familie, wo die Natur sich so im Hervorrufen sonderbarer Formen gefallen hätte, wie bei den Orchideen. Man darf sich deshalb nicht wundern, dass, obwohl seit längerer Zeit schon einzelne Liebhaber sich ganz besonders mit der Kultur der Orchideen beschäftigten, in der neuesten Zeit die Liebe zu ihnen so zugenommen hat, dass es jetzt, und zwar nicht allein in England, Private giebt, die nur Orchideen in ihren Gewächshäusern haben wollen; ihre Zucht gehört nicht mehr botanischen Gärten allein an, sondern ist Gemeingut geworden. Grosse Herren entsenden sogar nach dem tropischen Amerika und nach Ostindien ihre Gärtner aus, nur um Orchideen zu sammeln.

In der Regel sind es jedoch die schönen, in ihren Formen häufig Insekten nachahmenden Blumen, — wir erinnern an unsere einheimischen Ophrys-Arten und an das Geschlecht Phalaenopsis — welche unser Wohlgefallen und unsere Bewunderung im hohen Grade in Anspruch nehmen. Viele Arten duften ausserdem noch weit hin. Sonderbar ist es nun, dass wieder eine Anzahl von Orchideen klein und niedlich bleiben, auch unansehnliche Blumen von meist weisslicher oder röthlicher Farbe besitzen, dagegen eine Farbenpracht, namentlich auf der Oberfläche der Blätter, haben, welche an das Wunderbare grenzt. Es sind dieses grösstentheils Arten aus der Gruppe der Physurideen, die weniger als Epiphyten die Stämme der Urwaldbäume bewohnen, als dass sie vielmehr auf der Erde vorkommen.

Den Petolen ähnlich wachsen aber auch in den heissen Ländern der Neuen Welt, besonders in Brasilien, einige Orchideen, deren Blätter ebenfalls den Sammetglanz mit bunter Nervatur und Aderung besitzen und die sich jenen unmittelbar anschliessen. Sie gehören dem hauptsächlich in der

Neuen Welt wachsenden Genus Physurus an, ein wenig ästhetischer Name, der Blasenschwanz bedeutet und der blasen- oder spornförmigen Erweiterung der Lippenbasis entnommen ist. Wir haben im Deutschen den gewiss mehr bezeichnenden Namen „Sammetblatt“ gegeben. Ausser einigen Physurus-Arten, welche jetzt in den Gärten vorkommen, wollen wir auch noch auf eine Pflanze Java's, auf Pogonia discolor Bl., aufmerksam machen, da auch hier die Färbung des Blattes eine seltsame und prächtige ist, und die Art sich ebenfalls in ihrer äussern Erscheinung den Petolen anschliesst.

Wir besitzen einen Repräsentanten der Physuridren in unseren nordischen Klimaten, welcher hier und da in Wäldern vorkommt, auch sonst eine ziemliche Verbreitung in der nördlichen gemässigten Zone besitzt. Es ist dieses Goodyera repens R. Br. Betrachtet man die Blätter dieser einheimischen Pflanze etwas genauer, so findet man auch hier eine interressante Nervatur und Aderung, wie sonst keine andere Pflanze unseres Vaterlandes hat. Aber auch die Art und Weise des Vorkommens und ihres Wachsthumes giebt uns einen Fingerzeig, wie wir die verwandten tropischen Arten in unsern Gewächshäusern zu behandeln haben.

Wer nur einmal eine Petola gesehen, hat gewiss, wenn er Blumen- und besonders Orchideenfreund ist, ein Verlangen, ebenfalls, wenigstens ein Paar von diesen Pflänzchen in seinem Gewächshause zu besitzen. Leider sind die Pflanzen aber noch sehr theuer, scheinen auch zunächst noch gar nicht wohlfeiler werden zu wollen; nur wenige Private können sich deshalb die Freude ihres Besitzes machen und ein und mehre Pfund Sterling für ein kleines Pflänzchen ausgeben. Es kommt noch dazu, dass sie alle wegen ihrer schwierigen Kultur mit Recht etwas gefürchtet sind und in der That auch oft schon sehr bald in den Häusern wiederum zu Grunde gehen, nachdem man sie vielleicht erst für schweres Geld gekauft hatte. Mancher Pflanzenliebhaber verzichtete endlich, wenn auch ungern, auf das Vergnügen ihres Besitzes. Um diesen jedoch ebenfalls die Möglichkeit zu verschaffen, soll hier das Verfahren angegeben werden, dessen man sich in dem Garten des Oberlandesgerichtsrathes Augustin an der Wildparkstation bei Potsdam mit Erfolg bedient; es wird uns freuen, wenn wir dadurch einer grösseren Verbreitung der Petolen und der Sammetblätter Vorschub geleistet haben.

Unsere einheimische Goodyera repens giebt uns, wie schon gesagt, die ersten Winke. Diese wächst nämlich in schattigen Wäldern, hauptsächlich unter Moos und in einer erst kürzlich aus verwitterten Pflanzentheilen bestehenden und diese zum Theil noch ganz enthaltenden Erde. Am häufigsten findet man sie an Felsspalten oder auch auf steinigem Unterboden, wo sich beständig Feuchtigkeit sammeln und in Gleichmässigkeit erhalten kann. Deshalb fülle ich zunächst den Topf, worin ich eine Petole oder ein Sammetblatt einsetzen will und der vorher recht rein gewaschen worden ist, bis über die Hälfte mit Scherben oder Brocken von recht porösem Torfe und bringe eine lockere Mischung von Torfmoos (Sphagnum), Torf, Topfscherben und Kohle darauf. Am besten thut man, wenn man den Topf in einen etwas ungefähr 2 Zoll mehr im Durchmesser enthaltenden grössern setzt und den Zwischenraum, so wie den Boden, wiederum mit Torfmoos ausfällt. Nur dieser Zwischenraum muss, aber stets mit Vorsicht, in so weit gegossen werden, dass der Inhalt nicht allein feucht ist, sondern auch Feuchtigkeit an den Topf abgeben kann. Gespritzt darf nie werden. Auf die Oberfläche des innern Topfes, der die Pflanzen enthält, lege ich ebenfalls Torfmoos, aber nur die lebensfähigen Spitzen. Ich habe immer gefunden, dass diese weit besser die Feuchtigkeit erhalten, als namentlich Selaginellen. Sie bleiben das ganze Jahr hindurch grün und überwuchern nie die Pflanze, welche doch immer im Topfe die Hauptsache ist und bleiben muss. Darüber setzt man nun eine Glasglocke. Da nie flüssiges Wasser auf ein Blatt kommen darf, — denn wie dieses geschieht, bilden sich auf der Stelle, wo der Tropfen sitzt, Flecken, meist von scharlachrother Farbe, die immer grösser werden und zuletzt Löcher bilden, — muss man des Abends und des Morgens das Innere der Glocke mit einem trockenen Schwamme abwischen und überhaupt bisweilen nachsehen, ob sich nicht an der innern Wand der Glasglocke Wasser niedergeschlagen hat. Darin versehen es, meines Erachtens nach, die meisten Gärtner. Ist einmal ein Loch vorhanden, so frisst es immer weiter und das theure Pflänzchen geht zu Grunde.

Obwohl Erdpflanzen, so verhalten sich die Sammetblätter und Petolen doch mehr den auf Bäumen wachsenden, also epiphytischen, Orchideen ähnlich. Sie bedürfen daher eine Zeit der Ruhe mit geringerer Temperatur und auch mit weniger Feuchtigkeit; man hat deshalb grade im Winter darauf zu achten, dass ihr diese Erfordernisse, nämlich 12 Grad, geboten werden. Im Sommer hingegen, also in der Periode ihres Wachsthums giebt man ihnen aber eine erhöhte Wärme (18 bis 20 Grad) und mehr Feuchtigkeit, schützt sie jedoch stets gegen die direkte Sonne. Viele versehen es dadurch, dass sie die Pflanzen im Winter warm stellen und fortwachsen lassen. Diese treiben dann allerdings weit mehr als im Sommer, spindeln sogar und gehen oft schon im Frühlinge zu Grunde.

Sollten sich die Anfänge von Blüthen zeigen, so thut man am besten, diese abzuschneiden, um durch das Blühen nicht die ganze Pflanze zu schwächen. Man erhält durch dieses Verfahren dann auch Gelegenheit, sich neue Pflänzchen heran zu ziehen, indem sich nämlich in den untern Blattwinkeln und am Rhizome Knospen bilden, die sich schnell vergrössern und alsbald abgenommen werden können. Man kann die Pflanze in ihrer Neubildung noch dadurch unterstützen, dass man sie dicht am Winkel eines Blattes halb durchschneidet und ihr etwas Bodenwärme giebt. Viele glauben, dass die Petolen und Sammetblätter, weil sie aus heissen Klimaten stammen, überhaupt der Bodenwärme bedürften; das ist aber durchaus nicht der Fall. Giebt man sie ihnen doch, so ist die Folge, dass, in sofern sie nicht an und für sich selbst schon spindeln sollten, sie wenigstens mehr in die Höhe wachsen und dadurch die Blätter zum Theil den herrlichen Sammetglanz verlieren. Je gedrängter die Pflanze aber wächst und je näher die Blätter stehen, um desto hervortretender ist die Farbenpracht.

Die Zahl der bis jetzt in den Gärten kultivirten Petolen und Sammetblätter, mit Einschluss der Pogonia discolor Bl., beträgt 11; davon besitzt die eine uns unbekannte Art nur Veitch in England und eine befindet sich nur in der Linden'schen und Augustin'schen Gärtnerei zu Brüssel und Potsdam. Beide sind, wie die Pogonie, noch nicht im Handel.

Die beiden Genera Anectochilus Bl. und Physurus C. L. Rich. stehen sich sehr nahe. Alle Arten bilden kurze, etwas fleischige und mehr oder weniger walzenförmige Wurzelstöcke (Rhizome), welche unten allmählig absterben, nach vorn aber weiter wachsen und daselbst auch neue Knospen bilden, die sich zu kurzen und einige Zoll hohen Stengeln mit wenigen (3 - 6) und abwechselnden Blättern erheben. Die letzteren stehen wagerecht ab, sind mehr oder weniger eiförmig, bisweilen auch mit herzförmiger Basis versehen und gewöhnlich spitz zulaufend. Ausgezeichnet ist, wie schon gesagt, ihre Oberfläche durch den sammetartigen, bisweilen metallischen Glanz und durch die verschieden gefärbte Nervatur und Aderung. Ein Blattstiel ist stets vorhanden, wenn auch in der Regel nur kurz; seine untere Hälfte umfasst den Stengel scheidenartig. Die Blüthen erscheinen in einer endständigen Aehre oder Traube, sind in der Regel unscheinlich und von weisser oder röthlicher Farbe.

Anectochilus und Physurus sind auch im Habitus verwandt; sie unterscheiden sich hauptsächlich durch das Vaterland und durch die Färbung der Blätter, indem die Arten des zuerst genannten Geschlechtes nur in Ostindien, mit Einschluss der Inseln, zu Hause sind und einen intensiveren Sammetglanz mit röthlich-goldgelber, sehr selten weisser Aderung haben, die von Physurus hingegen mit geringen Ausnahmen der Neuen Welt angehören und neben der freudig-grünen Färbung einen Silberglanz besitzen. Der Blüthenbau ist bei beiden ebenfalls sehr ähnlich. Bei Anectochilus befinden sich an der Basis des Stigma's meist noch 2 sogenannte Schwielen, die bei Physurus fehlen. Dieser besitzt hingegen einen deutlichen Sporn, während die Arten von Anectochilus nur eine sackförmige Erweiterung haben. Bei beiden ist übrigens nach der Basis zu die Lippe mit einer stielförmigen Verschmälerung versehen und diese nur bei Anectochilus am Rande gezähnt oder mit langen, borstenförmigen Wimpern besetzt. Der oberste Theil der Lippe, die Platte, ist bei Physurus ausgerandet und besitzt eine kurze Spitze, bei Anectochilus aber ist sie tief zweitheilig. Dagegen hat wiederum A. Lowii Hort. weder die obengenannten Schwielen, noch die tief-zweitheilige Lippe. Deshalb bildete Morren ein neues Genus „Dossinia" daraus. Lindley hingegen vereinigte die Art, zumal die Pollinien zweitheilig, nicht zweilappig sind, mit Cheirostylis, einem Genus, was durch die eigenthümliche, tief zweitheilige, oben gekerbte und horizontal abstehende Lippe leicht erkenntlich ist. Aber auch dieses Genus hält Blume selbst, der es bildete, für zu nahe verwandt mit Anectochilus.

1. Anectochilus Lowii Hort. (Cheirostylis marmorata Lindl., Dossinia marmorata Morr.) Diese schönste aller Petolen wurde von Low auf Java entdeckt und kam bereits 1847 direkt an Verschaffelt, der sie zu Ehren ihres Entdeckers Anectochilus Lowii nannte und sie unter diesem Namen verbreitete. Zuerst untersucht wurde sie von dem Herausgeber und Gründer der Belgique horticole, dem Professor Karl Morren zu Lüttich, und erhielt, da dieser eben die Pflanze für generisch verschieden glaubte, in Annales de Gand, Tom. IV. t. 193 den Namen Dossinia marmorata, zu Ehren des Nestors der belgischen Botaniker, Dossin, in Lüttich. Nach Lindley (Flore des serres IV. t. 370) jedoch gehört sie, wie schon gesagt, zu Cheirostylis. So erhielt die Pflanze in kurzer Zeit 3 Namen.

Ich will nun versuchen, die Schönheit der oberen Blattfläche zu schildern, wenn es mir auch nur wenig gelingen sollte. Die Abbildung in Flore des serres, sowie in den Annales de Gand bleibt hinter der Wirklichkeit zurück. Auf schönem und dunkel-sammetgrünem Untergrunde, wo aber bei ältern Blättern ein röthlicher Schimmer sich zeigt, ziehen sich zunächst ein zwar ziemlich breiter, aber in der Kontur nicht bestimmter Mittelnerv von karmoisin-grüner Farbe und ausserdem auf jeder Seite und in ziemlich gleicher Entfernung 2 andere scharf gezeichnete Nerven von reinkarmoisiner Färbung von unten nach oben. Weit feiner und mehr ins Grüne spielend sieht man aber endlich zwischen dem Mittel- und dem ersten seitlichen Hauptnerven noch 2 feinere, einen dritten zwischen den beiden seitlichen Hauptnerven selbst und einen vierten zwischen dem äussern der letztern und dem Rande. Demnach sind auf jeder Seite zusammen 6, im Ganzen aber 13 Längsnerven vorhanden. Zu dieser wunderschönen Zeichnung kommt nun noch eine Aderung in Form von ziemlich breiten, unregelmässigen und zum Theil mit einander, aber stets mit den Längsnerven in Verbindung stehenden Querlinien von smaragdgrüner Farbe und röthlichem Schimmer. Das ganze Blatt wird bis zu 2 Zoll lang, hingegen nur 1½ Zoll breit und bildet eine Wölbung mit übergebogener Spitze und Basis.

2. Anecochilus intermedius Hort. Eine, soviel ich weiss, noch gar nicht beschriebene Art, welche erst seit wenigen Jahren sich in den Gärten befindet und ohne Zweifel ebenfalls von Java oder von einer anderen der grössern Sunda-Inseln stammt. Hinsichtlich ihrer Schönheit steht sie dem A. Lowii kaum nach, in der Grösse gleicht sie ihr vollkommen. Die Blätter stehen zwar ebenfalls horizontal ab, sind aber nicht gewölbt, sondern flach. Die Grundfarbe ist in der Jugend ein eigenthümliches Schwarzgrün mit Sammetglanz, wo aber schon zeitig sich ein bräunlicher Schimmer zeigt, bis endlich ein dunkelgrün-brauner Grund sich durchaus geltend macht. Ausser der Mittelrippe durchziehen noch auf jeder Seite 3 rothe Längsnerven die Blattfläche; endlich zeigt sich aber in der obern Hälfte derselben und zwar auf beiden Seiten des ebenfalls rothen Mittelnervs ohngefähr 1½ Linie breit noch eine mehr oder weniger abstechende, spahngrüne Färbung. Anstatt der unregelmässigen und zum Theil verästelten Querstreifen ist hier ein in der Mitte engeres, nach der Basis hin aber weiteres Adernetz von ebenfalls rother Färbung vorhanden.

3. Anecochilus Roxburghii Lindl. (A. Lobbianus Planch., A. latomaculatus und xanthophyllus Hort., A. setaceus pictus Hort., Chrysobaphus Roxburghii Wall.) In der Regel wird diese Art mit der nächsten verwechselt, von der sie aber hinlänglich verschieden ist. Ob in der That A. Lobbianus und Chrysobaphus Roxburghii identisch sind, muss spätern Vergleichungen mit lebenden Pflanzen überlassen bleiben. Wallich fand die letztere an den Bergen Nepal's, beschrieb sie, gab ihr den Namen zu Ehren Roxburgh's, eines Mannes, der sich um die ostindische Flora sehr verdient gemacht hat, und bildete sie in seinem Tentamen florae nepalensis t. 27 ab. Ausserdem wächst diese oder eine sehr ähnliche Pflanze auf Amboina, in Silhet und überhaupt in den Gebirgen der ostindischen Halbinsel, so wie endlich auf Ceylon, insofern man sie nicht wiederum mit der nächsten Art verwechselt hat.

A. Lobbianus ist eine zwar ebenfalls reizende, aber weniger brillante Art. Van Houtte erhielt sie im Jahre 1848 von Th. Lobb (einem von Low verschiedenen Reisenden ziemlich derselben Länder.) und bildete sie in der Flore des serres. Tom. V. tab. 519 ab. Ob sie ebenfalls von Java oder vielleicht auch von Singapur kam, weiss man nicht genau. Wahrscheinlich gelangte die Pflanze später direkt nach England und wurde daselbst unter dem Namen A. latomaculatus in den Gärten verbreitet. Das Blatt ist etwas kleiner, aber im Verhältniss zur Breite länger als bei den beiden bis jetzt genannten Arten. Ausgezeichnet ist die Pflanze durch die zwiefache Grundfarbe, indem ein elliptisches und nach aussen durch einen schärfer hervortretenden Nerven abgegränztes Mittelfeld eine spahngrüne, das übrige Blatt aber auf beiden Seiten eine dunkelgrüne Sammetfarbe besitzt. Das Mittelfeld ist ausserdem auf beiden Seiten des Mittelnervs von einem deutlichen und meist noch von 2 undeutlichen Längsnerven, so wie von einer ziemlich dichten Aderung, welche mit jenen eine fahl-rosenrothe Färbung besitzt, durchzogen. Der auf beiden Seiten des Mittelfeldes liegende und ziemlich eben so breite Theil des Blattes wird endlich in seiner Mitte ebenfalls von einem und gewöhnlich noch gegen Rand hin von einem zweiten, aber weniger deutlichen Nerven durchzogen, die beide, nebst den weitläufigen und den gegen die des Mittelfeldes schwächeren Querbändern der Aderung, eine mehr goldgelbe Farbe, meist aber mit karmoisinrothem Anstriche besitzen.

4. Anecochilus setaceus Bl. (Anecochilus aureus Hort.) Der Herzog von Northumberland bekam diese nicht minder schöne Art im Jahre 1836 von der Insel Ceylon und sein Gärtner brachte sie schon im nächsten Jahre zur Blüthe. Ein Jahr darauf erhielt sie auch der Herzog von Devonshire, sowie der botanische Garten in Kew. Seitdem hat sie sich von allen Arten in den Gärten des Kontinentes am meisten verbreitet, bleibt aber wegen ihrer schwierigen Kultur und noch schwierigeren Vermehrung immer noch eine theure und selbst seltene Pflanze.

In Form und Grösse, in Nervatur und Aderung des Blattes steht diese Petole der A. Roxburghii Lindl. am nächsten, unterscheidet sich aber hauptsächlich dadurch, dass nur eine Grundfarbe und zwar die dunkelgrün-braune vorhanden ist. Ausser dem Mittelnerven durchziehen noch 2 Längsnerven von gelb-fleischfarbenem Ansehen jede Seite des Blattes. Dazu kommen aber ein schwacher, längs des Randes laufender Nerv und ein zweiter, so wie ein dritter auf beiden Seiten nahe der Mittelrippe. Die ziemlich breite Aderung ist dichter in der Mitte des Blattes bis zum ersten Nerven, schwächer von da nach dem Rande zu.

5. Anecochilus argyroneurus Nob. Diese Pflanze befindet sich unter dem falschen Namen A. Lobbianus in

einigen Gärten, ist aber eine ganz bestimmt verschiedene Art, der wir einstweilen diesen Namen gegeben haben, da sie uns noch nicht beschrieben zu sein scheint.

Die Blätter sind im Durchschnitte etwas kleiner und haben, wenigstens im ausgewachsenen Zustande, eine stumpfe Spitze. Die Grundfarbe ist ein dunkeles Sammetgrün, auf dem ausser der Mittelrippe noch auf jeder Seite 4 undeutliche, zum Theil unterbrochene Längsnerven von fast silberiger Färbung in der Weise vertheilt sind, dass die 3 innern Nerven ohngefähr 2 — 2½ Linien von einander entfernt sind, während der vierte doppelt so weit von dem dritten die Fläche durchläuft und zum Theil gar nicht deutlich unterschieden werden kann. Die unregelmässigen Querstreifen sind ebenfalls wenig markirt und auch weit geringer an der Zahl als bei A. Lowii.

6. **Anecochilus striatus** Hort. Soviel uns bekannt ist, hat die bereits in mehrern Gärten befindliche und von den übrigen Arten sehr abweichende Pflanze noch keine botanische Beschreibung erhalten. Ob sie überhaupt zu Anecochilus gehört, wird sich erst herausstellen können, wenn sie in Blüthe untersucht ist. Wir haben sie zuerst von Booth in Hamburg erhalten, der sie wiederum Rollisson verdankt.

Die Blätter sind sehr schmal (3—4 Linien breit), dagegen bis 1½ Zoll lang, und haben eine schmal-elliptische Gestalt. Sie stehen wagerecht ab, und besitzen einen Stiel, der den Stengel umfasst. Ausser dem Mittelnerven sind keine anderen, noch ist eine Aderung vorhanden. Die Farbe ist ein dunkeles Sammetgrün; aber ausserdem zieht sich genau in der Mitte ein schmaler und schmutzig-rosenrother Streifen von unten nach oben.

7. **Physurus pictus** Lindl. (Anecochilus pictus argenteus Hort., Physurus pictus reticularis Rchb. fil., Microchilus pictus Morr.) Nach Morren befindet sich diese Art schon seit 1805 in den Gärten und stammt von der zu Brasilien gehörigen Insel Trinidad. Es scheint jedoch, als wenn sie im Jahre 1843 von Neuem direkt aus Brasilien wiederum nach England gekommen wäre und von da weiter verbreitet wurde. Eine ziemlich gute Abbildung mit einer sorgfältigen Beschreibung hat Karl Morren in Annales de Gand Tom. I. t. 18 geliefert. Die Blätter haben ohngefähr 1¾ Zoll Länge, aber nur gegen 10 Linien Breite und besitzen eine länglich-lanzettförmige Gestalt. Ein an der Basis ziemlich breites Mittelfeld von grau-silberfarbenem Glanze verschmälert sich in lanzettförmiger Gestalt nach der Spitze zu. Ausser dem vertieften und glänzend-grünen Mittelnerven ziehen sich auf jeder Seite ein oder zwei andere und schwächere nach der Spitze. Zwischen dem Mittelfelde und dem Rande befindet sich endlich auf grünsammetfarbigem Grunde ausser 2 schwachen Nerven noch eine grau-silberglänzende Aderung.

8. **Physurus argenteus** Hort. (Ph. pictus holargyrus Rchb. fil.). Wiederum, wie es scheint, eine noch unbeschriebene Pflanze, die häufig mit der vorigen verwechselt wird und nach Loudon schon gegen das Jahr 1843 in die Gärten kam. Sie möchte sich aber wesentlich unterscheiden. Die Blätter sind eirund-zugespitzt und haben meist eine herzförmige Basis. Ihre Oberfläche besitzt eine gleichmässige sammetgrüne Färbung, die aber auf jeder Seite durch 4, bisweilen auch 5 silberglänzende Nerven, so wie durch eine ebenso gefärbte, aber nur aus unregelmässigen, nicht oder nur wenig verästelten und ziemlich breiten Querbinden bestehende Aderung unterbrochen wird.

9. **Spiranthes Eldorado** Lind. et Rchb. f. Erst im letztem Frühjahre erhielt Linden diese eigenthümliche und von den beiden bekannten Arten durch ihre Zeichnung abweichende Pflanze aus Brasilien und überliess ein Exemplar dem Augustin'schen Garten. Um sie einstweilen zu benennen, haben wir sie zu Physurus gebracht; es wäre aber wohl möglich, dass sie später einem andern, aber gewiss nahe verwandten Geschlechte zugezählt werden müsste. Steht auch die Art den übrigen Sammetblättern und den Petolen an Eleganz und Reichthum der Farben nach, so gehört sie doch ohne Zweifel zu den schönsten und interessantesten Neuheiten.

Die Blätter besitzen bei 10 Linien Breite an der Basis, eine Länge von 1½—1¾ Zoll und eine eirund-lanzettförmige Gestalt. Ausser dem Mittelnerven ist keine, weder sonst eine Nervatur, noch eine Aderung vorhanden. Dagegen befindet sich auf schmutzig-grünem, aber nicht metallisch- oder sammetartig-glänzendem Grunde eine aus kleinen, in Häufchen stehenden Flecken bestehende marmorirte Zeichnung von nicht rein-goldgelber Färbung.

10. **Pogonia discolor** Bl. (Cordyla discolor Bl., Rophostemon discolor Bl. et Lindl.) Eine zwar schon von Blume auf Java entdeckte, aber erst in der neuesten Zeit durch Blass in Elberfeld an die Augustin'sche Gärtnerei übergegangene Orchidee, die jetzt, wenige Zoll hoch, nur ein einziges eirundes Blatt von 2½ Zoll Länge und fast 2 Zoll Breite besitzt. Die dunkelbraune Oberfläche ist über und über mit hellrothen Borsten besetzt und ausserdem noch hier und da mit einigen grauen Nebelflecken versehen, während die Unterfläche eine violette Färbung hat. Von der Basis ziehen sich 7 erhabene und weissliche Leisten, allmählig mehr auseinander gehend, nach oben und verlieren sich im Rande. Dazwischen befinden sich seichte Längsvertiefungen, so dass das Blatt schwach gefaltet erscheint.

Der
Verein zur Beförderung des Gartenbaues in den Königlich-Preussischen Staaten zu Berlin.

Seit 36 Jahren hat sich dieser Verein um die Gärtnerei grosse Verdienste erworben. Es gründeten ihn 12 Männer im Jahre 1821, die von der Wichtigkeit der gesammten Gärtnerei ergriffen, auch in jeglicher Hinsicht befähigt waren, ihren Ansichten Geltung zu verschaffen und einen Einfluss auszuüben. Von diesen Männern leben leider nur noch 2, beide aber geistig eben so frisch, als körperlich kräftig und gesund. Was der eine, namentlich für die ästhetische Seite der Gärtnerei, für das Landschaftliche, gethan, das bezeugen nicht allein die Umgebungen von Berlin und Potsdam, sondern viele andere Anlagen, durch ganz Deutschland zerstreut, verdanken ihm das, was sie geworden sind. Neben dem Generaldirektor der Königlichen Gärten, Lenné, dem einen der beiden noch lebenden Stifter des Vereines zur Beförderung des Gartenbaues, ist der bereits im 82. Jahre stehende Oberhofgärtner Fintelmann in Charlottenburg bei Berlin fortwährend rüstig und steht dem ihm anvertrauten Garten noch auf gleiche Weise, wie vor 2 und mehr Jahrzehenden, vor.

Für dieses Mal ist der Raum zu beschränkt, um ausführlicher über genannten Verein zu sprechen. Er erfreut sich übrigens auch ausserhalb Preussen und Deutschland eines Namens und eines Ansehens, wie gewiss nur wenige Institute der Art, so dass er schon an und für sich hinlänglich bekannt ist, ohne dass man erst auf ihn aufmerksam machen müsste. Männer von Bedeutung suchen fortwährend eine Ehre darin, Mitglied desselben zu sein, und tragen eben dadurch nicht wenig bei, sein Ansehen zu vergrössern. Die wichtigsten verwandten Vereine, aber auch sonst wissenschaftliche Institute und gelehrte Akademien, selbst überseeische, stehen mit ihm in Verbindung und im Tauschverkehr der gegenseitigen Schriften.

Der Verein veranstaltet jährlich 2 grössere Ausstellungen, die eine am ersten Sonntage im April, wo der von Sr. Majestät dem Könige, dem erhabenen Protektor, allergnädigst überwiesene Jahresbeitrag zu Preisen bestimmt ist, die andere, die sogenannte Festausstellung, an dem den 21. Juni zunächst liegenden Sonntage. Wenn in der ersteren namentlich die neueren Erzeugnisse und Einführungen und die Einzelkulturen berücksichtigt werden, so zeichnet sich die letztere hauptsächlich durch ihre Gruppen und sonstigen Zusammenstellungen aus; das Schöne in der Gesammtheit der Pflanzen tritt hier gegen das Einzelne hervor. Es ist gar keine Frage, dass die Festausstellung im Juni ganz besonders zu der jetzt weit allgemeiner herrschenden Vorliebe zu Blumen und namentlich zu Blattpflanzen beigetragen hat und fortwährend beiträgt.

Aber auch ausserdem werden von Seiten des Vereines kleinere Ausstellungen, und zwar am letzten Sonntage in jedem Monate (mit Ausnahme von März und Juni, da dann die grösseren stattfinden), veranstaltet. Jedermann kann das, was gerade im ausstellbaren Zustande sich befindet, zur Kenntniss von Gärtnern und Laien bringen und wird überzeugt sein, dass es seine Würdigung erhält. Auch hier wird jedes Mal wenigstens ein Preis zur Vertheilung gebracht.

Mit dieser Monats-Ausstellung sind auch Versammlungen der Mitglieder verbunden. Alles was dem Vereine von auswärts an Abhandlungen, Berichten, Anfragen u. s. w. mitgetheilt wird, gelangt hier zur öffentlichen Kenntniss und hier und da zur weiteren Debatte. Hauptsächlich aber kommen von Seiten der anwesenden Mitglieder allerhand Beobachtungen, Erfahrungen u. s. w. zur Sprache. Dass unter solchen Verhältnissen manches Interessante und Wichtige vorgetragen wird, leuchtet wohl ein. Ausführlich ist Alles in den jährlich drei Mal erscheinenden Verhandlungen des Vereines (im Durchschnitt jährlich 30 Bogen gross Oktav) mitgetheilt und erhalten alle Mitglieder die einzelnen Lieferungen frei durch die Post zugesendet, ohne alle weitere Entschädigung als dem am Anfange jeden Jahres zu zahlenden Beitrag von 6 Thaler für die in Berlin und 4 Meilen im Umkreise und 4 Thaler für die übrigen. Damit aber das, was in jeder Versammlung verhandelt wird, wenigstens im Auszuge und möglichst schnell, zur allgemeinen Kunde komme, wird ferner von Seiten des damit beauftragten Generalsekretärs ein kurzer Bericht gleich nach jeder Versammlung in 3 der gelesensten Berliner Zeitungen veröffentlicht. Der Redaktion der Berliner Allgemeinen Gartenzeitung ist ebenfalls gestattet, gleich nach den Versammlungen einen kurzen Bericht in diesen Blättern mitzutheilen, was wir auch um so lieber thun, als der Inhalt dadurch nur gewinnen kann. Wer jedoch sich in irgend einem verhandelten Gegenstande weiter belehren will, den müssen wir füglich auf die ausführlicheren Verhandlungen verweisen.

In der Versammlung am 30. November berichtete der Gutsbesitzer v. Türk in Potsdam über eine von Seiten des Kreisgerichtsoffizziales Schmal in Jungbunzlau in Böhmen eingesendete Abhandlung über das durchaus nothwendige Einstutzen der Obstbäumchen beim Versetzen: v. Türk meinte ebenfalls, dass man nie das Messer zu viel anwenden könnte. Beide Herren legten übrigens auf die sogenannten Haarwürzelchen für die Ernährung eines Baumes nicht allein gar kein Gewicht, sondern sprachen ihnen sogar allen Einfluss für die Ernährung ab.

Die Yams-Bataten (die rübenähnlichen Wurzelgebilde der Dioscorea Batatas), welche der Obergärtner des Vereins, E. Bouché, zur Verfügung stellte, wurden später bei Tische zubereitet versucht. Die Mittelstücke waren sehr mehlreich und schmackhaft, vermögen aber doch keine gute Kartoffel zu ersetzen; die beiden Enden erschienen dagegen sehr mittelmässig.

Der Obergärtner Gireoud im Nauen'schen Garten zu Berlin legte einen Zweig der chilenischen Myrtus Ugni mit einem Paar reifen Früchten vor. Genannte Pflanze wird jetzt der letztern halber, da diese sehr schmackhaft sind, in England kultivirt.

Derselbe übergab auch 2 Kolben der Monstera Lennea (Philodendron pertusum), von denen der eine reif war. Die einzelnen Beeren haben einen ausserordentlich angenehmen Geschmack. Man muss sich nur hüten, den sogenannten Deckel, d. i. den dicht mit etwas stechenden Raphiden, (wie man die innerhalb der Zellen sich bildenden nadelförmigen Krystalle nennt) besetzten dicken Griffel mit zu geniessen, sondern man muss diesen erst abstossen, was übrigens sehr leicht geschieht. Der Generalsekretär des Vereines, Professor Koch, empfahl die Monstera als eine der schönsten und interessantesten Blattpflanzen für die Zimmer, da diese Art gar nicht empfindlich ist und selbst eine geringere Temperatur aushält. Handelsgärtner sollten sich überhaupt bemühen, besonders Pflanzen auf den Markt zu bringen, welche auch im Zimmer gedeihen. Die Priem'sche Gärtnerei in Berlin, deren Besitzer gegenwärtig war, kann von dieser Pflanze Liebhabern abgeben.

Der Obergärtner der Frau Banquier Friebe in Wilmersdorf, Pilder, legte sogenannte Rheinische Schwarzwurzel vor, die jedoch der Vorsitzende, Professor Braun und der Inspektor des botanischen Gartens, C. Bouché für Haferwurzeln, also für die Wurzel von Tragopogon porrifolius erklärten.

Der Hofgartenmeister Borchers in Herrenhausen bei Hannover hatte eine Abhandlung über künstlichen Trüffelbau eingesendet. Auch Dr. Klotzsch berichtete, früher im Thiergarten gelungene Versuche mit künstlichem Trüffelbau gemacht zu haben.

Dr. Bolle, der erst vor kurzer Zeit von einer Reise von den Kanaren zurückgekehrt war, übergab dem Vereine eine Reihe höchst interessanter lebender Pflanzen, unter andern Euphorbia atropurpurea, Pancratium canariense, Statice brassicaefolia, mehre Aeonium's, (wie die dortigen Sempervivum's heissen), und ausserdem über 100 verschiedene Sämereien. Er berichtete ferner über mehre Kulturpflanzen und ganz besonders über die Cucurbitacee: Sechium edule.

Der Garteninspektor Bosse in Oldenburg theilte mit, dass er den in Gewächshäusern so lästigen Blasenfuss (Thrips haemorrhoidalis), eins der schädlichsten Insekten, durch Räucherung mit Persischem Insektenpulver vollständig vertrieben habe. Nach Professor Koch und Priem wird auch in hiesigen Gärten genanntes Pulver vielfach gegen Gewächshaus-Ungeziefer angewendet.

Der Oberhofgärtner Fintelmann in Charlottenburg berichtete über einen gefüllten Mandelbaum auf der Pfaueninsel, der früher bisweilen einzelne saftige Früchte (also Pfirsiche) mit keimfähigen Samen getragen habe.

Der Gartenkondukteur Hartwig in Ettersburg bei Weimar übergab eine Abhandlung über Anlagen von Felspartien, die zur Berichterstattung dem Generaldirektor Lenné überwiesen wurde.

Schliesslich verkündete der Vorsitzende, Professor Braun, den Ausspruch der Preisrichter, wornach die Billbergia Leopoldi des botanischen Gartens den ersten und die Cattleya marginata Pаxt., var. Pinelli den zweiten Preis bekam.

Es waren ausser den 30 und mehr Töpfen, welche jedes Mal zur Verloosung an die anwesenden Mitglieder kommen, noch 7 blühende Orchideen des Handelsgärtners Allardt und 18 verschiedene, fast durchaus blühende Pflanzen durch den Inspektor des botanischen Gartens, C. Bouché, ausgestellt. Unter den letztern befand sich ausser der in der That prächtigen und, wenn wir nicht irren, von van Houtte in Gent zuerst eingeführten Bromeliacee: Billbergia Leopoldi Hort. mit ihren zinnoberrothen Deckblättern und Kelchen, dagegen violetten Kronblättern noch: Puya sulphurea Hort. Herrenh., die aber von der bereits unter diesem Namen im botanical Magazin tab. 4006 abgebildeten Pflanze, welche ganz glatt und nicht bestäubt ist, verschieden zu sein scheint. Wegen ihres dichten Blüthenstandes und der auf beiden Seiten mit linienförmigen Anhängseln versehenen Eichen gehören beide zu Neumannia.

Macrostigma tupistroides Kth et Bouché gehört mit der bekannteren Plectogyne mit weissstreifigen Blättern zur Familie der Aspidistreen, welche sich durch Habitus und grosse Narbe vor allen andern Liliaceen auszeichnen. Wegen der schönen und grossen, denen des Maises mehr ähnlichen Blätter, die immer ihr frisches Grün behalten, verdient die Grossnarbe — denn dieses bedeutet Macrostigma — mehr Berücksichtigung.

Centaurea gymnocarpa Mor. et Not. ist eine Flokkenblume, welche bis jetzt nur auf der Insel Capraja.

die nicht weit von Elba und östlich von Korsika liegt, gefunden wurde und wegen ihres silbergrauen Ueberzuges, so wie wegen der hübschen Form ihrer doppeltgefiederten Blätter nicht genug für das Kalthaus zu empfehlen ist. Sie ist weit schöner als die Cineraria maritima L. (Senecio Cineraria DC.)

Eupatorium biceps des Berliner botanischen Gartens ist eine mexikanische Pflanze für die Kalthäuser, die wegen ihrer in der That üppigsten Blüthenfülle in einer sonst an Blumen armen Zeit durch keine andere Pflanze ersetzt werden kann.

Endlich machen wir noch auf ein Pflänzchen aufmerksam, da es im Zimmer erzogen war und Monate lang darin wegen des Blüthenreichthumes eine wahre Zierde desselben darstellte. Es ist dieses die Gesneriacee: **Conradia floribunda** Dne. (Rhytidophyllum floribundum Brongn., früher auch als Gesneria Libanensis in den Gärten). Der Magistratsbuchhalter **Richter** in Berlin, ein eifriger Blumenzüchter für das Zimmer, hatte die Pflanze ausgestellt.

Lepachys columnaris T. et Gr. β. pulcherrima. (Obeliscaria pulcherrima Cass. Ratibida columnaris Sweet und Rudbeckia Drummondi Paxt.)

„Diese neue und ausgezeichnete harte Staude, (Obeliscaria pulcherrima Paxt.), die in der November-Nummer des Florist, Fruitist und der Garden Miscellany abgebildet ist, wurde durch uns wieder eingeführt und blüht jetzt zum ersten Mal. Wegen ihrer lang andauernden Blüthezeit und wegen der brillanten Farben in der Blume, wie beiliegende und von Andrew angefertigte Abbildung zeigt, ist die Pflanze ganz besonders zu empfehlen. Preis 5 Pfund Sterling (über 35 Thaler) die Unze Samen."

Diese Anzeige schickten englische Handelsgärtner mit der Abbildung nach dem Kontinente, und demnach auch nach Deutschland, und forderten zum Ankaufe des Samens auf; wir erlauben uns jedoch vor den Ankauf des Samens zu warnen, da die Pflanze in deutschen und belgischen Gärtnereien für 8 Sgr. zu haben ist. Sie war schon vor 2 Jahrzehenden in England und wurde alsbald von da nach dem Festlande gebracht. Beschrieben finden wir sie zuerst 1838 in Sweet british Flower Garden, 2. ser. Tom. IV, und als Ratibida columnaris β. pulcherrima auch abgebildet auf der 361. Tafel. Ein Jahr später beschrieb sie Paxton in seinem Magazin of botany Tom. IV, p. 51, aber unter dem Namen **Rudbeckia Drummondii**. Die letztere Benennung kam übrigens, wie die Pflanze selbst in England und in Nordamerika, bald wieder in Vergessenheit, der Name wurde sogar in der Flora von Nordamerika von Torrey und Gray, wo die Art Lepachys columnaris heisst, gar nicht als Synonym erwähnt, während die Pflanze grade mit ihm in Deutschland und in Frankreich fortwährend kultivirt wurde. Wir verdanken ihre Einführung dem unermüdlichen Reisenden **Drummond**, der leider auch später den Mühen unterlag und in Kuba an einem bösartigen Fieber starb. Er sammelte den Samen 1834 in Texas und schickte ihn nach England, wo die Gärtnerei von **Miller** in **Bristol** im Jahre 1837 die ersten blühenden Pflanzen hatte.

Lepachys columnaris T. et Gr. β. pulcherrima wird immer eine mehr seltene Pflanze bleiben, da sie eines Theils als eine an ein wärmeres Klima gewöhnte Art, besonders wenn der Herbst bald eintritt, gar keinen oder nur wenig Samen ansetzt, und andern Theils zu den südländischen Pflanzen gehör, welche zwar gleich im ersten Jahre ihrer Aussaat blühen, aber doch Stauden sind, in der Regel jedoch nur eine kurze Dauer haben. Diese Art Pflanzen lassen sich auch nicht zertheilen, wie sonst die Stauden, und besonders die mehrjährigen **Rudbeckien**, sondern man schafft sich in Deutschland nur durch Aussaaten Vermehrung, während man in Frankreich Stecklinge macht, die leicht anwachsen und schnell blühbare Pflanzen geben, weshalb wir dieses Verfahren auch bei uns empfehlen. Bei der Aussaat muss man sehr frühzeitig anfangen und die Samen schon im März in ein halbwarmes Mistbeet bringen. Von da setzt man die Pflänzchen einzeln in Töpfe und dann Ende Mai in das Land.

Besagte Pflanze, Obeliscaria pulcherrima Don, unterscheidet sich von Rudbeckia columnaris Pursh, jetzt Lepachys columnaris T. et Gr., also durch die nicht durchaus gelben, sondern zum Theil braunen Strahlenblüthchen, und wird deshalb nur als Abart betrachtet. Die Hauptart scheint jedoch eine ächte Staude zu sein, die einen wahren und leicht zu zertheilenden Wurzelstock (Rhizom) bildet.

Samen-Katalog.

Der heutigen Nummer liegt das Verzeichniss für 1857 der Sämereien und Pflanzen von **Ernst Benary**, Kunst- und Handelsgärtner in Erfurt bei. Indem er dasselbe zur geneigten Durchsicht empfiehlt, bittet er Aufträge ihm gefälligst bald zukommen zu lassen und werden dieselben in gewohnter Weise prompt und reell ausgeführt werden.

D. R.

Verlag der Nauckschen Buchhandlung. Berlin. Druck der Nauckschen Buchdruckerei.

Allgemeine Gartenzeitung.

Herausgegeben

von

Professor Dr. Karl Koch.

General-Secretair des Vereins zur Beförderung des Gartenbaues in den Königl. Preussischen Staaten.

Inhalt: Die Kolokasien und Xanthosomen. Von Karl Koch und Kreutz. — Die Sibirische Kürbelrübe. Von Jühlke. Bücherschau: Koch's Gartenkalender.

Die

Kolokasien und Xanthosomen.

Vom Prof. K. Koch und Obergärtner Kreutz im Kriebeldorf'schen Garten zu Magdeburg.

Es ist hinlänglich bekannt, dass die Kolokasien, obwohl sie schon seit einigen Jahrhunderten kultivirt werden, bei uns nicht blühen wollen; es erinnern sich selbst Männer nicht, welche 30 Jahre lang und länger einer eigenen und grössern Gärtnerei vorstanden und alle Anstrengungen machten, um die Pflanze zum Blühen zu bringen, einen Erfolg gehabt zu haben. Bevor wir jedoch weiter berichten, erlauben wir uns vor allem, wenn auch nur Laien und weniger mit botanischen Namen vertraute Pflanzenliebhaber, darauf aufmerksam zu machen, dass man aus alter Gewohnheit meist unter Kolokasia die Calla aethiopica L. (jetzt, zumal sie gar nicht in Aethiopien, sondern in Südafrika wächst, Richardia africana Kth), versteht, wir aber hier die schönen Blattpflanzen, welche früher, und zum Theil noch jetzt, unter dem Linné'schen Namen, „Arum Colocasia", nun aber richtiger als Colocasia antiquorum, kultivirt werden, verstanden haben wollen. In früheren Zeiten, wo man die Pflanze vielleicht mit mehr Sorgfalt in den Warmhäusern kultivirte, scheint sie häufiger Blüthen hervorgebracht zu haben, als jetzt, wo nur Schott, der Gartendirektor in Schönbrunn bei Wien, blühende Kolokasien gehabt haben will. So viel ist jedoch gewiss, dass wir bis auf den heutigen Tag weder eine gute Abbildung mit den nöthigen Analysen, noch eine korrekte Beschreibung besitzen. Wir behalten uns deshalb vor, in einer der späteren Nummern beide nachträglich zu bringen.

Um so erfreulicher ist es nun, dass es dem einen Verfasser dieser Abhandlung, dem Obergärtner Kreutz, der dem schönen Garten des Fabrikbesitzers Kriebeldorf in Buckau bei Magdeburg vorsteht, gelungen ist, endlich einmal wiederum in unserem nordischen Klima eine Kolokasie zum Blühen gebracht zu haben. Zur weiteren und genaueren Untersuchung sind dem Herausgeber dieser Blätter 2 Blüthen zur Verfügung gestellt worden.

Die blühende Pflanze stand in dem Boden eines Warmhauses, worin grösstentheils Palmen und andere Blattpflanzen kultivirt wurden. In der Mitte desselben ist der Länge nach ein von Mauer eingeschlossenes Beet, was früher mit Schutt und Erde ausgefüllt war, zum Aufstellen der Pflanzen angebracht; in ihm befand sich nun mehr nach der einen Seite hin ein kleiner, 4 Zoll ins Quadrat enthaltender Fleck, der zur Aufnahme der für die Wand bestimmten Schlingpflanzen diente und Haideerde, nebst verrotteten Laube und Mist, enthielt. Hier fand ich im Januar des verflossenen Jahres — ich weiss nicht, ob früher absichtlich dahin gebracht oder nur zufällig — eine kleine Knolle der Kolokasia mit 2 oder 3 kaum 5—6 Zoll grossen Blättern. Da die Pflanze eben nicht weiter beachtet wurde und auf ihrem Standorte auch nicht die nöthige Nahrung erhielt, so besass sie ein sehr kümmerliches Ansehen.

Im März war ich mit dem Verpflanzen fertig und ging an die Umarbeitung des Beetes. Ich liess Schutt und Erde herausschaffen und dafür Pferdedünger und Gerberlohe hineinbringen; der oben bezeichnete Fleck des Beetes war jedoch unverändert geblieben. Unter diesen Umständen erhielt ich bald eine Bodenwärme von 25—30° R., die der Kolokasie, zum Theil wenigstens, ebenfalls zu Gute kam. Die Pflanze erhielt schnell ein ganz anderes Ansehen, wuchs rasch und hatte schon im Mai Blätter von 2½ Fuss Länge. Nun erst wurde ich auf die immer üppiger wachsende Pflanze aufmerksam und widmete ihr eine grössere Sorgfalt. Bis dahin war sie wenig begossen worden, was ich jetzt auf alle Weise nachzuholen suchte, so dass sie nun täglich ohngefähr 20 Quart Wasser erhielt. Um sie ferner in ihrem Wachsthume mehr zu unterstützen, mischte ich dem Wasser noch an jedem dritten Tage eine schwache Guano-Lösung — 1 Esslöffel auf eine Giesskanne, welche 12 Quart fassen konnte — bei. Es war in der That wunderbar, wie in noch höherem Grade, die anfangs so ärmliche Pflanze gedieh. Die Wurzeln drangen tief in den anliegenden Pferdedünger. In kurzer Zeit hatten sich nach und nach 10—12 bis 5 Fuss lange und über 3½ Fuss breite Blätter auf 7 Fuss langen Stielen gebildet.

Ende Juli begann die Kolokasie eine Menge Seitentriebe zu machen, die aber sämmtlich entfernt wurden, damit alle Nahrung der Pflanze selbst zu Gute kommen konnte. Wie die untern Blätter allmählig abstarben, bildeten sich nach oben neue. Dadurch entstand ein kurzer Stamm, der zuletzt einen Umfang von mehr als 19 Zoll besass. Mitte September waren plötzlich die neuen Blätter kleiner und hatten nur noch eine Länge von 4 Fuss 2 Zoll. Das Wachsthum war auch träger geworden; während früher alle 8 bis 10 Tage ein neues Blatt hervorkam, dauerte es jetzt fast die doppelte Zeit.

Da zeigte sich plötzlich, ziemlich am Ende der scheidenartigen Ränder eines Blattstieles, eine Anschwellung, die täglich grösser wurde und mich bald von der Gegenwart der Blüthen überzeugte. In den letzten Tagen des Oktobers trat die erste schon heraus und hatte sich am 1. Nov. vollständig entwickelt. Am 6. desselben Monates erschien eine zweite und am 12. eine dritte. Nur die beiden ersten schienen sich vollständig ausgebildet zu haben, sassen auf noch 1 Fuss und mehr aus den scheidenartigen Blattstiel-Rändern herausragenden Stielen und hatten selbst eine Länge von über 2½ Fuss. Die Blumenscheide (Spatha) besass eine gelbe, etwas ins Orangenartige gehende Farbe und erschien lederartig, hatte also eine mehr dickliche Konsistenz. Ihr unterster ohngefähr 3½ Zoll Länge enthaltender Theil war zusammengerollt, besass eine längliche Figur und schloss den Theil des Kolbens ein, der die Stempel und die verkümmerten Staubgefässe enthielt. Die übrige Blumenscheide war gleich an der Basis, ziemlich bis zu einem rechten Winkel, zurückgebogen und kahnförmig. Im ersten Drittel betrug die Breite der kahnförmigen Vertiefung über 3 Zoll; diese nahm aber nach oben zu allmählig ab, bis die Scheide endlich wiederum nach dem obern Ende zu zusammengerollt erschien und nun spitz zulief. So gibt die Blumenscheide auch Rumph in seinem Herbarium amboinense V, 109 an, während sie nach Schott und Kunth grade sein soll. Dass sie auch Wight in seinen Icones plantarum Indiae orientalis Tom III. t. 786 aufrecht angibt, hat wohl seinen Grund darin, dass sie nicht anders auf dem Papiere Platz hatte. Es unterliegt deshalb wohl auch keinem Zweifel, dass Schott und Kunth, wenn sie bei Colocasia eine Spatha recta undulata, bei Alocasia aber eine Spatha cucullata incurva als Unterschiede angeben, nur getrocknete Exemplare vor sich gehabt haben. Dass übrigens die Pflanze mit ihren 3 und vielleicht mehr Blumenscheiden einen hübschen Anblick gewährt, versteht sich von selbst; es soll uns freuen, wenn es nun auch andern Gärtnern gelingen sollte, Kolokasien bei ähnlicher Behandlung ebenfalls zur Blüthe zu bringen.

Colocasia antiquorum und ihre Verwandten, so wie die Xanthosomen, welche man ebenfalls früher unter dem weiteren Geschlechtsbegriffe „Arum" aufführte und von denen Linné nur das Arum sagittifolium kannte, sind übrigens bei Weitem noch nicht so häufig kultivirt und in den Gärten verwendet, als es doch wünschenswerth wäre. Nur in Berlin und Potsdam scheinen sie hauptsächlich ihre Würdigung gefunden zu haben. Wir besitzen in der That keine andern Blattpflanzen, die ihnen, besonders im Freien zu Gruppen verwendet, an die Seite gesetzt werden könnten. Es kommt noch dazu, dass ihre Behandlung auch keineswegs eine besondere Aufmerksamkeit verlangt und daher gar nicht so schwierig ist, als man sonst von dergleichen tropischen Pflanzen glaubt. Wir wollen daher diese genannten Pflanzen allen Gartenliebhabern angelegentlichst empfehlen und deshalb uns sowohl in gärtnerischer, als botanischer Hinsicht noch einige Augenblicke mit ihnen beschäftigen.

Was zunächst ihre Behandlung im Gewächshause anbelangt, so könnte die, wie sie oben angegeben ist, für Kolokasien sowohl, als für Xanthosomen, als Richtschnur angenommen werden. Genannte Pflanzen gedeihen übrigens in mässig-warmen sowohl, wie in den wärmsten Häusern.

verlangen aber im letzteren Falle mehr Feuchtigkeit, denn es sind ursprünglich Sumpfpflanzen. Man kann sie deshalb auch in Töpfen geradezu ins Wasser stellen.

Wichtiger sind sie unbedingt für das freie Land, wo sie in Gemeinschaft mit Dracänen, selbst Musen, Blumenrohr (Canna), Panicum sulcatum und palmifolium (plicatum), Coix stigmatosa, Andropogon formosum, Riesen- und sonstigem Mais, und vielleicht noch anderen Pflanzen Gruppen bilden, die für unseren Norden einen besonderen Zauber haben. Zu diesem Zwecke bereitet man eine etwas schattige Stelle auf die Weise vor, dass man von dem Umfange der anzulegenden Gruppe eine 3—4 Fuss tiefe Grube macht, diese zu ½ bis ⅔ Höhe mit einem Gemenge von Laub und Dünger, denen man auch noch Lohe zusetzen kann, ausfüllt und dann wiederum 1 Fuss kräftige Erde, am Besten aus gleichen Theilen verrotteten Düngers, verfaulten Laubes und Torferde, sowie aus etwas Lehm bestehend, darauf bringt. Dadurch erhalten die auf diesem so vorbereiteten Flecke gebrachten Pflanzen, wie man sagt, einen warmen Fuss und wachsen selbst üppiger und kräftiger noch als im Gewächshause. Es versteht sich von selbst, dass man nie versäumen darf, viel zu giessen, da grade Kolokasien und Xanthosomen, so wie die früher für die Gruppe genannten Pflanzen, mehr Feuchtigkeit verlangen, als viele andere.

Kolokasien und Xanthosomen bilden meist Knollen und ziehen ein, insofern man sie nicht für den Winter absichtlich weiter vegetiren lässt und deshalb das Giessen im Herbste nicht einstellt. Ist das aber geschehen, so stellt man sie (und zwar wenn sie sich bereits in Töpfen befinden, ohne die Knollen herauszunehmen,) an einen mässig-warmen Ort in irgend einen Winkel des Gewächshauses, wo ihnen stets eine Wärme von gegen 10—12 Grad geboten wird. Wer kein Gewächshaus, aber einen Garten, wo er dergleichen Gruppen anbringen will, besitzt, kann sie irgend wo auch in seiner Wohnung unterbringen. So haben wir sie bei Bekannten in des Winters geheizten Schlafzimmern unter den Bettstellen, oder auch in erwärmten Nebenräumen aufbewahrt gesehen.

Mitte oder höchstens Ende März holt man sie aus ihren Winkeln wieder hervor, setzt die Knollen in eine gute Erde und giesst sie. Wenn man sie aber für das freie Land haben will, so beginnt man auf die Weise mit den Vorbereitungen, dass man die Knollen ebenfalls aus den trockenen Töpfen herausnimmt und in andere mit guter kräftiger Erde versehene einpflanzt, um sie im Hause oder in einem halbwarmen Mistbeete zunächst anzutreiben. Man hüte sich, die Töpfe zu warm zu stellen, weil die Pflanzen dann zu üppig wachsen und dann die bisweilen rauhere Luft im Freien nicht mehr vertragen. Ehe sie ins Freie an Ort und Stelle kommen, was nicht früher geschehen darf, als bis keine Nachtfröste mehr zu erwarten sind, also Mitte oder Ende Mai, müssen die Pflanzen bereits ein kräftiges Ansehen haben und zuerst, um sie weiter an die freie Luft zu gewöhnen, an einen geschützten und schattigen Standort einige Tage und Nächte ausserhalb gestellt werden.

Am Besten ist es, den ganzen Ballen aus dem Topfe herauszuheben und mit diesem die Pflanze in die Erde zu bringen, so dass er bis 3 Zoll und selbst mehr von dieser bedeckt wird. Beim Giessen bedient man sich am Liebsten des einige Tage gestandenen Wassers. Zu viel Feuchtigkeit wird nicht leicht gegeben. Um das Wachsthum und die Ueppigkeit der Pflanzen zu befördern, kann man die oben angegebene Mischung eines flüssigen Guanodüngers oder auch eine andere aus Hornspähnen und Kuhmist bereitete alle 8 bis 10 Tage dem Wasser zusetzen. Auch befördert man das Wachsthum, sobald man überhaupt in die Erde Hornspähne gethan hat.

Wenn auch in der Regel im Anfange der Einpflanzung, und selbst den ganzen Juni und die Hälfte Juli hindurch, eine solche Gruppe, namentlich sobald viele regnerische und kalte Tage eintreten, nicht recht gedeihen will, so geschieht dieses doch um so mehr im Hochsommer und im Herbste, wo dann selbst kühlere Nächte den Pflanzen wenig mehr schaden. Das Jahr 1856 war gewiss für alle mehr an Wärme gewöhnte Pflanzen sehr ungünstig; und doch erfreuten sich Kolokasien und Xanthosomen, selbst noch im Oktober, zum Theil eines guten Aussehens.

Sobald der erste Frost die Blätter zerstört hat, nimmt man die Pflanzen aus der Erde heraus und bringt sie, nachdem die Blätter, jedoch nicht zu tief, abgeschnitten sind, wiederum in Töpfe, um sie an den oben bezeichneten Orten überwintern zu lassen.

Alle Kolokasien und Xanthosomen treiben kürzere oder längere Schösslinge, die man einfach abnimmt und so die Pflanze vermehrt. Da diese Knospenbildung ziemlich lebendig geschieht, so hat man in der Regel keinen Mangel an den nöthigen Pflanzen und kann sehr leicht noch in Menge abgehen.

Sämmtliche Arten beider Geschlechter sind nicht allein schöne Pflanzen, sondern im Vaterlande und überhaupt da in den Tropen, wo sie kultivirt werden, für den Haushalt des Menschen sehr wichtig, weil sie vorzügliche Nahrungsmittel sind. Man geniesst nämlich die ausserordentlich mehlreichen Knollen der Kolokasien hauptsächlich geröstet, aber auch sonst auf verschiedene Weise zubereitet. Einige

Südsee-Insulaner leben fast nur von diesen Knollen, welche sie Tarru nennen. **Kolokasien** gibt es ursprünglich nur in Ostindien, besonders auf den grossen Sunda-Inseln, und sonst auf vielen Eilanden des Stillen Weltmeeres. Xanthosomen aber nur in Amerika. Die erstern sind schon zeitig nach Arabien (wo man sie Kulkas nannte), ganz besonders aber nach Aegypten verpflanzt worden und gedeihen daselbst eben so sehr, als im eigenen Vaterlande, wo man allein auf Java eilf mehr oder weniger unterschiedene Ab- und Spiel-Arten besitzt. Auch im tropischen Amerika werden jetzt Kolokasien kultivirt.

Die **Xanthosomen** oder **Westindischer**, auch **Karaibischer Kohl**, sind eine beliebte Speise, hauptsächlich auf den Inseln Westindiens und in Brasilien, wo die Pflanze **Tajaoba** genannt wird. So scharf der Geschmack und so schädlich der Genuss im frischen Zustande ist, so mild wird der erstere und wohlthuend der letztere, wenn man die Pflanze gekocht hat. Ob übrigens die vielen Arten, welche man in der neuesten Zeit gemacht, nicht vielmehr durch die Kultur entstandene Abarten sind, möchte einer späteren Untersuchung, wobei aber Aussaaten gemacht werden müssten, anheimgestellt bleiben.

Die **Kolokasien** unterscheiden sich von den **Xanthosomen** schon im äusseren Habitus dadurch, dass die ersteren schild-, die letztern hingegen herz- und selbst pfeilförmige Blätter besitzen. Die Nervatur ist bei beiden, so wie bei den übrigen verwandten und zu der Abtheilung der Caladieae gehörigen Arten so eigenthümlich, dass man diese deshalb sehr leicht von allen übrigen Aroideen unterscheiden kann. Die grossen, ganzrandigen und mehr bastartigen, oft sehr zarten Blätter besitzen neben der auf der Unterfläche mehr hervortretenden Mittelrippe noch 5—12 starke und ziemlich horizontal-abgehende Seitennerven, zwischen denen sich eine eigenthümliche Aderung befindet. Es gehen nämlich von den letzteren seitwärts Adern in fast horizontaler Richtung nach der Mitte eines zwischen zwei Seitennerven liegenden Feldes ab, biegen sich dann nach der Peripherie des Blattes zu um, wobei sie sich meist direkt oder indirekt mit denen, welche von der andern Seite kommen, verbinden, und behalten dann diese Richtung, worauf sie mehr oder minder mit allen darüber entspringenden und von rechts und links kommenden Adern weitere Verbindungen eingehen. In diesem Falle zieht sich auch meist nur eine Hauptverbindungs-Ader in der Mitte eines jeden Feldes von der Mittelrippe nach der Peripherie zu. Bei den ächten Kolokasien verbinden sich aber die gegenüber entspringenden Adern nicht, sondern vereinigen sich nach der Umbiegung nur zum Theil mit denen, welche darüber ihren Ursprung haben. Hier gehen immer mehre neben einander liegende Adern von der Mitte aus nach der Peripherie. Auch tritt in diesem Falle ein besonderer, mehre Linien von dem Rande entfernter, sich rings um das Blatt herumziehender Nerv, der alle Seitennerven und Adern zuletzt aufnimmt, deutlicher hervor. Im ersteren Falle jedoch, namentlich bei den Xanthosomen, befindet sich noch innerhalb der Maschen eine, aber weit schwächere und netzartige, Aderung, die den Kolokasien abgeht.

Hinsichtlich der Blüthe unterscheiden sich die Kolokasien von den Xanthosomen dadurch, dass bei den ersteren der Kolben nicht bis an seine Spitze mit Staubgefässen besetzt ist, was aber bei den letztern der Fall ist.

I. Von den **Kolokasien** kennen wir mit Bestimmtheit nur 5 Arten, die sich sämmtlich auch in Kultur befinden. Die älteste ist:

1) **C. antiquorum Schott** (Arum Colocasia L.) und schon seit sehr langer Zeit als Kulturpflanze in unseren Gärten. Sie unterscheidet sich von der sehr nahe stehenden.

2) **C. nymphaefolia Kth** durch die kurzen Triebe oder Schösslinge, welche oberhalb des Knollens an der Basis der eigentlichen Pflanze hervorkommen und bei zuletzt genannter Art so verlängert sind, dass sie als ächte Stolonen (Wurzelausläufer) erscheinen. Ausserdem nimmt der oberste, nicht mit Staubgefässen besetzte Theil des Kolbens bei C. antiquorum Schott ohngefähr den dritten oder höchstens den vierten Theil ein, während er bei C. nymphaefolia Kth gegen den übrigen Kolben nur ein Sechstel beträgt.

3) Unter dem Namen C. nymphaefolia brachte, wenn wir nicht irren, zuerst Hofgärtner H. **Sello** in Sanssouci bei Potsdam eine Pflanze aus Petersburg, welche allerdings mit jener darin übereinstimmte, dass sie Ausläufer, aber mehr unter der Erde und mit einer knolligen Anschwellung endend, macht; dagegen unterscheidet sie sich im Habitus von der ächten Pflanze dieses Namens hinlänglich. Dieser ist nämlich weit gedrungener, wenn ich auch Exemplare bei günstiger Kultur gesehen habe, die allerdings selbst 4 Fuss lange, an der Basis jedoch immer verhältnissmässig dickere Blattstiele mit über 3' Fuss langen Blattflächen besassen. Hauptsächlich unterscheidet sich diese an-

Petersburg eingeführte Art aber durch die blassgrüne Färbung der Blätter und durch die mit einem leicht abwischbaren Reif (Pruina) überzogenen Blattstiele. Aus der zuletzt angeführten Ursache habe ich der Pflanze den Namen Colocasia pruinipes d. h. Kolosakie mit bereiftem Blattstiele, gegeben, gewiss ein bezeichnender Name.

Schott behauptet in seinem neuesten Werke: Synopsis Aroidearum I. Seite 46, was leider bis jetzt nur als Manuskript gedruckt ist, sich nämlich nicht im Buchhandel befindet, und daher da, wo es sich um Priorität handelt, auch nicht berücksichtigt werden kann, dass diese Pflanze nichts weiter als Colocasia indica Kth (Alocasia Schott) sei. Ob sie in der That eine Alocasia ist, d. h. am obern Theile des Kolbens eine durch verkümmerte Staubgefässe entstandene labyrinthartige Zeichnung besitzt, kann ich allerdings so lange nicht entscheiden, als mir nicht Blüthen zugekommen sind. Es geht deshalb an alle die, welche einmal die Pflanze zum Blühen bringen sollten, die Bitte, mich darauf aufmerksam zu machen, und dieselbe mir freundlichst zuzusenden. Dass unsere Colocasia pruinipes aber weder Arum indicum Roxb., noch Arum indicum sativum Rumph ist, die eben beide Kunth's Colocasia indica bilden, geht aus jeder einfachen Vergleichung der Beschreibungen und der Abbildungen hervor. Es ist in der ersteren weder von der auffallend blassen Färbung und von den mit Reif besetzten Blattstielen die Rede, noch hat die Pflanze in der Rumph'schen und in der Wight'schen Abbildung schildförmige Blätter, wie die Kolokasien, weshalb auch meine C. pruinipes wohl überhaupt nicht zu Alocasia gehören möchte und bei späterer genauerer Untersuchung der Blüthen eine Kolokasie bleiben wird. Mit Schott's Alocasia indica kann sie nicht vereinigt werden.

Bis jetzt hat man noch keine Versuche gemacht, die Kolokasie mit bereiftem Blattstiele, wie die beiden früher erwähnten, zu Gruppen ins Freie zu verwenden; sie möchte auch nicht wegen ihres blasseren Aussehens sich so schön ausnehmen, wenn nicht grade eine hellere Farbe mitten im dunkelen Saftgrün eigenthümlich kontrastirte.

4) Die vierte und unbedingt schönste Art habe ich wegen ihrer prächtigen dunkelgrünen Färbung „Colocasia euchlora, d. i. prächtig-grüne Kolokasie," genannt. Dadurch unterscheidet sie sich auf den ersten Blick von C. antiquorum und nymphaefolia, von letzterer ausserdem noch deshalb, dass sie nicht verlängerte Triebe oder Schösslinge am runden Knollen macht. Ausserdem besitzen die Blätter einen violetten äussersten Rand und sind weit wellenförmiger als die bei den drei bereits genannten Arten. Endlich haben in der Regel die meist schlankeren Blattstiele bei C. euchlora auch eine violette Färbung.

Diese Art führte der Hofgärtner H. Sello, wenn ich nicht sehr irre, aus England ein. Bis jetzt befindet sie sich aber ausser in Sanssouci, so viel ich weiss, nur noch im botanischen Garten zu Neuschöneberg bei Berlin, so sehr es auch zu wünschen ist, dass sie sich einer grösseren Verbreitung erfreue und dann namentlich auf Gruppen im freien Lande Anwendung erhalte. In Sanssouci sah ich Blätter von über 5 Fuss Länge.

5) Was endlich die fünfte Art anbelangt, so zeichnet sich diese sehr leicht vor allen übrigen durch ihre braunvioletten und schlankeren Blattstiele und nicht weniger durch die dunkelgrüne, an den Rändern violett-durchscheinende Färbung der Blätter aus. Das Grün macht aber durchaus nicht den so angenehmen Eindruck als bei C. euchlora; die ganze Pflanze trägt jedoch durch ihre abweichende Färbung zur grösseren Mannigfaltigkeit in den Tinten einer Gruppe viel bei. Hinsichtlich des leichteren Ansehens und der Grösse stimmt diese Art am Meisten mit der zuletzt aufgeführten überein und macht ebenfalls, wie diese und C. antiquorum, nur sehr kurze Triebe.

Man betrachtete diese Pflanze bis jetzt nur als Abart der gewöhnlichen Kolokasie, kultivirte sie jedoch auch unter dem Namen Caladium colocasioides und violaceum. Was man unter genannten Pflanzen in Paris früher verstanden hat, weiss ich nicht, nach dem aber, was darüber bekannt gemacht wurde, möchten beide nichts weiter als Caladium bicolor sein. Mir ist übrigens in manchen deutschen Gärten eben genannte Pflanze schon unter beiden Namen vorgekommen. Nach Schott ist Caladium (Arum) colocasioides aber wirklich die eben beschriebene Kolokasie mit gefärbtem Blattstiele. Er nennt sie deshalb nach des Fontaines, der diesen Namen zuerst gab, C. Fontanesii.

(Ueber Xanthosomen in Nr. 3.)

Die Sibirische Körbelrübe.

Vom Garten-Inspektor Jühlke in Eldena.

Schon seit sehr langer Zeit sammeln die Eingebornen am Ural und in einigen Gegenden des Altai die Knollen ähnlichen Gebilde einer Pflanze aus der Familie der Doldenträger (Umbelliferae) auf gleiche Weise, wie es unsere Vorfahren mehr, als unsere Zeitgenossen, mit denen der gewöhnlichen wilden Körbelrübenpflanze, (Chaerophyllum bulbosum), die namentlich in Mitteldeutschland und im Elsass an Zäunen, Hecken, an Bergabhängen, in Hainen

u. s. w. gern wächst, thaten. Der Sibirische Rüben-Körbel besitzt auch im Aeussern eine so grosse Aehnlichkeit mit dem unsrigen, dass die frühern Reisenden in jenen Ländern, namentlich Falk und Georgi, beide Pflanzen für gar nicht verschieden hielten, während Gmelin sie jedoch in seiner sibirischen Flora unter einem besonderen Namen, nämlich als Chaerophyllum radice turbinata carnosa, aufführt.

So grosse Verdienste auch der botanische Garten in Petersburg sich um die Einführung sibirischer Pflanzen gehabt hat und noch fortwährend hat, so scheint ihm doch der Sibirische Rüben-Körbel, wahrscheinlich weil man ihn von dem gewöhnlichen nicht für verschieden hielt, als besondere Kulturpflanze unbekannt gewesen zu sein.

Ein getrockneter Blüthen- und Fruchtzweig kam später aus dem Petersburger Herbar in das des als Botaniker hinlänglich bekannten Engländers Prescott, der seinen Aufenthalt in Bern genommen hat und seinerseits die Doldenträger seines Herbariums wiederum dem Verfasser des Prodromus regni vegetabilis, De Candolle Vater in Genf, zur Bearbeitung dieser Familie für genanntes Werk zur Verfügung stellte. De Candolle sah augenblicklich, dass der Sibirische Rüben-Körbel sich specifisch von dem gewöhnlichen unterscheide und nannte den ersteren Chaerophyllum Prescottii.

Unter diesem Namen wurde die Pflanze auch später in dem Petersburger botanischen Garten kultivirt, ohne dass man aber von den Knollen ähnlichen Gebilden der Wurzel weiter Notiz nahm. Im Frühlinge des Jahres 1852 erhielt der botanische Garten in Upsala Samen des Chaerophyllum Prescottii. Als der dortige Gärtner, Daniel Müller, im Herbste an den Wurzeln Knollen ähnliche Gebilde fand, kam dieser zuerst auf den Gedanken, die letzteren kochen und zubereiten zu lassen. Die Knollen wurden schnell weich und besassen einen angenehmen Geschmack. Müller machte diese seine glückliche Entdeckung zuerst in der Hamburger Garten- und Blumen-Zeitung (10. Band S. 245.) bekannt und empfahl die Pflanze als Kulturpflanze, zu gleicher Zeit auf das Liberalste von dem geärnteten Samen vertheilend.

Auch ich erhielt einige Körner und stellte alsbald Versache damit an, die ebenfalls die besten Erfolge lieferten. Seitdem habe ich alle Jahre viel Samen geärntet und diesen nach allen Seiten hin verbreitet, um die Pflanze möglichst schnell bekannt zu machen. Obwohl ich schon mehrfach auf die Nützlichkeit und auf die Vorzüge dieser neuen Kulturpflanze, ganz besonders im 2. Jahrgange (1856) von Koch's Gartenkalender (2. Theil, Seite 90.) und in den Verhandlungen der beiden Jahrgänge 1855 und 1856 des Vereins zur Beförderung des Gartenbaues aufmerksam gemacht habe, halte ich es aber doch im allgemeinen Interesse nicht für überflüssig, wenn ich auch in diesen Blättern von Neuem den Anbau des Sibirischen Rüben-Körbels empfehle, um so mehr, als ich durch eine Abbildung der knollenförmigen Wurzel und durch eine genaue Analyse des Professors Trommer einen Cultur-Beitrag geben kann, der bis dahin noch nicht vorhanden war.

Die ebenfalls in der Regel zweijährige Pflanze der Sibirischen Körbelrübe scheint im Allgemeinen nicht so hoch zu werden, als die der gewöhnlichen, hat aber ganz dasselbe Ansehen. Der 3½' hohe Stengel ist gegen die Basis hin mit aufwärts stehenden und steifen Borsten besetzt, die sich zum Theil allmählig verlieren, so dass er zuletzt ganz glatt wird. Die doppelt-gefiederten und fein zertheilten Blätter besitzen am obern Theile des Stengels zwar weniger, aber um desto mehr in die Länge gezogene und ganz schmale Abschnitte. Die Dolden haben ebenfalls weisse Blüthen, deren Griffel im Allgemeinen weniger auseinander stehen, als bei denen der hier wildwachsenden Pflanze. Auch besitzen die Hüllblättchen eine mehr in die Länge gezogene Spitze; endlich sind die walzenförmigen Achenien (fälschlich gewöhnlich Samen genannt) etwas grösser. Die Sibirische Körbelrübe ist von der gewöhnlichen in sofern verschieden, als sie in ihrer Ausbildung länger wächst und in ihrer Farbe goldgelb erscheint, dabei aber ebenfalls ein zartes weisses Fleisch besitzt. Wenn diese Rübe durch äussere Veranlassung gezwungen wird, sich zu verzweigen, so entstehen im dritten Jahre, häufig schon im zweiten, knollenähnliche fleischige Ausreibungen. In der Regel bildet sich die Rübe aber spindelförmig aus, geht senkrecht in die Erde und erreicht in einem kräftigen Boden oft schon im zweiten Jahre einen Durchmesser von 1 Zoll und darüber.

Während die gewöhnliche Körbelrübe ihre normale Grösse schon erhalten hat, bevor die Früchte vollständig reifen, so wachsen hier die Knollen noch länger fort und dürfen deshalb auch nicht so früh aus der Erde genommen werden. Sobald im August die Früchte von den allmählig abgetrockneten Stengeln abgenommen sind, werden diese 3 Zoll hoch über der Erde abgeschnitten und am zweckmässigsten mit kurzem, in der Verwesung begriffenen alten Mistbeetdünger bedeckt. An der Basis des Rübenkopfes bilden sich dann oft noch starke Knospen, die man ebenfalls noch zur weiteren Vermehrung benutzen kann.

Es liegt ein wesentlicher Unterschied darin, dass die Pflanze der Sibirischen Körbelrübe gleich im ersten Jahre Knollen, wenn auch kleinere, ansetzt und man diese ärnten und benutzen kann, daher mag man sie auch getrost im Frühjahre säen; die passendste Zeit der Aussaat bleibt aber auch für sie Schluss August.

Der gewöhnliche Rübenkörbel muss vom August bis Oktober, selbst noch im November, gesäet werden, wenn man im nächsten Jahre im Juli ärnten will, wo das Kraut schon vollständig abgestorben ist. Man thut aber auch hier gut, wenn man die Rübchen bis August ruhig in der Erde liegen lässt, weil sie dann ihr frisches Ansehen mehr behalten und nie welken. Will man von dem Sibirischen Rübenkörbel möglichst viel und grosse Knollen haben, so muss man die kleineren und selbst, wenn sie nicht grösser als Erbsen sind, in der Erde lassen oder herausnehmen und dann im Spätherbste wiederum hineinbringen. Vor Allem hat man sich zu hüten, die Knollen zu früh der Erde zu entnehmen, weil sie dann oft treiben, leicht anfaulen und verderben. Am besten nimmt man die Knollen erst Ende August nach dem vollständigen Abtrocknen des Krautes heraus, schlägt sie dann aber wiederum schichtweise ein. Die gewöhnliche Körbelrübe muss aber stets ausserhalb der Erde und trocken aufbewahrt werden und schmeckt dann am Besten, wenn sie etwas Frost erhalten hat. Uebrigens kann man die Sibirische Körbelrübe auch grade so behandeln.

Da diese Sorte viel stärker wird, selbst über 2 Jahre hinauszudauern scheint, so muss man nothwendiger Weise auch bei der Aussaat die Reihen in etwas grössere Entfernung bringen, als bei der gewöhnlichen Körbelrübe. Breitwürfige Saaten sind nicht anzuempfehlen, weil man dann das Unkraut nicht leicht überwältigen kann. Am zweckmässigsten bedient man sich zur Reihenkultur der sogenannten Drillharke mit verstellbaren Schaaren. Man säet den Samen am zweckmässigsten auf ein 4 Fuss breites Beet in 1 Fuss von einander entfernten Reihen; in der Reihe erhalten die Pflanzen einen Abstand von 6—8 Zoll. Für Herbstsaaten kann ich eine Zoll hohe Bedeckung der Samenbeete mit altem Dünger nicht genug empfehlen; auch erhält man reichlicheren Ertrag, wenn man im Frühjahre vorsichtig einige Mal mit Guano-Wasser giesst.

Was die Zubereitung der Rübchen anbelangt, so ist diese ganz dieselbe, wie die der gewöhnlichen und erlaube ich mir in dieser Hinsicht noch die Abhandlung des Hofgärtners Mayer in Monbijou (Berlin) in den Verhandlungen des schon erwähnten Vereins zur Beförderung des Gartenbaues. 1. Reihe 21. Band S. 302 und die des Pfarrers Stetefeldt in der 2. oder neuen Reihe. 3. Jahrgang. Seite 276, bestens zu empfehlen.

Nach einer Untersuchung des Herrn Professor Trommer in Eldena enthält die Sibirische Körbelrübe 24 Procent feste Bestandtheile und zwar:

17,3 Stärkmehl.
3,2 Proteinsubstanz.
0,6 Fett und Harz.
2,0 Pektin und Pflanzenfaser.
0,9 Asche.
24,0.

Die gänzliche Abwesenheit von Zucker und Gummi in diesem nützlichen Kultur-Produkt bleibt zwar auffallend, allein ich versichere, dass dasselbe selbst dann noch wohlschmeckend bleibt, wenn es bereits seinen Samen hergegeben hat.

Im Herbst 1855 wurden von hier aus an 100 Partieen Samen nach allen Gegenden vertheilt. Ich habe die Kultur der Sibirischen Körbelrübe jetzt erweitert und befinde mich in der angenehmen Lage, meinen Kollegen und allen sich für diese nützliche Pflanze interessirenden Gartenfreunden davon zum bevorstehenden Herbst grössere Samen-Proben anbieten zu können. Die Fortsetzung dieser Anbau-Versuche bleibt um so wünschenswerther, als einerseits das Urtheil über den wirthschaftlichen Gebrauchswerth dieses jedenfalls sehr nützlichen Kultur-Produktes sicherer zum Abschluss zu bringen, wie auch andererseits das beste Kultur-Verfahren desselben mit vereinten Kräften viel schneller zu ermitteln ist.

Bücherschau.

Hilfs- und Schreibkalender für Gärtner und Gartenfreunde für das Jahr 1857. Unter Mitwirkung von Borchers, Karl Bouché, v. Fabian, Friebel, Jühlke, Legeler und Schamal, herausgegeben vom Professor Dr. Karl Koch. 1. 2. Theil. Berlin. Verlag von G. Bosselmann 25 Sgr.

Zum dritten Mal erscheint jetzt dieser Kalender, dessen Auflage bereits bis zu 3000 Exemplaren gestiegen ist. Es ist dieses Resultat doppelt erfreulich, denn es bezeugt eines Theils die günstige Aufnahme, welche der Kalender überall durch ganz Deutschland gefunden hat, anderntheils aber auch, dass der Sinn für Blumen und Pflanzen, so wie für Gartenanlagen alle Jahre mehr zunimmt. Wir haben hier um so weniger nöthig, auf seinen innern Werth aufmerksam zu machen, als der Kalender im vorigen Jahre ohne Ausnahme eine besonders günstige Beurtheilung erhalten hat und gewiss nicht in diesem Jahre nachstehen wird.

Der erste Theil ist wiederum gebunden. Leider konnte dem mehrfach ausgesprochenen Wunsche, anstatt der chagrinartig-unebenen Deckel flache zu geben, damit es sich besser darauf schreibe, deshalb nicht mehr entsprochen werden, als diese bereits schon fertig waren. Im nächsten Jahrgange wird aber hoffentlich dem Uebelstande abgeholfen. Dieser Theil enthält zunächst den eigenen Kalender in der Weise, dass immer 2 Tage auf einer Seite stehen. So hat man Raum genug, um sich Notizen einzuzeichnen. Darauf folgen allerhand Tabellen, wie sie der Gärtner und Gartenliebhaber grade braucht: Dünger-, Obst-, Gemüse- und Blumen-Tabellen, Schemata der täglichen Einnahme und Ausgabe und eines wöchentlichen Berichtes für den Gärtner, vergleichende Zusammenstellungen der verschiedenen Therometer-Skalen, der Geldsorten, der Maasse und Gewichte u. s. w., der Werthe der verschiedenen Brennmaterialien, ferner Lohntabellen, Hilfstafel über Dimensionen und Inhalt der Gräben, Auflösungen verschiedener, Gartenanlagen betreffender Aufgaben, Interessen-Rechnungen, Aufzählung der Jahrmärkte nach der Zeit u. s. w.

Der nur brochirte zweite Theil bringt uns dieses Mal oben an eine revidirte Uebersicht der deutschen Handelsgärtnereien vom Herausgeber, dann vom Insp. Jühlke in Eldena: Winke und Rathschläge zur Beförderung einer erfreulichen Wirksamkeit der Gärtner auf dem Lande; vom Hofgärtner Legeler: Bonition des Bodens; von Inspektor Bouché: über Anlage von Kanalheizungen in den Gewächshäusern mit einer Tafel bildlicher Erläuterungen; von dem Kreisgerichtsoffizial Schamal: Wasserkur gegen Gummifluss der Steinobstbäume; von dem Hofgartenmeister Borchers: Behandlung der Obstbäume und Edelreiser nach langer Verpackung; von dem Kunst- und Handelsgärtner Friebel: Hyacinthenkultur im freien Lande; von dem Obristlieutenant v. Fabian: Bericht über die neuesten Gemüse mit Einschluss der Melonen; vom Herausgeber: Auswahl der neueren und neuesten Pflanzen und endlich von demselben: die Pflanzenfamilien und alphabetisches Verzeichniss der in den Gärten befindlichen Pflanzengeschlechter. — Durch das letztere ist gewiss allen Gärtnern ein besonderer Dienst geleistet worden, da ihm hier eine Gelegenheit geboten ist, sich selbst zu belehren und zu orientiren. Der Gärtner muss heut zu Tage auch in so weit Botaniker sein, als er wenigstens eine allgemeine Kenntniss von den Familien und den verschiedenen Erscheinungen in der Pflanzenwelt besitzt.

Verlag der Nauckschen Buchhandlung. Berlin. Druck der Nauckschen Buchdruckerei.

Hierbei das Preis-Verzeichniss von Ambroise Verschaffelt in Gent für Frühjahr und Sommer 1857.

No. 3. Sonnabend, den 17. Januar. 1857

Preis des Jahrganges von 52 Nummern mit 12 color. Abbildungen 6 Thlr., ohne dieselben 5 -. Durch alle Postämter des deutsch-österreichischen Postvereins sowie auch durch den Buchhandel ohne Preiserhöhung zu beziehen.

Mit directer Post übernimmt die Verlagshandlung die Versendung unter Kreuzband gegen Vergütung von 26 Sgr. für Belgien, von 1 Thlr. 9 Sgr. für England, von 1 Thlr. 22 Sgr. für Frankreich.

BERLINER Allgemeine Gartenzeitung.

Herausgegeben vom Professor Dr. Karl Koch.

General-Secretair des Vereins zur Beförderung des Gartenbaues in den Königl. Preussischen Staaten.

Inhalt: Die Borsig'sche Orchideen-Sammlung zu Moabit bei Berlin. Von ......g. — Die Kolokasien und Xanthosomen. Von Prof. Karl Koch und Obergärtner Kreutz. II. Xanthosomen. — Ueber die Nomenklatur in den Katalogen der Handelsgärtnereien. Von Prof. Göppert in Breslau. — De Jonghe's Speerlilie, Enchelirion Jonghii Lib. — Eine blühende Musa Cavendishii Paxt. (chinensis Sweet). — Bücherschau: P. Fr. und Carl Bouché's Blumenzucht; Göpperts officinelle und technisch wichtige Pflanzen; De Jonghe's Kamellienkultur, übersetzt von Frh. v. Biedenfeld. — Korrespondenz.

Rundschau.

Die Borsig'sche Orchideen-Sammlung zu Moabit bei Berlin.

Von ......g.

Dem Aufschwunge der Industrie ist rasch auch ein freudiges Emporblühen des Gartenwesens gefolgt. Wenn auch England für die Industrie im Allgemeinen sich die grössten Verdienste erworben und für Gartenbau ebenfalls ungemein viel gethan hat, so verdankt doch der letztere unserem Vaterlande vorzugsweise seine jetzige hohe Stufe, und namentlich, dass Blumenzucht im eigentlichen Sinne des Wortes Gemeingut geworden ist. Und wiederum ist es der Norden Deutschlands, und zwar vorherrschend die östliche Seite, welche rühmlichst hier vorangegangen ist. Nicht allein reiche Leute sind es hier, auch Männer mit mässigen Mitteln, wirken und fördern im Interesse des Gartenbaues. Vor Allem hat die ästhetische Seite, das Landschaftliche, einen Aufschwung erhalten, wie wir ihn vergebens in dieser Weise ausserhalb Preussen und Deutschland suchen.

Es ist schon oft in verschiedenen Zeitschriften über Gärten und Anlagen gesprochen worden, und grade Schilderungen sind es gewesen, welche zur Nacheiferung mehr angespornt haben, als vieles Andere; daher ich auch gern der Aufforderung der Redaktion nachgekommen bin, von den in diesen Blättern von Zeit zu Zeit zu gebenden Schilderungen mit einem Garten zu beginnen, der unsere volle Anerkennung um so mehr verdient, als er die Schöpfung seines früheren, leider viel zu früh verstorbenen Besitzers ist und von dem Sohne in gleichem Geiste erhalten und immerfort verschönert wird. Es ist dieses der Garten des Fabrikbesitzers **Borsig** in Moabit.

Der Raum erlaubt mir nicht, eine umfassende Beschreibung dieser in der That grossartigen Anlage zu geben, da ich oder ein Anderer) wohl noch oft Gelegenheit haben werde, eine in seinen Theilen ausführliche Schilderung anzufertigen. Für diesmal soll nur einer Pflanzenfamilie gedacht werden, da eine solche Sammlung, weniger in der Reichhaltigkeit der Formen, als um desto mehr in der Beschaffenheit der einzelnen Exemplare, nirgends wohl weiter existiren wird. Ich habe mich oft schon, und mit mir gewiss viele Blumenfreunde von Nah und Fern, an den sauber gehaltenen, zu jeder Zeit mit prächtigen Blumen geschmückten Glashäusern, an den herrlichen Palmen und Baumfarrn u. s. w. darin innig gefreut und jedes Mal dem Besitzer, der das, was er Schönes hat, nicht etwa egoistisch nur für sich haben will, sondern der mit nicht genug anzuerkennender Liberalität Jedermann den hohen Genuss gönnt, im Stillen recht sehr gedankt; aber eine solche freudige Ueberraschung, als mir wurde, als ich zum ersten Male in die neuen Orchideenhäuser eintrat, habe ich nur selten gehabt. Möchten nur recht viele Blumen- und Pflanzenfreunde von der Erlaubniss des Besitzers grade im Winter, wo alles um uns todt ist, häufig Gebrauch machen, und neben den anderen und bekannteren Glashäusern nun auch die Orchideen-Sammlung sich beschauen.

Wenden wir uns vor Allem zunächst zu dem Hause, in dem diese Sammlung aufgestellt ist. Schon das Aeussere macht einen angenehmen Eindruck. Es ist ein Doppelhaus von 150 Fuss Länge und 20 Fuss Tiefe. Der Bau selbst ist, wie man auch gar nicht anders von seinem Besitzer erwarten kann, gediegen: Eisen, Stein und Glas sind Gegenstände, die dem Zahne der Zeit lange widerstehen. Der Winkel des Hauses scheint ungefähr 28 Grad zu sein, eine Neigung, die, meiner unmassgeblichen Ansicht nach, in unserm Klima für jegliche Glashauspflanzen zuträglich ist. Doppelfenster schützen die Pflanzen gegen etwaigen plötzlich eintretenden Temperaturwechsel. Das Licht, das wichtige Bedürfniss aller lebenden Wesen und vor Allem der Pflanzen, kann in einem Hause mit solcher Breite den ganzen Tag hindurch ungehindert eintreten und seine wohlthätigen Wirkungen äussern. Die Erwärmung geschieht vermittelst einer zweckmässig-konstruirten Wasserheizung; es ist ein solcher Erwärmungsapparat für Pflanzen aller Zonen nützlich und nicht genug zu empfehlen. Es wäre wohl zu wünschen, dass sein Besitzer eine genaue, mit Zeichnungen versehene Beschreibung des Hauses der Redaktion freundlichst zur Verfügung stellen wollte.

Das Haus ist in 4 Abtheilungen getheilt. Die erste, welche schon früher vorhanden war, ist bestimmt, um alles, was grade in Blüthe steht, aufzunehmen. Deshalb beträgt ihre Temperatur immer einige Grade weniger, als in den andern Abtheilungen. Zu gleicher Zeit enthält das Haus auch die Orchideen, welche überhaupt einen geringeren Wärmegrad bedürfen.

Bei meinem letzten Besuche fand ich hier grade blühend:

Cattleya labiata Lindl., ein Riesenexemplar in einem Kübel mit gegen 80 Blüthen.

Aërides suavissimum Lindl. s flavidum, ein zweiter Riese gegen 3 Fuss im Durchmesser und 5 Fuss Höhe mit 24 Blüthentrauben.

Cattleya elegans Morr., mit 2 Blüthenstielen.

Cattleya guttata Lindl.

Cattleya maxima Lindl.

Cattleya luteola Lindl.

Miltonia Moreliana Brongn.

Miltonia Russeliana Lindl.

Miltonia candida Lindl.

Phalaenopsis amabilis Blume, ein sehr schönes Exemplar mit 3 Blüthenstengeln.

Phalaenopsis grandiflora Lindl., gross und reich mit Blumen besetzt.

Phalaenopsis equestris Rchb fil.

Dendrobium moniliforme Sw., ein Exemplar von gegen 3 Fuss im Durchmesser und mit Hunderten von Blumen bedeckt.

Dendrobium nobile Lindl., an Grösse der vorigen gleich, an Schönheit aber fast noch übertreffend.

Saccolabium miniatum Lindl., reizende Blüthe.

Preptanthe vestita Rchb. fil. var. rubra mit 12 Blüthensteng.

Cypripedium purpuratum Lindl., mit vielen Blüthen.

Vanda Roxburghii R. Br. var. coerulea.

Oncidium Papilio Lindl., var. majus, gross und schön.

Angraecum eburneum Pet. Th., ein riesiges Exemplar mit fünf Blüthenstengeln.

Limatodes rosea Lindl. wunderbar schön.

Die zweite Abtheilung enthält vorzugsweise die Orchideen aus dem tropischen Süd- und aus Central-America. Auffallend gross erschienen mir hier:

Laelia anceps Lindl., da sie gegen 2 Fuss im Durchmesser enthielt und 20 Blüthenstengel besass.

Cryptochilus sanguineus Wall., 1½ Fuss Durchmesser.

Cattleya Skinneri Batem., 1½ Fuss Durchmesser mit vielen Knospen.

Laelia Boothiana Rchb. fil. 2 Fuss Durchmesser.

Laelia purpurascens Hort., sehr grosse Pflanze.

Oncidium phymatochilum Lindl., 2 Fuss Durchmesser.

Oncidium sphacelatum Lindl., 2 Fuss Durchmesser.

Odontoglossum Bictonense Lindl., 1½ Fuss Durchmesser.

Oncidium hastilabium Lindl., 1 Fuss Durchmesser.

Trichopilia suavis, 1 Fuss im Durchmesser.

Trichopilia tortilis Lindl., 1½ Fuss im Durchmesser.

In der dritten Abtheilung sind zum grössten Theil die ostindischen Orchideen enthalten; hier konnte man sich einen Begriff machen, wie diese Art Pflanzen wohl ungefähr in ihrem Vaterlande aussehen: fast Alles schöne und grosse Exemplare, wie ich noch nie gesehen hatte:

Aërides odoratum Lindl., war 5 Fuss hoch und 4 Fuss breit, mit vielen Trieben.

Aërides Larpentae Hort. Angl. (falcatum Ldl.), sehr selte.

Aërides Schroderi Hort., prächtige Pflanze.

Aërides rubrum Hort.

Aërides virens Lindl., 2 Fuss im Durchmesser und 3 Fuss hoch.

Aërides maculosum Lindl.

Angraecum distichum Lindl., 2 Fuss Durchmesser.

Angraecum caudatum Lindl.

Ansellia africana Lindl., in einem Kübel von 3 Fuss Durchmesser mit 13 Rispen, welche 80 bis 90 Blumen tragen.

Burlingtonia venusta Lindl., grosses Exemplar.

Coelogyne Lowii Paxt., 2 Fuss im Durchmesser.

Arpophyllum giganteum Lindl., 2 Fuss im Durchmesser.
Cymbidium eburneum Lindl., 1 Fuss im Durchmesser.
Dendrobium anosmum Lindl.
Dendrobium chrysanthum Wall., 2 Fuss Durchmesser.
Dendrobium densiflorum Wall., 2 Fuss im Durchmesser. Schönes Exemplar.
Dendrobium macrophyllum Lindl.
Dendrobium Pirardii Roxb.
Dendrobium Farmerii Paxt.
Saccolabium Blumei Lindl.
Saccolabium Blumei Lindl. β majus Hort.
Saccolabium ampullaceum Lindl. (Aërides ampull. Roxb.)
Saccolabium guttatum Lindl.
Vanda Batemannii Lindl.
Vanda cristata Lindl.
Vanda furca Blume, 2 Fuss breit und 3 Fuss hoch.
Vanda coerulea Griff., 2 Fuss hoch, bezweigt.
Vanda Jenkinsonii Hort.
Vanda Roxburghii R. Br.
Vanda suavis Lindl., 3 Fuss hoch und 3 Fuss breit.

Die Anecochilus stehen hier in einer nie gesehenen Fülle und Pracht, so z. B. namentlich Anecochilus intermedius Hort., Lowii Hort., setaceus Bl., xanthophyllus Pl. etc. in grossen, verzweigten Exemplaren. Haemaria discolor Lindl. β rosso-lineata, eine neue schöne Form mit rothen Nerven.

In der vierten Abtheilung finden wir, ausser den kleineren Orchideen, besonders die Schlauchpflanzen oder Kannenträger (Nepenthes) und mehrere neuere Pflanzen, wie Ouvirandra fenestralis Pet. Th., Begonia picta Hort., Gleichenia microphylla Br., und einige sehr interessante Farrn aus Ceylon, welche Joh. Nietner, ein Sohn des Hofgärtners Nietner in Schönhausen, gesammelt hat. Unter diesen befindet sich Gleichenia dichotoma, Oleandra hirtella Miqu., eine noch unbestimmte Marattia, (Angiopteris?) Cheilanthes farinosa.

Herr Borsig kaufte diese Orchideen-Sammlung im verflossenen Jahre in England von einem eifrigen Orchideen-Sammler, Herrn Robert Hanbury, dem es selbst nur im Verlaufe einer langen Reihe von Jahren und bei fortdauernder Rührigkeit und Aufmerksamkeit, so wie mit grossem Geldaufwande, gelang, dieselbe allmählig zusammenzubringen. Die Sammlung erfreute sich wegen ihrer ausgezeichneten Exemplare auch in England, wo man Orchideen mit Vorliebe züchtet, eines grossen Rufes. Sie wurde selbst, nächst der des Herrn Rucker, als eine der besten geschätzt. Die Uebersiedelung war, wie man sich wohl leicht denken kann, mit grossen Mühen und mancherlei Schwierigkeiten verknüpft. Sie wurde durch Borsig's Obergärtner, Gaerdt, der namentlich allen Mitgliedern des Vereins zur Beförderung des Gartenbaues durch die herrlichen Pflanzen, welche er eine lange Reihe von Jahren hindurch ausstellte, und durch seine gelungenen Kulturen hinlänglich bekannt ist, glücklich ausgeführt. So haben wir auch Ursache, uns der freudigen Hoffnung hinzugeben, dass dieser seltene Pflanzenschatz, wie er in ganz Deutschland kaum vorhanden ist, in der Folge auch unter dessen nicht weniger geschickten, als sorgsamen Pflege zur Freude seines Besitzers und aller derjenigen, welche den Borsig'schen Garten von Zeit zu Zeit besuchen, gedeihen werde.

Die Kolokasien und Xanthosomen.

Vom Prof. K. Koch und Obergärtner Krentz im Kriechel-dorf'schen Garten zu Magdeburg.

II. Xanthosomen.

Die Anzahl der bis jetzt bekannten Xanthosomen beträgt 18, aber nicht alle sind in Kultur. 2 haben einen Stamm und sind bis jetzt noch nicht für Gruppen ins freie Land benutzt worden. Von den übrigen sind hauptsächlich durch den botanischen Garten in Neuschöneberg bei Berlin nach und nach 7 Arten eingeführt, weiter verbreitet und zum Theil erst benannt worden; einige stehen noch in Aussicht. Die Xanthosomen sind im Allgemeinen kleiner als die Kolokasien und besitzen nie schildförmige Blätter. Bei Gruppen, wie sie oben angedeutet sind, bringt man sie wegen ihrer geringeren Grösse am Besten am Rande an.

Linné kannte, wie schon gesagt, nur eine einzige Art, die er Arum sagittaefolium nannte. Als Synonym zieht er aber sehr verschiedene Pflanzen dazu, wie ich in der Appendix zum Samenverzeichnisse des botanischen Gartens vom Jahre 1854 näher bestimmt habe. Willdenow beschreibt nach Ventenat die Linné'sche Art als Caladium sagittaefolium, fügt aber später in seiner Enumeratio noch eine zweite Art, C. belophyllum, hinzu. Mit diesem Namen belegt er aber grade die grünstielige Art, während er Caladium sagittaefolium die Art mit violettbraunen Blattstielen nennt, welche Schott später als Xanthosoma violaceum beschreibt. Schott trennte nämlich von Caladium, welches Arten mit schildförmigen Blättern und 2fächrigen Fruchtknoten besitzt, die Pflanzen mit pfeil- oder herzförmigen Blättern und 4fächrigem Fruchtknoten und legte ihnen, da eine Art von Jacquin wegen ihres gelben Wurzelstockes Arum xanthorrhizon genannt wurde, den Namen Xanthosoma d. i. gelber Stengel (eigentlich Leib) bei, obwohl diese Eigenschaft auf fast alle übrigen Arten nicht passt.

Was nun die 7 bei uns kultivirten Arten anbelangt, so will ich sie hier nur kurz charakterisiren, damit trotz der grossen Aehnlichkeit der Arten unter einander man sich doch zurecht finden kann.

1) X. violaceum Schott, ein Name der leider in meiner Aufzählung der Xanthosomen in der früher erwähnten Appendix übersehen wurde, weshalb der von mir ein Jahr später gegebene Name X. janthinum wieder eingezogen werden muss. Diese Art ist leicht an den braunvioletten Blattstielen erkenntlich.

2) X. atrovirens C. Koch et Bouché zeichnet sich durch seine fast schwarzgrüne Färbung der Oberfläche der Blätter und durch seine abgerundeten Blattohren aus. Auch sind die Blattstielränder, wenigstens zum Theil, schwarzgrün.

Unter dem Namen X. versicolor kultivirt der botanische Garten in Berlin noch eine kurze und mehr gedrungene Abart mit nur dunkelgrünen Blättern, aber mit um desto intensiver schwarzgrün gefärbten Blattstielrändern.

3) X. Caracu C. Koch et Bouché besitzt eine glänzende Blattoberfläche und einen weissmilchenden Blattstiel. Schott zieht diese Pflanze zu seinem X. robustum, was aus der allerdings ungenügenden Diagnose nicht hervorgeht, zumal er die eben genannten, wichtigen und sogleich ins Auge fallenden Merkmahle gar nicht angiebt. Es kommt noch dazu, dass X. robustum aus Mexiko, X. Caracu hingegen aus Venezuela stammt.

4) X. utile C. Koch et Bouché; fast noch grösser als die vorige, besitzt die Art oben dunkelgrüne Blätter und im Blattstiele einen wässerigen Milchsaft. Das Hauptkennzeichen ist, dass die Blattohren an den Rändern sich fast decken und das ganze Blatt in der Mitte vertieft erscheint.

5) X. sagittaefolium Kth (nec Schott Aroid. syn. p. 56.) In der Blattfärbung dem vorigen gleich, unterscheidet es sich durch eine flache, nicht in der Mitte vertiefte Blattfläche mit meist violetten Rändern; die Blattohren stehen ebenfalls sehr genähert und decken sich fast mit den innern Rändern. Die Seitennerven haben nach der Peripherie zu eine fast horizontale Richtung. In unsern Gärten kam die Pflanze schon lange als X. Mafaffa vor, ein Name, den Schott als von ihm gegeben in Anspruch nimmt.

6) X. belophyllum Kth. Hat ebenfalls eine flache, nicht vertiefte Blattfläche, aber entfernt stehende Blattohren und weit mehr einen spitzen Winkel bildende Seitennerven. Als Abart gehört wohl hierher eine niedrige Pflanze mit violetten Blattstielrändern, die deshalb ebenfalls als X. versicolor im botanischen Garten vorkommt, von der oben erwähnten aber verschieden ist. Schott hält diese für das eigentliche X. belophyllum, was aber zu Willdenow's Beschreibung gar nicht passt, und betrachtet die von mir unter dem Namen caracassanum bezeichnete Abart für eine gute Art. Diese unterscheidet sich allerdings durch die grössere Anzahl von Seitennerven, nämlich 10 auf jeder Seite, während bei der Hauptart nur gegen 6 vorhanden sind.

7) X. hastaefolium C. Koch. Die niedrigste Art mit langen, fast spiessförmigen Blattflächen, deren grosse Ohren sehr divergiren. Schon längst unter dem Namen Arum hastaefolium und sagittaefolium im Berliner botanischen Garten. Schott vereinigte die Art zuerst mit Acontias, machte sie aber später auch zu einem Xanthosoma.

Zu diesen 7, hauptsächlich durch den botanischen Garten zu Neuschöneberg bei Berlin verbreiteten Pflanzen kommt nun:

8) eine Art, deren Einführung man dem Direktor des zoologischen Gartens in Brüssel, Linden, verdankt und die aus Venezuela stammt. Sie befindet sich ausserdem nur noch in dem Garten des Oberlandesgerichtsrathes Augustin an der Wildparkstation bei Potsdam, kann aber wohl von beiden Gärtnereien bezogen werden, da die Pflanze sich eben so leicht, als die übrigen Xanthosomen, durch Zertheilung vermehren lässt. Sie ist an der kurzen Behaarung, welche den Blättern eine graugrüne Färbung gibt, kenntlich und hat deshalb von mir in der Appendix zum Samen-Verzeichnisse des botanischen Gartens für das Jahr 1855 den Namen Xanthosoma pilosum erhalten. Durch die Freundlichkeit des Direktors Linden in Brüssel erhielt ich in diesen Tagen auch eine Blüthe, die keinen Zweifel mehr übrig lässt, dass die Art zu Xanthosoma gehört. Ob sie übrigens ebenfalls zu Gruppen im Freien verwendet werden kann, muss erst die Erfahrung lehren.

9) Es bleiben endlich noch die Xanthosomen mit deutlichem Stamme übrig. Von dieser Abtheilung kennt man 2 Arten, von denen sich aber nur die eine (wenigstens in Norddeutschland) noch in den Gärten befindet, während zu Jacquin's Zeit, wie ziemlich deutlich aus dessen Schriften hervorgeht, beide kultivirt wurden. Beide sind sehr schöne Pflanzen, die die bekanntere Alocasia odora (als Arum oder Caladium odoratissimum meist in den Gärten) an Eleganz übertreffen und eine Zierde der warmen Gewächshäuser bilden. Sie unterscheiden sich

übrigens sehr leicht, indem bei X. xanthorrhizon die Blattohren grade herunter stehen und die Blattstielränder flach sind, diese aber bei X. undipes grade wellenförmig erscheinen, während die Blattohren divergiren. Ob die letztere wie Alocasia odora im Sommer auch ins Freie gestellt werden kann, weiss ich nicht.

Nur die erstere hat Jacquin als Arum xanthorrhizon beschrieben und auch sehr gut in seinem Hortus Schönbrunnensis, tab. 188 abgebildet. Auf sie gründete, wie schon gesagt, später (1832) Schott hauptsächlich sein Geschlecht Xanthosoma und nannte die von jenem abgebildete Pflanze (Melet. I, p. 19.) X. Jacquini, während er unter demselben Namen aber in dem Garten zu Schönbrunn, (wie es übrigens auch in allen norddeutschen Gärten bis jetzt der Fall war,) die andere mit den wellenförmigen Blattstielrändern kultivirte. Eine genaue Vergleichung der Abbildung mit der Pflanze im botanischen Garten zu Neuschöneberg und in Sanssouci zeigte mir den Irrthum, und ich beschrieb die letztere zuerst im Jahre 1854, wo mir noch keine Blüthen zu Gebote standen, wegen ihrer Aehnlichkeit mit Alocasia odora, als Alocasia undipes. Ein Jahr später belehrte mich ein stattliches blühendes Exemplar des botanischen Gartens, dass die Pflanze ein Xanthosoma sei, und machte ich dieses alsbald bekannt.

Nachdem nun Schott in seinen Schriften bis zu meiner Untersuchung der Blüthe des X. undipes unter X. Jacquini die von Jacquin als Arum xanthorrhizon abgebildete Pflanze verstand, erklärt er plötzlich jetzt in seiner eben erschienenen Synopsis Aroidearum p. 57, dass er unter seinem X. Jacquini nicht Arum xanthorrhizon Jacq. Hort. Schönbr. t. 188, sondern A. xanthorrhizon des Schönbrunner Gartens, mit einem Worte also, ebenfalls mein X. undipes, verstanden haben wolle. Dieser von mir gegebene Name muss demnach auch bleiben, da X. Jacquini Schott ursprünglich, wie eben gesagt, eine andere Pflanze bedeutet. Um weitere Konfusion zu vermeiden, ist es überhaupt am Besten, die Benennung X. Jacquini nun ganz fallen zu lassen und den ursprünglichen Beinamen xanthorrhizon für die von Jacquin abgebildete Pflanze wieder herzustellen.

Ueber die Nomenklatur in den Katalogen der Handelsgärtnereien.

Vom Professor Dr. H. R. Göppert in Breslau.

Nachdem ich vor 3 Jahren zuerst auf die Nothwendigkeit der Verbesserung der damals gewöhnlich in höchstem Grade nicht etwa in systematischer, sondern vielmehr in orthographischer Hinsicht fehlerhaften Kataloge der Handelsgärtnereien hingewiesen hatte, berücksichtigten dieses zuerst Herr Geitner in Planitz bei Zwickau, mit ganz besonderer Beachtung der sowohl officinellen als technisch wichtigen Pflanzen, und fast gleichzeitig Herr Topf in Erfurt. Ihre Kataloge sind auch für Gartendirektoren wichtig, weil wir seit dem Aufhören des Walpers'schen Repertorium's die Namen der neueren Pflanzen in den verschiedensten Werken und Zeitschriften aufzusuchen haben, welche nicht einem Jeden gleich zu Gebote stehen. Diesem löblichen Beispiele folgten die Herren Kunicke in Wernigerode, C. H. Beissner in Ludwigslust, Neubert und Reitenbach in Plicken bei Gumbinnen in Ostpreussen, welche ebenso unter Benutzung der vorhandenen Hülfsmittel nicht nur die einzelnen Arten auf ächt wissenschaftliche Weise bezeichneten, sondern auch auf Unterscheidung der Art und Abart die gebührende Rücksicht nahmen. Für einzelne Familien, wie für Koniferen, benutzten die vorhandenen Hülfsmittel: die Handelsgärtner Herr Julius Monhaupt in Breslau, für Farrn und Palmen A. N. Baumann in Bollwiller, Blass in Elberfeld, für Orchideen schon früher Herr Josst in Tetschen, Schiller in Hamburg, Linden (wie auch für die zahlreichen neuen Einführungen) in Brüssel, Kramer zu Flottbeck bei Hamburg. In den reichen Katalogen der van Houtte'schen und Verschaffelt'schen Etablissements stehen wenigstens die neuen Einführungen in besonderer Beziehung zu den von den Besitzern herausgegebenen Gartenjournalen. Das Verzeichniss der durch Herrn von Siebold eingeführten japanischen Pflanzen lässt natürlich, wie nicht anders erwartet werden kann, nichts zu wünschen übrig, desgleichen das Preisverzeichniss der Warm- und Kalthauspflanzen zu Herrenhausen bei Hannover und die so eben erschienene Uebersicht der in dem wahrhaft grossartigen Etablissement des Herrn Ober-Landes-Gerichtsrathes Augustin bei Potsdam kultivirten Pflanzen, in welchem unter der so erfolgreichen Leitung des Obergärtners Lauche so viel Palmen an Zahl der Arten und Individuen, wie noch niemals in Europa irgendwo, beisammen waren, bestens gedeihen, desgleichen in nicht minder grosser Zahl Farrn, Aroideen, Orchideen, Scitamineen und andere in medizinischer oder technischer Hinsicht wichtige Pflanzen aus den verschiedensten Familien angetroffen werden. Wenn auch alle anderen Handelsgärtner des In- und Auslandes mit Ausnahme eines einzigen englischen, James Cortes, soviel ich wenigstens weiss, zur Zeit noch hinter diesen lobenswerthen, wenn auch nur geringen Zahl von Beispielen zurückgeblieben sind, und auch selbst manche neuere Handbücher der Gärtnerei und selbst Monographieen einzelner Zierpflanzen eine genauere Bezeichnung oft noch auf sehr arge Weise vernachlässigen, so ist doch im Allgemeinen eine korrektere Beschaffenheit der Kataloge dieser Art nicht zu verkennen; die wahrhaft schreienden Fehler gegen die Orthographie hinreichend bekannter Namen kommen in ihnen immer seltener vor, was immerhin schon als Zeichen des Fortschrittes anzusehen ist. Hoffentlich wird es bald noch besser! Denn wenn sich heut ein Jeder bestrebt, an der sich immer weiter verbreitenden Bildung seinen Antheil zu sichern, so ist doch wahrlich nicht abzusehen, warum die Handelsgärtner sich davon ausschliessen und nicht die Hülfsmittel gebrauchen sollen, die ihren ehrenwerthen Standesgenossen in vollkommen ausreichender Zahl in den dahin schlagenden Werken bieten! — Ob meine kleine Schrift zu diesem Zwecke auch etwas beitragen könnte, überlasse ich jedem sachkundigen Urtheile.

De Jonghe's Speerlilie, Encholirion Jonghii Libon.

Seitdem v. Martius (1819) auf steinigen, unfruchtbaren Eilanden des grossen Flusses San Francisco in Brasilien eine prächtige Bromeliacee mit 6—8 Fuss hohen und oben dicht mit bunten Blüthen besetzten Schafte fand, hat nur noch Richard Schomburgk, 21 Jahre später (1843), auf dem höchsten Sandsteinberge, Rorraima, der zu einer aus vielen einzelnen Bergen nur lose zusammenhängenden Gebirgskette des englischen Guiana gehört, eine ähnliche, aber weit kleinere Pflanze gefunden, die Dr. Klotzsch mit jener in einem Geschlechte vereinigt. V. Martius bildete aus seiner Pflanze das Genus Encholirion, d. h. Speerlilie, gewiss ein passender Name, und nannte die Art selbst wegen ihrer Schönheit Encholirion spectabile, also, die prächtige Speerlilie, während Klotzsch der Schomburgk'schen Pflanze zu Ehren der Prinzessin von Preussen den Namen Encholirion Augustae ertheilte. Die letztere ist übrigens in dem XVIII. Bande der Verhandlungen des Vereines zur Beförderung des Gartenbaues auf der 2. Tafel abgebildet.

Um so erfreulicher ist es nun, dass der bekannte Reisende der grossen de Jonghe'schen Gärtnerei in Brüssel, Libon, in Brasilien, und zwar in dem sogenannten Diamanten-Distrikte von Minas-Geraës, eine dritte Art gefunden hat, die sich der ersteren weit mehr zu nähern scheint, als der letzteren. Aus dieser Ursache muss jeder Gartenliebhaber, besonders von Gewächshauspflanzen, die sich durch ihre äussere Erscheinung schon auszeichnen, dem überaus thätigen Reisenden Libon sich ganz besonders verpflichtet fühlen, dass er die von ihm entdeckte Pflanze, welche er Encholirion Jonghii nennt, in kräftigen Exemplaren nach Europa gebracht hat, wo sie sich nun in der de Jonghe'schen Gärtnerei bereits in Vermehrung befindet. Schon besitzen wir übrigens die Art, und zwar noch dazu in einem sehr stattlichen Exemplare, zu Berlin in dem schönen Garten des Kommerzienrathes Reichenheim.

Bis jetzt hat sie zwar weder hier in Berlin, noch in Belgien geblüht, aber es befindet sich bereits in der Jonghe'schen Gärtnerei ein Exemplar, was schon seit 3 Monaten die Blüthe langsam zu entwickeln beginnt. Der Schaft ist jetzt 2 Fuss hoch und streckt sich nun von Woche zu Woche, aber immer nur so wenig, dass es wohl noch 2 und bei ungünstiger Witterung selbst 3 Monate dauern möchte, bevor sich die Blüthen selbst entfalten. Wenn schon an und für sich, wie schon gesagt, die de Jonghe'sche Speerlilie, einen schönen Anblick gewährt, so ist dieses in noch höherem Grade der Fall, seitdem der Blüthenschaft aus der Mitte der Blätter hervortrat. Ohne Zweifel wird die Pflanze aber erst den Glanzpunkt erhalten, wenn die Blüthen vollständig entfaltet sein werden. Wir haben dem Besitzer ersucht, uns den Blüthenschaft zur Zeit freundlichst zur Verfügung zu stellen, damit uns möglich wird, in diesen Blättern eine genauere Beschreibung der ganzen Pflanze zu geben. Wir bitten dann noch besonders um Angabe der Kultur, damit die schöne Pflanze möglichst verbreitet werde.

Eine blühende Musa Cavendishii Paxt. (chinensis Sweet.).

In dem Warmhause des Hofbuchdruckers Hänel zu Magdeburg befindet sich eine Banane von seltener Schönheit, die wiederum Zeugniss ablegt, wie ganz anders Pflanzen treiben und wachsen, wenn sie nicht in Töpfen stehen, sondern unmittelbar in ein Beet eingesetzt sind. Ihr Besitzer, der selbst eifriger Pflanzenzüchter ist und mit viel Sachkenntniss seinen eigenen Garten, unterstützt von einem tüchtigen Gärtner, Dressler mit Namen, auch leitet, nahm aus dem Garten des Rittmeisters Hermann in Schönebeck, dessen Garten, und namentlich die Gewächshäuser, sich ebenfalls mit Recht eines grossen Rufes erfreuen, im ersten Frühjahre 1855 ein ganz verkommenes Exemplar genannter Banane mit sich, was eben weggeworfen werden sollte.

Zu Hause wurde die bis dahin vernachlässigte Pflanze in einen Topf, der den ganz ausserordentlich fruchtbaren Elbschlamm enthielt, gebracht, wo sie sich sehr bald erholte und rasch wuchs. Zu einem stattlichen Exemplar herangewachsen, wurde die Chinesische Banane oder Paradiesfeige (Musa chinensis oder Cavendishii) herausgenommen und im Herbste in den freien Grund des Beetes in ein Warmhaus gepflanzt. Die Erde bestand auch hier aus dem eben bezeichneten Elbschlamme, war aber noch mit verrottetem Kuhdünger versetzt.

Hier befand sie sich ein volles Jahr, als sich die ersten Anfänge der Blüthen zeigten und auch alsbald der volle Kolben zum Vorschein kam. Noch ein Paar Wochen später bog sich der anfangs 3 Fuss lange Blüthenstand über, um zuletzt ganz und gar überzuhängen und damit noch länger (4½ Fuss) zu werden.

Er blüht von unten nach oben, also centripetal, bereits über 3 Monate lang und hat noch keineswegs aufgehört. Während unten die feigenähnlichen und in ziemlich dichten Büscheln zum Theil an dem allgemeinen Stiel herumsitzenden Früchte immer länger und dicker werden, löst sich am schweren und kurz kegelförmigen Ende des Kolbens eins der braunen und dicht übereinanderliegenden Deckblätter nach dem andern und zeigt alsbald die bis dahin völlig eingeschlossenen gelben Blüthen. Sobald die Befruchtung geschehen ist, fallen die in der Regel dicklichen und einen halben Fuss langen und 4 Zoll breiten Deckblätter ab. Damit werden nun die der Reife entgegengehenden Fruchtknoten sichtbar und verwandeln ihre anfangs grüne Farbe allmählig in ein Graubraun.

Die Chinesische Banane hat im Allgemeinen, wie bekannt, einen etwas kurzen und gedrängten Wuchs, der ihr etwas Schwerfälliges giebt. Denkt man sich nun noch den 1½ Fuss unten im Durchmesser enthaltenden und fast 5 Fuss langen überhängenden Blüthenstand nebst Träger hinzu, so möchte diese Pflanze selbst plump erscheinen, insofern nicht durch die Kultur das Nöthige gethan wäre, um die einzelnen Theile mehr zu strecken. Das ist hier der Fall, denn die prächtig-grünen, ziemlich aufrechten Blätter haben hier bei einer Breite von 2½ bis 3½ Fuss eine Länge von 6 und 7 Fuss. Sowie demnach die Pflanze jetzt ist, gewährt sie in der That einen schönen Anblick, zumal noch die übrigen ringsherum stehenden Pflanzen des Beetes sich sämmtlich in guter Kultur und ziemlich locker von einander befinden.

Von den unreifen Früchten stehen die untersten zu 13 nebeneinander, haben eine Länge von 5½ Zoll und eine Breite von ¾ Zoll. Zum Theil möchten sie später geniessbar werden. Ihre Anzahl nimmt nach dem obern Ende zu allmählig ab, so dass in der 11. Reihe — bis dahin war der Kolben bereits ohne Deckblätter — sich nur noch 7 Fruchtknoten neben einander befinden. Die Blüthen der nun folgenden Reihen haben zwar zunächst noch dasselbe Ansehen, aber es scheint bei ihnen keine Befruchtung stattgefunden zu haben, denn die Fruchtknoten waren welk und werden wohl alsbald abfallen. Jede Reihe wurde hier noch von einem Deckblatte gestützt.

Was die ganze Pflanze anbelangt, so hat sie bis dahin, wo durch das Ineinanderfassen der Blattscheiden eine Art Stamm gebildet ist, eine Höhe von 6 Fuss.

Bücherschau.

Es sind uns so viel Bücher zugekommen, dass es gar nicht möglich ist, sie sämmtlich in diesen Blättern zu besprechen oder selbst nur anzuzeigen. So weit es thunlich ist, soll es gewiss geschehen und werden in diesem Falle immer die gediegeneren Werke den Vorzug erhalten. Wir können uns aber keineswegs verpflichten, die eingesendeten Bücher, sobald sie nicht besprochen werden, immer pünktlich zurückzusenden, oder gar, wenn es nicht geschehen sein sollte, sie zu erstatten, wozu übrigens gar keine Berechtigung vorliegt. Wir ersuchen deshalb alle Verlagshandlungen, die dieses verlangen, uns keine Bücher zuzusenden, da wir für nichts stehen. Die Redaktion.

Die Blumenzucht in ihrem ganzen Umfange. Eine praktische Anleitung zur Erziehung und Wartung der Blumen im Freien, in Glas- und Treibhäusern, wie auch im Zimmer, von P. Fr. Bouché, Kunstgärtner, und C. Bouché, Inspektor des botanischen Gartens zu Berlin 2. ganz umgearbeitete Auflage. 1.—3. Band 1851 bis 1856. Preis 6 Thlr.

Wir begrüssen um so freudiger diese neue Auflage eines schon längst anerkannten Buches, was früher eine Abtheilung der Handbibliothek für Gärtner und Liebhaber der Gärtnerei, einer Sammlung vorzüglicher Werke, bildete, als es ebenfalls endlich Zeugniss ablegt, wie sehr in den letzten Jahren die Liebe zu Blumen und Pflanzen zugenommen hat. In einer Zeit, wo alljährlich Hunderte schöner Blumen und Blattpflanzen aus den entferntesten Gegenden der Erde in unsern Gärten eingeführt werden, wo Gärtner und Gartenbesitzer Reisende nach allen Welttheilen entsenden, um dort das Schönste zu suchen, wo junge Leute freudig Opfer der Entbehrungen in fremden, unkultivirten Ländern bringen und keine Mühen scheuen, wo aber auch zu Hause im Vaterlande der menschliche Scharfsinn künstlich eine noch grössere Mannigfaltigkeit in den vorhandenen Formen und Farben bei den Pflanzen hervorgerufen hat, muss ein Werk, was uns Kunde giebt von dem, was bereits existirt, und uns belehrt, wie man die einzelnen Blumen und Pflanzen im Freien, wie im Gewächshause, oder im Zimmer zu behandeln hat, und wie man zum eigenen Bedarfe oder zur Freude anderer selbige vervielfältigen kann, da muss, wie gesagt, ein solches Werk, wenn es, wie vorliegendes, mit Sachkenntniss und Umsicht geschrieben ist, um so willkommner sein, als auch die alphabetische Einrichtung desselben es leicht macht, sich zu belehren.

Der eine der Verfasser, P. Fr. Bouché, der gärtnerischen Welt ein halbes Jahrhundert rühmlichst bekannt, hat sich grosse Verdienste um die Gärtnerei, namentlich um die Berlin's, erworben und ist leider am 2. April des vorigen Jahres gestorben. Eine Skizze seines interessanten und lehrreichen Lebens befindet sich in dem 4. Jahrgange der neuen Reihe der Verhandlungen des Vereins zur Beförderung des Gartenbaues, Seite 107. Carl Bouché hat als Inspektor des botanischen Gartens in Berlin, unbedingt der grossartigsten Institutes der Art auf dem ganzen Festlande, hinlänglich Gelegenheit gehabt, sich rasch, und zwar nicht aus Büchern, sondern aus eigenem Anschauen von allem, was an Neuem erscheint, Kenntniss zu verschaffen. Es war deshalb auch Niemand so günstig gestellt, um an einem Werke der Art Theil zu nehmen.

Die officinellen und technisch-wichtigen Pflanzen unserer Gärten, insbesondere des botanischen Gartens in Breslau, vom Prof. Dr. Göppert. Görlitz 1857. Preis 1⅓ Thlr.

Wir begrüssen dieses Werk in doppelter Hinsicht, indem es Zeugniss ablegt, wie sehr man sich neuerdings Mühe giebt, die Wissenschaft zum Gemeingut aller Menschen zu machen, und dann, weil es uns Anleitung ertheilt, das Utile cum dulci, d. h. das Nützliche mit dem Schönen, zu verbinden. Es ist recht hübsch, dass man an Blumen und Pflanzen seine Freude hat, aber noch hübscher ist es, wenn man zugleich allerhand Interessantes daran anzuknüpfen versteht. Die bei uns beliebte „Jungfer in Haaren oder Gretchen im Busch" (Nigella Damascena) liefert z. B. Samen, die im Oriente auf Brot gestreut gern gegessen werden; die Kolokasie, eine beliebte Blattpflanze, hat eine mehlige Wurzel, welche den Südsee-Insulanern hauptsächlich unter dem Namen Tarro als Nahrung dient, die schöne Warmhauspflanze Tectona grandis liefert das Teakholz, Jacaranda mimosaefolia das Jacarandenholz u. s. w. Der Verfasser setzt alles dieses selbst in der Vorrede sehr gut auseinander und bemerkt ganz richtig, dass eine Sammlung dergleichen wichtiger Pflanzen auch von kulturhistorischer Bedeutung ist, indem sie bisweilen möglich macht, einen tiefern Blick in die innern Verhältnisse der Völker zu thun. Wir vermögen daher das Büchelchen allen Gärtnern, Blumen- und Pflanzenliebhabern gar nicht genug zu empfehlen, indem diese sich hier sehr leicht Raths erholen können, ob eine von ihnen kultivirte Pflanze in irgend einem Verhältnisse zum Menschen steht.

De Jonghe's praktische Grundlehren der Kultur von Kamellien. Deutsch nach der 2. verbesserten Auflage, verglichen mit der nouvelle Iconographie des Camellias par Verschaffelt u. s. w., von Ferd. Freih. v. Biedenfeld. Weimar 1856. Preis 15 Sgr.

In einer Zeit, wo die Blumenzucht eine hohe Stufe erreicht hat, musste eine Pflanze, die an und für sich so viel Schönheiten darbietet und dem Gärtner durch die Neigung ihrer Blumen zu allerhand Abänderungen Gelegenheit giebt, seine Kunst anzuwenden, noch mehr im Vordergrund treten, als es früher der Fall war. Um so mehr kann nun auch ein Büchelchen, was für wenige Groschen zu haben und deshalb auch dem, der die Kamellien nur im Zimmer ziehen kann, zugänglich ist, begrüsst werden, zumal wenn man weiss, dass der Verfasser ein tüchtiger Praktiker ist, der uns auch schon durch andere Schriften, und besonders durch seine interessanten, den Obstbau betreffenden Abhandlungen in Gardener's Chronicle bekannt ist. Es ist übrigens recht gut, dass der in dieser Hinsicht ausserordentlich thätige Uebersetzer zu gleicher Zeit auch die Kultur-Methode von Lemaire und Paillet, so wie von van de Geert und A. Verschaffelt zur Vergleichung aufgenommen und endlich ein alphabetisches Verzeichniss der vorzüglichsten, bis 1848 im Handel befindlichen Kamellien aufgenommen hat.

Correspondenz.

An Prof. G. in Breslau: Der Waschbader Kürbis ist eine neue Poppya und von mir P. Fabiana genannt.

An den Kunst- und Handelsg. G. in Pl. bei Zwickau: Die eingesendeten Aroideen sind zum Theil neu und werden in den nächsten Blättern beschrieben werden.

An die Handelsg. M. u. S. in Erfurt: Dank für das Eingesendete, was zum Theil schon benutzt ist.

An Kunst- u. Handelsg. de J. in Brüssel: Ihrem Wunsche in Betreff des rascheren Versendens der Gartenzeitung durch die Post wird entsprochen werden.

An Professor L. in Hamburg: Dank für's Buch und wird dasselbe in einer der nächsten Nummern besprochen.

An Direktor L. in Brüssel: Dank für die übersendeten Aroideen, deren Beschreibung in dem einen der nächsten Blätter ebenfalls erfolgen wird.

An B. in Erfurt: ich werde nächstens Mittheilungen machen.

Verlag der Nauckschen Buchhandlung. Berlin. Druck der Nauckschen Buchdruckerei.

No. 4. Sonnabend, den 24. Januar. 1857

BERLINER

Allgemeine Gartenzeitung.

Herausgegeben

von

Professor Dr. Karl Koch.

General-Secretair des Vereins zur Beförderung des Gartenbaues in den Königl. Preussischen Staaten.

Inhalt: Belencita, ein neues Kapparideen-Geschlecht. Von Dr. Hermann Karsten. — Der Verein zur Beförderung des Gartenbaues. — Journal-Schau. — Pflanzen-Ankäufe.

Belencita, ein neues Kapparideen-Geschlecht.

Von Dr. Hermann Karsten.

Dignose: Calyx sepalis geminis ortus. Glandulae hypogynae quatuor. Stamina 16 quaternatim petalis alterna.

Beschreibung: Calyx oblongus, unilateraliter fissus, apice bifidus; Corollae petala quatuor, ovata, unguiculata, apice attenuata, aestivatione imbricato-convoluta; Glandulae quatuor reniformes, petalis alternantes; Torus cylindricus, stipitiformis, stamina et ovarium gerens; Stamina ut plurimum 16, quaterna, petalis alternantia, vel 18 hic quaterna, illic quina aggregata, supra petala toro imposita; Stamina libera, filiformia, aequalia, glabra, omnia fertilia, in alabastro erecta; Antherae introrsae, lineares, acutae, dorso supra basin cordatam insertae, erectae, biloculares: loculis oppositis, longitudinaliter birimosae. Ovarium liberum, supra torum pedicellatum: pedicello filamentorum longitudine, oblongum, placentis geminis oppositis, ad axin confluentibus biloculare; Ovula plurima, placentis dissepimenti axis longitudinaliter affixis, funiculis brevibus imposita, amphitropa; Stigma sessile, orbiculatum, Fructus baccatus, ovatus, umbilicatus, corticatus, dissepimento evanescenti denique unilocularis, polyspermus; Semina plurima, in pulpa nidulantia, subovoidea, angulata, exalbuminosa; Testa coriacea, straminea; Cotyledones embryonis conduplicati applicativae, complicatae, radicula brevi, vaga.

Belencita Hagenii Karst.

Arbor mediocris, trunco recto, glabro et coma ramosa, foliosa, sempervirente ornata; Folia alterna, petiolata, simplicia, integerrima, cordata, acuta, juniora tomento parco, albido furfurata; Stipulae nullae; Flores solitarii, laterales, breve pedunculati, speciosi, albi, petalis et calyce; extus furfure tecto, deciduis; Fructus magnus, viridis, gynophoro longiusculo pedunculatus, pendulus; Semina magnitudine nucis Avellanae majoris. Crescit in vicinitate maris caribaei Columbiae antiquae usque ad 500 pedum altitudinem.

Diesen schönen und dichtbelaubten Baum fand ich am südlichen Ufer des Antillen- oder Karaibischen Meeres im alten Columbien bis zu einer Höhe von 500 Fuss. Der ½ Fuss im Durchmesser haltende und astlose Stamm erhebt sich gegen 6 Fuss von der Erde bis zur halb-sphärischen Krone, deren gedrängt stehende und in einander verschlungene Aeste fast den Habitus unserer Apfelbäume wiederholen. Seine Höhe beträgt im Durchschnitt 25 Fuss. Die Blätter stehen ziemlich gedrängt an den Spitzen der Aeste; sie haben an der Basis keine Nebenblätter, sind kurz gestielt, lanzettlich, mit fast herzförmiger Basis, ganzrandig und in eine stumpfe Spitze sich verschmälernd. Jung erscheinen sie mit einem gelblichen, sehr zarten Flaume überzogen, der aber bei der Berührung sich leicht abtrennt; alt sind sie aber lederartig, kahl und glatt, bis 6 Zoll lang und 4 Zoll breit.

Aus den Blattachseln entwickeln sich die kurzgestielten Blumen einzeln und sind bis zur Entfaltung in dem ellipsoidischen, zugespitzten Kelche eingehüllt; dieser ist aussen, wie die jungen Blätter, zart flaumhaarig, entweder braun oder gelblich gefärbt. Er spaltet sich zur Zeit der Entfaltung der Blumenkrone an der einen Seite der ganzen Länge nach auf, worauf die übergerollten Blumenblätter hervortreten und sich noch um die Hälfte ihrer Länge vergrössern. Ferner ist er durch die Vereinigung zweier Blätter entstanden, theilt sich an der Spitze auch noch in zwei Theile und wird bei der Entfaltung der Blumenblätter zurückgebogen, worauf er dann mit diesen und den Staubfäden abfällt. Die vier Blätter der Blumenkrone sind eirund-lanzettlich, genagelt und zugespitzt; in der vollständig geöffneten Blume decken entweder ihre seitlichen Randtheile einander etwas oder auch diese berühren, wie der übrige Rand, nicht den der benachbarten Blätter. Sie sind fast rein weiss und etwas schwach ins Gelbliche übergehend. Vier nierenförmige Drüsen wechseln mit den Blumenblättern.

Zwischen den Blumenblättern stehen zur Zeit der Blüthe je vier der 16 Staubgefässe, die oberhalb derselben an dem verlängerten und cylindrischen Fruchtträger angeheftet erscheinen; ihre weissen, fadenförmigen, glatten, und die halbe Länge der Blumenblätter erreichenden Staubfäden sind je vier einander genähert, jedoch an der Basis nicht verbunden, die linealen gelbgefärbten Antheren aber halb so lang als die Staubfäden und diesen oberhalb der herz- oder pfeilförmig ausgeschnittenen Basis am Rücken angeheftet. Während der Blüthe stehen sie aufrecht, sind jedoch etwas zurückgebogen, wie in der Knospe. Ausnahmsweise findet man an zwei, einander gegenüberstehenden Seiten der Blüthe 5 statt der regelmässig sonst vorhandenen 4 Staubgefässe, wodurch die Anzahl derselben von 16 auf 18 steigt; 20 wurden nicht beobachtet.

Der ellipsoidische, etwa 3 Linien lange Fruchtknoten steht auf einem langen, fadenförmigen Träger der verlängerten Spitze des Blüthenbodens und erreicht so die Länge der Staubgefässe; er ist aus zwei Fruchtblättern zusammengesetzt, deren einwärtsgeschlagene und mit einander verwachsene Blattränder, die Axe des Fruchtknotens erreichend, diesen in zwei an der Spitze und Basis der Frucht in einander fliessende Fächer theilen und an der Vereinigungsstelle von oben bis unten mit den amphitropen Eichen besetzt sind, die von kurzen Nabelschnüren getragen werden.

Die Narbe bedeckt scheibenförmig den Fruchtknoten; ist etwas konkav und ihre Zusammensetzung aus zwei Theilen kaum durch eine schwache Furche kenntlich.

Die reife, grüne Frucht hat eine ellipsoidische oder eiförmige Gestalt, hängt an dem verlängerten Fruchtknotenträger und ist an der Spitze genabelt. Die Fruchtschale ist ziemlich dick, lederartig, fast holzig und öffnet sich nicht, sondern verfault endlich zur Zeit des Keimens der Samen. Diese sind in dem fleischig gewordenen Samenträger eingehüllt, der von der Fruchtschale sich gänzlich abgelöst hat und in der einfächrig erscheinenden Frucht einen kugelig zusammenhängenden Kern bildet. Die Samen sind oval, etwas plattgedrückt und eiweisslos; eine dünne, häutige Samenschale umhüllt den gekrümmten Keimling, dessen aneinanderliegende und gefaltete Samenlappen viel grösser sind, als das nach dem Umkreise der Frucht gewendete kegelförmige Würzelchen.

Die Belencita wächst an der Nordküste Südamerika's auf den thonig sandigen Ebenen, die das Meer bis in die Nähe des Fusses der Gebirge umgeben, und zwar in den Provinzen Barzelona, Coro und Barranquilla, fast während des ganzen Jahres, nur durch den geringen Thau und das in der Atmosphäre gelöste Wassergas ernährt; denn in diesen Gegenden regnet es fast nur im October einige Mal. Höchstens giebt es im Innern einige leichte und schnell vorübergehende Gewitterregen und heftige Regenschauer, die mit den den Boden bis auf 60° erhitzenden Sonnenstrahlen wechseln. Die mittlere Temperatur der Luft und des Bodens ist in diesen Gegenden 27. 5 C. In der Nacht kühlt die Atmosphäre sich in der Regel nur bis auf 17. 5 — 18° ab: eine Temperatur, die nicht hinreicht, die geringe Menge Wassergas in derselben zu verdichten.

Ein nie heftig werdender Ostwind weht fast beständig während des ganzen Jahres, bei der fortdauernden Austrocknung eine geringe Kühlung verursachend; sehr viele Bäume, die an etwas erhöhten Standpunkten wachsen, verlieren gänzlich die Blätter. Sie stehen nackt, wie unsere Laubhölzer im Winter, während eine kurze Strecke davon an einem etwas tiefer gelegenen, vor dem Luftzuge geschützten, vielleicht auch etwas bodenfeuchtem Orte dieselben oft ihre Blätter nicht vor der Entfaltung der jungen Knospen abwerfen. Die Belencita, so wie die übrigen wirklichen Capparideen, werden sonst nie ihrer Blätter gänzlich entkleidet, während die neben ihnen wachsenden Burseraceen, Terebinthaceen, Crotoneen, Leguminosen, Cordiaceen, Bignonien, Acanthaceen, viele Rubiaceen und Myrtaceen dieselben gänzlich verlieren. Ausser den Pflanzen dieser Familien sind es besonders die Cacteen, die holzigen Convolvulaceen, die Nyctagineen (Pisonia), die Asclepiadeen und Apocyneen, einige Zygophylleen (Guajacum) Xanthoxyleen, Bromeliaceen (besonders die Tillandsien), wenige Orchideen (besonders die Schomburgkien, einige Laelien, Oncidien und Epidendren; die Cycnochen, Brassavolen, Cataseten u. a. verlangen schon eine etwas feuchtere Atmosphäre und gemässigtere Sonnenstrahlen), die in dieser Region der Capparideen, also in der Küstenregion, heimisch sind, wenn auch nicht so charakteristisch wie jene, da sie einerseits in andere Species bis zu der Höhe von 300 Metern in trockene sonnige Gegenden der Gebirge hinaufsteigen, zum Theil auch in den Ebenen jenseits der Gebirge vorkommen. Hier nehmen die Melastomen unter ähnlichen Verhältnissen die Stelle der die Küsten bewohnenden Familie der Capparideen ein, wenn sie auch bei weitem nicht so ausschliesslich auf diese Gegend beschränkt sind, wie die eigentlichen beerentragenden Capparideen auf ihr Gebiet, da sie auch bis zu der Höhe von 4000 Metern ansteigen, während jene in der Regel nicht die bis zu 200 Meter hohe Küstengegend verlassen. Nur die krautartige Tovaria steigt, die Cleomen begleitend, fast bis zu einer Höhe von 2000 Metern, die schattigen, feuchten und im Mittel 17° 5 C. warmen Wälder bewohnend.

Zunächst verwandt ist unsere Belencita einerseits mit der Morisonia Plum., durch die sie der Crataeva sich nähert, anderseits mit der Capparis, von der sie indessen durch den nur einseitig aufgeschlitzten, aus zwei verwachsenen Blättern gebildeten Kelch, durch die vier mit den Blumenblättern abwechselnden Drüsen, so wie durch die Stellung der in bestimmter Anzahl vorhandenen Staubgefässe sehr abweicht. Von der Morisonia Plum. (Plum. gen. plant. pag. 63 t. 23, Jacq. plant. americana pag. 156 t. 57, Cavanilles Dissertationes VI. pag. 300 taf. 163) unterscheidet sich die Belencita durch die Form und das Oeffnen des Kelches, durch die freien, nicht im Grunde verwachsenen Staubfäden, durch die hautartigen, nicht holzigen Samenschalen und durch die einzelnstehenden, nicht in eine Traube (racemus) vereinigten Blüthen. Von der Crataeva weicht Belencita endlich durch den nicht vierblättrigen Kelch, durch die vier Drüsen, die auch die Morisonia nicht besitzt, und durch die bestimmte Zahl und Stellung der Staubgefässe ab; beide Gattungen wachsen in der Nähe der Belencita, welche von beiden sich schon leicht aus der Ferne durch den Habitus unterscheidet, indem die kleinen Blüthen der Crataeva und Morisonia in einen blattachselständigen, bei der Crataeva auch gipfelständigen Blüthenstand vereinigt sind, während die grossen und zwei Zoll im Durchmesser haltenden Blüthen der Belencita einzeln aus den Achseln ihrer Blätter sich entwickeln. Die kugeligen und zwei Zoll im Durchmesser haltenden Früchte der Crataeva und Morisonia sind kurzgestielt, während die grossen, eiförmigen, bis 8 Zoll langen Früchte der Belencita an ziemlich langen Stielen hängen. Die Krone der Morimsonia ist sehr gedrungen und mit lederartigen Blättern dicht belaubt, wie die der Belencita; die Aeste der ersteren sind aber gestreckter und bilden eine mehr halbkugelige, weniger gedrungene und zartbelaubte Krone, deren Zweige zu der Spitze die pyramidalen Blüthenstände tragen, die durch die lang über die Blumenblätter hervorragenden Staubgefässe ein zierliches, leichtes, den Cleomen ähnliches Ansehen erhalten.

Die Familie der Capparideen würde für ihre Kultur eine ähnliche Behandlung erfordern, wie die Ananas, welche jedoch wiederum eine weit grössere Bodenfeuchtigkeit ertragen können, wenn auch dieselbe nicht so sehr Bedingung ihres Bestehens ist, wie die abwechselnd sehr trockne Bodenbeschaffenheit und Atmosphäre, die die Capparideen verlangen. Beide sind lichtbedürfende Pflanzen. Die Ananas, die ich in den unbewohnten und nie angebauten Ebenen von Chiriguana an dem nordwestlichen Fusse des Gebirges von St. Martha in grosser Menge wild fand, wächst nicht in der eigentlichen Capparideen-Region, aber an ähnlichen trocknen und lehmig-sandigen Orten immer im Umkreise der Baumgruppen, die in der ausgedehnten und grasbewachsenen Ebene parkartig vertheilt sind, in deren Mitte z. B. eine hohe Vitex ihre mit olivenähnlichen Früchten beladenen Aeste weit ausbreitet oder eine Cassia, eine Tecoma oder Persea die kleineren Bäume beschattet und von Ochna, Gomphia, Varronia, Byrsonima, von Myrsinen, strauchartigen Myrtaceen und Coffeaceen, so wie von Melastomen, die wiederum von kletternden Sapindaceen, Dilleniaceen und Malphigiaceen durchschlungen sind, und nach dem Rande der Gruppe hin von krautartigen Malven- und Euphorblaceen-Gebüsch umgeben werden. Um diese nun bildet das stachliche Gestrüppe der Ananas ein schwer zu durchdringendes Gehege. In dieser Gegend ist die Regenzeit etwas anhaltender und heftiger wie in der Region der Capparideen, wo in dem einen oder den wenigen Regenmonaten ein rasch vorübergehender Gewitterregen mit der Gluth der tropischen Sonne wechselt und bald den kaum durchfeuchteten Boden wieder austrocknet.

Auch den Cacteen sind die Capparideen hinsichts der Kulturbedingungen nicht ganz gleich, wenn auch sehr ähnlich; diese (besonders die Opuntien und Maxillarien) fordern eine abwechselnd etwas grössere Feuchtigkeit und halten die Mitte zwischen Ananasse und den Capparideen. Licht verlangen sie alle im gleichen Maase; doch der trocknen Wärme bedürfen besonders die beerentragenden Capparideen.

Die klimatischen Erfordernisse theilen mit den Capparideen am meisten die Zygophylleen, besonders Guajacum, viele Arten der Gattung Xanthoxylum, die Jacquinien, Diospyros, die Plumierien, die Bonplandien, die Schomburgkia, Tillandsia, die Cicca, Melococca, das Erythroxylon cumanense und das heilkräftige Croton Malambo. Diese alle vereinigen sich mit den Melocacten, so wie vielen Cereus-Arten auf dem an mineralischen Bestandtheilen fruchtbaren

Boden der trockenen, heissen und sonnigen Region der tropischen Küstengegend als nächste Nachbarn der Strandvegetation, die sich durch ihre Mangle- und Mangrove-Wälder, durch die Coccoloba uvifera und Hippomane Mancinella charakterisirt.

Die an mannigfachen und eigenthümlichen Formen so reiche Gruppe der beerentragenden Capparideen wird mit den ihre klimatischen Erfordernisse theilenden Gewächsen aus den Pflanzenhäusern unserer Gärten so lange ausgeschlossen bleiben, bis wir ihnen nicht nur das Licht und die Wärme, sondern auch die Trockenheit der Luft zu geben uns bemühen, was in der That keine schwierig auszuführende Aufgabe ist und, ohne grosse Kosten an Brennmaterial, als eine Verbesserung in der Kultur der übrigen Warmhauspflanzen und als ein Bedürfniss für die zweckmässige Pflanzenkultur sicher binnen Kurzem angesehen werden wird.

Wie sehr unsern Warmhauspflanzen die Luftbewegung fehlt, dies fühlt jeder Pflanzenfreund mit schmerzlichem Bedauern, wenn er bei den vielen Epiphyten und Epizoen seine schwächlichen emporgetriebenen Pflanzen gänzlich verkümmern sieht und bedenkt, dass jene nicht sowohl Ursache der Krankheit sind als Folge derselben, indem die durch die stagnirende Luft in Stockung gerathenen Säfte zur Entstehung der Epiphyten, wie zur Vermehrung der Epizoen, Veranlassung gaben. Für die einer feuchten und warmen Atmosphäre bedürfenden Tropenpflanzen schlug ich früher vor (S. neue und schönblühende Gewächse Venezuela's Springquellen in den Häusern anzubringen. Man hat sich seitdem von dem Nutzen dieser Zierde der Pflanzenhäuser für jene feucht-warmen Gewächse überzeugt. Um die trocken-warmen Pflanzen jedoch in der Kultur aufzunehmen, ist ein entgegengesetzter Weg einzuschlagen; es steht uns ein eben so einfaches, vielleicht noch leichter und mit weniger Kosten auszuführendes Mittel zu Gebote, nämlich die heizenden Leitungsröhren des Wasserdampfes mit einem an dem einen Ende ausserhalb des Hauses befindlichen, hier zu öffnenden Blechmantel zu umgeben und aus diesem die erwärmte Luft an einer Seite des Hauses in den untern Theil desselben einströmen zu lassen, um sie, wenn es dicht verschlossen ist, an seiner entgegengesetzten obern Seite in das benachbarte Melastomen-, Bromeliaceen-, Palmen- oder Orchideen-Haus einströmen zu lassen und auch diesen die dienliche Luftbewegung und die oft nothwendige mässige Trockenheit der Luft zu vermitteln.

Erklärung der Tafel.

Ein Zweig der Belencita Hagenii mit einer geöffneten Blüthe und einer dem Aufblühen nahen Knospe.

1. Eine Blüthe nach dem Abfalle der Blumenblätter und Staubgefässe.
2. Der untere Theil des Fruchtträgers und der Blüthenboden, von dem der Kelch entfernt wurde, um die Drüsen, welche mit den Blumenblättern abwechseln, freizulegen; in doppelter Grösse.
3. Zwei Staubgefässe aus der an dem blühenden Zweige gezeichneten Knospe.
4. Zwei Pollenzellen.
5. Querdurchschnitt des zweifächrigen Fruchtknotens einer geöffneten Blüthe, um die Anheftung der Eichen zu zeigen; vergrössert.
6. Eins dieser Eichen stärker vergrössert.
7. Eine kleine reife Frucht, in natürlicher Grösse.

Der Verein zur Beförderung des Gartenbaues.

In der am 28. December v. J. abgehaltenen Versammlung kam wiederum so viel Interessantes zur Sprache, dass es wohl verdient, wenigstens zum Theil, auch hier mitgetheilt zu werden.

Zunächst stattete der Inspektor des botanischen Gartens, Bouché, einen Bericht über die zum Theil erst im Herbste beendeten Gewächshäuser des Kommerzienrathes Reichenheim ab. Derselbe hatte den Vorstand des Vereines ersucht, von seinen grösstentheils durch ihn selbst angegebenen oder wenigstens angeregten Einrichtungen Kenntniss zu nehmen. Es steht immer um Gewächshäuser und Gärten gut, wenn die Besitzer neben ihrer Liebe zu Pflanzen und Blumen auch Interesse für die Kultur und selbst einen gewissen Enthusiasmus kund geben. Der Gärtner findet dann eine grössere Genugthuung und Anerkennung seiner Leistungen darin; sein Eifer wird gesteigert. Es erlaubt uns jetzt nicht der Raum auf die in der That praktischen Einrichtungen der Häuser und auf die Pflanzenschätze, welche diese enthalten, näher einzugehen, zumal der Inspektor Bouché einen ausführlichen Bericht in den Verhandlungen des Vereines geben wird; aber eins möchten wir doch erwähnen, da es von ungemeiner Wichtigkeit ist. Zwischen den einzelnen Häusern befinden sich nämlich kleine, nicht für Pflanzen benutzte Räume mit dickem Aachener Glase gedeckt, welche oben leicht geöffnet werden können, um frische Luft aufzunehmen. Ist dieses geschehen, so werden sie in so weit erwärmt, dass die Thüren der beiden rechts und links anstossenden Gewächshäuser ohne Gefahr für die dort befindlichen Pflanzen so lange geöffnet werden können, bis die Luft sich gegenseitig ausgeglichen hat. Für Warm-, und ganz besonders für Orchideen-Häuser ist dieses ausserordentlich wichtig, da sonst ein Oeffnen der Fenster im Winter fast gar

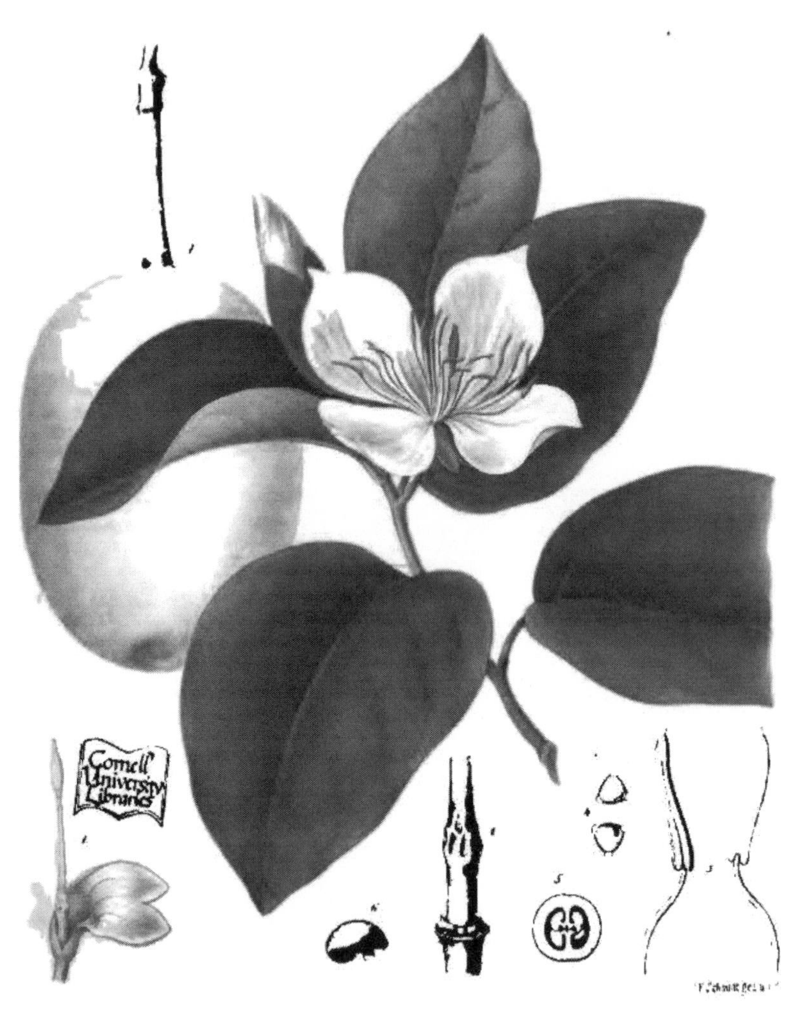

BELENCITA HAGENII KARST.

nicht möglich ist und auch diesen Pflanzen der tropischen Urwälder von Zeit zu Zeit eine Erneuerung der Luft durchaus nothwendig wird.

Professor Koch legte mehre Sorten eingedickter Kernobstsäfte, sogenanntes Obst-Kraut vor, welche er aus Lindlar in der Rheinprovinz von dem eifrigen Obstzüchter Höller erhalten hatte. In Gegenden, wo man viel Obst baut, wird dieses noch gar nicht so verwerthet, als es wünschenswerth wäre. Man erhält in guten Zeiten für ein Paar Groschen daselbst oft einen Scheffel, sogar besseren Obstes. Ref. erinnert sich selbst noch Jahre aus seiner Jugend, wo das Obst hier und da in Thüringen kaum so viel Werth hatte, um es einzuärnten, und wo das Schlechtere zuletzt den Schweinen gefüttert wurde. Ref. empfahl zur Belehrung in dieser Hinsicht auf das Angelegentlichste das vorzügliche Buch von Lucas, des Garteninspektors in Hohenheim, über die Benutzung des Obstes.

Professor Koch vertheilte ferner Beeren einer Wachholder-Art, die nur auf der Südküste der Krim wächst und durch v. Steven ihm von daher gesendet wurde. Er selbst hält sie für Link's Juniperus rufescens, die lange Zeit mit J. Oxycedrus L. verwechselt wurde, während v. Steven sie für eine eigene Art unter dem Namen J. Marschalliana erklärt. Bis jetzt befindet sie sich, so viel wir wissen, noch nirgends in Kultur.

Professor Koch legte ferner ein getrocknetes Exemplar einer neuen Adonis-Art mit schönen, rothen Blüthen von 1 Zoll im Durchmesser vor, welche von Professor Petermann in Berlin auf seiner Reise in Mesopotamien gesammelt war, und bedauerte ungemein, dass letzterer nicht auch Samen mitgebracht hatte, da die Pflanze in diesem Falle eine der schönsten Zierden unserer Gärten geworden wäre.

Auf Veranlassung des erst vor Kurzem von den Kanarischen Inseln zurückgekehrten Dr. Bolle und auf den speciellen Wunsch des als Botaniker und Gartenliebhaber rühmlichst bekannten französischen Konsuls, Berthelot auf Teneriffa, hatte Professor Koch den Besitzer der Flottbecker Baumschulen bei Hamburg, James Booth, ersucht, eine Reihe unserer besseren Obstsorten nach Teneriffa zu senden, damit über deren Gedeihen dort Versuche angestellt würden.

Der Gärtner der landwirthschaftlichen Akademie zu Proskau in Schlesien, Hannemann, übergab einen Bericht seiner vorjährigen Kartoffelkultur. Derselbe hat schon seit mehrern Jahren in dieser Hinsicht vielfache Versuche angestellt und alljährlich darüber an den Verein berichtet. Da er stets die schlechteren Sorten aus seiner Sammlung wieder entfernt, so müssen allerdings die nun erprobten für den grösseren Anbau von Werth sein, zumal er von allen zu einem im Verhältniss billigen Preis, nämlich die Metze zu 5 Sgr., abgiebt. So kann Jedermann sich selbst in kurzer Zeit die besten Kartoffeln verschaffen.

Ueber die von dem Professor Petermann aus dem Oriente mitgebrachten Gurken-, Melonen- und Kürbis-Sämereien statteten der Obristlieutenant v. Fabian in Breslau, über die von dem Landesökonomie-Kollegium erhaltenen Samen von Bohnen, Erbsen, Lupinen und Mais hingegen eben derselbe, Lehrer Immisch in Magdeburg, Kunst- und Handelsgärtner Krüger in Lübbenau und der Vereinsgärtner E. Bouché Bericht ab.

Die Kunst- und Handelsgärtner Moschkowitz und Siegling in Erfurt legten Blätter des Gummibaumes (Ficus elastica L., Urostigma elasticum Miqu.) vor, welche schwarze Flecken besassen. Diese waren Ursache gewesen, dass die Blätter bald abfielen und dass zuletzt die ganze Pflanze zu Grunde ging. Nach Inspektor Bouché und Kunst- und Handelsgärtner Demmler kommt diese Erscheinung des Erkrankens auch hier vor, und zwar hauptsächlich, wenn die Pflanzen erst sehr warm gestanden haben und dann plötzlich kühler gestellt werden, also durch plötzlichen Temperaturwechsel, und dann durch faule Wurzeln, die gewöhnlich durch freie Säure in der Erde hervorgerufen werden; im letzteren Falle muss man umsetzen. Nach Professor Koch hilft in beiden Fällen nichts so sehr, als mehrmaliges Giessen mit bis 50° erwärmten Wasser in Zwischenräumen von 4 u. 5 Tagen.

Der Vorsitzende, Geheime Oberregierungsrath Kette, berichtete, dass der Materialien-Inspektor Neumann in Breslau aus selbst gezogenen Pflanzen des Pyrethrum roseum und carneum sehr gutes Persisches Insektenpulver bereitet habe. Prof. Koch, der das Pulver auf seiner ersten Reise im Kaukasus und in Georgien kennen lernte und es in Deutschland zuerst mit den Mutterpflanzen bekannt machte, hält es für sehr wichtig, einheimisches Pulver sich zu verschaffen, da bei dem grossen Bedürfnisse darnach es jetzt selbst im Vaterlande, was übrigens gar nicht Persien, sondern Transkaukasien ist, ganz allgemein mit den Blüthen einer dort sehr gemeinen Pflanze, Anthemis rigescens Willd., verfälscht werde. Bei uns geschehe es mit den Blüthen der gewöhnlichen Kamille. Gutes Pulver besitze aber einen sehr schwachen Geruch. Das Wirksame darin sind nach Professor Koch die Blumenstaubkörner, welche sich (im Mikroskop angesehen) durch ihre stachliche Oberfläche sehr leicht von denen der übrigen Kamillen-Arten (Anthemideen) unterscheiden. Uebrigens hat schon Ref. vor 4 Jahren ächten Samen direkt bezogen und diesen zu Anbau-Versuchen, namentlich in Schlesien, an Gutsbesitzer vertheilt. So wird die Pflanze besonders auf dem Gute des Geheimen Kommerzienrathes Treutler bei Waldenburg ebenfalls in grösserer Menge gezogen. In Transkaukasien wächst sie meist nur auf kalkigen Vorbergen bis zu einer Höhe von 5 und 6000 Fuss.

Die Ausstellung war dieses Mal schwach besetzt. Von Interesse erschienen die Amaryllis-Formen, welche der Vereinsgärtner E. Bouché ausgestellt hatte, so wie der nur Fuss hohe Gummibaum mit Blüthen in den Blattwinkeln, von dem Stadtrathe Franke. Obwohl mit kleinen weissen Blüthen über und über bedeckt, so möchte doch die bis jetzt, wenigstens in Berlin, noch nicht kultivirte Sonerila zeylanica Arn. für den Blumenliebhaber, und demnach auch für den Gärtner, von keinem grossen Interesse sein. Der Hofgärtner Nietner in Schönhausen hatte sie geliefert. Einen hübschen Anblick bot die aus blühenden Maiblumen angefertigte, 2½ Fuss hohe Pyramide, welche von blühenden Duc van Thol umgeben war. Endlich erregten der abgeschnittene Blüthenzweig der ostindischen Rubiacee Luculia gratissima Sweet durch sehr angenehmen Geruch, so wie die grossen Blüthenköpfe der bekannten Büttneriacee: Astrapaea Wallichii Lindl., wegen ihrer Schönheit die Aufmerksamkeit der Anwesenden. Die erstere hatte der Obergärtner Pasewaldt im Danneel'schen Garten geliefert, während die andere vom Inspektor Bouché mitgetheilt war. Ein stattliches Exemplar der letzteren, welche in Gewächshäusern wegen ihrer schönen und grossen Blätter gern gesehen wird, blüht jetzt im botanischen Garten. Die Blüthen unterscheiden sich hier übrigens von denen der abgebildeten Pflanze durch eine mattrosenrothe Farbe der Blumenblätter. Die Zahl der fruchtbaren Staubgefässe, welche sonst zu 20 angegeben wird, beträgt auch mehr, nämlich 25—28.

Journal-Schau.

Unter dieser Rubrik sollen von Zeit zu Zeit, wie sich eben interessantes Material darbietet, aus andern Journalen Berichte über neuere Pflanzen, über Kultur-Methoden und über allerlei Gegenstände, welche in gärtnerischer, und damit zusammenhängend, auch in botanischer Hinsicht unser Interesse in Anspruch nehmen, gegeben werden. Dass die Berichte kurz sind, ist wegen des Mangels an Raum nothwendig. Es werden deshalb abgebildete Pflanzen aus den verschiedenen Journalen nur dann mit Angabe des Orts erwähnt, wenn sie wirklich neu sind, bis jetzt noch nicht abgebildet waren oder sonst ein Interesse haben. Die Journale, welche Abbildungen geben, sollten sich diesen Grundsatz ebenfalls mehr aneignen und nicht, wenn es ihnen an Material fehlt, Pflanzen bringen, welche vielleicht schon vorher sehr viel Mal — wie es in der That erst vor Kurzem mit einer ausländischen der Fall war — und zum Theil selbst weit schöner und instruktiver abgebildet waren. Bisweilen haben sogar solche wiederum aus der Rumpelkammer hervorgeholten Pflanzen kaum ein botanisches, geschweige denn ein gärtnerisches Interesse.

Wir beginnen mit dem Journal: Belgique horticole VII. année, 1. livr. Abgebildet sind auf einer Tafel die bekannte Campanula peregrina L. aus Syrien und Algerien, wegen ihrer häufigen Verwechslung mit einer andern Art aus Portugal, C. primulaefolia Brot., die Hoffmannsegg und Link als C. peregrina L. beschrieben haben, und Salvia porphyrantha Dne (porphyrata Hook.) aus Texas. Wie Morren richtig bemerkt, ist die letztere nicht von S. Roemeriana Scheele verschieden. Dieser Name muss auch als der zuerst (im Jahre 1849) von Scheele in der Linnaea (22. Band. S. 586) gegebene bleiben, da Decaisne erst 1854, also später, die Pflanze in der Revue horticole, (4m ser. tom. III, p. 301) als S. porphyrantha beschrieb und abbildete. Wir verdanken die Einführung dieser Art dem Professor Römer in Breslau, dessen Namen sie auch trägt und der Samen von seiner Reise nach den Vereinigten Staaten Nordamerika's mitbrachte.

Für Obstzüchter theilen wir mit, dass auch von der köstlichen Beurré de St. Amand eine Abbildung gegeben ist.

Nicht weniger interessant ist der Bericht Remy's, einer der Mitarbeiter von Gay's Flora von Chili, über die riesige Konifere Kalifornien's, welche nun der Reihe nach 4 Namen (Taxodium sempervirens Lamb., Sequoja gigantea Endl., Wellingtonia gigantea Lindl. und Washingtonia der Nordamerikaner) erhalten hat. Wie alle grossen Thiere nur einen beschränkten Verbreitungsbezirk besitzen, so scheint es auch mit den riesigen Pflanzen der Fall zu sein. Sequoja gigantea — das ist der beizubehaltende Name — wächst nur auf einem ohngefähr 1 Meile im Durchmesser enthaltenden Distrikt der Sierra Nevada, den die Eingebornen Mammuth-Grund nennen, in der Nähe der Quellen des Stanislaus-Flusses. Es sind 84 Bäume vorhanden, deren kleinster immer noch 15 Fuss im Durchmesser besitzt. Einer mit einer Höhe von 300 Fuss und an der Basis des Stammes mit einem Umfange von 95 (engl.) Fuss wurde gefällt und brauchten 5 Menschen nicht weniger als 25 Tage dazu. Ein Rinden-Cylinder dieses Baumes ist in England für Geld gezeigt. Drei ähnliche Bäume stehen so dicht beisammen, als wenn sie aus einer Wurzel stammten; der mittlere von ihnen beginnt erst bei 200 Fuss sich zu verästeln. 2 andere Bäume, welche man das Ehepaar nennt, weil sie oben sich zusammenneigen, sind 250 Fuss hoch und haben einen an der Basis 60 Fuss Umfang enthaltenden Stamm. 26 dicht beisammenstehende Bäume heissen bei den Eingebornen die Familiengruppe. Der Familienvater hat leider dem Zahne der Zeit unterliegen müssen; er besitzt einen Stamm mit 110 Fuss Umfang, während die noch aufrechte Mutter unten 91 Fuss Umfang hat und ihr Haupt bis zu einer Höhe von 327 Fuss erhebt. Ein Baum steht ganz allein und hat deshalb den rauhen Winden weniger widerstanden, daher seine Krone zerfetzt und seine Aeste zum Theil zerbrochen sind. Man nennt ihn deshalb die alte Jungfer.

Die Riesen-Konifere ist jetzt in den Gärten ziemlich allgemein verbreitet und scheint sehr rasch zu wachsen. Sie lässt sich durch Stecklinge ausserordentlich leicht vermehren. In der Landesbaumschule bei Potsdam wurden schon von der einjährigen Samenpflanze durch den Obergärtner Th. Nietner Stecklinge mit Erfolg gemacht.

Illustration horticole, rédigé par Ch. Lemaire IV. vol., livr. 1. Die schon in der Revue horticole III, t. 14 und in Flore des Serres (nouv. ser. tom. I. t. 1137) abgebildete Weigela (nicht Weigelia) Middendorfiana wird hier auf der 115. Tafel dargestellt und für Trautvetter's Benennung Calyptrostigma Middendorfianum eine neue „Wagneria Middendorfiana" vorgeschlagen. Da aber schon die erstere nicht angenommen zu werden scheint, möchte auch die zweite auf sich beruhen, weil das alte Genus Weigela Thunb., was übrigens manche Botaniker, vielleicht mit Recht, sogar mit Diervilla L. vereinigen, ausreicht.

Ein Gewinn für unsere Gärten ist auf der 117. Taf. ein neuer Blendling von Clematis coerulea var. grandiflora und C. Viticella flore purpureo, den de Gouasco in Luxemburg aus Samen erzogen hat und der von Mackoy als C. Gouascoi verbreitet wurde. Uebrigens kommt eine sehr ähnliche Form in der Nähe von Brussa wild vor und wurde mir getrocknet von Dr. Thirk, dem jetzigen Leibarzte von Omer-Pascha, mitgetheilt. Auf jeden Fall gehört sie zu C. Viticella mehr als zu coerulea.

Von in der That seltenen Schönheit ist die auf der 118. Tafel abgebildete remontirende Rose Marie Aviat, welche Verschaffelt von Duboy-Jamain aus Paris erhielt. Auf der 116. Tafel sieht man eine prächtige Weintraube, gezüchtet von der schwarzen Hamburger mit der Sweet-Water, durch Busby, Gärtner zu Stockwood-Park in Bedfordshire. Sie erhielt den Namen Hambourg doré de Stockwood.

Pflanzen-Ankäufe.

Seit mehreren Jahren befinden sich 2 Gärtner, Karl Ferdin. Appun und Joh. Heinr. Horn, in Venezuela, also in einem Lande des tropischen Amerika, was so arm und wüst es in einigen Distrikten auch erscheint, in andern aber wiederum eine ganz besonders üppige Vegetation und einen seltenen Reichthum an schönen Pflanzen zeigt, wie wenige andere Länder. Seit langer Zeit haben sich grade unsere Gewächshäuser aus Venezuela mit Neuheiten versehen. Tüchtige Reisende, Botaniker und Gärtner — wir wollen nur auf den jetzt nach 8jähriger Abwesenheit sich in Berlin befindlichen Dr. Karsten, auf den unermüdlichen v. Warszewicz, der endlich auch nach langjähriger Anwesenheit im tropischen Amerika nach Europa zurückgekehrt ist und jetzt die Stelle eines Inspektors am botanischen Garten in Krakau einnimmt, ferner auf Moritz, Wagener, Libon, welche letztere drei noch dort befindlich sind, u. w. s. aufmerksam machen — haben uns eine grosse Reihe von wahrhaft schönen Pflanzen, ganz besonders von Orchideen, Farrn und Palmen, für unsere Gewächshauser geliefert.

Für die Sammler ist es ganz besonders vom Werth, dass ein mit fast undurchdringlichen und im Innern von der üppigsten Vegetation strotzenden Urwäldern dicht bedecktes Gebirge, Cordilleras von Carabobo, sich grade im Norden dicht an der Küste westlich von dem See Maracaibo bis östlich über Caracas hinaus hinzieht und allenthalben gute Häfen in der Nähe sind, die den Transport erleichtern. Welchen Schwierigkeiten und nicht weniger Kosten aber grade der Transport im Innern eines unkultivirten, gewöhnlich noch von wüsten Distrikten unterbrochenen Landes hat, kann man sich in Deutschland, wo die Kommunikation so ausserordentlich erleichtert ist, gar nicht denken. Man höre nur auf die Berichte des Dr. Karsten und v. Warszewicz und man wird die Ausdauer und Opferfreudigkeit der Männer bewundern, welche nur von dem regen Interesse für die Wissenschaft und Gärtnerei beseelt, mit seltenem Enthusiasmus und mit einem kerngesunden, allen Mühen und Entbehrungen trotzenden Körper sich in das Innere eines Landes wagten, wo neben einer allerdings grossartigen Natur, wenn auch nicht immer das Verderben selbst, so doch allerhand Gefahren, selbst bösartige Krankheiten und blutgierige Wilde, auf den harmlosen Naturforscher lauern. Wir sollten solchen Männern, und zwar um so mehr, dankbar sein, als das, was sie einsenden, allen Gartenbesitzern und Blumenliebhabern Freude macht und Genuss gewährt, aber auch die Wissenschaft sehr fördert.

Doch zurück zu den Anerbietungen der beiden Reisenden Appun und Horn, welche sich jetzt in der Nähe von Neu-Valencia ziemlich in der Mitte des grossen Küstengebirges befinden und ihren letzten Aufenthalt benutzt haben, um Sammlungen lebender Pflanzen und Samerzien zu veranstalten. Diese bieten sie jetzt in einem besonderen Schreiben, was der Bruder des einen, der Buchhändler Karl Friedrich Appun in Bunzlau (Schlesien), versendet hat, allen Gewächshausbesitzern um sehr billige Preise an. Es kommt noch dazu, dass der Käufer auf seine allerdings feste Bestellung keinerlei Risiko hat; er bezahlt für den Centner von 100 Pfund Fracht von Venezuela bis Hamburg den ausserordentlich niedrigen Preis von 3 Thalern, ohne für die gewiss nicht so unbedeutende Emballage noch irgend etwas in Anrechnung zu erhalten. Damit die Pflanzen auf der weiten Reise so wenig als möglich leiden und in den europäischen Häfen — wie es leider nur zu häufig geschieht — sich nicht zuerst Unberufene eine Einsicht in die angekommenen Pflanzen verschaffen und bei deren weitem Gewissen nicht das Bessere und Seltenere für sich behalten, wird der eine der beiden Reisenden, Appun, den Transport begleiten und selbst an Ort und Stelle bringen. Die Abfahrt von Puerto Cabello, dem nächsten Hafen von Valencia, soll gegen Ende April geschehen, so dass das Schiff, insofern nicht vorhergesehene Hindernisse entgegentreten, Ende Juni in Deutschland eintreffen kann.

Für direkte Bestellungen nach Venezuela möchte es wohl zu spät sein. Da aber wahrscheinlich ausser dem, was bestellt ist, die beiden Reisenden von den meisten Pflanzen mehr mitbringen und deshalb wohl Manches noch ablassen können, so haben wir nicht gezögert, auch jetzt noch eine Anzeige in diesen Blättern aufzunehmen und darauf aufmerksam zu machen. Der Buchhändler Appun in Bunzlau wird übrigens allen denen, welche darauf reflektiren, gewiss ausserdem die gewünschte Auskunft geben.

Betrachten wir nun die Pflanzen, welche die Reisenden Appun und Horn anbieten, etwas näher und beginnen mit den Orchideen, so sind es hier 111 der neuern und schönern Arten, welche wir sonst zum Theil nur mit sehr hohen Preisen in den Verzeichnissen, namentlich englischer, Handelsgärtner, angezeigt sehen. Der höchste Preis ist hier hingegen 10 Thlr., den nur das seltene Selenipedium caudatum Rchb. fil. besitzt, während Cattleya Trianaei Lind., Odontoglossum cuspiterum Lind. et Rchb. fil., Sobralia Ruckeri Lind. und Uropedium Lindenii Lindl. zu 6, Odontoglossum gloriosum Lind. et Rchb. fil., Pescatorei Lind. und triumphans Rchb. fil., so wie Selenipedium Schlimii Lind. et Rchb. fil. zu 5 Thlr. angeboten werden. Die meisten Orchideen kosten nur zwischen 2 u. 3, mehre sogar nur 1 Thlr., so: Aspasia epidendroides Lindl., Gongora cupreo- und albo-purpurea Lind., Lycaste aurantiaca Lind., Oncidium bicolor Lindl. u. s. w.; ja Ornithidium sanguinolentum Hort. und Bletia ocanensis Lind. sind zu ½, Camaridium purpuratum Lindl. hingegen zu ¾ Thlr. zu beziehen.

Palmen werden 35 Arten angeboten und zwar als ½ Fuss hohe Pflanzen oder als Samen. 100 Stück der Cocos butyracea Mart. kosten z. B. nur 16 ⅔, 12 hingegen 3 Thlr.; 100 Sämlinge der Iriartea altissima Kl. und Araque n. sp. kosten 25, 12 aber 4 Thlr.; ferner Trithrinax mauritiaeformis Hort. 12 Sämlinge 3⅓, aber 100 nur 20 Thlr., Oenocarpus Batana n. sp., caracassanus Lodd., und utilis Kl. 12 Sämlinge 2⅓, aber 100 nur 15 Thlr. Die Preise für die Samen sind nicht angegeben, sollen aber billig berechnet werden.

Baumfarrn sind 22 Arten von 1—8 Fuss Höhe angeboten und wird der Fuss mit 3 Thlr. berechnet. Unter ihnen befinden sich: Alsophila caracassana Kl., Humboldtii Kl. Cyathea aculeata Willd., elegans Hew., Dicksonia Lindenii Hook., Diplazium giganteum Karst., celtidifolium Kze, Hemitelia horrida R. Br., Klotzschiana Karst., Lotzea diplazioides Kl. u. s. w. Krautfarrn werden in ansehnlicher Grösse 25 Arten zu 8, und 12 Arten zu 4 Thlr. gegeben.

Was endlich die Sämereien anbelangt, so gehören diese nicht allein schönen Blattpflanzen, sondern zum Theil auch in irgend einer Hinsicht interessanten Gewächsen an. So Anacardium occidentale L., deren Nuss, Acajou genannt, gegessen wird und das Gedächtniss stärken soll; mehre Arten des Flaschenbaum's (Anona), deren Früchte in allen Tropenländern allgemein gegessen werden, namentlich von A. Cherimolia Mill., squamosa L. und muricata L.; der Brotbaum (Artocarpus incisa L. fil.), von dem ein Paar Bäume ausreichen, um Jahr aus, Jahr ein eine ganze Familie der Südsee-Insulaner zu ernähren; Bombax Ceiba L., aus dessen Samenwolle jetzt in England die feinsten Kastor-Hüte gemacht werden; der Kuhbaum (Brosimum Galactodendron Don), mit einem Milchsafte, der sich kaum von ächter Kuhmilch unterscheiden lässt; Poinciana (Caesalpinia) pulcherrima L., deren Blüthen im Vaterlande wegen ihrer strahlenden Schönheit den Namen „Paradiesblumen" erhalten haben; Sapota Achras Mill. und Lucuma mammosa L., deren Milchsaft giftig ist, während die Früchte so gesund und wohlschmeckend sind, dass sie in Amerika gewöhnlich „Eigelb, Pflanzen-Ei oder auch Natur-Marmelade" genannt werden. Melicocca bijuga L., deren Früchte wegen ihres angenehmen Fleisches im Vaterlande Honigfrüchte heissen; die Birn- und Apfel-Guajaven (Psidium pyri- und pomiferum L.) liefern das Obst für alle Tropenländer; der Cacaobaum (Theobroma Cacao L.); Jatropha Curcas L. hat Samen, welche früher unter der Benennung Höllen-Feige (Semina Ricini majoris h. Ficus infernalis) als ein im hohen Grade purgirendes und Brechen erregendes Mittel in den Apotheken gebraucht wurden.

Verlag der Nauck'schen Buchhandlung. Berlin. Druck der Nauck'schen Buchdruckerei.

Hierbei 1) die illuminirte Beilage Melocactus Hagenii Karst. für die Abonnenten der illustr. Ausgabe der Allg. Gartenz.
2) der Auszug aus dem Hauptverzeichniss von Christ. Deegen in Köstritz.

No. 5. Sonnabend, den 31. Januar. 1857

BERLINER

Allgemeine Gartenzeitung.

Herausgegeben

vom

Professor Dr. Karl Koch.

Generalsecretair des Vereins zur Beförderung des Gartenbaues in den Königl. Preussischen Staaten.

Inhalt: Einiges über Schmarotzer-Blumen, besonders Rafflesien. Vom Professor Karl Koch. — Cryptomeria japonica Don und Lobbii Hort. angl. Vom Hofgärtner Fr. Schneider. — Die Veredlung des Epiphyllum truncatum Lk auf Pereskia aculeata Plum. Vom Kunst- und Handelsgärtner Jul. Hoffmann. — Verzeichnisse von Ohse und Mette.

Einiges über Schmarotzer-Blumen, besonders Rafflesien.

Vom Professor Karl Koch.

Durch den Dr. Seemann, den Herausgeber der botanischen Zeitschrift „Bonplandia", erfuhren wir zuerst, dass es dem Obergärtner des botanischen Gartens in Buitenzorg (der botanischen Welt als Hortus Bogoriensis hinlänglich bekannt,) Teysmann, gelungen sei, die Riesenblume (Rafflesia Arnoldi R. Br.) aus Samen zu erziehen; diese Bekanntmachung erregte mit Recht in der ganzen gärtnerischen Welt Aufsehen und Freude; denn wir können uns nun der Hoffnung hingeben, diese höchst interessante Pflanze mit ihrer schönen grossen Blume vielleicht bald auch in unsern Gewächshäusern zu haben. Seitdem ist ein Brief von Teysmann selbst an de Vriese in Leiden in Hooker's Journal of botany and Kew garden miscellany Tom. VIII, p. 371 veröffentlicht und auch bereits in der erst zu Ende Januar's veröffentlichten 49. Nummer des letzten Jahrganges der allgemeinen Gartenzeitung von Otto und Dietrich übersetzt worden.

Es ist dieses in der That ein Ereigniss, was von grossen Resultaten sein kann. Wie wichtig und erfolgreich zunächst es für die Wissenschaft sein muss, wenn der Botaniker, und zwar hauptsächlich hier der Physiolog, in den Stand gesetzt ist, das Leben der noch lange nicht erforschten Schmarotzer, besonders derer, die in den Tropen wachsen, einer genaueren Untersuchung zu unterwerfen, wird Jedermann begreifen; dass es aber dem Gärtner, der in den letzten 10 Jahren so Vieles mit Erfolg erreicht hat und tiefer als je in die Geheimnisse des Lebens der Pflanzen gedrungen ist, gelingen werde, auch die räthselhaften Gestalten einiger Holz-Schmarotzer, wo die ganze Pflanze nur eine riesige Blüthe zu sein scheint, in unseren Gewächshäusern zu kultiviren, muss für Jedermann, der Liebe zu Pflanzen und Blumen hat und vielleicht selbst kultivirt, von höchstem Interesse sein. Mit diesen Schmarotzer-Blumen erhielten wir für unsere bereits schon wegen Schönheit der Blüthen oder Blätter kultivirten Pflanzen einen sehr erfreulichen neuen Zuwachs.

Schmarotzer, und zwar zunächst unsere einheimischen, sich keineswegs durch besondere Blattformen oder Schönheit der Blüthe sich auszeichnenden Arten, wurden zwar schon seit einigen Jahrzehenden, aber nur aus botanisch-physiologischem Interesse, kultivirt; namentlich unterstützten botanische Gärtner die Untersuchungen der Botaniker, indem sie meist das nöthige Material zur Verfügung stellten. So sind mit unserer Mistel (Viscum album Linné.) schon seit längerer Zeit mehr oder weniger gelungene Versuche angestellt, die Samen zum Keimen zu bringen; aber doch hat man nicht, soviel ich weiss, die jungen Pflänzchen in ihrem fernern Wachsthume mit der nöthigen Ausdauer verfolgt, dass es auch gärtnerische Resultate geliefert hätte. Man brachte die Samen zum Keimen und erzog sogar kleine Pflänzchen, welche man aber leider nach gemachten Beobachtungen ihrem Schicksale überliess. So gingen sie bald wieder zu Grunde. Ob dieses in Folge der Vernachlässigung geschah? oder ob es dem Gärtner und Botaniker nicht gelang, sie länger zu erhalten? erfährt man nicht. Faktisch ist jedoch, dass Gärtner in Thüringen sich in ihrem Obstgarten aus Samen Misteln erziehen, um später zu ihren Vogelherden die nöthigen Beeren zu haben.

Interessant ist es, dass nach neueren Beobachtungen Mistelsamen, welche den Darmkanal der die Mistelbeeren liebenden Drosseln unverdaut durchgangen sind, sehr leicht keimen. Wahrscheinlich wird die Mistel, deren Samen keineswegs durch Winde weiter geführt werden kann, hauptsächlich auch durch Drosseln und andere deren Beeren liebende Vögel oft weit hin verbreitet.

Die Flachsseiden (Cuscuta L.) keimen nach den gegebenen Berichten sehr leicht, ohne Nährpflanzen im Boden in Form von fadenförmigen Stengeln, gehen aber bald zu Grunde, wenn sie nicht eine Nährpflanze finden, an der sie sich anheften und aus der sie später Nahrung entziehen können. Mit ihren Saugapparaten halten sie sich an jungen und krautartigen Pflanzentheilen so fest an, dass man den Schmarotzer nur mit der grössten Mühe und Aufmerksamkeit wegzubringen vermag. In der freien Natur kann man die Flachsseiden auf Kulturpflanzen in der Regel gar nicht vertilgen; man ist namentlich auf Kleefeldern gezwungen, die Nährpflanzen selbst mit Stroh abzubrennen, so dass alle Kleestengel und in Folge davon auch die schmarotzenden Flachsseiden zu Grunde gehen. Cuscuta Epithymum L. ist bereits hier und da in Süddeutschland zufällig in die Gewächshäuser gerathen, um ein keineswegs angenehmer Gast zu werden. So sind ferner mit tropisch-amerikanischen Pflanzen auch dort einheimische Flachsseiden ebenfalls neuerdings in den Gewächshäusern eingeführt worden. In dem Berliner botanischen Garten wird seit mehreren Jahren schon eine tropische Art, Cuscuta verrucosa Engelm., kultivirt.

Seit einigen Jahren sind unter der Leitung des Inspektors Bouché im botanischen Garten zu Neu-Schöneberg bei Berlin Versuche mit den Pflanzenwürgern oder Orobanchen gemacht worden und haben dieselben zu glücklichen Erfolgen geführt. Der Obergärtner Tittelbach bei Moskau, der damals sich im botanischen Garten befand und dem die Kultur der Orobanchen übertragen war, hat im 1. Bande der neuen Reihe der Verhandlungen des Vereines zur Beförderung des Gartenbaues S. 383 eine dankenswerthe Abhandlung veröffentlicht, in der er sein Verfahren bekannt macht. Von Dr. Caspary, jetzigen Privatdozenten in Bonn, damals in Berlin, sind eine Reihe geschichtlicher und physiologischer, das Keimen betreffender Notizen als Anhang dazu geliefert worden, die namentlich dem Botaniker Interesse darbieten. Nach [illegible] und Lindley soll zwar auch schon früher Professor Bartling in Göttingen ebenfalls gelungene Versuche, Orobanchen zu ziehen, gemacht haben; da aber nichts bekannt geworden ist, so fehlt uns alles Nähere darüber.

Durch Tittelbach erfahren wir zunächst, dass die Orobanchen ein- und mehrjährig sind, je nachdem ihre Nährpflanzen eine ein- oder mehrjährige Dauer haben. Bei beiden ist die Zucht aus Samen im botanischen Garten gelungen, während aus dem wilden Zustande eingepflanzte alle Exemplare stets schon zeitig zu Grunde gingen. Die Samen für einjährige Arten wurden gleichzeitig mit denen ihrer Nährpflanzen oder kurz nachher, und zwar in gleiche Tiefe des Bodens, ohngefähr einen Zoll unter der Erde, eingestreut, während die der ausdauernden am Leichtesten keimen, wenn sie gleich nach ihrer Reife im Spätsommer oder im Herbste auf die Würzelchen einer kräftigen Nährpflanze gebracht worden sind. Thut man es im Frühjahre, so keimen zwar die Samen ebenfalls; aber die Pflanzen erhalten nicht mehr ihre vollkommene Ausbildung und bringen keinen keimfähigen Samen hervor.

Tittelbach machte Versuche im freien Lande und in Töpfen. Im letztern Falle thut man am Besten, wenn gleich beim Einsetzen der Nährpflanze die Orobanchen-Samen bei einer Tiefe von 2 Zoll mehr gegen den Rand des Ballens hin ausgestreut werden, denn hier bildet sich in der Regel von der Nährpflanze schon bald ein dichtes Netz von feinen Würzelchen, auf denen nur allein Orobanchen-Samen keimt. Alle Versuche in Spalt- und Schnittwurzeln älterer Nährpflanzen Orobanchen zum Keimen zu bringen, sind missglückt. Bei der Aussaat in Töpfe hat man noch Gelegenheit, durch zeitweiliges Herausnehmen des Ballens sich von der Art des Keimens Gewissheit zu verschaffen und die weitere Entwickelung der Pflänzchen zu verfolgen.

Die Samen keimen in der Regel schon kurze Zeit nach ihrer Aussaat und bedürfen dann zu ihrem Wachsthume eine gleichmässige Feuchtigkeit. Es gehen aber mehre Wochen, ja selbst Jahre vorüber, ehe die Pflanzen über der Erde erscheinen. Eine Orobanche Hederae Dub. gebrauchte nach Tittelbach 1¼ Jahr, bevor sie aus der Erde heraustrat.

Wir haben dreierlei Schmarotzer aus dem Bereiche der höheren Pflanzen: Holz-, Wurzel- und Lianen-Schmarotzer. Zu den letzteren gehören die bereits besprochenen Flachsseiden (Cuscuteae), während die Wurzelschmarotzer, welche nur auf jugendlichen, noch keineswegs holzigen Würzelchen sich entwickeln, durch die Orobanchéen vertreten sind. Zu den Holzschmarotzern gehören die Viscum- und Loranthus-Arten mit Einschluss aller der neueren Genera, welche man später, besonders Martius (Flora, XIII. Band, Seite 97) und Blume (Flora Javae. Loranthaceae) daraus gebildet haben. Die Mistel- oder Viscum-Arten möchten wohl kaum einmal ein gärtnerisches Interesse in Anspruch nehmen, da selbst die tropischen der Alten Welt, so zahlreich sie auch vertreten sind, bei ihrer Aehnlichkeit im Blüthenbau und auch in Gestalt mit unserem einförmigen und unscheinlichen Viscum album wohl nie Anspruch auf Schönheit machen werden. Desto mehr nehmen aber die Riemenblumen — der deutsche Namen für Loranthus — unsere Aufmerksamkeit in Anspruch, denn sie besitzen Blumen, zwar ähnlich unserem feuerblühenden Jelängerjelieber oder Geisblatt (Lonicera sempervirens L. Caprifolium sempervirens Mich.), sind aber weit feuriger gefärbt. Sie bilden den Schmuck des tropischen Gebüsches und zum Theil der Wälder, auf deren Gehölzen sie vorkommen. Während diese als hohe Urwaldsbäume selten blühen oder nur unscheinliche Blüthen besitzen, so thun es die tropischen Loranthus-Arten um desto häufiger. Ihre Blüthen stehen auch meist gedrängt und haben in der Regel eine mehr als Zoll lange Blumenröhre. Reisende schildern oft in ihren Beschreibungen den prächtigen Anblick solcher mit Riemenblumen besetzten Bäume und Sträucher, wenn sie auch oft in der Meinung sind, als wären es die Blüthen des Gehölzes selbst und nicht fremde Schmarotzer.

Sollte es uns nun gelingen, diese Pflanzen ebenfalls in unsern Gewächshäusern zu ziehen, so hätten wir, wie gesagt, eine nicht unbedeutende Bereicherung erhalten. Wollen wir demnach hoffen, dass die von Seiten vieler praktischen Mitglieder des Vereines zur Beförderung des Gartenbaues jetzt stattfindenden Versuche mit Samen unserer Mistel zu einem glücklichen Resultate führen, d. h. dass die Samen nicht nur keimen, sondern auch die Pflanzen sich erhalten; denn dann können wir mit Erfolg auch die Kultur der Loranthus-Arten mit feuerrothen Blüthen entgegensehen.

Die Schmarotzer aus der Familie der Loranthaceen (der Loranthus- und Viscum-Arten) verhalten sich zu ihren Nährpflanzen grade so, wie das Pfropfreis zur Unterlage, d. h. es ist keinerlei Art von Wurzelgebilde vorhanden, mit dem sie aufsitzen, sondern die Zellen des Holzschmarotzers schieben sich einfach zwischen die der Nährpflanze und bilden eine mehr oder weniger innige Verbindung. Da dieses nun der Fall ist, so wäre es auch möglich, dass die ersteren auf die letztern gepfropft ebenfalls weiter wüchsen: Versuche in dieser Hinsicht wären höchst wünschenswerth und würden, wenn sie gelingen sollten, der Einführung der Riemenblumen als Zierpflanzen in unseren Gärten einen nicht unbedeutenden Vorschub leisten. Es geht daher an alle Gärtner und Blumenliebhaber die Bitte, mit unserer Mistel Pfropf-Versuche, und zwar möglichst vielseitige, anzustellen und die Resultate der Redaktion gefälligst später zukommen zu lassen, damit diese wiederum in diesen Blättern veröffentlicht werden können. Ich glaube, dass Obst-, hauptsächlich Apfelbäume weit mehr als andere Gehölze, auf denen die Mistel bis jetzt gefunden ist, zu dergleichen Versuchen passen. Ist es uns erst einmal mit der Mistel gelungen, so wird es auch mit den Loranthus-Arten der Fall sein. Es könnten dann selbst Reiser aus den Tropen gesendet und in unsern Gewächshäusern mit Erfolg angewendet werden.

Hinsichtlich der Art und Weise der innigen Verbindung der Schmarotzer mit der Nährpflanze durch in einander geschobene Zellen und selbst Gefässe schliessen sich die sogenannten Wurzelblumen oder Rhizantheen an. Es sind dieses eine Reihe ganz eigenthümlicher Pflanzen, welche inmitten der Rinde holziger Wurzeln oder am untern Theile eines Stammes höherer Pflanzen, ganz besonders von Cissus-Arten, in Form kleiner Knöllchen entstehen und sich vergrössern, bis sie zunächst die Cambialschicht erreichen, sich daselbst festsetzen und mit dem Holze innige Verbindungen eingehen. So scheint es wenigstens bei denen der Fall zu sein, deren Entstehung man ziemlich weit zurück verfolgen konnte. Einige von ihnen bilden auf der Nährpflanze, besonders wenn die Wurzeln, denen sie aufsitzen, sehr dünn sind, eine Art Wulst, ganz ähnlich dem, wie er sich auf den Nähr-Würzelchen der Orobanchen vorfindet.

Man hat botanischer Seits aus den schmarotzenden Wurzelblumen (Rhizantheen) 4 Familien gemacht: Rafflesiaceen, Hydnoreen, Cytineen und Balanophoreen. Die Rafflesiaceen scheinen nur aus einer einzigen grossen Blüthe zu bestehen, die einem kurzen, schwammartigen Gebilde aufsitzt. Die erste Pflanze entdeckte der Gouverneur Ostindiens Raffles, der im Jahre 1818 mit seiner Frau und dem Dr. Arnold von Bencoolen aus eine Reise in's Innere Sumatra's machte und plötzlich an einem Baumstamme nahe dem Boden eine riesige Blume von über 3 Fuss Durchmesser fand, die sonderbarer Weise fast gar keinen Stamm hatte. Der unglückliche Dr. Arnold, der leider bald darauf an den Strapatzen dieser Reise in's Innere der ungastlichen Insel starb, schreibt in einem Privatbriefe ganz erstaunt über die riesige Grösse der sonst auch sonderbaren Blume.

Die Blüthe oder vielmehr die fast nur aus dieser bestehenden Pflanze wurde unserem grössten, jetzt noch lebenden Botaniker, Rob. Brown, zur Verfügung gestellt. In dem 13. Bande der Verhandlungen der Linné'schen Gesellschaft (Transactions of the Linnean society) in London erschien alsbald eine Abhandlung darüber (an account of a new genus of plants, named Rafflesia, by Rob. Brown, Esqu., Juni 1830), welche nebst einer Abbildung in natürlicher Grösse eine genaue Beschreibung und Analyse lieferte. Rob. Brown nannte die Pflanze zu Ehren ihrer Entdecker, des Generalgouverneurs Raffles und des unglücklichen Dr. Arnold: Rafflesia Arnoldi, und hat dadurch beiden auch um die Pflanzenkunde verdienstvollen Männern ein bleibendes Denkmal gesetzt.

Später sind noch einige Arten, aber minder grosse entdeckt worden; ebenso erhielt Rob. Brown weit später (1843) erst eine weibliche Pflanze der Arnold'schen Rafflesia und gab, ebenfalls wiederum in den Verhandlungen der Linné'schen Gesellschaft zu London des Jahres 1845 (XIX. Band, S. 215), eine genaue Beschreibung. Zu gleicher Zeit machte er noch 2 neue Arten: R. Horsfieldii und Cumingii bekannt, von denen die erstere der englische Botaniker Horsfield, der in den Jahren 1802 bis 1818 auf Java lebte, auf genannter Insel entdeckte. Die zweite fand Hugh Cuming auf Samar, einer der Philippinen, und wurde schon vor Rob. Brown durch Taschemacher in der Boston Zeitschrift für Naturgeschichte (Boston Journal of natural history, Tom. IV. p. 63.) als Rafflesia Manillana beschrieben und abgebildet. Da die Pflanze aber bis jetzt gar nicht in der Nähe von Manilla, der Hauptstadt von Luzon, ja selbst auf der ganzen Insel, nicht wächst, so glaubte Rob. Brown zur Umänderung des Namens berechtigt zu sein.

Auch Blume, jetzt Direktor des Reichsherbariums in Leiden, früher lange Zeit auf Java, entdeckte eine neue Art und beschrieb sie unter dem Namen R. Patma in seiner Flora javanica als eine Zwitterpflanze. Später (1850) fanden Binnendijk und Teysmann, Beamte des botanischen Gartens zu Buitenzorg auf Java, vom Neuen Exemplare der R. Patma, die (Nat. Tijdschr. of Nederl. Indië 1, p. 423.) von ihnen beschrieben und später von de Vriese (Mem. sur les Raffl. Rochussenii et Patma) auch abgebildet wurden. Nach deren Untersuchungen ist die Pflanze aber ebenfalls, wie die anderen Rafflesien, getrennten Geschlechts und zwar zweihäusig.

Mit R. Patma Bl. wurde endlich aber von denselben Beamten des botanischen Gartens in Buitenzorg noch eine fünfte Art entdeckt, welche sie zu Ehren des früheren General-Gouverneurs und Staatsministers Rochussen: R. Rochussenii nannten (Bijdr. tot de kennis der Bloem of Raffl. Rochussenii in Tijdschr. voor Nederl. Indië 2. Band.) Auch diese hat de Vriese in oben citirter Schrift noch näher untersucht und abgebildet.

Drei Arten: R. Arnoldi, Patma und Rochussenii, befinden sich schon seit längerer Zeit in mehrmals genannten Garten in Kultur, ja die beiden letztern werden sogar auf Cissus in den botanischen Garten zu Leiden lebend kultivirt. Ihre Kultur ist demnach bereits in europäischen Gewächshäusern gelungen; ihrer ferneren Behandlung dürften keine wesentlichen Hindernisse entgegenstehen. Die Schwierigkeit liegt nur noch daran, die Pflanzen lebend aus ihrem Vaterlande zu erhalten. Gelingt es uns, sie aus Samen gleich hier in Deutschland auf den ihnen nothwendigen Nährpflanzen heranzuziehen, so dürften ihrer grössern Verbreitung kaum noch Hindernisse entgegenstehen. Um so dankbarer müssen wir demnach Teysmann sein, dass er Versuche anstellte, die zu Resultaten führten.

Zu diesem Zwecke machte er einen Einschnitt in die Rinde der dickern Wurzeln und streute in die Oeffnung einige Samen der Rafflesia Arnoldi R. Br., welche nun mit ein wenig Erde und einigen Blättern bedeckt wurde. Die Wunde schloss sich allmählig durch Ueberwallung. Erst nach langer Zeit beobachtete Teysmann in der Nähe des frühern Einschnittes, aber auch entfernter, einige junge Rafflesien von der Grösse einer Erbse, die bis dahin, wo der Brief geschrieben ist, die Grösse eines Hühner-Eies erlangt hatten. Es scheint demnach, als wenn das Würzelchen des Embryo sich durch das übrige Rindengewebe, und zwar keineswegs senkrecht, sondern zum Theil sehr schief, bis zur Cambialschicht durchgezwängt hätte, um dann mit der jungen Holzschicht, dem Splinte, eine innige Verwachsung einzugehen. Vielleicht hängt die grössere oder geringere Entfernung der jungen Pflanzen von der mehr oder minder schiefen Lage der ausserordentlich feinen und zarten Samen ab?

Die übrigen Rhizantheen haben weniger grosse Blüthen, aber doch ebenfalls gefärbte Blüthenstände. Die rothe und braune Farbe herrscht bei ihnen vor. Ein Theil von ihnen und zwar der grösste, ist getrennten Geschlechts, während nur sehr wenige ächte Zwitter darstellen. Zu den letzteren gehören die beiden Hydnoren Südafrika's, denen man noch eine dritte, aber gewiss nicht hierher gehörige Art aus Amerika hinzugefügt hat. Rob. Brown bildet die Familie der Hydnoreen daraus.

Ihnen schliessen sich die beiden Cytinus-Arten an, von denen eine Art in Südeuropa und Nordafrika wächst, während die zweite mit einigen anderen nahe verwandten Arten nur im tropischen Amerika vorkommt. Aus ihnen ist die Familie der Cytineen gebildet.

Die vierte und grösste Familie der Wurzelblumen oder Rhizantheen sind die Balanophoreen d. i. Eichelträger, so genannt, weil die an der Spitze zu einer kopfförmigen Aehre zusammengedrängten Blüthen in der Jugend die Form einer Eichel besitzen. Nachdem Griffith in den Verhandlungen der Linné'schen Gesellschaft (XX. Band, Seite 93) eine vorzügliche Abhandlung über das in Ostindien mit Einschluss der Inseln vorkommende Genus Balanophora gegeben hat, erhalten wir durch I. D. Hooker in denselben Verhandlungen (XXII. Band, 1. Theil, S. 1—69) eine Monographie sämmtlicher Balanophoreen mit 16 Tafeln Abbildungen, die über Entwickelung und Zustände der Pflanzen, so wie über ihre systematische Stellung sehr dankenswerthe Aufklärungen giebt. Namentlich in letzterer Hinsicht war wohl auch Niemand so befähigt, als I. D. Hooker, dem bei so gediegenen Kenntnissen eine solche Fülle systematischen Materials zu Gebote steht.

Mit schlagenden Gründen weisst Hooker alle früheren Behauptungen einer Verwandtschaft bald mit den Pilzen, oder mit den Moosen, bald mit den Gymnospermen entschieden zurück. Eben so wenig dürfen die Balanophoreen den Monokotylen, und zwar in der Nähe der Aroideen, angereihet werden, da die deutlichen Gefässbündel einiger Arten ihnen einen Platz in der grossen Abtheilung der Dikotylen, und zwar unter den epigynischen Calyciflores, anweisst. Dort stehen sie nach I. D. Hooker in der Nähe der Halorageen, einer Familie, die ebenfalls in ihrer äussern Erscheinung viel Abweichendes besitzt. Hippuris und noch mehr Gunnera haben einen sehr ähnlichen Blüthenbau. Auf die ausserordentlich einfache Struktur der Eichen, worauf so viele Botaniker einen grossen Werth legen, giebt I. D. Hooker mit Recht gar nichts, da diese zerstreut in vielen andern Familien vorkommt.

Wenn auch die Mehrzahl der 28 beschriebenen Balanophoreen wohl nie ein gärtnerisches Interesse erlangen werden, so sind doch einige Arten darunter, die wenigstens eben so sehr, als viele andere Pflanzen, welche wir in unsern Gewächshäusern kultiviren, so z. B. Ouvirandra fenestralis Pet. Th., Cephalotus follicularis Labill. u. s. w., unsere Aufmerksamkeit in Anspruch nehmen möchten. So z. B. die 3 tropisch-amerikanischen Lophophytum-Arten, welche die Gestalt eines aus der Erde unmittelbar hervorkommenden grossen Zapfens besitzen, Rhopalocnemis phalloides Jungh. (Phaeocordylis areolata Griff.), zumal diese in dem Himalaya bis zu einer Höhe von 8000 Fuss vorkommt, und endlich die neugranadischen Corynaeen, welche in den dichten Befaria-, Thibaudia- und Crataegus-Wäldern Neugranada's und Peru's vorkommen.

Cryptomeria japonica Don und Lobbii Hort. angl.

Vom Hofgärtner Fr. Schneider in Oranienbaum bei Dessau.

Seitdem im Jahre 1836 durch den bekannten englischen Sammler in China, Fortune, die Kryptomerie in Europa eingeführt wurde, hat wohl keine Konifere vor- und nachher eine so rasche Verbreitung erhalten, als grade sie. Es möchte aber auch in der That nicht ein zweites Gehölz existiren, was so viele und mannigfache Vortheile bietet, denn die Kryptomerie lässt sich einmal leicht kultiviren, dann ist sie gar nicht empfindlich und endlich wächst sie verhältnissmässig sehr rasch. Dabei besitzt sie ein schönes Ansehen und stellt, namentlich im Sommer im Freien, ein stattliches Gehölz dar. Aber eben darum müssen wir gärtnerischer Seits um so mehr das Unserige thun, um auch möglichst schöne Pflanzen heranzuziehen und sie noch mehr zu verbreiten, als es bis jetzt geschehen ist.

Trotz aller dieser Vorzüge in der Kultur sieht man doch eigentlich nur wenig Exemplare, die so aussehen, als sie sollten. Oft hat die Pflanze gar nicht den schlanken Wuchs und man sieht ihr auf den ersten Augenblick die Vernachlässigung und die unnatürliche Behandlung an; bald sind die Zweige auf der einen Seite mehr entwickelt als auf der andern, nicht selten sogar, namentlich am untern Theile des Stammes, ganz verkümmert, bald besitzen die eigentlich nach allen Seiten hin ihre Aeste gleichmässig ausstreckenden Quirle gar nicht mehr ihre natürliche, so wohlgefällige Gestalt und man erkennt kaum die Pyramidenform, welche die Pflanze doch besitzen sollte, heraus.

Obwohl von England aus von tüchtigen Handelsgärtnern, besonders in Gardener's Chronicle, die Behauptung aufgestellt ist, schöne Kryptomerien liessen sich nur aus Samen erziehen, so möchte ich doch dieser Behauptung keck entgegentreten, da die von mir aus Stecklingen erzogenen Pflanzen in ihrer äussern wohlgefälligen Form gewiss gar nichts zu wünschen übrig lassen und jedem aus Samen erzogenen Exemplare gleichkommen. Wenn, wie behauptet wird, die Stecklinge den Charakter von Seitenzweigen annehmen, so ist es eben Ungeschicklichkeit des Gärtners, der sie gemacht hat*). Ob sie eine gleiche Höhe erhalten, so lange existiren und so festes Holz besitzen, als aus Samen erzogene Pflanzen, weiss ich allerdings nicht aus Erfahrung, sehe aber gar keinen physiolo-

*) Schöne aus Stecklingen erzogene Exemplare von Kryptomerien aus der Hand des Hofgärtners Schneider sieht man in der Augustin'schen Gärtnerei an der Wildparkstation bei Potsdam, welche die Behauptung des Verfassers vollständig bestätigen. Anmerk. d. Red.

gischen Grund ein, warum es nicht so sein sollte. In Gewächshäusern möchten auch diese Behauptungen gar keinen Werth haben, da wir an und für sich keine Kryptomerien von 100 Fuss Höhe darin gebrauchen können und wir doch das Holz nicht zu Meubles und andern Zwecken benutzen werden. Einen sehr grossen Vortheil besitzt die Vermehrung durch Stecklinge aber noch dadurch, dass man schon sehr zeitig, weit früher als aus Samen, schöne und grosse Pflanzen erhält.

Da ich nicht zu denen gehöre, welche durch Zufall oder durch genaueres Studium erlangte Vortheile in der Kultur einzelner Pflanzen ängstlich zurückhalten und nur im eigenen Interesse Anwendung davon machen, sondern ich mich im Gegentheil freue, wenn auch andere damit vertraut werden und gute Pflanzen sich heranziehen, so gebe ich auch gern hier mein Verfahren der Oeffentlichkeit und wünsche nur, dass es recht häufig in Anwendung gebracht werde.

Ich schneide in den ersten Wochen des Februar fusslange Zweige von einer gesunden Pflanze ab und stecke diese in einen tiefen Topf, der über die Hälfte mit Scherben angefüllt ist. Darüber bringe ich sandige Nadelerde, die wiederum mit weissem Sande bedeckt wird, und stelle eine, aber gut schliessende Glasglocke, wie man sie gewöhnlich zu diesem Zwecke gebraucht, darauf.

Der Topf mit den Stecklingen wird mässig warm gestellt und behandelt, wie sonst Stecklinge. Nach drei Wochen fangen diese an, sich zu bewurzeln und nach weiteren 14 Tagen kann man die Glocke herunternehmen, um die Pflanzen nun in lange, sogenannte Palmentöpfe zu bringen und sie bis Ende Juni in ein Mistbeet zu setzen, wo sie keinen Schatten erhalten. Auf diese Weise bekommen sie schon im ersten Jahre eine Höhe von 3 Fuss. Man darf jedoch nicht versäumen, ihnen einen Stab zu geben und die Töpfe von Zeit zu Zeit etwas zu drehen, damit die Entwickelung nach allen Seiten gleichmässig geschehen kann.

Im Winter müssen die Pflanzen einen etwas sonnigen Standpunkt im Kalthause erhalten. Verpflanzt werden sie im Februar, wo sie wiederum in tiefe Töpfe, in die man als Unterlage Scherben thut, kommen. Eine lockere Nadelerde mit etwas Hornspähnen gemischt, hat mir immer gute Dienste geleistet; auch kann man im Sommer einige Mal mit einem Aufgusse von Hornspähnen giessen. Feuchtigkeit verlangen sie im Winter sehr wenig, desto mehr in der warmen Jahreszeit.

Wie bekannt, findet man Kryptomerien in England im Freien. Auch in Deutschland hat man Versuche gemacht, die aber grösstentheils nicht gut abgelaufen sind. Nur in Krosswitz in der Nähe von Halle in dem Keferstein'schen Garten und in Magdeburg bei dem Hofbuchdrucker Hänel haben sich meines Wissens noch die in's Freie gepflanzten, aber im Winter gut geschützten Kryptomerien bis jetzt erhalten. Kräftige und starke Exemplare möchten am Besten den Winter überdauern; auch würde C. Lobbii Hort., die weit mehr Kälte aushält, eher dazu geeignet sein, als C. japonica Don.

Ob C. Lobbii und japonica Arten oder Abarten sind, vermag ich nicht zu entscheiden. In den Blüthen- und Fruchttheilen möchte kaum ein Unterschied gefunden werden. Sonst ist C. Lobbii Hort. im Allgemeinen gedrungener und bringt weit eher Blüthen und Früchte. Die Nadeln sind auch an der Basis etwas breiter und besitzen eine dunklere Farbe. Diese Art oder Abart wächst nur in Japan, wo sie allgemein verbreitet sein soll, und wurde durch v. Siebold nach Java geschickt, wo sie im botanischen Garten von Buitenzorg gedieh. Als der englische Reisende Lobb in Java war, sendete er Samen der dort kultivirten Kryptomerie nach England zu Veitch in Exeter, der diese aus den eben angegebenen Gründen für verschieden hielt und als C. Lobbii in den Handel brachte.

Dan. Hooibrenk behauptet (Wiener Journal f. d. ges. Pflanzenk. I, S. 22), dass C. Lobbii, weil sie japanische Pflanze ist, auch als die ächte Cupressus japonica L. fil., die später als Cryptomeria japonica von Don beschrieben wurde, betrachtet werden müsse, dass Cryptomeria japonica der Gärten hingegen, da diese von Fortune von Tschusan, also aus China, eingesendet wurde, als eine chinesische Pflanze ihren Namen nicht behalten könne. Er schlägt deshalb für die letztere die Benennung C. Fortunini (was übrigens, da der genannte englische Gärtner und Reisende nicht Fortunin, sondern Fortune, heisst, wenigstens in C. Fortunei umgewandelt werden müsste) vor. Da wir aber noch gar nicht wissen, ob wir zwei Species vor uns haben, und ob nicht eben so gut die von Fortune eingesendete Pflanze in Japan allgemein verbreitet ist, als die über Java bei uns eingeführte Kryptomerie, so ist es durchaus zu wünschen, dass die Namen nun einmal bleiben, wie sie sind. Aus des jüngeren Linné's Worten möchte auch keineswegs mit Bestimmtheit herauszubringen sein, welche von beiden Arten er eigentlich gekannt hat.

In der neuesten Monographie der Koniferen von El. Carrière (traité général des Conifères) wird übrigens Cryptomeria Lobbii nicht einmal als Abart oder Form aufgeführt, sondern als Synonym zu C. japonica gebracht.

Die Veredelung des Epiphyllum truncatum Haw. auf Pereskia aculeata Plum.

Von dem Kunst- und Handelsgärtner Jul. Hoffmann in Berlin.

Bei der von Jahr zu Jahr überhandnehmenden Liebe zu Pflanzen und Blumen, auch der Personen, die nicht einmal in den Besitz eines noch so kleinen Gärtchens kommen können, ist es durchaus nothwendig, dass Gärtner auch darauf sinnen, Pflanzen herauszufinden, welche in der Form und in dem Grün der Blätter etwas Anziehendes haben oder sich durch Fülle und Schönheit der Blüthen auszeichnen und doch geeignet sind, Fenster und Zimmer, wenn auch nur kurze Zeit, zu schmücken. Die Zahl solcher Pflanzen hat zwar in den letzten Jahrzehenden nicht unbeträchtlich zugenommen, aber je grösser die Mannigfaltigkeit ist, um so mehr werden auch Blumenliebhaber sich bestimmen lassen, die Zahl der Zimmerpflanzen zu vermehren.

Es gab eine Zeit, wo man die sogenannten Fackeldisteln, wie die Kakteen auch heissen, theils wegen ihrer sonderbaren Gestalten, theils wegen ihrer prachtvollen Blüthen, auch in Zimmern viel gezogen hat; einige derselben, besonders Cactus alatus (der Gärten, nicht Swartz, jetzt Phyllocactus phyllanthoides Lk), Ackermanni (jetzt Phyllocactus Ackermanni Lk), speciosissimus (jetzt Cereus speciosissimus DC.) und grandiflorus (jetzt Cereus grandiflorus Mill.), so wie endlich der verschieden geformte und als Cactus speciosus, trigonus, quadrangularis, hexangularis u. s. w. kultivirte Cereus variabilis Pfeiff. erhielten, wie Nelken, Rosen, Volkamerien u. s. w. eine solche Verbreitung, dass sie, wenigstens in Mitteldeutschland, sogar ziemlich häufig in gewöhnlichen Bauerhäusern gefunden wurden. Eine Menge Privaten mit geringeren Mitteln, namentlich Beamte und Pfarrer, legten sich sogar grössere Sammlungen an und überwinterten diese in Kasten oder im Zimmern.

In der neuesten Zeit fängt man an, nachdem die Fackeldisteln Jahre lang fast ganz aus der Mode gekommen waren, wiederum mehr Geschmack an ihnen zu bekommen. Es sind aber jetzt vorherrschend die Arten mit prachtvollen Blüthen. Man hatte schon früher gefunden, dass man mit Erfolg Kreuzungen machen kann und dass selbst reine Samen, ausgesäet, nicht selten neue Formen oder Farben in der Blüthe geben; das war Grund genug, um mannigfache Versuche anzustellen und eine nicht geringe Reihe von Formen und Blendlingen ins Leben zu rufen. Anderntheils versuchte man einigen niedrigen Arten dadurch ein besseres Ansehen zu geben, dass man sie auf andere mit höheren Stämmen pfropfte. Es war dieses namentlich mit den Epiphyllen der Fall.

Wenn Epiphyllum truncatum Link. schon an und für sich mit seinen an der unteren Hälfte blassrosa gefärbten, an der oberen aber dunkel fleischfarbigen Blüthen sich sehr gut ausnimmt, so gewinnt es doch noch mehr, wenn es hoch steht, namentlich, wenn es auf Cereus-, Opuntia- oder Pereskia-Arten veredelt wird. Es ist dieses keineswegs etwas Neues, sondern wurde schon vor länger als 30 Jahren allgemein in England ausgeführt, kam jedoch später ganz und gar wieder in Vergessenheit. Am Liebsten nahm man dort Cereus speciosissimus DC. und setzte Zweige oder nur die blattartigen Glieder des Epiphyllum darauf. Es geschah dieses in der Regel im März. Den ganzen Frühling und Sommer hindurch blieben die veredelten Pflanzen in einem Warmhause, im Herbste hingegen wurden sie kalt, und zwar oft, so lange als es die Witterung noch erlaubte, sogar heraus in's Freie, aber immer in Schutz und auf die Südseite, gestellt. Häufiger that man sie aber in irgend eine kalte Abtheilung eines Gewächshauses. Bis dahin hatte man die Pflanzen mässig gegossen; wie aber der Winter eintrat, wurde von Tag zu Tag weniger Wasser gegeben, bis man sie zuletzt ganz trocken stehen liess. Dieses dauerte so lange, bis man die Pflanze antreiben wollte. Das geschah meist im Frühjahre.

Zu diesem Zwecke brachte man die veredelten Pflanzen in einen Treibkasten oder auch in ein Warmhaus, wo sich nun die eingesetzten Edelzweige oder Glieder rasch entwickelten und schon bald eine ansehnliche Grösse erhielten. Damit nahm man sie wiederum heraus und setzte sie immer kühler, bis sie zuletzt einen Platz in irgend einem offenen Theile des Gartens erhielten. Hier zeigten sich schon bald am Ende der Zweige Knospen. Jetzt wurden sie vom Neuen in ein mittelwarmes Haus gebracht, wo sie Anfangs Oktober blühten. Wollte man dieses erst später haben, so musste man sie natürlich noch länger zurückhalten. Auf diese Weise konnte man den ganzen Winter hindurch bis zum Frühjahre blühende Epiphyllen haben.

Das ist die Art und Weise, wie man früher in England verfuhr, ein Verfahren, was mit einigen Abänderungen, die dem dortigen besseren Klima Rechnung getragen werden müssen, auch in Deutschland hier und da in Anwendung gekommen ist. Die kürzeste Zeit, um auf diese Weise blühende Epiphyllen zu haben, dauerte immer 18 Monate.

Seit mehreren Jahren habe auch ich, und zwar in der letzten Zeit durchschnittlich jährlich gegen 1000 Stück Epiphyllen veredelt, aber ein verschiedenes, gewiss vortheilhafteres und, wie es mir wenigstens scheint, auch dankbareres Verfahren angewendet. Meiner Meinung nach passen die dicken und stachlichen Cereus-Arten zwar besser als die unförmlichen Opuntien, die man, wie oben gesagt, ebenfalls in Deutschland und England verwendete, sie stehen aber wegen ihres schwerfälligeren Ansehens gewiss den glattrindigen Pereskien nach, die ich zu meinen Veredelungen nur gebrauche und mit denen ich stets schöne Pflanzen erzogen habe. Wegen der in der That strotzenden Blüthenfülle und wegen des dem Auge angenehmen Ansehens haben diese bei allen Blumenfreunden, die sie gesehen, volle Anerkennung gefunden, weshalb ich gar keinen Anstand nehme, auch meinerseits das Verfahren zu veröffentlichen.*)

Ich nehme von dem bekannten Cactus Pereskia L. (jetzt Pereskia aculeata Plum.) einige Exemplare und mache in Schalen oder Töpfe Steklinge, um später die nöthigen Stämme zum Veredeln mir zu erziehen. Es geschieht dieses im August oder auch erst später im März. Die Stecklinge wurzeln, in ein lauwarmes Beet oder in ein Ananas-Haus gebracht, sehr leicht und rasch an. Hier bleiben sie im erstern Falle bis zum Frühjahre, im letztern hingegen vielleicht bis im April oder bis zu Anfang Mai, um nun einzeln in 2½ Zoll weite Töpfe gepflanzt zu werden. Durchaus nothwendig ist es, dass die Pereskin-Stämmchen, damit sie grade wachsen, immer vom Neuen angebunden werden. Den Sommer über habe ich die Pflanzen im Mistbeete oder im Ananashause.

Die Veredelung beginnt im Anfange des August. Die Pereskien werden grade in der Höhe, wie man sie braucht, abgeschnitten; ich benutze sie ½ bis 3 Fuss lang. Von den Epiphyllen nehme ich zum Veredeln ältere Exemplare und drehe einzelne Glieder, die aber doch nicht zu jung sein dürfen, heraus. Man kann auch ganze Zweige mit mehrern Gliedern abdrehen und wird dann finden, dass diese grade so leicht anwachsen, als die einzelnen Glieder. Das Veredeln, dessen ich mich bediene, ist das Ablaktiren. Zu diesem Behufe schneide ich zunächst die Unterlage oben in schräger Richtung an und thue ein Gleiches am unteren Ende des Epiphyllum-Gliedes, doch so, dass die breite Seite angelegt und zu diesem Zwecke von der Mittelrippe aus schief nach dem Ende geschnitten wird. Nun werden beide Schnittflächen angepasst und dann mit Baumwollfäden in ihrer Lage erhalten.

Die veredelten Stämme bringe ich hierauf in einen verschlossenen Raum, z. B. in einen abgetragenen Kasten, und decke diesen mit Fenster. Man muss sie hier gehörig beschatten und vor Allem vermeiden, dass Feuchtigkeit an die Veredelungs-Stelle kommt, weil dann die Verwachsung schwieriger und selbst gar nicht geschieht. Nach 14 Tagen oder höchstens 3 Wochen ist diese schon so weit geschehen, dass die Baumwollfäden abgenommen werden können. Damit erhalten erst die Pflanzen von Zeit zu Zeit Luft und kommen bald darauf in ein Warm- oder Ananashaus, wo sie den ganzen übrigen Winter und Frühling verbleiben. Während des Sommers kann man sie auch in einem Beete unter Fenster haben. Auf diese Weise wird man sich im Oktober und November die schönsten blühenden Exemplare herangezogen haben.

Ob Epiphyllum truncatum Haw. (Cactus truncatus Lk. Cereus truncatus DC.) und E. Altensteinii Pfeiff. (Cereus truncatus Altensteinii Hort. Berol.) Arten oder Abarten sind, ist noch nicht bestimmt; es möchte aber wahrscheinlich sein, dass letzteres aus ersterem erst hervorgegangen ist. Pfeiffer behauptet allerdings das Gegentheil und bildet Epiphyllum Altensteinii in seinen Abbildungen und Beschreibungen blühender Kakteen im 1. Bande auf der 28. Tafel ab. Allerdings unterscheidet es sich schon im ganzen Wuchse und im Baue der Glieder. Die letzteren sind viel länger, auch schmäler (2 Zoll lang und 6 bis 10 Linien breit), sonst fleischiger, hellgrüner und an der Spitze nicht abgestutzt, sondern tief ausgebuchtet und auf beiden Seiten mit hervorragenden Spitzen versehen. Die Pflanze blüht auch in der Regel früher. Für Veredelungen ist immer E. truncatum Lk vorzuziehen, da es reichlicher blüht, als E. Altensteinii Pfeiff., und auch besser anzuwachsen scheint.

*) Wir haben uns mehr als einmal von der ausserordentlichen Schönheit der auf Pereskien veredelten Epiphyllen in der Hoffmann'schen Gärtnerei überzeugt. Die Redaktion.

Verzeichniss der neuesten und schönsten Georginen, Rosen, remontirenden Nelken, Fuchsien, Pelargonien u. s. w. von Ohse in Charlottenburg bei Berlin.

Zu den ältesten Gärtnereien bei Berlin gehört die Ohse'sche und ist in der langen Zeit ihres Bestehens sich gleich geblieben, d. h. beschränkt zwar auf die oben genannten Zierblumen, aber hier stets sich durch die besten der neuesten Züchtungen erneuernd. Reich ist die Sammlung namentlich an Georginen und haben die tüchtigsten Züchter Beiträge geliefert. Für Liebhaber ist die Angabe der Höhe der Pflanze und des Baues, sowie der Farbe der Blume wichtig. Nicht weniger reich ist die Zahl der so beliebten remontirenden Rosen, denen sich auch andere, als Noisette-, Bourbon- u. s. w. anschliessen. Die Redaction.

Samen-Offerte.

Das diesem Blatte beiliegende Preis-Verzeichniss von Heinr. Mette, Samen-Kultivateur in Quedlinburg, über Gemüse-, Oekonomie-, Gras-, Holz- und Blumen-Sämereien etc. empfiehlt derselbe zur geneigten Beachtung und bittet ergebenst, ihm Aufträge auf seine Produkte per Post zugehen zu lassen.

Verlag der Nauck'schen Buchhandlung. Berlin. Druck der Nauck'schen Buchdruckerei.

Hierbei 1) das Verzeichniss der neuesten und schönsten Georginen, Rosen etc. von Ohse in Charlottenburg.
2) das Preisverzeichniss von Gemüse-, Oekonomie-, Gras- Holz- etc. Sämereien von Heinrich Mette in Quedlinburg.

No. 6. Sonnabend, den 7. Februar. 1857

Preis des Jahrgangs von 52 Nummern mit 12 color. Abbildungen 6 Thlr., ohne dieselben 5 „
Durch alle Postämter des deutsch-österreichischen Postvereins sowie auch durch den Buchhandel ohne Preiserhöhung zu beziehen.

Mit direkter Post übernimmt die Verlagshandlung die Versendung unter Kreuzband gegen Vergütung von 26 Sgr. für Belgien, von 1 Thlr. 8 Sgr. für England, von 1 Thlr. 27 Sgr. für Frankreich.

BERLINER Allgemeine Gartenzeitung.

Herausgegeben

vom

Professor Dr. Karl Koch.

General-Secretair des Vereins zur Beförderung des Gartenbaues in den Königl. Preussischen Staaten.

Inhalt. Argyranthemum pinnatifidum Webb (Anthemis semperflorens der Pariser Gärten). Vom Professor Koch und Obergärtner Pasewaldt. — Hieranthella lanceolata Naud. und Chaetogastra Geitneriana Schlecht. Vom Obergärtner Metz. — Cheiris heterophylla Cass., flore roseo, die Ammobiumblume mit Rosastrahlen. — Die Nelken von Appelius und Lorenz in Erfurt. — Fischmann. — Der pomologische Kongress zu Lyon. Briefliche Mittheilung von de Jonghe in Brüssel. — Rundschau: der Garten des Kommerzienrathes Linau in Frankfurt a. O. — Bücherschau: Revisio Potentillarum iconibus illustrata, auctore Lehmann; die vier Jahreszeiten von Rossmässler; Kultur der Schwarzen Malve von Dochnahl. — Korrespondenz.

Argyranthemum pinnatifidum Webb.

(Anthemis semperflorens der Pariser Gärten, Chrysanthemum pinnatifidum L. fil.)

Von dem Professor Karl Koch und Obergärtner Pasewaldt im Danneel'schen Garten zu Berlin.

Unter dem Namen Anthemis semperflorens erhielt zuerst Herr Fabrikbesitzer Danneel in Berlin eine strauchartige Pflanze, mit weissen, denen der grossen Wucherblume (Leucanthemum vulgare Lam.) ähnlichen Blüthen aus Paris, wo sie in grosser Menge von den Handelsgärtnern gezogen und auf den Markt gebracht wird, und kultivirte sie zuerst in Töpfen des Kalthauses, wo sie fast das ganze Jahr hindurch blühte. Der Inspektor des botanischen Gartens, C. Bouché, brachte sie im verflossenen Sommer in's freie Land. Auch hier gedieh sie prächtig und blühte nicht weniger reichlich. Da sie sich, wie wir gleich sehen werden, sehr leicht vermehren lässt und grade im Spätherbste, wo an und für sich eine blumenarme Zeit ist, weiter blüht, so bildet sie für unsere Handelsgärtner nicht weniger, als für die Pariser, eine nicht genug zu berücksichtigende Marktpflanze, weshalb wir sie ganz besonders empfohlen haben wollen.

Bei genauerer Untersuchung überzeugte ich mich bald, dass Anthemis semperflorens einen falschen Namen besitze. Der gänzliche Mangel an Spreublättchen (Paleae) auf dem Blüthenlager (Clinanthium) sprach gleich anfangs gegen das Geschlecht Anthemis. Eine Pflanze mit grossen, weissen Strahlenblüthchen, die anstatt einer ächten Haarkrone (Pappus) ein sogenanntes Krönchen (Coronula) auf dem Fruchtknoten besitzt, konnte nur ein Pyrethrum, ein Leucanthemum oder Argyranthemum, eine Matricaria oder endlich eine Chamomilla sein; in der That stellte es sich bald heraus, dass ich eine jener strauchartigen Wucherblumen, welche den Kanarischen und Azorischen Inseln, sowie der Madeira-Gruppe, eigenthümlich sind, vor mir hatte, und zwar Argyranthemum pinnatifidum Webb.

Die eben genannten Geschlechter stehen sich sehr nahe. Wenn sich auch Argyranthemum Webb. durch den strauchartigen Habitus der meisten Arten im Allgemeinen sehr leicht erkennen lässt, so besitzen wir doch auch einige Pyrethrum-Arten mit holziger Stengelbasis. Das Hauptkennzeichen bilden die verschieden gestalteten Achenien oder Samen, wie man im gewöhnlichen Leben die Früchte der Körbchenträger (Compositae) fälschlicher Weise nennt. Die am Rande stehen, sind nämlich mit 3 oder 2 grossen hautartigen Flügeln versehen, während die übrigen in der Mitte befindlichen höchstens nach innen zu einen schmalen flügelartigen Längsstreifen besitzen.

Ausser dieser Art, welche sich übrigens schon früher einmal häufiger in den Gärten vorfand, kultivirten bisher mehr botanische, als Lustgärten noch: A. grandiflorum, Broussonetii, frutescens, anethifolium und foeniculaceum, die aber gewiss auf gleiche Weise verwendet werden könnten. Im hiesigen botanischen Garten blühen genannte Arten den ganzen Sommer hindurch, wenn sie in's freie Feld gestellt wurden.

Ob übrigens diese 5 Arten und das sechste A. pinnatifidum, denen der gelehrte Kompositen-Kenner Dr. Schultz in Deidesheim noch ein Paar andere, bisher nur als Formen betrachtete, hinzugefügt hat, wirklich gute Arten sind, muss weiteren Untersuchungen durch Aussaaten anheimgestellt bleiben. Der Inspektor des botanischen Gartens, Carl Bouché, hat Versuche angestellt, die wenigstens das Resultat gaben, dass die bisher unter den obigen Namen kultivirten Pflanzen in Blatt- und Achenienform ausserordentlich ändern. Von Samen einer Pflanze erhielt er breit- und ganz schmalblättrige. Eben so scheinen die Flügel und Krönchen, besonders der Randachenien, wahrscheinlich je nach dem Raume, der diesen zufällig in ihrer Entwicklung geboten wird, schmal und breit zu sein, ja selbst ganz zu verkümmern. Ob demnach Dr. Schultz Bip. recht gehabt hat, ausser dem gut begründeten Genus Argyranthemum, noch 2 aus obigen Arten gebildete: das neue Stigmatotheca und die früher schon aufgestellte Ismelia anzunehmen, möchte zweifelhaft sein. Meiner individuellen Ansicht nach über den Begriff „Genus“ sind sie nicht stichhaltig, selbst wenn die von ihm angegebenen Merkmale beständig sein sollten. Nicht jedes, wenn auch noch so konstante, Merkmal der Blüthe oder Frucht, darf uns bestimmen, gleich ein neues Genus zu bilden, insofern nicht noch allgemeine Gründe vorhanden sind. Am allerwenigsten ist bei der Aufstellung Inkonsequenz zu rechtfertigen. Eine Reihe von auf einander folgenden Geschlechtern mit 1 und 2 Arten und dann wiederum eins mit 100 und mehr Arten, wo man dann alles hinthut, was man sonst nicht unterbringen kann, widerspricht jeder gesunden Logik.

Dr. Bolle in Berlin ist eben von seiner letzten Reise nach Madeira und den Kanarischen Inseln zurückgekehrt und hat dem botanischen Garten sowohl, als auch dem Vereine zur Beförderung des Gartenbaues die Samen von fast allen Argyranthemum's, die auf den genannten Inselgruppen vorkommen, mitgetheilt. Nach ihm unterscheiden sich allerdings die meisten Argyranthemen schon in der Art und Weise des Wachsthumes, was bei denen, welche wir kultiviren, allerdings nicht der Fall ist. Es ist deshalb wohl möglich, dass, da schon vor länger als 2 Jahrhunderten die genannten Pflanzen nach England und Frankreich gebracht und daselbst fortwährend viel kultivirt wurden, sich durch die Kultur, vielleicht auch durch zufällige Kreuzung, Formen gebildet haben, die sich erhielten, während die reinen Arten zufällig verloren gingen. Auf diese Weise erklärte sich der Widerspruch, der in den Beobachtungen Bouché's und Dr. Bolle's liegt. Hoffentlich sind wir durch die Samen des letztern in den Stand gesetzt, später ein Endurtheil abgeben zu können.

Alle Argyranthemum-Arten waren von den älteren Systematikern zuerst unter Chrysanthemum aufgeführt: später wurden sie zu Matricaria, von anderen zu Pyrethrum gebracht. Dass C. H. Schultz aus Deidesheim das Genus in 3: Argyranthemum, Stigmatotheca und Ismelia theilt, ist schon erwähnt. Dass aber ausserdem Abarten und selbst nur in den Gärten entstandene, zu Hauptarten gemacht und ebenfalls mit Namen belegt worden sind, vermehrte die Synonymie nicht wenig. Man braucht sich deshalb gar nicht zu wundern, dass Steudel in seinem Nomenklator allein von Argyranthemum grandiflorum nicht weniger als 15 Synonyme aufführt. Sollten nun doch noch einige der in der neuesten Zeit aufgestellten Arten sich nicht als konstant herausstellen, so hat man das leider nicht einzig dastehende und keineswegs erfreuliche Beispiel in der Systematik, dass eine einzige Art der Reihe nach gegen 20 verschiedene Namen, unter denen dann ein Handelsgärtner beliebig wählen kann, erhalten hat. Unter solchen Umständen kann man es allerdings Gärtnern und Gartenliebhabern nicht verdenken, wenn sie sich gegen neue Namen im Allgemeinen sträuben, und lieber eine alte, obwohl oft ganz unrichtige Benennung beibehalten, da ihnen doch Niemand dafür steht, dass der neue ebenfalls schon in kürzester Zeit wiederum in die Rumpelkammer der Synonymie geworfen wird.

Doch nun noch einige Worte über Kultur der Silberblume — das bedeutet der Name Argyranthemum — und die Art und Weise, diese zu vermehren. Für die Töpfe nimmt man eine kräftige, mit Sand vermischte Mistbeet-Erde und sucht im Freien der Pflanze wenigstens eine gute Gartenerde zu verschaffen. In jedem Kalthause durchwintern alle Arten sehr leicht und bedürfen nur eine Wärme von 4—6°; doch wollen sie in der Nähe der Fenster stehen. Auch dürfen sie nur wenig begossen werden; desto mehr aber im Sommer, besonders wenn man sie im Freien und auf der Sonne ausgesetzten Stellen hat.

Will man die Pflanzen vermehren, so thut man am Besten, Stecklinge zu machen, was so ziemlich zu jeder Jahreszeit geschehen kann. Grade deshalb hat auch unsere fiederspaltige Silberblume, Argyranthemum pinnatifidum, einen Vorzug vor vielen anderen Pflanzen und kann allen Handelsgärtnern gar nicht genug empfohlen werden. Obwohl sie reichlich Samen ansetzt und dieser auch reif wird, so ist die Vervielfältigung durch Aussaaten nicht anzurathen, da man hier nur länger warten muss, bevor man blühbare Exemplare erhält.

Micranthella lanceolata Naud. und Chaetogastra Geitneriana Schlecht.

Von dem Obergärtner Retz in Planitz bei Zwickau.

Zu den häufigsten Bewohnern der Urwälder in den drei kolombischen Republiken gehören die Melastomateen, von denen wir nach und nach nicht weniger als 1500 Arten kennen gelernt haben. Die meisten zeichnen sich durch eine Fülle von Blüthen aus, (ich erinnere an Centradenia, Heterocentron u. s. w.), während andere, wo diese mehr einzeln hervorkommen, sie um desto grösser besitzen. Ich nenne in letzterer Hinsicht hauptsächlich Medinilla und ganz besonders die stattliche M. magnifica Lindl. Die weisse und rothe Farbe mit allen Nuancirungen von dem hellsten Rosa bis zum dunkelsten Roth, weniger Gelb, herrschen in den Blüthen vor.

Was aber den Melastomateen noch einen besonderen Reiz giebt, das ist der gedrängte, buschige Bau des Stengels mit den Zweigen und das saftige Grün der Blätter; es kommt noch dazu, dass wenige Pflanzen so rasch wachsen und blühen, so wie sich auch leicht vermehren lassen, als grade wiederum die Glieder dieser auch botanisch interessanten Familie. Sie sind daher fast ohne Ausnahme unseren Gewächshäusern zu empfehlen und werden auch in der That seit einigen Jahren noch mehr gezogen, als früher. Viel mag die vorzügliche Monographie, welche Naudin in der 3. Reihe der Annales des Sciences naturelles mehre Bände hindurch geliefert, beigetragen haben. Aus ihr ersieht man erst recht, was wir noch Alles aus dieser Familie für unsere Gewächshäuser erwarten können. Reisende haben in der neuesten Zeit ebenfalls den Melastomateen ihre Aufmerksamkeit seitdem mehr zugewendet, und so steht zu erwarten, dass von Jahr zu Jahr ihre Anzahl in unsern Gewächshäusern um so grösser wird. Zu diesen Bereicherungen gehören nun auch die beiden Pflanzen, welche die Geitner'sche Gärtnerei in Planitz bei Zwickau direkt aus Kolombien erhalten hat.

Bis vor kurzer Zeit wurden die Melastomateen als Bewohner der tropischen Urwälder Amerika's nur in den Warmhäusern ängstlich kultivirt; seitdem man aber weiss, dass auch andere Pflanzen der Tropen keineswegs immer eine sehr grosse Wärme verlangen, sondern im Gegentheil im Freien oft mehr gedeihen, und dass auch manche Melastomateen in höhern und also auch kühlern Regionen ihres Vaterlandes wachsen, ist man auch bei uns nicht mehr so sorgsam mit ihrer Kultur. Wir haben selbst angefangen, schon mehre im Sommer ins Freie zu bringen und sie daselbst zu Gruppen zu verwenden. Wegen ihres saftigen Grünes, des buschigen Wuchses und der den ganzen Sommer hindurch ohne Unterbrechung fortdauernden Blüthenfülle möchten auch wenige Pflanzen sich so dazu eignen, als unsere beiden Arten.

Der Anfang, Melastomateen ins Freie zu bringen, wurde meines Wissens nach mit den Heterocentren gemacht, von denen die eine Art unserer Gärten roth, die andere weiss blüht. Beide hatte man gewöhnlich als Melastoma (oder wohl auch Rhexia) purpurea und alba kultivirt, bis der Direktor des botanischen Gartens zu Berlin, Professor Braun, ihnen die Stellung anwies, welche sie schon längst hätten einnehmen sollen, und sie in der Appendix zum Samenverzeichnisse des Berliner botanischen Gartens vom Jahre 1851 als Heterocentron roseum und subtriplicinervium beschrieb. Die zuletzt genannte Art hatte nämlich schon Link unter dem Namen Melastoma subtriplicinervium auf der 24. Tafel seiner Abbildungen neuer und seltener Gewächse aufgeführt.

Den Heterocentren schliessen sich in dieser Hinsicht, wie gesagt, unsere beiden Pflanzen und wahrscheinlich noch andere Micranthellen und Chätogastren, mit denen die ersteren früher vereinigt waren, an, haben aber dieselbe Nervatur auf den Blättern, nämlich 3 oder 5 von der Basis aus entspringende und der Spitze des Blattes zulaufende Nerven, wie sonst die Melastomateen fast durchgängig besitzen, und nicht nur einen Mittelnerv mit Seitenästen, wodurch sich Heterocentron in dieser Familie auszeichnet. Micranthella lanceolata und Chaetogastra Geitneriana blühen übrigens in den Häusern grade in einer Zeit, im December und Januar, wo diese besonders arm an Blumen sind, und haben deshalb wiederum einen um so grössern Werth für uns.

1. Micranthella lanceolata Naud.

Chaetogastra lanceolata DC.

Diese schöne Art wird bis 3 Fuss hoch, verzweigt sich aber gleich von unten auf sehr regelmässig, so dass sie gleich einen hübschen pyramidalen Busch darstellt. Im December und Januar ist dieser förmlich mit Blüthen, die, wenn sie auch klein sind, doch in solcher Menge auftreten, dass die Enden der Zweige ganz weiss erscheinen, und gegen das Grün der Blätter um so mehr in die Augen fallen. Dadurch erhält die ganze Pflanze etwas Eigenes, ich möchte sagen, Imposantes. Die schönen Blätter besitzen eine feine Behaarung, sind lanzettförmig-zugespitzt und haben eine Länge von 4, aber eine Breite von 2 Zoll. Ihre hellgrüne Farbe harmonirt mit dem reinen Weiss der Blüthen, in denen sich goldgelbe Staubbeutel befinden.

Wie alle Melastomateen, so hat auch diese Art ein äusserst schnelles Wachsthum und vermehrt sich sehr leicht durch Stecklinge, die im Februar gemacht, am besten anwurzeln. Ausserdem bringt sie aber auch leicht und reichlich Samen hervor, die, im März ausgesäet, schon bis zum Herbst schöne, kräftige und selbst blühbare Pflanzen liefern. Sie liebt einen leichten Humus-Boden, und Feuchtigkeit während ihrer stärkeren Vegetation, also im Sommer. In dieser Zeit kann man sie, wie gesagt, ebenfalls in's Freie stellen und auf Gruppen auspflanzen, wo sie mit ihren hübschen Blättern immer Effekt machen werden.

Das Einpflanzen verträgt diese Art sehr gut, und blühen im Freien gewesene Exemplare um so reicher in den Häusern. Im Winter muss sie in ein gemässigtes Haus kommen, wo sie schon bald anfängt, eine Zierde zu werden und im Stande ist, manche Lücken auszufüllen, in einer Zeit, wo es, wie gewöhnlich in Monaten December und Januar, so ausserordentlich wenige Pflanzen in Blüthe giebt.

Macht man im Herbste Stecklinge davon, so erhält man allerliebste, reichblühende Miniaturpflänzchen.

In der Geitner'schen Gärtnerei zu Planitz bei Zwickau ist bereits soviel Vermehrung vorhanden, dass die Pflanze sogar zu 1 Thaler abgegeben werden kann.

2. Chaetogastra Geitneriana Schlecht.

Eine verwandte Art, welche ebenfalls aus Columbien stammt und unter denselben Verhältnissen gedeiht. Nur ist sie etwas kleiner, da sie höchstens 2 Fuss hoch wird, und auch etwas zärtlicher. Die Blätter haben ebenfalls eine lanzettliche Form, zeichnen sich aber hauptsächlich durch einen röthlichen Anflug aus. Die Blüthen sind nur wenig grösser als bei der vorigen Art, haben aber keine weisse, sondern eine rosarothe Färbung; die Antheren sind aber wiederum gelb.

Ausser diesen beiden Melastomateen sind in der Geitnerischen Gärtnerei in der neuesten Zeit noch mehre andere Arten eingeführt, welche jetzt schon durch Blattformen und durch die verschiedensten Färbungen sich auszeichnen. Da sie aber noch nicht geblüht haben, bin ich auch nicht im Stande, Näheres und Bestimmteres über sie anzugeben. Ich werde mir erlauben, später darüber zu berichten.

Charieis heterophylla Cass. flore roseo, die Anmuthsblume mit Rosastrahlen.

(Kaulfussia amelloides N. v. E.)

Der Samen dieser Blume wird von englischen Handelsgärtnern für 1 Pfd. St. (also 7 Thlr.) das Loth empfohlen. Wir erinnern uns nicht, eine rosenrothblühende Abart gesehen zu haben, doch wird sie in Verzeichnissen deutscher Handelsgärtner zu einigen Groschen bereits ebenfalls angeboten; wir sind aber schon vorher überzeugt, dass die ursprüngliche Form mit blauen Strahlenblüthchen doch schöner ist. Interessant mag sie aber immer bleiben.

Die Anmuthsblume — denn dieses bedeutet der griechische Name Charieis, — wurde durch den Königl. botanischen Garten zu Berlin, der bereits im Jahre 1818 direkt Samen vom Vorgebirge der Guten Hoffnung erhielt und schon im Jahre 1819 blühende Pflanzen hatte, verbreitet. Sie bringt ihre ursprünglich blauen Blüthen in der Regel erst im Spätsommer und im Herbste hervor, kann aber auch als zweijährige Pflanze überwintert werden, wenn man im nächsten Frühjahre schon zeitig Blumen haben will. Am besten thut man, um wenigstens schon im Juli diese zu besitzen, den Samen etwas frühzeitig in ein Mistbeet zu säen und dann die jungen Pflänzchen in die Töpfe oder gleich auf Rabatten zu piquiren. Da sich die Blume sehr gut zu Einfassungen passt, kann man sie auch gleich an Ort und Stelle säen; aber in diesem Falle nur an sonnige und warme Stellen und nicht vor Ende April oder Anfang Mai. Es ist immer gut, wenigstens einige Töpfe von den frühzeitigen Aussaaten zur Samengewinnung zu reserviren, da die im freien Lande befindlichen Pflanzen, wenn ein schlechter Herbst eintritt, oft fehl schlagen.

Die Blumen besitzen dadurch noch einen besonderen Reiz, dass sie in der Knospe eine mehr gelbliche Farbe haben, welche sich allmählig mit Blau vermischt, bis dieses bei der völligen Oeffnung, wenigstens bei den Strahlenblüthchen, als das schönste Himmelsblau erscheint. Man hatte aber auch ausserdem noch durch die Kultur verschiedene Färbungen in den offenen Blüthenkörbchen erzielt, nämlich: bei den bald breiten, bald schmalen Strahlenblüthchen die himmelblaue und weise Farbe, bei den in der Mitte oder Scheibe stehenden Röhrenblüthchen hingegen die blaue oder gelbe. Um nun das Farbenspiel bei dieser Pflanze in noch grösserer Abwechslung zu besitzen, bleibt es, wie gesagt, doch interessant, dass wir jetzt auch eine Abart mit rosafarbigen Strahlen- oder Randblüthchen kultiviren.

Der Name Charieis heterophylla wurde schon im Jahre 1817 von Cassini, der getrocknete, von dem Astronom Lecaille in Südafrika gesammelte Pflanzen vor sich hatte, gegeben, während Kaulfussia (benannt nach dem 1830 gestorbenen Professor der Naturgeschichte in Halle, Kaulfuss, der sich um die Farrn sehr verdient gemacht hat) erst 1820 von dem Präsidenten der Karolinisch-Leopoldinischen Akademie zu Breslau, Nees von Esenbeck, der obigen Namen noch nicht kannte, aufgestellt, aber später selbst in seiner Monographie der Asterartigen Pflanzen wiederum eingezogen wurde. Die Benennung Charieis heterophylla Cass. muss demnach als die ältere bleiben. Cassini unterschied später die Abart mit durchaus blauen Blüthchen als Charieis coerulea; es ist dieses ein Name, den darauf wiederum Nees von Esenbeck für alle Formen gebraucht hat.

Was nun die systematische Stellung des nur aus einer kapischen Pflanze bestehenden Geschlechtes Charieis anbelangt, so bildet dieses mit Agathaea Cass., von dem besonders A. coelestis Cass. (die alte Linné'sche Cineraria amelloides) in unseren Kalthäusern bekannt und beliebt ist, eine kleine Gruppe der Asterartigen Pflanzen (Asteroideae), welche sich durch (wenigstens am untern Theile der Pflanze, wenn nicht durchaus) gegenüberstehende Blätter auszeichnet. Es ist ausserdem noch interessant, dass die Haarkrone der Scheibenblüthchen gefiedert ist, die der Strahlenblüthchen hingegen fehlt oder bisweilen nur aus einer einzigen Borste besteht, was beides bei Agathaea nicht der Fall ist.

Die Nelken von Appelius und Lorenz in Erfurt.

Es gab leider einmal eine Zeit, wo die Nelken gar nicht mehr die Beachtung fanden, als sie es doch in so hohem Grade verdienten. Höchstens waren es die chinesischen, welchen man noch einige Aufmerksamkeit zuwendete. Um so erfreulicher ist es nun, dass diese nicht minder schönen und mannigfachen, als angenehm duftenden Blumen, die fast so lange in Europa kultivirt werden, als wir daselbst eine Geschichte kennen, hauptsächlich durch das Verdienst deutscher, und ganz besonders Erfurter, Gärtner wiederum — um mich eines vulgären Ausdruckes zu bedienen — Mode geworden sind. Während früher die eigentliche Gartennelke (Dianthus Caryophyllus L.) es hauptsächlich war, der man seine Kunst zuwendete, um bei der Neigung der Blüthe zum Gefülltwerden und zum Farbenwechsel zahllose Abarten und Formen zu erziehen, so hat man in der neuesten Zeit auch noch andere Arten, und zwar nicht allein die, welche früher, aber mehr zu Einfassungen und auf Rabatten, gebraucht wurden, sondern auch die, welche man erst seit wenigen Jahren für die Kultur in Anspruch nahm, vielfach benutzt, um Blend- und Mischlinge in der mannigfaltigsten Gestalt hervorzurufen. In welcher Grossartigkeit dieses jetzt betrieben wird, davon kann man sich nur einen Begriff machen, wenn man in Erfurt z. B. auf einmal ein grosses Sortiment der verschiedensten Nelken erschaut. Das ganze Farben-Spektrum wiederholt sich, mit Ausnahme des Grünen und, sonderbarer Weise auch, des sonst so häufig vorkommenden Blauen in den Blumen der Nelken. Ein solcher Farbenreichthum existirt sonst nirgends weiter.

Es liegen uns zwei Nelkenkarten vor, die uns Gelegenheit geben sollen, die Leser dieser Zeitschrift auf diese Blumen aufmerksam zu machen. Wir dürfen um so weniger über dem Schönen und Vorzüglichem, was wir jährlich aus fremden Ländern erhalten, das übersehen, was wir haben, zumal es auch die weniger Bemittelten in den Stand setzt, für wenig Geld ihren Garten mit schönen Blumen auszustatten.

Die eine Nelken-Karte ist Manuscript und uns von ihrem Besitzer, dem Kunst- und Handelsgärtner Appelius in Erfurt, eingesendet. Derselbe kultivirt allein über 400 Formen der gewöhnlichen Garten-Nelke (Dianthus Caryophyllus) und bietet somit eine seltene Auswahl dar. Um diese zu erleichtern, hat er bezeichnende Blätter der Blumen gut getrocknet und selbige auf starkem Papier aufgeklebt. Er sendet auf Verlangen jedem Liebhaber das Büchelchen, in dem die sämmtlichen Papiere mit den Blumenblättern sich befinden, auf kurze Zeit zu. Name und sonstige Angaben finden sich geschrieben neben dem aufgeklebten Blumenblatte. Jede Sorte kostet nach beliebiger Auswahl 5, nach seiner hingegen nur 4 Sgr.

Die zweite Nelkenkarte liefert ein Schema zur Eintheilung der Nelken und gehört einem Schriftchen an, was der Verfasser, der längst in dieser Hinsicht bekannte Nelkenzüchter Christ. Lorenz in Erfurt, zum besseren Verständniss aller Nelkenliebhaber selbst geschrieben hat. Da hauptsächlich darin nur die eigenen Erfahrungen niedergelegt sind und Lorenz schon seit sehr langer Zeit die Nelken emsig hegt und pflegt, so muss es Jedermann willkommen sein, der die prächtigen Blumen liebt.

Die Nelken verlangen in der Kultur sehr viel Aufmerksamkeit, wenn man in der That Freude an seiner Zucht haben und sich Vorzügliches erziehen will. Man kann sich immer fort die schönsten Sorten anschaffen und beherzigt nicht die Winke, welche der Verfasser in seinem Büchelchen giebt, so wird man doch nicht das erhalten was man wünschte. Oft glaubt man dann noch, dass man von Seiten des Gärtners nicht ordentlich bedient sei. Wir empfehlen deshalb ganz besonders das Schriftchen, was für wenig Groschen in jeder Buchhandlung und von Lorenz selbst zu beziehen ist. Als Anhang erhält man ein Verzeichniss der von ihm kultivirten Sorten, nicht weniger als 1008. Er verkauft 12 Sorten nach eigener Auswahl für 2, nach seiner für 1½ Thlr., 100 hingegen nach eigener Auswahl für 16, nach seiner für 12 Thlr.

Fisch-Guano.

In dem Journale für Landwirthschaft, 5. Jahrgang. (1857) Seite 29. befindet sich ein interessanter Aufsatz über Fisch-Guano, von Dr. Wicke in Göttingen. Dass künstlicher Dünger für Gärtner ausserordentlich wichtig sein kann, haben in Paris vielseitige Versuche nachgewiesen; leider wollen aber dergleichen bei uns immer noch nicht Eingang finden. Ursache mag allerdings auch die häufige Verfälschung des Guano sein, so dass die Resultate sich natürlicher Weise widersprechen können. Um so lobenswerther sind die Versuche in Deutschland, künstlichen Dünger der vielleicht schlechter ist, auf den man aber sich mehr verlassen kann, zu fabriziren.

Mit Fischen wurden schon früher in England Versuche zu Guano angestellt, die aber zu weiter keinem Resultate führten. Jetzt bereitet nun ein Fabrikant, Denker in Varel, aus den beliebten Garneelen oder Granaten Guano. Wenn Feinschmecker hierin vielleicht eine Beeinträchtigung finden, so werden sie sich wohl beruhigen, sobald sie erfahren, dass in einzelnen Jahren diese Fischchen in so ungeheuren Mengen vorkommen, dass beim Fangen ein Theil wieder ins Wasser geworfen werden muss. Der obige Fabrikant setzt sie, um Guano daraus zu erhalten, einer so hohen Temperatur aus, dass der Eiweissstoff gerinnt, worauf man sie presst. Nun kommen sie auf eiserne, bis 64° R. erhitzte Platten, um so hart zu werden, damit sie gemahlen ein Pulver geben. Dieses Fabrikat, Granat-Guano genannt, hat namentlich, mit drei Mal so viel Knochenmehl vermischt, bei Kulturensich sehr günstig gezeigt.

Der Pomologische Kongress zu Lyon.

Briefliche Mittheilung des Kunst- und Handelsgärtners de Jonghe in Brüssel.

Es wird Ihnen bekannt sein, dass der genannte Kongress sich in der Mitte September v. J. zuerst in Lyon versammelte und dass er in diesem Jahre wahrscheinlich zum zweiten Male zusammenkommen wird. In der ersten Versammlung waren die Birnen Gegenstand der Verhandlungen, während bei der nächsten nun der Reihe nach die Aepfel, Kirschen, Pflaumen, Pfirsichen, Aprikosen, Weintrauben u. s. w. einer besondern Aufmerksamkeit gewürdigt werden sollen.

Der Kongress hat sich dabei die Aufgabe gestellt, die Resultate der Verhandlungen in einem besonderen Werke zu veröffentlichen und ist der Meinung, dass diese dann ohne Weiteres von jedem Lande und von jedem Obstzüchter angenommen werden müssten. Leider hat man aber in dem, was mir vorliegt, gleich gegen das erste Erforderniss einer so gewichtigen Arbeit, gegen die Nomenklatur, sehr gefehlt, indem man sich um die alten, ursprünglichen Namen gar nicht bekümmerte, sondern ohne Weiteres neue gab oder die alten auf eine Weise verstümmelte, dass sie gar nicht mehr zu erkennen sind. Unter solchen Umständen, wo man gleich im Anfange den Anforderungen einer richtigen Benennung so wenig nachkommt, kann man ohnmöglich Resultaten entgegensehen, welche in der That die für die ganze Volkswohlfahrt so gewichtige Obstzucht und die wissenschaftliche Obstkunde, die Pomologie, fördern werden.

Rundschau.

Der Garten des Kommerzienrathes Linau in Frankfurt a. d. O.

Wenn schon Frankfurt mit seiner so freundlichen Lage jedem Reisenden auf der sonst zum grossen Theil sehr einförmigen Tour von Berlin nach Breslau auffällt, so ist unbedingt wiederum der genannte Garten für Frankfurt ein Lichtpunkt; es möchte kaum dort noch ein andrer Ort gefunden werden, wo sich eine solche Aussicht darbietet. Da der Garten von dem General-Direktor Lenné angelegt ist, so darf man wohl auch erwarten, dass die Anlage mit dem Uebrigen harmonirt. Doch ich will, wo es Winter ist, nicht die Anlagen, so schön sie sich auch selbst in dieser Zeit präsentirten, beschreiben, sondern mich dieses Mal nur den Gewächshäusern zuwenden.

Für die Azaleen- und Rhododendren-Flor, durch die sich der Garten schon seit sehr langer Zeit ebenfalls vortheilhaft auszeichnet, war es noch zu früh: ich wende mich deshalb sogleich dem Hause zu, wo die Orchideen gezogen werden. Grade in dieser an blühenden Pflanzen so armen Zeit sind die Orchideen hauptsächlich der Schmuck unserer Gewächshäuser. Nicht weniger als 42 Arten waren im Linau'schen, nur für diese Pflanzenfamilie bestimmten Hause blühend vorhanden oder fingen wenigstens an, ihre Knospen eben zu entfalten.

Gleich voran stand ein prächtiges Exemplar des Phajus intermedius Hort. angl. aus 7 Stengeln, die aus 4 Scheinzwiebeln hervorkamen und weit über 100 Blüthen tragen, bestehend. Nicht weit davon stand Phajus Wallichii Lindl. Von den 10 in Blüthe begriffenen Oncidien nenne ich nur: Oncidium maculatum Lindl. (Cyrtochilum maculatum Lindl.), cornigerum Lindl. und albo-violaceum Lindl., von den 10 Dendrobien aber: Dendrobium nobile Lindl., coerulescens Lindl., macrophyllum Lindl., moschatum Wall. (Calceolaria

Hook.), fimbriatum Wall., transparens Wall. und Reckerii Lindl. Ausserdem verdienen wegen Schönheit oder Seltenheit noch genannt zu werden: Ansellia africana Lindl., Bletia florida R. Br., Vanda Roxburghii R. Br. (Epidendron tessellatum Roxb.), Odontoglossum constrictum Lindl. und pulchellum Batem., Cattleya granulosa Lindl. β. Leopoldi und Miltonia cuneata Lindl.

Bücherschau.

Revisio Potentillarum, iconibus illustrata; auctore Dr. Christ. Lehmann. Vratislaviae et Bonnae MDCCCLVI.

Schon seit mehreren Jahren sah die botanische und zum Theil auch die gärtnerische Welt dem Erscheinen dieser Schrift entgegen. Sie bildet einen ziemlich starken Quartband von 230 Seiten, mit 5 pflanzengeographischen Tabellen und 64 Tafeln nicht illuminirter Abbildungen, der eigentlich ein Supplement zum 23. Band der Verhandlungen der Leopoldinisch-Karolinischen Akademie der Naturforscher ist. Wer sich je mit dem schwierigen Geschlechte Potentilla, wo nur sehr selten gleich in die Augen springende Charaktere, dagegen aber viele Uebergänge, oft sogar ein grosser Formenkreis, sich darbieten, nur einmal beschäftigt hat, wird gewiss dem Verfasser Dank wissen, dass er seit 30 Jahren nicht aufgehört hat, diesen so schwierigen Arten seine specielle Aufmerksamkeit zuzuwenden und immer von Zeit zu Zeit seine Erfahrungen und Beobachtungen der Oeffentlichkeit zu übergeben. 204 Arten sind beschrieben, aber das Register bringt uns weit über 1000 Namen, von denen der bei Weitem grösste Theil der Synonymie angehört. Das Buch ist mit Ausnahme der Diagnosen in deutscher Sprache geschrieben.

Wie wichtig die Potentillen in pflanzengeographischer Hinsicht sind, kann man aus den 5 pflanzengeographischen Tabellen des Professor Koch, die dem Texte folgen, ersehen. In ästhetischer Hinsicht bieten sie weniger dar, obwohl einige Arten, besonders des Himalaya, weniger Sibirien's und Nordamerika's, auch gärtnerischer Seits schon längere Zeit mit Aufmerksamkeit kultivirt wurden. Da diese ausserdem sehr leicht Vermischungen eingingen, so hatte man dieses benutzt, um eine Reihe von Blendlingen, von denen in der That die eine hübscher als die andere ist, hervorzurufen. Gewöhnlich wurden diese Blendlinge als selbstständige Arten in die Welt geschickt. Es dürfte deshalb grade hier nicht ohne Interesse sein, dieselben, so weit Lehmann sie selbst als solche mit beiderseitigen Eltern erkannt hat, der Reihe nach aufzuführen, so wie auch die, welche Formen oder gar nur Synonyme sind, gleich anzuschliessen.

Kultivirt werden nur: die beiden holzigen Arten, P. dahurica (davurica) Nestl. und fruticosa L., die hauptsächlich in Sibirien wachsen, letztere aber ausserdem mit einem grossen Verbreitungsbezirk bis einerseits zum Himalaya, andernseits bis zu den Pyrenäen, aber immer nur vereinzelt, vorkommt; ferner die nordamerikanische P. Hippiana Lehm. und die drei Himalaya-Arten: nepalensis Hook., argyrophylla Wall. und atrosanguinea Lodd.

Blendlinge, Abarten oder nur Formen, resp. Synonyme sind:

1. P. bicolor Lindl.: Blendling von der P. atrosanguinea Lodd. und der argyrophylla Royle β insignis.
2. P. colorata Lehm.: Form der P. nepalensis Hook.
3. P. Fintelmanni Otto: Blendling von der P. atrosanguinea Lodd. und der argyrophylla Royle.
4. P. floribunda Wats. et Hort.: grossblühende Abart der P. fruticosa L.
5. P. formosa Don: Synonym der P. nepalensis Hook.
6. P. glabra Lodd.: Synonym der P. dahurica Nestl.
7. P. grandiflora Hort.: grossblühende Abart der P. fruticosa L.
8. P. Hopwoodiana Lindl.: Blendling der P. nepalensis Hook. und der erecta L.
9. P. insignis Royle: Abart der P. argyrophylla Wall.
10. P. leucochroa-atrosanguinea Morr.: Blendling der P. argyrophylla Wall. und atrosanguinea Lodd.
11. P. Mackayana Sweet: Blendling der P. nepalensis Hook. und der opaca L.
12. P. Macnabiana van H.: Blendling der P. argyrophylla Wall. und der atrosanguinea Lodd.
13. P. Mayana Hort., Linn. 1844 p. 508, unbekannt.
14. P. Menziessii Lem.: Blendling der P. argyrophylla Wall. und der atrosanguinea Lodd.
15. P. Russeliana Lindl.: Blendling der P. atrosanguinea Lodd. und der nepalensis Hook.
16. P. Smoothii van H.: Blendling der P. atrosanguinea Lodd. und der argyrophylla Wall.
17. P. tenuifolia Willd. et Hort.: Abart der P. fruticosa L.
18. P. Wallichiana Gouan: Synonym der P. atrosanguinea Lodd.

Die vier Jahreszeiten von C. A. Rossmässler. Volksausgabe. 1.—4. Heft. Gotha 1856. Preis 1 Thl.

Der geistreiche Verf. giebt uns wieder ein Mal ein Buch vaterländischen Inhalts. Es ist recht schön in unsern Gärten und Gewächshäusern, und muss es auch wohl sein, denn wir haben ja das Schönste zusammengetragen, was sonst die Natur auf der grossen weiten Erde hervorgebracht hat. Darüber dürfen wir aber des Heimischen nicht vergessen, wo ebenfalls so manches Vorzügliche geboten wird. Unser Eichbaum möchte kaum bei uns durch ein fremdes Gehölz vertreten werden. So majestätisch und kräftig auch er an und für sich aussieht, so bleibt er doch für alle unsere Anlagen wohl nur deshalb besonders gewichtig, weil er das Vaterländische und den deutschen Charakter in jeglicher Hinsicht vertritt. Den reich mit allerhand Blumen geschmückten Wiesenteppich suchen wir vergebens in Italien und ausserdem.

Mitten durch Wiesen und Wälder, durch Sümpfe und Brüche nach dürrem Haideland führt uns der Verfasser und macht uns auf alles das, worauf es ankommt, aufmerksam. Grade deshalb empfehlen wir das wohlfeile Büchelchen, hauptsächlich dem Landschaftsgärtner, damit er über dem Ausländischen nicht das Vaterländische vergisst, und nebenbei lernt, wie die Natur Anlagen macht. Der Landschaftsgärtner soll eben so wenig als der Landschaftsmaler seiner Phantasie freien Lauf lassen; es liegt beiden ob, das Schöne, was hier und da verborgen liegt, in der Natur aufzusuchen und in seiner Anlage oder in seinem Bilde zu einem harmonischen Ganzen zu verknüpfen. Wir empfehlen aber auch überhaupt jedem, der Sinn für die Natur hat, das Buch.

Vorliegende Volksausgabe enthält einige Vegetations-Ansichten weniger als die früher erschienene; anstatt farbiger Tondrücke von Blättern sind auch nur schwarze vorhanden. Trotzdem ist die Ausstattung immer noch viel hübscher, als bei den meisten für das Volk bestimmten Büchern.

Die Kultur der Schwarzen Malve oder das Tagewerk Landfläche 200 Thaler Ertrag, von Fr. Jak. Dochnahl. Nürnberg 1856

Seit längerer Zeit schon werden unsere Stockmalven, und zwar die dunkelbraunblühenden Sorten, in der Umgegend von Nürnberg viel gebaut und hauptsächlich nach Frankreich, seit einigen Jahren auch nach England, ausgeführt. Die Anfragen wurden allmählig so gross, dass sie gar nicht mehr erfüllt werden konnten. Der Zentner getrockneter Blüthen wird jetzt mit 36—40 Gulden bezahlt. Wenn man nun bedenkt, dass ein Tagewerk Landes (etwas mehr wie 1¼ Magdeb. oder Preuss. Morgen) in gutem Zustande 10—30 Centner getrockneter Blüthen giebt, so hat man wenigstens den nicht unbedeutenden Ertrag von 200 Gulden, einen Ertrag, den nur Gemüse-Felder in der Nähe grosser Städte, und zwar allein bei grossem Fleisse, geben. Es ist deshalb selbst Gärtnern, und zwar nicht allein denen, die auf dem Lande leben, sondern auch denen in grösseren und kleineren Provinzialstädten, der Anbau der Schwarzen Malve nicht genug zu empfehlen.

Der Verfasser, als Obstkenner und Obstzüchter rühmlichst bekannt, macht in dem Büchelchen von 30 Seiten auf diesen gewichtigen Erwerbszweig mit Recht aufmerksam und theilt kurz und bündig das beste Verfahren, dessen man sich bei Nürnberg bedient, um möglichst viel zu gewinnen, mit. Dabei erfahren wir auch, was man denn eigentlich mit den Schwarzen Malven anfängt? In Frankreich wird nämlich bei Weitem nicht so viel Rothwein fabrizirt, als man überhaupt trinkt, weshalb denn die Weinbauer, welche ihre Weissweine weniger gut los werden, diese mit Malvenblüthen roth färben. Nach anderen Berichten sind es aber freilich die Attichbeeren, die Früchte von Sambucus Ebulus L., welche in Südfrankreich, namentlich aber auf den griechischen Inseln und sonst im Oriente, zum Färben des Weines benutzt werden. Es kommt noch dazu, dass diese Beeren etwas Narkotisches haben und deshalb ganz besonders von den Weinbauern genommen werden, um dem Weine eine mehr berauschende Kraft zu geben. In Kachien oder Kacheth, der Provinz Georgiens, welche seit alter Zeit schon wegen ihres vorzüglichen Weines berühmt ist und welche unter dem Namen Kachetiner seine Rothweine weit und breit noch jetzt verschickt, werden alle Weine mit Attichbeeren versetzt.

Ausserdem gebraucht man endlich die Blüthen der Schwarzen Malve in England seit einigen Jahren als Ersatzmittel des Indigo's, da sie durch Zusatz einen intensiv-blauen Farbestoff geben.

Korrespondenz.

An B. in Wien: Das Buch ist schon in Otto und Dietrich's Gartenzeitung besprochen.

An A. v. B. in Karlsruhe: Dank für die Berichtigung und wird selbige sehr gern benutzt werden.

An E. M. in Planitz bei Zwickau: Die Abhandlung ist eben gedruckt.

An Ch. L. in Erfurt: Wird schon jetzt besprochen.

An M. u. S. in Erfurt: Die richtige Schreibart ist Gatierrasia.

An Sahn. in Oranienbaum bei Dessau: Dank für das Gesandte und ist bereits benutzt.

An Joh. E. in Aschbach in Oberfranken: Wird das nächste Mal berücksichtigt werden.

Verlag der Nauckschen Buchhandlung. Berlin. Druck der Nauckschen Buchdruckerei.

No. 7. Sonnabend, den 14. Februar. 1857

Preis des Jahrgangs von 52 Nummern mit 12 color. Abbildungen 6 Thlr. ohne dieselben 5 „
Durch alle Postämter des deutsch-österreichischen Postvereins sowie auch durch alle Buchhandlungen ohne Preiserhöhung zu beziehen.

Mit direkter Post übernimmt die Verlagshandlung die Versendung unter Kreuzband gegen Vergütung von 25 Sgr. für Belgien, von 1 Thlr. 5 Sgr. für England, von 1 Thlr. 22 Sgr. für Frankreich.

BERLINER Allgemeine Gartenzeitung.

Herausgegeben vom

Professor Dr. Karl Koch.

General-Secretair des Vereins zur Beförderung des Gartenbaues in den Königl. Preussischen Staaten.

Inhalt. Die Kultur der Bromeliaceen. Von Carl Bouché, Inspektor des Königl. botanischen Gartens in Schöneberg bei Berlin. — Die Phacelien und Gutierrezien als Schmuck- und Nutzblumen. Vom Prof. Dr. Koch und den Kunst- und Handelsgärtnern Moschkowitz und Siegling in Erfurt. — Pflanzen- und Samen-Ankäufe aus Neuholland. Vom Professor Dr. Koch. — Pflanzen- und Samen-Verzeichnisse.

Die Kultur der Bromeliaceen.

Von Carl Bouché, Inspektor des Königl. botanischen Gartens in Schöneberg bei Berlin.

Die Familie der Bromeliaceen bietet dem Pflanzenliebhaber eine Menge von Zierpflanzen dar, die sich entweder durch Schönheit der Blume oder durch dekorativen Wuchs vortheilhaft auszeichnen und bei richtiger Behandlung und Verwendung unsern warmen, für tropische Pflanzen bestimmten Gewächshäusern einen besondern Schmuck verleihen. Leider scheint jedoch ihr Werth noch keineswegs so allgemein anerkannt worden zu sein, als es wünschenswerth wäre, denn nur eine geringe Anzahl befindet sich in Kultur, und zwar erst mehr seit wenigen Jahren, seitdem besonders die Reisenden im tropischen Amerika, Moritz, Wagener, v. Warszewicz und Libon ihnen eine grössere Aufmerksamkeit widmeten.

Viele der schönblühenden Arten z. B. Billbergia pyramidalis Lindl., thyrsoidea Mart., zebrina Lindl., Leopoldi Hort. belg., Hoplophytum rhodocyaneum Beer, ferner Lamprocarpus (Aechmaea) fulgens Beer und die Abart discolor, Caraguata splendens Bouché, Guzmannia tricolor R. et P. Nidularium fulgens Hort., Pitcairnia Altensteinii Scheidw., sowie viele andere Arten desselben Genus gewähren nicht nur durch die prachtvollen Blumen oder durch die prächtig gefärbten Deckblätter einen besonderen Reiz, sondern haben auch die Eigenschaft, dass das Erscheinen ihrer Blüthen nicht an bestimmte Jahreszeiten gebunden, sondern diese sich, besonders wenn man künstlich darauf einwirkt, zu allen Zeiten entfalten. Andere Arten, deren Blumen weniger schön sind oder seltener erscheinen z. B. Bromelia Karatas Jacq. und Sceptrum Feuzl (Agallostachys antiacantha Beer) zeichnen sich, wenn sie gut kultivirt und vortheilhaft aufgestellt werden, durch prachtvollen Wuchs aus, und sind in dekorativer Hinsicht von grossem Werthe für die Ausstattung grosser Gewächshäuser für tropische Pflanzen.

Endlich verdient noch die Ananas, die ihrer unübertrefflich-aromatischen Früchte halber auch für den Gaumen einen besondern Reiz hat, als Glied dieser Familie der Erwähnung. Ihr Werth ist insofern noch vermehrt, dass man durch langjährige Kultur in den Besitz ganz vorzüglicher Ab- und Spielarten gelangt ist; wir haben jedoch diese nicht dem europäischen Klima, sondern den Tropengegenden zu verdanken. Da die Ananas nur als Nutz-, aber nicht als Schmuck-Pflanze zu betrachten ist, so gehört die Angabe ihrer Kultur einem anderem Bereiche der Gartenkunst an, und wird ihrer hier deshalb nicht weiter gedacht werden.

Die zu dieser Familie gehörenden Gewächse sind Bewohner der tropischen und subtropischen Gegenden, wo sie, zum Theil als Epiphyten zwischen Orchideen, Aroideen und Farrnkräutern und von Moosen umgeben, an Baumstämmen wachsen und wo ihre Wurzeln an abgestorbener Rinde oder in faulen Aesten sich ausbreiten. Zum Theil wachsen sie aber auch an der Basis älterer Bäume, wo sich lockerer Humus angehäuft hat, und breiten sie sich selbst auch noch weiter auf dem Boden in recht nahrhaftem und lockerem Erdreiche aus.

Die meisten Bromeliaceen lieben tief- oder halbschattige Stellen. Nur eine bei Weitem kleinere Anzahl, z. B. Encholirion, Pourretia, Puya und Dyckia kommen auf sonnigen Hügeln zwischen Steingeröll vor, suchen aber auch an solchen Orten den dazwischen liegenden Humus sehr begierig auf.

Die Bromeliaceen verlangen daher bei uns Räume, in denen die Wärme im Allgemeinen am Tage 15 bis 16 Grad beträgt und während der Nacht nicht unter 10 Grad fällt; hat man sie angemessen beschattet, so sind ihnen 20 bis 24 Grad Sonnenwärme sehr zuträglich. So lange sie sich in Vegetation befinden, bedürfen sie einer sehr feuchten Atmosphäre, ähnlich wie bei vielen tropischen Orchideen, mit denen sie auch gemeinschaftlich kultivirt werden können. Die als Epiphyten an Bäumen vorkommenden Arten, wie viele Billbergien, Lamprococcus-Arten, Aechmaeen, Guzmannien, Pholidophyllum, Vrieseen, Anoplophytum, Disteganthus, Tillandsien u. s. w. gedeihen ganz vorzüglich, wenn man sie auf Holzklötze bindet und im Hause anhängt, oder an Baumstämmen zwischen Moos befestigt. Auch in durchbrochenen Ampeln und in Torfmoos, Haide- und Holzerde gepflanzt, zeigen sie ein üppiges Wachsthum und gewähren einen angenehmen Anblick. Hat man nicht Gelegenheit, sie auf diese Weise anzubringen, so können sie auch mit eben so gutem Erfolge in Töpfen gezogen werden, nur beachte man, dass alsdann für reichlichen Abzug des Wassers gesorgt ist. Dazu sind als Unterlage Torfbrocken, über welche man Torfmoos oder Haideerde-Abfall ausbreitet, am geeignetesten.

Die Gattungen Dyckia, Puya und Pourretia lieben ein kompakteres Erdreich, welches aus Haideerde, Sand und Lehm besteht. Da sie an trockenen und sonnigen Stellen wachsen, so dürfen sie nur spärlich begossen, in einem weniger feuchten Raume untergebracht und mehr der Sonne ausgesetzt werden. Dyckia bedarf während des Winters nur 8 bis 10 Grad Wärme; sie gedeiht und blüht während des Sommers sehr gut, wenn man sie in einem nur oben mit Fenstern bedeckten und luftigen Kalthause unterhält.

Die grösste Zahl der Arten aus den Gattungen Billbergia, Bromelia, Cochliopetalum, Echinostachys, Hohenbergia, Hoplophytum, Macrochordium, Neumannia, Pitcairnia und Quesnelia verlangen zwar ebenfalls eine Temperatur von 10 bis 16, bei Sonnenschein auch 20 bis 22 Grad, gedeihen aber sehr gut in einem Erdreiche, welches aus Haide- und wenig verrotteter Holzerde zu gleichen Theilen besteht und mit etwas grobem Sand vermischt ist. Um das Wachsthum noch mehr zu begünstigen und kräftigere Blüthenstengel zu erzielen, setze man noch etwas Erde aus altem Kuhdung bereitet oder Hornspähne hinzu. Da genannte Pflanzen in ihrer Vegetationsperiode ziemlich viel Feuchtigkeit des Bodens verlangen, so sorge man durch Unterlagen von Torfbrocken in den Töpfen für reichlichen Abzug des Wassers, und begiesse sie fleissig. Giebt man ihnen während des Sommers zu wenig Wasser, so rollen sie leicht die Blätter ein, haben kein saftiges Grün, erscheinen mager und sehen dürftig aus. Eine angemessene Feuchtigkeit der Luft, die während der Sommermonate durch Spritzen hergestellt wird, trägt ebenfalls zum besseren Aussehen der Pflanzen viel bei. Sollte sich dadurch oder auch durch das Eintropfen von oben Wasser zwischen den Herzblättern ansammeln, so schadet es gar nichts. Die Herzfäule entsteht nur, wenn sie im Winter in Folge des spärlichern Begiessens und einer niedrigeren Temperatur gar nicht oder wenig vegetiren und alsdann Wasser eintropft. Man sehe deshalb die Pflanzen öfter nach und giesse das zwischen den Herzblättern sich angesammelte Wasser aus.

Am kräftigsten gedeihen die letztgenannten Gattungen, wenn man die Töpfe in ein warmes Lohbeet eines nicht zu hohen Hauses einsenkt und die Pflanzen auf diese Weise fast das ganze Jahr hindurch in Vegetation erhalten werden. Nur von Mitte November bis Mitte Januar gebe man ihnen etwas spärlicher Wasser und vermindere auch die Luftfeuchtigkeit, damit sie eine kurze Zeit, um sich zu kräftigen, ruhen.

Kann man ihnen keinen Platz auf einem Lohbeete geben, so bringe man sie wenigstens von Mitte April bis Anfang September in einen öfter zu erwärmenden, feuchten Mistbeetkasten.

An beiden Standorten sorge man dafür, dass sie während der Sommermonate sorgsam beschattet und täglich mit frischem Wasser bespritzt werden.

Den meisten Effekt machen viele Arten, wenn man recht reichbestaudete Exemplare zu erziehen sucht, die alsdann drei, vier auch noch mehr Blüthenstengel auf einmal treiben. Leider aber begehen viele Gärtner den Fehler, dass sie die Bromeliaceen, besonders die mit kriechenden Rhizomen, z. B. manche Billbergien, Lamprococcus-Arten (Aechmaeen) u. dergl. m., zu sehr zertheilen, und in dessen Folge stets auch nur eine oder zwei Blüthenstengel an einer Pflanze erhalten. Um recht grosse buschige Exemplare zu erziehen, pflanze man aber in einem geräumigen Topfe von Hause aus drei Pflanzen und zwar so, dass sie mit den jüngsten Trieben nach dem Topfrande zu stehen kommen, damit sich das Rhizom nach dieser Richtung hin verlängern kann. Sehr oft werden bei dieser Behandlungsweise die Büsche leicht sparrig und in der Mitte hohl, was daher entsteht, dass sie stets nur einen, höchtens zwei neue Triebe bilden. Um diese zu vermehren, zerschneide man den Wurzelstock älterer Exemplare, lasse aber die Stöcke zusammenstehen, worauf sich bald mehre blühbare Triebe entwickeln werden, die zur bessern Bestaudung und zum reichlicherem Blühen nicht wenig beitragen. Wird das Gefäss zu klein, so muss die Pflanze in ein grösseres versetzt werden, wobei man, wenn es nöthig sein sollte, die einzelnen Stöcke wieder dichter zusammenrücken kann.

Beim Verpflanzen solcher Arten, deren Wurzelstock kriechend ist, achte man darauf, dass dieser nicht zu tief, sondern nur mit der Erdoberfläche gleich zu stehen kommt; will man die Wurzelbildung der fast blossliegenden Wurzelstöcke begünstigen, so belege man sie mit Torfmoos (Sphagnum).

Das Wachsthum fast aller Bromeliaceen, besonders der grösseren und raschwüchsigeren, wird ungemein gefördert, wenn man sie während des Sommers wöchentlich einmal mit flüssigem Dung, der aus Hornspähnen und frischen Kuhdung bereitet wird, begiesst.

Alte Triebe, die bereits geblüht haben und abgelebt erscheinen, dürfen erst im zweiten Jahre nach der Blüthe abgeschnitten werden; sie länger an der Pflanze zu lassen, ist nicht rathsam, indem sich dann an ihnen leicht Ungeziefer erzeugt. Ein früheres Entfernen ist dagegen für die Pflanzen oft nachtheilig.

Bei Bromelien, Macrochordien und Pitcairnien ist es besser, nur einen recht kräftigen Trieb in einem Topfe zu lassen, weil dieser alsdann grössere Blüthenstengel treibt. Erzeugen sich, besonders bei den Pitcairnien, dennoch zu viele Seitensprossen, so müssen diese entfernt werden. Man kann auch bei diesen mehre Triebe in einem Gefässe lassen; nur müssen diese alsdann entsprechend gross genug sein, und muss man für hinreichende Nahrung durch fleissiges Versetzen und Begiessen mit Dungguss sorgen. Manche Arten, besonders mit herabhängenden Blättern, eignen sich ganz vorzüglich zur Bepflanzung von Ampeln.

Mehrere Arten der Bromeliaceen haben die Eigenschaft, allmählig kurze, aber über die Erde sich erhebende Stämmchen zu bilden; diesen ist ein alljährliches Tieferpflanzen sehr zuträglich. Bei dieser Gelegenheit kann der älteste Theil des Stammes, dessen Wurzeln bereits abgelebt sind, abgeschnitten werden, damit sich an den jüngeren Theilen neue bilden.

Wagt man bei einzelnen empfindlichen Arten, z. B. Caraguata lingulata Lindl. und splendens Bouché, nicht den Stamm tiefer in die Erde zu setzen, so muss er zur Erzeugung neuer Wurzeln mit Torfmoos umgeben werden.

Die geeignetste Zeit zum Verpflanzen ist im Februar und März, wenn man Aussicht hat, sie bald auf ein warmes Beet bringen zu können. Bei spärlich wurzelnden Arten z. B. Billbergien, Vriesien und Guzmannien, schüttele man die Ballen ganz aus und gebe ihnen frische Erde; anderen dagegen, die einen festen, reichbewurzelten Ballen bilden, z. B. Pitcairnien, Neumannien und die Cochliopetalum-Arten, lasse man diesen, lockere aber die am Rande befindlichen Wurzeln auf und setze sie so in grössere Töpfe. Sollten die Gefässe bei einigen im Laufe des Sommers zu klein werden, so können sie auch, ohne den Ballen zu stören, zu andern Zeiten verpflanzt werden. Einige Arten, wie Pitcairnia Karwinskyana Schult., phoenicea Hort. und Warscewicziana Kl., deren Triebe zwiebelartig verdickt sind, verlieren zum Winter einen Theil der Blätter, ziehen also etwas ein, oft aber blühen sie schon im Februar und März und müssen deshalb schon Ende Dezember oder Anfang Januar verpflanzt werden.

Da die an Baumstämmen gehefteten Exemplare nicht verpflanzt werden können, so sorge man dafür, dass die Rhizome jüngerer Triebe nach Bedarf mit roher, faseriger Haideerde und Torfmoos umgeben werden.

Die meisten der schönblühenden Billbergien lassen sich künstlich fast zu jeder beliebigen Jahreszeit zur Blüthe bringen, wenn man sie, nachdem die jüngsten Triebe vollständig ausgebildet sind, auch ehe sich diese entwickelt haben und noch knospenartig an dem alten Rhizome ruhen, allmählig, vielleicht in einer Zeit von drei bis vier Wochen, ganz austrocknen lässt, sie einige Zeit in einem trocknem, etwa 10—12 Grad warmen Hause 6 bis 8 Wochen konservirt, alsdann aber, nachdem die trocknen Wurzeln entfernt sind, in frische Erde einpflanzt und auf einem warmen Beete antreibt. Die beim Beginn des Trockenhaltens bereits ausgebildeten Triebe entwickeln oft schon nach einigen Wochen Blüthenstengel, während die zu jener Zeit erst knospenartig vorgebildeten Triebe nicht vor 6 bis 8 Monaten zur Blüthe gelangen.

Die Vermehrung der Bromeliaceen findet entweder durch Zertheilung oder durch Samen statt. Das erste Verfahren bietet in der Regel wenig Schwierigkeiten dar, indem man die meisten Arten beim Versetzen beliebig zerschneiden kann; vorsichtiger muss man jedoch bei den Arten sein, die nach der Blüthe an der Basis des Stammes kurzsträukige Seitentriebe bilden, z. B. bei den Vriesien, Encholirien, Tillandsien, Caraguaten, Guzmannien u. s. w. Bei diesen dürfen die Seitentriebe erst abgenommen werden, wenn sie eine gewisse Härte erreicht und sich von der Mutterpflanze von selbst etwas getrennt haben; geschieht das Abschneiden zu früh, so ist der Stamm noch zu weich und zu kurz, wodurch oft Fäulniss eintritt.

Bei Weitem mehr Aufmerksamkeit erfordert die Anzucht aus dem Samen. Die Meisten, mit Ausnahme der Gattung Bromelia, haben überaus feine, dünne, kleinen und durchsichtigen Fädchen ähnliche Samen; um diese zum Keimen zu bringen, ist es am besten, sie ähnlich wie Farnkräuter auf Fasertorf, der grösstentheils aus Torfmoos besteht, auszusäen. Der Torf wird, bevor man darauf säet, in Wasser gelegt, damit er vollständig durchnässt ist. Nachher streut man die Samen darauf, drückt sie etwas fest, oder bespritzt sie mit Wasser, damit sie sich dicht anlegen, bedeckt das Torfstück mit einer Glocke und legt es auf ein recht warmes, feuchtes und schattiges Beet, oder setzt es in einen Untersatz mit etwas Wasser, damit es stets gleichmässig feucht bleibt. Das Keimen erfolgt bei frischen Samen oft in drei Wochen, was damit beginnt, dass die Samen anschwellen, eine grünliche Farbe annehmen und endlich ein kleines Blättchen und eine Wurzel entwickeln. Sollten die Samen nach 8—14 Tagen schimmeln, so kann man sie ohne Weiteres fortwerfen, indem alsdann auf das Keimen nicht mehr zu rechnen ist.

Sobald sie drei Blättchen gemacht haben, muss man sie recht vorsichtig piquiren, was in der Weise geschieht, dass man flache und mit gutem Abzuge versehene Schalen mit fein zerriebenem, feuchtem Fasertorf füllt, recht fest andrückt und die Pflänzchen mit einer feinen Pincette in die kleinen Unebenheiten der Oberfläche setzt. Da sie durch Begiessen leicht umfallen würden, so ist es besser, den Topf durch einen darunter gesetzten Untersatz von unten her zu bewässern. Nach dem Piquiren bedeckt man sie wieder mit Glocken und giebt ihnen den früheren Standort.

Mehre Male gelang auch bei ähnlicher Behandlung die Aussaat sehr gut auf fein zerriebenem Torfmoose.

Die Samen der Gattung Bromelia sind grösser, und keimen in Erde ausgesäet, aber nur flach damit bedeckt, in jedem warmen Beete recht gut.

Schliesslich will ich noch darauf aufmerksam machen, dass man die Bromeliaceen nicht zu enge neben einander stelle oder ihnen solche Plätze gebe, wo die Blätter zerknickt werden können. Es giebt dieses den Pflanzen immer ein unangenehmes Ansehen und bleiben sie bisweilen auf einige Jahre dadurch verunstaltet. Viele der grösseren Bromelien sollten daher ganz frei auf Säulen oder Konsolen gestellt werden, wo sie sich am vollständigsten entwickeln und in dekorativer Hinsicht einen prächtigen Anblick gewähren.

Die Phacelien und Gutierrezien als Schmuck- und Nutzblumen.

Vom Professor Dr. Koch und den Kunst- und Handelsgärtnern Moschkowitz und Siegling in Erfurt.

Viele Gartenbesitzer, besonders in kleinen Städten und auf dem Lande, sind zu gleicher Zeit auch Bienenzüchter. Es ist nicht zu leugnen, dass das Landschaftliche einen besondern Reiz erhält, wenn ein geschmackvolles oder auch ein ganz einfaches Bienenhaus mit seinen Körben oder Stöcken in einer Anlage vorhanden ist; denn diese wird einmal lebendiger und passt dann auch zweitens weit mehr zu dem deutschen Charakter, den vor Allem die grossen Gärten oder Parks unserer Gutsbesitzer nicht verleugnen sollten. In ihnen muss immer das Vaterländische vorherrschen. Man darf ihnen nie ansehen, dass die Kunst des Menschen sie erst hervorgerufen hat.

Die Bienen sind keineswegs denen, die lustwandeln, so gefährlich, als man namentlich in grossen Städten glaubt. Harmlos, wie auch der, der sich in Gottes schöner Natur ergeht, fliegen die Bienen von Blume zu Blume, das getreue Bild der Thätigkeit. Selbst ihr Summen, wo sie in grösserer Anzahl vorhanden sind, trägt dazu bei, den Aufenthalt in einer Anlage zu einem traulichen zu gestalten, eben so wie das Säuseln des Windes in dem Laube der Blätter. Es gilt dieses noch mehr von den in grössern Städten entfernter liegenden Gärten, wo Einsamkeit vorherrscht und der Charakter des Idyllischen an und für sich mehr zu Grunde gelegt werden muss, als in den vielbesuchten Parks geräuschvollerer Städte. Hier würde allerdings ein Bienenhaus, und selbst das Eleganteste, nicht passen, weil die Bienen, selbst in ihrer Geschäftigkeit und unermüdlichen Thätigkeit, nur einen Gegensatz bildeten zu dem planlosen Herumtreiben einer eleganten, mehr dem Vergnügen huldigenden Menge. Sie möchten auch vielfach gestört werden und gern einen Ort verlassen, wo es so geräuschvoll ist.

Den Gärten, wo Bienen gehalten werden, fehlt es aber oft an den nöthigen Blumen, welche den Honig in hinreichender Menge darbieten. Sollen die Bienen erst weit fliegen, so verlieren sie zu viel Zeit für das Sammeln selbst, abgesehen davon, dass gewiss jeder Garten gewinnen muss, wenn in ihm selbst viele Tausende thätiger Bienen von Blume zu Blume fliegen und dadurch eine gewisse Lebendigkeit in das ländliche Bild bringen.

Wie bekannt, sind Rübsenfelder und Lindenbäume es hauptsächlich, welche in ihren Blüthen unseren Bienen den reichlichsten Honig darbieten. Rübsenfelder passen nicht in gärtnerische Anlagen, so einen grossen Zauber sie auch ausserhalb, besonders in der Nähe derselben, ausüben und auch, von einem höher gelegenen Punkte einer Anlage zwischen dem Grün einer Wiese oder eines mit Roggen besäeten Feldes gesehen, zu dem Ganzen in harmonischer Verbindung stehen können. Linden hingegen dürfen in keiner Anlage fehlen, da das saftige Grün der Blätter, die schöne und dichte Krone des Baumes und vor Allem die weithin duftenden Blumen zur Blüthezeit durch kein anderes Gehölz in dieser Verbindung ersetzt werden können.

Leider dauert die Lindenblüthe nur bis zu Anfang Juli und es kommt nun eine Zeit, wo, namentlich in Gegenden, in denen der rothe Klee weniger gedeiht, ein grosser Mangel an Honig enthaltenden Blumen vorhanden ist. Die Kultur unserer Getreide-Arten und der andern Nutzpflanzen hat alles Land nach und nach in Beschlag genommen, so dass jetzt selbst von Jahr zu Jahr der Räuder und der Triften weniger werden. Es ist deshalb ganz besonders die Aufgabe des Bienenzüchters, nun um desto mehr für seine arbeitsamen Thierchen zu sorgen.

Leider hat man die südeuropäische Silberlinde, welche grade da zu blühen anfängt, nämlich in der Mitte Juli, wo unsere einheimischen Arten eben aufgehört haben, noch viel zu wenig, um für Bienen Nahrung zu schaffen, sondern fast nur vereinzelt, angepflanzt. Möchten Bienenzüchter es recht beherzigen und auf diesen Baum ganz besonders Rücksicht nehmen, damit er möglichst viel in Anlagen und sonst vorhanden ist.

Um so erfreulicher ist es nun, dass es auch in unseren Gärten Blumen giebt, welche mehr oder weniger den Bienen Honig darbieten. Wir haben aber in der neuesten Zeit einige Sommergewächse aus Nordamerika erhalten, deren Blumen noch ganz besonders von ihnen aufgesucht werden. Da nun diese zu gleicher Zeit auch eine Zierde in unsern Gärten darstellen, so haben alle Garten- und Bienenbesitzer um so mehr Ursache, die näher zu bezeichnenden Arten bald in grösserer Anzahl anzupflanzen. Es sind dieses die Phacelien und Gutierrezien.

I. Phacelia tanacetifolia Benth. und congesta Hook.

Wenden wir uns zuerst den Phacelien zu, so gehören diese zu einer Familie, welche nur in der Neuen Welt vorkommt und dort in den krautartigen Vegetations-Zuständen, welche wir unter dem Namen der Steppen und Prairien kennen und welche, wenigstens die letztern, am Meisten unseren mitteldeutschen Wiesen entsprechen, am Häufigsten vertreten ist. Es sind dieses die Hydrophylleen, deren Arten zum allergrössten Theil mit blauen oder weissen Blüthen dicht bedeckt sind. Eine grosse Anzahl von ihnen, wir erinnern ausserdem an die Geschlechter Hydrophyllum, Nemophila, Ellisia, Eutoca, Cosmanthus und an die erst seit wenigen Jahren eingeführte Whitlavia, bieten bereits bekannte und beliebte Zierpflanzen in unseren Gärten. Es sind meist Sommergewächse, die zum grossen Theil in den Vereinigten Staaten, ganz besonders in Kalifornien, wachsen, während die ausdauernden vorherrschend in Südamerika, hauptsächlich in Peru und Chili, zu Hause sind. Im Ganzen kennt man jetzt gegen 70 Arten.

Wir gehen zu unseren Phacelien über, welche Linné noch mit Hydrophyllum vereinigt, ein Genus, was mit Ellisia damals allein bekannt war und mit diesem nur 3 Arten umfasste. Wenn man Cosmanthus, was wohl besser nur ein Subgenus darstellte, ausschliesst, so bleiben immer noch 10 Phacelien übrig, welche man kennt. So viel wir wissen, befinden sich nur 4 bei uns in Kultur: Ph. circinnata Jacq. fil., vitifolia Paxt., tanacetifolia Benth. und congesta Hook. Die zuerst genannte Pflanze ist eine Staude, welche von Peru und Chili südwärts bis zur Maghellans-Strasse wächst, bei uns aber nicht ausdauern will. Man hatte sie früher schon unter dem Namen Hydrophyllum magellanicum Lam.

Uns interessiren wegen ihres reichen Honiggehaltes in den Blüthen zunächst P. tanacetifolia Benth. und congesta Hook. (conferta D. Don), da die Paxton'sche P. vitifolia uns nur aus der Abbildung bekannt ist und wiederum aus den Gärten verschwunden zu sein scheint. Die Einführung der beiden ersteren verdanken wir dem bereits schon erwähnten unglücklichen Reisenden Douglas, der die meisten unserer Florblumen aus den Vereinigten Staaten, besonders aus Kalifornien, nach Europa sendete. P. congesta Hook. blühte im Jahr 1834 zuerst im Glasgower botanischen Garten, während P. tanacetifolia Benth. schon ein Paar Jahre früher in englischen Gärten gewesen zu sein scheint. Die erstere besitzt ein graziöseres Ansehen, zumal die Blattfiedern wiederum tiefer eingeschnitten sind. Auch ist hier die Behaarung weicher.

Was endlich den Namen Phacelia nun anbelangt, so gab ihn schon Ant. Lor. v. Jussieu im Jahre 1791, und zwar weil die Blüthen dicht gedrängt beisammen stehen. φάκελος (Phakelos) heisst nämlich im Griechischen ein Bündel.

Die Kultur der beiden Phacelien betreffend, so säet man den Samen gleich an die Stelle, wohin man sie haben will. Es kann dieses schon im April geschehen. Ein Boden, der nicht schwer, aber doch nahrhaft und locker ist, sagt beiden Pflanzen am Meisten zu. Mit dem Begiessen muss man vorsichtig sein, da die diffusen Stengel sich meist mehr oder weniger auf der Erde ausbreiten und dadurch an und für sich das Austrocknen des Bodens verhindern. Giebt man zu viel Feuchtigkeit oder regnet es zu anhaltend, so faulen die Stengel sehr leicht und geben keinen Samen. Es ist dann immer gut, einige Pflanzen im letztern Falle lieber auszureissen, damit die Sonne bis zu dem Boden kommen kann.

II. Gutierrezia gymnospermioides A. Gr.

Seitem ein Paar Jahren befindet sich eine gelbblühende Asteroidee in den botanischen Gärten und ist auch jetzt in die der Handelsgärtner übergegangen. Wenn sie nicht ein besonderes Interesse wegen ihrer an Honig reichen Blüthen hätte, so möchten wir sie kaum für Gärten empfehlen. Es ist aber in der That eine Freude, wenn man diese 2 und 3, bisweilen auch 4 Fuss hohe Pflanze sieht, wie die Bienen die zu einer dichten Traubendolde am Ende des ziemlich einfachen Stengels zusammengedrängten Blüthenkörbchen dicht bedecken.

Die Pflanze wurde von Karl Wright, der als Botaniker die wissenschaftliche Expedition (the U. S. Boundary Commission) zur Gränzregelung in Neumexiko unter Colonel Graham im Jahre 1851 und im Frühjahre 1852 begleitete, im genannten Lande entdeckt. Ohne Zweifel kam auch durch ihn der erste Samen nach England und wurde von da aus rasch weiter verbreitet. Die Pflanze besitzt eine entfernte Aehnlichkeit mit den kurzstrahligen Pulicarien, namentlich der alten Linné'schen Inula Pulicaria, oder mit den Madien, zumal auch die Blätter klebrig sind.

A. Gray nannte sie, nachdem er schon für eine andere Art von dem Entdecker Wright den Beinamen entlehnt hatte, wegen ihrer Aehnlichkeit mit dem nahe stehenden Gymnospermum-Arten: Gutierrezia gymnospermoides.

In Betreff ihrer Kultur lässt sich nichts weiter sagen, als dass man am Besten wohl thut, die Samen zunächst in einen Napf zu säen und dann erst die jungen Pflanzen in's Freie zu bringen. Erfahrungen liegen weiter nicht vor.

Es giebt wohl nur wenige Namen, welche von Gärtnern nicht allein, sondern auch von Botanikern so häufig falsch geschrieben werden, als dieser. In fast jedem der Erfurter Samen-Verzeichnisse ist er anders geschrieben. So liest man Gultierezia, Gutierhezia, Gutierezia, Gutiernezia, Guttierhezia und Guttierizia, so dass in der That alle möglichen Schreibarten auf einmal zum Vorschein gekommen sind. Der richtige ist aber nur allein der, der von uns angegeben ist.

Der Name Gutierrezia wurde einer mexikanischen Pflanze von dem spanischen Botaniker und damaligen Direktor des botanischen Gartens in Madrid, Lagasca, zu Ehren eines sonst unbekannten botanischen Freundes Gutierrez schon im Jahre 1816 gegeben. So viel wir wissen, ist jedoch die damals in Madrid kultivirte Pflanze wieder verloren gegangen.

Erst 1842 erhielt aber das Lagasca'sche Geschlecht durch die beiden Verfasser der Flora von Nordamerika, Torrey und Gray, die Bedeutung und den Umfang, den es jetzt nun besitzt, indem die beiden Genera: Brachyris Nutt. und Hemiachyris DC. damit vereinigt wurden. Damit brachten es auch die genannten beiden Botaniker aus der Nähe der Helenieen, einer Gruppe der Senecioneen, wo de Candolle der Vater Gutierrezia hatte, und stellten es zu den Asteroideen, und zwar in die Gruppe der Chrysocomeen. Seitdem hat sich die Zahl der Arten bis auf 13 gesteigert.

Pflanzen- und Samen-Ankäufe aus Neuholland.

Von Professor Dr. Karl Koch.

Ein früherer Zögling der Gärtnerlehranstalt, Hugo Koss aus Berlin, ein junger, kräftiger Mann und der Gärtnerei mit Liebe ergeben, befindet sich jetzt in Neuholland und zwar auf der Ostseite, in Neu-Südwales, in einer Gegend, wo, so viel wir wissen, weder in botanischer noch in gärtnerischer Hinsicht, Pflanzen gesammelt worden sind, weshalb der Aufenthalt eines mit den nöthigen Vorkenntnissen versehenen Mannes gewiss von Bedeutung ist. Wir fordern deshalb zunächst Handels-Gärtner, aber auch Gartenliebhaber, auf, die Gelegenheit zu benutzen und aus jenen noch nicht erforschten Gegenden auf eine leichte und gewiss auch wohlfeile Art Pflanzen, besonders aber Zwiebel- und Knollengewächse, so wie Sämereien sich kommen zu lassen. Ich bin um so mehr bereit, vermittelnd einzutreten, als der Gärtner Koss ein Jahr lang mein aufmerksamer und wissbegieriger Schüler war und sich jetzt in einem eigenthümlichen unfreiwilligen Verhältnisse in Neuholland befindet. Hierauf Reflektirende werden deshalb ersucht, in Porto freien Briefen sich an mich zu wenden, da ich gern die Einleitung übernehme.

Es dürfte nicht ohne Interesse sein, hier etwas aus dem Briefe Koss's, obwohl er eigentlich nur die Hinreise und die Ankunft an seinem Bestimmungsorte enthält, mitzutheilen, zumal man sieht, wie sehr vorsichtig man bei überseeischen Reisen und vor Allem beim Eingehen von Verbindlichkeiten. sein muss. Kosa hatte sich schon mehrmals während seines Aufenthaltes in der Gärtnerlehr-Anstalt in Sanssouci bei Potsdam dahin ausgesprochen, dass er einmal möglichst weit gehen werde, um durch Sammeln und Einführen neuer und schöner Pflanzen die Gärtnerei zu bereichern. Was Wunder demnach, dass er mit Freuden während seines Aufenthaltes in Hamburg das Anerbieten, als Gärtner in die Dienste eines englischen Ansiedler's in Neuholland zu treten, ergriff. Es wurden ihm 2 Kontrakte bereits von seinem neuen Herrn unterschrieben, der eine für ihn in deutscher, der andere für jenen in englischer Sprache, vorgelegt; ohne Zaudern setzte er, als er den deutschen durchgelesen und die Summe seines Gehaltes in beiden verglichen hatte, seinen Namen unter beiden.

Der arme Mensch erfuhr nicht eher etwas von dem Betruge, den man ihm, und zwar zunächst von einem Landsmanne selbst, einem Deutschen, gespielt hatte, als er auf der Küste von Neu-Südwales ankam und nun, obwohl er früher kaum ein Paar Mal ein Pferd bestiegen hatte, zunächst als Bereiter von halbwilden Pferden und dann als Hüter einer Heerde von 1600 Stück Schafen fungiren sollte. In dem englischen Kontrakte war er nämlich nicht als Gärtner, sondern als Schäfer engagirt. Dieser offenbare und bei uns in Deutschland gewiss gerügte Betrug blieb nach dortigen Gesetzen nicht allein unbestraft, sondern der arme junge Mann musste sich sogar fügen und seine unfreiwillige Stelle antreten.

Unser jetzt nun Schafe hütender Gärtner machte die Reise von Hamburg aus mit einem Auswanderer-Schiffe und hatte deshalb das keineswegs angenehme Vergnügen, nicht weniger als 150 Tage auf den Wellen des Meeres herumgeschleudert zu werden. Obwohl er die Einrichtung seines Transport-Schiffes gegen die anderer und die Leutseligkeit und Freundlichkeit des Kapitäns noch rühmt, so gehört doch eine solche Seereise zu den Widerwärtigkeiten des menschlichen Lebens. Schon die grosse Anzahl von Menschen, (240 Personen), welche sich auf dem Schiffe befanden, musste oft störend sein; aber zum Schlafen auf einen 6 Fuss langen und 1½ Fuss breiten Raume, und dieses zwar 150 Mal, angewiesen zu sein, ist doch eine der Unbequemlichkeiten, welche man auf dem Lande gar nicht kennt.

Die Schilderung der Reise selbst giebt Kosa auf eine nicht weniger gemüthliche, als ergötzliche Weise; unseren Zwecken liegt sie zu fern, so unterhaltend sie auch geschrieben ist. Allenthalben hat der junge Mann seine Augen beobachtend hingerichtet; bald schildert er das bunte Schiffstreiben der aus vieler Herren Länder zufällig zusammengewürfelten Menge, bald ist er entzückt über das, was ihm vorübergeführt wird. „Reizend liegt“, schreibt er einmal, „die Stadt Funchal, der wir bis auf ½ Meile vorüberfuhren, an einer lieblichen Bai, die wir aber der vorliegenden Gebirge halber nicht eher sahen, als bis wir grade gegenüber waren. Das ist ein Land, diese Insel Madeira, wo man wohl für immer leben möchte. Reizend wechselten Berg und Thal, Felder und Wiesen mit tropischem Walde, aus dem die Gipfel schlanker Palmen hier und da hervorlugten“.

Dann sass er wieder in dunkeler Nacht hoch oben im Mastkorbe und schaute hinaus in die offene, bisweilen gleichsam im Feuer schwimmende See. Das Meeresleuchten ist wohl auch unbedingt eine der Schönheiten, die uns Landbewohnern freilich ganz abgeht, aber auch dort manchen einförmigen und langweiligen Tag ersetzen muss. Meilenlang zieht sich in bald hellern, bald dunkeleren Streifen das Leuchten hinter dem Schiffe dahin, bis es sich in der purpurnen Finsterniss allmählig verliert. Nicht weniger nahmen die gefrässigen Haie, von denen mehr als einmal einzelne von 8—10 Fuss Länge mit, dieser Grösse entsprechenden, Angeln gefangen wurden, und die keineswegs, wie man meint, so ungeschlachteten Delphine, Arions Träger, seine volle Aufmerksamkeit in Anspruch.

Ganz unerwartet kamen ihm aber jenseits des südlichen Wendekreises die ungeheuren Eisblöcke, deren einer selbst noch über dem Meere einen 200 Fuss hohen Kegel bildete. Im 48 Grade S. Br. häuften diese sich so sehr, dass eine grosse Kälte von 11 Grad entstand und Jedermann das Wärmste von seinen Kleidern emsig hervorholte und doch fror.

Endlich erreichten sie die Ostküste von Neusüdwales und schifften mitten durch das, wegen seiner vielen und wenig vom Wasser bedeckten Riffe genannte, Korallenmeer nach der Moreton-Bucht, wo sie nach mancherlei Gefahren das feste Land erreichten, um alsbald auf dem hier sich mündenden und weit hin schiffbaren Flusse Brisbane ihrem Bestimmungsorte näher gebracht zu werden. Ganz eigen war es unserem Gärtner, als er hier neben Bananen, Ananas, Batalen u. s. w. unsere Kartoffeln, Kohl, Bohnen, Mais u. s. w. angebaut fand.

Auf beiden Seiten des Brisbane-Flusses lagen hier und da einzelne Güter (Farmen), die aber noch keineswegs mit dem Anbaue des Bodens sehr weit gekommen waren. Nach 40 zurückgelegten Meilen fuhr das Schiff in einen andern Fluss (Limestone-River d. i. Kalkfluss) ein; damit wurde das Land, besonders auf der einen Seite, romantischer. Steile Felsen wechselten hier mit prächtigen Wiesen und Wäldern ab, welche letztere durch allerhand.

sß mit den prächtigsten Blumen geschmückten, Schlingpflanzen undurchdringlich gemacht waren. Selten stand ein Baum grade, denn die immer wieder zur Erde steigenden Lianen zogen ihn mehr oder weniger herab. Nur die stolze Bonnya-Bonnya (Araucaria Bidwilli) mit ihren langen und grossen Zapfen beugte sich nicht. Ach wie ganz anders, wie majestätisch sieht doch eine solche Araukarie im Vaterlande aus! Die Kerne schmecken wie halbgahre weisse Bohnen. Die Eingebornen essen zur Reifzeit (März und April) nichts weiter als diese und beleben dann das Gehölz, wo die Bonnya-Bonnya wachsen.

Endlich kamen die Reisenden in Ipswich an, um nach ein Paar Tagen Ruhe wiederum auf grossen 2räderigen Karren weiter in's Innere transportirt zu werden. Fünf Wochen lang brachten sie hier zu, um die kurze Strecke von 200 engl. Meilen (nicht 40 deutsche) zurückzulegen, so schlecht und unwegsam war die Strasse und so langsam zogen unsere Rosinanten, wie unser Gärtner schreibt. Manchen Tag kamen sie nur 1 und 2 deutsche Meilen vorwärts.

Barramba heisst der Ort, wo Koss mit 2 andern Leidensgefährten endlich ankam und nun zuerst verwilderte Pferde zureiten musste, um dann wiederum mit diesen verwildertes Rindvieh zum Abliefern in die Schlächterei einzufangen. Diese lag aber 140 engl. Meilen entfernt an dem Meere, damit Häute, Talg, Hörner u. s. w. sogleich an die Schiffe abgegeben werden konnten.

Endlich wurde unserm Gärtner mit beiden Gefährten, einem Schuster und einem Schlächter, die Station, wo sie hüten sollten, angewiesen und mussten alle drei erst wiederum einen Weg von 2 Tage zurücklegen, ehe sie an Ort und Stelle ankamen. Die Station liegt reizend in einem ausserordentlich fruchtbaren Kessel, rings von hohen Bergen umschlossen. „Hier kann man", schreibt Koss selbst, „nach Herzenslust botanisiren, wenn man nur wüsste, was man nachher mit den Pflanzen machen sollte; denn zum Trocknen hat man kein Papier. Mit Mühe habe ich einige Briefbogen erhalten. Wie hätte ich hier aber Gelegenheit, Samen, Zwiebeln und Knollen zu sammeln, wenn sich in Europa Liebhaber und Handelsgärtner fänden, welche sie mir abkauften! Gern bin ich zum Sammeln bereit, insofern Sie für mich so viel Interesse erwecken wollten, dass ich Aufträge erhielt. Dann bin ich wieder Gärtner durch und durch."

Pflanzen- und Samen-Verzeichnisse.

Herr Kunst- und Handelsgärtner Carl Ebritsch in Arnstadt bei Erfurt theilt uns mit, dass sein neues diesjähriges Verzeichniss über Gemüse-, Feld-, Gras- und Blumensamen, sowie Topfnelken, Georginen, diverse Knollen und Pflanzen zur gefälligen Abnahme bereit liegt und wird solches gegen portofreie Anfragen franco überreicht. Schliesslich erlaubt sich derselbe noch ganz besonders auf nachstehende Gegenstände aufmerksam zu machen:

1) Elichrysum compositum (Strohblumen), wurden bei der allgemeinen (Welt-) Ausstellung in Paris mit der Medaille gekrönt; die im letzten Sommer blühenden übertrafen die früheren noch bei weitem an Farbenpracht.
2) Calceolarien, strauchartige, neueste grossblumige Varietäten, eigner Züchtung, besonders fürs freie Land.
3) Mimulus quinquevulnerus maximus, schön für Topf und Land.
4) Verbenen, neueste eigener Züchtung, worunter besonders „Amazone" wegen ihres herrlichen Geruches zu empfehlen ist.
5) Tropaeolum Lobbianum coccineum multiflorum, von mir erzielt; prachtvolle Neuheit, reichblühendste aller bekannten Sorten, sehr rankend.
6) Meine Topfnelkensammlung kann ich auch als preiswürdig empfehlen, da ich alljährlich durch Tausende von Sämlingen immer Neuheiten erziele, wodurch geringere Sorten durch schönere ersetzt werden.

Das Verzeichniss der Gemüse-, Feld-, Gras-, Holz- und Blumensämereien, Pflanzen etc. des Herrn Kunst- und Handelsgärtner Gottlob Gleichmann in Erfurt, welches viele Neuheiten enthält, hat soeben die Presse verlassen und steht Liebhabern auf gefälliges Verlangen gratis zu Diensten.

Der heutigen Nummer liegt das neue Preisverzeichniss der Herren Peter Smith & Co. in Bergedorf (Hamburg, Hopfenmarkt No. 27.) über Sämereien, engl. Gartengeräth, Pflanzen etc. bei, und wird noch besonders auf die Floristen-Blumen aufmerksam gemacht. Auf frankirte Anfragen, werden Kataloge franco zugesandt.

Das Engros-Verzeichniss von Karl Appelius in Erfurt über Gemüse-, Feld-, Wald- und Blumensamen, wie auch das über Stauden-Gewächse, Rosen, Kalt- und Warmhauspflanzen für 1857 liegt zur Ausgabe bereit und kann auf frankirte Aufforderung frei übersendet werden.

Verlag der Nauck'schen Buchhandlung. Berlin. Druck der Nauck'schen Buchdruckerei.

Hierbei das Preisverzeichniss von Sämereien, engl. Gartengeräth, Pflanzen etc. von Peter Smith & Co., Hamburg u. Bergedorf.

No. 8. Sonnabend, den 21. Februar. 1857

Preis des Jahrganges von 52 Nummern mit 12 color. Abbildungen 6 Thlr., ohne dieselben 5 -. Durch alle Postämter des deutsch-österreichischen Postvereins sowie auch durch den Buchhandel ohne Preiserhöhung zu beziehen.

Mit direkter Post übernimmt die Verlagshandlung die Versendung unter Kreuzband gegen Vergütung von 26 Sgr. für Belgien, von 1 Thlr. 4 Sgr. für England, von 1 Thlr. 22 Sgr. für Frankreich.

BERLINER

Allgemeine Gartenzeitung.

Herausgegeben

vom

Professor Dr. Karl Koch.

General-Secretair des Vereins zur Beförderung des Gartenbaues in den Königl. Preussischen Staaten.

Inhalt. Die Waschbader Gurke, Poppya Fabiana C. Koch. Vom Professor Dr. Karl Koch. — Rundschau: der Garten des Kommerzienrathes Leon. Reichenheim in Berlin. — Journalschau: Botanical magazin 1857, Heft 1. Hooker's Journal of botany 1857, Heft 1. — Programm zur Preisbewerbung zu der Frühjahrs-Ausstellung des Vereins zur Beförderung des Gartenbaues in Berlin.

Die Waschbader Gurke, Poppya Fabiana C. Koch.

Vom Professor Dr. Karl Koch.

Die Natur gefällt sich bisweilen in Sonderbarkeiten und bringt oft Pflanzen und Thiere hervor, die dem, was wir eigentlich erwarten, schnurstracks entgegenlaufen. Wir haben eine Familie in der Pflanzenwelt, deren Glieder in ihrer äussern Erscheinung und selbst in ihrer geographischen Verbreitung ausserordentlich mit einander übereinstimmen. Es ist dieses die Familie der Kürbisträger oder Cucurbitaceen, von denen wir eine grosse Reihe als Kulturpflanzen besitzen. Die Früchte sind nämlich fleischig und dienen zum Theil reif und unreif zur Nahrung, und zwar einer sehr grossen Menge von Menschen. Unsere Gurken, Melonen und Kürbisse stammen zwar aus Ostindien, ihr Anbau hat sich aber, da sie Sommergewächse sind und ihre ganze Vegetation in kurzer Zeit durchlaufen, fast über die ganze Erde verbreitet. Nur die Länder der kalten Zone haben zu kurze Sommer.

Um desto sonderbarer ist es nun, dass eine geringe Anzahl, anstatt des Fleisches, ein Fasergewebe besitzt, was sogar bei einigen Arten bereits zu technischen Zwecken benutzt wurde. Eine solche Pflanze, die dergleichen Früchte hervorbringt, haben wir in der neuesten Zeit aus Texas und Mexiko erhalten und ist dieselbe unsere Waschbader Gurke, deren Einführung wir dem für die Zucht der Cucurbitaceen oder Kürbisträger so verdienstvollen Obristlieutenant v. Fabian in Breslau verdanken.

Bevor ich selbst auf die sehr interessante und technisch-wichtige Pflanze eingehe, sei es mir erlaubt, Einiges über die ganze Familie und über die Stellung, welche die Waschbader Gurke in ihr einnimmt, zu sagen. Die Cucurbitaceen, von denen man jetzt ohngefähr 400 Arten kennt, insofern nämlich alle die, welche man als solche jetzt annimmt, sich auch später bei genauerer Beobachtung als solche erhalten sollten. Meiner Meinung nach möchten jedoch viele nur durch die Kultur entstandene Abarten sein.

Ihren Centralpunkt haben die Kürbisträger in Ostindien und den dazu gehörigen Inseln, wo allein gegen 160 Arten sich ursprünglich vorfinden. Von hier aus sind unsere beliebten Gurken und Melonen, so wie die Kürbisse und Arbusen oder Angurien (Wassermelonen) nach allen Ländern verbreitet worden.

In Asien allein wachsen [illegible] der Gesammtsumme, während nur [illegible] in Amerika vorkommt. In den Tropen finden sich [illegible] vor; jenseits der Wendekreise vermindert sich ihre Anzahl, je mehr man sich der kalten Zone nähert. In der Nähe derselben wachsen nur noch 3 oder 4 Arten und zwar solche, welche fleischige Wurzeln besitzen, aus denen mit dem Erwachen des Frühlings auch die jungen Pflanzen hervorkommen.

Die Cucurbitaceen sind rankende Pflanzen und mit wenigen holzigen Ausnahmen mehr oder weniger saftig. Ihre Lebensdauer ist, wie schon gesagt, zum grossen Theil sehr kurz und geht nur bei einer geringen Anzahl von Arten über die Zeit eines Sommers hinaus. Viele bedürfen sogar nur 3 Monate, von der Keimung bis zur reifen Frucht. Das ist die Ursache, warum die Gurken, obwohl sie im Allgemeinen eine hohe Temperatur beanspruchen, in kältern Gegenden noch gedeihen und selbst gut werden.

Die Blüthen der Kürbisträger sind mit sehr wenigen Ausnahmen getrennten Geschlechtes oder diklinisch. Ihre mehr oder weniger radförmige, aber auch mit einer langen Röhre versehene Blume oder Krone ist gelb, oft (namentlich im letztern Falle) aber auch weiss. Die Zahl der Staubgefässe beträgt am Häufigsten 3, bisweilen 5 und 2: bei 3 haben oft 2 Staubbeutel 2 Fächer, während der dritte nur einfächrig erscheint. Da man die erstern meist als zwei mit einander verwachsene ansieht, so spricht man in der Systematik auch von dreibündeligen (triadelphischen) Staubgefässen, eine in jeder Hinsicht falsche Bezeichnung. Sonst sind die Staubbeutel ein- und zweifächrig. Interessant sind die Beutel noch, dass sie oft nicht grade sind, sondern ein- und mehrmals ab- und wieder aufwärts gebogen sind.

Eigenthümlich ist bei den Kürbisträgern die Frucht und der Theil der Blüthe, aus dem sie hervorgeht, der Fruchtknoten. Man nennt diesen hier unterständig, weil die übrigen Blüthentheile ihn nicht einschliessen, sondern im Gegentheil grade auf ihm befindlich sind. Wie die Frucht in ihrer Ausbildung bisweilen eigenthümliche Gestalten annimmt, so bisweilen auch der Blüthenstiel. Er schwillt oft an, wird fleischig und kann dann selbst gegessen werden. Ich erinnere an die Ananas. Bisweilen wird er oben sehr breit und konkav, selbst in dem Masse, dass er eine bedeutende Höhlung bildet. In diesem Falle hat er die Gestalt eines Bechers und schliesst bei der Feige eine Menge kleiner Blüthchen ein. Was wir als Feige geniessen, ist nicht eine ächte Frucht, hervorgegangen aus dem Fruchtknoten, sondern ein Stück Blüthenstiel. Die Früchte sind in ihm als kleine Körner (Achenien) enthalten, die bisweilen, wenn man die ersteren geniesst, zwischen den Zähnen knirschen. Bei der Apfel- und Rosenfrucht werden nur die eigentlichen Früchte von der Höhlung des Fruchtstieles eingeschlossen und bilden diese bei der ersteren das sogenannte Kernhaus, während sie bei der andern frei liegen. Die ächte untere Frucht schliesst aber nur die Samen ein, während das, was wir das Fruchtfleisch nennen, die Wände der Höhlung des Blüthenstieles darstellen.

Nach den neuesten Untersuchungen ist die Kürbisfrucht ganz analog der Apfel- und Myrtenfrucht gebildet, d. h. in der Höhlung des obersten Theiles des Fruchtstieles sind die frühern Fruchtknoten (also nicht allein die Eichen wie bei dem ächten unteren Fruchtknoten) eingesenkt und mit der Wand verwachsen. Während die eigentlichen zusammengewachsenen Früchte in der Apfelfrucht, wie schon gesagt, das sogenannte Kernhaus bilden, so entstehen bei der Kürbisfrucht hingegen dadurch die ächten Scheidenwände. Es kommt hier aber noch dazu, dass die Ränder der ursprünglichen Fruchtblätter, die also nach ihrer Verwachsung mit einander die Scheidewände bilden, sich wiederum in der Mitte der Frucht nach innen, also in der von ihnen gebildeten Höhlung (dem Fache), wenden und mehr oder weniger mitten durch das Fach nach der Peripherie zu gehen und selbst mit der dortigen innern Wand verwachsen können. Waren demnach 3 eingesenkte Früchte und war deshalb ursprünglich nur eine 3fächrige Frucht vorhanden, so muss im letztern Falle aber eine 6fächrige Kürbisfrucht entstehen. Meist geschieht aber die Verwachsung nicht, sondern das Fruchtfach wird nur in 2 nicht ganz abgeschlossene Fächer getheilt. Bei unserer Waschhader Gurke gehen die Ränder sogar kaum bis zur Mitte der Höhlung. Es wird dadurch die halb 6fächrige Frucht gebildet.

Bei der ächten Kürbisfrucht erhalten die Scheidewände durch ihre grossen, einen wässrigen Saft einschliessenden Zellen oft eine solche Ausdehnung, dass diese die Höhlungen oder Fächer mehr oder minder ganz ausfüllen und sogar die Samen umgeben. Häufig kommen die Zellen zuletzt aber aus ihrer gegenseitigen Verbindung heraus und liegen nun frei da. In diesem Falle lösen die ursprünglichen Scheidewände sich ganz auf und das Innere der Kürbisfrucht bildet nur eine einzige Höhlung, welche Massen isolirter Zellen, die den Fruchtbrei oder die Pulpa bilden, einschliessen.

Bei einer geringen Anzahl von Kürbisträgern ist nur ein Fruchtknoten vorhanden, der sogar auch nur 1 Eichen, was oben herabhängt, einschliesst. In diesem Falle lässt sich die Kürbisfrucht nicht von der ächten Beere unterscheiden; es kommt noch dazu, dass sie in diesem Falle auch in der Regel nur eine unbedeutende Grösse besitzt. Es gehören hierher ausser Sicyos und Sechium mit 20 Arten noch das wegen seiner zwitterigen Blüthen abnorme Geschlecht Gronovia.

Bei der Eintheilung der Kürbisträger hat man mehr auf Merkmale in der Blüthe, als auf den Habitus Rücksicht genommen und bringt deshalb z. B. Citrullus (die Wassermelone) mit Bryonia zusammen, obwohl ersteres Geschlecht unseren Kürbissen und Melonen viel näher steht. Deshalb will ich versuchen, eine natürlichen Eintheilung zu geben.

1. Gruppe. Telfairieae. Holzige Lianen: Telfairia Hook. und Coccinia W. et Arn.

2. Gruppe, Sicyeae. Perennirende Lianen mit einfächriger Frucht: Sicyos L. Sechium R. Br.

3. Gruppe, Melothrieae. Ausdauernde, selten jährige Lianen mit mehrfächriger Frucht; Staubbeutelfächer nicht gewunden: Coniandra, Schrad. Cyrtonema, Schrad. Pilogyne, Schrad. Melothria L. Anguria L. u. s. w.

4. Gruppe, Cyclanthereae. Jährige Lianen, deren Staubbeutelfächer einen rundständigen Kreis bilden; Cyclanthera Schrad.

5. Gruppe, Bryonieae. Ausdauernde Lianen mit Beeren; Staubbeutelfächer gewunden; Bryonia.

6. Gruppe, Cucumeae. Meist jährige Lianen oder auf der Erde liegende, mehr oder weniger saftige Sommergewächse mit Kürbisfrüchten; Staubbeutelfächer gewunden: Ecbalium, Momordica, Cucurbita, Cucumis, Lagenaria, Elaterium, Benincasa, Citrullus, Luffa und Poppya.

Wenden wir uns nun nach dieser allgemeinen Auseinandersetzung wiederum der Waschbader Gurke zu, so gehört diese als eine einjährige, mehr auf der Erde liegende oder auch rankende Pflanze um so mehr zu der letzten Gruppe, als Stengel und Blätter, denen der Gurken und Kürbispflanzen ähnlich, erscheinen. Das Geschlecht, zu dem sie gehört, bildet mit Luffa eine eigenthümliche Abtheilung, welche sich dadurch von den übrigen Cucumeen auszeichnet, dass die dicke Schale mit den ebenfalls dicken Scheidewänden zuletzt in Form eines dichten Fasergewebes erscheint, in dem die saftigen Zellen allmählig vertrocknen und zum Theil als nicht zusammenhängende Häute noch später zu erkennen sind, während die Faser- und Bastzellen ein mit einander anastomosirendes Gewebe bilden, was, wie gesagt, zum Theil schon in frühern Zeiten zu technischen Zwecken benutzt wurde.

Wie manche andere Familie, so sieht auch die der Kürbisträger um so mehr einer genauern Untersuchung entgegen, als grade die Früchte, welche, wie es scheint, bei der Unterscheidung ein hauptsächliches Merkmal bilden, nicht getrocknet und eingelegt, daher für das Herbarium nicht reservirt werden können. Zwar ist allerdings die Römer'sche Monographie aus dem Jahre 1846 (Familiarum naturalium regni vegetabilis synopses monographicae. Fasc. II. Peponiferarum Pars prima) schon ein annehmbarer Schritt vorwärts, sie lässt aber doch Manches zu wünschen übrig. Grade in Betreff der Arten mit fasrigen Früchten hat sie Mängel.

Es scheint, als wenn die Alte und Neue Welt gleichmässig durch ein Geschlecht aus dieser Abtheilung vertreten wäre. Bis daher kannte man aus Amerika, und zwar schon lange nur eine Art, welche Casper Commelyn als Momordica americana fructu reticulato sicco in den seltnern Gewächsen des medizinischen Gartens in Amsterdam (Casp. Commelyni hort. med. Amstelod. plant. rar. et exot. Lugd. Bat. 1715) Seite 22 beschrieb und auf der 23. Tafel abbildete. Linné nannte die Pflanze, weil der oberste Theil der Frucht sich in Form eines Deckels (Operculum) löset, Momordica operculata.

Aus der Alten Welt kannte Linné hingegen 2 Arten, wo ebenfalls das Innere der Frucht mit einem Fasergewebe ausgefüllt ist. Sonderbarer Weise bringt er aber die eine, wo der oberste Theil der Frucht sich ebenfalls in Form eines Deckels ablöset, zu Cucumis, sie C. acutangulus nennend, während die andere, wo kein Deckel sich ablöset, von ihm als Momordica Luffa aufgeführt wird. Das ziemlich rauhe Fasergewebe der Frucht von der zuletzt genannten Art wird nämlich unter dem Namen Luffa von den heutigen Arabern benutzt, um sich beim Baden die Haut damit zu reiben.

Schon Tournefort betrachtete Luffa als den Typus eines Geschlechts und Seringe, der die Cucurbitaceen in de Candolle's Prodromus bearbeitete, nahm es an; er fügte aber noch mehre, zwar ähnliche, aber mit fleischigen Früchten versehene Arten hinzu. In dieser Ausdehnung hat das Geschlecht auch M. J. Römer in der oben angeführten Monographie, theilt es aber in 2 Untergeschlechter, und bringt nun die Arten mit fasrigen Früchten, wo ein Deckel sich ablöset, zu dem Scopoli'schen Genus Trevouxia (hier aber Subgenus).

Die Art der Neuen Welt, für welche M. J. Römer wiederum das schon von Necker aufgestellte Genus Poppya*) hervorholt, unterscheidet sich sehr leicht von den beiden Luffen durch eine Krone, die der der Gurken und Melonen mehr ähnlich ist und 5 nicht tiefgehende Lappen besitzt, so wie durch 3 Staubgefässe. Bei Luffa ist die Krone so tief 5theilig, dass sie gewöhnlich als 5blättrig angegeben wird, während meist 5 freie Staubgefässe vorhanden sind. Dieses Geschlecht verlangt übrigens, da es jetzt, wie es vorliegt, Arten mit fasrigen und fleischigen und mit und ohne Deckel versehenen Früchte einschliesst, gewiss

*) Poppya Neck. umfasst aber ganz andere Arten als Römer will, nämlich mit 3fächriger und elastisch-aufspringender Frucht. Um nicht wieder einen neuen Namen zu machen, habe ich aber doch Poppya im Sinne M. J. Römer's beibehalten, zumal Poppya Neck. nirgends anerkannt ist.

eine Reform. Wahrscheinlich möchten die Arten mit fleischigen Früchten später mit Turia Forsk. vereinigt werden, in so fern man die dort an und für sich nicht hingehörige Turia Gijef Forsk., welche Früchte mit von der Spitze sich rückwärts rollenden Klappen besitzt, entfernt und wahrscheinlich als den Typus eines besonderen Geschlechtes betrachtet.

Doch kehren wir nach dieser, zum bessern systematischen Verständniss nothwendigen Abschweifung zu unserer Waschhader Gurke zurück, so gehört diese Art wegen der 5lappigen Krone zu Poppya und habe ich dieselbe zu Ehren des Mannes, der das Verdienst der Verbreitung dieser Pflanze besitzt, des als eifrigen und tüchtigen Gemüsezüchters hinlänglich bekannten Obristlieutenantes v. Fabian in Breslau: Poppya Fabiana genannt.

Vergleichen wir P. operculata mit P. Fabiana, so stellen sich die Diagnosen beider sehr leicht heraus:

Poppya Roem. (nec Neck.)

Calyx patens, Corolla quinqueloba; Stamina 3, 2 antheris bi-et 1 unilocularibus; Pepo postremo siccus, fibrosus, ad apicem operculo dehiscens, trilocularis. Placentae centrales, seminibus quadriserialibus.

1. P. operculata M. J. Roem. fam. nat. synops. monogr. II, l. p. 59. Pepo siccus, ellipticus, angulato-tuberculatus. In Peru und Chili.

2. P. Fabiana C. Koch. Pepo siccus, clavato-cylindricus, rostratus, laevis. In Texas und Mexiko.

Momordica operculata Fl. Flumin. X, t. 92 ist eine ganz andere Pflanze, welche mit 2 bis zur Basis sich lösenden und etwas zurückgebogenen Klappen aufspringt und in der Nähe von Turia Gijef Forsk. stehen möchte. Dagegen ist auf der 93. Tafel als Momordica Luffa eine Pflanze abgebildet, welche der Poppya Fabiana sehr nahe steht, vielleicht sogar nicht verschieden ist. M. J. Römer hat sie zu Luffa gebracht mit dem Namen L. fluminensis.

Die Waschhader Gurke besitzt eine Pflanze, welche weit weniger saftig ist, als die der Gurken und Melonen. Eben so hat sie nur eine rauhe Behaarung, die selbst auf der Unterfläche der jüngern Blätter weich und grau erscheinen kann, bei den ältern aber auch ganz und gar verschwindet. Die dünnen Stengel klettern gern empor und werden bis 15 Fuss lang. Der Obristlieutenant von Fabian besass eine Pflanze an einem Spalier im vorigen Sommer, welche einen Raum von 15 Fuss Höhe und 6 Fuss Breite einnahm.

Die rundlich-herzförmigen Blätter sind 5-theilig oder 5-lappig, ausserdem aber noch unregelmässig, jedoch stets scharf-gesägt oder gezähnt. Die lanzettförmigen Lappen laufen spitz zu und ist der mittelste am Grössten. Der ganze Durchmesser beträgt 6—9 Zoll. Zur Seite der Blätter stehen die Ranken, welche nach 1, 2 und 3 Zoll Entfernung von der Basis sich in 3 sehr lange und mehrfach gewundene Theile ablösen. Die monöcischen Blüthen haben im Aeussern grosse Aehnlichkeit mit denen unserer Gurken; aber wesentlich unterscheidet sich die Frucht, welche 1—1½ Fuss lang und nach oben 2—2½ Zoll dick wird. Vom obern Drittel verschmälert sie sich nach der Basis zu, so dass sie daselbst kaum mehr als den Durchmesser eines Zoll besitzt. Aber auch auf der entgegengesetzten Seite läuft sie, jedoch rascher, spitz zu. Der oberste, ohngefähr ¼ Zoll lange Theil löset sich ringsherum als Deckel und fällt endlich ab.

Die ganze Fruchtschale mit sammt den dicken Scheidewänden und der eben so umfangreichen Axe bildet, mit Ausnahme der hautartigen und bald sehr zerbrechlichen Aussenschale, ein weitmaschiges Fasergewebe, was nach der innern Wand wiederum, aber von einer sehr feinen Haut, überzogen wird. An der Innenwand (also nach der Achse zu) der 3 Fächer zieht sich hingegen eine schmale bandartige Haut von oben nach unten als Placenta und trägt an auf beiden Seiten von ihr abgehenden Fasern (Samenstielen, oder wie man gewöhnlich sagt, Nabelsträngen) 4 Reihen breitgedrückter und nicht gerandeter Samen von schwärzlicher Farbe dicht übereinander. Diese Samen füllen aber nicht die Höhlungen der Fächer aus, sondern schieben sich grade umgekehrt in wagerechter Lage rückwärts zwischen das Fasergewebe der Scheidewände und des Centrum's, so dass, wenn sie herausgenommen sind, bestimmte Löcher oder Höhlungen in diesen zurückbleiben.

Das Fasergewebe wird in dem Vaterlande der Pflanze, in Texas und Mexiko, vielfach benutzt. Zunächst braucht man es zum Seihen der Flüssigkeiten, und dann wird es verschiedentlich behandelt, zu allerhand Flecht-Arbeiten, besonders zu Hüten, verwendet. Schon sollen diese, ziemlich lange dauernden Kopfbedeckungen den Weg nach Europa gefunden haben und Handelsartikel geworden sein. Wenigstens wurden in Berlin einige Hüte gezeigt, von denen man behauptete, dass sie aus den Fasern der Waschhader Gurke bereitet wären.

Wenn auch diese Pflanze weniger eine Zierde unserer Gärten werden wird, so verdient sie doch immer gärtnerischer Seits alle Beachtung, denn es ist eine nicht weniger botanisch-interessante, als technisch-wichtige Art: dass der Gärtner auch solchen Pflanzen seine Aufmerksamkeit und Sorgfalt zuwenden soll, hat Göppert in Breslau mit Recht in seinem in diesen Blättern bereits empfohlenen Buche ausgesprochen.

Der Obristlieutenant v. Fabian war so freundlich mir die Kulturmethode dieser interessanten Pflanze mitzutheilen, weshalb ich sie hier beifüge:

1. Ende März oder Anfang April werden die Samen in kleine Töpfe in nicht zu humusreiche Erde, mit Haideerde und feine Holzkohle gemischt, einzeln gesteckt und im warmen Beete angetrieben.

2. Es ist ein warmes Beet mit recht breitem Mantel 1½ bis 2 Fuss im Quadrate vorzurichten und solches mit recht nahrhafter Erde anzufüllen, und zwar so hoch, dass diese nur 2—3 Zoll vom Fenster entfernt ist.

3. Wenn die angetriebenen Pflanzen ausser den Kotyledonen noch fünf Blätter haben, muss man sie einzeln in das warme Beet austopfen, worauf sie mehre Tage Schatten verlangen.

4. An der Rückseite des Beetes ist ein leichtes Spalier vorzurichten, von 15—17 Höhe, unten von 2, oben aber von 6—7 Fuss Breite.

5. Wenn die Ranken so ziemlich den Kasten ausgefüllt haben, so wird eine Scheibe nahe dem Spalier, am Besten die mittelste, herausgenommen, um jene vorsichtig durch die Oeffnung hervorzunehmen und dann gut vertheilt mit Kreuzband an das Spalier anzubinden. Die herausgenommene Scheibe wird wiederum, so gut als möglich, auf die Oeffnung gelegt.

6. Die Pflanze verlangt viel Wasser. So bald sie zu blühen anfängt, ist es gut, sie die Woche einmal mit Gülle, noch besser mit Guano-Guss, zu begiessen.

7. In den zwei Jahren, in welchen ich diese Poppya kultivirte, kamen sich die weiblichen Blüthen zwei bis drei Wochen früher und in grosser Menge. Es ist deshalb gut, diese so lange, bis sich auch männliche Blüthen zeigen, zu entfernen. Sind die später kommenden befruchtet, so wachsen die Früchte ziemlich schnell. Wenn an einer Pflanze bereits 10—15 Früchte angesetzt sind, ist es anzurathen, die später kommenden Blüthen, und zwar die männlichen und weiblichen, zu entfernen, denn deren Früchte reifen doch nicht. Schlechte Blätter und Ranken sind stets mit Vorsicht zu beseitigen.

8. Im September lege ich einen frischen Mantel um das Frühbeet und bedecke die Erde im Kasten 2—3 Zoll hoch mit halbverrotteten Pferdedünger. Wahrscheinlich mag dieses der Grund sein, dass die Pflanze einmal 3 Grad Kälte überstand.

9. Die Früchte müssen abgenommen und an einem warmen Orte aufbewahrt lange Zeit nachreifen, bis die äussere Schale ganz trocken ist.

Es kann allerdings sein, dass die Waschbader Gurke auch bei weniger vorsichtiger Behandlung gedeiht, eben so wie die Poppya operculata, aber das warme Vaterland bestimmte mich zu dieser Vorkehrung, da es mir sehr daran lag, auf jeden Fall reife Früchte zu erhalten.

Rundschau.

Der Garten des Kommerzienrathes Leon. Reichenheim in Berlin.

Wir haben schon ein Paar Mal Gelegenheit gehabt, auf diesen Garten und seinen reichen Inhalt aufmerksam zu machen und wiederholen deshalb nochmals, dass der Inspektor des botanischen Gartens, Bouché, in den Verhandlungen des Vereines zur Beförderung des Gartenbaues zu Ende des vorigen Jahrganges eine ausführliche Beschreibung der nicht weniger geschmackvoll, als bequem und gut eingerichteten Gewächshäuser geben wird, auf die wir unsere Leser ganz besonders verweisen.

Bei einem Besuche des Gartens vor einigen Tagen fielen uns, theils wegen ihrer Neuheit, theils wegen ihrer Schönheit, folgende Pflanzen auf, und können wir dieselben bestens empfehlen.

Begonia splendida Hort. ist unbedingt noch schöner als xanthina Hook. mit ihren Abarten und Blendlingen, als Twaithesii Hook. und rubrovenia Hook., da die Pflanze nicht allein einen schönern Wuchs, sondern auch grössere, über 1 Zoll im Durchmesser enthaltende Blüthen besitzt. Was ihr aber einen ganz besondern Reiz verleiht, dass sind die rothen Borsten auf der Oberfläche der Blätter und des ganzen Blüthenstandes, so wie auf der Aussenseite des Kelches, hauptsächlich der jugendlichen Theile, wenn man weniger darauf, als vielmehr in gleicher Fläche darüber hinschaut. Da wir nächstens die Pflanze ausführlicher beschreiben werden, hoffen wir dadurch unsern Lesern einen besondern Dienst zu erweisen.

Phrynium micans Klotzsch, eine Einführung von L. Mathieu in Berlin, ist zwar klein und vermag deshalb weniger zu imponiren, als P. variegatum Hort., Warszewiczii Kl., eximium C. Koch, zebrinum Rosc. u. s. w., aber in einer grossen Anzahl beisammen in einer Schale, verdient die Pflanze wegen ihrer in der That prächtigen Zeichnung der Blätter eine Stelle neben den Anecochilus- und Physurus-, so wie Haemaria-Arten, neben Spiranthus Lindleyana, Lk., Kl. et O., Sp. Eldorado Rchb. fil, Niphaea albo-lineata Hook. u. a. m.

Von besonderer Schönheit und gar nicht so klein und niedrig, wie man es sonst zu sehen gewöhnt ist, fanden wir Phrynium pumilum Hort., welches doch trotz der grossen Aehnlichkeit mit Phrynium albo- und roseo-lineatum Hort., die ganz und gar in einander übergehen und deshalb nicht einmal Abarten oder gar Arten bilden, sich sehr leicht durch seine hellgrünen und behaarten Blattstiele unterscheidet. Bei den zuletzt genannten Pflanzen haben namentlich die Blattstiele eine braunrothe und behaarte Oberfläche.

Theophrasta macrophylla Lk und longifolia Jacq. (letztere heisst jetzt Clavija ornata D.Don) waren in schönen Exemplaren vorhanden. Beide Gehölze, die erstere aus Brasilien, die andere aus Guiana und Venezuela stammend, sind schöne Blattpflanzen des Warmhauses und im Aeussern einander sehr ähnlich. Clavija ornata D. Don, von der wir überhaupt nur die Abart mit fast ganzrandigen Blättern kultiviren, unterscheidet sich deshalb um so leichter von der andern, die stark dornig-gesägte und oft auch etwas buchtige Blätter besitzt.

Brownea grandiceps Jacq., eine würdige Nebenbuhlerin der Amherstia nobilis Wall. (von der übrigens ein schönes Exemplar im Borsig'schen Garten vorhanden), ist jedem Liebhaber um so mehr zu empfehlen, als schon die grossen, meist aus 12 Fiederpaaren bestehenden Blätter ein Schmuck jedes Warmhauses sind, der aber, wenn die Pflanze ihre prächtigen rosafarbigen und sehr gedrängt stehenden Blüthen entfaltet hat, durch keine andere Pflanze leicht ersetzt werden kann

Skimmia japonica Thunb. Ein zwar längst bekanntes japanisches Gehölz, aber erst seit wenigen Jahren in den Gärten. Es ist um so interessanter, als es schon, kaum ¼ Fuss hoch, blüht und die schönen rothen Beeren von der Grösse einer Vogelkirsche, ähnlich wie bei der Ardisia crenulata Vent., lange Zeit bleiben und zu dem dunkeln Grün der harten Blätter einen freundlichen Gegensatz bilden. Skimmia gehört übrigens keineswegs zu den Aquifoliaceen, wie Sprengel, der unsere Pflanze deshalb auch Ilex Skimmia nennt, meint, sondern zu den Aurantiaceen.

Rogiera cordata Planch.; wegen ihrer leichten und grossen Blüthenrispen, welche am Ende der Zweige befindlich sind, und wegen der Blüthezeit, da diese in eine sonst an Blumen arme Zeit fällt, dem Warmhause ein Schmuck. Hartweg entdeckte in Mexiko die Pflanze, während van Houtte sie nebst 3 andern: amoena, Roezlii und elegans, eine so schön wie die andere, aus Guatemala erhielt. Bentham nannte die Pflanze Rondeletia cordata, Planchon bildete aber aus den Arten, wo der Kernschlund bärtig ist, ein besonderes Genus und nannte es zu Ehren des damaligen belgischen Ministers Rogier (S. auch Flore des serres, Tom. V. Taf. 442.)

Wir gehen zu den Orchideen über, an denen der Reichenheim'sche Garten besonders reich ist. Da tritt uns zuerst ein stattliches Exemplar der Spiranthes Lindleyana Lk, Kl. et O. mit ihren hübsch gezeichneten Blättern entgegen, die nicht weniger als 14 lange Blüthenähren, eine jede im Durchschnitt mit gegen 60 freilich unscheinlichen Blüthen, besitzt. Wie bekannt, erhielt die Pflanze zuerst der botanische Garten zu Berlin von dem Reisenden Moritz aus La Guayra im Jahre 1837 und verbreitete sie rasch.

Cirrhopetalum Medusae Lindl. wurde von Loddiges eingeführt und stammt aus Singapur, der bekannten 12¾ Quadrat-Meilen umfassenden Insel an der Südostküste der Halbinsel Malakka. Wir möchten die Pflanze weniger schön, als höchst interessant nennen. Aus einem blattlosen Scheinknollen kommt ein Blüthenstiel hervor, der an seiner Spitze eine Menge (hier gegen 40) mehr langer, als grosser Blüthen trägt, von denen die beiden seitlichen der 3 äussern gelblichen, so wie getiegerten, und etwa Zoll langen Blumenblätter in einen mehre Zoll langen und überhängenden Faden auslaufen. Die innern Blumenblätter, einschliesslich die Lippe, sind fast verkümmert.

Barkeria Skinneri Lindl. mit 2 ziemlich reich mit rothen Blüthen besetzten Trauben, die bereits 4 Monate in Blüthe waren. Da das Genus nach Georg Barker Esqu. in Birmingham und nicht nach Parker, englischen Reisenden in Guiana und Westindien, genannt ist, so darf es nicht mit Parkeria Hook., einem Farrn-Geschlechte, verwechselt werden, wie es leider doch häufig in den Gärten geschieht. Ich füge einige Orchideen noch bei, welche grade in den Moritz-Reichenheim'schen Gewächshäusern blühen.

Odontoglossum pulchellum Batem. aus Guatemala, mit einigen blendend-weissen, aber geruchlosen Blüthen. Maxillaria venusta Lind. mit ebenfalls weissen Blüthen; besitzt einige Aehnlichkeit mit Cropetium Lindenii Lindl.

Physurus pictus Lindl. (argenteus pictus Hort.) Eine einen Fuss im Durchmesser enthaltende Schale dicht mit Pflanzen ausgefüllt, welche zum grossen Theil ihre Blüthenähren eben bildeten.

Cypripedium villosum Hort. weniger durch die obwohl grossen, aber doch nicht in der Farbe schönen Blüthen, wohl aber durch die prächtig gezeichneten Blätter zu empfehlen. Uebrigens befanden sich in dem Garten des Kommerzienrathes Reichenheim auch grosse Exemplare blühend.

Schliesslich erwähnen wir noch, dass der Kommerzienrath Reichenheim ebenfalls ein Exemplar des in der ersten Nummer unserer Berliner allgemeinen Gartenzeitung bereits zuerst von uns beschriebenen Anoectochilus argyroneurus besitzt Da derselbe das Exemplar von

Veitch in Exeter erhielt und wir auch ausserdem von Augenzeugen in Erfahrung gebracht haben, dass der in der Abhandlung über Petola-Arten und Sammetblätter erwähnte und bisher noch unbeschriebene Anecochilus von Veitch, der hier und da als A. Veitchii erwähnt wird, derselbe ist, so wollen wir Gärtner und Gartenliebhaber nachträglich darauf aufmerksam machen.

Journal-Schau.

Da eben einige englische Journale vorliegen, werden wir darüber berichten. Wir beginnen mit dem Botanical Magazin, was sich nie zu erschöpfen scheint. Aber giebt es auch noch einen Ort auf Gottes weiter Welt, wo alljährlich, man möchte sagen, allmonatlich, so viele Pflanzen aus der ganzen Welt zusammen kommen als in Kew? Ueber alle Länder der nicht civilisirten Erde hat England seine mächtigen Arme ausgebreitet und sendet Männer, von einem höhern Sinn beseelt, allenthalben hinaus, um uns Kunde von dem zu bringen, was dort ist.

Auf der 4958. Tafel ist eine Passiflora abgebildet, welche Jussieu bereits im Jahre als P. tinifolia nach einem getrockneten Exemplare, was er aus dem französischen Guiana erhalten hatte, beschrieb und zum Theil abbildete. Sie gehört mit den bekannteren Passionsblumen: P. alata Ait und quadrangularis L., denen auch die Farbe der Blüthen gleicht, zu der Abtheilung Grenadilla, wo hauptsächlich Arten mit essbaren Früchten vorhanden sind. Sie scheint bis jetzt noch nicht in den Gärten gewesen zu sein, obwohl sie Bosse in seinem Handbuche der Blumengärtnerei anführt. Der botanische Garten zu Kew erhielt die Pflanze durch Parker von Liverpool erst im vorigen Jahre aus Demerara. Sie steht der P. laurifolia L., welche schon zu Ende des 17. Jahrhundertes sich in Kultur befand, ausserordentlich nahe, so dass wir eher geneigt wären, sie nur als eine kleinblättrige Abart zu betrachten. In einer Sammlung von Passionsblumen mag die Pflanze am Platze sein, für Liebhaber sind aber gewiss die 2 bereits genannten Arten vorzuziehen.

Astilbe rosea Hook. fil. (tab. 4959), eine hübsche Akquisition. Griffith fand sie zuerst auf den Kasya-Bergen im östlichen Himalaya; später sahen sie auch der junge Hooker und Thomson. Sie ist eine Rabatten-, oder auch Rasen-Pflanze, welche mit der schon bekannten Astilbe rivularis Don die grossen, schönen und zwei Mal gedreiten Blätter gemein hat, aber sich durch die dunkel-fleischrothen Blüthen zu ihrem Vortheile unterscheidet. Die grosse endständige Rispe hat den Umfang von 2 Fuss und trägt an ihren ziemlich entfernt-stehenden Aesten die Blüthen straussartig, also ziemlich gedrängt. Die beiden Astilbe-Arten stehen unserem Geisbarte (Spiraea Aruncus) in ihrer ganzen äusseren Erscheinung sehr nahe, (A. rivularis Don wurde auch von Wallich deshalb Spiraea barbata genannt), und können auch auf gleiche Weise verwendet werden. Astilbe ist aber eben so als Hoteia japonica Morr. et Dne (gewöhnlich als Spiraea japonica Mack. in den Gärten) eine Saxifragee, weil nur 2 Griffel oder Fruchtknoten vorhanden sind. Ob man sie aber trotz dem doch nicht besser zu den Spiräaceen bringt, ist eine noch zu bestimmende Frage.

Die beiden folgenden Tafeln (4960 und 4961) bringen uns hinlänglich bekannte und auch sonst schon abgebildete Pflanzen: die rothblättrige Lobelia fulgens Willd., sehr gewöhnlich in unsern Gärten, und die Seaforthia elegans Mart., schon von Martius sehr gut abgebildet und eine der gewöhnlichen Palmen unserer norddeutschen Gewächshäuser. Neu dagegen ist wenigstens in den Gärten:

Adhatoda cydoniaefolia Nees, der die Pflanze nach getrockneten Exemplaren in v. Martius' Flora brasiliensis, Fasc. VII, t. 25 ebenfalls bereits abgebildet hat. Die auf der 4962. Tafel des Botanical Magazin gegebene Pflanze scheint sich aber in mehreren Punkten, besonders in der Form der Blätter und in der Grösse der Blüthen, so wie durch den Mangel an Behaarung, etwas von der v. Martius gesammelten Pflanze zu unterscheiden. Veitch und Sohn in Exeter erzogen die abgebildete Pflanze aus brasilischem Samen und besassen 1855 u. 1856 blühende Pflanzen. Wegen der Fülle der Blüthen wird sie gewiss in Warmhäusern willkommen sein; besonders tritt die keilförmige, aber sehr breite und schwach dreilappige Unterlippe durch ihre schöne blauviolette Färbung, die in der Mitte durch einen gelben Strich unterbrochen wird, sehr hervor. Die etwas helmartig-gewölbte Oberlippe hat eine gelbliche Farbe, hie und da aber auch einen violetten Anstrich.

II. Aus dem 1. Hefte von Hooker's Journal of botany and Kew garden miscellany ersehen wir, dass man von Madras aus Willens ist, einen botanischen Garten in Bangalore mitten in Meisur (Mysore) anzulegen, so dass nun drei, ausserdem in Madras selbst und in Utakamund in den blauen Bergen, (Nilgerri oder englisch geschrieben Neelgherry), in der Madras's Präsidentschaft vorhanden sind. Die botanischen Gärten des englischen Ostindiens haben für uns immer eine grosse Bedeutung gehabt und verdanken unsere Gewächshäuser ihnen manche schöne Pflanzen. Wir wollen gar nicht an den leider nun verstorbenen Wallich, der uns seit Jahren schon deshalb im Gedächtniss war, erinnern, sondern hauptsächlich auf einige Männer aufmerksam machen, die für jene Gärten sammelten oder ihnen vorstanden, so: Thomson in Calcutta, Wight in Madras, Royle und Jamieson in Saharaupur, M'Jvor in Utakamund, Thwaites in Ceylon u. s. w. Balangore liegt um so günstiger, als es gegen 3000 Fuss über der Meeresfläche befindlich ist.

Von grossem Interesse ist in demselben Hefte eine Abhandlung über die Kultur der Myristica moschata L., der Mutterpflanze der Muskatnuss, auf Banda, der grössten Insel der südlichen Gruppe von den Molukken.

Programm zur Preisbewerbung

zu der

Frühjahrs-Ausstellung des Vereines zur Beförderung des Gartenbaues,

am 5. April 1857.

Allgemeine Bestimmungen.

1) Die zur Preisbewerbung aufzustellenden Pflanzen müssen, mit Namen versehen, am Tage vorher in das Lokal der Versammlung im Englischen Hause gebracht werden, den Sonntag über bis 6 Uhr aufgestellt bleiben und nachher, spätestens bis Montag Mittag, wieder abgeholt werden.
2) Für Transportkosten wird keine Entschädigung gewährt.
3) Die Pflanzen müssen sich nebst den Töpfen in einem ausstellbaren d. h. den ästhetischen Prinzipien entsprechenden Zustande befinden, wenn sie nicht von den Ordnern zurückgewiesen werden sollen.
4) Das Preisrichteramt wird aus 5 Personen bestehen. Ausserdem werden eine gleiche Anzahl Stellvertreter ernannt, welche besonders dann eintreten, wenn der eine oder der andere der Preisrichter zu gleicher Zeit Konkurrent ist.
5) Der Vorsitzende des Preisrichteramtes hat das Recht, durch Zuziehung geeigneter Vereins-Mitglieder das Preisrichteramt bis auf die vorgedachte Zahl zu ergänzen, insofern die Nothwendigkeit dazu eintritt.

Allgemeine freie Konkurrenz.

I. 20 Preise zu 1 Friedrichsd'or.

aus dem Beitrage Sr. Majestät des Königs, des erhabenen Protektors des Vereines.

A. Für Schaupflanzen.

10 Preise von je einem Friedrichsd'or.

Die Pflanzen müssen sich mindestens 6 Monate in dem Besitze des Ausstellers befunden haben.

1. Einer ungewöhnlich reich und schön blühenden Erike;
2. einer Sammlung von 6 reichblühenden Eriken oder Epakris in eben so viel Arten;
3. einer ungewöhnlich reich und schönblühenden Thymelacee oder Diosmee;
4. einer Sammlung von 6 reichblühenden Thymeläaceen oder Diosmeen in ebensoviel Arten;
5. einer ungewöhnlich reich- und schönblühenden Leguminose;
6. einer Sammlung von 6 reichblühenden Leguminosen oder Polygaleen in ebensoviel Arten;
7. einer ungewöhnlich reich- und schönblühenden Orchidee;
8. einer Sammlung von 6 reich und schönblühenden Orchideen;
9. einer Sammlung von 3 reich blühenden Rhododendren;
10. einer Sammlung von 3 reich blühenden Azaleen.

B. Neue Einführungen.

11. einer neuen oder zum ersten Male hier aufgestellten Pflanze, gleichviel, ob blühend oder schöne Blattform;
12. einer desgl.
13. einer neuen oder zum ersten Male hier blühenden Abart oder einem Blendlinge (Hybride).

C. Treibereien.

14. einer Aufstellung von mindestens 12 Stück getriebenen blühenden Rosen in ebensoviel Sorten;
15. einer Aufstellung von mindestens 12 Stück verschiedener Hyacinthen, welche den blumistischen Ansprüchen nachkommen.
16. einer Aufstellung von getriebenen blühenden Gehölzen in mindestens 3 verschiedenen Arten (Ribes, Spiraea, Deutzia, Weigelia, Prunus, Cytisus, Hortensia u. s. w.)

D. Zur Verfügung der Preisrichter.

17. bis 20. Vier Preise von je einem Friedrichsd'or, worauf auch die zur Ausschmückung der Ausstellung aufzustellenden Pflanzen zu berücksichtigen sind.

Ausserdem stehen auch die nicht zuerkannten Preise, insofern Preiswürdiges vorhanden, zur Verfügung.

II. 5 Ehrendiplome.

Die Preisrichter sind hier in der Art der Vertheilung ihrem eigenen Ermessen überlassen.

Schluss-Bemerkungen.

Ueber etwa noch auszusetzende Preise verfügen die Preisrichter, insofern die Geber nicht selbst das Nähere bestimmt haben.

Jedem Mitgliede werden ausser der für die Person gültigen Eintrittskarte noch 3 Einlasskarten für Gäste zugestellt, auf die der Zutritt nach 1 Uhr gestattet ist. Die Mitglieder selbst haben von 8 Uhr Morgens Zutritt. Der Schluss ist 6 Uhr Abends.

Angenommen, durch Plenarbeschluss in der 344. Versammlung.

Berlin, den 22. Juni 1856.

Der Direktor des Vereins zur Beförderung des Gartenbaues in den Königlich-Preussischen Staaten.

Lette.

Verlag der Nauckschen Buchhandlung. Berlin. Druck der Nauckschen Buchdruckerei.

Hierbei das Preis-Verzeichniss des Blass'schen Gartens in Elberfeld.

No. 9. Sonnabend, den 28. Februar. 1857

Preis des Jahrgangs von 52 Nummern mit 12 color. Abbildungen 6 Thlr., ohne dieselben 5 –. Durch alle Postämter des deutsch-österreichischen Postvereins sowie auch durch den Buchhandel ohne Preiserhöhung zu beziehen.

Mit direkter Post übernimmt die Verlagshandlung die Versendung unter Kreuzband gegen Vergütung von 20 Sgr. für Belgien, von 1 Thlr. 4 Sgr. für England, von 1 Thlr. 22 Sgr. für Frankreich.

BERLINER

Allgemeine Gartenzeitung.

Herausgegeben

vom

Professor Dr. Karl Koch.

General-Secretair des Vereins zur Beförderung des Gartenbaues in den Königl. Preussischen Staaten.

Inhalt. Billbergia longifolia C. Koch und die verwandten Arten von Prof. Koch. — Die Westphal'schen Amaryllis-Blendlinge von dem Kunst- und Handelsgärtner Priem. — Journal-Schau: Gardeners Chronicle; das Journal der Linné'schen Gesellschaft in London; das Journal der Akademie der Naturwissenschaften zu Philadelphia. — Notiz. — Pflanzen- und Samenverzeichniss.

Billbergia longifolia C. Koch und die verwandten Arten. (Tab. 2.)

Von dem Professor Dr. K. Koch.

Zu den häufig mit einander verwechselten Pflanzen gehören ganz besonders die Billbergien mit gedrängter Aehre, welche Lemaire generisch unter dem Namen Jonghea unterscheidet. Selten findet man sie in den Gärten, selbst in den botanischen, mit richtigen Namen, namentlich seit der Zeit, wo eine Anzahl unter einander ähnlicher Arten, hauptsächlich aus Brasilien, durch de Jonghe, Verschaffelt, Veitch, Henderson und andere Handels-Gärtner in unseren Gewächshäusern eingeführt und nur zum Theil von Paxton, Lemaire und Morren benannt wurde. So hat nach und nach der botanische Garten zu Berlin 4, die Mathieu'sche Gärtnerei ebendaselbst sogar 7 verschiedene Pflanzen unter dem Namen Billbergia pyramidalis erhalten, abgesehen davon, dass wiederum ähnliche und selbst dieselben Arten als B. nudicaulis, rhodocyanea, amoena u. s. w. eingesendet wurden.

Obwohl ich mich schon seit einigen Jahren mit einer genaueren Untersuchung der Bromeliaceen hauptsächlich beschäftigt habe und mir in der That auch, ganz besonders durch den botanischen, ausserdem durch die übrigen Königlichen, und sonst durch Privatgärten hier in Berlin ein grosses Material zu Gebote stand, so vermag ich doch noch keineswegs jetzt schon einen Abschluss zu geben. In der Appendix zum vorjährigen Samenverzeichnisse des botanischen Gartens zu Berlin habe ich bereits einige Fragmente geliefert, indem ich versuchte, grade für die beiden schwierigsten Geschlechter, Pitcairnia und Billbergia, nach dem mir zu Gebote stehenden Materiale eine Eintheilung zu geben, damit man sich einiger Maassen herauszufinden vermöge. Alle diejenigen, welche sich speciell dafür interessiren, verweise ich deshalb dahin; für jetzt soll mir eine Art des Untergeschlechtes Jonghea Gelegenheit geben, die hierher gehörigen Arten einer Prüfung zu unterwerfen und mit hoffentlich durchgreifenden Diagnosen zu versehen. Ich darf aber wohl die Bitte aussprechen, dass Pflanzenliebhaber und Gärtner, die interessante und neue Bromeliaceen besitzen und denen es an richtigen Namen liegt, mir die Blüthen zur weiteren Untersuchung zusenden möchten.

Der Name Billbergia wurde von dem bekannten, 1828 verstorbenen Botaniker, Professor Thunberg in Upsala, zu Ehren seines kenntnissreichen Schülers, Billberg, Kammerrath in Stockholm, schon im Jahre 1821 (nicht erst wie hier und da gesagt ist: 1823) und zwar in einer von Holm bearbeiteten Dissertation über brasilische Pflanzen gegeben, aber erst 6 Jahre später durch Lindley (im Botanical Register, im 13. Bande zur 1068. Tafel) in der botanischen Welt zur Geltung gebracht.

Bis dahin waren die Billbergia-Arten mit Bromelia vereinigt, einem Genus, was sich hauptsächlich durch kurze und aufrechte Narben von Billbergia, wo diese in einem mehr oder weniger spiraligen Kopf zusammengedreht erscheinen, leicht unterscheidet. Noch verschiedener ist der Habitus, in dem bei Bromelia die Blätter, wenn auch allmählig kleiner werdend, sich doch am Blüthenstengel oder Schafte fortsetzen, während sie bei Billbergia und den in der neuesten Zeit daraus gebildeten Geschlechtern gleich die Form der ächten Deckblätter annehmen und mit diesen in der Regel eine prachtvolle Färbung besitzen. Dadurch sind auch die Billbergien in der neuesten Zeit ganz besonders in den Gewächshäusern beliebt worden, besonders, da man nach dem Inspektor am botanischen Garten. Karl Bouché, ihre Blüthezeit willkührlich zurückhalten oder befördern kann. Wir verweisen in dieser Hinsicht auf die in Nr. 7 befindliche Abhandlung.

Wenn man nach Beer die Arten mit stachelspitzigen Kelchblättern als Hoplophytum ebenfalls von Billbergia trennt, so erhält man in der That ein sehr natürliches, obwohl sonst in seinem Blüthenstande ziemlich veränderliches Genus, was durch seinen unterständigen Fruchtknoten, die zahlreichen in mehrern Reihen stehenden und mit Anhängseln versehenen Eichen, durch die oben und unten leeren Fächer, durch die spiralförmig in ein Köpfchen zusammengedrehten Narben und durch die stumpfen Kelchblätter sich leicht von den verwandten Geschlechtern unterscheidet. Vor Allem aber lassen die am Stengel oder Schafte stehenden und in fast allen Nuancirungen des Roth vorkommenden Blätter, die sogenannten Hochblätter, die sich von ächten Deckblättern nur dadurch unterscheiden, dass sie keine Blüthen stützen, sämmtliche Billbergien sehr leicht erkennen. Aber nicht alle Hoch- und Deckblätter selbst haben diese prachtvolle Färbung, sondern in der Regel von den erstern die obersten, von den andern die untersten, während die übrigen bisweilen missfarbig oder verkümmert sind.

So leicht sich auch die Billbergien durch den Habitus in 3 Gruppen abtheilen lassen, so ist es doch nicht möglich, die eine oder die andere derselben generisch zu trennen, da innerhalb der Blüthe sich durchaus nicht durchgreifende Merkmale auffinden lassen. Die von Lemaire angegebenen Unterschiede für die Arten mit dichter und aufrecht stehender Aehre, für welche er den Namen Jonghea vorschlägt, finden sich auch hier und da in den beiden anderen Gruppen vor, welche wiederum Beer als Cremocarpium, jedoch nur als Subgenus, abzweigt. Diese 3 Gruppen sind nun:

1. Dichtblühende (Jonghea). Die Blüthen sitzend, einzeln, ziemlich gedrängt, die mittleren und obern nackt d. h. von keinem Deckblatte gestützt, sämmtlich eine längliche und aufrechte Aehre bildend.

2. Entferntblühende (Remotiflorae). Blüthen in geringer Anzahl, von einander abstehend, einzeln oder mehre auf einem gemeinschaftlichen kurzen Stiele, eine kurze und aufrechte Aehre oder Rispe bildend.

3. Ueberhängende (Cernuiflorae). Blüthen entfernt stehend, einzeln oder mehre sitzend, bisweilen auf einem gemeinschaftlichem Stiele mit überhängender Aehre oder Rispe.

Was nun die Arten mit dichter und aufrechter Aehre, also der ersten Gruppe, anbelangt, so kennen wir bis jetzt sieben. Ihnen füge ich hier eine neue hinzu. Aber wahrscheinlich ist es, das sich ausserdem noch mehre in den Gärten befinden, welche noch nicht beschrieben sind. Die bekannten Billbergien aus der Abtheilung Jonghea lassen sich durch Diagnosen auf folgende Weise feststellen.

1. B. pyramidalis Lindl. in bot. mag. ad tab. 1068 (Bromelia pyramidalis Sims in bot. mag. t. 1732.) Folia praesertim subtus punctis albis creberrimis obsita, rarissime vix transverse vittata, basi brunnescentia; Bracteae et Folia bracteiformia adpressa aut patula, lato-oblonga, sordide rosea, apice lanceolato; Flores laxiusculi, spicam oblongam referentes. Petala basi squamigera, rubra, apicibus coeruleis patentibus et patentissimis.

2. B. fastuosa Beer Monogr. d. Bromel. p. 110. (Pitcairnia fastuosa Morr. in Ann. de Gand. p. 411. t. 161.) Folia viridia; Bracteae et Folia bracteaeformia patula, lato-oblonga, sicut Petala basi nuda et apice revoluto lilacino praedita: rubra: Flores densi, spicam capituliformem referentes.

3. B. thyrsoidea Mart. in R. et S. syst. veget. VII, p. 1260., bot. mag. t. 4756. Folia viridia, scapum longitudine superantia; Bracteae et Folia bracteaeformia patula, sicut Petala basi squamigera et apice revoluta: concoloria, lateritio-rubra; Flores densi, spicam oblongam referentes.

4. B. longifolia C. Koch append. ad indic. sem. hort. Berol. a. 1856. Folia viridia; Bracteae et Folia bracteaeformia adpressa, oblonga, albo-rosea; Flores laxiusculi, erecti, spicam oblongam referentes; Petala basi squamigera, lamina revoluta et rubro-violacea excepta, rubra.

5. B. Paxtoni Beer Monogr. d. Bromel. p. 113. (B. thyrsoidea Paxt. fl. gard. III, t. 74. Lem. jard. fleur. III, t. 267.). Folia brevia, viridia; Bracteae et Folia bracteaeformia numerosa, imbricate sese tegentes, sicut Petala basi squamigera et apicibus lanceolatis erectis praedita: concoloria, rubra.

6. B. splendida Lem. in Jard. fleur. II. t. 180. Folia subtus transverse vittata; Bracteae et Folia bracteaeformia elongata, numerosa, patentia, sicut Petala apice extremo coeruleo praedita: rubra; Flores ante anthesin angusti,

elongati, paululum recurvati, capitulum rotundatum referentes.

7. B. Croyiana de Jonghe in Jard. fleur. IV, t. 413. Folia subtus transverse vittata; Bracteae et Folia bracteaeformia elliptica, patula, sicut Petala: discoloria, lurido-aut intense-rosea, sed apice coeruleo; Flores ante anthesin angusti, elongati, paululum recurvati, capitulum rotundatum referentes.

8. B. Schultesiana Lem. in Jard. fleur. II. ad tab. 180, 181. pag. 4. Folia viridia; Bracteae et Folia bracteaeformia ovato-oblonga, coccinea; Petala basi squamigera, flavescentia, ad calycem postremo revoluta.

Diese 8 Billbergien wachsen sämmtlich in Brasilien. B. pyramidalis Lindl. ist schon sehr lange Zeit in unseren Gärten. B. thyrsoidea Mart. hingegen, obwohl bereits 1830 beschrieben und ein Jahrzehend wenigstens noch früher von Martius bereits entdeckt, wurde doch erst vor einigen Jahren durch Henderson eingeführt. B. fastuosa Beer hat schon Low in Clapton vor 1847 aus Brasilien erhalten und weiter verbreitet, während B. longifolia C. Koch wohl eben so lange sich in unsern Gärten befinden mag. Das Verdienst der Einführung von B. splendida Lem. und Croyiana Lem. hat de Jonghe in Brüssel, während endlich B. Paxtoni Beer anfänglich über England durch Paxton, später ebenfalls durch de Jonghe auf dem Kontinente verbreitet wurde. B. Schultesiana Lem. ist nur aus dem Martius'schen Herbar und der Note von Römer und Schultes in Systema vegetabilium VII. p. 1261 zu der B. thyrsoidea Mart. bekannt.

Betrachten wir die einzelnen Arten etwas näher, so gehört zunächst B. pyramidalis Lindl., wenigstens in Berlin und Potsdam, zu den häufigsten Bromeliaceen überhaupt, obschon Beer meint, dass diese nicht B. pyramidalis Lindl., sondern B. fastuosa Beer sei. Diese letztere jedoch, welche sich durch den Mangel an Schüppchen an der Basis der Blumenblätter sehr leicht unterscheidet, ist mir nirgends vorgekommen, und möchte sich wohl kaum auch in deutschen Gärten vorfinden. Da die Pflanze übrigens im Habitus und auch sonst mit der ächten B. pyramidalis Lindl. ausserordentlich übereinstimmt, so könnte sie vielleicht auch nur Abart sein, die dann als B. pyramidalis β. gymnopetala zu unterscheiden wäre. Beer zieht Bromelia pyramidalis Rchb. hort. botan. II, t. 156 dazu, obwohl Reichenbach die Blumenblätter seiner Pflanze deutlich mit Schüppchen abbildete, und deshalb die Pflanze auch ganz richtig als Bromelia pyramidalis Sims bezeichnet hat. Deshalb möchte auch Beer vielleicht als B. fastuosa nur üppigere Exemplare der B. pyramidalis Lindl. gesehen haben? Die von ihm angegebenen unterscheidenden Merkmale: „die auf der Kehrseite weissen, mit grünen schmalen Querbinden gezierten Laubblätter" sieht man an der Originalabbildung gar nicht; eben so wenig sind sie in der Beschreibung angegeben.

Sehr häufig findet man die eben zuletzt genannte Art auch als B. nudicaulis in den Gärten, seitdem Lindley die Pflanze im Botanical Magazin t. 203 unter diesem Namen abbilden liess. Schon längst hat zwar Lindley selbst seine unrichtige Benennung widerrufen; aber leider ist ein Name, der einmal in die Gärten gerathen ist, nur sehr schwer wieder aus ihnen wegzubringen. Selbst Beer hält die falsche Benennung in seiner Monographie nicht allein noch fest, sondern glaubt sogar, dass die abgebildete Pflanze specifisch verschieden von B. pyramidalis Lindl. sei, was Lindley selbst keineswegs sagt.

Die Pyramiden-Billbergie ist sehr veränderlich, aber immer leicht an ihren an der Basis braunrothen Blättern, so wie an ihren etwas offenen und zweifarbigen Blumen, deren oberer, die Lamina darstellender Theil sich eigentlich nie zurückrollt, sondern nur, freilich sogar bisweilen wagerecht, absteht, und stets an der Spitze mehr oder weniger blau gefärbt erscheint, zu erkennen. Schon Lindley bildet eine Abart mit längern Blättern ab, deren Blumen auch grösser sind und mehr abgerundete Spitzen haben (bot. reg. t. 1181.), während Loddiges auf der 1819. Tafel des Botanical Cabinet wiederum eine Abart als B. bicolor darstellt, wo die Blüthenähre kurz ist und von den Blättern überragt wird. Diese darf aber wiederum nicht mit der Billbergia bicolor R. et S. (Bromelia bicolor R. et P.) verwechselt werden. Ebenso möchte die B. decora der Gärten hierher gehören. Beer beschreibt diese Abarten sämmtlich als specifisch verschieden.

Die Strauss-Billbergie (B. thyrsoidea Mart.) im Botanical Magazin ist vielleicht gar nicht mit der von Martius in Brasilien gesammelten Pflanze identisch, da die letztere nach der Beschreibung im Systema vegetabilium VII, p. 1260 grade kürzere Blätter, so wie verschieden gefärbte Deck- und Blumen-Blätter besitzt, denn die ersteren sind nach Römer und Schultes rosafarbig, die letzteren hingegen hochroth und mit violett-blauer Spitze versehen. Bei der von Hooker abgebildeten Pflanze haben die Blätter eine Länge bis 2 Fuss und werden nicht vom Blüthenstande überragt. Noch abweichender sind nach der Abbildung die gleich-roth gefärbten Deck- und Blumen-Blätter, welche letztere auch die Spitze gleichfarbig, also nicht blauviolett gefärbt haben, wohl aber am obern Theile gewimpert sind. Auch werden die Narben in der Beschreibung grün (sogar dark-green) angegeben, obwohl blau abgebildet, weshalb in der ersteren sich möglicher Weise ein Druckfehler eingeschlichen haben mag.

Die von Lindley in Paxton's Blumengarten (Flower garden) als B. thyrsoidea abgebildete Pflanze ist, wie Beer ganz richtig bemerkt, eine von B. thyrsoidea Mart. und Hook. durchaus verschiedene Pflanze, die durch den ausserordentlich gedrängten und kurzgestielten Blüthenstand und durch die auch an der lanzettförmigen Spitze aufrechten Blumenblätter sehr leicht zu erkennen ist.

Ob B. splendida Lem. und Croyiana de Jonghe in der That verschieden sind, kommt mir manchmal zweifelhaft vor. Sehr leicht sind sie aber durch die mit deutlichen Querbinden versehenen Blätter, durch die sehr lange und dünne Blüthe, die nach aussen leicht gekrümmt ist, durch den dichten, mehr eiförmich-rundlichen Blüthenstand und endlich durch die weit schmälern, aber längern und gedrängt stehenden Deck- und Hochblätter von den eben besprochenen Arten zu unterscheiden. Billbergia punicea Beer Monogr. d. Bromel. p. 112 (B. fasciata splendens Hort.) vermag ich nicht anders von B. Croyiana de Jonghe zu unterscheiden, als vielleicht dadurch, dass Blüthen und Hoch-, so wie Deckblätter eine feurigere Farbe besitzen.

Was nun endlich die neue langblättrige Billbergia anbelangt, so kultivirt sie der botanische Garten schon längere Zeit unter der falschen Benennung B. rhodocyanea. Dieses ist aber eine verschiedene Pflanze, welche Beer mit Recht ganz aus dem Geschlechte Billbergia heraus und zu dem neuen, von ihm erst begründeten Hoplophytum gebracht hat. Uebrigens scheint (wenigstens nach den Abbildungen) Beer auch darin Recht zu haben, dass Billbergia rhodocyanea Lem. in Fl. d. serr. III, t. 207 und Hook. in bot. mag. t. 4883 sich nicht von B. fasciata Lindl. in bot. reg. t. 1130 unterscheidet, weshalb in der mehrmals genannten Monographie (Seite 129) beide Pflanzen mit Recht auch unter einem Namen, als Hoplophytum fasciatum, aufgeführt sind.

B. longifolia steht der B. pyramidalis Lindl. am Nächsten, unterscheidet sich aber sehr leicht durch eine grüne, also nicht rothbraune Färbung an der Basis der übrigens auch weit längeren und feiner gesägten Blätter und durch eine weit buntere und tiefer zurückgerollte Krone.

Die selbst bis 3 Fuss langen Blätter sind hellgrün, auf dem Rücken bisweilen ein wenig mit weissen Punkten besetzt und ausserordentlich selten daselbst mit kaum zu unterscheidenden Querbinden versehen. Ueber der Mitte schlagen sie sich in einem Bogen nach aussen und sind bis dahin breitrinnig, um dann flach zu werden. Bis zur Mitte erscheinen sie auch gleich-, nämlich 1¼—1½ Zoll breit, verschmälern sich aber dann lanzettförmig. Am Rande befinden sich in einer Entfernung von 3 und 4 Linien schwache und braune Sägezähne. Der nicht oder kaum herausragende Schaft ist am untern Theile mit abwischbarer Wolle überzogen, die sich aber nach oben allmählig verliert. Die länglichen und hellrosafarbigen Hochblätter liegen, mit Ausnahme der Zoll langen, lanzettförmigen, schmutzigbraunen und am Rande gezähnelten Spitze, dem Schafte an, die Deckblätter aber sind durchaus rosafarbig, von aussen etwas konkav und stehen ab. Die mittlern und obern Blüthen der 3—4 Zoll langen und 2 Zoll im Durchmesser enthaltenden Aehre sind nackt, alle besitzen aber keinen Stiel, jedoch 3 eirund-längliche, etwas fleischige und der Krone eng anliegende Kelchblätter von 5—6 Linien Länge, von 3 Linien Breite und von einer intensiv-rosenrother Färbung, die nur durch die weissmehlige Spitze unterbrochen wird.

Von den 15—16 Linien langen Blumenblättern ist das eine Drittel, was vom Kelche eingeschlossen wird, röthlich, das zweite, was mit dem der andern eine Röhre bildet, roth, und endlich das oberste, mehr oder weniger zurückgerollte röthlich-violett. An ihrer Basis befinden sich 2 gefranzte Schüppchen, von denen aus sich eine dicke Schwiele bis zur Mitte hinaufzieht. Dadurch entsteht eine vertiefte Stelle, in welcher das opponirende und mit der Basis dem Blumenblatte anhängende Staubgefäss liegt. Die 3 alternirenden Staubgefässe entspringen auf einem schwachen epigynischen Ringe: alle haben aber eine gleiche Länge und sind nur wenig kürzer als die Blumenblätter und der 3eckig-pfriemenförmige Griffel mit violettem Narbenkopfe.

Der 6eckige und säulenförmige untere Fruchtknoten hat eine hellrosenrothe Färbung und ist mit weisser, abwischbarer Wolle bekleidet. Die Fächer sind oben und unten leer, in der Mitte befinden sich aber von der Achse ausgehend 2 linienförmige Placenten, von denen eine jede 3 Reihen gegenläufiger, wagerecht abstehender und mit lanzettförmigen Anhängseln an der Spitze versehene Eichen besitzen.

Erklärung der Abbildungen.

A. die ganze Pflanze, verkleinert. B. der Blüthenschaft. 1. eine Blüthe. 2. ein Blumenblatt mit den opponirenden Staubgefässen. 3. Basis des Blumenblatts, um die Schüppchen und die Schwiele deutlicher zu zeigen. 4. Stempel mit den 3 alternirenden Staubgefässen. 5. Zwei Staubbeutel mit dem obern Theile des Fadens. 6. Zwei Blumenstaubkörner. 7. der Narbenkopf. 8. Längsschnitt und 9. Querschnitt des Fruchtknotens. 10. Längsschnitt des Eichen.

Die Westphal'schen Amaryllis-Blendlinge.

Von dem Kunst- und Handelsgärtner Priem in Berlin.

Es gab eine Zeit, wo ähnlich, wie für die Hyacinthen, eine so grosse Liebhaberei für die Amaryllisse herrschte, dass Pflanzen- und Blumenliebhaber, wenn der Raum ihrer Häuser auch noch so beschränkt war, doch nicht wenigstens einige der neuern und bessern Blendlinge besessen hätten. In England sind es besonders Sweet und Herbert, in Frankreich hauptsächlich Baumann in Bollwiller, in Belgien Mackoy und van Geert, welche Hunderte mehr oder minder schöner Amaryllis-Blendlinge nach und nach in die Welt geschickt haben. In Berlin erfreute sich vor Allem die Sammlung des Kommerzienrathes Westphal eines grossen Rufes, besonders da ihr Besitzer selbst als eifriger Blumenzüchter sich es angelegen sein liess, durch Kreuzung immer neue Formen und Farben sich zu verschaffen. Wir besitzen eine dankenswerthe Beschreibung von ihr in Otto und Dietrich's allgemeiner Gartenzeitung, und zwar im 12 Jahrgange (1844) durch 3 Nummern hindurch (16 bis 18) von Dr. A. Dietrich, worin nicht weniger als 60 interessante Blendlinge beschrieben werden; und erlaube ich mir ganz besonders auf diese Aufzählung hinzuweisen.

Vor 6 Jahren übernahm ich mit der ganzen Westphal'schen Gärtnerei auch diese ausgezeichnete Amaryllis-Sammlung und habe mich nun seitdem bemüht, diese nicht allein zu erhalten, sondern auch versucht, fortwährend neue Blendlinge zu erziehen. Es giebt aber auch in der That keine dankbarern Pflanzen, als grade die brasilianischen und überhaupt tropisch-amerikanischen Arten von Amaryllis, welche Herbert wegen ihrer trichterförmigen und mit etwas ungleichen Abschnitten versehenen Blumen, die im Schlunde nackt oder höchstens bärtig sind, aber daselbst nie Schuppen besitzen, als besonderes Genus unter dem Namen Hippeastrum d. i. Ritterstern unterschieden hat, um mit Erfolg Blendlinge zu erziehen. Es kommt noch dazu, dass diese Blendlinge selbst wiederum meist fruchtbaren Pollen tragen und deshalb zur Hervorbringung neuer Formen benutzt werden können. Grade die Amaryllis-Blendlinge sind ein lautes Zeugniss, dass die allgemein ausgesprochene Behauptung, wornach der Blumenstaub von Blendlingen nie fruchtbare Pollenschläuche bilden könne, für dieses Genus und für viele andere Pflanzen keine Gültigkeit hat. Interessant und für die Erziehung neuer Formen ausserordentlich wichtig, ist ausserdem die schon längst bekannte Thatsache, dass der Vater, d. h. die Pflanze, aus deren Blüthe man den Blumenstaub entnimmt, immer dem Blendlinge die Farbe giebt, während dieser seine Form von der Mutter erhält, d. h. der Pflanze, auf der nachdem bereits vor dem Aufbrechen die Staubbeutel abgeschnitten sind, der fremde Blumenstaub zur Befruchtung der Eichen aufgestrichen wird.

Man hat ziemlich alle Rittersterne oder Hippeastren, die in Gärten vorkommen, zur gegenseitigen Befruchtung benutzt; hauptsächlich sind es aber doch Hippeastrum pulverulentum Herb. (Amaryllis acuminata Ker), zu dem unbestreitbar H. rutilum Herb. (Amaryllis rutila Ker), fulgidum Herb. (Amaryllis fulgida Ker) und crocatum Herb. (Amaryllis crocata Ker) als Abarten gehören, so wie vittatum Herb. (Amaryllis vittata Ait.), die man am Häufigsten angewendet hat und die noch fortwährend angewendet werden. Nächstdem kommen: H. Reginae Herb. (Amaryllis Reginae L.), reticulatum Herb. (Amaryllis reticulata l'Her.), aulicum Herb. (Amaryllis aulica Gawl.), psittacinum Herb. (Amaryllis psittacina Gawl.), solandräfolium Herb. (Amaryllis solandräfolia Lindl) und equestre Herb. (Amaryllis equestre L. fil.). Die zuletzt genannte Pflanze ist es, welche zunächst wegen ihrer ansehnlichen Grösse den Namen der ritterlichen Amaryllis erhalten und dann dem Monographen Herbert zur Benennung Hippeastrum, d. h. weniger Ross-, als vielmehr Ritterstern Gelegenheit gegeben hat.

Wie sich in der Regel für die Form der Blume bei dem Gärtner bestimmte Ansichten mit der Zeit geltend machen, nach denen er die neuen Züchtungen hervorzurufen sucht, so ist es auch hier bei den Amaryllis-Blendlingen der Fall. Eine gute Blume muss demnach möglichst breite und an der Spitze abgerundete Blätter haben, die in der Weise allmählig auseinandergehen und mit dem oberen Theile sich etwas zurückschlagen, dass sich die Trichterform bildet. Nun muss aber das Stielchen, was die Blumen trägt, auch wagerecht abstehen, damit man, ihr gegenüber, bis auf den Grund sehen kann. Schon wenn die Blüthe ein wenig überhängt, wird sie weniger geschätzt. Der Rand soll auch jetzt flach sein, obwohl man gar nicht leugnen kann, dass die, wo er gekräuselt ist, eigentlich ebenfalls auf Schönheit Anspruch machen könnten.

Obwohl nur weiss und roth die beiden Hauptfarben sind, welche hier vertreten werden, so ist doch grade in dem Roth eine solche Mannigfaltigkeit vorhanden, wie man sie kaum bei andern Blumen wieder findet. Alle Nuancirungen vom hellsten Rosa bis zum tiefsten Purpur und dem brennendsten Roth, ja selbst bis zur Safranfarbe, sieht man bei den Amaryllis-Blendlingen. Weiss ist die Grundfarbe bei Hippeastrum vittatum Herb. und den damit erzeugten Blendlingen, roth hingegen bei denen, welche man von H. Reginae Herb., pulverulentum Herb., aulicum

Herb. und *equestre* Herb. erzeugt hat. Die weissen haben durch H. *solandräfolium* Herb., die rothen durch H. *psittacinum* Herb. einen grünen Anstrich erhalten. Das Strahlige an den einzelnen Blumenblättern haben H. *vittatum* Herb., die schachbrettartige Zeichnung aber H. *reticulatum* Herb. und hauptsächlich H. *psittacinum* Herb. gegeben.

Es würde zu weit führen, wollte ich von Neuem alle die Blendlinge, welche ich später erzogen, beschreiben; ich werde nun deshalb mir erlauben, auf einige besonders aufmerksam zu machen. So ist von besonderer Schönheit *Boucheana*, da sie grosse und breite Blumenblätter besitzt, die in der Mitte bis zu zwei Drittel des Blattes einen breiten, weissen Streifen und in der rothen Färbung schwache Schachbrettzeichnung haben. *Boucheana incomparabilis* hat in der Mitte hingegen eine prächtige dunkelrothe Sammtfarbe, die ebenfalls etwas gewürfelt ist, während der Rand breit weissgesäumt erscheint. *Vittata grandiflora* ändert mit dem weitern Aufblühen ihre Farbe, indem diese sich im Anfange gelblich, zuletzt aber ganz weiss darstellt. In der Mitte befindet sich ein weisser Streifen, der aber hier gleichsam von einem rothen Bande eingefasst wird. *Vittata robusta* ist weiss und pfirsichroth gestreift. Sie wurde mit Boucheana gezüchtet. Von besonderer Grösse ist die Blume von *Westphaliana grandiflora* mit scharlachrother Grundfarbe und weissen Streifen. Von eigenthümlicher Färbung ist endlich *Persicina*; die Grundfarbe ist nämlich ein mattes Pfirsichroth. Leider sind aber die Ränder hier etwas gekräuselt.

Es mag vielleicht überflüssig erscheinen, wenn ich nun auch einige Worte über die Art und Weise spreche, wie ich meine Amaryllis oder Rittersterne aus Samen erziehe; aber Jedermann hat seine Eigenthümlichkeiten und doch vielleicht etwas, was der Beachtung werth ist. Ich bringe nämlich meine aus Samen erzogenen Zwiebeln zum Theil schon im dritten Jahre zur Blüthe.

Zu diesem Zwecke säe ich den Samen, sobald er vollständig gereift ist, in flache Schalen und stelle dieselben in ein warmes Mistbeet. Schon nach 8 bis 14 Tagen ist der erstere aufgegangen. Sobald sich die ersten Blättchen nur einiger Massen entwickelt haben, werden sie schon verpflanzt und zwar 15—20 Stück zusammen in eine andere Schale, worin eine gute und nahrhafte Düngererde, mit Sand und Lauberde gemischt, enthalten ist. Den ganzen Sommer hindurch bleiben die Pflänzchen in einem warmen Mistbeete; ich gebe ihnen aber keinen Schatten. Im Winter bringe ich sie in ein Warmhaus mit einer Temperatur von 10—12 Grad R. und stecke die Schale am Liebsten noch in ein von unten erwärmtes Beet. Mit dem Giessen muss man sehr vorsichtig sein, damit nicht etwa Fäulniss eintritt.

Im darauf folgenden Monat März lege ich ein Warmbeet an, wobei ich den Dünger 6—8 Zoll hoch mit einer guten nahrhaften Mistbeet-Erde bedecke. Hier hinein pflanze ich in Querlinien und mit einer Entfernung von 4 Zoll meine jungen Amaryllisse, beschatte sie eine kurze Zeit und erhalte sie im Sommer bei guter Witterung in steter Feuchtigkeit. Bei grosser Hitze muss das Beet weit geöffnet werden oder ich nehme noch lieber die ganzen Fenster hinweg. Bei dieser Behandlung erfreuen sich die Pflanzen eines üppigen Wachsthumes.

Ende Oktober, wenn sich die Blätter vollständig ausgebildet haben, muss man die Zwiebeln herausnehmen. Zur Aufbewahrung bediene ich mich hölzerner Kästen, fülle diese mit trockener Erde und schlage die Zwiebeln in liegender Stellung ein, nachdem ich die Blätter abgeschnitten habe. Nun bedürfen sie aber einen guten, möglichst trocknen, wenn auch finstern Standort im Warmhause. Sobald die Stelle, wo sie stehen, feucht ist, so faulen die Schalen leicht; die Zwiebeln werden dann krank und kommen wenigstens um ein Jahr zurück.

Bei dieser meiner Behandlung haben manche Zwiebeln dann schon einen Durchmesser von 1½ Zoll. Auf gleiche Weise fährt man nun in der Kultur weiter fort und man wird das Vergnügen haben, dass einige, wenn auch nicht alle, im dritten Frühlinge Knospen zeigen.

Journal-Schau.

1. In *Gardener's Chronicle* sind 2 neue Pflanzen beschrieben, auf die wir aufmerksam machen wollen. *Uroskinnera spectabilis* Lindl. ist der Name einer den Pentstemon's ähnlichen Pflanze, welche im Garten der Londoner Gartenbaugesellschaft geblüht hat und wohl auch bei Veitch und Sohn in Exeter zu haben sein möchte. Das Genus wurde zu Ehren des George Ure Skinner, Esq. genannt, eines der nobelsten Kaufleute und unermüdlichsten Sammler, dem wir besonders die botanische Erforschung des westlichen Mexiko und Guatemala's verdanken. Ohne den Verdiensten eines so ausgezeichneten Mannes zu nahe zu treten, möchten wir doch auch der Verdienste mehrer Deutscher, besonders des erst vor Kurzem zurückgekehrten Dr. Karsten, des noch dort befindlichen Mor. Wagener u. A., besonders um die Flor Guatemala's Erwähnung thun.

Wir hätten wohl gewünscht, dass dergleichen zusammengesetzte Namen, wie Uroskinnera, zumal sie immer eine gewisse Länge haben, nicht gebraucht würden und zwar in diesem Falle um so mehr, als die beiden ersten Sylben griechisch klingen und sehr leicht zu einer Missdeutung Anlass geben könnten. Nach Lindley lautet die Diagnose des Geschlechtes: dachziegelig-zweilippige Knospenlage der Blüthe; Kelch becherförmig, 4zähnig; Krone und Staubgefässe wie bei Pentstemon; Griffel flach mit gabeliger Narbe; Kapsel von dem Kelche eng eingeschlossen, fächerspaltend; Samen von einer Haut umschlossen, mit Grübchen versehen.

U. spectabilis bildet eine steife, aufrechte und behaarte Pflanze von dem Ansehen einer Gesnerie. Ihre länglichen, gestielten und gezähnten Blätter haben eine Länge von 2–4 Zoll, während die von linienförmigen Deckblättern gestützten Blüthen eine ziemlich dichte und 3 Zoll lange Aehre bilden. Die hellviolette Krone von $1\frac{1}{4}$ Zoll Länge ist röhrig und besitzt eine stumpf-5lappige Lippe, die ausserhalb mit Flaum besetzt erscheint.

Oncidium bifrons Lindl. heisst eine mexikanische Orchidee aus der Abtheilung Tetrapetala-micropetala, welche Loddiges eingeführt hat. Die eiförmigen, aber 2schneidigen Scheinzwiebeln (Pseudobulben) haben 2 zungenförmige und 10 Zoll lange Blätter, welche viel länger sind, als die gelbe und arme Blüthentraube. Dieser Umstand nähert die Pflanze den Arten von Gomeza; sonst steht sie aber zwischen O. cucullatum Lindl. und pubes Lindl. Leicht erkenntlich ist sie an der in der Mitte plötzlich eingeschnürten Lippe, deren tief unten stehende Seitenlappen sehr verkürzt sind.

II. In dem Journal der Linné'schen Gesellschaft zu London (Seite 130) findet sich ein interessanter Aufsatz über die Wirkung des Seewassers auf Samen von dem derz. Vicepräsidenden Darwin, der in Folge der von Berkeley gemachten und in Gardener's Chronicle (Jahrg. 1855 vom 1. Sept.) mitgetheilten Versuche, hervorging. Man ist bei uns in Deutschland hauptsächlich der Ansicht, und ist diese erst neuerdings in einer Versammlung des Vereines zur Beförderung des Gartenbaues wiederum ausgesprochen worden, dass das Seewasser in kürzerer oder längerer Zeit die Keimkraft zerstöre. Mag es bei einigen Pflanzen der Fall sein, so haben doch nach den angestellten Versuchen die meisten Samen, selbst zum Theil eine sehr lange Zeit, in dem Meerwasser ausgehalten. Nur die Samen von Hibiscus Manibot hatten nach 11, Erbsen nach 14 Tagen ihre Keimkraft im Seewasser verloren. Von 56 Samen des Spanischen Pfeffers, welche 137 Tage im Seewasser lagen, keimten noch 34 sehr gut. Nur 23 Samen von 87, also fast $\frac{1}{4}$, keimten nicht mehr, nach dem sie 28 Tage in Seewasser gelegen hatten.

James Salter theilte in Bezug darauf in der Sitzung vom 6. Mai mit, dass im Jahr 1843 der Hafen von Poole in Dorsetshire tiefer gemacht wurde. Den Schlamm und, was sonst auf dem Boden des Hafens befindlich war, schüttete man an einer Stelle auf. Im nächsten Frühjahre kamen daselbst eine Menge Pflanzen zum Vorschein, die bis dahin in der nächsten Nähe gefehlt hatten, während grade die Staticen, Salicornien, Melden und Rietgräser, die ringsherum wuchsen, nicht vorhanden waren. Am Häufigsten sah man Hafer und Gerste, ausserdem aber Lysimachia vulgaris, Centurea Calcitrapa und Epilobium hirsutum. Ohne Zweifel befanden sich die Samen, zum Theil gewiss viele Jahre, in dem Schlamme des Meeres und die Keimkraft wurde doch nicht zerstört.

Nach eigenen Versuchen und nach Berichten anderer Reisenden möchten wir überhaupt rathen, überseeische Sämereien nicht trocken nach Europa zu senden, da die feuchte und mit Salzen geschwängerte Athmosphäre auf den Schiffen weit nachtheiliger auf die Samen einwirkt, als das Seewasser selbst. Man thut selbst besser, die Samen grade zu im Seewasser aufzubewahren.

Dass Seewasser keineswegs den Samen immer nachtheilig ist, sieht man daraus, dass grade durch das Meer eine Menge Pflanzen verbreitet werden und zwar oft auf weite Strecken. Küsten, an denen Meeresströme ankommen, haben stets Pflanzen mit den Ländern gemein, von denen die Ströme ausgehen. Vergleicht man z. B. die Flor der Nigerländer mit der Westindiens, so findet man für die so grosse Entfernung eine merkwürdige Uebereinstimmung in der Vegetation, die bei näherer Untersuchung darauf hinausläuft, dass die meisten Pflanzen, welche jetzt den Nigerländern und Westindien gemein sind, ursprünglich wohl nur in dem erstern existirt haben mögen. Man darf jedoch allerdings nicht übersehen, dass manche Pflanze auch durch die Neger-Sklaven aus Afrika nach Westindien gebracht wurde.

III. Aus dem Journal der Akademie der Naturwissenschaften zu Philadelphia, neue Reihe, erfahren wir wiederum, dass der Vorwurf, den man europäischer Seits den Nordamerikanern macht, als verfolgten sie nur materielle Interessen, durchaus ungegründet ist. Für sogenannte philosophische Wissenschaften thuen sie allerdings ausserordentlich wenig und selbst gar nichts, desto mehr aber für Geschichte, Geographie und für die eigentlichen Naturwissenschaften, besonders zur Erforschung ihres eigenen Landes. Es herrscht selbst in dieser Hinsicht eine Rührigkeit, wie wir sie nicht grösser in Deutschland, Frankreich und Grossbritannien finden.

Man muss es um so mehr anerkennen, als das, was geschieht, gewöhnlich durch Associationen oder auch durch

Einzelne, und zwar besonders befähigte und für alles Höhere begabte Männer in Ausführung gebracht wird. Wir wollen beispielsweise nur an das erinnern, was allein durch das Smithsonische Institut zu Washington geschehen ist und jährlich noch geschieht. Man lese die Berichte, die alljährlich das Patent-Amt (Patent-office) und jetzt auch jenes veröffentlicht. Die Smithsonischen Beiträge für Wissenschaft (Smithsonian contributions to knowledge), enthalten eine Reihe der interessantesten Abhandlungen über die Erforschungen Nordamerika's; aus dem letzten Bande des Patent-Amtes ersehen wir auch, welche Fortschritte der Obst- und Gemüsebau und überhaupt die Gärtnerei in den Vereinigten Staaten gemacht hat. Hoffentlich werden wir in diesen Blättern später noch einmal etwas Raum übrig haben, um darüber zu berichten.

Wie bekannt, setzte die Regierung zu Washington im Jahre 1853 eine Summe von 150000 Pf. St. (gegen 1 Million Thaler) aus, um von dem Mississippi-Gebiete nach dem Stillen Weltmeere Strassen zu suchen, wo man zur Verbindung des innern Landes mit der Westküste Eisenbahnen herstellen könnte, und rüstete zu diesem Zwecke 6 Expeditionen aus, von denen 4 auch von Männern der Wissenschaft, und zwar zunächst von Naturforschern begleitet wurden. Da die Expeditionen meist durch Gegenden führten, die botanischer Seits noch wenig oder gar nicht erforscht waren, so dürfen wir uns der Hoffnung hingeben, dass auch von dort her unsere Gärten durch Einführung von Sämereien und Pflanzen bereichert werden.

Bereits liegt uns die Beschreibung der 27 neuen oder wenigstens seltenern Pflanzen der 4. Expedition vor, welche der Naturforscher **Heermann** begleitete, in dem 1. Theile des 3. Bandes, der neuen Reihe des Journal's der Akademie der Naturwissenschaften in Philadelphia, bearbeitet von **Durand** und **Hilgard**. In den alsbald zu veröffentlichenden ausführlichen Bericht des Chefs der Expedition, **Williamson**, wird übrigens auch ausführlich die botanische Ausbeute behandelt und durch Abbildungen erläutert werden. Die Expedition ging von San Francisco in Kalifornien aus längs des San Joaquin-Flusses und über die Sierra Nevada, wo besonders der Walker's Pass näher erforscht wurde. Dann führte der Weg dem Mohave entlang über den Colorado, worauf der Tajon-Pass, Canada de las Uvas, Cajon, Gongona und Caliente-Pass des Küsten-Gebirges untersucht wurde.

Unter den 27 neuen Pflanzen nennen wir als für die Gärten interessant:

1. **Argemone munita.** Aehnlich der A. mexicana L., besonders der im Botanical Register auf der 1264. Tafel abgebildeten A. grandiflora; daher vielleicht auch nur weissblühende Abart mit gedrängterem Wuchse und dornigeren Blättern.

2. **Larrea mexicana** Moric. bereits in Gray's illustrirten Geschlechtern auf der 147. Tafel abgebildet. Sie stellt einen sehr interessanten Strauch, zur Familie der Zygophylleen gehörig, dar. Er führt bei den Europäern den Namen des Kreosot-Strauches, da er ein Harz von penetrantem Geruche absondert. Die Eingebornen machen Ballen aus dem letztern und stossen diese auf ihren Wanderungen durch wüste Gegenden mit dem Fusse immer vorwärts, um dann, durch den starken Geruch geleitet, den Weg wiederum rückwärts zu finden.

3. **Sambucus velutina.** Ein 5—6 Fuss hoher Strauch, der mit Ausnahme der glänzenden Oberfläche der Blätter mit einem grauen Filz bedeckt ist. Blättchen zu 5 oder 7, lederartig. Interessant ist, dass im August der Strauch zu gleicher Zeit weisse Blüthen in einer 3—5strahligen Traubendolde, unreife grüne und reife schwarzrothe Beeren trägt, welche letztere im Geschmacke den Brombeeren gleichen.

4. **Linosyris teretifolia.** Ein interessanter niedriger Strauch, der ähnlich unserer Haide grosse Strecken Landes dicht überzieht und eben so buschig wächst. Stamm und der untere Theil der Zweige ist nackt, desto gedrängter stehen aber nach den Enden zu die bis zolllangen nadelförmigen Blätter, welche ein Harz ausschwitzen und deshalb einen kräftigen Geruch, ähnlich dem der Tannen, besitzen. Die gelben Blüthen stehen dicht gedrängt, viele Aehren bildend, an der Spitze.

Verlag der Nauckschen Buchhandlung. Berlin. Druck der Nauckschen Buchdruckerei.

Hierbei 1) das Verzeichniss von Weinfächsern aus **Kolbe's** Weingarten und Rebenschule in Erfurt.
2) das Preis-Verzeichniss über Gemüse-, Feld- und Blumen-Samen von **Theodor Böttner** in Greussen.

No. 10. Sonnabend, den 7. März. 1857

Preis des Jahrganges von 52 Nummern mit 12 color. Abbildungen 6 Thlr., ohne dieselben 5 „ Durch alle Postämter des deutsch-österreichischen Postvereins sowie auch durch den Buchhandel ohne Preiserhöhung zu beziehen.

Mit direkter Post übernimmt die Verlagshandlung die Versendung unter Kreuzband gegen Vergütung von 26 Sgr. für Belgien, von 1 Thlr. 8 Sgr. für England, von 1 Thlr. 22 Sgr. für Frankreich.

BERLINER Allgemeine Gartenzeitung.

Herausgegeben vom Professor Dr. Karl Koch.

General-Secretair des Vereins zur Beförderung des Gartenbaues in den Königl. Preussischen Staaten.

Inhalt: Drei neue Schiefblätter oder Begonien. Von dem Professor Dr. Karl Koch. — Die Hoffmann'schen Amaryllis-Blendlinge. — Noch 2 chinesische Musen mit Früchten. Briefliche Mittheilung des Garteninspektors Petzold in Muskau. — Eine Ansellia africana Lindl. — Rundschau: Der Deckersche Garten in Berlin. — Programm über die zu haltende Ausstellung von Pflanzen, Blumen, Früchten und Gemüsen vom 9. bis 14. April in Dresden.

Drei neue Schiefblätter oder Begonien.

Von dem Professor Dr. Karl Koch.

Kein Pflanzengeschlecht giebt ein so lautes Zeugniss, wie sehr in der neueren und neuesten Zeit sich die Pflanzenkunde erweitert hat, als Begonia. Wenn man bedenkt, dass Linné bis zur Mitte des vorigen Jahrhundertes noch keine einzige Art gesehen hatte und selbst nur eine einzige Art, die freilich aber eigentlich aus 3 von einander ganz verschiedenen Pflanzen bestand, beschreibt, der sein Sohn erst später in der Mantissa eine zweite hinzufügt, und wenn man nun erfährt, dass jetzt gegen 200 Arten existiren, so kann man sich ohngefähr einen Begriff machen von der ungeheuren Menge von Pflanzen, welche in diesem Jahrhunderte, ja selbst erst seit einem Paar Jahrzehenden, bekannt geworden und zum Theil auch in unsern Gärten eingeführt sind.

Plumier aus Marseille, ein Freund Tourneforts, des grossen Lehrers des noch grössern Linné, ging mit Surian 1690 und dann allein 1692 nach Westindien, besonders nach St. Domingo, um allerhand Pflanzen zu sammeln und möglichst gleich an Ort und Stelle zu zeichnen. Von Seiten des damaligen französischen Generalintendanten Michel Begon in St. Domingo erhielt er alle mögliche Unterstützung; zum Dank nannte er einige Pflanzen mit sogenannten schiefen Blättern Begonia. Tournefort sowohl als Linné erkannten das Genus an, so dass es sich nun bis auf den heutigen Tag, wo es von Dr. Klotzsch bis jetzt schon in 41 Geschlechter zerlegt ist, erhalten hat.

Die erste genaue Arbeit über die Schiefblätter hat 1789 Dryander in dem 1. Bande der Verhandlungen der Linné'schen Gesellschaft zu London gegeben. Dort sind 21 Arten beschrieben. Willdenow kannte 1805 bei der Herausgabe des 4. Bandes seiner Species plantarum, der Begonia enthält, erst 25 Arten, ja selbst Sprengel führt in dem 20 Jahre später erschienenen Bande eben desselben, aber von ihm herausgegebenen Werkes nur 38 Schiefblätter auf. Damit nimmt jedoch ihre grössere Kenntniss rasch zu, denn Steudel nennt in seinem 1841 herausgegebenen Nomenklator bereits 142, Walpers 12 Jahre später, also 1853, sogar 159 Arten. Dr. Klotzsch hat in seiner erst 1855 erschienenen Monographie der Begonien 175 Arten beschrieben, sagt aber selbst, dass ihre Anzahl jetzt über 200 betragen möchte.

Von den neueren Schiefblättern haben die ostindischen, besonders die Ceylon's und des Himalaya wegen der bunten oder wenigstens nicht durchaus grüngefärbten Blätter ganz besonders die Aufmerksamkeit der Gärtner und Pflanzenliebhaber erregt, zumal man durch Kreuzungen noch eine Reihe zum Theil schöner und interessanter Blendlinge erzog. In dieser Hinsicht hat hauptsächlich die ursprünglich gräulich-braun gefärbte Begonia xanthina Hook. durch Befruchtung mit B. rubrovenia Hook. u. s. w. eine ganze Reihe von Formen gegeben. Von Seiten der grossen Gärtnerei von van Houtte in Gent sind bereits einige schöne Formen in den Handel gekommen; andere hat der Inspektor des botanischen Gartens zu Neuschöneberg bei Berlin, **Karl Bouché**, gezüchtet und mit der bekannten Liberalität weiter verbreitet. Noch andere stehen aus demselben grossartigen Institute, was übrigens ohne Zweifel jetzt die grösste Anzahl von Begonien kultivirt, in Aussicht. Wir beschränken uns darauf, hier 3 neue Arten, wahrscheinlich ostindische, zu beschreiben, welche sich in den Gärten befinden und noch nicht beschrieben sind. Schon R. **Wight** unterschied die Schiefblätter mit doppeltem Eiträger (Placenta) unter dem dieses sagenden Namen **Diplothalamus**, einem Genus, was jedoch in Klotzsch'schem Sinne ausserdem noch eine 4-blättrige männliche und 3-blättrige weibliche Blüthe und einen bleibenden Griffel mit zusammenhängenden Narben haben soll.

Dr. **Klotzsch** nennt endlich die ostindischen Arten mit wurzelnden oder kriechendem Stengel, deren männliche Blüthen 4, die weiblichen hingegen 5 Blumenblätter und einen abfallenden Griffel haben: **Platycentron**, wohingegen bei derselben Anzahl von Blumenblättern der Griffel nicht abfällt und langgestielte Eichen vorhanden sind: **Reichenheimia**. Die Arten des zuletzt genannten Geschlechtes haben auch eine Art Knollen und ziehen in der Regel ein. Zu ihnen gehört **Begonia Thwaitesii** Hook., eine Bewohnerin Ceylon's und erst seit 1851 in den Gärten. Ob die ebenfalls aus Ceylon als **Begonia sp. aus Ceylon** oder als **B. zeylanica** Hort. eingeführte Pflanze verschieden ist, müssen erst spätere Untersuchungen herausstellen; mir ist es zweifelhaft. Zu **Platycentron** gehören die beiden bereits genannten Schiefblätter: **Begonia rubro-venia** Hook. und **xanthina** Hook.

1. Das Pracht-Schiefblatt. Begonia splendida.

Die schönste Art, welche mir bekannt ist. Man kann sich gewiss gar keinen prächtigeren Anblick denken, als den, den man hat, wenn man sich einer bereits ansehnlichen Pflanze, deren jugendliche Blätter vielleicht den Durchmesser von 4—6 Zoll besitzen, gegenüberstellt, und möglichst bei Sonnenschein oder wenigstens hellem Wetter, über deren dicht mit tief rothen und aufrecht stehenden Borsten besetzte Oberfläche hinwegschaut. Der rothe, sich allmählig verlierende Schein hat in der That eine wunderbare Wirkung auf den Beschauenden. Wir besitzen hier in Berlin zwei solche Prachtexemplare und beide haben kurz nach einander auch ihre schönen weissen Blüthen mit rothen Stielen entfaltet. Die eine gehört dem Fabrikbesitzer **Nauen**, und steht unter der sorgsamen Pflege des Obergärtners **Gireoud**, die andere hingegen blüht eben noch in dem Garten des Kommerzienrathes **Reichenheim**, dem zu Ehren das Geschlecht **Reichenheimia** gebildet wurde.

Die **Pracht-Begonie** (*B. splendida*) scheint kurze, aber ziemlich dicke, und wenig verästelte Stengel zu bilden, die nach vorliegenden Exemplaren eine Höhe von 1½—2 Fuss besitzen. Rothe Borsten bedecken ihn ringsum. Auf einem rundlichen und ebenfalls mit rothen Borsten besetzten Stiele, der in der Regel 6—9 Zoll lang ist, wird die Fuss lange, aber etwas schmälere Blattfläche getragen. Ihre Form ist schief herzförmig, der Rand aber mit 7 nicht tief gehenden Lappen versehen. Während die Nervatur eine mehr hellgrüne Färbung besitzt, ist die der von ihnen eingeschlossenen Maschen grünlich-braun. Dazu kommen aber noch die tief rothen, bis 3 Linien langen Borsten, welche die ganze Oberfläche ziemlich dicht bedecken und eben den prächtigen rothen Schimmer, von dem eben gesprochen ist, geben. Die Unterfläche ist überhaupt heller, sowie völlig nackt und unbehaart.

Auf einem dem der Blätter ähnlichen Stiele sitzt ein gedrängter, wiederholt dichotomer Blüthenstand, doch so dass in der Gabelung selbst eine länger gestielte männliche Blüthe, die stets auch sich weit früher entfaltet, steht. In der letzten meist 3 und 4 Mal wiederholten Gabelung befindet sich nach aussen wiederum die länger gestielte männliche, nach innen die kürzer gestielte weibliche Blüthe. Diese besitzt auch eine 5-, die erstere hingegen nur eine 4-blättrige Blume. Die beiden äussern Blätter, welche in der Knospe die andern einschliessen, sind auf der Aussenfläche, besonders auf der konvexen Mitte, ebenfalls mit etwas kürzern und rothen Borsten besetzt, während sie sonst, wie die andern, eine blendend weisse Farbe haben. Ausserdem sind sie aber weit grösser und namentlich breiter. Die ganze Blüthe hat ausgebreitet den Durchmesser von 1¼ bis 1½ Zoll.

In der Mitte der männlichen Blüthe befinden sich die zahlreichen Staubgefässe, deren länglich-linienförmige Beutel ziemlich die Länge der Fäden haben. In der weiblichen Blüthe stehen an derselben Stelle 3 an der Basis kurz verwachsene Griffel, von denen sich ein jeder aber wiederum meist in 3 Aeste spaltet. An den Spitzen derselben ziehen sich die Narben von dem einen Griffelaste zum andern, doch so dass die einzelnen Griffel, (oder wie man gewöhnlich sagt, Hauptäste,) in dieser Hinsicht unabhängig von einander sind und nicht mit einander durch die Narben in Verbindung stehen.

Der wiederum mit rothen Borsten besetzte Fruchtknoten hat, indem die eine Kante weit breiter geflügelt ist, drei ungleiche Kanten. Aus der Mitte eines jeden der 3 Fächer entspringen 2 länglich zusammengedrückte, bisweilen einmal gelappte, in der Regel aber ganze Eiträger oder Placenten, die allenthalben dicht mit kleinen und sitzenden Eichen besetzt sind. Darnach gehörte die Art zu Diplocliniun R. Wight.

2. Das Royle'sche Schiefblatt. Begonia Roylei.

Erst seit vorigem Jahre befindet sich dieses schöne Schiefblatt in den Gärten Berlin's und ist meist aus Samen erzogen, den Royle in dem Himalaya-Gebirge gesammelt und später versendet hat. Das erste blühende Exemplar wurde mir aber durch den Dr. Laurentius in Leipzig, der die Pflanze ebenfalls aus Samen erzog, zugesendet. Seitdem fängt sie nun auch im Borsig'schen Garten zu Moabit bei Berlin an, ihre Blüthen zu entfalten. Ausserdem ist sie hier in dem Besitze des botanischen Gartens, der Mathieu'schen Gärtnerei, so wie in dem Garten des Oberlandesgerichtsrathes Augustin an der Wildparkstation bei Potsdam. Vielleicht mag sie sich auch noch hier und da vorfinden.

In 2 Gärten kommt das Royle'sche Schiefblatt auch unter der Benennung Begonia picta vor. Die erste Pflanze dieses Namens hat Smith in seiner exotischen Botanik auf der 101. Tafel im Jahre 1805 abgebildet. Wahrscheinlich verschieden von dieser sind die Pflanzen, welche später Loddiges im Jahre 1819 (bot. cab. t. 571) und Hooker im Jahre 1823 und 1830 (exot. flor. t. 89 und bot. mag. t. 2962) mit diesem Namen abgebildet haben. Ich wäre selbst geneigt, die Pflanze von Loddiges, wegen ihrer grossen weissen Punkte auf der Oberfläche der Blätter für verschieden von der Hooker's zu halten, wenn dieser nicht zu bestimmt die Identität beider ausgesprochen hätte.

Begonia picta Sm. unterscheidet sich von der Hooker'schen Pflanze d. N. durch weit mehr gesägte und mit spitzen, wenn auch kurzen Lappen versehene Blätter und steht deshalb der B. Roylei sehr nahe. Beide unterscheiden sich jedoch dadurch, dass die Blätter der letzteren nur einen grossen dunkeln Fleck rings um die Stelle, wo der Blattstiel eingefügt ist, besitzen, während bei B. picta Sm. u. Hook sich kleinere und weniger hervortretende Flecken, und zwar in einem Kreise, auf der Blattfläche befinden. Die Pflanzen haben auch Knollen und ziehen deshalb ein, was bei B Roylei nicht geschieht. Wegen der gar nicht eingeschnittenen Blätter ähnelt die Hooker'sche Abbildung übrigens einer andern Pflanze, welche der botanische Garten unter dem Namen Begonia albopiagiata aus dem Kewer Garten erhalten hat und ebenfalls, so viel ich weiss, noch nicht beschrieben ist. Hier sind die Flecken aber grade hell, fast silbergrau.

Begonia Roylei der Gärten bildet nach den mir zu Gebote stehenden Exemplaren des Dr. Laurentius in Leipzig und des Fabrikbesitzers Borsig in Moabit bei Berlin einen mehr oder weniger liegenden, ja fast etwas rankenden Stengel mit 1½ Zoll langen Gliedern oder Internodien. Ausser mit hellen zottigen Haaren ist er noch mit elliptischen und schmalen braunen Flecken besetzt. Auf hellgrünen und ebenfalls zottigen, im Durchschnitt 6—7 Zoll langen, so wie runden Stielen stehen die herzförmig-spitzen und auf der Oberfläche fein flaumhaarigen Blätter von 8 Zoll Länge und 6½ Zoll Breite. Von der Einfügung des Stieles bis zur Spitze beträgt aber die Länge nur 5½ Zoll, so dass die mit den Innenrändern übereinander liegenden Ohren (d. h. die die Herzform bedingenden Verlängerungen an der Basis) im Durchschnitt 2½ Zoll haben. 6 bräunliche Nerven durchziehen von der Basis aus die Fläche des Blattes und verlaufen sich mit ihren Hauptästen in 9 bis 11 lanzettförmig-zugespitzte und feingesägte Lappen von im Durchschnitt Zoll Länge.

Um den Blattstiel herum befindet sich ein grosser grünbrauner, eirundlanzettförmiger Flecken, der, was ihm ein eigenthümliches Ansehen giebt, am Rande dem Blatte selbst wiederum ähnlich gelappt erscheint. Auf gleiche Weise zieht sich dieselbe grünbraune Färbung am Blattrande ringsherum und ist hauptsächlich auf den Lappen sichtbar, so dass ein mehr als Zoll breiter grüner Ring, von der grünbraunen Mitte und dem eben so gefärbten und mit fast borstigen Haaren besetzten Rande eingeschlossen wird. Auf der Unterfläche tritt das grünliche Braun sowohl, wie der grüne Ring, heller und lebendiger hervor.

Die Blüthen stehen auf einem winkelständigen, 6 Zoll langen und zottigen Stiel, der sich an seinem oberen Ende zwei Mal gabelförmig theilt. Nur in der ersten Gabelung befindet sich eine langgestielte männliche Blüthe, während von der zweiten selbst die äussere und länger gestielte Blüthe ebenfalls männlich, die nach innen stehende aber weiblich ist. Die letztere besitzt 5 sehr ungleiche, die erstere 4, zur Hälfte doppelt grössere Blumenblätter von 6 Linien im Durchmesser. Diese haben sämmtlich eine blendend weisse Farbe und nur die beiden äussern sind auf der Aussenfläche durch aufsitzende und ziemlich dichte Haare braun.

In der Mitte der Blüthen befinden sich entweder zahlreiche mit kurzen Fäden versehene Staubgefässe oder 2 Griffel und zwar in der Weise, dass von den letztern der eine den andern einschliesst. Bei beiden steht die Narbenfläche, natürlicher Weise bei dem einen, der eingeschlossen wird, in geringerem Grade, in einem Halbkreise, ist etwas gewunden und läuft wie die innere an beiden Enden in spiralige Hörner aus. Der mit braunen Haaren besetzte Fruchtknoten besitzt 2 nicht breite, aber etwas stärkere Flügel und den Ansatz zum dritten. Es sind nur 2 Fächer vorhanden, aber jedes durch 2 dicke und ringsherum mit Eichen besetzte Träger oder Placenten ausgefüllt. Demnach gehörte nach der neueren Eintheilung das Royle'sche Schiefblatt zu Platycentron.

Der Obergärtner im Laurentius'schen Garten, E. Böttcher, theilte mir über die Pflanze mit, dass zufällig an einer Orchidee, welche aus Kalkutta nach Europa gesendet wurde, auch einige Exemplare der B. Roylei aufgingen. Da selbst schon die jungen Blätter eine schöne Färbung zeigten, nahm er die stärkste Pflanze heraus und wendete ihr eine besondere Sorgfalt zu. Sie wurde mehrmals umgepflanzt und so gedieh sie in einer sandigen Moorerde auf eine erfreuliche Weise. Der braune und gezackte Flecken um die Insertion des Blattstieles trat von Tag zu Tag im Gegensatz zu dem übrigen Grün der Blattfläche deutlicher hervor.

Eigenthümlich war es jedoch, dass während das mit Sorgfalt gehegte und gepflegte Exemplar schnell wuchs und jetzt selbst schon einen liegenden Stengel von 1½ Fuss besitzt, es doch nicht zur Blüthe kam. Dagegen zeigten sich schon vor mehrern Wochen in den Blattwinkeln der mehr unberücksichtigt gebliebenen Pflanzen, die in kleinen Töpfen geblieben waren, die Anfänge von Blüthen und haben sich bereits diese nun entfaltet. Ein Exemplar wurde mir, wie gesagt, zur weitern Untersuchung zur Verfügung gestellt.

3. Das Ring-Schiefblatt, Begonia annulata.

Diese Art befindet sich bis jetzt nur in dem Besitze des Fabrikbesitzers Borsig, wo sie unter der sorgsamen Pflege des Obergärtners Gaerdt eben anfängt, ihre Blüthen zu entfalten. Sie ist ebenfalls unter dem Namen B. picta aus England bezogen, unterscheidet sich aber, wie man aus der Beschreibung alsbald ersehen wird, hinlänglich, sowohl von der Smith'schen, als auch von der Hooker'schen Pflanze, so wie von dem Royle'schen Schiefblatte.

Das Ring-Schiefblatt ist zunächst mehrköpfig und scheint keinen eigentlichen Stengel zu bilden. Die kurzgestielten Blätter haben eine schiefherzförmige Gestalt und eine Länge von 6, aber nur eine Breite von 1½ Zoll. Von der Einfügung des Blattes jedoch bis zur Spitze beträgt die Länge nur 4 Zoll, da auf die Grösse der übereinanderliegenden Ohren an der Basis ziemlich 2 Zoll kommen. Mit Ausnahme von 2 unbedeutenden und wenig, selbst bisweilen kaum hervortretenden Lappen, die sich mehr am obern Theile befinden, ist der Rand nicht eingeschnitten. Ganz besonders schön ist die Zeichnung auf beiden Flächen. Rings um die Einfügung des Blattstieles befindet sich nämlich ein schwarzgrüner, am Rande zackiger Fleck, der mit noch dunkler gefärbten und Pusteln aufsitzenden kurzen Borsten bekleidet ist. Rings herum zieht sich eine ohngefähr ¼ Zoll und mehr breite Binde, welche dicht mit rundlichen und in der Mitte befestigten silbergrauen Schilferschuppen besetzt ist, wodurch die Färbung gegen das übrige Dunkelgrün der Oberfläche ganz eigenthümlich absticht. Um diese silbergraue Binde zieht sich nun dieselbe schwarzgrüne Färbung der Mitte mit der ohngefähren Breite eines halben Zolles wiederum herum und erstreckt sich bis an den Rand. Die spitzen Pusteln erscheinen hier aber zum Theil als längere Borsten.

Was den Blüthenstand anbelangt, so befindet er sich auf einem 7—8 Zoll langen, runden und behaarten Stiele und ist ebenfalls 2 Mal gabelförmig und zwar in der Weise getheilt, wie bei der Begonia Roylei. Die männlichen Blüthen sind ebenfalls wiederum 4-blättrig, während die weiblichen aus 5 sehr ungleichen Blättern bestehen. Da die volle Entfaltung der Blüthen noch nicht geschehen war, übergehe ich einstweilen die Beschreibung der übrigen Blüthentheile, um sie später noch nachträglich zu liefern.

Die Hoffmannschen Amaryllis-Blendlinge.

Es ist in der vorigen Nummer eine ausgesuchte und schon seit langer Zeit sich eines grossen Rufes erfreuende Sammlung von Amaryllis-Blendlingen, welche ihre Entstehung dem Kommerzienrathe Westphal in Berlin verdankt, besprochen worden; wir haben diese Sammlung selbst mehre Jahre hindurch gesehen und können demnach auch die Versicherung geben, dass der jetzige Besitzer, der Kunst- und Handelsgärtner Priem, diese Amaryllis oder wie er treffend sagt, Rittersterne, noch mit gleicher Liebe pflegt, und dass er auch ferner bemüht ist, durch neue Kreuzungen neue Blendlinge sich heranzuziehen. Wir besitzen aber in Berlin noch eine zweite Sammlung, welche nicht weniger werth ist, wenigstens mit einigen Worten, auch in diesen Blättern erwähnt zu werden, damit Liebhaber erfahren, wo sie etwas Vorzügliches erhalten.

Diese zweite Sammlung hat sich der Kunst- und Handelsgärtner Hoffmann (Köpnicker-Strasse 131) allmählig durch Kauf, Tausch und eigene Zucht herangezogen und ist jetzt grade ihre volle Blüthenpracht entfaltet. Wir erlauben uns, um nicht früher Gesagtes zu wiederholen, nur auf einige Sorten aufmerksam zu machen, welche uns besonders schön erschienen.

Gellert heisst ein grosser Ritterstern von tief karmoisinrother Grundfarbe, die nur in der Mitte einen breiten weissen Streifen enthält. Die einzelnen Blumenblätter sind breit, am Rande ganz flach und nicht im Geringsten gekräuselt, an der Spitze endlich abgerundet.

Wendland. Eine alte Westphälische Sorte zwar, aber immer schön. Die ebenfalls schön-rothe Grundfarbe wird durch eine Menge von der Basis und dem untern Theile des Mittelstreifens ausgehende weisse Strahlen unterbrochen.

Alexander v. Humboldt. Der vorigen zwar ähnlich, aber das Roth ist viel feuriger.

Hofgärtner Werth.

Regina fulgens. Wiederum eine feuerrothe Blume mit schmalen weissen Streifen.

Regina superba. Besitzt viel Aehnlichkeit mit Gellert und hat mit diesem Blendlinge die breiten, am Rande flachen und an der Spitze mehr abgerundeten Blumenblätter gemein, besitzt aber eine schwache Schachbrettzeichnung.

Striata pendula. Wiederum eine feuerrothe Blume, wo von der Basis eines breiten weissen Streifens fächerartig andere weisse Streifen nach beiden Seiten abgehen. Die Blume hängt zwar etwas über, ein Umstand, der ihr auch den Namen gegeben hat; sie ist aber doch eine zu erhaltende und zu berücksichtigende Akquisition.

Eine Auswahl der schönen Blendlinge hat der Kunst- und Handelsgärtner Hoffmann vor ein Paar Jahren an den Borsig'schen Garten zu Moabit bei Berlin abgegeben. Dort sind unter der sorgsamen Pflege des Obergärtners Gaerdt die Zwiebeln auf eine Weise erstarkt, dass jede einen Schaft mit wenigstens 3 und 4 Blumen trägt, von denen eine jede ausserdem noch sich durch Grösse und Farbenpracht auszeichnet.

Noch zwei chinesische Musen mit Früchten.

Briefliche Mittheilung des Garten-Inspektor's Petzold in Muskau.

„Die hier angelangte No. 3 Ihrer Zeitung vom 17. Januar c. bringt einen Aufsatz über eine blühende Musa Cavendishii Paxt. im Garten des Hofbuchdruckers Haenel zu Magdeburg. Der Zufall will, dass zwei Exemplare derselben Musa seit dem 1. d. M. in den hiesigen Prinzlichen Warmhäusern Früchte zur Reife gebracht haben; ich kann es mir nicht versagen, Ihnen beigehend eine Probe davon zu übersenden. Bekanntlich dürfen die Früchte der Musa auf keinerlei Weise mit dem Messer berührt werden, weder beim Pflücken, noch beim Essen. Geschnitten wird die ganze Frucht unschmackhaft.

Die Pflanzen, von denen diese Früchte entnommen sind, wurden im December 1855 in den vollen Grund eines warmen Hauses gepflanzt, welcher nicht über 14° Reaum. geheizt worden ist; die Exemplare waren damals 1 Fuss hoch. Ende Juni 1856 fingen dieselben an zu blühen. Der ganze Blüthenstand ist vom ersten Deckblatte an gerechnet 3½ Fuss lang. Die erste Frucht war am 1. Februar d. J. reif, und es lieferte der erste Büschel 20 Früchte. Die hierbei folgenden sind vom 5. Deckblatte und um einen Zoll kürzer als die ersten.

Es blüht jetzt wieder eine Musa derselben Art. Dieselbe wurde im Spätherbste 1855 ausgepflanzt. Sie besitzt eine Stammhöhe von 4 Fuss und fing der Blüthenkolben sich Weinachten 1856 zu zeigen an. Sie hat bis jetzt 13 Deckblätter abgelöst, zeigt unter dem ersten Deckblatt 22 Fruchtknoten und unter dem 11. noch deren 12. Das 13. Deckblatt hat 11 Zoll Länge und 5½ Zoll Breite. Die Länge des ganzen Blüthenkolbens beträgt bis jetzt beinahe 2 Fuss und hat davon die Kolbenspitze gegen 5 Zoll im Durchmesser und an 10 Zoll Länge.

Die Blätter sind jetzt noch über 6 Fuss lang und haben eine Breite von 2½—3 Fuss.

Die hierbei folgenden Früchte sind zu einer sehr ungünstigen Zeit in die Reife getreten, die der jetzt blühenden werden schmackhafter werden."

Wir zögern keinen Augenblick, diese interessante Mittheilung des Inspektors Petzold zur öffentlichen Kenntniss bringen, damit sie ebenfalls beitragen möge, dass die nicht weniger nützliche, als schöne Musa chinensis Sweet (Cavendishii Paxt.) mehr kultivirt werde, als es bis jetzt der Fall gewesen ist. Wir haben der alten Pflanzen so viel dass wir unsere Gewächshäuser hinlänglich füllen könnten; man muss sich deshalb hüten, bei dem oft sehr mittelmässigen Raume eines Hauses das Alte zu vergessen.

In England fängt man ebenfalls an, der Kultur dieser Pflanze mehr Aufmerksamkeit zu schenken, indem man hauptsächlich für den Gaumen der Reicheren eine angenehme Speise zu ziehen sucht und diese zu ziemlich hohem Preisen verkauft. Die Früchte, unter dem Namen Bananen und Paradiesfeigen bekannt, sind bereits so beliebt, dass den vielseitigen Nachfragen gar nicht genügt werden kann. Man hat mir selbst berichtet, dass bereits Männer in England zusammen getreten sind, um die Kultur im Grossen zu treiben. Sobald uns Näheres darüber bekannt sein wird, soll es mitgetheilt werden.

Ebenfalls englischen Berichten nach, soll die wegen ihrer eigenthümlich gezeichneten Blätter als Blattpflanze beliebte Musa zebrina Hort. ebenso leicht und rasch blühen und Früchte tragen, weshalb auch sie bereits zu diesem Zwecke daselbst kultivirt wird. Wir machen deshalb deutsche Gärtner und Gartenbesitzer darauf aufmerksam.

Was die Früchte nun der chinesischen Musa anbelangt, so haben sie das Ansehen einer kleinen Gurke, sind aber glatt. Ihre gelbe Schale trennt sich ganz leicht von dem etwas sehr saftigen Fleische ab. Ihr Geschmack hat etwas Birnähnliches, ist aber aromatischer. Namentlich durchdringt der Geruch, selbst noch das grösste Zimmer, wenn man die Schale ablöst.

Eine Ansellia africana Lindl.

Seit fast 3 Monaten blüht in dem Borsig'schen Garten zu Moabit eine Ansellia von einer solchen Grösse, wie sie bisher wohl noch nirgends in einem Gewächshause gesehen wurde. Die ganze Pflanze, in einem 3½ Fuss im Durchmesser enthaltenden Kübel stehend, besitzt selbst einen Durchmesser von 6 Fuss und hat nicht weniger als 20 Stengel getrieben, von welchen wiederum ein jeder 4' Fuss Höhe hat. Gerade die Hälfte der Stengel blüht und die 13 Blüthentrauben von gegen 20 Zoll Länge hängen in ziemlich gleicher Entfernung von einander und in der That graziös herunter. Jede Traube trägt durchschnittlich 80—90 Blüthen, von denen die einzelne wiederum fast 2 Zoll im Durchmesser besitzt.

Es ist Schade, dass die Blumenblätter, die zwar bunt sind, doch immer eine etwas matte Farbe besitzen; würde diese feuriger und lebendiger sein, so möchte der Effekt noch ganz anders erscheinen. Die Grundfarbe ist nämlich ein helles, etwas ins Gelbe schimmerndes Grün, was durch ziemlich grosse braune Flecken unterbrochen wird.

Ansellia africana Lindl. wurde während der letzten Nigerexpedition, bei der leider der tüchtige Botaniker Vogel starb, von Ansell auf der Insel Fernando Po am Ausflusse des Nigers entdeckt. Sie kommt dort in ziemlicher Menge an Oelpalmen (Elaeis guineensis L.) als Epiphyt vor und soll dadurch einen grossartigen Effekt hervorrufen.

Zuerst wurde sie in England von John Clowes und Loddiges kultivirt. Ein Exemplar des letzteren erregte in der Februar-Ausstellung der Londoner Gartenbau-Gesellschaft, obwohl es nur 24 Blumen trug, Aufsehen. Seitdem hat sich die Orchidee bei uns ziemlich verbreitet, zumal ihre Kultur keine besondere Sorgfalt verlangt.

Ausser der Borsig'schen, in der That riesigen Pflanze findet sich noch eine zweite in dem Moritz Reichenheim'schen Garten vor, die auch nicht unbedeutend ist, denn sie besitzt 5 lange herabhängende Trauben.

Rundschau.

Der Decker'sche Garten in Berlin.

Von ......g in Berlin.

Seit einer langen Reihe von Jahren erfreut sich der Garten des Geheimen Oberhofbuchdruckers Dekker in Berlin eines grossen Rufes wegen der schönen Pflanzen und Blumen, welche den ganzen Winter hindurch und im Frühjahre in den Gewächshäusern vorhanden sind. Wer die Berichte über die Ausstellungen des Vereines zur Beförderung des Gartenbaues in Berlin in dessen frühern Verhandlungen gelesen hat, wird grade die Decker'sche Gärtnerei als diejenige finden, deren Erzeugnisse damals am Häufigsten und am Meisten gekrönt wurden.

Obergärtner ist Reinecke, der abgesehen von den Verdiensten, welche er sich fortwährend um die Ausschmückung der ihm anvertrauten Häuser und des Gartens erwirbt, sich noch dadurch Anerkennung verschafft hat, dass er zunächst Baumfarrn in grösserer Anzahl kultivirte und Palm-Aussaaten in Massen machte. Gelegenheit gab ihm dazu Dr. Hermann Karsten, der erst vor Kurzem, wie früher schon gemeldet, aus Venezuela zurückgekehrt ist und ihm reichliches Material verschaffte.

Ein Spaziergang, den ich in diesen Tagen nach dem genannten Garten und nach den Gewächshäusern machte, überzeugte mich bald, dass die Blüthenfülle in ihnen keineswegs gegen die der früheren Jahre nachstand. Kamellien in allen Nuancirungen, vom schneeigen Weiss bis zum tiefsten Roth, blühten nun schon fortwährend seit November, also länger als drei Monate. Zwischen ihnen standen: Leucopogen, Diosmeen, Pimeleen, Akazien, Sparmannien, Telline bracteolata (Cytisus chrysobotrys) und Atleyana, Spartocytisus filipes (Cytisus filipes) *) und andere eben in Blüthe stehende Gehölze.

Vor Allem mache ich aber noch auf die schönen Blattpflanzen, welche dazwischen oder auf einzelnen Postamenten standen, aufmerksam, und zwar zunächst auf Cedrela montana, von Dr. Karsten im Mai 1849 eingesen-

---

*) Diese interessante Genistee Madeira's kommt in unsern Gärten viel vor und unterscheidet sich von dem sehr ähnlichen Spartocytisus albus oder multiflorus (auch als Spartium und Cytisus bekannt) durch längere, zum Theil überhängende Aeste, weshalb die Pflanze auch ihren Beinamen erhalten hat. Sie ist grade für dergleichen Gruppen, zumal sie auch lange blüht, sehr passend. Hier und da kommt sie als Spartium Philippii vor, ein Name, der wahrscheinlich aus filipes verstümmelt wurde. Spartium oder Cytisus quinquangularis der Gärten unterscheidet sich nach den uns zu Gebote stehenden Exemplaren gar nicht.

Anmerk. d. Redaktion.

det, und ein der C. odorata ähnliches Gehölz aus dem Hochgebirge von Caracas. Sie ist eine mit Swietenia Mahagony verwandte Pflanze, deren Holz zwar weniger gesucht ist als das Mahagonyholz, aber doch im Vaterlande allgemein zu Möbeln, ganz besonders aber zu den Cigarrenkästen, und in Frankreich zu den bessern Bleistiften benutzt wird.

Von besonderer Eleganz war eine *Pincenectitia* mit ansehnlicher zwiebelähnlicher Stammbasis und graziös überhängenden Blättern. Es wäre wohl zu wünschen, dass Jemand schon jetzt die verschiedenen Arten oder Abarten des sonst noch völlig unbekannten Geschlechtes Pincenectitia oder Pinceneetia näher beschrieb, denn auf die in den Gärten befindlichen Namen kann man sich gar nicht verlassen.

Ferner nenne ich die beiden *Podocarpus*: *Pardieana* und *salicifolia*, die ebenfalls Dr. *Karsten* als kleine Pflänzchen einsendete und jetzt zu stattlichen Exemplaren herangewachsen sind, so wie eine mit weit feinern Nadeln versehene *Araucaria excelsa*. Man hat dieser mit Recht den Beinamen *gracilis* d. i. der *schlanken* gegeben. Sie ist 7 Fuss hoch und besitzt 8 Quirle.

Endlich nahmen sich die 5 *Lophosorien* und *Balantium Karstenianum*, Baumfarrn aus den kältern Regionen Venezuela's, mit ihren grossen Wedeln, die sich über das übrige, meist glänzende Laub scheinbar schirmend ausbreiteten, ganz eigenthümlich aus. Alle 6 stehen im Sommer im Freien und machen daselbst auch ihre neuen Wedel. Die zuerst genannte hat bereits einen 7 Fuss hohen Stamm.

Ich wende mich der warmen Abtheilung der einen Seite zu, wo eine Livistonia chinensis, gewöhnlich als Latania borbonica in den Gärten, steht, welche wegen ihrer enormen Grösse verkauft werden soll und für 2000 Thaler feil ist. Vielleicht das schönste Exemplar, wenigstens auf dem Festlande. Schon lange hat die Palme in dem 24 Fuss im Durchmesser enthaltenden Hause keinen Platz mehr, denn über 100 Fächerblätter stehen ringsherum und übereinander. Die obersten drohen bereits die Fenster durchzudrücken; es möchte auch ihr Herr sich bald gezwungen sehen, eine Etage aufzusetzen. Das wäre eine Staatspflanze für ein Palmenhaus! Sie wurde im Jahre 1846 als kleines Pflänzchen aus Leipzig bezogen.

Zwischen den einzelnen Wedeln wächst leider mühsam empor: Xanthochymus pictorius (nicht pictus, wie das Gehölz meist in den Gärten heisst), ein bezeichnender Name, auf deutsch Maler-Gelbsaft, für eine Pflanze, die ebenfalls Gummigutt liefert. Die Pflanze wurde 1835 aus Samen erzogen und ist bereits 10 Fuss hoch. Erst in diesem Jahre hat sie die ersten Blätter abgeworfen.

In der andern warmen Abtheilung grade gegenüber befindet sich eine zweite stattliche Palme: Chamaerops excelsa, gewöhnlich bei uns Biroo genannt. Ihr 22 Fuss hoher Stamm hat durch die zerschlitzten Blattscheiden, welche von den abgefallenen Blättern übrig geblieben sind, ein eigenthümliches Ansehen erhalten. Auch sie droht mit der Krone ihrer Blätter durch das Glasdach zu gehen und soll deshalb ebenfalls, und zwar für 1000 Thaler, verkauft werden. Dasselbe Geschick hat auch eine Phoenix farinifera, die, weil sie ebenfalls für das Haus zu gross und umfangreich geworden ist, für 500 Thaler weggegeben werden soll.

Von besonderer Schönheit ist endlich eine *Plectocomia elongata* mit ihren silberweissen Wedelblättchen. Vor 3 Jahren kam sie aus Belgien als kleines Pflänzchen hierher und besitzt nun jetzt schon Wedel von 20 Fuss Länge. Durch die etwas spiralig-stehenden Dornenreihen auf dem Rücken des Wedel-Stieles hat die Palme ein ganz eigenthümliches Ansehen.

Hier befinden sich auch die übrigen, mehr Wärme verlangenden Baumfarrn, zwar nur wenige, aber um desto stattlichere Exemplare. *Alsophila obtusa* besitzt einen 14 Fuss hohen Stamm, an dessen oberem Ende 8 Wedel, jeder im Durchschnitt 9 Fuss lang, stehen. Nicht weit davon ist eine *Cyathea aurea*, nicht minder schön. Ihr Stamm hat zwar nur 10 Fuss und Wedel sind nur 5 vorhanden, aber jeder der letztern besitzt 10 Fuss Länge.

In den untern, zum Theil zum Treiben, zum Theil für die am Meisten Wärme verlangenden Pflanzen bestimmten Räumen fingen eben die *Indischen Kressen* (*Tropäolum's*), durch deren Kultur sich der Obergärtner Reinecke von jeher ausgezeichnet hat, an, ihre Blüthen, nicht zu Hunderten, sondern zu Tausenden, zu entfalten. Was mir aber ganz besonders hier auffiel, war eine Fuchsia, welche jetzt zwar schon in den meisten Gärten vorhanden ist, die man aber meist nur selten zur Blüthe bringt. Und doch befanden sich Exemplare bei dem Rittmeister *Hermann* in Schönebeck bei Magdeburg im Freien, die im vorigen Jahre bis November über und über blühten.

Auch hier sah ich junge Exemplare in Blüthe. Schon ihr dunkles ins Braune gehende Laub hat etwas Eigenthümliches, daher ich die Pflanze allen Liebhabern wünschte. Sie führt den Namen Fuchsia Dominiana und weiss ich nicht, ob sie beschrieben ist. Wahrscheinlich möchte sie auch eine gute Art sein.

Programm

über die

zu haltende Ausstellung von Pflanzen, Blumen, Früchten und Gemüsen

vom 9 bis 14. April 1857.

in Dresden.

Die Gesellschaft Flora für Botanik und Gartenbau im Königreiche Sachsen wird vom 9. bis 14. April 1857 eine Ausstellung von Pflanzen, Blumen, getriebenen Früchten und Gemüsen veranstalten.

Die Einlieferung der Dekorations- und grössern blühenden Pflanzen findet Montag den 6., die der übrigen Ausstellungspflanzen Dienstag und Mittwoch den 7. und 8. April Statt.

Bei der Preisvertheilung findet freie Konkurrenz statt, und es sind folgende Preise ausgesetzt worden:

Drei Ducaten „für die reichhaltigste und schönste Sammlung blühender Orchideen."

Ein Ducaten „für eine neue, zum ersten Male blühende Pflanze, welche sich durch Reichthum und Schönheit der Blüthen auszeichnet."

Ein Ducaten „für eine schwer zu kultivirende und vorzüglich reich und schön blühende Pflanze."

Zwei Ducaten „für eine Anzahl der seltensten Blattpflanzen."

Ein Ducaten „für die grösste Sammlung schöner Blattpflanzen."

Zwei Ducaten „für eine Anzahl der neuesten und zum ersten Male hier blühenden Kamellien."

Ein Ducaten „für die reichhaltigste und schönste Sammlung blühender Kamellien."

Zwei Ducaten „für eine Anzahl der neuesten und zum ersten Male hier blühenden Rhododendreen."

Ein Ducaten „für die reichhaltigste und schönste Sammlung blühender Rhododendreen."

Zwei Ducaten „für eine oder mehre Arten von dem Aussteller selbst aus Samen erzogener und von den bekannten Varietäten wesentlich abweichender und vorzüglich schön blühender Rhododendreen."

Zwei Ducaten „für eine Anzahl der neuesten und zum ersten Male hier blühenden Azaleen."

Ein Ducaten „für die reichhaltigste und schönste Sammlung blühender Azaleen."

Ein Ducaten „für eine oder mehre Arten von dem Aussteller selbst aus Samen erzogener und von den bekannten Varietäten wesentlich abweichender und vorzüglich schön blühender Azaleen."

Ein Ducaten „für die reichhaltigste und schönste Sammlung blühender Rosen."

Ein Ducaten „für eine Sammlung vorzüglich schön blühender Neuholländer Pflanzen."

Ein Ducaten „für die reichhaltigste Sammlung schön blühender Ericeen."

Ein Ducaten „für eine Sammlung von dem Aussteller selbst aus Samen erzogener Kalthauspflanzen."

Ein Ducaten „für eine Sammlung blühender krautartiger Pflanzen."

Ein Ducaten „für eine oder mehre Arten von dem Aussteller selbst im Inlande aus Samen erzogenen und beliebten krautartigen Pflanzen."

Ein Ducaten „für eine Sammlung vorzüglich schön getriebener Ziersträucher."

Ein Ducaten „für das reichhaltigste und schönste Sortiment Hyazinthen."

Ein Ducaten „für schön getriebene Früchte."

Ein Ducaten „für schön getriebene Gemüse."

Ein Ducaten „für geschmackvolle Anwendung abgeschnittener Blumen."

Ein Ducaten „für das schönste Sortiment abgeschnittener Blumen."

Ein geehrtes Mitglied der Gesellschaft Flora hat ausserdem noch folgenden, aber nur bei Konkurrenz zu ertheilenden Preis ausgesetzt:

Fünf Thaler „für den am geschmackvollsten mit blühenden Topfpflanzen dekorirten Blumentisch."

Für Akacsite und noch andere preiswürdige Pflanzen sind den Herren Preisrichtern zehn silberne Medaillen zur freien Verfügung gestellt.

Die Entscheidung über Ertheilung der Preise geschieht durch eine von der Gesellschaft ernannte Kommission von sieben Preisrichtern.

Wer sich um die ausgesetzten Preise bewerben will, muss die Pflanzen selbst erzogen oder dieselben wenigstens drei Monate lang vor der Einlieferung in seiner Kultur gehabt haben, und dieselben bis spätestens Donnerstag, den 9. April, Vormittags 11 Uhr eingeliefert haben.

Uebrigens werden die Herren Einsender noch freundlichst ersucht, die Verzeichnisse ihrer auszustellenden Pflanzen, wo möglich den Tag vor der Eröffnung der Ausstellung, einzusenden, widrigenfalls dieselben bei der Preisvertheilung nicht zur Berücksichtigung gelangen können.

Nach Beendigung der Ausstellung findet Donnerstag, den 16. April, Nachmittags 2 Uhr im Ausstellungs-Locale eine Verloosung von Pflanzen Statt, wozu während der Ausstellung Aktien zu 7½ Ngr. an der Kasse zu haben sind.

Dresden, am 18. December. 1856.

Die Commission der Gesellschaft Flora für Pflanzen- und Blumen-Ausstellungen.

Verlag der Nauckschen Buchhandlung. Berlin. Druck der Nauckschen Buchdruckerei.

1) Hierbei das Preisverzeichniss der Rosen von Louis Van Houtte, Horticulteur in Gent (Belgien).
2) Zehntes Verzeichniss der Buch- und Antiquariats-Handlung von W. Weber & Comp. in Berlin. Botanik.

No. 11. Sonnabend, den 14. März. 1857

Preis des Jahrgangs von 52 Nummern mit 12 color. Abbildungen 5 Thlr., ohne dieselben 3 -
Durch alle Postämter des deutsch-österreichischen Postvereins, sowie auch durch den Buchhandel ohne Preiserhöhung zu beziehen.

Mit direkter Post übernimmt die Verlagshandlung die Versendung unter Streifband gegen Vergütung von 26 Sgr. für Holstein, von 1 Thlr. 9 Sgr. für England, von 1 Thlr. 22 Sgr. für Frankreich.

BERLINER Allgemeine Gartenzeitung.

Herausgegeben vom

Professor Dr. Karl Koch.

General-Secretair des Vereins zur Beförderung des Gartenbaues in den Königl. Preussischen Staaten.

Inhalt: Die Kaiser-Primel, Cankrienia chrysantha de Vr. Vom Prof. Dr. Koch. — Der heilige und braunblüthige Anisstrauch. Illicium religiosum Sieb. und floridanum L. Von dem Obergärtner Reinecke. — Veronica syriaca R. et S. und Cosmidium Burideranum, 2 neue Sommergewächse. — Die neue Kronen-Aster. Von den Kunst- und Handelsgärt. Moschkowitz und Siegling. — Der rachenblüthige und Siebold'sche Flecken-Aron, Arisaema ringens Schott und Sieboldii de Vr. Vom Prof. Dr. Koch. — Zwei Obstbaumschulen (die Lorberg'sche zu Berlin und die Haffner'sche in Kadolzburg). — Die Keferstein'sche Orchideen-Sammlung in Cröllwitz bei Halle. — Bücherschau: v. Biedenfeld's Gartenjahrbuch. 9. Ergänzungsheft.

Die Kaiser-Primel, Cankrienia chrysantha de Vriese.

(Primula imperialis Jungh.)

Vom Professor Dr. Karl Koch.

In dem Verzeichnisse der Sämereien von Ernst und v. Spreckelsen, J. G. Booth u. Komp. Nachfolger in Hamburg, befindet sich unter andern interessanten Neuigkeiten auch die Cankrienia chrysantha, leider aus Versehen falsch geschrieben, nämlich Kankrinia, weshalb wir gleich darauf aufmerksam machen, um etwaige Missverständnisse zu vermeiden. Es ist dieses eine merkwürdige Primulacee Java's, und empfehlen wir die Pflanze um so mehr, als die Portion Samen für den zwar immer im Allgemeinen noch hohen, aber für eine solche neue Einführung gewiss sehr mässigen Preis von einen halben Thaler zu beziehen ist. Uebrigens ist die Kaiserprimel kein Sommergewächs, wie dort ebenfalls aus Versehen angegeben wird, sondern eine Staude, ganz ähnlich unserer Aurikel.

Die Pflanze wurde im Jahre 1839 von den bekannten javanischen Reisenden Junghuhn auf dem alten Krater des Vulkanes Panggerango, der zwischen Buitenzorg und Tschandschuer liegt, und zwar auf einer Höhe von 9300 Fuss, so ziemlich unter Verhältnissen, wie unsere Aurikel auf den Alpen wächst, entdeckt und unter dem Namen der Kaiserprimel, Primula imperialis (Tijdschr. voor Natuurl. Gesch. en Phys. VII, 275) beschrieben. Später fand sie auch Zollinger und führt dieser sie in seinem systematischen Verzeichnisse javanischer Pflanzen ebenfalls auf. Auch Hasskarl hat sie bereits in der 2. Ausgabe des Hortus Bogoriensis genannt. Endlich entdeckte Junghuhn selbst die Pflanze auf der Insel Sumatra. Im vorigen Jahre hat sie nun der junge Booth, der sich jetzt, um Pflanzen und Samen zu sammeln, auf Java befindet, auf demselben Gebirge gefunden und Samen nach Hamburg gesendet.

Junghuhn hob einige Exemplare aus und theilte diese zu Kulturversuchen dem Inspektor des botanischen Gartens zu Buitenzorg (Hortus Bogoriensis), Teysman, mit, der seinerseits nun die Pflanzen mit Erfolg kultivirte und wahrscheinlich auch Samen nach Europa, und zunächst nach Leiden in den Niederlanden, sendete. Professor de Vriese daselbst unterwarf die Kaiserprimel einer nähern Untersuchung und fand, dass sie durch ihren an Hottonia erinnernden und bleibenden Griffel, durch die eigenthümliche Zeichnung auf dem Scheitel der Kapsel und durch den rings an der Basis herum sich lösenden Kelch sich hinlänglich von den andern Primeln unterscheidet, und glaubte mit Recht einen Grund zu haben, um sie als den Typus eines neuen Genus zu betrachten. (Jaarb. d. Koninkl. nederl. Maatsch. van Tuinb. 1850.) De Vriese hätte dieses gern nach Junghuhn genannt, wenn nicht schon der Namen Junghuhnia von Rob. Brown für ein Polygaleen-Geschlecht gebraucht worden wäre. So nennt er es nun Cankrienia, nach Cankrien, dem Vicepräsidenten der königlichen Gartenbaugesellschaft in den Niederlanden zu Rotterdam, einem eifrigen Gartenliebhaber. Ohne den Verdiensten des genannten Herrn nur im Geringsten nahe treten zu wollen, thut es uns doch leid, dass de Vriese nicht einen andern Namen, vielleicht dem Tauf- oder Vornamen des Vicepräsidenten entlehnt, gewählt hat, da dieselbe Bezeichnung, nur wenig anders geschrieben, nämlich Cancrinia, und dem Namen des verstorbenen russischen Finanzministers, Grafen Cancrin zu Petersburg, entlehnt, durch die russischen Reisenden Karelin und Kiriloff (Bull. de la soc. impér. d. natur. de Moscou, année 1842 p. 124) bereits einer Pflanze aus der Abtheilung Helianthese der Körbehenträger (Compositae) ertheilt wurde. Sonderbarer Weise ist auch der Beiname der letzteren, chrysocephala (d. i. Goldköpfchen), dem der Kaiserprimel ähnlich, indem er ziemlich dasselbe sagt, was chrysantha (d. i. Goldblume) bedeutet. Es wäre wohl zu wünschen, dass der später gegebene Name Cankrienia mit einem andern vertauscht würde; wir wollen aber keineswegs de Vriese, dem das Verdienst der ersten genaueren Untersuchung gehört, hierin vorgreifen.

Die grossen, bis 1½ Fuss langen und 3½ Zoll breiten Blätter bilden eine Art Rosette, ähnlich wie bei unserer Primel, indem die untern dem Boden aufliegen, die obern und kleinern aber mehr oder weniger aufrecht stehen. Sie sind ausserdem länglich, verschmälern sich nach der Basis zu, wo der Rand allein ganz ist, während er sonst nach oben gezähnt erscheint. Aus der Mitte der Pflanze erhebt sich ein bis 3 Fuss und mehr hoher Schaft, an dem über der obern Hälfte meist 3 Blüthenquirle sich entwickeln. Er besitzt eine röthliche Farbe und erscheint unterhalb der Quirle etwas verdickt.

Jeder Quirl besteht in der Regel aus 20 zum Theil überhängenden Blüthen, welche von eben so langen oder wenig längern Stielen getragen werden, und ist von einer aus mit einander verwachsenen Blättchen bestehenden Hülle umgeben. Der glockenförmige und 5zähnige Kelch erscheint hier und da von goldfarbigem Mehle bedeckt und vergrössert sich mit der Frucht, mit dieser sich endlich ringsum an der Basis ablösend. Weit aus ihm ragt die schwachgoldgelbe Krone hervor, die etwas kleiner ist, als die unserer Primel, da sie namentlich eine kürzere Röhre besitzt. Der Rand liegt nicht flach, sondern ist mehr trichterförmig. Die 5 Staubgefässe haben sehr kurze Fäden. Auf dem Scheitel des Fruchtknotens gehen 5 oder 6 keulenförmige Strahlen bis zu einem Drittel desselben herab. Die rundliche Kapsel theilt sich von oben in 2 Theile, löst sich aber an der Basis endlich rings herum ab. Die zahlreichen kleinen Samen sind eckig und etwas zusammengedrückt.

Prof. de Vriese ersuchte Junghuhn, ihm Näheres über die Verhältnisse, unter welchen er die Kaiserprimel gefunden, mitzutheilen. Derselbe hat dem Wunsche gern entsprochen. Darnach besitzt der alte Kraterkegel Panggerango der dem Manellamangie-Gebirge angehört, auf seinem abgestutzten Scheitel einen Durchmesser von 1000 Fuss und liegt selbst, wie schon gesagt, 9300 Fuss über dem Meeresspiegel. Die Kaiserprimel geht an ihm nicht mehr als höchstens 300 Fuss seitwärts herunter. Die Temperatur beträgt auf dem Gipfel im Durchschnitt 8, steigt aber bisweilen bis 15 Grad R., während sie des Nachts bei heiterem Himmel bisweilen bis unter dem Gefrierpunkt sinkt. In dem Bache, der die Matte auf dem Scheitel des abgestutzten Kegels durchfliesst, fand Junghuhn bisweilen etwas Eis, was sonst ausserdem nirgends von ihm beobachtet wurde.

Um die Matte zieht sich rings herum ein jungfräulicher und sehr dichter Wald, der selbst an den Rändern des Scheitels noch etwas herabgeht. Bäume und Zweige sind hier dicht von Moos überzogen, aus dem wiederum Farrn und Orchideen herausragen. In diesem feuchten Walde, hauptsächlich an seinem Rande und in der Nähe der Matte, wächst die Kaiserprimel einzeln oder in Gruppen zu 3—5.

Der Boden besteht aus lockerer und sehr fruchtbarer Erde von dunkel-brauner oder schwarzer Farbe, und ist die Umwandlung einer thonreichen Lava, mit der sich die organischen Ueberreste vermengt haben. Ausser der Kaiserprimel findet man noch an derselben Stelle Sieversia javanica, Sanicula montana, Violen, Balsamina micrantha, den Wurzelschmarotzer Balanophora elongata u. a. m.

Der Gipfel des besagten Kegels erhebt sich in der Regel über die Wolken, die sich aber weiter unten rings um den Berg ausbreiten, so dass man auf der Höhe oft das Vergnügen haben kann, unter sich Blitze im Zickzack sich schlängeln zu sehen. Es ist dieses in der Art der einzige Punkt auf der Insel und gehört er deshalb zu den interessanteren.

Der heilige und braunblüthige Anisstrauch, Illicium religiosum Sieb. et floridanum L.

Von dem Obergärtner Reinecke in Berlin.

Da die Gartenzeitung neben dem Neuen, was, mit so viel Lobeserhebungen es auch bisweilen im Anfange angepriesen wurde, oft schon wiederum in ein Paar Jahren vergessen und selbst vielleicht, mit alleiniger Ausnahme der botanischen, aus den Gärten verschwunden ist, nicht das Alte ganz und gar übersehen will, so erlaube ich mir auf 2 schon länger bekannte Kalthaussträucher von Neuem aufmerksam zu machen, da sie, obwohl sie einen grossen Theil des Winters hindurch blühen und deshalb, so wie wegen ihrer schönen, grünen und nicht abfallenden Blättern, in unseren Gewächshäusern eine Zierde darstellen, doch noch keineswegs so häufig kultivirt werden, als sie es verdienen. Es sind dieses 2 Gehölze aus dem Geschlechte der Anissträucher, so genannt, weil eine Art den Stern-Anis liefert. Ich kultivire jetzt ein Paar Exemplare, die wegen ihres kräftigen Wachsthumes und ihrer reichen, sowie strotzenden Blüthenfülle jeder Ausstellung Ehre gemacht haben würden.

Der heilige Anisstrauch (Illicium religiosum Sieb.) wurde durch v. Siebold im Jahre 1842 eingeführt, aber schon 1826 in der Flora japonica beschrieben und abgebildet; es scheint jedoch, als wenn er schon früher in unseren Gärten gewesen wäre und man ihn, was übrigens noch jetzt ganz gewöhnlich geschieht, nur mit dem ächten Anisstrauch (Illicium anisatum L.) verwechselt hätte. Noch häufiger wurde die amerikanische Art mit kleinen und grünlich-weissen Blüthen (Illicium parviflorum Mich.), welche zuerst von Bartram als I. anisatum bekannt gemacht wurde, unter diesem Namen kultivirt. Die Mutterpflanze des Sternanises ist bei uns aber sehr selten zu finden, obwohl schon das Jahr 1790 als das Jahr der Einführung bezeichnet wird.

Illicium anisatum L. wird im Vaterlande nie so hoch als I. religiosum Sieb., da der Strauch kaum eine Höhe von 8, der letztere hingegen bisweilen aber eine von 25 Fuss erreicht: er besitzt ferner kleinere, nach beiden Enden mehr abgerundete Blätter und endlich eine grössere Anzahl von Staubgefässen (bis 30), während in der Blüthe des I. religiosum Sieb. nur bis 20 vorhanden sind. Auch hat der letztere keine aromatischen Früchte, wie jener, von dem die Früchte, wie bekannt, als Sternanis Handelsartikel sind, wohl aber ist die Rinde aromatisch. Einen schwachen Geruch besitzen auch die Blätter, wenn man sie zerreibt.

Das Vorkommen des heiligen Anisstrauches ist auch nördlicher, als das des ächten, da er selbst noch in Japan bis zum 32 Grade N. Br., wo die Temperatur gar nicht selten unter Null sinkt, gut gedeiht. Er wächst übrigens nicht ursprünglich in Japan, sondern wurde schon vor sehr langer Zeit erst aus China, und zwar durch die buddhaistischen Priester, eingeführt; denn er ist eine heilige Pflanze, deren blühende Zweige man auf die Altäre in den Tempeln oder auch auf die Gräber der Verstorbenen legt. Die Mutterpflanze des ächten Sternanises verlangt ein wärmeres Klima, weshalb sie auch nur im südwestlichen China wächst.

Während der heilige und ächte Anisstrauch gelblich-grünliche Blüthen besitzen, so hat der Anisstrauch aus Florida (Illicium floridanum L.) zimmetbraune, die deshalb um so mehr gegen das dunkele Grün der Blätter abstechen. Ausserdem sind diese auch über noch einmal so gross, als die von Illicium religiosum Sieb., indem sie im Durchschnitte 1¼ Zoll im Durchmesser haben. Endlich haben sie fast zolllange Stiele, während dagegen bei jenen die Blüthen sitzend und gedrängter erscheinen. Die ganze Pflanze des rothblüthigen Sternanises ist endlich gestreckter und wird selbst in unseren Gewächshäusern nicht selten 7 und 8 Fuss, während sie im westlichen Florida, besonders an den Ufern des Mississippi, sogar kleine Bäume darstellt. Die weniger harten, aber etwas grösseren und länger gestielten Blätter haben, namentlich wenn man sie zwischen den Fingern reibt, einen penetranten Geruch.

Als die Zeit der Einführung wird das Jahr 1766 angegeben. Nach dem Kaufmanne und bekannten Naturforscher Ellis aus London wurde sie ein Jahr vorher von einem Bedienten des Präsidenten des Tribunales von Westflorida, Clifton, einem grossen Pflanzenliebhaber, entdeckt. Ein Jahr später fand sie Johann Bartram, Königl. Botaniker, als lebende Pflanze ebenfalls in Westflorida und sendete an Peter Collinson Exemplare.

Der Name Illicium (von illicere anlocken, reizen,) wurde dem Sternanise von dem bekannten japanischen Reisenden Kämpfer, in seinen zu Anfange des vorigen Jahrhunderts herausgegebenen Amoenitates, wegen seiner aromatischen Eigenschaften gegeben. Das Geschlecht selbst gehört zu den Magnoliaceen und zwar zu der Abtheilung, wo die Fruchtknoten quirlförmig in einer Fläche liegen.

Was nun die Behandlung anbetrifft, so verlangen die beiden Anissträucher zunächst eine kräftige Erde, d. h. eine vollständig zersetzte Moorerde mit etwas Walderde gemischt. Da ihr Wurzelvermögen verhältnissmässig gering ist, so dürfen sie auch, selbst während der Blüthezeit, nur wenig gegossen werden. Im Winter müssen die Sträucher einen Platz dicht am Fenster in einem Hause von gegen 5 und 6 Grad R. erhalten, da sie des Lichtes bedürfen; im Sommer jedoch stellt man sie ins Freie, aber keineswegs in Sonnenschein, sondern in einen sogenannten Halbschatten, also unter keineswegs sehr dicht belaubte Bäume. Dem direkten Sonnenlichte Preis gegeben, setzen sie für die winterliche Blüthenzeit wenig und selbst gar keine Blüthenknospen an.

Das Versetzen geschieht alljährlich zu der gewöhnlichen Zeit. Wegen des geringeren Wurzelvermögens muss man sich aber hüten, den Ballen ganz zu zerstören, da sonst die Pflanze sehr leidet. Deshalb darf eben so wenig eine, und selbst nicht eine noch so geringe, Verschneidung der Aeste geschehen. Die Vermehrung geschieht durch Stecklinge oder durch Veredelung auf Illicium parviflorum Mich.; der heilige Anisstrauch blüht im letzteren Falle sogar weit üppiger und voller, als wenn er aus Samen erzogen ist.

Es sei mir endlich noch eine Bemerkung erlaubt. Gewöhnlich giebt man die Blüthen des Anisstrauches aus Florida sehr angenehm riechend an; ich kann dieses durchaus nicht finden, da mir ihr Geruch eher etwas seifenartig vorkommt. Wohl aber besitzen die Blätter, wenn man sie zwischen den Fingern zerreibt, einen penetranten aromatischen Geruch.

Veronica syriaca R. et S. und Cosmidium Buridgeanum Hort. Zwei neue Sommergewächse.

Unter den neuesten Sommergewächsen, welche von England aus eingeführt sind, möchten wohl die beiden genannten am Meisten zu empfehlen sein. Leider haben wir sie noch nicht in Blüthe gesehen und können deshalb nicht selbst ein Urtheil abgeben; aber nach dem, was wir darüber vernahmen, sind Veronica syriaca und Cosmidium Buridgeanum wohl keineswegs ephemere Erscheinungen, wie viele andere alljährlich angepriesene Pflanzen, sondern werden in unsern Gärten eine dauernde Zierde bleiben.

Der syrische Ehrenpreiss (Veronica syriaca R. et S.) ist schon 1812 von de la Billardiere in seinen Decaden seltener syrischer Pflanzen (V. p. 8. t. 5. f. 2.) beschrieben und abgebildet worden; der Autor verwechselte jedoch die Art mit Veronica pedunculata Bieb., einer häufig in Transkaukasien wachsenden Pflanze. Die Herausgeber des Linné'schen Systema vegetabilium, Römer und Schultes, erkannten (1817) die Verwechslung schon deshalb, weil der syrische Ehrenpreiss ein Sommergewächs, der kaukasische aber eine Staude ist, und gaben deshalb der ersteren einen eigenen Namen, und zwar V. syriaca.

Nach einer Abbildung und einem getrockneten Blüthenzweige, welche beide wir der Samenhandlung von Ernst und v. Sprockelsen in Hamburg verdanken, steht die Pflanze der schönen Bieberstein'schen Veronica amoena, welche zuerst in Georgien und neuerdings auch in Griechenland entdeckt wurde, am Nächsten. Schade dass genannte Pflanze in unseren Gärten noch fehlt. Durch ihre Blüthenfülle erinnert sie auch an Veronica repens Clar., eine korsikanische Art, die bis jetzt leider nur in einigen botanischen Gärten, so in dem in Neuschöneberg bei Berlin, zu finden ist, obwohl sie, ganz besonders zu Arabesken-Verzierungen, eine passende Verwendung fände. Eben so erinnert der syrische Ehrenpreiss wiederum an unsere gewöhnliche V. Chamaedrys L., eine Pflanze, welche, wenn sie nicht wild bei uns wüchse, gewiss schon längst eine Stelle in unseren Gärten gefunden hätte.

Das zweite neue Sommergewächs ist: Cosmidium Buridgeanum. Wir haben vergebens uns in der zerstreuten Literatur umgesehen, um etwas Näheres über diesen Körbchenträger (Compositä) zu finden. Schon seit längerer Zeit kennen wir Cosmidium filifolium T. et Gr., einen Bewohner von Arkansas und Texas, ohne dass die Pflanze, obwohl sie es werth gewesen wäre, allgemeine Verbreitung gefunden hätte. Diese hat in ihrer äusseren Erscheinung viel Aehnlichkeit mit Coreopsis tinctoria Nutt. (Calliopsis bicolor Rchb.) und wurde auch bereits von Hooker im botanical Magazine (tab. 3505) als Coreopsis filifolia abgebildet.

Das Genus Cosmidium wurde von den beiden Monographen der nordamerikanischen Flor, Torrey u. Gray, wegen der zwiebelähnlich angeschwollenen Griffelbasis und wegen der auf dem Rücken höckerigen Achenien, die ausserdem noch 2 rückwärts gewimperte Spreublätter anstatt einer Haarkrone besitzen, von Coreopsis geschieden; neuerdings ist es aber wiederum von dem einen der beiden genannten Botaniker Asa Gray eingezogen und die Arten sind mit dem Lessing'schen Genus Thelesperma vereinigt worden. Während in Europa einzelne Botaniker durch Aufstellung von neuen Geschlechtern sich auszeichnen, sind den Nordamerikanern die vorhandenen schon viel zu viel, weshalb sie deren Anzahl, aber ohne Zweifel oft in zu hohem Grade, immer von Neuem beschränken. Auch in der Wissenschaft berühren sich, wie man sieht, die Extreme.

Cosmidien, oder nach Asa Gray Thelespermen, kennt man bis jetzt 4 und zwar 2, wo die Blüthenkörbchen Strahlen haben (Th. simplicifolium A. Gr. und filifolium A. Gr.) und 2, wo diese fehlen (gracile A. Gr. und scabiosoides Less.). Dazu käme nun als fünfte Art Cosmidium oder vielmehr nur Thelesperma Buridgeana. Nach Ernst und v. Spreckelsen, die uns auch hiervon Näheres mittheilten, möchte diese Neuheit nur eine Abart von dunkler gefärbten Strahlenblüthchen sein, während jedoch nach Andern die Pflanze specifisch verschieden ist. Wir behalten uns vor, für die folgende Zeit sie näher zu betrachten und zu untersuchen, und werden dann das Resultat mittheilen.

Die neue Kronen-Aster.

Von den Kunst- und Handelsgärtnern Moschkowitz und Siegling in Erfurt.

In den Preis-Couranten einiger Handelsgärtnereien wird für dieses Jahr zum ersten Male eine neue Form unserer chinesischen Sommer-Aster und zwar unter den verschiedensten Namen, als: Kokarden-Aster, Ring-Aster, bekränzte anemonenblättrige Aster und Kranz-Aster empfohlen. Die Samenhandlung von Vilmorin-Andrieux & Komp. brachte diese Aster voriges Jahr zum ersten Male und zwar als: „Reine Marguerite couronnée d. i. Kronen-Aster" in den Handel.

Damit nun, wie es leider so oft geschieht, nicht etwa Blumenfreunde durch die verschiedenen Namen, mit welchen sowohl neu eingeführte Arten, wie durch Zufall oder Kreuzung erzogene Pflanzen oft ausgeboten werden sich nicht irre führen lassen und glauben, dass sie unter obigen Namen auch verschiedene Formen von Astern erhalten müssten, so halten wir es für eine Pflicht, zunächst alle Redaktionen von Gartenzeitschriften und damit auch deren Leser aufmerksam zu machen. Nach unserem Dafürhalten ist es im Interesse, nicht allein zu wissen, in welchen Ländern und unter welchen Verhältnissen reisende Botaniker und Gärtner diese oder jene neue Pflanzen gefunden haben, sondern auch, wo und wie durch Zufall oder durch künstliche Befruchtung neue und schön-blühende Abarten und Blendlinge entstanden sind.

Was wir nun über die neue Kronen-Aster, welche sich dadurch vor allen andern auszeichnet, dass die innere sehr gute regelmässige Füllung geröhrt und rein weiss ist, die äusseren Blüthchen dagegen einen scharf abgegränzten purpurrothen Ring bilden, auskundschaftet haben, bringen wir demnach hiermit zur öffentlichen Kentniss. Dieselbe wurde nämlich von einem Liebhaber in Alençon vor drei Jahren, wie es scheint, erzogen. Ihr Besitzer schickte eine Parthie abgeschnittener Blumen zur Ansicht an Vilmorin-Andrieux in Paris und machte denselben das Anerbieten, sämmtlichen zu gewinnenden Samen gegen einen hohen Preis abzutreten. Besagte Samenhandlung ging nicht darauf ein, suchte aber die zugesendeten Blumen so lange als möglich zu erhalten, um vielleicht einigen Samen zu gewinnen. Es gelang in der That. Man war sogar so glücklich, eine recht hübsche Aussaat zu gewinnen, die nun im verflossenen Sommer ausgesäet, Blumen derselben Form, aber in mehrern Farben hervorbrachte. In ganz Paris zogen sie die Aufmerksamkeit aller Blumenfreunde auf sich.

Der rachenblüthige und frühzeitige Flecken-Aron, Arisaema ringens Schott (Sieboldii de Vr?) und praecox Hort.

Von dem Professor Dr. Karl Koch.

Zu den interessantesten Aronspflanzen gehören unbedingt die Flecken-Arons oder Arisämen, denn die Pistille finden sich auf dem einen Kolben, die Staubgefässe hingegen auf dem andern vor. Mit wenigen Ausnahmen kommen die hierher gehörigen Arten nur in wärmern Ländern, hauptsächlich aber in Ost- und Hinterindien, so wie in Ostasien vor; 8 sind bis jetzt in Amerika und eine einzige in Abyssinien beobachtet worden. Im Ganzen kennt man gegen 50 Arten.

Aber auch in gärtnerischer Hinsicht verdienen die Arisämen volle Beachtung, da sie in der Regel ihre Blüthen, und zwar, so viel mir bekannt ist, stets zu einer Zeit entwickeln, wo unsere Gewächshäuser an Blumen arm sind. In dem Garten des Oberlandesgerichtsrathes Augustin an der Wildparkstation bei Potsdam, von woher mir Exemplare der beiden Arten freundlichst zur Verfügung gestellt wurden, blühten Arisaema ringens Schott bereits Ende December und Anfang Januar, während Arisaema praecox de Vr. erst Ende genannten Monates ihre Blumenscheiden öffnete und sich jetzt noch in Blüthe befindet.

Beide Arten gehören zu der Abtheilung, wo die Blätter auf Fuss langen und längern runden Stielen befindlich sind und aus 3 breiteiförmigen Blättchen bestehen. Von diesen besitzt ein jedes in der Mitte den Durchmesser von 4 und selbst 5 Zoll, während es am obern Ende in eine feine 1¼ Zoll lange Spitze ausläuft. Das mittelste verschmälert sich nach der Basis plötzlich, während die beiden seitlichen daselbst etwas schief erscheinen, indem nur die äussere Seite abgerundet ist. Einige Linien vom Rande entfernt, zieht sich ein Nerv rings um die Blattfläche und nimmt alle von dem Mittelnerven ausgehenden und sich kaum oder gar nicht weiter zertheilenden Aeste auf. Die Substanz des Blattes ist, wie bei unserer Aronswurz und den ähnlichen Arten mit knolligem Wurzelstocke, wo die Vegetation eine Zeit lang ruht, krautartig. Bei A. praecox ist die Oberfläche glänzend, bei A. ringens hingegen matt; die Unterfläche ist aber bei beiden weit heller. Gegen das Licht gesehen, erblickt man einzelne durchsichtige Strichelchen in der Substanz. Die Deckscheide des Blattes ist ferner bei den ersteren roth, bei den andern grünlich, während die Blattstiele bei dem frühzeitigen hellgrünlich, bei dem rachenblüthigen aber etwas bläulich bereift erscheinen.

Der Blüthenstand kommt zwischen den scheidenartigen Blatträndern hervor und sitzt einem kurzen und dicken

Stiele auf. Die Blüthenscheide oder Spatha ist bei A. ringens rothbraun und von dunkelern Längsstreifen durchzogen, während sie bei A. praecox auf dem Rücken eine graue, nach vorn aber eine mehr grüne Grundfarbe besitzt, welche von 1½ Linien breiten und braungrün gefleckten Längsstreifen unterbrochen ist.

Was ihre Form anbelangt, so bildet sie von der Basis aus eine 2 bis 3 Zoll lange und fast 1 Zoll im Durchmesser enthaltende und gespaltene, d. h. an den zusammengeschlagenen Rändern nicht verwachsene Röhre. Ihr oberer Theil wölbt sich in Form eines Helmes, der gleichsam an den Wangen des offenen Visieres braune Verlängerungen oder Ohren, die sich flach umlegen, besitzt. Diese sind bei Arisaema praecox de Vr. glänzend und mehr grünbraun, auch weit kürzer. Sie ziehen sich in einem kurzen Bogen ringsherum und endigen am Helme, von beiden Seiten zusammenkommend und mit einander verwachsend, in einen eben so gefärbten und über den Schlund (das Visier) hinweg gehenden Anhängsel, so dass auf beiden Seiten zwei runde Oeffnungen, durch die man bei Arisaema praecox die weiss- und braun-, bei A. ringens hell- und dunkelbraun-gestreifte Innenfläche der Blumenscheide sieht, übrig bleiben. Bei der männlichen Blüthenscheide des frühzeitigen Fleckenarons geht der Anhängsel nicht ganz über die Oeffnung des Schlundes hinweg und ist auf beiden Seiten zusammengedrückt, so dass oben eine scharfe Leiste deutlich wird, welche in die aufwärts gerichtete Spitze übergeht.

Die weibliche Blüthenscheide des rachenblüthigen Fleckenaron's besitzt denselben Anhängsel, aber fast noch länger, während die seitlichen Verlängerungen oder Ohren ebenfalls grösser sind und zum Theil sich etwas abwärts ziehen. Einen männlichen Blüthenstand dieser Art habe ich nicht gesehen.

Auch die blendend weissen Kolben sind bei beiden Arten verschieden. Bei Arisaema praecox ist nur die Hälfte, ohngefähr ½ Zoll hoch, mit braunen Staubgefässen oder grünen Stempeln bedeckt, während bei A. ringens fast der ganze stielförmige Theil, selbst bis zu 1½ Zoll Höhe, die dicht aneinander liegenden Pistille trägt. Das keulenförmige, gegen den unteren fruchtbaren Theil noch einmal so dicke Anhängsel, ist ferner bei dem letzteren doppelt so lang als dieser und ragt deshalb innerhalb des Helmes fast bis an die obere Wandung, während er bei dem ersteren kaum ein Viertel länger ist und gar nicht in die Wölbung des Helmes hineinreicht.

Die Staubbeutel sind zu 4, weniger zu 3 auf einem gemeinschaftlichen, sehr kurzen Stiele befestigt, von oben zusammengedrückt und braun; ihr Durchmesser beträgt aber 1 Linie. Sie springen in der Mitte mit einem runden Loche auf und der pfirsichrothe Blumenstaub tritt heraus. Diese vier-, weniger dreifachen Staubgefässe berühren sich gegenseitig nicht, so dass die weisse Fläche des Kolbens zwischen ihnen allenthalben erschaut werden kann.

Die hellgrünen, dicht zusammensitzenden Stempel haben 2 Linien Länge, aber oben, wo sie am Breitesten sind, nur etwas über 1 Linie im Durchmesser. Der Scheitel läuft in einen kurzen Kegel aus, der die kreisrunde, unmittelbar aufsitzende, gefranste und weisse Narbe trägt. Nach der Basis zu verschmälert sich der Fruchtknoten ebenfalls, aber wenig. In dem Grunde seiner eigenen Höhlung befinden sich 5 oder 4 eirund-längliche und gradläufige Eichen, während aus der Spitze ein kurz gestielter und runder Körper herabhängt.

Ob die Pflanzen zweihäusig sind, scheint mir zweifelhaft; wahrscheinlich sind es nur die Kolben. Der Obergärtner Lauche erhielt von Arisaema praecox einen Knollen aus Leiden und theilte diesen später. Von den jungen Pflanzen waren die 2 kleinern männlich, die grössere aber weiblich.

Dieser allgemeinen Beschreibung fügen wir nur noch hinzu, dass Arisaema praecox schon in der ersten Hälfte des vorigen Jahrhundertes bekannt war und auf der 9. Tafel der von Japanesen selbst angefertigten Abbildungen japanischer Pflanzen, welche der damalige Arzt der ostindischen Kompagnie Dr. Cleyer aus Kassel mit gebracht hatte und welche sich jetzt auf der Königlichen Bibliothek zu Berlin befinden, unter dem Namen Dennanscho abgebildet ist. Cleyer erzählt von der Pflanze, dass die Knollen von den Japanesen bei Verbrennungen zur Milderung des Schmerzes benutzt werden. Willdenow, dem die genannten Abbildungen zu Gebote standen, zog Dennanscho zu Arum ringens. Vergleicht man jedoch die von Blume in der Rumphia (I, 94) gegebene sehr gute Beschreibung des A. ringens mit der japanischen Abbildung, so möchte diese wohl verschieden sein und sich eher mit der Pflanze, welche de Vriese als A. praecox verbreitet hat, identificiren lassen.

Was die andere Art anbelangt, so verdankt sie mit jener dem berühmten japanischen Reisenden v. Siebold ihre erneute Einführung. Professor de Vriese bildete in dem von ihm herausgegebenen Hortus Spaarn-Bergensis (Amstelodami 1839) ein Arum ringens ab, das ich wohl geneigt wäre, ebenfalls für das ächte Arisaema ringens zu halten, wenn auch die Blüthenscheide ähnlich wie bei Arisaema praecox de Vr. gestreift zu sein scheint.

Nach dieser allgemeinen Beschreibung liessen sich die Diagnosen, um beide Arten leicht von einander zu unterscheiden, etwa auf folgende Weise feststellen:

1. **Arisaema praecox** de Vr. Folia supra nitentia; Vaginae rubentes; Petioli pallide virescentes; Spathae extus brunneo- et virescenti-griseo-, intus brunneo- et albo-striatae galea prona; Auriculae laterales angustae; Appendix clavata, galeae cavitatem vix attingens, spadice ad dimidium inferius staminibus aut pistillis tecto sesquilongior; Ovula 4.

2. **Arisaema ringens** Schott. Folia supra opaca; Vaginae virescentes; Petioli pallide violacei; Spathae intense et pallide brunneo-striatae galea erecto-curvata, apice appendice dependente instructo; Auriculae laterales ad partem inferiorem latiores; Appendix clavata galeae cavitatem intrans, spadice fere toto pistillis (aut etiam staminibus?) tecto duplo longior; Ovula 5.

Dem Vaterlande nach möchten beide Arten im Freien, wenn man sie während der kälteren Zeit nur einiger Massen gegen den Frost schützte, aushalten und wären wohl in dieser Hinsicht Versuche wünschenswerth. Der Obergärtner Lauche musste allerdings, so lange ihm nicht viele Exemplare zu Gebote standen, vorsichtig sein, und hat sie deshalb ähnlich den Amorphophallus-Arten, kultivirt. Dass sie auf diese Weise gediehen, sah man den Pflanzen an, und wäre das Verfahren auf jeden Fall anzurathen, als man auf diese Weise sich während der ersten, an Blumen armen Zeit des Winters und noch dazu mit interessanten Blüthen versehene Pflanzen verschaffen könnte.

Zwei Obst-Baumschulen.

Es liegen uns zwei Verzeichnisse von Obst-Baumschulen vor, die Interesse genug darbieten, auch in diesen Blättern mit einigen Worten erwähnt zu werden. Wir haben allerdings noch andere vorzügliche Anstalten, die nicht weniger eine Berücksichtigung und Besprechung in der Gartenzeitung verdienen. Ganz besonders machen wir auf die Königliche Landesbaumschule bei Potsdam, auf die Flottbecker Baumschulen bei Hamburg, auf die Herrenhauser Obstplantage bei Hannover, auf die Baumschule von Schiebler und Sohn in Celle, auf die des Thüringischen Gartenbau-Vereins zu Gotha, auf die des Oberförsters Schmidt in Tantow in Pommern u. s. w. aufmerksam und werden wir auch später wohl noch Gelegenheit finden, einmal ausführlicher die eine oder die andere zu besprechen.

Für jetzt wollen wir nur kurz der Lorberg'schen Baumschule zu Berlin und der Joh. Leonh. Haffner'schen in Kadolzburg bei Nürnberg gedenken. Beide waren mit grossen Sortimenten bei der Obstausstellung, welche der Verein zur Beförderung des Gartenbaues in Berlin im Jahre 1853 in Naumburg a. d. S. veranstaltete, reichlich vertreten; ihre Besitzer haben sich seitdem unablässig bemüht, dieselben zu verbessern und ganz besonders hinsichtlich der Nomenklatur zu reinigen.

Die Lorberg'sche Baumschule wurde im Jahre 1844 bei Berlin und zwar dicht an der Chaussee, welche nach Schönhausen führt, angelegt, aber erst 1847 bis auf das Areal von 24 Morgen vergrössert. In der ganzen Zeit der pomologischen Wirkung des leider viel zu früh verstorbenen Generallieutenants v. Pochhammer erfreute sie sich seiner wissenschaftlichen Aufsicht, so dass trotz aller Verwirrung in den Benennungen, wie sie leider zum grossen Theil vorherrscht, grade die Lorberg'sche Baumschule sich durch richtige Namen auszeichnete und jeder Käufer die verlangten Sorten zuverlässig bekam. Das daselbst gezogene Obst wurde auch meist durch den Generallieutenant v. Pochhammer gezeichnet. Die sehr getreuen und illuminirten Abbildungen befinden sich nebst den übrigen, die derselbe von den ihm aus allen Ländern Deutschlands zugesendeten und ihm bis dahin noch nicht zur Verfügung gestandenen Obstsorten anfertigte, im Besitze des Vereins zur Beförderung des Gartenbaues zu Berlin, dem sie die Familie freundlichst als Vermächtniss überliess. Es wäre aber recht zu wünschen, dass die grosse und gewichtige Sammlung von Zeichnungen von gegen 1200 Aepfel- und gegen 700 Birn-Sorten einmal vervielfältigt würde, um auf diese Weise allen Obstliebhabern und Obstzüchtern zugänglich zu werden. Sie bildet im eigentlichen Sinne des Wortes eine Grundlage für unsere heutige Obstkenntniss.

Die Joh. Leonhard Haffner'sche Baumschule zu Kadolzburg bei Nürnberg existirt ebenfalls erst seit kurzer Zeit. Wenn wir recht unterrichtet sind, so wurde sie, in Gemeinschaft mit dem anerkannt tüchtigen Pomologen Dochnahl gegründet und bis vor wenigen Jahren, wo der letztere in dem nahen Wachendorf eine eigene Baumschule errichtet hat, auch gemeinschaftlich geleitet. Vor 4 Jahren erschien das erste Verzeichniss der Obstsorten aus der Haffner'schen Baumschule. Vergleicht man dieses mit dem, was uns jetzt vorliegt, so ersieht man, welche Verbesserungen ihr Besitzer seit der Zeit vorgenommen hat. Wir erinnern uns überhaupt nur wenige Verzeichnisse gesehen zu haben, so die des bekannten belgischen Obstzüchters de Jonghe in Brüssel und des Besitzers der Travemünder Baumschulen Behrens, die mit einer solchen Präcision gemacht worden wären, als die Haffner'sche. Es wäre wohl zu wünschen, dass die Verzeichnisse auch anderseitig auf gleiche Weise angefertigt würden. Von seinem Obste erlauben wir uns nur auf die Haffner'sche Goldreinette, auf die **Haffner'sche Butterbirn** und vor Allem auf die **Ischia-Traube**, da diese noch keineswegs so bekannt sind, als sie es verdienen, aufmerksam zu machen.

Die Keferstein'sche Orchideen-Sammlung in Cröllwitz bei Halle.

Es geht uns eben die briefliche Mittheilung zu, dass diese weit und breit berühmte Orchideensammlung, welche besonders in den Ausstellungen auf dem Bahnhofe zu Potsdam, sogar neben den von **James Booth** in Hamburg, rivalisiren konnte, an den Dr. **Laurentius** in Leipzig verkauft ist.

Seit dem Weggange des Obergärtners an den botanischen Garten in Petersburg fehlte die sorgsame Pflege wie früher; damit verlor ihr Besitzer allmählig die Liebe zu den früher von ihm so bevorzugten Pflanzen.

Dass sie in den Besitz des Dr. **Laurentius** gekommen sind, freuen wir uns um so mehr, als uns der neue Besitzer nicht allein als ein eifriger Pflanzenliebhaber, sondern auch als Pflanzenkenner hinlänglich bekannt ist. Eine Beschreibung seines Gartens wird demnächst auch unsere Leser mit den dortigen Pflanzen näher vertraut machen.

Bücherschau.

Ferd. Freiherrn v. Biedenfeld's neuestes Gartenjahrbuch. Neuntes Ergänzungsheft. Weimar 1856. Preis 1 Thlr.

Der fleissige Verfasser hat uns damit wiederum die neuesten Entdeckungen, Fortschritte und Erweiterungen des Gartenwesens von Michaelis 1854 bis dahin 1855 und die Beschreibung von allen in dieser Zeit publicirten neuen (nicht weniger als 600) Pflanzen gegeben. Wenn man weiss, wie die Erfahrungen und Beobachtungen in der Gärtnerei und Botanik leider in den verschiedensten Zeitschriften, oft in solchen, wo man sie gar nicht sucht, niedergelegt werden, wenn man ferner weiss, wie das Vereinswesen in Deutschland weniger, als in Frankreich überhand nimmt und fast jede einigermaassen grosse Stadt, besonders, wenn sie der Sitz einer Regierung ist, ihren Gartenbau-Verein hat, von denen eine jede auch ihr eigenes Organ haben will, um darin Rechenschaft von ihrer Thätigkeit zu geben und ihre Beobachtungen kund zu thuen, so muss nicht allein der Gärtner, sondern auch der Botaniker es dem Verfasser vorliegenden Gartenbuches grossen Dank wissen, dass er das zerstreute Material emsig sammelt, zu einem Buche vereinigt und alljährlich bekannt macht.

Dass ihm sehr viel, mehr als man in einer Stadt wie Weimar vermuthen sollte, zu Gebote gestanden hat, ersieht man aus dem reichen Inhalte. Innerhalb unseres Vaterlandes, Belgiens und der Niederlande möchte kaum noch etwas derartiges existiren, was dem Verfasser unbekannt gewesen wäre. Wir hätten unserer Seits nur noch zu wünschen, dass auch die französischen, darauf bezüglichen Vereinsschriften, deren Zahl freilich sehr gross ist, ihm zu Gebote ständen. Wir zweifeln bei der anerkannten Liberalität der Franzosen übrigens keineswegs daran, dass, wenn Freih. von **Biedenfeld** sich an dieselben mit der Bitte wenden wollte, man ihm recht gern die alljährlich erscheinenden Verhandlungen und Berichte der dortigen Gartenbau-Vereine zukommen lassen würde, zumal es ja auch selbst im Interesse der Vereine liegt, wenn ihre Schriften auch bei uns in Deutschland bekannter werden.

In England fehlt es zwar auch nicht an Vereinigungen von Gärtnern und Gartenfreunden. Im Gegentheil konzentriren diese sich oft auf einen bestimmten Zweig der Gärtnerei, so z. B. auf die chinesischen Wucherblumen (Chrysanthemum indicum), aber die Engländer sind nicht so schreibselig oder theilen wenigstens ihre Erfahrungen und Beobachtungen lieber einer grössern Zeitschrift, am häufigsten dem Gardener's Chronicle, mit. Auch in Italien geschieht jetzt hier und da mehr für den Gartenbau als früher und ist dieses ganz besonders im Grossherzogthume Toskana der Fall. Hier ist es der Grossherzog selbst, welcher nicht allein als Blumen- und Gartenfreund Liebe zur Gärtnerei in seinem Lande fördert, sondern auch als Botaniker der wissenschaftlichen Pflanzenkunde allen Vorschub leistet. Wie bekannt, hat deshalb der hauptsächlich durch seine Beschreibung der Kanaren, aber auch sonst als Botaniker hinlänglich bekannte Barker-Webb dem Grossherzoge von Toskana sein reiches Herbarium vermacht.

Da bereits der 9. Jahrgang uns vorliegt, dürfen wir nicht daran zweifeln, dass das Buch seine volle Anerkennung auch bereits gefunden hat. Wir möchten nur unsererseits wünschen, dass die deutschen Gärtner selbst durch den Ankauf von dergleichen Schriften mehr für ihre eigene Ausbildung thäten, als es in der That der Fall ist. Dann würden manche grobe Verstösse in den Samen- und Pflanzen-Verzeichnissen und Verwechslungen von Pflanzen nicht mehr so häufig vorkommen. Man sollte kaum glauben, dass z. B. in einer ziemlich grossen Stadt, welche wir nicht nennen wollen, welche sich aber mit Recht eines besonderen Rufes in der Gärtnerei erfreut, kaum ein Paar gärtnerische Zeitungen gefunden werden, die noch dazu meist der dortige Gartenbau-Verein hält.

Verlag der Nauckschen Buchhandlung. Berlin. Druck der Nauckschen Buchdruckerei.

Hierbei die illum. Beilage Billbergia longifolia C. Koch, Tab. 8. (siehe darüber No. 9.) für die Abonnenten der illust. Ausgabe der Allg. Gartenzeit.

No. 12. Sonnabend, den 21. März. **1857**

[illegible]

BERLINER

Allgemeine Gartenzeitung.

Herausgegeben

vom

Professor Dr. Karl Koch,

General-Sekretair des Vereins zur Beförderung des Gartenbaues in den Königl. Preussischen Staaten.

Inhalt: Rundschau. Die Augustin'schen Gewächshäuser an der Wildpark-Station bei Potsdam. Von . . . . . . g in Berlin — Zwei Heckensträucher, der Osagen- und Weissdorn. (Maclura aurantiaca Nutt. und Crataegus monogyna Jacq.) — Die französischen Gartenbau-Gesellschaften. Vom Prof. Dr. K. Koch. — 350. u. 351. Sitzung des Vereins zur Beförderung des Gartenbaues in Berlin, am 1. Februar und 1. März. — Eine Monsters Lennea.

Rundschau.

Die Augustin'schen Gewächshäuser an der Wildparkstation bei Potsdam.

Von . . . . . . g in Berlin.

Die fünf rasch auf einander folgenden Ausstellungen auf dem Bahnhofe der Berlin-Potsdam-Magdeburger Eisenbahn zu Potsdam, von denen die letzte im Jahre 1853 in der That ihren Glanzpunkt erreicht hatte, machten auf einen Garten aufmerksam, der, obwohl er seit wenigen Jahren erst ins Leben gerufen war, doch schon sehr bald mit den grössten Anstalten der Art wetteifern konnte und jetzt in einzelnen Zweigen eine Höhe und eine Vervollständigung erhalten hat, die ihn einzig in seiner Art darstellen. Wir bezweifeln, dass in England selbst eine Gärtnerei existirt, die in Bezug auf Palmen-, Aroideen- und Farrnzucht mit der Augustin'schen in die Schranken treten kann. 300 verschiedene Palmen, also über drei Viertel aller bekannten Arten, und noch mehr als je bisher in Europa kultivirt wurden, finden sich daselbst vor. Wir werden später noch manchmal Gelegenheit haben, auf das Eine oder auf das Andere aufmerksam machen; für dieses Mal beschränken wir uns auf die Beschreibung des Kalthauses mit Kamellien und andern Blüthensträuchern. Obergärtner ist übrigens Lauche, der den Lesern auch ohne die Berichte, welche er der Gartenzeitung bereits geliefert hat, hinlänglich bekannt sein möchte.

Zweierlei ist es, wodurch sich die Augustin'sche Gärtnerei besonders auszeichnet: einmal durch reinliches Halten und demnach auch durch gutes Aussehen der Pflanzen, und dann durch ästhetische Gruppirungen. Durch die letzteren wird es auch jedem Nicht-Eingeweihten einiger Massen möglich, sich in die Vegetationszustände fremder Länder und in die Formenreihen der Pflanzen selbst zu finden. Leider haben Liebhaber in den eigenen Häusern oft viel zu wenig Werth auf die Zusammenstellungen der Pflanzen gelegt, wenn auch anderntheils es keineswegs zu verkennen ist, dass bei einem Vergleiche mit früher sich viel zum Bessern gestaltet hat. Schon die Bauart der Gewächshäuser vor 20 und mehr Jahren, ist mit der der jetzigen Zeit gar nicht zu vergleichen. Während man früher, namentlich in Orchideenhäusern, kaum aufrecht stehen konnte, bewegt man sich jetzt in ihnen, ohne jeden Augenblick fürchten zu müssen, dass man sich stossen könnte.

Wir sind übrigens weit davon entfernt, Handelsgärtnereien etwa dadurch zu nahe treten oder gar eine Einrichtung von ihnen verlangen zu wollen, wie in den Häusern der Liebhaber. Handelsgärtner verfolgen einen ganz andern Zweck. Es könnte selbst oft eine zu grosse Eleganz und eine zu ängstliche Berücksichtigung des Aesthetischen nur zum Nachtheile des Geschäftes in Ausführung gebracht werden. Manches müsste aber doch auch bei ihnen anders sein. Es ist zwar bereits auch hier seit wenigen Jahren recht viel geschehen, wie ein einfacher Spaziergang durch die Berliner und andere Handelsgärtnereien beweisen kann, aber noch nicht Alles. Doch wir wiederholen es nochmals, wir sprechen nur von Gewächshäusern der Liebhaber, in denen eine geschmackvolle Aufstellung der Pflanzen überhaupt und die Anzucht von schön gewachsenen Exemplaren immer Hauptsache bleiben muss.

Die Kunst ist nur dann Kunst, wenn man dabei vergessen kann, dass es eben Kunst, d. h. das Werk des sinnigen Menschen gewesen ist. Das, was in der Natur Schönes vorhanden, sucht der Künstler emsig auf, um es bildlich darzustellen oder zu einem harmonischen Ganzen zu verknüpfen. Wir sind schon längst über die Zeit des französisch-italienischen Styles hinaus und suchen uns jetzt in Allem, was wir thuen, möglichst natürlich zu bewegen. Ein Gewächshaus wird aber mit dem, was es einschliesst, um so mehr auch den ästhetischen Anforderungen genügen, je mehr man das Haus selbst mit seinen Mauern und Fenstern vergessen kann und die Wirkung der Pflanzen im Zusammenhange nicht weniger, als im Einzelnen, eine dauernde ist. Alles Gezwungene, namentlich bei Einzelkulturen, wie es leider in England viel zu viel vorhanden ist, verstösst gegen die Natur, wird leicht barock und kann nie den wohlthätigen Einfluss auf das Gemüth haben, wie ein Baum oder eine Pflanze in Gottes freier Natur, mit der ursprünglich ihr angewiesenen Form.

So weit wir aber auch in dieser Hinsicht bereits vorgeschritten sind, so müssen doch unsere Gewächshäuser, — in so fern sie freilich nicht zum Heranziehen und zur Ausbildung der Pflanzen bestimmt sind, — noch manche Abänderungen erleiden, bevor sie allen ästhetischen Ansprüchen genügen. Es ist zwar, wie schon gesagt, Erfreuliches geschehen, aber Manches bleibt noch übrig. So erscheint uns das Bepflanzen und Decken der Giebelwände mit Farrn, Bromeliaceen, Aroideen, Orchideen u. s. w. als ein grosser Fortschritt, um die Räume freundlicher herzustellen. Die Anwendung von Selaginellen auf dem Boden und dessen Belegen mit Steinen, an denen man die Einwirkung der äussern Luft deutlich erkennt oder mit hübschgeformten Kalktuff und Schlacken, das Einfassen der Beete ferner mit Muscheln u. s. w. ist jetzt schon allgemeiner geworden. Bei grösseren Räumen hat man auch hie und da bewegten Boden angelegt, Grotten und Nischen angebracht und, um auch von oben herab ein Bild von der Vegetation zu erhalten, Gallerien gezogen, auf denen man lustwandeln kann.

So sucht man immer mehr nicht allein Mannigfaltigkeit hervorzurufen, sondern auch das Einzelne an und für sich schön zu besitzen und mit dem Uebrigen zu einem harmonischen Ganzen zu vereinigen. Wir wollen nun sehen, in wie weit es in den Gewächshäusern, für die wir für kurze Zeit die Aufmerksamkeit der Leser in Anspruch nehmen wollen, gelungen ist.

Das Haus für die Blüthensträucher stellt ein gleichschenkliches Kreuz dar mit 150 Fuss Durchschnitt und 9000 Quadratfuss Fläche. Die Breite der einzelnen Schenkel beträgt 30, die Höhe hingegen 16 Fuss, während die letztere in der Mitte 35 Fuss besitzt. Auf einer 3 Fuss hohen Mauer ruhen die Fensterwände von 3 Fuss Höhe, denen wiederum die in einem Winkel von 35 Grad abgehenden Dachfenster aufgesetzt sind.

In der Mitte des Hauses ist eine Felsengruppe von 10 Fuss Höhe angebracht und aus äusserlich verwittertem Mergelschiefer recht hübsch zusammengesetzt. Nach Süden und Osten fällt diese allmählig, nach Norden und Osten hingegen jäh ab, so dass man von der einen Seite, und zwar von Süden aus, auf einem wenig steigenden und bequemen Wege mitten durch baumartige Alpenrosen, Kamellien, Alokasien (Colocasia odora), Tellinea (Cytisus chrysobotrys und Atleyanus), Spartocytisus filipes und anderes Blüthengehölz auf die obere Terrasse kommen kann. Ueber ziemlich grosse Blöcke von oft 1½ Fuss Höhe führt ein steilerer und etwas zu beschwerlicher Weg nach Osten wiederum herab. Allerhand Felsenpflanzen, besonders Farrn, sind den Ritzen und Spalten so eingefügt, als wären sie von selbst hier angewachsen. Nach Norden zu ist auch an steil abfallender Wand eine breite Quelle angebracht, deren Wasser, über das Gestein hinweg plätschernd, in eine Vertiefung fällt, aus der wiederum ein Wasserstrahl bis 16 Fuss Höhe emporsteigen kann und zur grössern Lebendigkeit des Bildes viel beiträgt. Um das Wasser zieht sich eine Art Wiesengrund, aus üppig wuchernden Selaginellen gebildet, herum.

Die 4 Schenkel bilden jeder in seiner Mitte ein breites Beet mit allerhand Blüthensträuchern besetzt, um das man herumgehen kann, doch so, dass der Weg von der Fensterseite wiederum durch eine 2 Fuss breite Stellage getrennt ist. Der Haupteingang befindet sich auf der Nordseite, während man von Westen aus sogleich ins Freie, von Osten aber in ein anderes warmes Haus gelangt. Nach Süden zu ist kein Eingang. Der Schenkel links (also nach Osten) wird durch eine Glaswand abgesperrt und enthält hauptsächlich Cycadeen, grössere Aroideen und einige Palmen, den Schenkel rechts aber hat man im Sommer als Viktoria-Haus benutzt. Er wird dann ebenfalls durch eine Fensterwand abgesperrt. Im Winter (also jetzt) schliesst er hingegen eine Reihe von Blüthensträuchern, die sich in den wärmern Monaten im Freien befinden, ein.

Wenn man nun zur Hauptthüre eintritt, so ziehen sich

zunächst 4 Gehölze: 9 Stenocarpus oder Agnostis sinuata, von denen das eine Exemplar eine Höhe von 11 Fuss besitzt, Dacrydium cupressinum, sogar von 13 Fuss Höhe, und Cryptomeria japonica, so wie eine Pincinectitia tuberculata und endlich eine Agave geminiflora, welche meist noch in unsern Gärten den Willdenow'schen, aber unrichtigen Namen: Bonapartea juncea führt, in einem Halbmonde um einen Tisch mit einigen Stühlen herum. Dahinter nimmt ein Kamellienhain, mit Hunderten, man möchte sagen, Tausenden von rothen und weissen Blüthen bedeckt, das Mittelbeet des ersten und nördlichen Schenkels ein. Wir erinnern uns in der That kaum irgend wo eine solche Fülle von Blumen mitten im glänzendem Grüne des Laubes gesehen zu haben, wie hier. Seit vergangenem November blühen ohne Unterbrechung gegen 300 Exemplare dieses aus Japan erst vor kaum 110 Jahren (nicht vor 1747) durch die Holländer bei uns eingeführten Blüthenstrauches und werden vielleicht noch den ganzen März und April hindurch einzelne Blüthen entfalten.

Wenden wir uns rechts, so sieht man auf der Stellage sogenannte Kultur- oder Schaupflanzen, zum grossen Theil bereits in Blüthe, so Tremandra verticillata, Leucopogon Cunninghami und affinis, so wie ferner Leucadendron argenteum, eine Anzahl gefüllter chinesischer Primeln u. s. w. Am Rasenplatze angekommen, erblickt man am Rande ein stattliches Exemplar der Araucaria Cunninghami von 9 Fuss Durchmesser und 14 Fuss Höhe. Nicht weniger als 12 Quirle stehen hier über einander und zwar in einer Entfernung von im Durchschnitt 9 Zoll. Ist man vor ihr vorbeigegangen, so tritt zuerst in seiner ganzen Ausdehnung der imposante Felsen mit seinen Farrn, Vinca's und anderen Pflanzen entgegen. Dicht darunter breitet sich bis zum Kamellienhain das prächtige Grün der Selaginellen aus, was nach dem Bassin zu, aus dem der Springbrunnen seine Wasser hervorsprudeln lässt, von einigen Farrn umsäumt ist, wie sie in dieser Ueppigkeit in Töpfen kaum gezogen werden möchten. Hypolepis amaurorhachis und tenuifolia hatten 7 Fuss lange Wedel. Ausserdem standen hier: Aspidium coriaceum und falcatum, so wie Asplenium bulbiferum und einige andere. Zu dem Rasen selbst waren benutzt: Selaginella Huegelii, serpens, sulcata, flexuosa und apoda.

Wir wenden uns dem rechten Schenkel zu und erfreuen uns an den zum Theil baumartigen und sonst gemischten Blüthensträuchern, welche fast alle eben in seltener Fülle ihre Blüthen entfaltet hatten oder es zu thuen im Begriff waren. Von besonderer Schönheit erschien uns ein Spartocytisus multiflorus von 7 Fuss Höhe und 5 Fuss im Durchmesser, so wie eine Telline bracteolata. Letztere ist zwar eine alte Pflanze, die vor einem Paar Jahrzehenden, wie es scheint aus Berlin, als Genista bracteolata, nach England kam und dort fortwährend in den Kalthäusern kultivirt wurde; aber sie ging, wie so manche andere Art allmählig verloren und musste nun erst wiederum von England uns zugeführt werden. Wahrscheinlich ist der Strauch, wie auch Telline (Cytisus oder Genista) Atleyana ein Blendling der Telline (Genista oder Cytisus) canariensis und candicans, vielleicht auch der ramosissima. Die hier vorhandenen Exemplare hatten eine fast kugelrunde Krone von 4½ Fuss Durchmesser, in deren dunkelem Laubgrün die goldfarbigen Schmetterlingsblüthen sich prächtig ausnahmen.

Auf der andern Seite herumgehend, gelangt man zu dem hintern oder südlichen Schenkel, wo im Anfange der in der Mitte steil abfallenden Felsengruppe eine Anzahl hoher Baumlilien, als: Dracaena Draco, Boerhavii, Ehrenbergii, Lenneana, australis und indivisa stehen. Dicht am Fenster befand sich hingegen eine Cunninghamia sinensis, (auch als Pinus lanceolata, Belis jaculifolia und lanceolata in den Gärten) mit Zweigen, die an den Spitzen nur männliche Kätzchen trugen. Daneben standen einige prächtige Dasylirien, nämlich: Dasylirion serratifolium und longifolium, so wie Yucca pendula und einige andere ähnliche Pflanzen.

Im Beete waren die Azaleen, die bereits so in Knospen standen, dass man sich der Hoffnung einer ausgezeichneten Flor hingeben darf. Wenn man um dieses Beet nun herumgegangen ist und auf der andern Seite sich wieder nach vorn wendet, so gelangt man, ehe man zum linken oder östlichen Schenkel, der wie gesagt, durch eine Fensterwand abgeschlossen ist, kommt, an den hintern Weg, der allmählig auf die Felsen-Gruppe führt. Dort oben wird ein Blick geboten, wie es in dieser Weise, wenigstens in und um Berlin und Potsdam, ausserdem nirgends der Fall ist. Man könnte selbst für Augenblicke vergessen, dass man sich in einem Gewächshause befindet; alles ist anders, als uns unsere nordische Vegetation bietet. Wir fühlen uns nach jenen blumenreichen Gärten Harun-al-Raschid's in Bagdad versetzt, wie sie nur die glühende Phantasie eines Morgenländers sich schaffen kann.

Einige Himalaya-Cedern (Cedrus oder Pinus Deodara) stehen nebst einigen Himalaya-Cypressen vorn am Rande der Felsen, aus denen ein laut murmelnder Quell im breiten Flusse sein helles Wasser heraussendet, was nun von einem Blocke zum andern der Vertiefung am Fusse rasch zueilt, um hier, gleichsam wiederum durch eine unbekannte Macht, in aufrechtem Strahle bis zur Höhe der Terrasse getrieben zu werden. Darüber hinaus zieht sich der Selaginellen-Teppich dahin, und auf ihm breiten die oben genannten Farrn, gleich den Fittigen eines Adlers, ihre Wedel schirmend aus, während chilenische und neuholländische Araukarien in seltener Schönheit ihre Wipfel dem Lichte zu senden.

Noch weiter schweift das Auge, wird aber schnell gefesselt von der Blumenpracht mitten im glänzenden Grüne des früher bereits erwähnten Kamellien-Haines. Es ruht in der That ein magischer Zauber auf dem schönen Bewohner des uns bis jetzt noch verschlossenen Japan's. Man weiss in der That nicht, ob man in den Blumen dem feurigen Roth oder dem blendend-schneeigen Weiss den Vorzug geben soll! Auf jeden Fall erhöht der Kontrast den Eindruck, den der Beschauer erhält. Es ist in der That gut, dass drüber hinaus nichts mehr vorhanden ist, denn es würde doch nicht in der Weise berücksichtigt werden, als es verdiente.

Wir gehen seitlich auf natürlichen, durch oft zu grosse Steinblöcke ersetzten Treppen herab, nach dem abgeschlossenen linken oder östlichem Schenkel, zu und erblicken durch das Glas der Fensterwand einige für unsere Gewächshäuser mächtige Cycadeen-Exemplare, besonders von Dioon edule, Cycas circinnata und Zamia lanuginosa. Am Rasenteppiche wiederum angelangt, befinden sich am Rande die ebenfalls oben schon flüchtig erwähnten Araukarien und zwar: A. imbricata mit 8 Quirlen, die 4 Zoll im Durchschnitte auseinander stehen, und von 5 Fuss Höhe, A. excelsa aber von 7 Fuss Höhe und deren Quirle 5 Zoll auseinander stehen, und endlich A. Bidwilli von 7 Fuss Höhe und mit 8 Quirlen, die nur 4 Zoll von einander befindlich sind. Ganz besonders macht sich diese letztere mit ihren breiten Nadeln und dem dichten Wachsthume schön.

Auf der andern Seite am Fenster standen bereits einige baumartige Alpenrosen in voller Blüthe; davor noch eine zweite Araucaria imbricata. Weiter standen blühende Lackpflanzen, deren Wohlgerüche fast das ganze Haus erfüllten. Die einen hatten goldgelbe, die andern mehr violette Blüthen. Nach der Fensterseite des vorderen Schenkels zu befanden sich wieder Schaupflanzen; unter ihnen von besonderer Schönheit: einige Pimeleen, eine Hovea longifolia, Isopogon formosus und Grevillea flexuosa.

Wir schliessen, denn wir sind wiederum vorn am Eingange angelangt, noch voll der Eindrücke dessen, was uns hier so reichlich geboten wurde. Möchten diese Andeutungen andere bemittelte Liebhaber bestimmen, in den Häusern ihre Pflanzen natürlicher aufzustellen, als es oft leider der Fall ist.

Zwei Heckensträucher, der Osagen- und Weissdorn. (Maclura aurantiaca Nutt. und Crataegus monogyna Jacq.)

I. Nachdem man eine Zeit lang die Blätter der Maclura um so mehr als Ersatzmittel der Maulbeerblätter empfohlen hatte, als das Gehölz in unserem Klima gut gedeihen und selbst ohne weitern Schaden die stärkste, in Deutschland vorkommende Kälte aushalten sollte, aber sich schon bald von deren Unbrauchbarkeit überzeugte, so wird sie jetzt von Nordamerika aus von Neuem als Heckenstrauch angepriesen. Seit einigen Jahren scheint man dort, namentlich in den mittleren Staaten, fast nur diesen Dorn zu Hecken zu benutzen, und Händler beziehen beständig frischen Samen aus dem Arkansas-Gebiete und dem Territorium der freien Indianer, wo der Strauch wild wächst. Allein im Jahre 1855 ist eine Strecke von gegen 9000 (englischen) Meilen (beinahe 2000 deutschen) mit Zäunen innerhalb Nordamerika's von dem Osagendorne angelegt worden.

Nach H. W. Pitkin in Manchester im Staate Connecticut, von dem uns eine Anzeige vorliegt, hat eine Hecke oder ein Zaun, aus genanntem Dorn bestehend, vor allen andern bis jetzt dazu benutzten Sträuchern den Vorzug, weil er:

1) dauerhaft ist, selbst 50 Jahre lang sich gut erhält.
2) so sehr absperrt, dass weder Diebe noch Kinder, selbst nicht Hunde, Hühner u. s. w. durchdringen können.
3) wohlfeiler hergestellt werden kann und erhalten wird.
4) Weder bedeutende Regengüsse, noch heftiger Wind schaden den Zäunen, da die Wurzeln sehr tief gehen.
5) Der Dorn macht keine Wurzelläufer und entzieht dem Boden deshalb schon in der Nähe nicht mehr die Nahrung, so dass den Kulturpflanzen durch ihn kein Nachtheil geschieht.
6) Ein Zaun von dem Osagen-Dorn hat ein weit schöneres Ansehen, als einer von andern Heckensträuchern und erhält im Herbste sein Laub längere Zeit.
7) Dazu kommt nun noch, dass keinerlei Raupen die Blätter abfressen.
8) Ein solcher Zaun schützt gegen plötzlich eintretende Ueberschwemmungen.
9) Der Osagen-Dorn lässt keinerlei Unkraut in seiner Nähe aufkommen.

Unter den zahlreichen Empfehlungen, welche Pitkin in seiner Anzeige dabei citirt, befindet sich auch eine des bekannten amerikanischen Obstzüchters und Landschaftsgärtners Downing, auf die man allerdings Werth legen kann. Nach diesem ist der Osagendorn die beste Heckenpflanze, denn er wächst leicht und rasch, hat eine angenehme Belaubung und schützt durch den dichten Wuchs nicht weniger, als durch seine Dornen. Nach dem Professor Turner am Illinois-Kollegium gibt der Osagen-Dorn schon in 4 Jahren den undurchdringlichsten Zaun.

So viel uns bekannt ist, hat man dieses Gehölz bei uns noch nicht zu Hecken und Zäunen benutzt; es wäre aber wohl zu wünschen, dass Versuche damit angestellt würden. Bei den Kunst- und Handelsgärtnern Moschkowitz u. Siegling in Erfurt ist bereits frisch importirter Samen das Loth zu 6 Sgr., das Pfund zu 4 Thlr., zu beziehen. In der Königlichen Landesbaumschule bei Potsdam kann man die Pflanze für 8 Sgr. haben. Schöne Zäune und Hecken sind viel werth und wollen oft gar nicht in der Weise gedeihen, als man wünscht und hofft. Es kommt noch dazu, dass sie als Umfriedigungen von Kulturstücken, Gärten u. s. w. meist bis zu einer gewissen Entfernung einen mehr oder minder nachtheiligen Einfluss auf den Boden ausüben und in der Regel noch einer ganzen Reihe von sogenannten Heckenkräutern eine Zuflucht gewähren, die ihrerseits wiederum durch ihren zahlreichen Samen das Land in der Nähe verunreinigen und diesem dadurch ebenfalls Nahrung entziehen. Deshalb verschwinden in der neuesten Zeit die lebendigen Zäune immer mehr, so sehr sie auch in ästhetischer Hinsicht nicht weniger, als wegen ihrer Wohlfeilheit, einen Vorzug vor Mauern, Bretterverschlägen u. s. w. haben. Sollten sich demnach die von Pitkin ausgesprochenen Vorzüge bewähren, so wären Anpflanzungen des Osagendornes sehr anzurathen.

Maclura aurantiaca Nutt. kommt, wie es scheint, auf jedem Boden gut fort; jedoch kann sie keine andauernde Feuchtigkeit vertragen, wenn sie auch andererseits gegen zeitweilige Ueberschwemmungen und starke Regengüsse unempfindlich zu sein scheint. Nach Pitkin soll sie 30 Grad Kälte aushalten, was, da die Amerikaner in der Regel die Fahrenheid'sche Skala haben, doch 27½ Grad R. betrüge. In Deutschland hält man sie keineswegs für so hart, da selbst die Königliche Landesbaumschule zu Potsdam sie stets unter den Gehölzen aufführt, die, wenn auch nur leicht, doch gedeckt werden müssen. Dass die Pflanze keine Wurzelausläufer macht, empfiehlt sie ungemein und eben so, dass die Blätter nicht von Raupen gefressen werden, wenigstens wohl so lange nicht, als man ihre Feinde in Amerika nicht auch bei uns in Europa mit dem Gehölze einführt. Nach den Versuchen von Bonafous und Delile wurden zwar die Blätter von den Seidenwürmern gefressen, aber diese gingen darauf zum Theil zu Grunde oder lieferten doch unvollkommene und schlechte Cocons.

Der Osagen-Dorn hat seinen Namen von den Osagen, einem amerikanischen Volksstamme, der sich am Meisten kulturfähig gezeigt hat und in deren Lande das Gehölz hauptsächlich wächst. Die Eingebornen nennen ihn Bogenholz, weil das Holz wegen seiner Festigkeit und Zähigkeit zu Bogen benutzt wird. Bei den Nordamerikanern und Engländern heisst er Osagen-Orange, wegen der fleischigen Fruchtbündel, die eben so gefärbt und gross sind, wie eine Orange, bei den Franzosen hingegen Osagen-Maulbeerbaum. Den systematischen Namen Maclura erhielt der Dorn von Nuttall zu Ehren von William Maclure, dem frühern Präsidenten der Akademie der Naturwissenschaften zu Philadelphia, der 1840 im 77. Jahre starb und sich um die Wissenschaft sowohl, wie um sein Vaterland, grosse Verdienste erworben hat.

Das Gehölz gehört im Systeme zu der Familie der Maulbeergehölze oder Moreen und steht daselbst zwischen Morus und Broussonetia. Die meist Zoll langen Dornen stehen, ähnlich denen der meisten, besonders amerikanischen Weissdornarten, in den Winkeln der Blätter und sind demnach verkümmerte Knospen. Die schönen und glänzenden Blätter haben eine länglich-lanzettförmige Gestalt, sind 3 und 3½ Zoll lang, aber im ersten Drittel nur 2 Zoll breit und besitzen meist Zoll lange Stiele.

Auch die Blüthen, welche in der männlichen Pflanze Trauben, in der weiblichen aber gedrängte Köpfe bilden, sind blattwinkelständig. Die letztern verwachsen später noch inniger mit einander, als es bei der Maulbeere der Fall ist, und bilden dann eine einzige rundliche Frucht von dem Umfange einer grossen Orange, an der man aber oben die einzelnen Früchtchen noch deutlich unterscheiden kann. Ihre Farbe ist, wie gesagt, orangen. Sie enthält einen milchigen Saft und soll im Vaterlande gegessen werden.

Entdeckt wurde der Dorn im Jahre 1804 in Louisiana von den bekannten, zur Erforschung des Innern ausgesendeten Reisenden Lewis und Clarke; aber erst im Jahre 1815 kamen 5 junge Pflanzen an Andreas Michaux nach Paris, wo Bonafous, und einige Jahre später, Delile in Montpellier, ihre ungünstigen Versuche zur Fütterung der Seidenwürmer anstellten.

Die französischen Gartenbau-Gesellschaften.

Vom Professor Dr. Karl Koch.

In keinem Lande ist das Vereinswesen so organisirt, wie in Frankreich. Mag es auch bisweilen nicht unbedeutende Nachtheile mit sich führen, so kann doch Niemand leugnen, dass es noch mehr Nutzen hat. Wir abstrahiren hier natürlicher Weise ganz und gar von den politischen Vereinen, da uns eben nur die wissenschaftlichen, landwirthschaftlichen und gewerblichen interessiren können. Schon dadurch, dass jeder seine Aufmerksamkeit auf einen bestimmten Gegenstand richtet, wird dieser auch mehr mit Sorgfalt behandelt, als es sonst der Fall sein möchte. Mancher, der bis daher eine gewisse Gleichgültigkeit dafür an den Tag gelegt hatte, findet dann oft plötzlich etwas, was zunächst sein Interesse in Anspruch nimmt und ihn nachher auch für den ganzen Gegenstand weiter fesselt. Ausserdem liegt es ja klar vor, dass eine Vereinigung von Männern zu einem bestimmten Zwecke mehr vermag und Manches ausführen kann, was dem Einzelnen unmöglich ist.

In Frankreich giebt es nicht weniger als 35 Vereine, welche nur den Gartenbau als Gegenstand ihrer Verhandlungen haben; dazu kommen aber noch 2, die zu gleicher Zeit botanische, und 4, die auch landwirthschaftliche Zwecke verfolgen. Rein botanische Gesellschaften existiren endlich aber auch noch 2.

Es dürfte gärtnerischer Seits nicht ohne Interesse sein, dieselben hier namentlich aufzuführen, damit man sie auch in Deutschland kennen lernt und Verbindungen, namentlich von Seiten unserer deutschen Gartenbau-Vereine, mit ihnen angeknüpft werden können.

I. Rein gärtnerische Zwecke verfolgen:

1. Société d'horticulture d'Alençon.
2. Société d'horticulture de la Somme à Amiens.
3. Comice d'horticulture de Maine-et-Loire à Angers.
4. Société d'horticulture de la Gironde à Bordeaux.
5. Société d'horticulture de l'Ain à Bourg.
6. Société d'horticulture de Finisterre à Brest.
7. Société d'horticulture de Caën.
8. Société d'horticulture de Cherbourg.
9. Société d'horticulture d'Auvergne à Clermont-Ferrand.
10. Société d'horticulture de Dijon.
11. Société d'horticulture de Mayenne à Laval.
12. Société d'horticulture à Luneville.
13. Société d'horticulture pratique du Rhône à Lyon.
14. Société d'horticulture de Maçon.
15. Société d'horticulture de la Sarthe au Mans.
16. Société d'horticulture de Mantes.
17. Société d'horticulture du département des Bouches-du-Rhône à Marseille.
18. Société d'horticulture de Meaux.
19. Société d'horticulture de Melun et Fontainebleau.
20. Société d'horticulture du département de la Moselle à Metz.
21. Société d'horticulture de Montpellier.
22. Société d'horticulture du département de l'Allier à Moulins.
23. Société Nantaise d'horticulture à Nantes.
24. Société d'horticulture et arboriculture des Deux-Sèvres à Niort.
25. Société d'horticulture d'Orléans.
26. Société impériale et centrale d'horticulture à Paris.
27. Société centrale d'horticulture d'Ille-et-Vilaine à Rennes.
28. Société centrale d'horticulture de la Seine-inférieure à Rouen.
29. Société d'horticulture de Saint-Germain en Laye.
30. Société d'horticulture de Bas-Rhin à Strasbourg.
31. Société d'horticulture de l'Aube à Troyes.
32. Société d'horticulture de la Haute-Garonne à Toulouse.
33. Société d'horticulture de Tours.
34. Société d'horticulture de l'arrondissement de Valognes.
35. Société d'horticulture de Seine-et-Oise à Versailles.

II. Gärtnerische und botanische Zwecke haben:

1. Cercle pratique d'horticulture et de botanique de l'arrondissement du Havre au Havre.
2. Cercle pratique d'horticulture et de botanique de la Seine inférieure à Rouen.

III. Gärtnerische und landwirthschaftliche Zwecke verfolgen:

1. Société d'agriculture et d'horticulture du Gers à Auch.
2. Société d'agriculture et d'horticulture de Châlons sur Saône.
3. Cercle des conférences d'horticulture et d'agriculture pratiques de Melun.
4. Société d'agriculture et d'horticulture de l'arrondissement de Pontoise.

IV. Botanische Zwecke verfolgen:

1. Société Linnéenne de Bordeaux à Bordeaux.
2. Société de botanique de France à Paris.

Man sieht hieraus, dass das Centrum Frankreichs am meisten Gartenbau-Vereine besitzt. Isle de France hat allein nicht weniger als 9, und hier wiederum ist das Departement Seine und Oise mit 5 vertreten. Hierauf hat die Normandie und Orleanais die meisten Vereine, nämlich eine jede Provinz 6. Dann kommen Lyonnais, die Bretagne und Burgund, jede mit 3, Languedoc, Lothringen und Gascogne, jede mit 2 und endlich die Champagne, die Picardie, die Provence und das Elsass, jede mit 1 Gartenbau-Verein. Hennegau, Flandern, die Dauphiné und Franche Comté, also grade die nord- und südöstlichen Provinzen besitzen nebst der Insel Corsica gar keine Vereine, welche gärtnerische Zwecke verfolgen; es steht aber auch in genannten Provinzen der Gartenbau mehr zurück als irgend wo. Im Allgemeinen besitzen von den 86 Departements 53, also $\frac{3}{5}$, gar keine Gartenbau-Vereine, während 33, also gegen $\frac{2}{5}$, deren haben.

Im Allgemeinen befinden sich die sämmtlichen Gartenbau-Vereine Frankreichs in einem blühenden Zustande. Die meisten geben ein Bulletin oder ein Journal heraus, dem sogar hier und da Abbildungen beigefügt sind. Ausserdem veranstalten sie Ausstellungen, und zwar wenigstens im Jahre zwei, die eine im Frühjahre, die andere im Herbste. Zusammenkünfte finden meistens alle Monate statt; in Paris versammelt man sich sogar monatlich zwei Mal. Mit den Versammlungen sind Ausstellungen verbunden, wobei mehr oder weniger Preise vertheilt werden.

Ein wichtiger Umstand für das Gedeihen der französischen Gartenbau-Vereine ist eine Einrichtung, welche den unsrigen ganz fehlt, aber die gewiss sehr geeignet ist, die Gärtnerei zu fördern. In der Liste der Mitglieder figuriren nämlich auch, unter der Benennung Patronessen, Damen. Wenn man nun weiss, wie sehr, namentlich auch in Deutschland, die Damen Blumen lieben und wie gern sie in ihren Zimmern, wenigstens einige, Pflanzen pflegen, so würden gewiss auch unsere Gartenbau-Vereine, wenn diese jene in ihr Interesse zu ziehen bemüht wären, nicht allein mehr gedeihen, sondern auch zur Verbreitung von Pflanzen und Blumen, überhaupt zur Förderung der Gärtnerei, noch mehr beitragen. Der Pariser Gartenbau-Verein zählt auf diese Weise 156 Patronessen. Selbst in den Provinzen ist deren Anzahl nicht gering, denn zu Mans im Departement der Sarthe hat der dortige Gartenbau-Verein ebenfalls nicht weniger als 137 Damen zu Patronessen.

---

350. u. 351. Sitzung des Vereins zur Beförderung des Gartenbaues zu Berlin

am 1. Februar und am 1. März.

Es thut uns leid, in diesen Blättern nicht Raum genug zu haben, um die interessanten Versammlungen des genannten Vereins weitläufiger zu besprechen und müssen wir deshalb unsere Leser auf die ausführlichen Verhandlungen des Vereins selbst, welche jetzt im Jahre 3 Mal ausgegeben und, wie schon früher gesagt, allen Mitgliedern portofrei zugesendet werden, verweisen. Herr Inspektor Bouché hatte in der 350. Sitzung einige getriebene Exemplare der Iris reticulata Bieb. ausgestellt, die allgemeinen Beifall fanden. Dass diese wunderhübsche Blume, welche sich ganz ähnlich den Safranblumen oder Crocus verhält bis jetzt so wenig Verbreitung und Anerkennung gefunden hat, kann man um so weniger begreifen, als von Seiten des botanischen Gartens mit der bekannten Liberalität so lange gespendet wird, als der Vorrath nur irgend es erlaubt.

Ausserdem legte der Generalsekretair, Professor Koch, Sellerie von besonderer Güte und Form vor, welchen der Gärtner Deckert in Naumburg a. d. S. eingesendet hatte, und rieth allen Sellerie-Liebhabern, sich ihren Bedarf an Samen von dort her zu beziehen, zumal genannte Stadt auch rings um in Thüringen sich deshalb eines Rufes erfreut.

Der Materialieninspektor Neumann in Breslau hatte über seine Zucht der Mutterpflanze des persischen Insektenpulvers berichtet und selbst eine Probe übergeben, die nach den Versuchen des Generalsekretairs sich wirksamer herausstellte, als das hier in Berlin käufliche Pulver. Es wäre in der That sehr zu wünschen, dass durch den Anbau des Pyrethrum carneum ein gewiss lohnender Industriezweig geschaffen würde, und können die, welche darauf reflectiren, wohl Pflanzen und Samen von den Erfurter Handelsgärtnern hinlänglich beziehen.

Der Generalsekretair vertheilte Samen des Krimschen Wachholders, den der bekannte Botaniker v. Steven für eine eigenthümliche Art hält und Juniperus Marschalliana nennt. Das Nadelholz wächst ähnlich dem Juniperus Oxycedrus, mit der es auch früher verwechselt wurde.

Gutsbesitzer von Türk berichtete über den pomologischen Kongress, der im Herbste zu Lyon abgehalten werden soll und zu dessen Theilnahme der Verein eine besondere Aufforderung erhalten hatte. Nach dem Ref. möchte eine Theilnahme von hier aus keineswegs, und selbst nicht hinsichtlich der Namensberichtigungen, den erwarteten Nutzen bringen, da das Klima von Norddeutschland und Südfrankreich gar zu verschieden sei.

Der Generalsekretair legte eine grosse Reihe von Büchern vor, die als Geschenke oder zum gegenseitiger Tausch von London, Madrid, Moskau, Philadelphia, Washington u. s. w. eingelaufen waren. Auf diese Weise vergrössert sich die Bibliothek des Vereins fortwährend auf eine beträchtliche Weise. Erfreulich ist deren Benutzung, welche auch auswärts von Mitgliedern und selbst von Nichtmitgliedern geschieht.

In der Sitzung am 1. März hatte der Inspektor des botanischen Gartens, Bouché, einige Blendlinge japanischer Seidelbast-Arten (Daphne odora rubra et foliis variegatis, so wie hybrida oder Delphini) ausgestellt, die über und über mit Blüthen besetzt waren und weit hin einen sehr angenehmen Geruch verbreiteten. Wir erinnern uns nicht, diese Blüthensträucher irgend in dieser Kultur gesehen zu haben. Man wird deshalb ihrem Züchter besonders dankbar sein, dass er in den Verhandlungen des Vereines die Art und Weise seiner Kultur ausführlich bringen wird. Nicht weniger ist auch Conoclinium janthinum Morr., ein brasilianischer Körbchenträger (Composita), den zuerst Morren in den Annales de Gand Tom. V. p. 173 u. t. 253 beschreibt und abbildet, wegen seiner langer Blüthenzeit und der Blüthenfülle zu empfehlen.

Von Seiten des Danneel'schen Gartens war durch den Obergärtner Pasewaldt ein wunderschön gezogenes Exemplar der Azalea indica exquisita und eine Camellia jardin d'hiver ausgestellt. Der ersteren, so wie den Bouché-schen Seidelbast-Blendlingen wurde ein Preis zugesprochen.

Der Lehrer Immish hatte eine Beschreibung des durch den Garteninspektor Hering in Berlin angelegten Gartens des Hofbuchdruckers Hänel in Magdeburg eingeliefert und in dieser auf die gelungenen Anlagen eines sonst schwierigen Grundstückes aufmerksam gemacht.

Der Generalsekretair theilte mit, dass ihm verschiedene Sämereien, besonders von Blumen aus dem Vereinsgarten, von Melonen und Gemüsen aus dem Garten des Obristlieutenants v. Fabian in Breslau u. s. w. zur Verfügung und Vertheilung unter die Mitglieder zugestellt wären. Auch von dem berühmten Schirastabak, von dem Professor Petermann Samen aus dem Oriente mit gebracht hatte, ist reichlicher Samen geärntet und steht auch dieser noch zur Verfügung.

Der Inspektor Bouché legte Zinketiquetten vor, welche nach der Pasewaldt'schen Methode mit chemischer Tinte beschrieben und mit gewöhnlichem Brennöle überstrichen waren und den ganzen Winter hindurch in einer Müllgrube gelegen hatten. Trotzdem wurde die Schrift, nachdem man sie etwas abgerieben hatte, wiederum ganz leserlich.

Eine Monstera Lennea.

Es geht uns eben ein Schreiben zu mit der Bitte um Aufnahme in der Gartenzeitung, der wir recht gern entsprechen:

„In dem warmen Gewächshause des Reichsgrafen Anton von Magnis jun. in Ullersdorf in der Grafschaft Glatz hat sich zur Zeit ein Blatt der Monstera Lennea (Philodendron pertusum) entwickelt, welches an Pracht und Eleganz wohl noch von keinem übertroffen sein möchte. Da es nun nicht jedem Naturfreunde möglich ist, sich an Ort und Stelle von der natürlichen Schönheit zu überzeugen und selbst, wenn dieses geschehen könnte, eine Erinnerung daran zu haben, angenehm sein möchte, hat sich der Kunstgärtner Makowitsch daselbst veranlasst gesehen, den obern blühenden Theil mit besagtem Blatte zeichnen und lithographiren zu lassen.

Das in der That schöne Blatt hat 2 Fuss 7¼ Zoll Länge und 2 Fuss 3¼ Zoll Breite. Fiederspalten sind 32 und grössere und kleinere Löcher 115 vorhanden. Der Fruchtkolben besitzt jetzt eine Länge von 8 Zoll mit einem Durchmesser von 1¼ Zoll. Der Subskriptionspreis beträgt für die Abbildung nur 3 Sgr., und ist dieselbe durch alle Buchhandlungen Deutschlands zu erhalten. Die Vermittelung hat die Buchhandlung von Julius Hirschberg in Glatz übernommen."

Wir haben bereits in der ersten Nummer unserer Gartenzeitung darauf aufmerksam gemacht, was für eine interessante Pflanze Monstera Lennea darstellt und wie leicht sie sich selbst in Zimmern kultiviren lässt, weshalb wir jetzt gern die Gelegenheit ergreifen, es wiederholt hier zu thuen. Blätter von der angegebenen Grösse sind zwar auch in Berlin keine seltene Erscheinung, wohl aber verdient die Anzahl der Fiederspalten und vor Allem der in der Substanz des Blattes befindlichen Löcher unsere volle Beachtung. In dieser Weise haben wir, selbst annähernd, nichts gesehen. Wir machen übrigens nochmals darauf aufmerksam, dass die einzelnen Früchte, nach Entfernung des mit Raphiden dicht besetzten Deckels essbar sind und einen sehr angenehmen Geschmack besitzen.

Das älteste Exemplar, was v. Warszewicz aus Guatemala mitbrachte und von dem alle andern, die sich jetzt in Europa befinden, abstammen, hat der Hofgärtner Sello in Sanssouci jetzt in das Palmenhaus auf der Pfaueninsel bei Potsdam abgegeben.

Um ein Bild von dem Wachsthume der Pflanze im Urwalde zu geben, wo sie in der That nach mündlichen Berichten ihres Entdeckers, des Garteninspektors v. Warszewicz in Krakau, eine wichtige Rolle spielt, haben wir von einem Künstler eine Vegetations-Ansicht entwerfen lassen, um diese wiederum durch einen Künstler, dem bekannten Lithographen Feller, der zu dem grossen Zahn-schen Werke über Pompeji und Herkulanum die Zeichnungen in Farbendruck ausführt, auf gleiche Weise zu vervielfältigen. Dann soll sie in einer der nächsten Nummern nebst einer ausführlichen Beschreibung ausgegeben werden. Wir hoffen dadurch, dass wir nur etwas Gutes geben, unseren Lesern einen besondern Dienst zu erweisen.

Verlag der Nauckschen Buchhandlung. Berlin. Druck der Nauckschen Buchdruckerei.

No. 13. Sonnabend, den 28. März 1857

Preis des Jahrgangs von 52 Nummern mit 12 color. Abbildungen 5 Thlr., ohne dieselben 3 „ Durch alle Postämter des deutsch-österreichischen Postvereins sowie auch durch den Buchhandel ohne Preiserhöhung zu beziehen.

BERLINER

Allgemeine Gartenzeitung.

Herausgegeben vom

Professor Dr. Karl Koch,

General-Sekretair des Vereins zur Beförderung des Gartenbaues in den Königl. Preussischen Staaten.

Mit direkter Post übernimmt die Verlagshandlung die Versendung unter Kreuzband gegen Vergütung von 24 Sgr. für Belgien, von 1 Thlr. 4 Sgr. für England, von 1 Thlr. 22 Sgr. für Frankreich.

Inhalt: Abutilon planiflorum C. Koch et Bouché, ein neuer Blüthenstrauch aus der Familie der Malvengewächse (Tab. III.) Vom Professor Dr. K. Koch und Inspector Bouché. — Zwei Heckensträucher, der Osagen- und Weissdorn (Maclura aurantica Nutt. und Crataegus monogyna Jacq.) II. — Der Laurentius'sche Garten in Leipzig von dem Revisor Walch in Gotha. — Ueber einige neuere Gemüse, Melonen, Erdbeeren und Pfirsiche von dem Professor Dr. K. Koch.

Abutilon planiflorum C. Koch et Bouché, ein neuer Blüthenstrauch aus der Familie der Malvengewächse. (Tab. III.)

Vom Professor Dr. K. Koch und dem Inspektor Bouché.

Unter dem Namen Abutilon führt Avicenna aus Bochara, der im 11. Jahrhunderte lange Zeit als Leibarzt des Kaliphen in Bagdad, zuletzt als Minister in Ispahan, lebte, in seinem berühmten medizinischen Werke eine Pflanze auf, die wegen der schleimigen Eigenschaften des Krautes, ähnlich unserem Eibisch oder der Malve, gebraucht wurde, deren Samen aber für ein gelind-eröffnendes und harntreibendes Mittel galten. Man glaubt, dass diese Pflanze Abutilon Avicennae Gaertn. sei, ein Name, der zuerst jedoch von Burmann in seiner Aufzählung zeylanischer Pflanzen gegeben wurde und der dem eben Gesagten seinen Ursprung verdankt. Die Ableitung des Wortes, was arabisch ist, aus dem Griechischen (und zwar vom α. privativum, βοῦς das Rindvieh und τίλος Durchfall, also eine Pflanze gegen den Durchfall des Rindviehes.) gehört zu den Lächerlichkeiten, deren wir viele haben.

In Europa wurde der Name schon im Jahre 1563 von den Niederländer Dodoëns (Dodonaeus) eingeführt und damit wohl in seinem Cruydeboeck Seite 504 dasselbe Abutilon Avicennae bezeichnet. 25 Jahre später erwähnt erst Camerarius, dass er die Pflanze von Jos. de Casabona aus Italien erhalten. Als Geschlechtsnamen gebrauchten Abutilon in der Zeit vor Linné: Dillenius und Tournefort, nach Linné hingegen zuerst Gärtner. Linné selbst vereinigt Abutilon mit Sida, de Candolle aber betrachtet es wenigstens als Subgenus desselben Geschlechtes, während Kunth eigentlich das Verdienst besitzt, es in den nova Genera et Species plantarum (V, p. 274) wiederum hergestellt und ihm Eingang verschafft zu haben.

Mit Sida gehört Abutilon in die Malvaceen-Abtheilung der Sideae, welche sich durch den Mangel einer Hülle oder eines sogenannten äusseren Kelches und durch zahlreiche, aber in einer Ebene liegende, oder wie man gewöhnlich sagt, einen Quirl bildende Pistille (Carpella verticillata) auszeichnet. In der Abtheilung Malveae ist der 2. Kelch vorhanden, während bei den Malopeae die Fruchtknoten eine Art Köpfchen bilden, also auch über einander liegen, bei den Hibisceae endlich ein einziger, aber mehrfächriger Fruchtknoten vorhanden ist.

Abutilon wurde von Sida getrennt, weil in den einzelnen, mehr oder weniger mit einander verwachsenen Fruchtknoten mehre (und nicht nur ein einziges) Eichen vorhanden sind. Ob dieses Genus auf diese Weise aber natürlich abgerundet ist und vielleicht nicht, zumal die Zahl der dazu gehörigen und vorherrschend in allen Tropen wachsenden Arten in der neuesten Zeit eine bedeutende Höhe erreicht hat, in mehre Genera zu trennen ist, muss späteren, aber umfassenden Untersuchungen anheim gestellt werden. Es wäre sehr zu wünschen, dass der Dr. Garcke, der sich schon längere Zeit mit Vorliebe mit den Malvaceen beschäftigt, recht bald seine Unter-

suchungen und Resultate in einer Monographie veröffentlichte. Von Jahr zu Jahr wird es schwieriger, da immer neue Arten hinzugefügt werden, sich herauszufinden; Irrungen sind kaum zu vermeiden. Es kommt noch dazu, dass ein Theil der Botaniker die Gewohnheit hat, das getrocknete Exemplar, was gerade zu Gebote steht, zwar meist genau, aber gar nicht vergleichend zu beschreiben, und dieses andern überlässt, ein anderer Theil aber wiederum so kurze und so wenig charakteristische Diagnosen macht, so dass oft auch ein Dutzend andere Arten darauf passen.

Man könnte zunächst die Arten des Geschlechtes Abutilon in 2 Gruppen bringen, nämlich:

1) in solche die eine ausgebreitete Krone haben und
2) in solche, wo die Kronblätter aufrecht stehen oder eine Art Glocke bilden.

Zu den letztern gehören die drei seit wenigen Jahren beliebt gewordenen Arten: Abutilon striatum Dicks. venosum Hook. und insigne Planch., denen sich A. paeoniflorum Hook. anschliesst, zu den erstern aber unser A. planiflorum und vitifolium Presl (nec DC., Sida vitifolia DC.). Weiter würden von den flachblüthigen vielleicht diejenigen, wo der Rücken der Früchtchen, wie bei der von uns abgebildeten Art, mit einer flügelartigen Leiste versehen ist, als eine besondere Abtheilung betrachtet werden können.

Aus dem eben Gesagten geht hervor, dass eine durchgreifende Diagnose der neuen Art sehr schwierig ist, zumal mir keineswegs das durchaus nothwendige, möglichst vollständige Material zu Gebote steht; doch will ich es versuchen, und mag dann vielleicht die ausführliche Beschreibung ergänzen.

Abutilon planiflorum. Frutex; Caulis superne scaber, ceterum laeviusculus; Folia late cordata, auriculis approximatis, cuspidata, stellato-pubescentia, subtus cano-viridia, integerrima; Sepala costata; Petala patentissima, obovata, basi vix cuneata, aurea; Staminum columna conica, multisulcata, flava; Germina sub- 15, intense connata, 3-, plerumque 4-ovularia, in dorso ala cruribus brevibus paene horizontalibus finiente praedita.

Am Nächsten steht die Art der von Al. von Humboldt entdeckten Abutilon geminiflorum Kth unterscheidet sich aber sehr leicht durch die goldfarbige Blumenkrone, durch die ganzrandigen Blätter und durch die Leiste auf dem Rücken der Fruchtknoten. Die beiden letzten Merkmale möchten überhaupt bei unserer Pflanze besonders hervorzuheben sein.

Die Exemplare, welche sich im botanischen Garten zu Neuschöneberg bei Berlin befinden, haben diesen und den vorigen Winter hindurch fast ohne Unterbrechung geblüht, weshalb Abutilon planiflorum um somehr allen Liebhabern von Gewächshauspflanzen zu empfehlen ist, als es nicht so sehr hoch zu werden scheint, als die andern bei uns beliebten Abutilon's mit aufrechter oder glockenförmiger Krone. Ich bin überzeugt, dass Liebhaber, die Zeit und Lust haben und deshalb mehr Sorfalt auf ihre Kultur verwenden können, sich auch hiervon hübsche Schaupflanzen heranziehen würden.

Bis jetzt hat der Blüthenstrauch eine Höhe von 4 bis 6 Fuss erreicht, ist am unteren Theile des allmählig fast ganz unbehaarten Stengels meist einfach und verästelt sich erst nach oben. Die grossen, breit-herzförmigen und in eine Spitze gezogenen Blätter erreichen oft den Durchmesser eines Fusses. Nach der Spitze zu werden sie rasch kleiner und gehen fast in Deckblätter über, so dass die Blüthen bisweilen eine Art gipfelständiger Doldentrauben bilden. Die Ohren der Blätter sind genähert und legen sich selbst mit den innern Rändern oft über einander. Der Rand ist ganz, beide Flächen sind jedoch mit sternförmigen Haaren besetzt, wodurch aber die obere eine dunkel-, die untere hingegen eine graugrüne Farbe erhält. Die Blattstiele erscheinen wenig kürzer als die Lamina und stehen meist horizontal oder wenigstens in einem sehr stumpfen Winkel ab.

Aus dem Winkel der oberen, gedrängter stehenden Blätter entspringen meist zu 2, die auf 2—3 Zoll langen Stielen befindlichen und vor der Entfaltung überhängenden, während derselben aber nur abstehenden Blüthen. Die 5, aussen mit schwarzen Sternhaaren besetzten Kelchblätter bilden an der Basis, wo sie zusammengewachsen sind, eine sehr kurze Röhre, sind ausserdem 8—10 Linien lang, breit-lanzettförmig und stehen horizontal ab, wie auch die um ein Drittel längern schönen, aber mehr hell-goldfarbigen Kronblätter. Diese sind umgekehrt eirund, von Längsnerven durchzogen und verschmälern sich in einen sehr kurzen Stiel (Nagel). Die Staubfädensäule hat die Länge der Kelchblätter, eine kegelförmige Gestalt und durch die gefärbten Haare eine gelbe Farbe. Die Zahl der einzelnen Staubgefässe ist sehr gross. Die gelben, nierenförmigen Beutel öffnen sich am obern Rande mit einer einzigen halbmondförmigen Spalte und schlagen sich später mit den Seiten ganz zurück, so dass die hervortretende Mittelleiste sichtbar wird.

Die meist 15 innig-zusammengewachsenen Fruchtknoten haben die Form eines von oben etwas zusammengedrückten Apfels, sind dicht mit sternförmigen Haaren, die sich selbst an der Griffelsäule bis zu einem Drittel ihrer Länge fortsetzen, versehen und besitzen auf dem Rücken eine starke, fast eben so lange Leiste, die sich an der Spitze in 2 kurze und fast horizontal abstehende

Schenkel theilt. Zwischen den Leisten sind Furchen sichtbar. Die meist 15 Griffel lösen sich bald, überragen die Staubfädensäule und haben eine kopfförmige Narbe. Am innern Rande der Fruchtblätter befinden sich 4, seltner 3 rundliche, mehr anatrope und kaum etwas gekrönte Eichen. Bei der Fruchtreife lösen sich die einzelnen Früchtchen nur schwierig von einander, öffnen sich aber in der Mitte mit 2 Klappen, und haben eine schwärzliche Farbe. Die rundlichen, kaum etwas nierenförmigen und braunen Samen sind meist einzeln, sitzend und mit papillenähnlichen kurzen Haaren besetzt.

Von Abutilon planiflorum wurden im Jahre 1844 Samen von dem Königl. Preuss. Ministerresidenten v. Gerold aus Mexico an den botanischen Garten in Berlin abgegeben, und findet sich der Blüthenstrauch derzeit, so viel wir wissen, noch nicht im Handel.

Werden auch die Blumen dieser Malvacee von manchen andern dieser Familie und selbst ihres Geschlechtes durch Schönheit übertroffen, so verdient diese Art dennoch empfohlen zu werden. Ihre grossen, oft 3¼ Zoll im Durchmesser enthaltenden und gelben Blumen entfaltet sie von Anfang Janner bis Ende April in grosser Zahl.

Hinsichtlich der Kultur dürfte Folgendes zu bemerken sein. In den Wintermonaten verlangt die Pflanze einen hellen Standort in einem Warmhause bei 12—15 Grad, während des Sommers hingegen gedeiht sie ganz vortrefflich an einer gegen Winde geschützten Lage. Am besten ist es, den Topf auf einem Beete, dessen Grund mit Laub ausgefüllt ist, einzusenken, damit die Wurzeln etwas mehr Wärme erhalten, als sie der gewöhnliche Gartenboden bietet. Es geht mit Abutilon planiflorum, wie mit vielen andern tropischen und subtropischen Pflanzen, die bei Weitem besser gedeihen, wenn man sie von Mitte Juni bis Ende August der freien Luft aussetzt. Ihre Zweige bleiben in diesem Falle kürzer, verlieren das Ungeziefer, und blühen reichlicher. Es ist sehr zu bedauern, dass man gar nicht selten mit ansehen muss, wie eine Menge solcher Pflanzen auch während des Sommers in den stinkigen Warmhäusern verbleiben.

Das Versetzen in grössere Töpfe geschieht Ende April nach beendeter Blüthe, wobei auch das Zurückschneiden der Zweige bis auf 3 oder 4 Augen geschehen muss. Sollte die Pflanze sich dennoch zu sehr verlängern, so kann es Mitte Juli, ohne der Blüthenentwicklung zu schaden, noch einmal geschehen. Am besten gedeiht sie in Laub- und fetter Dungerde zu gleichen Theilen, die mit etwas Sand vermischt werden.

Die Vermehrung geschieht durch Samen und Stecklinge. Den ersteren säet man im April in Töpfen aus und stellt diese in ein warmes Mistbeet. Die Stecklinge werden nach der Blüthezeit im Mai gemacht und blühen als niedrige, Fuss hohe Exemplare schon im folgenden Winter.

Verzichtet man in den ersten zwei Jahren auf das Blühen, so lässt sich die Pflanze, wenn das Einstutzen der Zweige im Laufe des ersten Sommers oft wiederholt wird, sehr sehr leicht zu breiten, buschigen Exemplaren heranbilden.

Erklärung der Abbildungen.

1. das Pistill. 2. ein junger, 3. ein alter Staubbeutel, letzterer mit zurückgeschlagenen Rändern. 4. Längsdurchschnitt des Fruchtknotens und des unteren Theiles der Staubfäden-Säule. 5. Querdurchschnitt des Fruchtknotens. 6. Ein Eichen. — Alle Theile sind vergrössert.

Zwei Heckensträucher, der Osagen- und Weissdorn. (Maclura aurantiaca Nutt. und Crataegus monogyna Jacq.)

II. Dem Grundsatze getreu, über dem Neuen nicht das Alte zu vergessen, wenden wir uns nun für kurze Zeit dem Gehölze zu, was besonders in England, aber auch bei uns, am allgemeinsten zu Hecken und Zäunen benutzt wird. Es ist dieses der Weissdorn, Crataegus oxyacantha und monogyna. Alle anderen Sträucher werden entweder nicht so dicht, sind weniger dauerhaft oder haben sonstige Mängel. In so fern die Zäune nicht nur eine Zierde darstellen, sondern mehr noch Schutz gewähren sollen, werden auch Gehölze mit Dornen immer vorzuziehen sein. Weissbuche, Dürlitzen (Cornus mascula), Massholder oder Feldahorn (Acer campestre), Rainweide (Ligustrum vulgare), Taxbaum u. s. w. stehen aus dieser Ursache nach. Wilde Rosen und Akazien werden nie so dicht, um Hasen und Hunden den Durchgang zu verwehren; Schlehendorn (Prunus spinosa) und Sauerdorn (Berberis vulgaris) machen Ausläufer und verunreinigen den Boden auf eine weite Strecke. Das thut noch mehr der Bocksdorn (Lycium barbarum), während die Virginische Ceder (Juniperus virginiana) endlich allerdings sehr dicht wächst, aber doch leider oft plötzlich an einzelnen Stellen abstirbt und dann ein schlechtes Ansehen hat, auch nicht mehr den Schutz gewährt. Einen Nachtheil hat allerdings auch der Weissdorn, nämlich den, dass er oft den Verwüstungen mehrer Raupen Preis gegeben ist.

Wir haben in der neuern und neuesten Zeit 2 Schriftchen über die Benutzung des Weissdornes als Heckenstrauch erhalten und können wir auf beide nicht genug aufmerksam machen. Das eine hat einen Gutsbesitzer in Gallizien, Edlen von Schenk, das andere den Gärtnereibesitzer Görner in Luckau zum Verfasser. Wir erlauben uns aus dem letzteren, da es in Kürze alles gibt, was man zur Anlegung eines Zaunes beobachten muss, einen gedrängten Auszug zu geben.

Von den beiden sich wenig unterscheidenden Arten des Weissdornes hat Cr. monogyna deshalb einen Vorzug vor C. oxyacantha, weil sie schneller wächst. Im östlichen Norddeutschland findet man auch fast allenthalben dieses Gehölz, gewöhnlich aber unter dem Namen des letztern, benutzt.

Ein Zaun wird in der Regel gar nicht in der Weise berücksichtigt, als er es sein sollte, da er oft schon bei der Anlegung etwas, häufiger aber später noch mehr, stiefmütterlich behandelt wird. Er verlangt aber, wie alle Anpflanzungen, seine Sorge und Aufmerksamkeit und eben, weil er beide nicht erhält, sieht man so sehr selten schöne Hecken und Zäune. Das Unkraut überwuchert sie und Löcher oder schadhafte Stellen sind keine seltene Erscheinung.

Vor dem Anlegen eines Zaunes muss man vor Allem den Boden bearbeiten und diesen selbst auch mit dem nöthigen Dünger versehen, ganz besonders, wenn die Stelle schon früher dazu benutzt war. Mehrmaliges Umgraben so wie Rijolen bis zu einer gewissen Tiefe je nach dem Boden sind eine Hauptsache. Die Unkräuter vertilgt man nur, wenn man sie beständig und eine Zeit lang ohne Unterlass in der Neubildung der Triebe stört. Alle angerathenen Mittel helfen nur eine Zeit lang. Durch das Rijolen und Umgraben kommt die Erde auch weit mehr mit der äussern Luft in Verbindung und unlösliche Salze werden löslich gemacht. Selbst der scheinbar unfruchtbarste Sandboden wird durch Rijolen zur Aufnahme von Pflanzen empfänglicher. In der Königlichen Landesbaumschule bei Potsdam ist hier und da dadurch der sterilste Boden tragfähig gemacht worden. Gut ist es sogar, wenn man die Vertiefungen zur Aufnahme der Gehölze den Winter über offen lassen kann und das Bearbeiten des Bodens auch auf die nächste Umgebung von gegen 2 Fuss fortgesetzt hat.

Das häufige Auflockern des Bodens ist gar nicht genug in der Gärtnerei gewürdigt, so sehr auch die Erfahrung sich dafür ausgesprochen hat. Je mehr die Luft mit den einschliessenden Nahrungsstoffen der Pflanze, dem Wasser, der Kohlensäure und dem Ammoniak, in dem Boden eindringen kann, um so kräftiger wird die Pflanze gedeihen. Versuche haben gelehrt, dass ein häufig behackter Boden während eines sehr trockenen Sommers keineswegs so austrocknete, als ein nicht behackter, der einmal bis 5 Fuss Tiefe fast ganz und gar trocken war, während jener selbst nach der Oberfläche zu etwas feucht erschien. Ein bekannter Praktiker sagt: „einmal Behacken ist besser als zwei Mal begiessen", und der Mann hat gewiss Recht. In Betreff des Düngers ist noch hinzuzufügen, dass derselbe am Besten beim ersten Umgraben dazu gethan werden kann, da Pflanzen, unmittelbar mit dem frischem Dünger in Berührung gebracht, sonst leicht leiden.

Die Frage, ob im Herbste oder im Frühjahre gepflanzt werden soll? ist noch keineswegs für die eine oder andere Zeit günstig entschieden. Herbst-Anpflanzungen gehen bei starken Wintern leicht zu Grunde, aber auch die im Frühlinge gedeihen nicht, wenn die Ostwinde lange und anhaltend wehen und dann, ohne dass hinlänglich Feuchtigkeit vorhanden ist, warmes Wetter eintritt. Auf trockenem und leichtem Boden sind allerdings die erstern, auf schwereren hingegen die letztern vorzuziehen. Späte Anpflanzungen schaden nicht und können selbst noch bis in den Juni, nach Görner selbst bis Johanni hin, fortgesetzt werden, wenn man nur Sorge getragen hat, dass die bereits ausgehobenen und irgend wo in kühler Lage und im Schatten aufbewahrten Dornen nicht sehr treiben können.

Oft macht man die Hecken zu dicht und breit, so dass sie gleichsam in ihrer eigenen Dichtigkeit ersticken. Ein Zaun von 1 Fuss Durchmesser gewährt aber in der Regel eben so viel Schutz, als ein breiterer, in so fern man ihm nur die nöthige Sorgfalt angedeihen lässt. Am Besten thut man, mit ganz jungen Pflanzen zu beginnen, die man bis zu 3 Zoll zurückschneidet, damit von unten auf viele Seitentriebe gemacht werden, die später auch dicht am Boden alles Durchgehen, selbst kleinerer Thiere, verhindern können. Man pflanzt in Entfernungen von 10 bis 12 Zoll und gibt die ersten Jahre durch Stangen und Latten den nöthigen Schutz, bis der Zaun selbst erstarkt ist. Nach 4 und 5 Jahren hat er auf diese Weise in der Regel seinen normalen Zustand erreicht.

Will man den Zaun rascher fertig haben, so nimmt man allerdings gleich den Weissdorn von 4—6 Fuss Höhe. Man hüte sich, um den Stamm herum Vertiefungen zur Aufnahme von Wasser zu machen, denn dadurch versauert der Boden oder trocknet umgekehrt bei hellem und warmen Wetter leicht aus. Im Winter erfrieren dann die Pflanzen auch gern. Weit besser und sogar anzurathen ist im Gegentheil das Anhäufeln von Erde.

Damit in diesem Falle auch der untere Theil des Zaunes

gehörig geschlossen ist, legt man einzelne Pflanzen, die man zu diesem Zwecke noch besonders einsetzt, nieder und hakt sie ein, so dass die Augen sich in direkt nach oben gehende Triebe verlängern können. Diese muss man, bei 1 Fuss Höhe und zu zwei über einander gelegt, kreuzweis zusammenbinden, wodurch sie oft sogar mit einander verwachsen und dadurch die Dichtigkeit des Zaunes nicht wenig vermehren. Man muss aber ausserdem immer noch nachsehen, wo sich Lücken bilden, um dann auf ähnliche Weise gleich wieder auszufüllen. Dabei ist es nöthig, immer im Auge haben, dass ein kleines Loch leichter als ein grosses zu schliessen ist, und man daher nichts aufschieben darf. Die schwächeren Triebe schneidet man, am Besten im Mai, weg.

Man thut auch gut, beim Verschneiden die stärkern Triebe nicht hinwegzunehmen, sondern in den Zaun selbst hineinzubiegen, damit dieser noch dichter wird. Das Verschneiden selbst muss zu einer Zeit geschehen, wo die Zweige noch etwas weich sind, denn dann geht die Arbeit rascher vor sich und die Scheere hält auch länger aus. Zweimaliges Beschneiden hat seine grossen Vortheile, und zwar einmal um Johanni, und das andere Mal Ende September.

Was nun der Kostenpunkt anbelangt, so ist ein lebendiger und gut gehaltener Zaun unbedingt weit wohlfeiler als Bretterwände und Mauern. Sogenannte Stakete, die allerdings wohlfeiler sind, müssen sehr dicht gemacht werden, wenn sie Schutz gewähren sollen. Zieht man sich den Zaun selbst heran und beginnt mit Sämmlingen, so kommen 100 Fuss Länge kaum 3 Thaler zu stehen kommen. Das Hundert junger Pflanzen kostet bei Görner 10 bis 15 Sgr., um welche Preise, ja selbst noch wohlfeiler, es auch in der Landesbaumschule bei Potsdam, in Althaldensleben u. s. w. bezogen werden kann. Stangen das Schock zu 1—3 Thlr. und ausserdem Arbeitslohn betragen kaum so viel, als es oben veranschlagt ist.

Beginnt man gleich mit hohen Sträuchern, von denen meist das Schock vielleicht 20—25 Sgr. kostet,* so kommt der Zaun allerdings ein Paar Thaler höher, da die Anlage mehr Zeit beansprucht und grössere Stangen nothwendig sind. Man hat aber auch hier das Vergnügen, dass er, insofern man allen Anforderungen genügt hat, höchstens in 3 Jahre fertig ist und seinem Zwecke ebenfalls vollkommen entspricht.

Der Laurentius'sche Garten zu Leipzig.

Von dem Revisor Walch in Gotha,
Mitglied des Thüringischen Gartenbau-Vereines.

Ich habe manchen schönen Garten in und ausserhalb Deutschland gesehen und glaube deshalb mich für berechtigt zu halten, auf einen aufmerksam zu machen, der zwar erst seit wenigen Jahren existirt, aber doch bereits auch berücksichtigt zu werden verdient. Es ist dieses der Garten des Rentier Laurentius in Leipzig. Ich will zwar keinesweges in Abrede stellen, dass man in Deutschland, England, Frankreich und in Belgien hier und da Gärten findet, die zwar an Umfang grössere und an Zahl der kultivirten Arten sowohl, als auch an Individuen reicher sind, auch seltenere und zum Theil interessantere Pflanzen einschliessen, aber trotzdem nimmt er für Sachsen und überhaupt für Mitteldeutschland doch eine der ersten Stellen ein.

Es liegt auch keineswegs in der Tendenz der Gartenzeitung nur über die grossartigsten Institute der Art zu berichten, da grade die Beschreibung solcher Privatgärten, wie der Laurentius'sche ist, mehr geeignet sind, Liebe und Nacheiferung zu erwecken. Es kommt noch dazu, dass die ganze Einrichtung geschmackvoll angelegt ist und dass man deutlich sieht, wie sehr der Besitzer selbst Interesse besitzt und sich stets bemüht, Neues und Schönes sich zu erwerben.

Während in England, eigentlich auch in Frankreich und sonst in Europa, grosse Gärten und Gewächshäuser mit schönen und interessanten Pflanzen vorherrschend von der hohen Aristokratie angelegt werden und namentlich in dem zuerst genannten Lande ein anerkennungswerther Wetteifer herrscht, finden wir diesen in Deutschland mehr im Mittelstande. Liebe zu Pflanzen und Blumen ist selbst mehr Gemeingut geworden; deshalb haben wir auch in Deutschland und zwar mehr in den nördlichern und mittleren Gauen, selbst in kleinern Städten, ganz gewöhnlich und in Menge hübsche Gärtchen. Unter den Besitzern herrscht beständig meist ein reger, man möchte sagen, wetteifernder Geist. Dabei ist Niemand, wie in England, auf den alleinigen Besitz der einen oder andern Blume eifersüchtig, sondern man theilt sich gern mit. Eine schöne deutsche Sitte, die ich gern auch in England heimisch sehen möchte.

Eben deshalb geschieht von allen Völkern für die Gärtnerei am Meisten durch die Deutschen, wenn wir auch gern zugeben, dass dagegen in Belgien der Handel mit Pflanzen die höchste Stufe erreicht hat. Ich stimme vollkommen mit dem Verfasser des in der Berliner Allgemeinen Gartenzeitung enthaltenen vortrefflichen Aufsatzes „über die Borsig'sche Orchideensammlung zu Moabit bei Berlin" überein, dass im Interesse des Gartenbaues, wie der Gärtnerei überhaupt, die Deutschen sich das grösste Verdienst erworben haben und Deutschland hinsichtlich seiner Gärten allen andern Ländern voransteht.

Was nun endlich die Laurentius'schen Gewächshäuser anbelangt, so nehmen diese hinsichtlich ihrer Eleganz, der Aufstellung, der Behandlung und der Zucht der Pflanzen gewiss, wie schon angedeutet, eine der ersten Stellen in Deutschland mit ein; ich muss mich daher um so mehr wundern, noch keine Schilderung dieses Gartens in einer gärtnerischen oder andern Zeitschrift gefunden zu haben.

Die schöne Gärtnerei des Rentier Laurentius in Leipzig verdient von Gartenfreunden sowohl, als von Gärtnern und Botaniker aber wohl Beachtung. Sie enthält hauptsächlich eine grosse Anzahl der neuen und neuesten Pflanzen aus allen Zonen. Auch die Freunde der Modeblumen werden eine Augenweide finden an der reichen Sammlung der schönsten Fuchsien, Rosen, Pelargonien u.s.w., die zum Theil um sehr hohe Preise von den Züchtern erworben wurden. Da der Besitzer im vorigen Jahre zu diesem Zwecke in und ausserhalb Deutschland reiste, so hat er die Gelegenheit wahrgenommen, um namentlich Sorten und Formen oben genannter Modeblumen, die erst später in den Handel kommen werden, schon vorher einzukaufen. Nicht weniger reich ist die Sammlung an Begonien, Maranten, Orchideen, Koniferen, Rhododendren, chinesischen und japanischen Lilien und noch vielen andern Warm- und Kalthauspflanzen.

Da der Besitzer ferner bei seiner grossen Liebhaberei bemüht ist, sich selbst auch Kenntniss von den Pflanzen zu verschaffen, ihm bei seinen bedeutenden Mitteln Manches zu Gebote steht, was andern durchzuführen nicht möglich ist, und er namentlich durch Reisen jede Gelegenheit wahrnimmt, mit auswärtigen Gärtnern und Gartenliebhabern persönliche Bekanntschaften anzuknüpfen und auszukaufen, so dürfen wir uns der angenehmen Hoffnung hingeben, dass seine Gärtnerei von Jahr zu Jahr umfangreicher und bald einen Reichthum von Pflanzen aufzuweisen haben wird, wie nur wenige andere.

Der Garten hatte bis jetzt das Glück — was leider nicht alle haben — unter der Pflege verständiger und erfahrener Gärtner, die zu gleicher Zeit auch Liebe zu ihren Pflanzen hatten — denn ohne diese gedeiht kein Garten — zu stehen. Früher war der jetzige Universitätsgärtner in Halle, Hannemann, der sich als Foreman in dem Garten zu Kew in England schon den Ruf eines tüchtigen Gärtners verschafft hatte, bei dem Rentier Laurentius. Jetzt ist Obergärtner Böttcher, ebenfalls schon dem Publikum, hauptsächlich als früherer Züchter der Keferstein'schen Orchideen in Kröllwitz bei Halle a. d. S., bekannt.

Wir wollen nun versuchen, eine kleine Schilderung zu geben und beginnen mit dem Glanzpunkte, mit den Orchideen. Dass bereits die Keferstein'sche Sammlung in den Besitz des Herrn Laurentius übergegangen ist, hat die Berliner Gartenzeitung bereits früher berichtet. Man kann sich denken, dass eine so reiche Sammlung Platz braucht. Zu den beiden bereits bestehenden Abtheilungen des Orchideenhauses wird nun eine dritte angebaut, so dass das Ganze bald eine Länge von 100 Fuss besitzen wird. Die Breite beträgt 18 Fuss.

Wenn schon jetzt die Sammlung bedeutend genannt werden kann, so verspricht sie aber doch noch grösser zu werden, da bereits direkte Verbindungen mit Ostindien und Neuholland angeknüpft sind und die bekannten tropisch-amerikanischen Reisenden Appun und Horn nicht unbedeutende Aufträge erhalten haben.

Die Orchideen stehen sämmtlich sehr gut, was man keineswegs allenthalben sagen kann. Es befanden sich bei meiner Anwesenheit eben in Blüthe: Ansellia africana, und zwar die ganz dunkle Varietät, Cattleya Pinelli in mehreren Formen, Brassavola Perini und glauca, Coelogyne speciosa, Brassia Keiliana, eine noch nicht bestimmte Burlingtonia, Dendrobium caerulescens und nobile, letzteres mit 49 Blumen, Lycaste leucantha, Oncidium ampliatum majus, Phajus Wallichii, Uropedium Lindenii und Phalaenopsis rosea (equestris), letztere eine ganz seltene Pflanze.

Wenden wir uns nun noch eine kurze Zeit den andern Häusern zu, so blühten in den warmen: Begonia Roylei, eine Reihe Gesneriaceen und Cyrtandraceen als: Direaca Blassii, Locheria magnifica, Tydaea amabilis, elegans und Warszewiczii, Agalmyla staminea und mehre andere, ferner einige Amaryllideen: Clivia Gardenii und miniata (wohl nur Abarten der nobilis), ferner Streptocarpus polyanthus, Hibiscus marmoratus u. s. w. An Blattpflanzen waren besonders die Scitamineen reich vertreten. Wir nennen Heliconia metallica, Maranta metallica, pardina und regalis. Von Medinilla magnifica war ein stattliches Exemplar vorhanden. Bemerkenswerth sind ausserdem: Jacaranda mimosaefolia, Barringtonia excelsa, Cinchona nobilis, Statice macroptera, Nidularium fulgens, Guzmannia spectabilis u. s. w.

Wir kommen in das Kalthaus und erfreuen uns vor Allem an den schönen Nadelhölzern und Cypressen. Wir nennen: Araucaria excelsa glauca, Cunninghami glauca, Cookii, Pinus macrophylla und filifolia (6 Fuss hoch), Cupressus Mac Nabeana, ferner Rhopala magnifica und organensis, Gethyllis tulipifera und eine zweite noch nicht beschriebene Art, einige prächtige Kulturpflanzen von Boronia serrulata und Rhododendron javanicum u. s. w. Vor Allem aber erlaube ich mir, auf die beiden neuen Stiefmütterchen oder Violen: Impératrice Eugénie und Madame Mielles, aufmerksam zu machen, sowie auf das reiche Sortiment Chinesischer Primeln.

Ueber

einige neuere Gemüse, Melonen, Erdbeeren und Pfirsiche.

Von dem Professor Dr. Karl Koch.

In dem Hülfs- und Schreibkalender für Gärtner und Gartenfreunde auf das Jahr 1857 (Berlin bei Bosselmann) hat der Oberstlieutenant a. D. v. Fabian in Breslau bereits eine Uebersicht der neuern Gemüse und Melonen gegeben, und können wir daher um so mehr auf die dort befindliche Abhandlung verweisen, als der Kalender sehr verbreitet ist und er sich wohl fast in dem Besitze eines jeden Gärtners und Gartenfreundes befinden möchte. Daselbst sind jedoch nur die neuen und neuern Sorten besprochen, welche bereits in Deutschland die letzten Jahre hindurch versucht wurden; es möchte deshalb von Interesse sein, in diesen Blättern auch auf die Gemüse und die Melonen aufmerksam zu machen, die neuerdings in England und Frankreich empfohlen sind.

I. Kürbisse.

1. In Paris machte eine Kürbis-Art aus Buenos-Ayres viel Aufsehen, weil sie die Früchte weniger einzeln als vielmehr in Büscheln trägt und deshalb auch ein hübsches Ansehen besitzt. Die Frucht ist nicht gross, denn sie erreichte kaum die Grösse des Kopfes eines Menschen und hat eine dünne, aber hartliche Schale, so wie ein orangenfarbenes Fleisch. Man nennt ihn schlechtweg Pappaye, was im Spanischen überhaupt Kürbis bedeutet, und benutzt ihn in halbreifem Zustande, ähnlich den Flaschenkürbissen in Südeuropa und im Oriente, mit allerhand Pikanten gefüllt als Farçe oder auch als Gemüse. Leider ist die Benutzung der Früchte zu Gemüse und Farçen bei uns wenig bekannt, obwohl die Pflanzen so häufig zur Zierde gezogen werden, und möchten wir deshalb ganz besonders darauf aufmerksam machen.

2. Messina-Kürbis bei Vilmorin-Andrieux in Paris, ein Turbankürbis von grüner Farbe und silberigem Schimmer. Das orangenfarbige Fleisch ist sehr süss, daher ganz besonders zu empfehlen.

3. Der dicke Kürbis aus Karolina (courge plein de la Caroline) von Amée de Passy in Paris ausgestellt, hat die gute Eigenschaft sich nicht mit den andern Sorten zu vermischen und Blendlinge zu machen. Sein Fleisch soll sehr schmackhaft sein. Wir schliessen hier an:

4. Kürbis von Valparaiso. Durch den Oberstlieutenant v. Fabian in Breslau schon seit mehreren Jahren bei uns eingeführt und durch den Verein zur Beförderung des Gartenbaues in Berlin empfohlen, hat derselbe doch noch keineswegs die Verbreitung gefunden, welche er verdiente. Obwohl er an und für sich sehr ändert, macht er doch keine Blendlinge. Die Franzosen kultiviren übrigens eine andere Sorte unter diesem Namen, welche mit à la Moëlle identisch ist, während die Nordamerikaner als Valparaiso-Kürbis einen mehr länglichen Speisekürbis haben. In der neuesten Zeit hat Professor Petermann Samen eines Kürbis aus Chorasan in Persien mitgebracht, der eine ausserordentliche Aehnlichkeit mit dem ächten Valparaiso-Kürbis besitzt und empfohlen werden kann.

II. Melonen.

1. Cantaloup Prescott Gentier's. In Paris liebt man vor Allem die Cantaloup-Preskott für den Markt und kultivirt die Pflanzen im Freien und im Mistbeete, für die berühmten Melonen-Treibereien des Gärtners Gentier bedient man sich aber mit Vortheil einer besonderen Sorte, deren Samen Vilmorin-Andrieux feil hat.

2. Algier'sche Cantaloup, im Geschmacke zwar ähnlich der Preskott, aber sie gedeiht leichter und ist ertragreicher. Sie ist etwas länglich und besitzt eine dunkelgrüne Rinde mit zahlreichen kleinen Auswüchsen, aber ein rothes Fleisch.

3. Trentham's Cokosnuss. Eine Dauermelone, welche bis November sich aufbewahren lässt. So hart ihre Schale auch ist und die Frucht deshalb wohl auch den äussern Einflüssen widersteht, so zart und wohlschmekkend ist das Fleisch.

4. Cranmer's Melonen-Blendling (Cranmer Hall hybrid) soll aus der grünfleischigen Beechwood und der scharlach-rothfleischigen China-M. entstanden sein. Da die Pflanze reichlich trägt und die Früchte ziemlich gross sind, so kann man die Sorte um so mehr empfehlen, als auch der Geschmack des dunkelorangenfarbigen Fleisches sehr zart und angenehm ist.

III. Gurken.

In England werden als neu empfohlen: 1. Charlwood's ridge, 2. Man of Kent, 3. Berkshire Champion pack und 4. York new prolific cucumber. Letztere ist dunkelgrün und erreicht die bedeutende Länge von 18—30 Zoll. Die beiden ersteren werden, als der Langen grünen ähnlich, empfohlen.

IV. Erbsen.

1. und 2. Eugénie und Napoléon heissen 2 Markerbsen mit weisser und blauer Blüthe, welche sehr frühzeitig reifen und gleich von der Basis des Stengels an tragen. Sie werden im Durchschnitt 3 und 3½ Fuss hoch.

3. **Die Früh-aufgehende Sonne (Rising-sun-early-pea)** soll zu den grünen Markerbsen gehören und hauptsächlich wegen der grossen und dunkelgrünen Hülsen und des grossen Ertrages der Pflanze im Grossen anzubauen lohnend sein. Was man früher als **Rising-sun** kultivirte, war wohl nicht von der bei uns als Auvergner Erbse bekannten Sorte verschieden. Die Pflanze wird 3 Fuss hoch.

4. und 5. **Epps Lord Raglan** und **Monarch**; grüne Markerbsen mit eckigem Korn, die zwar nur niedrig bleiben (bis 3 Fuss hoch werden), aber ausserordentlich reichlich tragen; dazu kommen noch grosse Hülsen mit 7—10 Körnern.

6. und 7. **Alliance** und **Climax** sind ebenfalls Markerbsen mit eckigem Korne, von denen die erste weiss, die andere blau blüht, die erstere gelbliches, die andere aber grünes Korn hat. Beide sind zwergiger Natur.

8. und 9. **Dickson's favorite early pea** und **Pois de Sebastopol** werden nicht weiter beschrieben.

V. Bohnen.

1. und 2. **Algier'sche weisse Busch- und Stangenbohne.** Sollen beide einen sehr angenehmen Geschmack haben und ausserordentlich zart sein.

VI. Kohlsorten.

Ausser einigen Brokkoli-Sorten, die bei uns, wenigstens im Norden Deutschlands, nicht gedeihen, und ausser dem **Rabits conqueror** (einem Kopfkohl oder Kraut), werden von Paris aus nur uns schon länger bekannte, zum Theil deutschen Ursprungs, wie das **Stotternheimer** und **Pommersche Spitzkraut**, der **Erfurter Wirsing**, ausserdem der **Viktoria-Wirsing**, empfohlen.

VII. Sellerie.

Wird namentlich in England als Salat sehr geliebt. Als die besten Sorte werden **Coles's Defiance**, eine rothe Zwerg-Sorte, **Laing's grosser rother** und **Turner's unvergleichlicher Sellerie** empfohlen.

VIII. Rüben, Rettiche und Radieschen.

Von diesen ist weder in England, noch in Frankreich, etwas Neues erschienen. Von den erstern werden die beiden bei uns längst bekannten und in der That aber nicht genug berücksichtigten **Finnländer** und **Petrodowdskier** Rüben besonders empfohlen. Von den Radieschen verdient das **Chinesische Winter-R.**, da es eine walzenförmige, am untern Ende etwas verdickte Gestalt, ein schönes rothes Fleisch und die bedeutende Länge von 10 bis 15 Centimeter besitzt, unsere volle Beachtung.

IX. Erdbeeren.

1. **Die Perle (de Jonghe)** ist gross, hat eine längliche Form und bei einer orangenfarbigen Haut ein weisses Fleisch; der Geschmack soll sehr fein sein.

2. **Nec plus ultra (de Jonghe)** hat eine eigenthümliche bizarre Form und eine bedeutende Grösse. Aussen ganz dunkelroth, innen roth.

3. **Delices d'automne (Jak. Makoy).** Ein Blendling der Berg-E. (Fr. collina) mit British queen; besitzt noch spät im Herbste Blüthen und Früchte.

4. **Barnes large-white.** Eine grosse runde Frucht mit sehr feinem Geruche und von weisser Farbe. Leider sehr weich und spät reifend.

5. **Black-Prince (Cuthill).** Eine mittlere, sehr dunkelgefärbte Frucht, die frühzeitig kommt und reichlich trägt. Der Geschmack ist etwas säuerlich.

6. **Eleonor (Myatt).** Eine der besten und grössten Erdbeeren, aber etwas spät, von lebhaft rother Farbe und etwas säuerlichem, so wie festem Fleische.

7. **Sir Harry (Underhill).** Schmackhaft, reichtragend und leicht zu kultiviren, auch zu treiben. Im Jahre 1855 wurde sie in England 9 Mal gekrönt. Eine einzige Pflanze trug einmal 192 Beeren.

X. Pfirsiche.

Salway-Pfirsiche. Oberst **Salway** erzog diese interessante Art aus einem Steine, den er aus Italien mitgebracht hatte. Die Frucht hat eine mittlere Grösse und wegen ihrer tief-goldgelben Farbe das Ansehen einer Aprikose. Der Stein löst sich und das schmelzende Fleisch hat etwas Weinsäuerliches, was es grade angenehm macht. Die Frucht reift etwas spät an einer ungeschützten Mauer.

Verlag der Nauck'schen Buchhandlung. Berlin. Druck der Nauck'schen Buchdruckerei.

Hierbei 1) Das Preis-Verzeichniss No. 13 neuer und seltener exotischer Pflanzen von J. Linden in Brüssel.
2) Empfehlung: Die Blumenzucht in ihrem ganzen Umfange.

No. 14. Sonnabend, den 4. April. 1857

Preis des Jahrganges von 52 Nummern mit 12 color. Abbildungen 6 Thlr., ohne dieselben 5 -
Durch alle Postämter des deutsch-österreichischen Postvereins so wie auch durch den Buchhandel ohne Preiserhöhung zu beziehen.

Mit direkter Post übernimmt die Verlagshandlung die Versendung unter Kreuzband gegen Vergütung von 28 Sgr. für Belgien, von 1 Thlr. 9 Sgr. für England, von 1 Thlr. 22 Sgr. für Frankreich.

BERLINER Allgemeine Gartenzeitung.

Herausgegeben
vom
Professor Dr. Karl Koch,
General-Sekretair des Vereins zur Beförderung des Gartenbaues in den Königl. Preussischen Staaten.

Inhalt: Rundschau: der Nauen'sche Garten in Berlin. Von ......g. — Stypandra frutescens Knowl. et Westc. — Farfugium grande Lindl, eine neue buntblätterige Gruppenpflanze aus Japan oder China. — Die Ausstellung des Vereines der Gartenfreunde zu Berlin, vom 20—24. März. — Journal-Schau: I. Journal mensuel de l'academie d'horticulture de Gand 1—3; II. Illustration horticole 2. 3. livr.; Belgique horticole 2—4 livr.; Flore des jardins du royaume de Pays-Bas par de Siebold et de Vriese, 1 livr. — Hofgärtner Hermann Wendland.

Rundschau.

Der Nauen'schen Garten in Berlin.

Von ......g in Berlin.

Es ist nicht immer nothwendig, dass ein grosser Raum vorhanden ist, um hübsche Anlagen zu machen; es liegt grade eine grössere Kunst darin, auch einen kleinen Garten so herzustellen, dass man die geringe Grösse darüber vergessen kann. Umfangreiche Gärten verlangen viel Arbeitskraft, die man nicht immer hat, abgesehen davon, dass auch noch mehr Geld dazu gehört, um ihn mit Schmuck- und Zierpflanzen hinlänglich auszufüllen. Ich möchte daher ganz besonders Gutsbesitzer und überhaupt Landbewohner, denen doch in der Regel viel Raum zu Gebote steht, den Rath geben, nicht zu sehr sich auszudehnen sondern sich lieber auf eine kurze Strecke zu beschränken, die man beherrschen kann. Im Uebrigen braucht man ja nur Wege zu ziehen, um die schöneren Punkte ausserdem zu verbinden, und sich Aus- und Fernsichten zu verschaffen.

In grössern, und vor Allem in grossen, Städten, wie in Berlin, ist man schon an und für sich gezwungen, im Raume sich zu beschränken. Ein Morgen Landes ist dort schon sehr viel; selbst mit der Hälfte begnügen sich in der Preussischen Residenz schon enthusiastische Gartenfreunde. Was aber selbst da noch geleistet werden kann, sieht man an mehrern Beispielen. Vor Allem verdient in dieser Hinsicht der Garten des Fabrikbesitzers Nauen am Schlesischen Thore eine Berücksichtigung, der bei 1 Morgen Flächen-Inhalt in der That eine grössere Anlage vergessen machen kann. Haine, die nur als solche erscheinen, Boskets, Gruppen, prächtige Einzel-Exemplare, Trauereschen, Rasenpartbien, ja selbst ein kleiner Teich in felsigem Grunde, wechseln hier auf bewegtem Boden mit einander ab.

Schon haben wir im Kalender Frühlings-Anfang gehabt, aber ausser Safranblumen, Scilla Hohenackeri, Bulbocodien, Iris reticulata, Märzenblumen, Schneeglöckchen, Nieswurz und Winterblumen (Eranthis), so wie ausser Hasel- und Eller-Kätzchen, denen sich die einiger Pappeln und Weiden anschliessen, sieht es jedoch noch ziemlich grau in der freien Natur aus. Es ist demnach jetzt gar keine Zeit, den Garten selbst zu beschreiben, und behalte ich mir dieses für ein anderes Mal vor. Ich wende mich deshalb gleich zu dem Gewächshause, gross genug für den Garten, aber immer klein gegen andere Gebäude der Art.

Wenn ich oben gesagt habe, dass es eben Kunst des Gärtners ist, einen noch so beschränkten Raum gärtnerisch so herzustellen, dass man die geringe Grösse darüber vergiesst, so gilt dieses nicht weniger für ein Gewächshaus. Grosse, aber schlecht angelegte Gärten machen schon einen unangenehmen Eindruck; aber noch mehr ist dieses der Fall, wenn man Gewächshäuser von einigem Umfange durchgeht, die wenig Mannigfaltigkeit darbieten und in denen die Aufstellung keineswegs den ästhetischen Ansprüchen genügt. Die verschiedenen Nuancirungen im Grüne des Laubes müssen auch hier, und nicht allein in der freien Natur, in wohlgefälliger Harmonie benutzt werden; sie dürfen nicht mit den Farben der untermischten Blumen im Missklange stehen.

Das Nauen'sche Gewächshaus hat eine Länge von 67 Fuss und besteht aus 3 ungleichen Abtheilungen, von denen die eine, die der Kalthauspflanzen, sich unmittelbar einem Salon des Wohnhauses anschliesst und bei einer Höhe von 13, eine Tiefe von 17 Fuss besitzt. Daran schliesst sich eine kleine warme Abtheilung für Orchideen, Gesneriaceen und sonstigen tropischen Blumen. Hier befindet sich auch ein Treibkasten. Die dritte wiederum hohe und mässig-warme Abtheilung hat 24 Fuss im Quadrat und schliesst hauptsächlich Blattpflanzen ein. Ein Paar hübsche Statuen erhöhen den Reiz. Obergärtner ist Gireoud, nicht weniger bekannt als vorzüglicher Pflanzenzüchter, als auch als enthusiastischer Pflanzen- und Blumenfreund, der schon seit vielen Jahren zur Verherrlichung der Ausstellungen des Vereines zur Beförderung des Gartenbaues zu Berlin nicht wenig beigetragen hat.

Es ist nicht meine Absicht diese 3 Abtheilungen ausführlicher zu beschreiben; ich wende mich für dieses Mal nur der kalten und ersten zu. Man mag hier im Winter oder im ersten Frühjahre eintreten, wenn man will, so erfreut man sich bei stets geschmackvollem Arrangement einer Blüthenpracht, wie man sonst nur selten sieht. Es sind aber natürlicher Weise nicht immer dieselben Blumen, denn diese verblühen in kürzerer oder längerer Zeit, sondern stets ist es etwas Neues und Anderes, was man erschaut. Abwechslung ist nicht weniger hier die Seele im Arrangement, als sonst im Leben des Menschen.

Auch in der Beschreibung dieser Abtheilung werde ich mich beschränken und dieses Mal hauptsächlich mich den blühenden Hyacinthen zuwenden. Hier sah man es, wie weit es die Kunst des sinnigen und denkenden Menschen in diesem Zweige der Gärtnerei gebracht hat. Hier war eine Auswahl, wie man sie jedem Hyacinthenfreunde wünschen möchte. Leider finden bei der Auswahl dieser zum Treiben durch nichts Anderes zu ersetzenden Blumen gar oft Fehlgriffe statt, ganz besonders in kleinern Städten. Einestheils will man nicht viel bezahlen, aber möglichst viel haben, und anderntheils wendet man sich lieber an Aufkäufer oder herumziehende Zwiebelhändler, weil es dabei bequemer gemacht wird. Dazu kommt, dass man ferner in kleinern Städten meist auch gar nicht weiss, was jetzt die Hyacinthenzucht geleistet hat. Dieselben Sorten haben oft in den letzten Jahren eine solche Vervollkommnung erhalten, dass sorgfältig-kultivirte Zwiebeln Blumen hervorbringen, die mit denen aus der frühern Zeit, trotz der sonstigen grossen Aehnlichkeit, gar nicht mehr verglichen werden können. Meinestheils rathe ich immer allen Hyacinthen-Liebhabern ihre Zwiebeln bei bekannten Züchtern und Händlern zu kaufen und etwas mehr dafür zu zahlen, dagegen lieber weniger zu nehmen. Es belohnt sich schon bald. Man sieht oft hier und da an den Fenstern eine grosse Anzahl von Hyacinthen, die, wenn man nichts Besseres hätte, wohl genügen würden, die aber jetzt bei dem, was geleistet ist, gar nicht verdienen, dass man sich die Mühe mit ihnen gegeben hat. Selbst Landhyacinthen sind in vielen Gärten oft weit schöner als die eben bezeichneten.

Doch ich will nun berichten, was ich in dem Gewächshause des Fabrikbesitzers Nauen an schönen Hyacinthen gesehen. Oben an steht: Lina mit prächtigen und grossen Glocken, welche eine Rosa-Farbe haben. Ihr steht würdig zur Seite: Wellington, eine grosse Sorte mit gefüllten rothen Blumen. Ein ganz eigenthümliches Ansehen wegen der breiten und glänzend-grünen Laub-Blätter hat Montblanc, dessen Blüthenschaft mit seinen gegen 70 blendend-weissen Blüthen alle andern überragte. Ihm steht nahe, auch in der Blumenfarbe: Voltaire. Wie man wohl dazu gekommen sein mag, einer im Unschuldskleide prangenden Blume den Namen des schlauesten und verschmitztesten Denkers, wenn auch immer grossen Mannes zu geben. Cochenille besitzt eine lockere, aber ziemlich lange Traube mit mittelmässigen und nur wenig gefüllten Blumen, deren Farbe dem Namen entspricht. Dagegen zeichnet sich die dunkel-blaue Jakoba Dorothea grade durch grosse Blumen aus.

Einem gefüllten Veilchen gleich, namentlich auch hinsichtlich der Farbe, erscheint die einzelne Blume des Laurenz Costa; nur ist sie weit grösser und auf der äussern hintern Seite mehr hellblau gefärbt. Einen ganz andern Eindruck dagegen macht Iris, die zwar keineswegs die Regenbogenfarben trägt, aber doch in ihrem Weiss, was ausserdem ein porzellanartiges Ansehen hat, und in ihrem prächtigen Hellblau, Mannigfaltigkeit bietet. Auch haben die sehr grossen Blumen eine breite Glockenform. Lord Graham steht mehr bescheiden daneben mit seinen einfachen, tief dunkelblauen und mehr von einander entfernten Blüthen. Lopolow ist ein ächtes Berliner Kind mit grossen, einfachen und sehr gedrängt stehenden Blüthen, deren Farbe nicht bestimmt hellblau, sondern ins Lilafarbige neigend, sich ausspricht. Der Blocksberg hat mit seinen hellblauen und weissen Blüthen das Eigenthümliche, dass die untern gefüllt, die obern einfach sind. Die grössten Glocken besitzt aber ohne Zweifel Mammuth, deren weisse Farbe etwas ins Gelbliche neigt. Hercules hat zwar nur einfache Blüthen, deren zartes Hellfleischroth jedoch gewiss kaum zur Benennung passt, aber diese stehen um so gedrängter. Durch den angenehmen Orangen-Geruch zeichnet sich der weissblühende Themistokles aus, und kann derselbe deshalb nicht genug empfohlen werden.

Was sonst das Haus noch an blühenden Pflanzen einschloss, will ich jetzt nur zum Theil nennen. An Kamellien, deren Zeit übrigens auch schon vorbei war, sah ich noch den 22. März (Ventesimo duo Marzo), den Liebling der Freiheitliebenden Römer, denn die Sorte trägt die römische Tricolore, roth und weiss der Blume und grün der Blätter. Teutonia heisst eine sonderbare Kamellie, die an jedem Zweige eine rosafarbige und eine weisse Blume hat. Eine ächt deutsche Pflanze und in Frankfurt a. M. gezüchtet. Die Engländer nennen sie Viktoria und Albert.

Von Azaleen führe ich, zumal auch die Exemplare sich einer vorzüglichen Kultur erfreuten, an: Eulalie van Geert, der alten Variegata zwar ähnlich, aber mit fast noch einmal so grosser Blüthe, und Goethe mit schöner weisser Blüthe, ein Dresdener Erzeugniss des in dieser Hinsicht rühmlichst bekannten Kunst- und Handelsgärtner Liebig; ferner die weisse Iveriana und die schön rothe Extrany. Von den neuholländischen Haiden blühten eben: die noch ganz neue und erst wenig verbreitete Epacris Eclipse mit Zolllangen Blüthen, deren Röhre karmoisin-, der Saum aber blendend weiss gefärbt erschien, und der Prinz von Preussen mit den reinsten weissen Blüthen. Ich übergehe die schönen Schaupflanzen aus den Familien der ächten und Geruchhaiden (Ericeae und Diosmeae), da ich doch nächstens Gelegenheit haben werde, auch diese zu besprechen, und erwähne nur noch die Hovea spicata, in der That ein stattliches Exemplar von 3 Fuss Höhe und 2½ Fuss im Durchmesser. Auch jeder der ruthenförmigen und ziemlich aufrechten Zweige endete mit einer ziemlich dichten Aehre.

Stypandra frutescens Knowl. et Westc.

Der Königliche botanische Garten zu Neuschöneberg bei Berlin besitzt schon seit mehreren Jahren eine holländische Asphodelee, welche wegen ihres hübschen Ansehens und der schönen blauen Blüthen wohl verdiente, auch sonst von Pflanzenliebhabern kultivirt zu werden. Das hübsche Grün der Blätter und jungen Zweige harmonirt auf das Freundlichste mit der Farbe der endständigen Blüthen, in denen wiederum gelbe Staubgefässe sichtbar sind.

Die Pflanze wurde im Jahre 1836 unmittelbar aus Neuholland eingeführt und zuerst im Floral Cabinet von Knowles und Westcott beschrieben und abgebildet (Tom. II, p. 61 u. 69). In die Gärten der Liebhaber scheint sie nicht gekommen zu sein, da man sie in keinem Verzeichnisse angegeben findet. Der botanische Garten erhielt sie wahrscheinlich aus dem königlichen Garten zu Kew.

Stypandra frutescens Knowl. et Westc. bildet ein feines, ohngefähr 4 Fuss hohes und verästeltes Gehölz, welches im oberen Theile einen Durchmesser von 1—1½ Fuss besitzt. Die zusammengedrängten, fast zweischneidigen Aeste des etwas holzigen Stengels stehen kaum in einem Winkel von 45, meist nur von 30 Grad ab und sind mit rasch auf einander folgenden Blättern, und zwar in 2 Reihen, besetzt. Die Länge der Zwischenglieder oder Internodien, von der Anheftung eines Blattes bis zu der des andern, beträgt 4—5 Linien. Die Blätter selbst sind grasartig und besitzen die Länge von 4—6 Zoll, während sie an der Basis 3—4 Linien breit sind. An der Basis bilden sie eine 5—6 Linien lange und geschlossene Scheide, die stets noch den Anfang des nächsten Blattes bedeckt. Die Blattfläche selbst hat eine grünlich-graue Farbe, ist von feinen Längsnerven durchzogen und verschmälert sich allmählich. Dadurch, dass unterhalb der Mitte eine Drehung geschieht, kommt die untere Seite nach oben.

Aus den obersten Blattwinkeln, aber auch aus der Spitze der Aeste, kommt der traubige oder auch doldentraubige Blüthenstand hervor, in dem die obersten Blüthen immer zuerst sich entfalten. Diese sowohl, als der ganze, meist 8-blüthige jugendliche Blüthenstand hängen mit ihren 8—12 Linien langen und feinen Stielen über. Diese sind unterhalb der Blüthe nicht mit einem Gliede versehen, was in der Diagnose des Genus Stypandra verlangt wird, weshalb dann, wenn man mit Robert Brown einmal so viel Werth auf dieses Merkmal legt, die Pflanze eher neben Pasithea coerulea D. Don, welche übrigens Robert Brown ebenfalls zu Stypandra bringt, gestellt werden möchte.

Die Blüthenhülle ist 6blättrig, aber deutlich als Kelch und Krone geschieden; beide besitzen eine gleiche Länge. Die ohngefähr 6 Linien langen Blätter des ersteren sind schmal-elliptisch, kaum in der Mitte 1½ Linien breit und haben eine hellgrünliche Färbung mit bläulichem Schimmer, die der Krone hingegen sind bei doppelter Breite prächtig himmelblau gefärbt.

Die 6 bodenständigen und weit kürzeren Staubgefässe haben das Eigenthümliche, dass die obere Hälfte der Fäden von einem dichten Haarfilz von goldgelber Farbe umgeben ist und dass die ebenso gefärbten und diesem aufsitzenden Staubbeutel in einem Halbmonde zurück gekrümmt sind. Wegen dieses dicken Haarfilzes hat R. Brown in seinem Prodromus florae Novae Hollandiae im Jahre 1810 sein

Genus Stypandra (von στύππη Werg und ἀνήρ der Mann, das Staubgefäss, daher richtiger Styppandra) gegeben.

Das Geschlecht hat wohl eine entfernte Aehnlichkeit mit den Arten von Anthericum (Bulbine nach Kunth) und Arthropodium, mit welchem letzteren es Sprengel vereinigt, steht aber unbedingt noch den Dianella-Arten weit näher und möchte mit diesen und einigen andern Asphodeleen eine besondere Abtheilung dieser Familie bilden. Man hüte sich jedoch unter Dianella Dracäneen zu verstehen. Unter der falschen Benennung Dianella australis kultivirt man sehr häufig Dracaenopsis indivisa Pl. oder Cordyline indivisa Kunth und Freycinetia Baueriana Hort., und ist der obige Name bei den Gärtnern so eingewurzelt, dass er kaum weggebracht werden kann.

Nach dem Garten-Inspektor Bouché liebt die Pflanze Haideerde, welche mit etwas Sand und Lehm gemischt ist. Feuchtigkeit fordert sie nur wenig und darf sie deshalb auch nur wenig gegossen werden. Im Winter verlangt sie einen hohen Platz im mässig-warmen Hause, während man sie in den Sommermonaten ganz ins Freie stellen muss. Die Zweige treiben im Frühlinge von selbst schon Luftwurzeln, weshalb die Vermehrung durch Stecklinge sehr leicht geschieht.

Farfugium grande Lindl.

Eine neue buntblättrige Gruppenpflanze aus Japan oder China.

In der November-Ausstellung der Londoner Gartenbau-Gesellschaft stellte Glendinning von der Chiswick-Gärtnerei eine krautartige Pflanze mit grossen gelbscheckigen Blättern aus, welche um so mehr allgemeines Aufsehen erregte, als die Blätter immergrün erschienen und die Pflanze selbst (wenigstens in England) auszuhalten schien. Lindley erwähnt ihrer zuerst in dem Berichte dieser Ausstellung, welchen er in der 48. Nummer des Gardener's Chronicle, Seite 791c, hat abdrucken lassen.

In der 1. Nummer von 1857 des Gardener's Chronicle erhalten wir auch eine Diagnose und Beschreibung von Lindley und im Februarhefte von Turner's und Spencer's Florist, Fruitist und Garden-Miscellany nebst einer Abbildung die letztere ausführlicher. Da die Pflanze in der That unsere ganze Aufmerksamkeit verdient, zögern wir nicht das, was in genannten Zeitschriften mitgetheilt ist, hierin der Hauptsache nach und in der Uebersetzung wiederzugeben. Wir bedauern nur, dass die Pflanze, die den Typus eines neuen Geschlechtes bilden soll, und zuerst als ein buntblättriger Huflattig (variegated Tussilago) bezeichnet wurde, bis jetzt sich noch nicht in unseren Gärten vorfindet, da sie für Rasenplätze viel verspricht.

Nach Lindley stammt Farfugium aus Japan, nach Turner und Spencer aus dem Norden China's. Eingeführt hat sie derselbe bekannte gärtnerische Reisende und Sammler Fortune, dem wir so viele neue Einführungen verdanken; zuerst wurde sie an Glendinning in Chiswick gegeben. Dieser besitzt jetzt bereits Exemplare, welche 1 Fuss über dem Boden nicht weniger als 12 Fuss 3 Zoll im Durchmesser haben; die Pflanze steht also unserem gewöhnlichen Huflattig oder der Pestilenzwurz, wie er auch heisst, (Tussilago Petasites L. oder Petasites officinalis Moench.) darin sehr nahe, nur mit dem Unterschiede, dass die unmittelbar aus dem Boden kommenden und bis 15 Zoll langen Blattstiele mehr aufrecht stehen, die Blattfläche von fast 2 Fuss im Durchmesser dagegen abwärts geneigt ist. Wir besitzen übrigens auch von unserem einheimischen Huflattich buntblättrige Formen, die man leider, namentlich in grossen Anlagen, gar nicht so häufig sieht, als es doch wünschenswerth wäre. Sonst hat das Blatt von Farfugium grande eine herzförmige Gestalt und ist am Rande schwach 5 lappig, ausserdem aber noch mit einigen grossen Zähnen versehen. Die Oberfläche erscheint schön-smaragdgrün, glänzend und ausserdem mit zahlreichen, grossen und kleinen, gelben und unregelmässigen Flecken besetzt, die der Pflanze ein eigenthümliches Ansehen geben. Wahrscheinlich ist, wie bei unseren Huflattigblättern, die Unterfläche auch heller gefärbt. Auf der Abbildung ist dieses, eben so wie aus der Beschreibung, nicht zu ersehen. Die Blattstiele sind wollig.

So schön die Pflanze durch ihre Blätter ist, so unbedeutend sind die Blüthen (oder vielmehr, da sie in die Familie der Körbchenträger oder der Kompositen gehört, die Blüthenkörbchen). Wie bei dem Huflattig, (Petasites), in dessen Nähe jedoch im heutigen Systeme die Pflanze nicht gehört, stehen diese am Ende eines kurzen, wolligen und mit schuppenähnlichen Blättern besetzten Schaftes und bilden eine mehr gedrängte und deshalb auch kopfähnliche Traube. Die Blüthen besitzen einen gelben Strahl und schmutzig-purpurrothe Mittel- oder Scheibenblüthchen.

Lindley gibt im Gardener's Chronicle vom Genus folgende Diagnose:

„Blüthenkörbchen verschiedenblüthig, strahlend; Hüllkelch walzenförmig, einreihig, an der Basis von 3 oder 4 abstehenden Blättchen umgeben; Blüthenlager grubig, nackt; Strahlenblüthchen weiblich, mit den Rudimenten von Staubgefässen, einreihig; Scheibenblüthchen zwitterig (?); Staubbeutel an der Basis geschwänzt; Krone der Strahlen 2-lippig: äussere Lippe 3-zähnig, innere 2-lappig, aufrecht; Krone der Scheibe regelmässig; Griffel 2-lappig: Aeste abgestutzt, rinnig; Fruchtknoten ungeschnäbelt, rundlich weichhaarig."

Der Autor selbst hält übrigens die Blüthen in der Scheibe für unvollständig, da sie keinen Blumenstaub enthielten und kurz erschienen. Das Geschlecht selbst steht zwischen Chaptalia Kent. und Anandria Siegesb. im Systeme, gehört demnach in den grossen Tribus der Mutisiaceae, steht aber im Habitus den Tussilagineen viel näher.

Die Ausstellung
des Vereines der Gartenfreunde zu Berlin,
vom 20—23. März.

Neben dem Vereine zur Beförderung des Gartenbaues existirt in Berlin noch ein zweiter Gartenbauverein: der Verein der Gartenfreunde, hauptsächlich lokale Zwecke verfolgend. Seine Mitglieder, zum grossen Theil Handelsgärtner, vereinigen zwei Mal im Jahre, gegen Ende März und dann im Herbste, ihre bessern Erzeugnisse zu einer Ausstellung, um sie auf diese Weise mehr zur allgemeinern und besseren Kenntniss des Pflanzen- und Blumenliebenden Publikums zu bringen, und werden darin rühmlichst von mehreren Privaten unterstützt. Wir müssen aber doch bedauern, dass die Handelsgärtner sich auch dieses Mal doch im Ganzen so wenig dabei betheiligt haben, da man grade glauben sollte, dergleichen Schaustellungen lägen in ihrem Interesse. Männer wie Hoffmann, Priem, Krohn, Allardt, L. Schultz, Kunze, Gergone, Möwes und Christoph, die sich bereits in bestimmten Zweigen der Gärtnerei, selbst auswärts, einen Ruf verschafft haben, hatten auch Mancherlei zur Verschönerung der Ausstellung beigetragen; aber es fehlten Andere, die nicht weniger bekannt sind und eben deshalb etwas hätten liefern sollen, was ihrem Stande Ehre machte.

Eine nicht unbedeutende Anzahl der Berliner Handelsgärtner sind allerdings auch Mitglieder des älteren Vereines zur Beförderung des Gartenbaues in den Königl. Preussischen Staaten, der ebenfalls in nächster Zeit, am 5. April, eine Ausstellung veranstaltet, woran sich der Eine oder Andere von ihnen hoffentlich betheiligen wird. Die es nicht sind oder auch dann nichts bringen, haben oft das, was sie vorher für die Ausstellung bestimmt hatten, plötzlich verkauft. Es ist dieses allerdings bei dem Handelsgärtner der Lauf der Dinge.

Wir sind oft die Gärten Berlins durchwandert und haben uns an den Hunderten von Marktpflanzen, als Kamellien, Azaleen, Rhododendren, Eriken, Deutzien u. s. w., die eben ihre Blüthen entfalten wollten, gefreut. Wir scheuten nicht die weiten Wege und gingen nach 14 Tagen oder 3 Wochen, wo wir Alles in voller Blüthe wähnten, wieder dahin, um kaum noch einige weniger schöne Exemplare zu finden, denn fast alles, und wie man sich denken kann, immer das Beste zuerst, war verkauft. Der Handel mit solchen Markt-Blumen und eben so mit sogenannten Markt-Blattpflanzen, besonders mit Gummibäumen, Dracänen etc. hat in der That in der neuesten Zeit in Berlin einen Aufschwung, auch nach auswärts, selbst nach fremden Ländern: nach Russland, Schweden, auch nach England u. s. w. erreicht, dass es wohl wünschenswerth wäre, darüber einiger Massen genaue statistische Notizen zu erhalten.

Dazu kommt nun noch ein neuer Industrie-Zweig, der seit wenigen Jahren erst, seitdem die sogenannten Subskriptionsbälle im Königlichen Opernhause so allgemeinen Beifall gefunden haben, sehr rentabel geworden ist, nämlich die Fabrikation von Bouquet's. In dieser Hinsicht rivalisirt Berlin jetzt mit Paris. Schneeweisse Kamellien zur ungewöhnlichen Zeit sind mehr als einmal die einzelne Blume mit 1—1½ Thlr. bezahlt worden. Viele Gärtner haben sich jetzt zum frühern Treiben solcher Blumen besonders eingerichtet. Wir kennen einen solchen, der in diesem Winter allein 800 Kamellien-Blumen, im Durchschnitt das Stück zu 7½ Sgr., verkauft hat. Ein anderer löste aus dem Verkaufe der Blumen eines Azaleen-Strauches nicht weniger als 13 Thlr. und gab Tausende einzelner Blüthen von Dicentra (fälschlich Diclytra oder gar Dielytra) spectabilis, welche alle auf Draht gezogen und so zum Teller-Bouquet benutzt werden, an Händler und Bouquet-Verfertiger, das Dutzend zu 2½ Sgr., ab. Wir haben in der That künstlich zusammengesetzte Bouquets von riesigem Umfange gesehen, die 3—5 Louisd'or gekostet hatten.

Doch kehren wir zur Ausstellung, die wiederum, wie in den frühern Jahren des Glanzes, im Hôtel de Russie stattfand, zurück, so freuen wir uns berichten zu können, dass diese gelungener, als viele Jahre vorher, war. Ein erfreuliches Zeichen. Allerdings hatten 2 Private, Rentier Bier und Kaufmann Mor. Reichenheim, das Meiste beigetragen, wenn auch anderseits Manches von Seiten der Handelsgärtner vorhanden war, was unsere Anerkennung verdiente. Auch die Ausstellung und Ausschmückung war geschmackvoll und haben sich in dieser Hinsicht die Obergärtner Hornemann und Rönnenkamp besondere Verdienste erworben.

Im Hintergrunde stand eine Latania borbonica des Rentier Bier, der zur Seite rechts und links verschiedene Blattpflanzen aus dem Königlichen botanischen Garten gruppirt waren. Davor sprudelte ein Springbrunnen seine Wasser empor und 2 in der That baumartige Lilien (Dracänen) standen gleichsam als Wächter daneben.

In der Mitte des Saales befanden sich in 2 Reihen 4 Tische und 6 Ständer, letztere zur Aufnahme von Schaupflanzen, während sich an der Wand ringsum der Schmuck von Blumen und Pflanzen herumzog. Auf einem der ersteren sah man zunächst die Hoffmann'schen Amaryllisse, von denen bereits auch in diesen Blättern gesprochen ist, und die in der Mitte die verschiedenblumige Azalea Bealii und einige Epakris einschlossen, auf einem andern hingegen eine ausgesuchte Sammlung blühender Orchideen des Kaufmanns Moritz Reichenheim. Wir nennen hier das Elfenbein- und das grünlich-blühige Angraecum (eburneum und virescens), das gescheckt-blühende Odontoglossum naevium, Gongora truncata in voller und reicher Blüthe, ferner G. maculata, Lycaste Skinneri, Harrisonii, gigantea u. s. w. Andere Tische nahmen Hyacinthen, Berliner Ursprungs, in reichlicher Anzahl von Möwes und Christoph ein; von letzteren war auch eine Sammlung selbstgezüchteter Sorten vorhanden.

Auf den Ständern erblickte man oben (in der Nähe der Latania) weisse und unten (in der Nähe der Thüre) rothe Azaleen von nicht unbedeutendem Umfange und über und über blühend, die der Rentier Bier durch seinen Obergärtner Hornemann geliefert hatte. Andere Azaleen, möglichst verschieden in der Farbe und Form der Blüthe, sah man aber von dem Handelsgärtner L. Schultz zu einer Gruppe vereinigt, während endlich die beiden mittelständigen Ständer durch schöne Kulturpflanzen des Dendrobium coerulescens und Wallichianum geschmückt waren. Die schönste Schaupflanze der ganzen Ausstellung, die mit den eben genannten Orchideen einen und denselben Herrn hatte, stand am Fenster und war Dendrobium nobile. Daneben blühten noch: Vanda tricolor und das in der Blüthe sonderbar gestaltete Uropetium Lindenii.

Eine hübsche Sammlung von Marktpflanzen hatte der Handelsgärt. Priem am Fenster ausgestellt. Darunter wiederum einige ausgezeichnete Amaryllis-Sorten und einige Exemplare des bereits jetzt schon zur Marktpflanze gewordenen Rhododendron ciliatum aus dem Lande der Sikkim's im Himalaya. Andere Rhododendren sah man von Allardt, dessen Orchideen-Sammlung aber im Anfange der Ausstellung eine ungünstige Stellung an der Wand hatte, später jedoch nach Entfernung der Reichenheim'schen besser gestellt wurde. Die Exemplare waren im Allgemeinen viel kleiner, als die des genannten Orchideenfreundes, umfassten aber doch ebenfalls mehre interessante Arten. Wir nennen: Odontoglossum constrictum, leucochilum grandiflorum und pulchellum, Miltonia odorata, Oncidium Cavendishii, Gongora odorata u. s. w.

Eine weitere Sammlung von allerhand Marktpflanzen: Azaleen, Kamellien, Rhododendron ciliatum, Deutzien, Eriken u. s. w. hatte der Handelsgärtner Krahn recht hübsch gruppirt.

Es bleiben uns noch 2 Worte über die getriebenen Rosen übrig, die zwar dieses Mal auch recht hübsch waren, aber in Anzahl und Auswahl denen des vorigen Jahres nachstanden. L. Schultz von hier und Kunze in Charlottenburg hatten sie geliefert. Nicht weit davon stand auch, wiederum aus dem Reichenheim'schen Garten, eine Kulturpflanze des Eriostemon myoporinoides. Endlich gedenken wir noch der kleinen Sammlung von Pelargonien, welche von dem Handelsgärtner Gorgone aufgestellt waren.

Preise wurden vertheilt. Leider erfuhr man aber nur zum Theil, was eigentlich gekrönt war, da man weniger den Pflanzen als Einzeln-Exemplaren, sondern vielmehr dem Ganzen, was ein Aussteller gebracht, die Preise zusprach. Deshalb waren vorn an der Thür die Namen der gekrönten Aussteller geschrieben. Uns scheint dieser Modus nicht zweckmässig. Selbst in dem Fall, dass man keine Preisfragen stellen wollte, was übrigens gewiss weit mehr anspornt, zumal man weiss, dass man Konkurrenten hat, so muss doch vor Allem die Pflanze an und für sich oder in Vereinigung mit andern als Gruppe, nicht der Besitzer, ins Auge gefasst werden. Es erhielten Preise: Kaufmann Mor. Reichenheim, Rentier Bier, sowie die Handelsgärtner: Allardt, Christoph, Hoffmann, Krahn, Kuntze, Möwes, Priem und L. Schultze.

Journal-Schau.

Es liegen uns zwar eine ziemliche Reihe von Zeitschriften vor, wir finden aber wenig, was darin eine grössere Verbreitung verdiente.

1. In dem Journal mensuel de l'academie d'horticulture de Gand p. 28. verwirft der Handelsgärtner Lemaire zu Nancy die Vermehrung durch Stecklinge von reifem Holze, besonders bei Luculia gratissima und ähnlichen Pflanzen, da man nur langsam sich dadurch Vermehrung verschaffe. Nach ihm bringt man eine kräftige und gesunde Pflanze in ein Vermehrungshaus, wo diese ausserordentlich treibt, wenn sie nur häufig begossen und täglich bespritzt wird. Die jungen krautartigen Triebe nimmt man ohne Weiteres ab, bringt sie in ein Beet mit warmem Fuss und bedeckt sie mit einer Glasglocke. Hier wurzeln die Triebe so rasch an, dass sie schon nach 14

Tagen selbst wiederum zur Vermehrung benutzt werden können. Dabei nimmt man immer von Neuem die jungen Triebe der Mutterpflanze wieder ab, und steckt sie auf gleiche Weise. Nur so begreift man, wie man in Belgien von neuen tropischen Pflanzen in der kürzesten Zeit Hunderte von jungen Pflanzen abgeben kann.

Diese Methode ist wohl werth, auch in Deutschland mehr versucht zu werden. Obwohl wir einen gelinden Zweifel an einer solchen Schnelligkeit haben, — ein krautartiger Trieb der Luculia gratissima, die so schwierig zu kultiviren ist, sollte schon nach 14 Tagen wiederum Stecklinge abgeben ?, — so hat man es auch bei uns mit Erfolg versucht.

In einer der letzten Ausstellungen der Gartenbau-Gesellschaft zu London befand sich ein gefülltes Exemplar der Camellia reticulata, welche wir bis jetzt noch nicht gekannt haben und welche der Gärtner Standish in Bagshot ausgestellt hatte. Die Pflanze wurde durch Fortune, der sie einem Chinesen abkaufte, vor einigen Jahren aus dem Norden China's an Standisch gesendet.

II. Illustration horticole, 2. et 3. livraison. Die auf der 19. Tafel abgebildete gefüllte Fuchsie mit Schneeglöckchenblüthen (Fuchsia galanthiflora plena) kennen wir bereits hinlänglich, empfehlen sie aber immer.

Eine Akquisition ist der neue 3farbige Salbei (Salvia tricolor Lem.), der gerade wegen seiner eigenthümlichen Färbung mit den andern blendend-rothen und blauen Arten des tropischen Amerika's einen angenehmen Gegensatz bilden kann. Die Blume hat nämlich eine feine, fast durchsichtige weisse Farbe, deren Helm an der Spitze karmoisin, die Lippe aber hingegen scharlach-roth gefärbt ist. Die Pflanze besitzt einen durchdringenden Geruch nach schwarzen Johannisbeeren. Wo sie herstammt, weiss man nicht.

Lepachys columnaris T. et Gr. β. pulcherrima (tab. 121) ist schon mehrmals abgebildet und bereits von uns (Seite 8) besprochen worden.

Vaccinium salignum Hook. fil. et Thoms. illustr. of Himal. pl. t. 15. f. a. wird auf der 122. Tafel (der Orginalzeichnung entlehnt) abgebildet. Schade, das diese ziemlich hohe Heidelbeerpflanze, welche der jüngere Hooker in Bhutan, also im Himalaya, fand, noch nicht eingeführt zu sein scheint. Ihre über Zoll langen und rothen Blüthen bilden kurze Trauben.

Auf der 123. Tafel wird das schöne, aber auch bei uns hinlänglich bekannte Aërides crispum Lindl. zum 4. Male, die japanische Konifere: Thujopsis dolabrata Sieb. et Zucc. zum 2. Male abgebildet. Die zuletzt genannte Pflanze ist eine der schönsten Koniferen und allen Liebhabern dieser eigenthümlichen Familie um so mehr zu empfehlen, als ihr Preis gar nicht mehr so hoch ist. Die erste Abbildung in Siebold's Flora von Japan giebt allerdings eine bessere Ansicht. Da das Werk aber weniger zugänglich ist, so hat die neue Abbildung doch Werth.

Am Schlusse des 3. Heftes befindet sich eine Aufzählung der Cypripedien-Arten.

III. Belgique horticole 2—4. livr. In diesem instruktiv eingerichteten und die ganze Gärtnerei umfassenden Journale E. Morren's finden wir in der Abtheilung: Jardin fruitier die neuen Birnen aufgezählt, welche die Gesellschaft van Mons erzogen und welche von Seiten des von der belgischen Regierung ernannten Prüfungs-Ausschusses der grössern Verbreitung empfohlen worden, nämlich: Beurré de St. Amand, Seraphine Ovyn, Madame Durieux, Rousselet Bivort, Poire Napoléon Savimin und Poire Espérine. Die zuerst genannte Birn ist schon im 1. Hefte abgebildet und von uns bereits in der 4. Nummer erwähnt. Die beiden nächsten haben im 3. Hefte eine bildliche Darstellung erhalten. Seraphine Ovyn besitzt eine mittlere Grösse und stellt eine kurze Birn dar. Reif hat sie eine fast goldgelbe Farbe mit braunen und grauen Flecken versehen und auf der der Sonne ausgesetzten Seite eine angenehme Röthung. Der Kelch liegt tief. Das gelbliche Fleisch ist sehr zartbuttrig und schmeckt süss, aber etwas weinig. Der Baum hat ein kräftiges Wachsthum, und trägt reichlich. Die Reifzeit ist Mitte October. Die Birn Madam Durieux reift erst Ende October und ist kleiner als die vorige, mit der sie aber die Form gemein hat: Sie ist aber noch mehr gefleckt und heller. Im 4. Hefte ist der Kaiser Alexander, ein Apfel, zwar von bedeutender Grösse, aber nur mittelmässigem Geschmacke und in Deutschland ziemlich verbreitet, abgebildet.

Im 2. Hefte ist eine Traube des schon aus Roscoe's Werke bekannten Hedychium Gardnerianum Wall., einer wegen der leichten Kultur und der übrigen Vortheile als Blatt- und Blüthenpflanze gar nicht genug zu empfehlenden Scitamineε, abgebildet. Es wurde schon 1819 von Wallich aus Ostindien in Europa eingeführt. Lysimachia nutans Nees (atropurpurea Hook. bot. Mag. t. 4911), Saxifraga sarmentosa L. var. minor semperflorens im 3. Hefte, Meyenia erecta Benth. und Correa cardinalis Müll., im 4. Hefte sind zwar empfehlenswerthe, aber auch bei uns schon mehr bekannte Pflanzen.

IV. Annales d'horticulture et de botanique, ou flore des jardins du royaume des Pays-Bas, publiée par la Société d'horticulture des Pays-Bas et rédigée par de Siebold et de Vriese. Das

1. Heft dieses längst erwarteten Journales, was sich die Bekanntmachung der Kultur-, Schmuck- und Zierpflanzen, in sofern diese aus den niederländischen Kolonien in Amerika und in Asien, einschliesslich Japan's, stammen, zur hauptsächlichen Aufgabe gestellt hat, liegt uns vor. Der Inhalt ist mannigfaltig und interessant, wie man auch nicht anders erwarten kann.

Der Reigen wird mit der Beschreibung und Abbildung einer Form der baumartigen Gichtrose (Paeonia Moutan Sims), die den Namen Impératrice de France führt, eröffnet. Es ist eine schöne einfache Blume von pfirsichrother Farbe mit etwas gefranzt-gezähnten Blumenblättern. Die von v. Siebold aus Japan mitgebrachten 42 Sorten sind von denen, welche von Fortune aus China nach England gebracht wurden, verschieden und zeichnen sich besonders durch ihre bedeutendere Grösse (30—36 Centimeter, also oft über 1 Fuss im Durchmesser) aus. Die ersten 12 Sorten, welche 1848 blühten, sind in den Besitz des Prinzen Friedrich der Niederlande übergegangen.

Von den übrigen sind weissblumig: Königin Viktoria, Königin der Belgier, Flora, Königin von Preussen, Prinzess Metternich, Herzogin von Orleans, Nymphäa, Prinzess von Preussen und Prinzess Amalie. Rosa sind die Blumen bei: Ida, Grossfürstin Helene, Prinzess Demidoff, Madame de Cock, Kaiserin von Oesterreich; pfirsich-roth und lila: Grossherzog von Sachsen-Weimar und Al. v. Humboldt. Mehrfarbige Blumen haben und zwar mit dunkelrosa als Grundfarbe: Fürst Metternich, Kaiser von Frankreich, de Vriese; roth mit Karmin und Purpur: König von Würtemberg, v. Siebold, Baron von Hügel, König von Preussen, Kaiser von Oesterreich, König der Belgier, Prinz von Preussen, John Lindley; dunkelbraunroth und oft weiss oder grün panachirt: Prinz Albert; endlich purpurroth und weiss und lila panachirt: Kaiser Alexander II. Dazu gesellt sich noch Paeonia Moutan Germania mit lebhaft-karmoisinrothen, an der Basis schwarz-gefleckten Blumenblättern.

Der Raum gestattet uns nicht, auf das Uebrige näher einzugehen, wir erlauben uns aber auf die beiden Artikel: die Araliaceen Java's und Japan's, die in den Niederlanden kultivirt werden, und 2 neue Pandaneen-Geschlechter, mit allgemeinen Bemerkungen, aufmerksam zu machen.

Hofgärtner Herrmann Wendland.

Seinen vielen Freunden theilen wir die erfreuliche Nachricht mit, dass Hofgärtner Wendland, der, wie bekannt, von Sr. Majestät, dem Könige von Hannover, nach Central-Amerika gesandet ist, um Pflanzen für Herrenhausen zu sammeln, am 17. November v. J. von Southampton abreiste, am 2. December glücklich in St. Thomas, am 6. in Jamaika und am 12. in Belize eingetroffen ist. Am 14. desselben Monats ist er nach Guatemala gegangen, wo er am 27. ankam.

In einem Briefe an seine Familie beschreibt er ausführlich die Reise von Belize nach Guatemala und ist die von ihm gegebene Schilderung bereits in der Hannover'schen Zeitung abgedruckt worden. Bei dem ersten Anblicke eines Urwaldes sagt er: „Es wird zur Unmöglichkeit, einen solchen zu beschreiben; man sieht viel, man sieht nichts. Welches Leben herrscht in solcher Vegetation, alles strebt in die Höhe. Wagt sich ein Riese über den andern hinaus, so wird er, gleich einem Mastbaume von Stricken, nämlich von Schlingpflanzen, festgehalten. Fast an allen Bäumen leben andere Pflanzen, wie Aroideen, und kriechende Farrn schlängeln sich wie Schlangen daran hinauf, untermischt mit Orchideen und Tillandsien. Am Flusse (Rio dulce) selbst steht vorherrschend der Manglebaum. Herrlich sind die Cecropien, Dillenien u. s. w."

Hierauf beschreibt Hofg. Wendland die mühevolle Bergreise, wo ihn ein tropischer Sturm überrascht. Die Bäume wurden hier massenweise niedergeworfen. In der Region der Kakteen zeichneten sich besonders Cereus hexagonus von 30 Fuss Höhe und 1—2 Fuss Durchmesser, so wie verschiedene, eben so umfangreiche Pereskien aus. Diese waren oft so dicht mit Orchideen und besonders mit Tillandsien besetzt, dass von einem einzigen Exemplare gut und gern ein 2spänniges Fuder der letztern abgenommen werden konnte.

Es ist der Redaktion versprochen worden, so oft Nachrichten über diese gärtnerisch und botanisch gewiss sehr interessante Reise einlaufen, diese mitzutheilen, und werden wir deshalb nicht ermangeln, gern davon Gebrauch zu machen.

Verlag der Nauckschen Buchhandlung. Berlin. Druck der Nauckschen Buchdruckerei.

Hierbei 1) Die illumin. Beilage Abutilon planiflorum C. Koch et Bouché, Tab. III., (siehe darüber No. 13.) für die Abonnenten der illust. Ausgabe der Allgem. Gartenzeit.

2) Das Preis-Verzeichniss der vorräthigen Gewächshaus-Pflanzen etc. von Hofgärt. Fr. Aug. Lehmann's Wittwe in Dresden.

No. 15. Sonnabend, den 11. April. 1857

Preis des Jahrgangs von 52 Nummern mit 12 color. Abbildungen 6 Thlr., ohne dieselben 5 „ Durch alle Postämter des deutsch-österreichischen Postvereins sowie auch durch den Buchhandel ohne Preiserhöhung zu beziehen.

Mit direkter Post übernimmt die Verlagshandlung die Versendung unter Kreuzband gegen Vergütung von 28 Sgr. für Belgien, von 1 Thlr. 8 Sgr. für England, von 1 Thlr. 22 Sgr. für Frankreich.

BERLINER

Allgemeine Gartenzeitung.

Herausgegeben vom

Professor Dr. Karl Koch,

General-Sekretair des Vereins zur Beförderung des Gartenbaues in den Königl. Preussischen Staaten.

Inhalt: Pitcairnia Altensteinii Lem. und densiflora Brongn. mit den verwandten Arten. — Luculia gratissima Sweet als Schaupflanze von Euston. — Einige Bemerkungen über Koch's und Lauche's Abhandlung über Pelola-Arten und Sammetblätter. Vom Prof. Dr. Reichenbach Fil. — Cattleya Lindleyana Rchb Fil. — Dioon edule Lindl. — Journalschau: Bot. Magaz. 2 Heft, Florist, Fruitist and Gard. Miscell. 1—3 Heft. — Bücherschau: Jäger's Anleitung zur Anlage von Obst- und Baumgärten. — Berichtigung.

Pitcairnia Altensteinii Lem., u. densiflora Brongn. (Puya Altensteinii Klotzsch und aurantiaca Hort.) mit den verwandten Arten.

Als im Jahre 1840 Pitcairnia Altensteinii Lem. zuerst im botanischen Garten zu Berlin blühte, erregte sie ein solches Aufsehen, dass Dr. Klotzsch, der sie zuerst beschrieb, sie auch wegen ihrer auffallenden Schönheit zu Ehren des damaligen Kultus-Ministers und eifrigen Beförderers der Naturwissenschaften, Freiherrn von Altenstein, Puya Altensteinii nannte. Die Pflanze machte die Runde durch alle Gärten von Bedeutung und wurde mehrfach abgebildet. Das Verdienst, sie entdeckt und eingeführt zu haben, gehört dem bekannten Reisenden und Pflanzensammler Moritz, der jetzt die Oberaufsicht einer Plantage in Columbien übernommen hat und die Pflanze im Jahre 1836 in dem Gebirge ohnweit La Guayra entdeckte.

Im Jahre 1846 erschien in England eine grosse Abart unter dem Namen Puya Altensteinii β. gigantea und wurde von Hooker zuerst (bot. Mag. t. 4309) beschrieben und abgebildet. Zu gleicher Zeit möchte sie übrigens auch im botanischen Garten zu Berlin gewesen sein, denn Richard Schomburgk (jetzt bei Adelaide in Neuholland) brachte sie von seiner Reise in Guiana mit nach Berlin. Auf einer Ausstellung des Vereines zur Beförderung des Gartenbaues im Jahre 1848 erhielt ein blühendes Exemplar, welches der Obergärtner der schönen Decker'schen Gärtnerei, Reinecke, ausgestellt hatte, einen Preis. A. Dietrich hielt sie damals für eine selbstständige Art und gab der Abart den Namen Puya macrostachya (Allg. Gartenz. VI. S. 146.)

Die Altenstein'sche Pitcairnia wurde nach Klotzsch noch lange als Puya in den Gärten kultivirt, bis Lemaire (Fl. d. Serr. Tom. II. t. 161) sie zuerst richtig als eine Pitcairnia erkannte, aus Versehen aber auf der Abbildung den Namen Pitcairnia undulata beisetzte, ein Versehen, was übrigens schon vor ihm Hooker (bot. Mag. t. 4241) gemacht hatte, indem dieser anstatt der ächten Pitcairnia undulata Hort. belg. (et Lem. hortic. univ. VI. p. 134. cum icone) die P. Altensteinii erhielt, die er als Pitcairnia undulatifolia abbilden liess.

Puya und Pitcairnia werden noch heut zu Tage in den Gärten ganz allgemein verwechselt. Puya von Molina, der 1782 eine Naturgeschichte von Chili herausgab, gebildet, umfasst nur wenige Arten und zwar mit deutlichem Stamme, die sich aber hauptsächlich durch die zusammengedrückten Samen unterscheiden, während die in grosser Anzahl in unseren Gewächshäusern gezogenen Pitkairnien stielrunde, dünne Eichen und Samen besitzen, an deren Spitze ausserdem noch lange Anhängsel befindlich sind. Wenn diese fadenförmig sind und das Eichen selbst mehrfach an Länge übertreffen, so gehören die Arten, wo es der Fall ist, jetzt zu Neumannia, einem erst 1841 von Brongniart zu Ehren des Inspektors am Jardin des Plantes zu Paris genannten Geschlechte. Die hierzu gehörigen Arten besitzen ausserdem einen dichten Blüthenstand, der wegen seiner lederartigen und eng anschliessenden Deckblätter das Ansehen eines Zapfens besitzt.

Der bekannte Monograph der Bromeliaceen, Beer in Wien, verwarf die Benennung Neumannia und gab dafür den Namen Phlomostachys d. i. Wollkerzen-Aehre. Leider legte er auf eine wissenschaftliche Diagnose keinen Werth und vereinigte die ächten Pitkairnien, welche einen dichten Blüthenstand besassen, damit. Der Habitus einer Pflanze jedoch, so wie ihr Blüthenstand, sind zwar ausserordentlich wichtig zur Feststellung eines Genus und noch keineswegs von den Systematikern, die leider manchmal über kleine Unterschiede in der Blüthe selbst kleinlich werden können, hinlänglich gewürdigt worden, allein zu der wissenschaftlichen Begründung eines Geschlechtes gehören zunächst immer feste Merkmale in der Blüthe, die, wenn der Habitus auch oft erst geleitet hat, doch am Ende den Ausschlag geben müssen. Das Genus Phlomostachys ist gar nicht scharf genug von Pitcairnia geschieden, denn Pitcairnia bracteata Ait. und sulphurea Andr. müssten folgerecht auch dazu gerechnet werden.

Aber schon vor Beer hatte Lemaire die Pitkairnien mit gedrängtem Blüthenstande und feuerrothen Deckblättern als besonderes Genus unter dem Namen Lamproconus d. i. Glanz-Zapfen (Jard. flor. Vol. II. zur 127. Taf.) aufgestellt, hierunter aber ebenfalls wiederum eine Art mit keineswegs dichtem Blüthenstande und nur kleinen Deckblättern, dafür aber mit feuerrothen Blüthen, Pitcairnia undulata Hort. belg., die gar nicht zur Diagnose passt, gebracht.

Wenn nun auch Lamproconus kein besonderes Geschlecht bilden kann, so lässt es sich doch als Subgenus oder zur Bezeichnung einer Abtheilung benutzen. In der Appendix zum Samenverzeichnisse des botanischen Gartens für das Jahr 1850 habe ich bereits (Seite 3) die Abtheilung mit den Arten, insoweit sie mir bekannt waren, näher bezeichnet, und muss ich auch die, welche sich speciell dafür interessiren, darauf hinweisen. Ausser den dort angegebenen Arten: P. Funkiana A. Dietr. (Phlomostachys Funkiana Beer, Pitcairnia macrocalyx Hook.), bracteata Ait. (latifolia Red.), Gireoudiana A. Dietr., zeifolia C. Koch und sulphurea Andr., gehören aber auch noch Altensteinii Lem. und densiflora Brongn. (aurantiaca Hort.) dazu. P. undulata Hort. belg. (Lamproconus undulata Lem.) steht hier, wie oben schon gesagt, wegen des lockeren Blüthenstandes und der kleinen Deckblätter etwas abnorm und macht den Uebergang zu der Abtheilung: Inermes, welche sich durch zwiebelartige Anschwellung der Basis und durch schmälere, am Rande kaum wellige Blätter auszeichnet.

Die Pflanzen der Abtheilung Lamproconus besitzen mit den Arten des Geschlechtes Neumannia eine eigenthümliche Belaubung, indem die 3, 4 und selbst 5 Fuss langen und noch längern Blätter die Gestalt derer des Maises haben. Aus dieser Ursache sind sie zwar nach der Basis zu stielartig verschmälert, werden aber nach der Spitze zu breiter. Gegen die Mitte hin besitzen sie eine Breite von 2 bis 2½ Zoll. Von da an verschmälern sie sich wiederum, und laufen endlich in eine Spitze aus. Ihr Rand ist, wie bei denen des Maises, etwas und zwar entfernt wellig; in der Mitte zieht sich ein Mittelnerv dahin, der aber nur auf der Unterfläche in Form eines abgerundeten Kieles hervortritt, während er auf der Oberfläche als eine leichte Rinne vorhanden ist.

Was aber den Blättern ein ganz besonderes Ansehen giebt und die Pflanzen auch zur Dekoration passend macht, ist, dass sie zwar im Anfange nur wenig abstehen, aber dann allmählig einen Bogen nach auswärts bilden und in der Regel endlich oberhalb der Mitte graziös überhängen. Es kommt noch dazu, dass auch durch die blassere und in der Regel glänzende Unterfläche, gegen die dunkelgrün gefärbte Oberfläche gehalten, im Grün angenehme Nuancirungen geboten werden.

Es sei mir noch, bevor ich die angezeigte Art näher beschreibe, erlaubt, zuvor ein Paar Worte über die Stellung der Pitkairnien in der Familie der Bromeliaceen zu sagen. Wir haben hier Arten mit ober- und auch mit unterständigem Fruchtknoten. Zu denen mit dem letzteren (den Billbergieae) gehören: Bromelia, Ananassa, Billbergia, Hoplophytum, Anoplophytum, Macrochordium, Portea, Echinostachys, Aracococcus, Aechmea, Lamprococcus, Cryptanthus, Hohenbergia und Nidularium.

Die Arten mit oberständigem Fruchtknoten zerfallen hingegen in 2 natürliche Gruppen: in die Pitcairnieae und in die Tillandsieae. Bei den ersteren verdickt sich der Blüthenstiel an der Spitze und wird selbst oben etwas konkav, so dass der Fruchtknoten etwas eingesenkt erscheint. Man nennt diesen deshalb auch wohl halb-unterständig (Germen semiinferum). Eigenthümlich ist jedoch deshalb hier noch der Fruchtknoten, dass er deutlich aus dreien besteht, die sich selbst während der Blüthezeit leicht von einander trennen lassen. Die Frucht ist stets eine Kapsel, die nicht in der Mitte der Fächer aufspringt, sondern in ihre ursprünglichen 3 Theile zerfällt (Scheidewandtrennende Kapsel, Capsula septicida). Hierher gehören die Genera: Pitcairnia, Neumannia, Brocchinia und die von mir aufgestellte Platystachys, zu der Beer leider eine Reihe ganz fremder Elemente gebracht hat.

Die 3. Abtheilung, die der Tillandsieae hat oberständigen Fruchtknoten, deren 3 Theile fest mit einander verwachsen sind. Die Kapsel springt in der Mitte des Faches auf.

ohne dass sich die 3 ursprünglichen Theile trennen (fächerspaltende Kapsel, Capsula loculicida). Hierher gehören: Tillandsia, Caraguata, Encholirion, Puya, Vriesia, Guzmannia, Tussacia, Cottendorfia, Roulinia, Hechtia, Dyckia, Bonapartea und Navia

Während noch jetzt die Altenstein'sche Pitkairnie eine beliebte Gewächshauspflanze ist, hat die schon länger als 15 Jahre sich in Kultur befindliche Pitcairnia densiflora Brongn. (abgeb. in Lem. hort. univ. Tom. VI. 228) mit orangenfarbenen Blüthen jedoch nie eine allgemeine Verbreitung gefunden, obwohl sie keineswegs der ersteren an Schönheit nachsteht. Vielleicht ist ihre Kultur schwieriger, zumal ihre Blüthezeit grade in die Monate December und Januar fällt, wo in der Regel wenig Sonnenschein ist. Obwohl meist Epiphyten und deshalb in der Regel in dichtem Urwalde wachsend, verlangen die Bromeliaceen bei uns doch viel Licht. Da nun aber nach dem Inspektor des botanischen Gartens zu Berlin, Karl Bouché, der Gärtner ganz beliebig die Blüthezeit hier aufhalten oder befördern kann, so wäre diesem Uebelstande leicht abzuhelfen, wenn es anderntheils nicht zu leugnen wäre, dass man Blüthenpflanzen grade während genannter Monate, wo diese im Allgemeinen doch selten sind, gern hat.

Pitcairnia Altensteinii Lem. ist so bekannt, dass ich deren Beschreibung wohl füglich ganz und gar übergeben kann, ich wende mich deshalb gleich zu der der P. densiflora Brongn. Der oben für die ganze Abtheilung gegebenen Beschreibung der Blätter kann ich nur noch hinzufügen, dass namentlich auf der Oberfläche ein schwacher kleiiger Ueberzug, der sich sehr leicht abwischen lässt und sich deshalb auch von selbst verliert, vorhanden ist. Ihre Stellung an der Basis ist zwar auch zweireihig, aber doch nicht so scharf ausgeprägt, wie bei der Altenstein'schen Pitkairnie.

Der Stengel, oder wie man gewöhnlich sagt, der Schaft ist weit mehr mit abwischbarer Kleien-Wolle besetzt und wird kaum 2 Fuss hoch. Die Blätter nehmen an ihm sehr schnell an Länge ab und erscheinen am oberen Theile in Form von anliegenden und grünen Deckblättern. Der dichte Blüthenstand hat eine Länge von 3, aber einen Durchmesser von 1½—2 Zoll und ist mit hellrothen, durch abwischbare Wolle aber auch weisslichen, länglich-lanzettförmigen und mehr hautartigen Deckblättern dicht besetzt. Wenig kürzer sind die 3, eine zolllange Pyramide bildenden, hellgrünen und behaarten Kelchblätter, aus denen die mehr als doppelt längern und aufrechten Blumenblätter von prächtiger und sehr lebhaften Orangenfarbe herausragen. An ihrer Basis befindet sich eine feine Schuppe bis zur Hälfte verwachsen.

Alle Staubgefässe sing bodenständig, von der Länge und Farbe der Blumenblätter und des Griffels und besitzen sehr schmale und mehr goldfarbige Beutel. Die 3 aufrechten Narben sind 3mal spiralig gedreht. In jedem Fache des Fruchtknotens befinden sich in mehreren Reihen die fast stielrunden und gegenläufigen Eichen, deren Anhängsel an der Spitze eben so lang sind.

Luculia gratissima Sweet als Schaupflanze.

Von Euston, Gärtner von Sir John Duckworth in Bart bei London.

In Turner's und Spencer's Florist, Fruitist and Garden-Miscellany, im Februar-Hefte S. 46, befindet sich die Abbildung einer Schaupflanze von Luculia gratissima, über die ihr Züchter, Euston, nähere Mittheilungen macht. Diese sind um so interessanter, um hier mitgetheilt zu werden, als die Vermehrungs-Methode gerade der belgischen, die in der vorigen Nummer besprochen wurde, entgegengesetzt ist. Euston verlangt nämlich zur Vermehrung gerade im Holze reife Zweige, an denen sogar noch etwas vorjähriges Holz befindlich ist, und nicht krautartige, wie die Belgier. Wer die Anzucht nicht gut versteht, soll sich übrigens lieber für seine Schaupflanzen Exemplare aus einer guten Gärtnerei kaufen. Sonst schneidet man nach Euston am besten Stecklinge, sobald die Pflanze eben vollständig abgeblüht ist. Der Topf, in den man jene bringt, wird mit sandiger Torferde gefüllt, oben mit reinem Sande bedeckt und unten mit gutem Abzuge versehen. Bevor man jedoch die Stecklinge einsetzt, muss der Inhalt des Topfes gehörig angefeuchtet werden, denn man darf von nun an nicht wieder giessen und selbst nicht spritzen, als bis die Bildung des Kallus, welche in der Regel sehr langsam vor sich geht, geschehen ist. Den Topf selbst mit den Stecklingen senkt man zur Hälfte in ein frisches Loh- oder in ein anderes Warmbeet ein, was mit einem Fenster, das der Oberfläche möglichst nahe liegt, geschlossen ist. Glasglocken sind nicht gut; der Steckling erhält sich allerdings hier länger und frischer in der eingeschlossenen, aber immer nur kargen Luft, setzt aber nur schwierig Kallus an.

Da eben in dieser ersten Zeit kein Wasser gegeben werden darf, muss man immer für gehörig feuchte Luft sorgen und vor Allem die Sonne abhalten. Hat man die Stecklinge Ende Februar oder Anfang März gemacht, so sind sie im Mai angewurzelt, und müssen nun einzeln in kleine Töpfe kommen, um aber hierauf sogleich wiederum auf ihren alten Standpunkt ins Warmbeet gesetzt zu werden. Da bleiben sie, bis sie von Frischem angewurzelt sind. Jetzt erst gewöhnt man die jungen Pflanzen, aber ganz allmählich, an die freie Luft und härtet sie so ab. Anfang Juli versetzt man sie in grössere Töpfe und wählt sich selbst schon die grösseren und stärkeren Exemplare heraus, um diese zum Blühen heranzuziehen. Für diesen Zweck müssen sie noch zwei Mal, und zwar immer, wie es sich von selbst versteht, in grössere Töpfe versetzt werden. Man wird so das Vergnügen haben, schon im ersten Jahre Dekorationspflanzen mit 12—20 Doldentrauben zu erhalten.

Will man aber eine Schaupflanze haben, so nimmt man am besten ein Exemplar, was noch nicht geblüht hat und ungefähr eine Höhe von 4—6 Zoll besitzt. Im Februar treibt man es bei mittlerer Wärme und mit gehörig warmem Fusse an, so dass immer die Entwicklung der Krone mit der der Wurzeln gleichmässig geschieht. Wenn dieses der Fall ist, bringt man die Pflanze wiederum in einen grösseren Topf und setzt diesen in ein Beet von gegen 21° R. (80° F.) mit der dazu nöthigen Lufttemperatur und feuchten Athmosphäre. Es ist auch hier nothwendig, dass die Pflanze so nah als möglich dem Fenster steht, damit alle Zweige, auch die unteren, sich gleichmässig und kräftig entwickeln können. Sobald sie gegen 1 Fuss hoch geworden, so kneipt man den Mitteltrieb aus, und trägt nun hauptsächlich Sorge, dass die oberen Zweige die unteren nicht überwachsen. Ist dieses bei der Eigenthümlichkeit der Art: hauptsächlich nur am oberen Theile zu treiben, ein Mal geschehen, so bleiben die unteren Zweige trotz aller Mühe, welche man sich gibt, zurück, und die Pflanze verliert ihr schönes Ansehen. Am besten thut man, ein solches Exemplar gleich wegzustellen, denn die unteren Zweige bleiben doch schwach, mag man sich nun Mühe geben, wie man will, und blühen nicht oder verkommen selbst ganz und gar.

Für die erste Blüthen-Periode muss die Pflanze Mitte Sommer zum letzten Male versetzt werden, worauf man sie noch etwa einen Monat lang auf ihre vorigen Standpunkte lässt. Nun erst wird sie allmählig abgehärtet und endlich in ein Kalthaus mit gehörigem Luftzuge gebracht. Nur hüte man sich, sie einer trocknen Luft und besonders der Nachmittagssonne auszusetzen. Eingestutzt wird sie jetzt in der Regel nicht mehr; man wird aber die Freude haben, im Winter eine kräftige Pflanze mit Blüthen herangezogen zu haben.

Wenn sie abgeblüht ist, was im März meist geschehen, so setzt man sie wiederum einer mässigen Wärme aus, wo sie von Frischem treibt. Man kann nun nach Belieben von Neuem Stecklinge machen. Es wird aber auch Zeit, die Pflanze etwas trockener zu stellen und sie in der Weise einzustutzen, dass man an den oberen Zweigen nur ein Paar Augen lässt, die untersten hingegen, in sofern es sich nicht durchaus nothwendig machen sollte, garnicht beschneidet. Sobald die ersteren eine Länge von 4—5 Zoll erreicht haben, kommt die Pflanze in einen grösseren Topf und erhält Bodenwärme bei einer Lufttemperatur von 13—15° R., die am Tage selbst um einige Grade höher steigen kann. Eine einzige Versetzung ist von nun an genug; ausserdem behandelt man die Pflanze wie das Jahr vorher.

Was die Erde anbelangt, so ist eine leichte lehmige Rasenerde zu ½ und möglichst grober Faser-Torf zu ½ mit dem nöthigen Sand am besten. Brocken von Kohle und Kies, beide bis zur Grösse einer Bohne, tragen zum durchaus nöthigen Abzuge viel bei und sind deshalb anzurathen.

Die Pflanze hat, wie die meisten Warmhauspflanzen, zwei Feinde: die schwarze Fliege und die rothe Spinne. Erstere entfernt man durch Räuchern und Abwaschen mit einem Schwamme, letztere hingegen verlangt, dass die Unterfläche der Blätter von Zeit zu Zeit bespritzt wird.

Hauptsache in der Kultur dieser Pflanze ist: dass sie nie eine Störung in ihrem Wachsthume erleidet, und dass sie nie den Topf, worin sie steht, vollständig ausfüllt, sondern immer gerade kurz vorher in einen grösseren gebracht wird. Gehörige Bodenwärme mit einer ebenfalls warmen und feuchten Luft, eine Stellung möglichst nahe dem Fenster sind Erfordernisse; dabei versäume man aber doch nie zur rechten Zeit, auch frische Luft zu geben. Sobald man nur einmal versäumt hat, zu giessen, so fallen auch alsbald die unteren Blätter ab, und die Pflanze erhält ein schlechtes Ansehen. Wie die Blüthen sich zeigen, ist Begiessen mit Dungwasser sehr zuträglich.

Einige Bemerkungen

zu Koch's und Lauche's Abhandlung über die Petola-Arten und Sammetblätter*).

Vom Professor Dr. Reichenbach fil. in Leipzig.

Wenn der Obergärtner Lauche so treffend erwähnt, man möge für die Kultur dieser Gewächse das Benehmen

---

*) Die Redaktion nimmt sehr gern dergleichen Zusätze und Berichtigungen auf und wird mit ihr gewiss Jedermann dem Verfasser Dank wissen. Wir ersuchen sogar Botaniker und Gärtner, uns da, wo sie nicht übereinstimmen, ihre Meinungen mitzutheilen, denn nur dadurch kann Wissenschaft und Kunst die Höhe erreichen, nach der wir streben. Die Re-

der Goodyera repens studiren, so möchte dies auch für die specifischen Trennungen dringend anzurathen erlaubt sein. Diese Pflanze lehrt, dass die Blattzeichnung durchaus unbeständig ist. Man findet Goodyera repens mit dunkelgrünen einfarbigen, mit dunkler gewölkten, und mit hellnetzadrigen Blättern durcheinander. So beobachtete sie Referent z. B. schon vor fast zwanzig Jahren am Prebischthore in der böhmischen Schweiz. Ebenso zeigt besonders Georchis cordata Lindl. den Grund der Blattplatte allen möglichen Veränderungen unterworfen: der herzförmige Grund, den Herr Lindley zuerst kennen lernte, ist selten, der keilförmige gewöhnlich. — Ich besitze unter andern fünf aufeinmal gesammelte Exemplare von Anecochilus setaceus von Narewilli auf Ceylon (Champion!), die alle verschiedene Goldnetze zeigen. — Immer also die alte Erfahrung, dass die Vegetationsorgane weniger wesentlich zur Unterscheidung sind — und die allgemeine, dass man in einer Verwandtschaft nicht eher sehen lernt, als man mindestens einige Arten in Menge studirt hat.

Wir werden gewiss ermitteln, sobald man den „Arten" zu blühen erlauben wird, dass mehre unserer jetzigen Gartenpetolen nur durch ungeschlechtliche Vermehrung fortgepflanzte Blatt Spielarten sind

No. 7. und 8. Physurus pictus und argenteus, fallen ganz entschieden zusammen, sie blühten oft und wurden bereits seit längerer Zeit, erstere als a. holargyrus (weil ganze Mitte silberfarbig), letzterer als b. reticulatus bezeichnet.

No. 6. Anecochilus striatus liegt in blühenden Gartenexemplaren vor und erweist sich als der Iri Rajah der Ceylanesen. völlig übereinstimmend mit Macrae's Originalbild und Macrae's und Champion's Exemplaren: Monochilus regium Lindl.

No. 9. Spiranthes Eldorado Lind. et Rchb. fil. Sie blühte schon vor 3 Monaten in Brüssel bei Linden, allein ihre Bestimmung verlangte die Einsicht der Originalexemplare von Presl's Cyclopogon ovalifolium (Presl. Rel. Haenk. Taf. 13, f. 1), obschon die Blattnervatur abweicht. Leider lehren die 2 Originale, dass die Abbildung mit heillosem Leichtsinne gefertigt wurde. Während die untere Partie richtig ist, gefiel es dem Künstler, den obern Theil zu reduciren, die Blüthen um die Hälfte. Dadurch gewann die Pflanze, die der Spiranthes elata äusserst nahe steht, ohne mit ihr zusammenzufallen, ein höchst fremdartiges Ansehen. Spiranthes Eldorado unterscheidet sich durch nur fünf Längsnerven der Blätter, deren starke Queradern meist nur eine Reihe von Maschen bilden. Die Deckblätter sind schmal, borstenspitzig und kürzer als die Blüthen; endlich ist die Lippenspitze halbrund, unversehrt, die Blüthen sind selbst halb so gross, als die der Spiranthes elata, also grade so gross, wie die auf Presl's Karricatur.

No. 4. und 5 sind durch die Blüthe sehr leicht zu unterscheiden. Anecochilus Roxburghii (Lobbianus! xanthophyllus) hat einen kurzen, spitzen, zweispitzigen Sporn und eine umgeknickte, vorn lang zweizipflige Lippe. Planchon's Original aus Van Houtte's Garten ist von den vorliegenden fünf Exemplaren von M. Ascent, Ceilon, Khasiya nicht unterscheidbar.

Unser Anecochilus setaceus hat einen langen, stumpfen, kurz zweispitzigen Sporn und eine grade, vorn kurzzipflige Lippe, die nicht umgeknickt ist. Neuerdings kommt auch ein A. cordatus in den Handel, den zu unterscheiden mir unmöglich ist.

Ueber No. 2. und 3. lässt sich nichts sagen, da keine Exemplare der beschriebenen Individuen vorliegen.

Was endlich No. 1 anlangt, so war es schwer zu sagen, welcher Name zu bewahren. Sicher war Lindley nicht glücklich, indem er die Art zu Cheirostylis zog. — und Morren hatte noch eher durch seine Gattungsaufstellung Recht. Die Tracht erinnert sehr an Cerochilus Lindl. Es lässt sich sehr schwer absprechen, eher nicht die zahlreichen unbeschriebenen Physurideen, welche vorliegen, untersucht und die alten wieder studirt werden. Diese Verwandtschaft ist ausserordentlich schwierig und es ist nur zu wünschen, dass Unberufene durch ihre Leistungen nicht heillose Verwirrung anrichten mögen. Der Verfasser war jedoch in der glücklichen Lage, das Räthsel zu lösen. Dem Besitzer einer Originalblüthe der Neottia Petola aus v. Blume's Händen, gelang es, das Bild in den Tabellen, woran mehre grosse Fehler, zu enträthseln und die Identität der Exemplare Reinwardt's, Junghuhn's, Zollinger's zu ermitteln. Lindley stellte, ohne die Pflanze zu kennen, nach Neottia Petola die sehr gute Gattung Macodes auf. Nun ist aber Dossinia marmorata nichts anderes, als eine zweite Macodes: Macodes marmorata Rchb. fil.

Doch — zum Schluss zu etwas Heiterem. Ich sah bei dem Dr. med. Richter in Berlin einen allerliebsten Glaskasten im Zimmer, worin Gesundheit strotzende Anecochilen und Physuren sich behaglich reckten. Sollte dies Beispiel nicht Nachahmung verdienen und der Berliner zu seinen nothwendigen Ficus elastica, Curculigo und Chamaedorea, wenn möglich, nicht noch einen Petolakasten hinzufügen?

daktion wird selbst die erste sein, welche, eines Besseren belehrt, ihren Irthum offen ausspricht. Irren ist menschlich, aber im Irrthum verharren eines Gebildeten nicht würdig.

Cattleya (!) Lindleyana,

vom Prof. Dr. Reichenbach fil. in Leipzig,

nulli affinis pseudobulbo ac folio *Laeliae cinnabarinae*, flore prope Cattleya intermedia, minori, labello laevissimo.

Pseudobulbus cylindraceus. Folium crassum lineari-lanceum argutum. Sepala lanceа acuminata. Tepala subaequalia angustiore cuneata, acuminata. Labellum oblongum integrum hinc inde crenulatum. Androclinii lobi laterales denticulati.

Scheinzwiebel und Blatt wie bei Laelia cinnabarina. Blüthe wenig kleiner, als die der Cattleya intermedia Grah. Im Blüthenbau mit dieser verwandt, aber ohne alle Leisten an Säule oder Lippe. Blüthenfarbe milchweiss mit Stichen ins Gelbliche; Lippe vorn blauviolett vorgestossen, also wie bei Warscewiczella marginata.

Von St. Catharina eingeführt durch den Direktor Linden in Brüssel, bei dem sie kürzlich blühte.

(Leipzig, den 23. Februar.)

Dioon edule Lindl.

Mit den beiden Cycas-Arten: circinnalis L. und revoluta Thb., und dem Encephalartos Altensteinii Lehm. gehört Dioon edule Lindl. unbedingt zu den schönsten Blattpflanzen unserer Gewächshäuser. Es ist sonderbar, dass, obwohl die Pflanze seit zwölf Jahren sich bei uns, und zwar zum Theil in grossen und kräftigen Exemplaren, befindet, bis zum Jahre 1855 kein männlicher Zapfen beobachtet wurde. Um so interessanter ist es nun, dass auf einmal mehre Exemplare diese hervorbrachten. Näheres darüber findet man in den Verhandlungen des Vereines zur Beförderung des Gartenbaues im 3. Jahrgange, Seite XXX und XCII, so wie in der Illustration horticole II. zur Tafel 78. Daselbst wird auch nachgewiesen, dass die von Miquel als D. imbricatum und von Lemaire als D. aculeatum beschriebenen Arten nur Formen sind. Wir möchten auch noch darauf hinweisen, dass die Benennung Dion falsch ist und in Dioon umgewandelt werden muss. Der Name bedeutet nämlich Doppel-Ei, weil jede weibliche Zapfenschuppe an der Basis, und zwar auf jeder Seite, ein Eichen trägt.

Sollte ein Pflanzenliebhaber ein schönes Exemplar haben wollen, so können wir ihm ein Paar nachweisen. Bei einem Ausfluge nach Dresden fanden wir in der Dreisse'schen Handelsgärtnerei daselbst zwei sehr schöne Pflanzen, welche feil sind. Ein jeder von ihnen hatte einen Stamm von 1¼ Fuss Höhe und 1½ Fuss im Durchmesser, sowie eine Krone von gegen 25 prächtigen und grossen Wedeln.

Journal-Schau.

Im Februar-Hefte des Botanical Magazine sind interessante Pflanzen abgebildet. Zuerst auf der 4969. Tafel die Hoya coronaria Bl., eine den übrigen tropischen Hoyen sich anschliessende Schlingpflanze, die schon von Rumpf auf dem ostindischen Festlande entdeckt (Herbar. amboin V, d. 172), dann aber von Blume auf Java von Neuem wieder aufgefunden und in der Rumphia II, t. 182. 183 abgebildet wurde. Das Verdienst der Einführung hat jedoch der bekannte Reisende Thomas Lobb. Die Pflanze, welche Decaisne im de Candolle'schen Prodromus (VIII. 635) als Hoya grandiflora Bl. msc. beschreibt und welche später wiederum von Wight H. velutina genannt ist, unterscheidet sich nicht von unserer H. coronaria. An Schönheit steht die Art übrigens mehreren anderen bei uns bereits kultivirten nach. Die Farbe der Blüthen ist ein Schwefelgelb. Im November v. J. blühte sie zuerst bei Veitch.

Von Dendrobium heterocarpum Wall. (aureum Lindl.), einer in Ostindien ziemlich verbreiteten und schon mehrmals abgebildeten Pflanze, ist auf der 4970. Tafel eine zweite Abart mit strohgelben Blüthen, deren Lippe an der Basis zwei karmoisinrothe Flecken besitzt, unter dem Beinamen „Henshallii" abgebildet. Sie ist von Rollisson eingeführt und blühte in Kew.

Von Linden wurde bald nach der ersten schon eine zweite Eucharis, welche sein Reisender Triana in der Provinz Choco in Neu-Granada entdeckt und nach Brüssel gesendet hat, unter dem Namen E. grandiflora Pl. et Lind. eingeführt und in Flore des Serres IX, t. 957 abgebildet. Später brachte Veitch die Zwiebel ebenfalls, aber unter dem Namen E. amazonica in den Handel. In mehreren Verzeichnissen stehen beide nebeneinander, als bezeichneten sie verschiedene Pflanzen, weshalb wir ganz besonders darauf aufmerksam machen wollen. E. grandiflora Pl. und Lind. unterscheidet sich von der einige Jahre früher von Schlim entdeckten E. candida durch doppelt grössere Blüthen und grössere, mehr herzförmige, nicht allmählich in den Stiel sich verschmälernde Blätter. Durch diese letztere nähert sich das Genus im Habitus einiger Maassen den Funckia-Arten; es gehört jedoch wegen des unterständigen Fruchtknotens zu den Schönlilien oder Amaryllideen, wo es neben Coburgia oder Eurycles steht. Hinsichtlich der Kultur hat man dieselben Regeln zu beobachten, wie bei den übrigen tropischen Amaryllideen: während der Vegetationszeit eine gute, humusreiche Erde mit gehörigem Abzuge und eine Stellung im warmen Hause, während der Ruhe aber einen trocknen Standpunkt im temperirten Hause.

Bei Rollison blühte ferner im letzten November Rhododendron album Bl. in Cat. Gart. Buitenz. 72, (nicht zu verwechseln mit dem weissblühenden Rh. arboreum Sm. oder maximum L., welche beide ebenfalls früher als Rh. album vorkamen und von denen das erstere auch unter diesem Namen von Sweet abgebildet wurde), ein schöner, dem Rh. citrinum Hassk., aber auch dem javanicum Benn. ähnlicher Blüthenstrauch, den Rollison's Reisender Henshall aus Java einsendete. Er blüht milchweiss und besitzt Blätter, die auf der Unterfläche einen rostfarbenen Ueberzug haben. Abgebildet ist er auf der 4972. Tafel.

Eine hübsche Abart der Calathea villosa Lodd. mit schwarzen Flecken auf den Blättern ist die Seitaminee, welche Planchon und Linden schon als C. pardina in Flore des Serres, neue Reihe im 1. Bande Tab. 1171 abgebildet haben, aber von Hooker mit Recht zu C. villosa Lodd. gebracht wird, und auf der 4973. Tafel dargestellt ist. Sie gehört zu den netten Blattpflanzen der Warmhäuser, deren wir in der neuesten Zeit mehre aus derselben Familie erhalten haben. Vaterland ist Guiana.

Endlich hat Hooker noch im Februarhefte, und zwar auf der 4974. Tafel, ein Schiefblatt unter dem Namen Begonia micropters abgebildet, eine Art, die wir jedoch keineswegs empfehlen wollen, da wir bereits weit schönere Schiefblätter besitzen. Sie wurde von dem Reisenden Low auf Borneo gesammelt.

II. The Florist, Fructist and Garden miscellany. In dem Januarheft ist eine neue Traube, the Bowood Muscat Grape, abgebildet, die auch wohl in Deutschland empfohlen werden könnte. Sie wurde von Spencer in Bowood aus den Muskat-Reben: Cannon Hall und von Alexandrien erzogen. Die Traube ist im Allgemeinen zwar breiter als die der beiden Aeltern, aber dafür auch kürzer. Dagegen besitzt sie grössere Beeren von reiner Eiform. Das weissliche Gelb geht allmählich in Bernsteinfarbe über. Da die Blüthen ziemlich dicht stehen und in der Regel auch reichlich ansetzen, so ist es durchaus nothwendig, dass ein beträchtlicher Theil ausgebrochen wird, damit die andern um so mehr sich ausbilden können. Es ist dieses aber auch bei andern Tafeltrauben nothwendig, wenn man mit ihnen Ehre einlegen will. In der Regel schlägt die Rebe 8—10 Tage später aus, als die des gewöhnlichen Muskates, die Traube reift aber trotzdem meist früher und hält sich besser. Da jeder Zweig 3 und 4 Trauben trägt, so ist auch die Sorte deshalb zu empfehlen.

Im Februar-''efte hat man Farfugium grande Lindl. abgebildet, was wir schon in der vorigen Nummer besprochen haben. Ausserdem ist noch ein Holzschnitt in den Text eingedruckt, der eine Schaupflanze der Luculia gratissima darstellt. Ueber sie ist in dieser Nummer besonders berichtet.

Im Märzhefte ist ein Blüthenbüschel einer strauchartigen Calceolarie aus Cole's Gärtnerei in Keyfield, St. Albon's Herts unter dem Namen „Gem d. i. Edelstein" abgebildet. Dass die strauchartigen Calceolarien einer grossen Zukunft entgegengehen, unterliegt gar keinem Zweifel. Wir haben bereits schon so viel Sorten, dass es nun der sinnige Gärtner weit mehr in der Hand hat, jetzt, wenn auch weniger die Formen der Blumen, als vielmehr deren Farben und Zeichnungen, zu vermehren. In wenig Jahren besitzen wir gewiss eine Zahl von Sorten, als man nur irgend bis jetzt von den krautartigen oder jährigen erzielt hat. Dabei bleibt noch die Gewissheit, dass man sich die Blumen mit bestimmter Zeichnung und Farbe nach eigenem Ermessen verschaffen kann, während man in dieser Hinsicht in Betreff der krautartigen dem Zufall anheimgegeben ist. Es kommt noch dazu, dass man sich durch Zustutzen, Umsetzen, Heranziehen u. s. w. ebenfalls Schaupflanzen heranziehen kann, was in dem Umfange bei jenen ebenfalls nicht möglich ist.

John Edwards, der den Artikel zu besagter Abbildung geschrieben hat, empfiehlt zur Topfkultur:

Ajax (Pince), braunroth und gelb gerandet.
Eklipse (Cole) hellkarmoisin-scharlach.
Gem (Cole) orange-braun und gelbgerandet.
Hawk d. i. Falke (Cole) orange, braungefleckt.
Hebe (Cole), gelb, bronze-rothgesprenkelt.
Heywood, Hawkins (Henderson), orange, braungesprenkelt.

zu gleicher Zeit in's freie Land, auf ein möglichst geschütztes Beet können angewendet werden:

Beauty of Montreal d. i. Schönheit von Montreal, glänzend karmoisin;
Kayi, gelb;
König von Sardinien (Cole) reich-karmoisin;
Orange-Perfection (Cole, hellorange;
Prince of Orange (Cole), glänzend orange-braun;
Yellow Prince of Orange (Cole) glänzend-gelb.

Wir zweifeln, dass die strauchartigen Calceolarien bei uns in Deutschland, wenigstens nicht nördlich vom Thüringer Walde, im freien Lande gedeihen. In Töpfen aber, wie die krautartigen, und zwar in geschützter Lage, wachsen sie üppig. Der botanische Garten zu Berlin kultivirt auf diese Weise eine ansehnliche Sammlung.

Bücherschau.

Der Obstbau, Anleitung zur Anlage von Obstgärten und Baumgärten, zur Kultur der Obstbäume und Sträucher jeder Art, Behandlung der Baumkrankheiten, sowie zur Aufbewahrung, Versendung, Verwerthung und Verwendung des Obstes. Vom Hofgärtner **Jäger** in Eisenach. Mit 49 in den Text gedruckten Abbildungen. Leipzig. Verlag von Otto Spamer. 1856. Preis 20 Sgr.

In der thätigen Verlagshandlung von Otto Spamer in Leipzig erscheint eine illustrirte Bibliothek des landwirthschaftlichen Gartenbaues, die als erste Abtheilung den praktischen Obstgärtner in 3 Bänden enthält. Zu diesen gehört als 2. Band, aber zuletzt erschienen, vorliegendes Buch. Der Verf. ist uns bereits durch verschiedene Arbeiten auf demselben Felde bekannt, und hat er sich ein grosses Verdienst durch die Herausgabe derselben um die Hebung der Gärtnerei, und besonders um den Obstbau, erworben. Wir haben gewiss jetzt viele Obstzüchter und Pomologen, aber wenige, die es verstehen, ihre Kenntnisse und praktischen Erfahrungen durch eine verständliche und leichte Sprache mitzutheilen, wie der Hofgärtner Jäger. Wir begrüssen deshalb diesen „Obstbau" um so mehr, als auch hier, wie in den andern Theilen des praktischen Obstgärtners, ein halbes Hundert in den Text gedruckter Abbildungen nicht wenig beitragen, den Inhalt zu erläutern.

Dass der Verf. etwas kurz über die Elemente des Obstbaues hinweggeht und besonders das hervorhebt, was in der neuesten Zeit sich als praktisch und vortheilhaft herausgestellt hat, können wir nur billigen, ebenso, dass er dem französischen Obstbaue zwar alle Gerechtigkeit widerfahren lässt, darüber aber doch nicht das vergisst, was in Deutschland in dieser Hinsicht geschehen ist. Die Franzosen sind uns allerdings in Vielem voraus, aber man muss dabei nicht vergessen, die klimatischen Vortheile in Rechnung zu bringen.

Was den Inhalt des Buches anbelangt, so folgen nach einer kurzen Einleitung 12 Abschnitte mehr oder weniger ausführlich auf einander. 1. Allgemeine Bemerkungen über Lage, Boden und Wasser. 2. Wahl und Vertheilung der Obstarten und Sorten in verschiedenen Lagen und zu gewissen Zwecken. 3. Werkzeuge und Hülfsmittel. 4. Einrichtung der verschiedenen Arten von Obstgärten und Pflanzungen. 5. Vorbereitungen zu den Pflanzungen. Beschaffung der Bäume und nöthige Vorsichtsmassregeln. 6. Das Pflanzen und die damit verbundenen Verrichtungen. 7. Behandlung der gepflanzten Bäume und Sträucher in den ersten Jahren. 8. Pflege der tragbaren Obstbäume und Sträucher und Unterhaltung der ganzen Pflanzungen. 9. Krankheiten und Feinde der Obstbäume, Mittel dagegen. 10. Abnehmen, Aufbewahrung, Versendung und Benutzung des Obstes. 11. Kultureigenthümlichkeiten der einzelnen Obstarten. 12. Pflege der Pflanzungen durch Baumwärter.

Garten-Verkauf.

Der dicht vor dem Hegerthore der Stadt Osnabrück belegene Garten des Geheimeraths **Meyer** ist zu verkaufen. Derselbe enthält 5 Kalenberger Morgen und 80 Quadratruthen Grundfläche, ist auf einer, die Aussicht auf die Stadt und auf die reizende Umgegend bietenden Anhöhe gelegen, mit schönen Anlagen, einem geschmackvoll erbauten und dekorirten Pavillon, mit Warm- und Kalthause, sowie mit einer Gärtnerwohnung versehen. Preis incl. des Mobiliars und gesammten Inventars an Warm- und Kalthaus-Gewächsen 6000 Thlr. Courant. Derselbe kann jederzeit in Augenschein genommen werden. Näheres theilt auf Verlangen auch die Redaktion mit.

Stelle-Gesuch.

Ein unverheiratheter, im kräftigsten Mannesalter stehender Gärtner, welcher schon seit länger als 10 Jahren eine grosse und schöne Gärtnerei in der Schweiz als Chef leitet und sich in allen Zweigen der Gärtnerei theoretisch und praktisch ausgebildet hat, wünscht in gleicher Eigenschaft eine andere sichere Anstellung zu erhalten, wo er Aussicht hätte, für immer bleiben zu können.

Die anerkannte Schönheit der Gärtnerei, sowie die langjährige vollkommene Zufriedenheit des seitherigen Herrn mögen vorläufig als gewichtige Empfehlung des Ansuchenden dienen. Die Redaktion dieser Zeitschrift ist mit Vergnügen bereit, portofreie Anträge an den Betreffenden zu befördern.

Berichtigung.

In No. 11 der Gartenzeitung, Seite 88, befindet sich die Anzeige, dass die Keferstein'sche Orchideen-Sammlung in den Besitz des Rentier Laurentius übergegangen ist. Dabei heisst es: „dass seit dem Weggange des Obergärtners zu den botanischen Garten zu Petersburg die sorgsame Pflege wie früher gefehlt habe". Damit soll aber keineswegs dem jetzigen Obergärtner im Keferstein'schen Garten ein Vorwurf gemacht werden, da gerade dieser als ein tüchtiger Gärtner bekannt ist und auch seiner Stelle mit Sachkenntniss vorsteht.

Verlag der Nauckschen Buchhandlung. Berlin. Druck der Nauckschen Buchdruckerei.

No. 16. Sonnabend, den 18. April. 1857

Preis des Jahrganges von 52 Nummern mit 12 color. Abbildungen 6 Thlr., ohne dieselben 5 -. Durch alle Postämter des deutsch-österreichischen Postvereins sowie auch durch den Buchhandel ohne Preiserhöhung zu beziehen.

Mit direkter Post übernimmt die Verlagshandlung die Versendung unter Kreuzband gegen Vergütung von 26 Sgr. für Belgien, von 1 Thlr. 1 Sgr. für England, von 1 Thlr. 22 Sgr. für Frankreich.

BERLINER Allgemeine Gartenzeitung.

Herausgegeben vom

Professor Dr. Karl Koch,

General-Sekretair des Vereins zur Beförderung des Gartenbaues in den Königl. Preussischen Staaten.

Inhalt: Die Frühjahrs-Ausstellung des Vereines zur Beförderung des Gartenbaues in Berlin. Vom Professor Dr. Karl Koch. — Stenanthera pinifolia R. Br. — Journal-Schau: The Cottage-Gardener's and Country-Gentlemen's Companion. The Gardener's Chronicle. — Pflanzen-Katalog.

Die Frühjahrs-Ausstellung
des Vereins zur Beförderung des Gartenbaues in Berlin.

Vom Professor Dr. Karl Koch.

Mancherlei Vorbereitungen waren getroffen, um die stets auf den ersten Sonntag im April, also in diesem Frühjahre am 5., fallende Frühjahrs-Ausstellung ausschmücken zu helfen und um sich um die in einem besonderen Programme, was in der 8. Nummer (Seite 61) unserer Zeitung abgedruckt worden ist, ausgesetzten Preise zu bewerben. Es ist eine schöne Sitte des Vereines, dass gerade an dieser Frühjahrs-Ausstellung, wo stets eine reiche Blumenpracht, namentlich in Berlin, zu Gebote steht, der jährliche Beitrag Sr. Majestät des Königs von Preussen, des erhabenen Protektors des Vereins, zu Vertheilung kommt.

Es waren dieses Mal bestimmte Aufgaben gestellt, wie man aus oben genanntem Programme ersehen kann; dem Gärtner, der sie am Besten löst, fallen die Preise, ausgesprochen durch eine vom Vorsitzenden, Geh. Oberregierungs-Rathe Kette, ernannte Jury, anheim.

Jede Pflanze, die eingesendet wird, muss auf Schönheit, die wiederum von der Kunstfertigkeit des Gärtners abhängt, Anspruch machen oder neu sein. Man sieht demnach eine seltene Auswahl von Pflanzen auf zwar beschränktem Raume vereinigt, die aber wohl im Stande ist, einen Blick in die Zustände der Gärtnerei Berlin's zu erlauben.

Früher hatte man in den Programmen die Aufgaben allgemeiner gestellt und die Wahl der Pflanzen dem Gärtner mehr anheim gegeben. Nothwendiger Weise wurden dadurch auch die Ausstellungen mannigfaltiger. In neuerer Zeit glaubte man jedoch von Seiten des mit der Entwerfung eines Programmes vertrauten Ausschusses, in der Aufgabe sich bestimmter aussprechen zu müssen; man verlangte Schaupflanzen aus bestimmten Familien und Gruppen. Dadurch zwang man die Gärtner, sich gerade mit diesen zu beschäftigen, die ihnen vielleicht nicht einmal zu Gebote standen und doch zum Theil eine längere Vorbereitung verlangten. Es ist demnach eine Frage, die auch von dem Vorsitzenden im Preisrichter-Amte, Regierungsrathe Heyder, bei dem Ausspruche der Jury richtig in dem Vortrage gewürdigt wurde, ob man für künftige Zeiten die bestimmtere Stellung von Preisfragen beibehalten oder zu dem früheren Gebrauche, diese allgemeiner zu halten und die Auswahl der Pflanzen den einzelnen Gärtnern selbst mehr zu überlassen, zurückkehren solle?

Jede Weise hat wohl ihre Vor- und Nachtheile. Durch bestimmtere Aufgaben wenden sich viele Gärtner auf einmal zu gleicher Zeit einem und demselben Gegenstande zu. Dieselben oder wenigstens sehr ähnliche Pflanzen, welche im Durchschnitte ein und dieselbe Kulturweise erfordern, werden von mehreren Gärtnern mit besonderer Aufmerksamkeit und Sorgfalt kultivirt. Ein Jeder wird das Verfahren einschlagen, was er für das Beste hält; ob es aber das Beste ist, wird der Erfolg lehren. Einer von den vielen müsste nothwendiger Weise bei dem Wettkampfe in der Kultur einer bestimmten Pflanze den Sieg davon tragen. Es wäre dadurch ein Vortheil gewonnen, ein Resultat erzielt. Man sollte nun auch von dem Gemeinsinne des Züchters, dessen Pflanze gekrönt ist, erwarten, dass er seine Kultur-Methode mittheilte. Es ist deshalb nicht zu leugnen, dass diese Weise der Entwerfung eines Programmes für die Preisbewerbung im Frühjahre, wie sie nun in Berlin zum 3. Male befolgt ist, sehr viel für sich hat und zur Hebung der Gärtnerei nicht wenig beitragen müsste. Sie hat in der Idee unbedingt den Vorzug vor jener, die die Fragen allgemeiner stellt und die Auswahl der Pflanzen dem Gärtner selbst überlässt.

Leider ist oft das aber, was in der Idee noch so vorzüglich erscheint, nicht immer in der Praxis gleich gut. Abgesehen davon, dass eine Ausstellung, wo die Auswahl der Pflanzen, zum grossen Theil wenigstens, dem Ermessen des Gärtners überlassen ist, wie oben schon gesagt, stets mannigfaltiger sein wird, so kommt noch hinzu, dass der in der Regel ausgestellte Preis von 1 und selbst 2 Friedrichsd'or keineswegs von solcher Bedeutung ist, dass er einen Gärtner bestimmen könnte, gerade die Pflanzen, die er vielleicht nicht einmal besonders liebt, zur Schaupflanze heran zu ziehen. Wir haben in Berlin zwar nicht allein kenntnissreiche, sondern auch mit ganzer Liebe ihrem Fache ergebene Gärtner, die manches Opfer bringen, wo es einer guten Sache gilt; aber es geht oft auch bei dem besten Willen nicht, da eine gute Schaupflanze meist mehr Zeit verlangt, als zwischen der Ausgabe eines Programmes und der Ausstellung liegt. Der Verein zur Beförderung des Gartenbaues vertheilt zwar das Programm zur nächsten Frühjahrs-Ausstellung schon während der Festausstellung im Juni vorher; für gute Schaupflanzen ist aber selbst oft diese Zeit noch zu kurz. Der Gebrauch anderer Vereine, die Programme erst wenige Wochen vorher zu vertheilen, hat gar keinen Nutzen.

Wenn die Gärtner und Pflanzenliebhaber, die ein Programm entwerfen, auch gewiss mit dem Zustande und den heutigen Forderungen in der Gärtnerei vertraut sind und auch auf die Pflanzen Rücksicht nehmen, welche vorzugsweise sich gerade jetzt eines allgemeinern Beifalls erfreuen, so kann doch nicht Alles berücksichtigt werden, sondern es wird noch Manches ausgeschlossen bleiben. In dem Programme für die diesjährige Frühjahrs-Ausstellung war man, wie früher zwar, so auch dieses Mal, darauf bedacht gewesen und hatte 4 Preise ausserdem noch zur freien Disposition gestellt. Für eine Ausstellung, wie wir in diesem und ganz besonders im vorigen Jahre hatten, waren aber selbst diese noch viel zu wenig, um auf alles Preiswürdige Rücksicht nehmen zu können; man sah sich gezwungen, einen Theil der Preise, wo die Aufgaben nicht gelöst waren, wiederum zu verwenden. Selbst trotzdem war immer noch manches Vorzügliche vorhanden, was unberücksichtigt geblieben ist.

In dem Programme wurden 16 Aufgaben gestellt, von dem aber 5 gar keine Preise erhielten, 2 selbst gar nicht vertreten waren. Man sieht, wie ungern sich die Gärtner bestimmen lassen. Es muss selbst auffallen, dass Aufgaben, wie die Kultur einer Leguminose, deren Anzahl doch gerade sehr gross ist und von denen man eine Menge Lieblingspflanzen hat, nur ungenügend, die Aufstellung von 6 Leguminosen aber gar nicht vertreten war. 6 getriebene Blüthensträucher fehlten ebenfalls, und es konnte deshalb der ausgestellte Persische Flieder, so grosse Anerkennung er auch fand, keinen Preis erhalten.

Ein zu berücksichtigender Umstand ist endlich noch, dass selbst, wenn alle Aufgaben gelöst wären, dieses für das Allgemeine wenig genutzt hätte. Der Gärtner, und oft gerade der tüchtigere, schreibt nicht gern. Der Vorschlag, der in einer früheren Versammlung des Vereins einmal zu einer heftigen Debatte Veranlassung gab, dass nämlich jeder Gärtner, dessen Schaupflanze einen Preis davon trüge, sein Kulturverfahren mittheilen sollte, um dieses in den Verhandlungen zu veröffentlichen, ist zwar von der Majorität der damals stimmenden Mitglieder, die aber wiederum zum grossen Theil aus Nicht-Gärtnern bestanden, gebilligt worden; man ist aber, mit wenigen rühmlichst anzuerkennenden Ausnahmen, gar nicht nachgekommen. Man entschuldigte sich in der Regel damit, dass man nichts Neues sagen könnte. Die Paar Kulturmethoden, welche für die Verhandlungen mitgetheilt wurden, haben dagegen volle Anerkennung gefunden. Leider giebt es aber auch Gärtner und Gartenliebhaber, wenn Gott Lob auch nur sehr wenige, die ihr Verfahren absichtlich geheim halten, damit sie die praktische Methode und demnach auch gut gezüchtete Pflanzen allein besitzen.

Ich habe absichtlich hier den Gegenstand zur Sprache gebracht, da es nur im Interesse der Gärtnerei selbst liegen kann, wenn man bei Aufstellung von Programmen das Beste heraus fände. Es kommen mir jährlich die Programme von den meisten Ausstellungen in Deutschland und zum Theil auch in Frankreich zu; aber ich muss offen gestehen, dass mich nur wenige befriedigt haben. Die Redaktion der Berliner Gartenzeitung wird einer weiteren Besprechung dieses Gegenstandes gern seine Spalten zur Verfügung stellen.

Die Frühjahrs-Ausstellung des Vereins zur Beförderung des Gartenbaues in Berlin findet immer in dem schmalen Saale des Englischen Hauses in der Mohrenstrasse statt.

Im vorigen Jahre sah man sich gezwungen, da wider alles Erwarten eine Betheiligung, wie früher nie, stattfand und die Ausstellung unbedingt die gelungenste war, welche bis dahin gewesen, noch einen zweiten anstossenden Saal in Anspruch zu nehmen. Leider war dieser in diesem Jahre nicht zu erhalten und mussten demnach breitere Tafeln angewendet werden, die wiederum den Raum für die Besuchenden auf eine Weise beengten, dass, namentlich gegen die Mittagsstunden, ein gar zu grosses Drängen entstand. Es kommt noch dazu, dass der Verein seine Ausstellungen, zu denen stets Einlasskarten unentgeldlich vertheilt werden, nie lange dauern lässt, damit die Pflanzen, die immer bei Ausstellungen mehr oder weniger leiden, möglichst geschont bleiben. Die Frühjahrs-Ausstellungen des Vereins dauern nur 1, die Festausstellungen im Juni dagegen 2 Tage. Allerdings würde diese kurze Zeit da, wo man gezwungen ist, zur Deckung der Kosten Eintrittsgeld zu nehmen, wenig einbringen.

Die Leitung hatte dieses Mal der Inspektor des botanischen Gartens, Karl Bouché, übernommen. Es zog sich in der Mitte des Saales eine lange Tafel mit 3 Reihen von Blumentöpfen besetzt dahin, der parallel am Fenster und an der hintern Wand Tische standen. Beide Giebelseiten waren, die eine mit blühenden Sträuchern und Pflanzen des botanischen Gartens, die andere mit den neuen Einführungen und eigenen Züchtungen besetzt.

Wir betrachten die lange Tafel und die Tische mit den Schaupflanzen zuerst. Vorn auf der ersteren stand ein prächtiges Exemplar der brasilianischen Melastomatee Eriocnema (Bertolonia) marmorata Naud. aus dem botanischen Garten und wurde von 2 allerliebst in Form einer Laube und eines etrurischen Gefässes gezogenen kleinblättrigen Indischen Kressen (Tropaeolum tricolor Lindl. und azureum Bert.) umgeben. Beide letztere stammten aus dem Garten des Kaufmanns Hertz und waren von dessen Obergärtner Göring gezogen. Es folgten: Habrothamnus Hügelii Hort. aus dem Garten des Kunst- und Handelsgärtners Barrenstein, weiter wiederum einige Selaginellen und ein hübsch gezogenes Exemplar des Adiantum cuneatum H. Wendl. von dem Universitätsgärtner Sauer eingesendet. Das stattliche mit 30 Wedeln versehene Asplenium Belangerii Kze und die prachtvolle Gesnerie (G. splendida Hort.) hatte der Inspektor Bouché wiederum aus dem botanischen Garten geliefert. Wir übergehen jetzt die Azaleen, da wir sie zusammen besprechen wollen, und stehen vor den Orchideen des Kommerzienrathes Reichenheim. Es ist nicht zu leugnen, dass es gewiss nur wenige Sammlungen giebt, die zu jeder Zeit so reich an blühenden Exemplaren zum Theil seltener und schöner Arten sind, als die Reichenheim'sche. Ich habe schon früher Gelegenheit gehabt, den schönen Garten in der achten Nummer (Seite 61) zu besprechen, und füge hier noch hinzu, dass auch der Bericht des Inspektors Bouché über die Reichenheim'schen Gewächshäuser bereits im letzten Jahrgange der Verhandlungen des Vereines erschienen ist. Von Cypripedium villosum Lindl. war eine Schaupflanze, im eigentlichen Sinne des Wortes, mit 8 Blüthen, von denen jede 2 Zoll Länge hatte, vorhanden. Von den übrigen zeichneten sich ganz besonders aus: Odontoglossum laeve Lindl. mit 46 Blüthen an einem Schafte, die beiden einander doch sehr ähnlichen Vanden (V. suavis Lindl. s. Rollisonii und tricolor Lindl. s. flavescens), die nette Leptotes bicolor Ldl. Trichotosia ferox Bl. und Aërides Fox Brush aus. Unter den neuen Einführungen befanden sich noch Calanthe Masuca Lindl., Oncidium bifolium Ldl. und das langschwänzige Selenipedium caudatum Rchb. fil. Von dieser sonderbaren Pflanze hat man bereits, obwohl sie erst seit Kurzem im Handel ist, mehrere Abarten. Die Reichenheim'sche unterschied sich durch die Blüthe in mehreren Punkten von einem zweiten Exemplare, was der Obergärtner Gireoud im Nauen'schen Garten geliefert hatte und ganz besonders die Aufmerksamkeit der Beschauenden in Anspruch nahm. Nach einem beiliegenden Zettel waren die beiden sehr verlängerten und fast fadenförmigen Blumenblätter 25 Zoll lang, während sie 8 Tage früher nur eine Länge von 5 Zoll gehabt hatten.

Da ich eben die Orchideen bespreche, will ich auch gleich die übrigen noch erwähnen. Der Obergärtner Gireoud hatte ausser der genannten noch eine Trichopilia suavis Lindl. mit 2 Stengeln und 7 Blüthen und ein Dendrobium Paxtoni Lindl. geliefert. An Schönheit und Zartheit übertraf jedoch Trichopilia suavis Lindl. des Holzhändlers Haseloff alles, was ich bisher von dieser keineswegs bei uns seltenen Pflanze gesehen. Schade, dass sie zu spät eingeliefert war, denn sie konnte nun keinen Preis, den sie doch so sehr verdient hätte, erhalten. Einen angenehmen Orange-Geruch verbreitete das nette Epidendron macrochilum Hook. (atropurpureum W.), von demselben Besitzer, der seine Pflanzen mit eigener Hand wartet und pflegt.

Eine Orchideen-Gruppe mit den 6 im Programme vorgeschriebenen Arten hatte auch der Kunst- und Handelsgärtner Allardt geliefert, ausserdem aber noch aus derselben Familie 9 Schaupflanzen in 7 Arten. Ich nenne Pleurothallis velutipes Rchb. fil., Gongora quinquenervis R. et P., Dendrobium calamiforme Lodd. und Miltonia faceties (?) Hort.

Ausserordentlich schön waren die Azaleen aus der Gruppe der indica. Die Fabrikbesitzer Danneel und Nauen, so wie der Kunst- und Handelsgärtner Hoffmann hatten das Schönste gebracht, was sie zum Theil schon Jahre lang gehegt und gepflegt hatten. Was zuerst die Danneel'schen anbelangt, so imponirten die, welche in die Schranken traten, unbedingt am Meisten: eine gewöhnliche ledifolia Smith's vera, Baron Hügel und phoenizea. Obergärtner Pasewaldt, schon seit Jahren durch seine Azaleen-Zucht besonders anerkannt, hatte dieses Mal aber ganz Vorzügliches geleistet. In Blumen und Blättern lag eine hohe Kultur. Dass die ersteren mit ihren reinen Farben, dem Weiss, Rosa und Ponceau, hier und da von dunkelgrünen Blättern, denen man die Frische und die kräftige Gesundheit ansah, unterbrochen waren, erhöhte meines Erachtens nach, die Schönheit. Ich liebe nicht die Azaleen, mögen sie auch noch so vorzüglich sein, wo man nur Blumen und gar keine Blätter sieht. Schön war auch die noch neue Sorte: Herzog Adolph von Nassau, ein deutsches Erzeugniss, was aber ganz gut mit belgischen und englischen in die Schranken treten kann.

In der Nauen'schen Gärtnerei, welcher der Obergärtner Gireoud vorsteht, findet man in der Regel mehr Fremdes, als Inländisches. So auch dieses Mal in Betreff der Azaleen, wo allerdings Illustris mit hell-feuerrothen, Extrany mit ponceaufarbigen und Iveryana mit weissen Blumen vorzüglich waren. Namentlich wurde die letztere wegen der Fülle ihrer Blüthen und der Kultur bewundert, mehr aber noch die noch neue Eulalia van Geert.

Am Meisten hatte Hoffmann geliefert. Aus seiner Gärtnerei stammen in der Regel die schönsten Exemplare, welche man in Berlin und Umgebung findet. Obwohl auch er das Beste aus Belgien und England bezieht, so vernachlässigt er doch keineswegs die Sorten deutschen Ursprungs. Oben an stand die vaterländische Natalie, hervorgegangen aus der Liebig'schen Gärtnerei in Dresden; nach meinem Urtheile die schönste und grösste Blume, die seit Jahren in den Handel gekommen, wenn auch der Rand etwas kraus erschien. Die Farbe war fleischroth und der Durchmesser betrug nicht weniger als 3½ Zoll. Adolph gefüllt, rotundiflora, alba grandiflora, Heloise, alba insignis, Böckmann, Libussa, queen of Portugal, Gabriele, lineata superba, Beauté de l'Europe, Jenny Lind u. s. w. sind alles Sorten, die man nicht genug empfehlen kann.

Endlich verdient noch die Azalea Goethe, ebenfalls ein Liebig'sches Erzeugniss und von dem Handelsgärtner Frichel ausgestellt, wegen Schönheit der Blumen und wegen der Kultur nicht allein Erwähnung, sondern auch Empfehlung. Sie besitzt grosse weisse Blumen mit sparsamen rothen Längsstrichen.

Die Alpenrosen oder Rhododendren waren dieses Mal weniger vorzüglich als im vorigen Jahre, weshalb auch keiner ein Preis, einer jedoch ein Diplom zugesprochen wurde. Der Obergärtner Pasewaldt aus dem Danneel'schen Garten hatte Queen Victoria, roseum superbum und Gibsonii zu einer Gruppe vereinigt, Alexandria, Kronbergiana und Pardoloton aber als neue Einführung zusammengestellt, dem Obergärtner Gireoud hingegen aus dem Nauen'schen Garten verdankte man 7 Sorten, darunter das schöne und gefüllte Rh. fastuosum, und ausserdem Psyche, Eveline Hamblot, Leopard und Lowei.

Wenden wir uns den haidenartigen Blüthensträuchern (Ericaceae, Epacrideae und Diosmaceae) zu, so fanden sich diese bei Weitem nicht in der Anzahl und Mannigfaltigkeit vor, als im vorigen Jahre. Aus dem Danneel'schen Garten waren vorhanden: schöne Schaupflanzen von Eriostemon scaber DC. fil. und Epacris longiflora splendens, aus dem Nauen'schen: eine hohe Erica versicolor Andr., eine E. elegans Andr., prächtige Exemplare von Epacris refulgens Hort., weniger von miniata Paxt., ferner von Boronia tetrandra Labill., so wie Eriostemon scaber DC. fil. und nerifolius Sieb., aus dem Reichenheim'schen Garten: Stenanthera pinifolia R. Br., aus der Hoffmann'schen Gärtnerei endlich: Erica cylindrica Wendl.

Für Kamellien, welche überhaupt in diesem Jahre sehr frühzeitig zu blühen angefangen hatten, war die Zeit vorüber, doch hatte der Kunst- und Handelsgärtner Barrenstein als noch neu: die hübsche Camellia Napoléon III, ausserdem aber noch Rubini ausgestellt.

An Schaupflanzen aus der Klasse der Leguminosen nenne ich: Spartocytisus filipes Bark. et Berth. und Telline (Cytisus) Attleyana C. Koch. vom Kunst- und Handelsgärtner Allardt, Telline bracteata C. Koch β. superba (Cytisus chrysobotrys) vom Kommerzienrath Reichenheim, bei dem jetzt Obergärtner Schmidt ist, so wie eben daher eine Pultenaea subumbellata Hook. und Acacia rotundifolia Hook.

Was die getriebenen Rosen anbelangt, so hatte der Kunst- und Handelsgärtner Kunze in Charlottenburg eine kleine Sammlung eingesendet. Unter ihnen nenne ich als vorzüglich: Thea jaune ancienne, die Remontanten: Reine des fleurs, Empéreur Napoléon, Madame Prevost, Duchesse de Cambacères, Abadie Rougemont und die Moosrose Lane. Sonst an getriebenen Sträuchern sah man vom Hofgärtner Mayer:

2 Exemplare des Philadelphus verrucosus Schrad. (grandiflorus der Engländer, nicht Willdenow), vom Kommerzienrath Reichenheim ein sehr hübsches Exemplar der Deutzia gracilis S. et Z., vom Kunst- und Handelsgärtner Barrenstein eine Kalmia glauca Ait. ε. rosmarinifolia Pursh, vom Fabrikbesitzer Nauen hingegen eine Andromeda calyculata L. und eine Kalmia latifolia L. Es ist in der That zu bedauern, dass die zuletzt genannte Art an und für sich schon in den Gärten viel zu wenig, zum Treiben aber fast gar nicht benutzt wird. Den Reichthum der Blüthen hat kaum eine andere Pflanze. Dazu kommt, dass die blendend weisse Knospe in ihrer Sternform ganz eigenthümlich aussiehet. Von ganz besonderer Schönheit war der Persische Flieder des Kunst- und Handelsgärtners Dav. Bouché.

Ich wende mich zu den getriebenen Blumen, von denen hauptsächlich englische Cinerarien in allen Farben vorhanden waren. Der Obergärtner Göring des Kaufmann's Hertz hatte sie geliefert. Von besonderer Schönheit waren Albion, Kalypso, Katharina Hayes und Konstellation. Durch seine schöngeformten Kaiserlevkoyen zeichnete sich auch dieses Mal wiederum der Kunst- und Handelsgärtner Nicolas aus.

Gross war die Zahl der getriebenen Zwiebeln von Hyacinthen. Schade, dass die Sammlungen zum Theil nicht das Licht erhalten konnten, was ihnen durchaus nothwendig gewesen wäre. Berlin wetteifert, wie bekannt, jetzt mit den Holländern in der Zwiebelzucht und möchte hinsichtlich der Ausfuhr kaum nachstehen. Es herrscht unter den Zwiebelzüchtern eine Rührigkeit, wie sie auch sein muss, wenn sie gedeihen soll. Louis Mathieu und Friebel möchten sich in Berlin den meisten Ruhm in der Zucht von Zwiebeln und in dem Heranziehen neuer Sorten erworben und gewiss auch allenthalben sich Anerkennung verschafft haben. Von beiden war die Ausstellung auch dieses Mal reichlich beschickt. Ich habe zwar in der vorigen Nummer der schönsten Blumen bei Beschreibung des Nauen'schen Gartens gedacht, würde aber doch noch einiger aus der Mathieu'schen Sammlung erwähnt haben, wenn mir ein Verzeichniss zu Gebote gestanden. Unter den 7 neuen Einführungen aus der Friebel'schen Sammlung waren Christian von Kleist, Passe d'Hollande, Herzog von Wellington und Milton besonders schön. Aber auch von den Sämlingen zeichneten sich einige aus, die wohl einer grössern Verbreitung werth wären, aber noch keinen Namen hatten, sich also nicht weiter besprechen lassen. Endlich verdienen auch die vom Kaufmann Gädicke aus Samen erzogenen 9 Hyacinthen zum Theil volle Anerkennung, so wie die 4 Hoffmann'schen Amaryllis, ganz besonders die, welche den Namen Eugenie führt.

Von den neuen Einführungen und Züchtungen ist in Betreff der sogenannten Florblumen schon gesprochen; es bleibt mir demnoch nur noch übrig, auch über die anderen ein Paar Worte zu sagen. Aus dem botanischen Garten war vorhanden: Uhdea bipinnata Hort., ein Gegenstück der beliebten Blattpflanze Uhdea bipinnatifida Kth et Bouché auf Rosen, ferner die sonderbare mit Recht Weisspflanze (Leucophyta) genannte Gnaphaliee: Leucophyta macrostachya Hort., die jedoch wohl keine gärtnerische Verbreitung finden möchte, und eine Aralia mit langen einzelnen Blättern, der A. integrifolia ähnlich, aber schöner.

Von den neuen Begonien waren: B. annulata C. Koch (picta Henders. nec al.) und Roylei Hort. angl. mehrfach, splendida Hort. angl. aber nur einmal vorhanden. Von diesen 3 Arten habe ich bereits in der 10. Nummer der Zeitung weitläufig gesprochen und kann ich nur zur Empfehlung wiederholen, was dort gesagt ist. Von der letztern gehörte das Exemplar, was mir übrigens auch zur oben gegebenen Beschreibung diente, dem Kommerzienrathe Reichenheim; leider hatte es in der Ausstellung keinen günstigen Platz erhalten. Die beiden zuerst genannten Schiefblätter hatten der Kunst- und Handelsgärtner L. Mathieu, so wie die Fabrikbesitzer Danneel in Berlin und Kricheldorf in Magdeburg, letzterer durch seinen Obergärt. Kreutz, eingesendet. Schöne Blattpflanzen waren auch die länger bekannten Arten: Begonia Stelzneri (Reichenheimia) Klotzsch und zeylanica Hort., welche letztere ich aber kaum von B. Thwaithesii Hook zu unterscheiden vermag. Beide stammten aus dem Reichenheim'schen Garten. Eben daher waren: eine blühende Grevillea flexuosa Meisn. und ein Paar Koniferen, die ich bisher noch nicht gesehen und die zum Theil selbst noch nicht in den Katalogen der Handelsgärtner aufgeführt sind, nämlich: Arthrotaxus salicornioides (auch selaginoides) und Cupressus Dregeoni. Länger bekannt ist Thuja freneloides Hort., wohl kaum von Biota orientalis Endl. β. gracilis verschieden. Neu hingegen war mir wiederum Thuja gigantea Nutt., welche aber durchaus nicht mit der sehr ähnlichen Hooker'schen Pflanze dieses Namens verwechselt werden darf. Letztere ist Th. Menziesii Dougl.

Aus dem Universitätsgarten hatte der dortige Vorsteher Sauer Sarracenia adunca Sm., die aber von S. variolaris Mich. nicht verschieden ist, der Kunst- und Handelsgärtner Mathieu aber Sinningia punctata

J. Baum., Tremandra ericaefolia Hort. und eine in Blüthe stehende, gegen 9 Fuss hohe Canna discolor Lindl. ausgestellt. Endlich verdankte man auch noch dem Obergärtner Gireoud aus dem Nauen'schen Garten: Croton discolor Rich., eine schon längst bekannte, aber lebend hier noch wenig gesehene Pflanze, und (zum zweiten Mal) Grevillea flexuosa Meisn. in Blüthe.

Obst war doppelt vertreten: getriebene Kirschen vom Hofgärtner H. Sello in Sanssouci und Erdbeeren vom Kunst- und Handelsgärtner Mohs. Von vorjähriger Aernte hatte der Sohn des bekannten Pfirsichzüchters, Lepère, aus Montreuil bei Paris, einige Birnen und Aepfel von ganz vorzüglicher Güte eingesendet. Ich ergreife die Gelegenheit, um hier darauf aufmerksam zu machen, dass der jüngere Lepère im vorigen Jahre durch den Grafen Schlippenbach auf Arendsee bei Prenzlau veranlasst wurde, nach Deutschland zu kommen, um Pfirsiche, aber auch sonst Obst-Gehölz, auch (so weit das allerdings rauhere Klima es zulässt) Montreuil'schen Schnitt zu behandeln. Es ist dieses in einigen Obstgärten zur Zufriedenheit der Besitzer geschehen. Der jüngere Lepère ist aber bereit, nochmals nach Deutschland zu kommen, insofern Obstbaumbesitzer Willens wären, durch ihn ihre Gehölze beschneiden zu lassen. Die Redaktion ist gern bereit, auf Anfragen die Vermittelung zu übernehmen.

Von Gemüse hatte der Kunst- und Handelsgärtner Nicolas: schönen Spargel, der Hofgärtner Mayer in Monbijou: Körbelrüben von besonderer Grösse eingesendet. Schade, dass der ganz vorzügliche Spargel des gräflich-Schwerinschen Obergärtners Wilke in Tamsel bei Küstrin zu spät anlangte, da er ohne Zweifel einen Preis davon getragen hätte.

Noch mehr bedauern musste man, dass die Pflanzensendung des Rentier Laurentius in Leipzig auf der Eisenbahn von dort hierher durchaus verunglückt war. Abgesehen von dem Verluste, der den Besitzer traf, soll nach einem Augenzeugen besonders die fast 6 Fuss hohe Lochería magnifica Pl. et Lind. eine ausgezeichnet schöne Pflanze gewesen sein.

Es bleibt mir endlich bei der Beschreibung nur noch die Gruppe von Blüthensträuchern und Blumen aus dem botanischen Garten auf der rechten Giebelseite übrig. Mitten aus ihnen ragten einige Chamaedoreen, besonders Ernesti Augusti H. Wendl. und desmoncoides H. Wendl. hervor, denen zur Seite einige hohe Himalaya-Alpenrosen, Polygaleen, Akazien und Trymalien standen. Mittlerer Grösse waren: Pultenäen, Brachysämen, Chorizemen, Epacris, Gnidien, das neue Viburnum macrocephalum Fort., mit seiner zwischen der des Schneeballs und der Hortensie stehenden Blüthe, die noch keineswegs gärtnerischer Seits hinlänglich gewürdigt ist, Berberis Darwini Hook. u. s. w., während mehr vorn: Eriken, Diosmeen, Eriostemon's, Adenandra fragrans R. et S., Boronien, Helleborus abchasicus Hort. Hamb., der doch vielleicht nur, da er keinen bildungsfähigen Blumenstaub hervorbringt, ein Blendling und keine kaukasische Pflanze ist. Caraguata splendens Bouché und eine zweite noch nicht beschriebene, aber vielleicht auch nicht verschiedene Art, Vriesea speciosa Hook., Tillandsia splendens Brongn., u. a. m. standen.

In der Versammlung wurde der Ausspruch der Preisrichter mitgetheilt, und zwar:

Nro. 1. Einer reich- und schönblühenden Erike: der Erica versicolor Andr. des Nauen'schen Gartens.

„ 2. Einer Sammlung von 6 Eriken und Epacrideen: fiel aus.

„ 3. Einer reich- und schön blühenden Diosmee oder Thymeläacee: der Boronia tetrandra Labill. des Nauen'schen Gartens.

„ 4. Einer Sammlung von 6 Diosmeen oder Thymeläceen: fiel aus.

„ 5. Einer reich- und schön blühenden Leguminose: fiel aus.

„ 6. Einer Sammlung von 6 Leguminosen: fiel aus.

„ 7. Einer reich- und schön blühenden Orchidee: dem Cypripedium villosum Lindl. des Reichenheim'schen Gartens.

„ 8. Einer Sammlung von 6 Orchideen: der des Kommerzienrathes Reichenheim.

„ 9. Einer Sammlung von 3 reichblühenden Rhododendren: fiel aus.

„ 10. Einer Sammlung von 3 reichblühenden Azaleen: der des Fabrikbesitzer Nauen.

„ 11. Einer zum ersten Male hier aufgestellten und schönen Pflanze: der Begonia annulata C. Koch des Kricheldorf'schen Gartens in Magdeburg.

„ 12. Einer zweiten und minder schönen Pflanze: der Aralia sp. des botanischen Gartens.

„ 13. Einer neuen und hier zum ersten Male blühenden Abart: der Azalia Eulalie van Geert des Nauen'schen Gartens.

„ 14. Einer Aufstellung von mindestens 12 Stück getriebenen Rosen: denen des Kunst- und Handelsgärtners Kunze in Charlottenburg.

„ 15. Einer Aufstellung von mindestens 12 blühenden Hyacinthen: denen des Kunst- und Handelsgärtners Friebel.

„ 16. Einer Aufstellung von getriebenen blühenden Gehölzen: fiel aus.

Nro. 17—20. Nach Belieben der Preisrichter:

a. dem Selenipedium caudatum Rchb. fil. des Nauen'schen Gartens.

b. dem Tropaeolum tricolor Lindl. des Kaufmann Hertz'schen Gartens.

c. den Azaleen des Kunst- und Handelsgärtners Hoffmann.

d. der Epacris refulgens Hort. des Nauen-schen Gartens.

Aus den ausgefallenen Preisen wurden zwei wiederum verwendet, um sie den getriebenen Kirschen des Hofgärtners Sello und der gelbrothen Sämlings-Hyacinthe Nro 1 des Kunst- und Handelsgärtners Friebel zuzusprechen.

Ausserdem wurden aber noch 5 Ehrendiplome vertheilt, nämlich:

1. Für das Obst des jüngeren Lepère aus Montreuil.
2. Für die Calanthe Masuca Lindl. des Kommerzienrathes Reichenheim.
3. Für den Phajus maculatus Lindl. des Kunst- und Handelsgärtners Allardt.
4. Für die Azalea Goethe des Kunst- und Handelsgärtners Friebel.
5. Für das Rhododendron fastuosum Hort. des Fabrikbesitzers Nauen.

Schliesslich wurde noch das Bedauern ausgedrückt, dass der Trichopilia suavis Lindl. des Kaufmanns Hasetoff wegen ihrer verspäteten Einlieferung kein Preis zugesprochen werden konnte.

Stenanthera pinifolia R. Br.

Unter den Pflanzen, welche R. Brown auf der Entdeckungsreise in Neuholland während der Jahre 1802 bis 1805 sammelte, fand, war auch diese Pflanze aus der Familie der Epakrideen oder neuholländischen Haiden, die sich von den ächten Europa's und Afrika's, den Ericaceen, hauptsächlich durch die der Länge nach aufspringenden Staubbeutel unterscheiden. Stenanthera ist demnach eine alte, schon seit dem Jahre 1811 auf dem Kontinente in Kultur befindliche und bereits auch einige Mal (in Lodd. bot. cab. t. 228, im bot. reg. t. 218 u. s. w.) abgebildete Art, die aber trotz ihrer Vorzüge noch viel zu wenig kultivirt wird.

Und doch giebt es so wenig Pflanzen, welche von Natur aus schon eine solche Anlage zu einer sogenannten Schaupflanze haben, als diese Stenanthere mit Blättern der Kiefer. Der Kommerzienrath Reichenheim besitzt ein Exemplar, was die Form eines kleinen, man möchte sagen, Lichter- oder Weihnachtsbaumes, von ohngefähr 1½—2 Fuss Höhe und mit einer abgerundeten, ziemlich dichten Krone von fast 1 Fuss im Durchmesser, besitzt, was schon im vorigen Herbste, wenn auch nur einzeln, zu blühen anfing und Ende April noch blüht. In der Ausstellung des Vereines zur Beförderung des Gartenbaues erregte das kleine Bäumchen allgemeine Bewunderung.

Man kann sich in der That nichts Hübscheres denken, als die lang-röhrigen Blumen von rother Farbe, aber mit grünen und gelben Saume versehen, wie sie leuchtenden Lichtern gleich glänzen und mitten in dem etwas zum Grau sich hinneigenden, aber immer angenehmen Grün der dicht stehenden und die Aeste vollkommen bedeckenden Blättern, die die Form der Nadeln unserer Lärche haben, jedoch nicht abfallen, sondern immergrün sind, weit hin gesehen werden. Wir wünschen nichts weiter, als dass diese dankbarblühende und leicht zu kultivirende Pflanze in den Kalthäusern mehr angewendet werde, als es bis jetzt der Fall ist.

Stenanthera gehört, wie schon gesagt, zu den neuholländischen Haiden und zwar mit Styphelia, Astroloma, Cyathodes, Lissanthe, Leucopogon u. s. w. zu denjenigen, wo die Fruchtknotenfächer nur 1 Samen einschliessen, während bei Epacris, Andersonia, Lysinema, Cosmelia, Sprengelia, Dracophyllum u. s. w. deren mehre vorhanden sind. Wegen der nadelartigen Blätter und auch sonst ähnelt das Genus am Meisten den Styphelia-Arten, womit es auch einige Botaniker vereinigen; es unterscheidet sich aber durch die büschelförmigen und von bleibenden Deckblättern umgebenen Blüthen und durch die fleischigen Staubfäden, die breiter als die Staubbeutel sind. Der letztere Umstand gab R. Brown Gelegenheit zur Benennung Stenanthera (von στενός schmal und Anthera) d. h. Schmal-Anthere.

Was die Kultur anbelangt, so verhält sich diese ganz gleich der, die bei Epacris, Cosmelia, Styphelia u. s. w. angewendet wird und als hinlänglich bekannt vorausgesetzt werden kann.

Journal-Schau.

I. The Cottage- Gardener's and Country-gentleman's Companion. Dieses praktische Gartenjournal ist bei uns leider weit weniger bekannt, als es verdient. Wir empfehlen es namentlich Gärtnern, die die englische Handhabung in der Gärtnerei kennen lernen wollen. Wie in Gardener's Chronicle, dessen Einrichtung die ebenfalls alle Wochen erscheinende Zeitschrift nochgenhmt hat, sind die ersten und letzten Seiten mit Anzeigen ausgefüllt. Anstatt der landwirthschaftlichen Abtheilung findet man aber hier eine für Geflügel, was in England jetzt noch weit mehr als in Deutschland ein Mode-Artikel geworden. Das Format ist Quart und 12 Blätter gehören zu einer Nummer. 2 Holzschnitte bringen meist Abbildungen von Pflanzen und eine von allerhand Federvieh; ausserdem erläutern einige den Text über Bauten, Anlagen u. s. w. In diesem Jahre sind bis jetzt (Mitte März) 11 Nummern erschienen. Einzeln kostet jede 3 Schilling.

Das Jahr 1857 beginnt mit Nummer 432. Bei der Aufführung der Abbildungen übergehen wir die erste, da sie in den uns zu Gebote stehenden Nummern ein inländisches Farrn darstellt, und beschränken uns daher nur auf Nennung der zweiten abgebildeten Pflanze. Leider sind dieses aber nur Kopien aus dem Journale der Londoner Gartenbaugesellschaft und hätten wir lieber Originalien gesehen. Da die Auswahl aber doch Pflanzen betrifft, die einer Empfehlung mehr oder weniger werth sind und bei uns selten oder noch gar nicht kultivirt werden, so zögern wir nicht, nochmals hier ebenfalls auf sie aufmerksam zu machen.

In Nr. 432 ist ein Zapfen und ein Büschel von 5 Nadeln der Pinus Montezumae abgebildet. Diese Kiefer stammt aus Mexiko und wurde von Hartweg entdeckt. Die Nadeln ähneln denen der Pinie. Der Baum macht nur wenige, aber sehr sparrige Aeste. Die 4—5 Zoll langen und etwas gekrümmten Zapfen stehen meist zu 3 und 4 beisammen, aber auch einzeln. Unter dem Namen P. Montezumae hat man aber 2 Abarten, von denen die eine doppelt so lange Zapfen besitzt und länger schon in den Gärten sich befindet. Diese letztere wurde von Loudon als P. Montezumae Lindleyi unterschieden.

Nr. 434 bringt uns die auch in Flore des Serres abgebildete Berberis parviflora Lindl., eine wahrscheinlich chilenische Art, die aber doch der B. aristata DC. und anderen Sauerdorn-Arten des Himalaya nahe steht. In Deutschland ist sie uns noch nicht vorgekommen.

Platycodon grandiflorus DC. mit halbgefüllter weisser Blume ist in Nr. 437 dargestellt. Die gewöhnliche Form mit blauen und einfachen Blüthen, wie sie die meisten Glockenblüthler (Campanulaceae) besitzen, ist bei uns hinlänglich bekannt, aber doch mehr in botanischen Gärten und nicht allgemein verbreitet. In der genannten Abart findet sich inmitten der flachen und 5-lappigen Krone noch eine zweite und eben so gestaltete, deren Abschnitte mit denen jener abwechseln, so dass beide Kronen einen zehnstrahligen Stern darstellen. Staubgefässe und Stempel erscheinen übrigens ganz regelmässig und sind fast gar keine weiteren Unregelmässigkeiten vorhanden. Fortune führte diese Form 1845 aus China ein.

Sericographis Ghiesbreghtiana wurde zwar schon 1847 durch Henderson eingeführt und auch in Paxton Magazin und in Flore des Serres abgebildet, ist aber doch so wenig verbreitet, dass auch wir mit dem Cottage-Gardner, wo sie in Nr. 438 dargestellt ist, vom Neuen darauf aufmerksam zu machen nicht anstehen. Wegen der scharlachrothen und lange Zeit grade im Winter dauernden Blüthen verdient es diese mexikanische Acanthacee auch.

In Nr. 439 wird die nette transkaukasische Silene Schafta abgebildet und empfohlen. Wir haben sie in Transkaukasien, und zwar in frühern persischen Provinzen gesehen und uns stets über das hübsche Alpenpflänzchen erfreut. Da die Pflanze sich auch bei uns bereits in botanischen Gärten befindet und demnach auch leicht zu beziehen ist, so wäre wohl zu wünschen, dass sie bei Felsenpartien, Gruppen von Alpenpflanzen u. s. w., die man jetzt so sehr liebt, ebenfalls berücksichtigt würde. In derselben Nummer folgt eine Abbildung der Pinus Orizabae, wiederum einer mexikanischen Kiefer mit 5 Nadeln. Sie kommt der P. Pseudo-Strobus am Nächsten. Ihre 4—5 langen und abwärts gerichteten Zapfen stehen zu 4 und 5 zusammen.

Nr. 440 bringt eine Abbildung der Limnanthes rosea. Diese Blume wurde 1848 durch Hartweg aus Kalifornien eingeführt und steht der auch weit bekannteren L. Douglasii nach.

Eine leider schlechte Abbildung von Iris reticulata findet sich in der 442. Nummer vor und ist die Pflanze bereits auch von uns in der 12. Nummer Seite 95 besprochen worden. Mit Scilla Hohenackeri, einigen Bulbocodien und Crocus-Arten bringt diese mit einer Zwiebel versehene Iris zuerst, auch bei uns, Blumen im Freien hervor und ist deshalb schon, aber auch wegen ihrer in der That schönen Blüthe, gar nicht genug zu empfehlen. Es kommt noch dazu, dass sie sich eben so, wie die Crocus-Arten, treiben lässt.

IV. The Gardener's Chronicle bringt in den letztern Nummern, welche uns zu Gebote stehen, nichts Neues an Schmuck- und Zierpflanzen, von Interesse erscheinen uns aber die Zeichnungen von allerhand Gartengeräthschaften, namentlich von Tischen, Stühlen, Bänken u. s. w., welche von sogenannten Naturholze angefertigt sind. In Deutschland hat man schon längst abnorm gewachsene und gestaltete Baum-Stämme, Aeste u. s. w. dazu benutzt; ganz besonders ist dieses in dem Garten des Prinzen Karl von Preussen in Glienicke bei Potsdam der Fall und machen wir hiermit auf eine Anlage aufmerksam, die trotz ihrer Mannigfaltigkeit und ihrem geschmackvollen Arrangement, selbst von Berlin aus, leider gar nicht genug anerkannt und besucht wird. Es ist gar sehr zu wünschen, dass von den oben besprochenen Naturprodukten viel mehr Gebrauch gemacht werden möchte, als es bis jetzt der Fall ist.

Pflanzen-Katalog.

Der Pflanzen-Katalog des Laurentius'schen Gartens für 1857 ist, da er in unzureichender Anzahl eingesendet wurde, in der Verlagshandlung einzusehen oder auf portofreie Anfragen vom Laurentius'schen Etablissement selbst zu beziehen.

Verlag der Nauck'schen Buchhandlung. Berlin. Druck der Nauck'schen Buchdruckerei.

No. 17. Sonnabend, den 25. April 1857

Preis des Jahrgangs von 52 Nummern mit 12 color. Abbildungen [illegible] Thlr., ohne dieselben [illegible]. Durch alle Postämter des [illegible] Postvereins und durch den Buchhandel [illegible] zu beziehen.

Mit direkter Post übernimmt die Verlagshandlung die Versendung unter Kreuzband gegen Vergütung von 20 Sgr. für Belgien, von 1 Thlr. 8 Sgr. für England, von 1 Thlr. 22 Sgr. für Frankreich.

BERLINER Allgemeine Gartenzeitung.

Herausgegeben vom

Professor Dr. Karl Koch,

General-Sekretair des Vereins zur Beförderung des Gartenbaues in den Königl. Preussischen Staaten.

Inhalt: Die Blumen- und Pflanzen-Ausstellung in Dresden vom 9. bis 14. April. Vom Professor Dr. Karl Koch. — Einige neue Aronspflanzen oder Aroideen. Im Allgemeinen. I. Calladium. Vom Professor Dr. Karl Koch. — Das weissliche Gänsekraut mit bunten Blättern (Arabis albida fol. albo-marginatis).

Die Blumen- und Pflanzen-Ausstellung in Dresden vom 9. bis 14. April.

Vom Professor Dr. Karl Koch.

Der April ist der Monat der Ausstellungen. Florblumen aller Art: Azaleen, Rhododendren, Epakris, Cinerarien, Hyacinthen u. s. w. stehen mit vielen andern Gehölzen der Gewächshäuser, namentlich mit Haidesträuchern: Daphne-, Pimelea-, Gnidia-, Diosma-Arten u. s. w., und mit Schmetterlingsblüthlern: Chorozema-, Daviesia-, Pultenaea-, Brachysema-, Kennedya-, Spartocytisus-, Telline-Arten u. s. w. in voller Blüthe; es ist im April mehr Material zur Ausschmückung grosser Räume mit in allen Farben prangenden Blumenschmucke vorhanden, als zu irgend einer andern Zeit. In allen Städten fast, wo Gartenbauvereine existiren, haben demnach Ausstellungen im April stattgefunden.

Man hatte in Dresden ausserdem noch eine passende Zeit, die Tage des Osterfestes, zur Ausstellung gewählt, um, zur Deckung der immerhin nicht unbedeutenden Kosten, auch ein Eintrittsgeld zu erheben. Es kam noch dazu, dass das Wetter ausserordentlich günstig war und der Ort, wo die Ausstellung stattfand, die Brühl'sche Terrasse, ebenfalls eine Menge Besucher herbeigelockt haben mochte, welche selbst bei weniger Interesse unter andern Umständen wahrscheinlich nicht gekommen wären. Der Bewohner des schönen Dresdens hat ausserdem mehr Liebe zur Pflanzenzucht, als selbst der Berliner, der sonst in dieser Hinsicht anerkannt ist, und ergreift gern jede Gelegenheit, wo er hübsche Blumen sehen kann. Hoch und Niedrig pflegt in weitläufigem oder beengtem Raume, wie dieser eben zu Gebote steht, Blumen und erfreut sich an ihnen. Man braucht sich deshalb nicht zu wundern, wenn die Ausstellung auf der Brühl'schen Terrasse auch sehr besucht war und dem Gartenbau-Vereine Flora dadurch eine nicht unansehnliche Einnahme gebracht wurde. An dem Tage, wo ich sie besah, am Charfreitage, waren allein über 1600 Billete ausgegeben. Se. Majestät der König, sowie die Königin und die Königlichen Prinzen und Prinzessinnen, nebst hohen Herrschaften, besuchten die Ausstellung mehr als einmal.

Das Ganze war geschmackvoll arrangirt und gelungen, obwohl nur ein einziger 112 Fuss langer und 36 Fuss breiter Raum zu Gebote stand und demnach es darauf ankam, das Einzelne nicht allein gut zu gruppiren, sondern auch die Gruppen zu einem harmonischen Ganzen zu vereinigen. Ein einziger grosser Raum hat immer mehr Schwierigkeiten, als mehre kleinere; es ist dieses die Ursache, dass, namentlich in kleineren und mittleren Städten, wo alles in einem Saal aufgestellt werden muss und demnach auch dem Beschauenden alles mit einem Male dargeboten wird, dergleichen Ausstellungen nur sehr selten ästhetischen Ansprüchen genügen, so hübsch auch bisweilen das Einzelne gruppirt ist. Es muss stets mehr oder weniger fehlerhaft ausfallen, wenn jeder Aussteller beliebig und, ohne sich weiter um den andern zu bekümmern, seine Pflanzen für sich gruppirt.

In Dresden hatte man in der Mitte eine Art Schlucht, die nach hinten aufwärts stieg, angebracht. In ihr rieselte ein Bächelchen, was von einem Teiche gespeist wurde, der seinerseits wiederum von einem Springbrunnen sein Wasser erhielt. Die ganze Schlucht war mit grünem Moose belegt, was durch grössere und kleinere Steinblöcke unterbrochen wurde. An den Rändern der Schlucht hatte man zunächst allerhand kleinere Gruppen, in mannigfacher Weise und mit einander harmonirend, aufgestellt; aber auch auf dem wenig schiefen Abhange selbst waren blühende und Blattpflanzen einzeln und Paarweise, namentlich in der Nähe der Steine, angebracht.

Auf beiden Seiten des Randes ging ein wenig steigender Weg nach hinten und oben, wo wiederum einige Stufen, und zwar doppelt, rechts und links, an den Seiten auf eine Terrasse führten. Die Giebelseite wurde hier durch allerhand Neuholländer und ähnliche immergrüne Gehölze, vor denen noch blühende Kamellien in reichlicher Anzahl standen und die Büsten der Königlichen Majestäten umgaben, gedeckt. Die Fensterseite, an den Brüstungen sowohl, als auf Tischen an den Fenstern, sowie auch die gegenüber sich hinziehende Wand waren mit allerhand Pflanzen geschmückt, letztere wurde sogar gedeckt. Auf den Tischen befanden sich die neuen Einführungen, das Gemüse, einige Ananas und wenige Schaupflanzen.

Der Mangel an letztern war mir auffallend und steht auch mit den sonst nicht unbedeutenden Leistungen der Dresdener Gärtnerei sowohl, als mit der grossen Liebe der Dresdener selbst einigermassen in Widerspruch. Jede noch so schöne Pflanze verliert immer, wenn sie nicht gut gezogen ist und namentlich, wenn sie sich nicht nach allen Seiten hin gleichmässig entwickelt hat. Bei der grossen Anzucht von Marktpflanzen in Dresden mag es allerdings seine Schwierigkeiten haben, jeder einzelnen Pflanze immer auch hinlänglich Sorgfalt zuzuwenden, allein Mühe und Zeitverlust würden sich doch bald bezahlt machen. Das wissen namentlich die Berliner Handelsgärtner, die doch auch Massen erziehen und durch Ausführung gut gezogener Pflanzen, selbst ausserhalb Deutschland, sich allmählig eine Abzugsquelle eröffneten, die ihnen viel einbringt und Zeitverlust nebst Sorgfalt hinlänglich vergütet.

Dagegen haben die Dresdener durch Heranziehen neuer Spiel- und Abarten, so wie von Blendlingen sich ein Verdienst erworben, was noch lange nicht in der Weise anerkannt ist, als es es verdient. Alljährlich fast werden von Dresden, und ganz besonders durch die Liebig'sche Gärtnerei, neue Azaleen, Rhododendren, Epakris, Kamellien u. s. w. verbreitet, die selbst zum Theil nach England und Belgien gehen, um sogar bisweilen unter englischen und französischen Namen wiederum nach Deutschland zurückzukommen. So geht es leider nicht selten mit dem Heimischen, was in unserem guten Vaterlande vernachlässigt wird und erst Geltung erhält, wenn es im Auslande gewesen war und dort einen fremdklingenden Namen erhalten hatte. Es unterliegt keinem Zweifel, dass z. B. die neuern Liebig'schen Azaleen, vor Allen Natalie und Gothe, die belgischen und englischen Sorten der letzten Jahre an Schönheit übertreffen.

Was die Ausstellung nun selbst zunächst anbelangt, so war es sehr erfreulich, dass die Gärtner von Profession lebhaften Antheil genommen hatten. Von 31 Ausstellern waren nur 8 Nicht-Gärtner. In Berlin ist es leider umgekehrt, die Zahl der Privaten, welche ausstellen, ist weit grösser, als die der Handelsgärtner. Und doch sollte man glauben, dass Ausstellungen von Pflanzen hauptsächlich im Interesse der letztern veranstaltet werden, da ihnen hier eine günstige Gelegenheit dargeboten wird, wo ihre Erzeugnisse mehr zur Kenntniss des Pflanzen liebenden Publikums kommen. Man hört in Berlin oft die Entschuldigung, dass der Verkauf, der allerdings immer die Hauptsache bleiben muss, dem Handelsgärtner keine ausstellbaren Pflanzen übrig lässt; aber sollte, wenn grade die schönsten Pflanzen für eine Ausstellung zurückgestellt würden und dadurch dieselben zur grösseren Kenntniss kämen, dem Handelsgärtner nicht dadurch ein noch grösserer Vortheil erwachsen? Er wird gewiss dann mehr Nachfrage erhalten und diese muss ihn bestimmen, für die weitere Vermehrung seiner Pflanzen Sorge zu tragen. Grade die Ausstellung am 5. April in Berlin gab ein Beispiel, dass ein Handelsgärtner die von ihm für die Ausstellung zurückgestellten Pflanzen nicht allein um gewiss bessere Preise verkaufte, sondern auch ausserdem noch zahlreiche Bestellungen erhielt.

Da der 2. Vorsitzende des Gartenbau-Vereines Flora, Kunst- und Handelsgärtner Schreiber, und der Sekretair, Kantor Schramm, denen die Leitung der ganzen Ausstellung mit übertragen war, erkrankten, so lag dieses Mal dem eigends dazu ernannten Ausschusse, bestehend aus den Hofgärtnern Poscharsky und Wendschuch, dem Inspektor des botanischen Gartens, Krause, sowie den Kunst- und Handelsgärtnern Dreisse, Himmelstoss, Maibier, Petzold und Schmidt, die ganze Sorge der Aufstellung allein ob. Das Arrangement der Schluchtpartie wurde namentlich durch den Inspektor Krause ausgeführt. Zu ihr, sowie zu den übrigen Gruppen, mit Einschluss der Einführungen, sollen 2818 Pflanzen verwendet worden sein.

Wir gehen zu dem Einzelnen über und beginnen mit

den neuen Einführungen. Die Azaleen-, Rhododendren-, Epakris-Züchtungen werden später besprochen. 2 Nicht-Dresdener: Rentier Laurentius in Leipzig und Kunst- und Handelsgärtner Geitner in Planitz bei Zwickau waren hier allein vertreten. Der erstere hatte die schöne Locheria magnifica, mit Blüthen dicht besetzt, ausgestellt. Ausserdem aber sah man noch eben daher eine Reihe seltener Blattpflanzen, von denen man mehre z. B. Rhopala glabra und magnifica, Cinchona nobilis, Brassaeopsis speciosa, Saurauja macrophylla, Begonia splendida, Centrosolenia picta, Maranta metallica, variegata, vittata, regalis und pardina, sowie Heliconia metallica, wenigstens für Dresden, auch als neue Einführung betrachten kann. Dasselbe gilt ebenfalls von Anecochilus argyroneurus, der übrigens wie die andern 4 ausgestellten Arten, recht gut kultivirt war.

Von besonderer Schönheit waren von der Geitner-schen Gärtnerei in Planitz: Ouvirandra fenestralis, die Abart lineata der Tradescantia discolor und Schizolepis Geitneriana. Ausserdem hatte dieselbe noch mehre unbestimmte Pflanzen, die direkt aus dem Vaterlande bezogen oder aus dortigen Samen erzogen waren, ausgestellt. Unter ihnen befanden sich Gesneriaceen, Mimoseen und Melastomateen.

Was die Schaupflanzen anbelangt, so waren aus Planitz vorhanden: eine schöne Macodes marmorata (Anecochilus Lowii) und die schwer zu züchtende Fliegenfalle Dionaea Muscipula, während der Rentier Laurentius in Leipzig ein stattliches Exemplar der Amaryllidee: Imantophyllum miniatum zur Verfügung gestellt hatte, ausserdem aber noch ein blühendes Cropedium Lindenii, Tydaea amabilis picta und Ceanothus dentata.

Von Seiten der Handelsgärtner und Privaten in Dresden sah man sonst: eine hübsche Berberis Darwini von Rölke, Abutilon striatum und Strelitzia Reginae von E. W. Wagner, 2 nette Cyclamen's von Frau Hasslauer, eine hochstämmige Azalee von Ch. Kämpffe, Rhododendron Gibsoni u. Edgeworthii, Acacia lineata und lanata, so wie Citrus myrtifolia von dem Kommerzienrathe Luttermoser, Azalea amoena von Schmidt und Rhododendron javanicum von Lüdicke.

Die Gruppen unterscheide ich als gemischte und reine, welche letztere nur aus Pflanzen einer und derselben Art oder wenigstens desselben Geschlechtes bestehen. Am Meisten waren Azaleen vorhanden. Es that mir leid, dass grade aus der Liebig'schen Gärtnerei nur 2 fremde Erzeugnisse: narcissiflora und Beauté de l'Europe, so wie eine amoena sich vorfanden. Aus der Petri'schen Gärtnerei nenne ich: Martha Maria und Praestandissima; vom Hofgärtner Wendschuch: Abd-el-Kader, Friedrich August, Susanna, alba grandiflora, Felicitas, Napoléon, Baron Hügel; aus der Himmelstoss'-schen Gärtnerei: Göthe, Sophie, decora, Antigone, Sophie Schröder und Prinz Albert; aus der Dreisse'schen aber: Baron v. Hügel, Rosette, Cuprea elegans, Juno, alba striata nova, Napoléon, alba insignis, Adolphine und Diana. Ausserdem waren von Dreisse noch eine prächtige Gruppe von 25 Azaleae exquisite und eine zweite von 8 Pontischen Azaleen zusammengestellt. Endlich hatten der Kunst- und Handelsgärtner Petzold 25 verschiedenblühende indische Azaleen und wiederum die Gebrüder Maibier 24 zu einer Gruppe vereinigt.

Ich gehe zu den Alpenrosen oder Rhododendren über. Von allen Sikkim-Bewohnern scheint Rh. ciliatum rasch eine Marktpflanze werden zu wollen; der Kunst- und Handelsgärtner Liebig hat das Verdienst, die ersten Massen dazu herangezogen und verbreitet zu haben. Einige derselben waren auch hier ausgestellt. Daneben aber noch ein schöner Sämling, der den Namen „W. Lüdicke" erhalten hatte. Aus der Gruppe des Hofgärtners Wendschuch verdiente eine nähere Betrachtung: Aureum triumphans, Cupreum, Yellow superbum, Fine large buff und Formosum primulum; aus der des Kunst- und Handelsgärtners Dreisse hingegen: Rhododendron Russellianum und Emeline Hemblot. Auch die Gebrüder Maibier hatten einige Rhododendren geliefert.

Einen grossen Werth besass die Liebig'sche Gruppe von Epakris, da sie nicht weniger als 11 eigene Züchtungen enthielt. Von ihnen können empfohlen werden: Mignon, Laetitia, Hortensia, Vesta, Angeline, Eutoxia, Alwine und Delectabilis. Was die übrigen anbelangt, so nenne ich diosmaefolia und laevigata. Auch Hofgärtner Wendschuch hatten 5 hübsch blühende, aber schon ältere Sorten zu einer Gruppe vereinigt, eben so die Gebrüder Maibier 9 Sorten, denen sich aber noch 6 Correen anschlossen.

Aechte Haiden (Ericen), die in Berlin hauptsächlich als Marktpflanzen eine grosse Rolle spielen, waren weniger vorhanden. 12 Exemplare der Erica Willmorei fanden sich aus der Dreisse'schen, 24 hingegen aus der Maibier'schen, 56 Töpfe endlich der Erica sparsa (imbricata L.) aus der Schmidt'schen Gärtnerei vor.

Recht hübsch machten sich auch die Gruppen von Akazien. Der Kunst- und Handelsgärtner Gross hatte 15 Töpfe mit Acacia lineata und der Hofgärtner Wendschach 10 mit A. linifolia, der Kunst- und Handelsgärtner Dreisse sogar 40 mit A. armata, lineata. paradoxa und floribunda zusammengestellt. Nicht weniger schöner schien die Pulteneen-Gruppe des letztern.

Kamellien waren noch in reichlicher Anzahl vorhanden mit zum Theil in der That prächtigen Blumen. Am Reichsten erschien die Gruppe des Kunst- und Handelsgärtners Petzold, da sie aus 138 Töpfen in 50 Sorten bestand. Ich nenne als besonders zu empfehlen: Colombo, Ristori, Monarch, Alba fenestrata. Derbyana, Platypetala, Rose de la Chine, General Washington, Hendersonii, Prince Albert, Rossii, Lowii, Impératrice Eugénie, Imperialis, Myrtifolia alba und Fimbriata. Eine 2te Gruppe, aus 25 Töpfen bestehend. hatten der Gärtner Geyer im Ehrlich'schen Schulstift, eine 3te, aber kleinere, der Handelsgärtner Kämpffe, eine 4te, wiederum etwas grössere, der Hofgärtner Wendschuch, eine 5te endlich die Gebrüder Maibier geliefert.

Eine Zusammenstellung von 29 Fuchsien in verschiedenen Sorten verdankte man dem Kunst- und Handelsgärtner Gross, eine von Laurustin aber dem Kunst- und Handelsgärtner Beck. Blühende Orangenbäumchen hatten die Kunst- und Handelsgärtner Himmelstoss und Dreisse gebracht.

Ich gehe zu den getriebenen Sträuchern über. Zum Theil recht hübsche Rosen sah man von dem Hofgärtner Poscharsky, so wie von den Kunst- und Handelsgärtnern Rölke und Dreisse. Deutzien hingegen von Petzold, Weigela rosea und Ribes sanguineum von Petri. Von den getriebenen Blumen zeichneten sich vor Allem der in der That ausgezeichnete Stangenlack und die Cinerarien des Hofgärtners Poscharsky aus, eben so die Aurikel-Sämmlinge von Beck, die Dicentren (aber immer mit dem falschen Namen Dielytra) des Kommerzienrathes Lottermoser und von Himmelstoss. Ferner sah man eine ausgewählte Sammlung von Stiefmütterchen (Viola tricolor) wiederum aus dem schönen Lottermoser'schen Garten, vor Allem aber die neuen Pariser Riesenblumen: Madame Miellez und Impératrice Eugénie des Rentier Laurentius aus Leipzig.

Auch Zwiebelblumen waren in reichlicher Anzahl vorhanden und trugen wesentlich dazu bei, den Ausstellungsraum zu verschönern. Vor Allem reich war die Sammlung von Hyacinthen des Kommerzienrathes Lottermoser, hauptsächlich aus holländischen Erzeugnissen bestehend, obwohl auch die Berliner nicht fehlten. Garde les yeux, l'Unique, Bouquet royal, Howard, la Dame du lac, Henriette Wilhelmine, Jenny Lind, Königin der Niederlande, l'Ornement de la nature, Kenau Hasselaar, la jeune Anne, Sultan Favorite, Coeur blanc, Oncle Tom, la Nuit, Charles Dickens, grand Vainqueur, Bleu mourant, Lapeyrouse, Anna Pawlowna, Grandeur à Merveille, Blanchard, Queen Victoria, Anna Elisabeth, Molière, l'Ami du coeur und Julius Caesar waren von den 99 vorhandenen Sorten zu nennen, welche in Berlin zum Theil weniger, zum Theil mit andern Namen bekannt sind, mir aber besonders gefielen. Unter den 31 Tazetten aus demselben Privatgarten nenne ich: Grand Soleil d'or, Gloria narcissiflora, Mozart, Brutus, Nonpareille, Laura, Sultan Favorite, Gloria florum, Duc de Luxembourg und Grand Monarque.

Eine zweite Sammlung von 18 Hyacinthen hatte der Kunst- und Handelsgärtner Rölke, eine dritte von 12 Stück aber Himmelstoss ausgestellt. Aus der letztern nenne ich: Passetout, Imperatrix alba, l'Honneur de Hillegeom und Grandeur à merveille. Aus der zuletzt genannten Gärtnerei stammten auch die 6 Sorten Kaiserkronen, unter denen mir Atrosanguinea, Maxima und Parmenio gefielen. Endlich hatte noch Lieutenant Wiluczki eine Marica (Moraea) Northiana ausgestellt.

Auch einige beliebte Blattpflanzen waren zu Gruppen verwendet worden, so Dracaena brasiliensis und terminalis durch Gross, Ficus elastica durch den Sprachlehrer Terreni, Hedera algeriensis durch den Kantor Schramm und Kirchdorfer, so wie Taxodium sempervirens, von den Gebrüdern Maibier.

Es bleiben endlich noch die gemischten Gruppen, die in der That recht mannigfaltig und meistens auch geschmackvoll aufgestellt waren, übrig. Als nicht allein schön, sondern auch belehrend nenne ich zuerst die des botanischen Gartens, dem Inspektor Krause vorsteht. Grade die Palmen, Aroideen, Scitamineen, Araliceen und sonstigen Blattpflanzen höherer dikotylischen Familien trugen wesentlich bei, den etwas gehäuften Blüthenschmuck durch angenehme Unterbrechungen zu mildern. Unter den 14 Palmen nenne ich Damaenorops latifrons, Areca rubra, Attalea speciosa, Klopstockia cerifera und Sabal Adansonii. Sehr reich waren die Aroideen und sinnig verwendet: Zantedeschia rubescens, Philodendron Simsii (meist unter dem falschen Namen Fontanesii), Ph. lacerum, Dieffenbachia costata, ein prächtiges blühendes Exemplar des Caladium pellucidum (rubricaule Hort.), eine ganze Reihe Anthurien u. s. w. Es folgten nun einige Bananen, Dracänen, von letzterem D. Boerhavii und umbraculifera in stattlichen Exemplaren, und Scitamineen. Unter den übrigen Blattpflanzen waren bemerkenswerth: Aralia integrifolia, guatemalensis, Croton pictum und Astrapaea Wallichii.

Aber auch von blühenden Pflanzen hatte der Inspektor Krause eine freundliche Gruppe zusammengestellt, in der neuholländische Schmetterlingsblüthler: Goodien, Oxylobien, Pultenäen, Dillwynien, Chorozemen, Zierien u. s. w., und Akazien vorherrschten.

Besonders sprach mich an die Gruppe blühender Gehölze und Kräuter, welche durch Hofgärtner Terscheck aus dem Königl. Garten zu Pillnitz aufgestellt waren. Sie erschienen gemischter als jene. Vor Allem fiel ein blühendes Exemplar der Ceratozamia longifolia auf. Ausserdem nenne ich noch Cypripedium Lindenii, Maxillaria gratissima, Boronia anemonaeflora, Siphocampylos canus u. s. w., die von Akazien und Schmetterlingsblüthlern begleitet waren.

Unter der Liebig'schen Gruppe befanden sich sehr hübsche, mir zum Theil unbekannte Blüthensträucher: Gastrolobium pilosum, (vielleicht villosum Lindl.), Aspalathus Bergsmanniana, Podolobium Hügelii, Leucopogon Drummondi, Templetonia angustifolia, Acacia Startii und ovata, Hovea longifolia u. s. w.

Die Gruppe des Rittergutes Burgk bestand fast nur aus Blattpflanzen: einer schönen Cycas circinnalis, aus Phoenix- und Chamaerops-Arten, Dracaenen, Strelitzien, Maranten, Philodendren, Caladien u. s. w., während die von Himmelstoss hauptsächlich Blumen enthielt. Unter ihnen zeichneten sich aus: Franciscea hydrangeaeformis, Acacia ovata und Berberis Darwini.

Endlich gedenke ich noch der sinnig-zusammengestellten Blumen zu Bouquets, Blumenkörbchen, Haar-Verzierungen u. s. w., welche von Dreisse, Himmelstoss, Hofgärtner Lehmann's Wittwe, Petzl und E. W. Wagner ausgestellt waren.

Es bleiben mir zuletzt noch ausser Pflanzen und Blumen zu erwähnen übrig: die Ananas des Rittergutes Burgk, die Yams-Bataten aus dem Schlossgarten zu Dahlen, die Gurken und Bohnen des Kunst- und Handelsgärtners Mütz, die ganz vorzüglichen Porzellanfrüchte von Heinrich Arnoldi, von denen die Lieferung für 2½ Thlr. zu beziehen ist, und die Geräthschaften: messingene Blumen- und zinkene Gartenspritzen, des Klempners Bertram.

Das Preisrichter-Amt trat unter dem Vorsitze des Hofrathes Reichenbach zusammen und erkannte wie folgt:

I. An Geldpreisen:

1. Einer neuen, zum ersten Male hier blühenden Pflanze: der Locheria magnifica des Rentiers Laurentius in Leipzig.
2. Einer schwer zu kultivirenden und schön blühenden Pflanze: dem Rhododendron javanicum des Kunst- und Handelsgärtners Lüdicke.
3. Der besten Gruppe seltener Blattpflanzen: der des Rentier Laurentius in Leipzig.
4. Der grössten Gruppe verschiedener Blattpflanzen: der des Inspektors Krause.
5. Der reichhaltigsten und schönsten Sammlung blühender Kamellien: der des Kunst- und Handelsgärtners Petzold.
6. Der reichhaltigsten und schönsten Sammlung blühender Rhododendren: der des Hofgärtners Wendschuch.
7. Der reichhaltigsten und schönsten Sammlung blühender Azaleen: der des Kunst- und Handelsgärtners Himmelstoss.
8. Der reichhaltigsten und schönsten Sammlung blühender Rosen: der des Hofgärtners Poscharsky.
9. Einer Sammlung vorzüglich schönblühender Neuholländer: der des Kunst- und Handelsgärtners Liebig.
10. Einer Sammlung selbstgezüchteter Epakris: der des Kunst- und Handelsgärtners Liebig.
11. Einer Sammlung aus inländischen Samen erzogener Florblumen: den Cinerarien des Hofgärtners Poscharsky.
12. Der reichsten und schönsten Sammlung von Hyacinthen: der des Kommerzienrathes Lottermoser.
13. Den getriebenen Früchten guter Qualität; den Ananas des Burgk'schen Rittergutes.
14. Der geschmackvollsten Anwendung abgeschnittener Blumen: denen des Kunst- und Handelsgärtners Dreisse.
15. Dem schönsten Sortimente abgeschnittener Blumen: denen der Hofgärtner Lehmann's Wittwe.

II. An silbernen Medaillen:

1. Der Ceratozamia longifolia und Thuja filiformis des Hofgärtners Terscheck in Pillnitz.
2. Dem reichhaltigen Sortimente von Azaleen des Kunst- und Handelsgärtners Dreisse.
3. Einem Rhododendron-Sämmling des Kunst- und Handelsgärtners Liebig.
4. Der geschmackvollen Anwendung abgeschnittener Blumen des Kunst- und Handelsgärtners Wagner.
5. Desgleichen dem Kunst- und Handelsgärtner Himmelstoss.
6. Den getriebenen Sträuchern des Kunst- und Handelsgärtners Petri.

III. Besondere Anerkennungen:

1. Den blühenden Orangen des Kunst- und Handelsgärtners Dreisse.
2. Den Gummibäumen (Ficus elastica) des Sprachlehrers Terrenl.

Neue Aronspflanzen oder Aroideen.

Vom Professor Dr. Karl Koch.

Seit wenigen Jahren ist eine Familie, die dem Botaniker und Gärtner so viel Interesse bietet, erst zur grössern Kenntniss und Verbreitung gekommen, seitdem von Seiten des botanischen Gartens zu Neuschöneberg bei Berlin und der Augustin'schen Gärtnerei an der Wildparkstation bei Potsdam alle Anstrengungen gemacht wurden, um möglichst viele Arten in Kultur zu bekommen. Wenn schon an und für sich das Studium der Pflanzen nach getrockneten Exemplaren sehr schwierig ist und Irrungen unvermeidlich sind, so gilt dieses in noch höherem Grade von einzelnen Familien, deren Arten getrocknet ein nur höchst unvollkommenes Bild der ganzen Pflanze geben und eigentlich gar nicht oder nur mit der höchsten Vorsicht wissenschaftlich benutzt werden sollten. Dahin gehören auch die Aroideen.

Meine Studien sind nur an lebenden Exemplaren gemacht und habe ich absichtlich bis jetzt alles, was mir getrocknet zu Gebote stand, mit der äussersten Vorsicht, und zwar nur zur Vergleichung, nicht aber zur Aufstellung von neuen Arten, benutzt. Es war aber auch nothwendig, dass hier zum Nutzen der Gärten, wo die Aroideen seit ohngefähr 10 Jahren anfingen, die Aufmerksamkeit mehr auf sich zu ziehen, gesichtet und gelichtet wurde. Leider herrscht im Allgemeinen schon, aber ganz besonders bei den Aroideen, noch immer eine grosse Verwirrung in Betreff der Nomenklatur, selbst in botanischen Gärten, und sind es nur wenige der letztern, die den Anforderungen genügen und ihrer ersten Bestimmung, nämlich richtige Benennungen zu haben, nachkommen. Die Arten von Anthurium, Philodendron, Caladium, Colocasia, Arum u. s. w. werden in der Regel bunt durch einander geworfen, obwohl meist schon ein einziges Blatt im Stande wäre, mit der grössten Bestimmtheit das Genus festzustellen.

Wir haben bereits in dem 2. Jahrgange des von mir herausgegebenen Gartenkalenders eine Abhandlung über Aroideen in gärtnerischer Hinsicht, wofür man gewiss dem Verfasser, Obergärtner Lauche an der Wildparkstation bei Potsdam, zu grossem Danke verpflichtet ist. Hier erfährt man eigentlich erst, welche wichtige Rolle die Arten dieser Familie spielen und wie mannigfaltig sie verwendet werden können: als Blattpflanzen, als Blumen, auf Gruppen, in Zimmern oder in Gewächshäusern. Der Oberlandesgerichts-Rath Augustin, auf dessen Garten wir bereits in der 12. Nummer unserer Zeitung aufmerksam gemacht, hat die Aroideen mit Namen auf eine sinnige Weise verwendet, die wir allen Gewächshausbesitzern empfehlen möchten.

Es sieht wohl Jedermann, dass nackte Steinwände in Gewächshäusern jedem ästhetischen Gefühle entgegenlaufen. Man hat, um diese zu decken, bereits allerhand Schlingpflanzen und Epiphyten verwendet. Hierzu liefern uns auch die Aroideen ein treffliches Material. Da sie aber nicht grade alle an einer Steinwand gedeihen, so suchte der obengenannte Pflanzenliebhaber aus der Umgegend von Berlin und Potsdam, selbst aus Wäldern am Harze, sich verschiedene abnorm gewachsene und sonderbar gestaltete Baumstämme, von 4—12 Zoll im Durchmesser und mit einigen Hauptästen versehen, zu verschaffen und stellte diese an der hintern Wand seines ziemlich umfangreichen Palmenhauses auf eine originelle Weise auf. An ihrem Fuss wurden allerhand verschieden geformte Steine in angenehmer Unregelmässigkeit und von 1—2 Fuss im Durchmesser angebracht, die wiederum von allerhand Selaginellen umwuchert werden. Aus den Spalten und Räumen, die zwischen den Steinen sichtbar sind, kommen die unmittelbar in die Erde gepflanzten Aroideen, hauptsächlich rankende oder mit kurzem Stamme versehene Philodendren und Anthurien, hervor, klammern sich zum Theil mit ihren langen Luftwurzeln fest an dem stets feuchten Baumstamme an und geben so ein treueres Bild ihres ursprünglichen Wachsthumes, als man es sonst in den Gewächshäusern zu sehen gewöhnt ist.

Mit welcher Ueppigkeit die Pflanzen hier wachsen, glaubt man gar nicht. Arten, die ich früher kaum mit einem Stamm von Fuss Höhe gesehen, klettern hier rasch empor, haben zum Theil in einem Jahre die Fenster erreicht und mussten schon getheilt werden. Das wunderschöne Philodendron erubescens hat Dimensionen erhalten, wie ich sie früher nicht gekannt. Philodendron cardiophyllum hatte ich bisher als eine Art mit kurzem Stamme kennen gelernt und auch so in dem Anhange zu den Samenverzeichnissen des botanischen Gartens beschrieben. Es war mir allerdings schon bekannt worden, dass auch diese Art klettert, aber doch nicht auf solche Weise, wie es hier der Fall ist. Während im Allgemeinen aber die Dimensionen der ganzen Pflanze und namentlich der Blätter sehr bedeutend in dieser Stellung zugenommen haben, besitzt grade dieser Baumfreund mit dem Herzblatte — dieses bedeutet Philodendron cardiophyllon — zwar weit gestrecktere Internodien, dagegen aber Blätter, die mehr als um die Hälfte kleiner sind. Eine zweite Eigenthümlichkeit ist, dass die Pflanze, welche alljährlich in ihrem gedrängten Wuchse in einem Gewächshause des Hofgärtners H. Sello in Sanssouci eine Menge Blüthenstände entwickelte, an ihrem neuen Standpunkte gar nicht mehr blühen will. Umgekehrt blühen grade Anthurien mit kurzem Stamme, obwohl die Blätter ebenfalls ausserordentlich an Grösse zugenommen haben, sehr leicht und fast ohne Unterbrechung.

Seit der letzten Bekanntmachung neuer Aroideen in dem Anhange zu dem Samenverzeichnisse des botanischen Gartens von 1855—56 habe ich verschiedentlich Gelegenheit gehabt, wiederum neue Arten kennen zu lernen. Allen denen, die mir Exemplare aus Nord- und Mitteldeutschland, aus Belgien und Holland, zugesendet haben, bin ich zu grossem Danke verpflichtet, weil sie mich in den Stand setzten, weitere Studien in dieser Familie zu machen. Ausserdem erlaube ich mir auf eine fleissige und schwierige Arbeit, die in Kurzem erscheinen und namentlich beitragen wird, die immer noch herrschende Verwirrung in der Nomenklatur mehr zu lichten, aufmerksam zu machen. Es ist dieses der Conspectus nominum Aroidearum hucusque cognitarum, cura Ern. Enderi. Er wird besonders brauchbar werden, da er auch die nur in Gärten befindlichen und sonst keiner wissenschaftlichen Kontrole unterlegenen Benennungen aufführt und ihnen die Stellung anweist, wo sie hingehören.

I. Caladium Vent.

Die Kaladien gehören zu den periodischen d. h. einziehenden Aroideen und bilden in unseren Gewächshäusern zum Theil, besonders wegen ihrer bunten Blätter, eine Zierde. Die Blüthen beanspruchen weniger die Aufmerksamkeit als die Richardien, Dracunculus u. s. w. Zu den 7 bereits bekannten Arten kommen:

1. Caladium concolor C. Koch im Pflanzen-Verzeichnisse Geitner's in Planitz bei Zwickau für 1857. Wegen der einfarbigen Blätter steht die Art allerdings denen mit bunten nach, bleibt aber immer eine gute Akquisition, wie die früher von mir bekannt gemachten aber grösseren Arten: C. pallidum und smaragdinum, deren Blattfläche abwärts geneigt ist. Das Vaterland ist Venezuela.

Petiolus gracilis; Lamina folii vix sesquilongior, pallide viridis, laevis: Folia peltato-cordata, ovalia, viridia, concoloria, auriculis brevibus, aeque longis ac latis, apice recto aut vix paululum divergente; Spathae pars inferior albido-virescens, clausa, superior concava, nivea; Spadix sexta parte spatha brevior, supra pistilla paululum attenuatus, ceterum teretiusculus.

Der schlanke Blattstiel erreicht kaum die Länge eines Fusses, während die Blattfläche nur 7—8 lang und unterhalb der Mitte 4 Zoll breit ist. 5 Seitennerven gehen auf jeder Seite vom Hauptnerven ab. Die Form ist die eines von der Mitte nach dem obern und spitzen Ende sich allmählig verschmälernden Eies, während die Unterfläche noch blasser und etwas blaugrün erscheint. Zwischen den beiden Zoll langen und breiten Ohren, in die der unterste und 3-theilige Seitennerv hinab steigt, befindet sich ein etwas spitzer Ausschnitt, der von der Stelle, wo der Blattstiel befindlich ist, einen Zoll Entfernung besitzt.

Der Blüthenstand ist kaum 1 Fuss lang und ebenfalls schlank, sowie gleichfarbig-hellgrün. Die 3 Zoll lange Blüthenscheide ist an ihrem unteren und geschlossenen Theile kaum etwas bauchig und mehr weisslich-grünlich, eine Farbe, die jedoch nach oben allmählig in das reinste Weiss übergeht. Die obere unten und oben sich etwas verschmälernde Hälfte des Kolben ist mit Staubgefässen bedeckt, die untere hingegen oben mit deutlichen Staminodien, unten hingegen mit viereckigen Stempeln, versehen. Die tellerförmige, flache und sitzende Narbe hat eine goldgelbe Farbe.

2. C. cupreum C. Koch app. ad ind. sem. hort. Berol. ad a. 1854. In der von Ed. Otto redigirten Hamburger Blumen- und Gartenzeitung, 9. Jahrgang. S. 517, wird zuerst eines Caladium metallicum, was als Caladium sp. e Borneo durch van Houtte in den Handel kam, gedacht; es fand dasselbe schnell eine grosse Verbreitung, auch in Deutschland. Es stellte sich mir doch bald heraus, dass unter dieser Bezeichnung 2 verschiedene Pflanzen in den Handel gekommen waren, von denen die eine und jetzt allgemein verbreitete möglicher Weise ein Xanthosoma, die andere aber wohl ohne Zweifel ein Caladium ist. Der verstorbene Gartendirektor Otto in Berlin machte mich zuerst darauf aufmerksam, indem er mir ein Blatt, was eine Kupferfarbe auf beiden Flächen hatte und ausserdem schildförmig war, d. h. den Blattstiel nicht an der Basis des Einschnittes, sondern gegen 2 Zoll entfernt besass, brachte, was ich jetzt noch habe. Die Pflanze selbst besass der Kaufmann Mor. Reichenheim, wo ich sie alsbald auch sah. Leider ist sie aber schon bald darauf zu Grunde gegangen und ist es mir nicht möglich gewesen, sie irgend wo wiederum aufzufinden. Es geht deshalb an alle Gartenbesitzer die ergebenste Bitte, die vielleicht noch ein Exemplar im Besitze haben sollten, mich darauf aufmerksam zu machen.

Da diese Art sich wesentlich von der andern, deren Blätter auch weit grösser und nicht schildförmig sind und eine ächte, auf der Unterfläche nur wenig ins Röthliche spielende Bleifarbe besitzen, unterscheidet, so trug ich kein Bedenken, sie als die seltenere auch neu zu benennen und den Namen C. metallicum für die andere, welche jetzt gewöhnlich ist, zu behalten, zumal damals keine von beiden noch beschrieben war. Passender und bezeichnender wäre allerdings die Benennung Caladium plumbeum gewesen, welche ich anfangs gegeben, aber alsbald, um unnöthige Namen zu vermeiden, wiederum selbst eingezogen habe.

Schott vereinigt ohne Weiteres mein C. cupreum, obwohl dessen Diagnose gar nicht passt, und wahrscheinlich nur, weil ich als Synonym Caladium sp. e Borneo (aber ex parte) hinzugefügt habe, mit seiner Alocasia metallica, von der man jetzt anzunehmen geneigt ist, dass sie mit dem bleifarbenen Caladium sp. e Borneo oder metallicum van H. identisch ist. Vergleicht man jedoch seine kurze Beschreibung und berücksichtigt noch das Citat von Colocasia odorata β. purpurascens Hassk., so möchte man auch glauben, dass selbst die zuletzt bezeichnete Pflanze eine ganz andere ist. Leider erfährt man nicht, ob Schotts Alocasia metallica einzieht oder einen Stamm macht. Man möchte das letztere vermuthen, da Hasskarl, der gewiss auf Java hinlänglich Zeit und Gelegenheit hatte, die Pflanze im Freien zu beobachten, diese als Abart zu Colocasia odora Brongn. (von ihm odorata, wohl aus Versehen, genannt) bringt. Wie ich schon gesagt habe, möchte ich das bleifarbene Caladium metallicum van H. eher für ein Xanthosoma halten. Sollte dieses sich bewahrheiten, was ich im Verlaufe dieses Sommers festzusetzen hoffentlich Gelegenheit habe, so möchte ich doch, da einmal des falschen Genus halber ein neuer Name gegeben werden muss und Caladium metallicum auch nur noch ein Gartenname ist, als weit besser bezeichnend, die Benennung Xanthosoma plumbeum vorschlagen.

Als Abart bringt Schott ebenfalls zu seiner Alocasia metallica noch die von mir wiederum zuerst beschriebene Alocasia variegata, eine Art die im botanischen Garten zu Neuschöneberg lange Zeit auch als Caladium und Colocasia indica kultivirt wurde. Unmöglich kann Schott diese meine Pflanze gesehen und eben so wenig meine Beschreibung durchgelesen haben, denn sonst würde er nicht 2 ganz verschiedene Arten zusammenwerfen.

(Fortsetzung folgt.)

Das weissliche Gänsekraut mit bunten Blättern.

(Arabis albida Stev. β. foliis albo-marginatis.)

Wenn schon an und für sich dieser Alpenbewohner, welcher sehr frühzeitig im Jahre blüht, aber auch wegen seines grauen Ueberzuges, namentlich auf Rabatten und in Fels-, sowie in Stein-Parthien, eine schon längst in Gärten angewendete Pflanze ist, so hat diese Abart, welche ich bis jetzt nur in Sanssouci bei dem Hofgärtner H. Sello gesehen habe, wegen ihrer bunten Blätter noch einen besonderen Reiz und kann deshalb gar nicht genug empfohlen werden. Sie besitzt in dieser Hinsicht eine entfernte Aehnlichkeit mit der buntblättrigen Minze, welche seit einigen Jahren plötzlich in den Gärten erschienen ist und allgemeinen Beifall erhalten hat. Mit dieser Pflanze möchte sie auch eine gleiche Verwendung haben.

Das weissliche Gänsekraut ist ein Kreuzblüthler mit dünnen und langen Schoten und wächst in grosser Menge an Felsabhängen des Kaukasischen Gebirges und auf dem Nordabhange des Armenischen Hochlandes, besonders in dem georgischen Armenien, in Somchethien. Auf dem pontischen Gebirge habe ich die Pflanze nicht gesehen. Sie steht der krausen Abart des Alpen-Gänsekrautes, welche Willdenow als Arabis crispata unterschieden hat, sehr nahe, weicht aber durch einen noch graufilzigeren Ueberzug und durch die Samen, welche gar keine Spur eines geflügelten Randes haben, ab.

Loudon in seiner Encyclopädie, so wie Jacques und Herincq im Manuel des plantes, geben schon das Jahr 1798 als das Jahr der Einführung von Arabis albida Stev. an, eine gewiss unrichtige Angabe, da die Pflanze weit später erst durch Steven als eine eigene Art erkannt und von A. alpina C., mit der sie noch der Verfasser der kaukasisch-krim'schen Flor, Marechal von Bieberstein, verwechselt, unterschieden wurde. Erst im Jahre 1812 ist sie von dem früheren Direktor des botanischen Gartens in Petersburg, Fischer, in dem Catalogus horti Gorenkensis zum ersten Male aufgeführt.

Viel früher ist sie gewiss auch nicht in einem der europäischen Gärten kultivirt worden. Willdenow, der eine Menge kaukasisches Pflanzen von Bieberstein und Steven selbst erhielt, beschrieb sie in seinem 1813 erschienenen Supplemente seiner Enumeratio plantarum horti Berolinensis als Arabis caucasica, während Jacquin sie in seinen Eklogen, ziemlich um dieselbe Zeit, unter dem richtigen Namen: Arabis albida abgebildet hat.

Van Houtte hat in seinem Verzeichnisse No. 65 eine Arabis lucida fol. eleg. variegatis aufgeführt. Arabis lucida hat der jüngere Linné aufgestellt, aber Niemand weiss recht, welche Pflanze er darunter verstanden hat; man glaubt am Häufigsten, sie sei von Arabis bellidifolia Jacq. nicht verschieden. Mir ist eine buntblättrige Form dieser Art nicht bekannt. Sollte van Houtte nicht Arabis albida Stev. fol. albo-marg. meinen?

Verlag der Nauckschen Buchhandlung. Berlin. Druck der Nauckschen Buchdruckerei.

No. 18. Sonnabend, den 2. Mai. 1857

Preis des Jahrganges von 52 Nummern mit 12 color. Abbildungen 6 Thlr., ohne dieselben 5 -. Durch alle Postämter des deutsch-österreichischen Postvereins sowie auch durch den Buchhandel ohne Preiserhöhung zu beziehen.

Mit direkter Post übernimmt die Verlagshandlung die Versendung unter Kreuzband gegen Vergütung von 26 Sgr. für Belgien, von 1 Thlr. 9 Sgr. für England, von 1 Thlr. 22 Sgr. für Frankreich.

BERLINER Allgemeine Gartenzeitung.

Herausgegeben vom

Professor Dr. Karl Koch,

General-Sekretair des Vereins zur Beförderung des Gartenbaues in den Königl. Preussischen Staaten.

Inhalt: Die Pflanzen- und Blumen-Ausstellung in Magdeburg am 21. 22. und 23. April. Vom Professor Dr. Karl Koch. — Maranta, Thalia, Phrynium und Calathea. Bemerkungen im Allgemeinen, ihre Kultur und Beschreibung einiger neuen Arten. Vom Professor Dr. Karl Koch und Obergärtner Lauche. I. Allgemeine Bemerkungen. — Bücherschau: Gartenbuch für Damen von Jühlke. — Ausstellung in Koburg.

Die Pflanzen- und Blumen-Ausstellung in Magdeburg

am 21. 22. und 23. April.

Vom Professor Dr. Karl Koch.

Magdeburg und der ganze Regierungsbezirk gehören zu den Gegenden, wo namentlich Fabrikbesitzer und Kaufleute, aber auch Gutsbesitzer, seit wenigen Jahren eine Reihe schöner Gärten mit Gewächshäusern hervorgerufen haben, die in dieser Hinsicht selbst mit denen Berlin's nebst angränzenden Orten wetteifern können. Aus früher Zeit schon war Alt-Haldensleben nicht weniger durch seinen reizenden Park, als durch seine gewerbliche und landwirthschaftliche Betriebsamkeit berühmt und hat hauptsächlich mit Harbke, einem an der Braunschweig'schen Gränze liegenden Orte, beigetragen, dass der Geschmack an natürlichen Anlagen, wie er zuerst in England sich geltend machte, in Deutschland aber zur Vollendung gebracht wurde, allmählig allgemeiner wurde und besonders in Norddeutschland viele Anhänger fand. In Harbke schrieb Duroi seine wilde Baumzucht, die noch heut zu Tage, nach 86 Jahren, hoch geschätzt und geachtet wird. In Magdeburg aber selbst erfreute sich der in den zwanziger Jahren von dem Generaldirektor Lenné angelegte Friedrich-Wilhelm's Garten eines so grossen Rufes, dass selbst die nur auf ihre eigenen Schöpfungen stolzen Engländer ihm ihre volle Anerkennung nicht versagen konnten.

Es ist eigenthümlich, dass, trotz dem schon, wie man sieht, seit langer Zeit in dem Magdeburg'schen sehr viel für Gärtnerei geschah und sich jetzt Stadt und Umgegend einer Menge schöner Gärten rühmen kann, doch Liebe zu Pflanzen und Blumen keineswegs Gemeingut geworden und nicht in die untern Schichten der Bevölkerung gegangen ist, wie wir es auf eine so erfreuliche Weise in Dresden gesehen haben. Hier ist aber wiederum grade in den höhern Ständen und von Seiten der reichern Leute weniger geschehen. Während demnach der Besuch der Dresdener Ausstellung ein so frequenter war, dass der Ausstellungsraum fast zu jeder Zeit eine Menge Besucher einschloss, fand man diesen in Magdeburg leider fortwährend leer.

Und doch hatte man hier Alles gethan, um den grossen Saal mit den schönsten Blumen und den neuesten Pflanzen zu schmücken. Die Magdeburger Ausstellung stand keineswegs der Dresdener nach. Es war in der That eine Blüthenfülle und ein Reichthum vorhanden, wie man ihn kaum in einer Provinzialstadt, wenn auch Sitz der Regierung, erwarten sollte.

Es standen mir leider die Verzeichnisse von Seiten der einzelnen Aussteller nicht zu Gebote und so vermag ich über die Zahl der ausgestellten Pflanzen auch nicht einmal annähernd zu berichten. Ebenso könnte es möglich sein, dass mir Manches, was der Erwähnung werth gewesen, bei dem vielen Schönen, was hier geboten wurde, entgangen wäre, obwohl ich alle einzelnen Tische sorgfältig durchmusterte. Da die einzelnen Aussteller, mit wenigen

Ausnahmen, aber ihre Pflanzen auf bestimmten Plätzen arrangirt hatten, so hoffe ich, dass keine Verwechslungen in Betreff der Besitzer vorgegangen sind.

Die Aufstellung geschah auf Tischen, die sich rings herum zogen und ausserdem in der Mitte des grossen Saales noch 2 Reihen bildeten. Jeder Tisch enthielt eine Gruppe für sich und trug gewöhnliche Florblumen mit den seltenern Pflanzen untermischt. Es wurde dadurch selbst dem Kenner oft schwierig, das Einzelne, insofern es einen selbstständigen Werth hatte oder hauptsächlich zur Verschönerung der Gruppe beitrug, herauszufinden. Ob dieser Modus vortheilhaft ist, möchte ich sehr bezweifeln; ich habe es selbst bedauert, dass manche schöne oder seltene, auch interessante Pflanze mitten in der Gruppe so aufgestellt war, dass man sie nur bei der aufmerksamsten Betrachtung herausfinden konnte.

Es ist überhaupt die Frage, ob die Aufstellung auf Tischen solche Vorzüge hat, dass man ihr fast allenthalben huldigt. Manchmal kommt es mir vor, als sei sie nur bequem und als erhielte sie auch allein deshalb den Vorzug vor der andern, wo das Einzelne mit dem Ganzen harmonirt und wo die gesammte Aufstellung in freundlicher Harmoni zu den einzelnen Gliedern steht. Das Letztere hat allerdings seine sehr grossen Schwierigkeiten, die aber in jeder, nicht sehr grossen oder kleinen Stadt, wo man genau weiss, wer ausstellt oder was ohngefähr gebracht wird, weit eher wegzuräumen sind, als in Berlin, wo, mit sehr wenigen ähnlichen Ausnahmen, der Ordner des Ganzen weder vorher weiss, wer ausstellt, noch was man bringt. Und doch macht man grade an diesen die grössten Ansprüche. Es kommt noch dazu, dass jeder Aussteller immer den besten Platz haben will und dass diejenigen, welche am Spätesten einliefern, in der Regel auch noch verlangen, dass man grade auf sie am Meisten Rücksicht nimmt.

So hübsch auch zum Theil die einzelnen Gruppen in Magdeburg aufgestellt waren, so würden selbst diese unendlich noch gewonnen haben, wenn sie etwas mehr in freundlicher Harmonie zu einander gestanden hätten. Es wäre auch für das Ganze vortheilhafter gewesen, wenn man anderseits auch bekennen muss, dass der Saal eigentlich für eine Ausstellung sehr ungünstig war. Man konnte aber durch Bewegungen unterstützen und dadurch Bogenlinien hervorrufen, die durchaus fehlten. Kleine Erhöhungen und selbst Estraden würden viel beigetragen haben.

Doch nun zur Ausstellung selbst und zwar zuerst zu den Tischen in der Mitte. Der Thüre gegenüber hatte der Sekretär des Vereines, Rendant Drayer, eine Anzahl blühender Hyacinthen aufgestellt. Dahinter befand sich aber eine stattliche Gruppe des Rathmannes Jordan, die sein Obergärtner Meyer aufgestellt hatte. Schöne Blattpflanzen: Maranta variegata und albo-lineata, Phrynium pumilum und Warszewiczii, Asplenium Belangeri, eine nette Yucca filamentosa u. s. w. standen zwischen vollblühenden Eriken, von denen besonders eine Erica persoluta alba wegen ihrer Schönheit auffiel. Bemerkenswerth war auch die strauchartige Iridee: Witsenia corymbosa, welche noch keineswegs so verbreitet ist, als sie es verdient.

Nach rechts und vorn hatte der Obergärtner Draffehn aus dem Lehnert'schen Garten um eine Latania borbonica Blüthensträucher: Rhododendron Gibsoni, Emmeline Humblot und Victoria, Azaleen: Libussa, Baron Hügel, Exquisite, Argo, Cuprea elegans u. s. w., Epakris, Telline Atkeyana, Acacia Drummondii, einige Diosmeen, eine nette Limonia odorata u. s. w. gruppirt. Ausserdem sah man noch Gesneria magnifica cardinalis, Heliconia angustifolia und einige Farrn.

Auf dem Tische dahinter war hingegen von dem Obergärtner Lorenz aus dem Burchardt'schen Garten ein mächtiger Pandanus odoratissimus aufgestellt, aber eingefasst von dreifarbigen Indischen Kressen, Cinerarien und Blüthensträuchern: Polygalen, Correen, Azaleen, Akazien u. s. w. aus dem Niemann'schen Garten, dem Obergärtner Rischpieter vorsteht.

Wenden wir uns nun links, so hatte den vordern Tisch der Kunst- und Handelsgärtner Ruben mit allerhand, aber recht hübschen Marktpflanzen eingenommen. Unter ihnen die hübsche Loddigesia oxalifolia, die man in den Berliner Blumenkellern kaum findet, ausserdem aber hauptsächlich: Pultenäen, Eriken, Azaleen, Levkoyen, Rosen und Fuchsien. Der hintere Tisch trug meist Blattpflanzen aus dem Kricheldorf'schen Garten, aus dem oft schon auch in Berlin auf Ausstellungen manches Neue und Schöne gesehen wurde. Der Obergärtner Kreutz hatte hier 9 Palmen, unter ihnen: Klopstockia cerifera, Areca rubra, Chamaedorea Casperiana, Maximiliana regia, ferner einige Zebra-Bananen, (Musa zebrina), Phrynium Warszewiczii und mehrere Farrn: Asplenium furcatum, Allosurus rotundifolius, Pteris palmata u. s. w. gruppirt.

Weiter hin folgte ein querstehender Tisch, auf dem der Fabrikbesitzer Hauswaldt durch seinen Obergärtner Gebris ebenfalls eine gemischte Gruppe aufgestellt hatte, wo es aber besonders zu bedauern war, dass einzelne Pflanzen nicht einen besondern Platz erhalten. Rhododendron Edgeworthii war eine ächte Schaupflanze und eben so diejenige Billbergia, welche unter dem Namen Moreliana vorhanden war. In dem Anhange zu dem letzten Samen-Verzeichnisse des botanischen Gartens in Berlin habe ich nachgewiesen, dass der brasilianische Reisende Morel in

Paris, der sich jetzt daselbst mit Vorliebe der Hühnerzucht gewidmet, unter dem zuerst von Brongniart gegebenen Namen Billbergia Moreliana 3 ganz verschiedene Arten verbreitet hat und dass jeder Empfänger nun glaubt, die richtige empfangen zu haben. Zuerst beschrieben und abgebildet wurde eine in Paxton's Flower-Garden und muss auch diese als die richtige betrachtet werden. Sie hat einen hängenden Blüthenstand. Was Beer in Wien als B. Moreliana beschrieben hat und der botanische Garten in Berlin besitzt, habe ich wegen der Schönheit B. pulcherrima genannt. Die Hauswaldt'sche B. Moreliana gehört als vierte dieses Namens in die Nähe der B. pyramidalis und dürfte von der von mir aufgestellten B. longifolia nicht verschieden sein. Die Pflanze scheint sehr zu ändern und halte ich auch B. amoena desselben Pflanzenfreundes, welche ebenfalls in 2, aber bei Weitem nicht so schönen Exemplaren vorhanden war und von der ächten Pflanze dieses Namens ganz verschieden ist, für ein weniger üppigeres Exemplar derselben Art.

Aber ausser dieser wunderschönen Bromeliaceen befanden sich in der Hauswaldt'schen Gruppe noch andere interessante Pflanzen, namentlich Koniferen, einige Schaupflanzen, vor Allem Pimelea spectabilis, Anecochilus Roxburghii und Sinningia guttata.

Endlich waren auch weiter nach der einen Giebelseite noch 2 Tische vorhanden, von denen der eine kleinere und vordere ein hübsches Sortiment blühender Cinerarien des Magistratsgärtners Erich aus dem Herrenkruge, der andere hingegen die Gemüsesorten des Hofbuchdruckers Hänel (Obergärtner Dressler) und Nieman's (Obergärtner Rischpieter) trug.

Zur Seite stand endlich noch ein Tisch mit Schaupflanzen aus dem Garten des Hofbuchdruckers Hänel. Schade, dass diese nicht mehr Raum hatten. Am Meisten Aufsehen machte ein Podocarpus koraianus mit reifen und unreifen Samen — denn Früchte haben die Koniferen wie bekannt nicht — über und überbedeckt. Sein Besitzer hat die sehr interessante Art zeichnen lassen und wird sie der Gartenzeitung zur weiteren Vervielfältigung anheim geben, daher über sie später mehr. Von den übrigen recht hübsch gezogenen Pflanzen nenne ich nur noch ein reichlich mit Blüthen besetztes und noch nicht beschriebenes Brachysema, über das ich mir ebenfalls noch Näheres vorbehalte.

Die ganze Giebelseite nahm wiederum der Hofbuchdrucker Hänel (Obergärtner Dressler) ein. Am Meisten imponirte die prächtige Koniferen-Gruppe, in der man fast alle Arten, die in den Gärten befindlich sind und Anspruch auf Schönheit machen oder sonst ein besonderes Interesse haben, vertreten waren. Der Raum erlaubt mir nur einige zu nennen: Wellingtonia gigantea, ein stattliches schönes Exemplar, Dacrydium Franklini, Chamaecyparis thuyodes fol. var., Fitzroya patagonica, Juniperus coerulescens, Bedfordiana, Reinwardtii u. s. w., Saxegothaea conspicua, Thuja dolobrata, Pinus longifolia u. s. w. Mehr nach dem Fenster zu schloss sich eine gemischte Gruppe desselben Gartenbesitzers an, hauptsächlich aus Blüthensträuchern und einigen Blattpflanzen bestehend, als: Deutzien, Azaleen, Epacris, Berberis Darwini, Acacia Drummondii, Tetratheca ericoides, Phrynium marantianum, varians (Heliconia sp. Morits) u. s. w.

Wir wenden uns nun zur hintern Wandseite, wo 4 grosse Gruppen standen und beginnen mit der Hauswaldt'schen, welche der Hänel'schen Koniferen-Gruppe sich anschloss. Nochmals bedaure ich, dass auch diese Gruppe gar zu dicht stand und daher manches Schöne, was Aufmerksamkeit verdient hätte, unbeachtet blieb. Im Hintergrunde standen einige Koniferen um eine grosse Dracaena australis; mehr nach vorn sah man Aralia trifoliata, Ceanothus dentatus, Akazien, Pimeleen, Boronia Molini u. s. w. zwischen zahlreichen Azaleen, die in allen Farben prangten. Ich nenne nur Beauté de l'Europe, Delicatissima, Broughtoni, Baron Hügel, Susanna und Liliiflora grandiflora.

Die nächste Gruppe hatte der Magistratsgärtner im Herrenkruge, Erich, aus Neuholländern und allerhand Blüthensträuchern zusammengestellt. Im Hintergrunde ragten Kryptomerien und Cypressen neben einer hohen Telline bracteolata (Cytisus chrysobotrys) und Spartocytisus filipes hervor, und wurden nach vorn von Azaleen, Deutzien, Rosen, von denen besonders Thea Adam schön war, einigen Kamellien u. s. w. umgeben.

Es folgt wiederum eine stattliche Gruppe, die der Obergärtner Kreutz aus dem schönen Kricheldorf'schen Garten zusammengestellt hatte. In der Mitte und nach hinten: Stadtmannia australis, Rhopala corcovadensis, Aralia Sieboldii, Dacrydium cupressinum und Morenia callicarpa, mehr nach vorn Rhododendren, Spartocytisus, Akazien, einige Kamellien u. s. w., während am Rande, ausser einigen Orchideen: Oncidium sphacelatum mit 200 Blumen, Leptotes coerulescens, Cypripedium purpuratum u. s. w., und Tillandsia acaulis, besonders 14 Azaleen, ächte Schaupflanzen, die Aufmerksamkeit, namentlich der Kenner, auf sich zogen. Wiederum ist zu bedauern, dass die letzteren nicht zu einer selbstständigen Gruppe vereinigt waren. Ich nenne von ihnen nur die, die ausserdem nicht vorhanden waren: Iveryana, Duc of Devonshire, Vittata, Fortunei, Stanleyana, Bellerophon und Extranei.

Die letzte Gruppe an der hinteren Wand hatte der Obergärtner Meyer aus dem Jordan'schen Garten ausgestellt. Um eine schöne Rhopala corcovadensis und einen ansehnlichen Cupressus funebris waren: Evonymus variegatus, Thuja speciosa, Grevillea robusta, einige Akazien, Clianthus magnificus, mehr nach dem Rande zu: Azalea amoena und mehre Sorten der indica, ausserdem aber eine breitbuntblättrige Aucuba japonica, Calceolarien, Cinerarien und Farrn aufgestellt.

Die zweite Giebelseite hatte hauptsächlich der Burchardt'sche Obergärtner Lorenz mit hohen Gehölzen, besonders Rhododendren, Kamellien, Akazien, Dracänen und mit getriebenem Flieder gedeckt. Die schöne weissblühende Brugmansie gehörte aber dem Wagner'schen Garten in der Sudenburg. Davor stand ein Tisch, auf dem der Lehrer Immisch die von ihm empfohlenen und in der That auch empfehlenswerthen Kartoffeln ausgestellt hatte, während ein zweiter wiederum aus dem Burchardt'schen Garten verschiedenerlei junges Gemüse trug.

Es bleiben mir endlich noch die ausgestellten Gegenstände auf der Fensterseite zu beschreiben übrig. Die wenigen Tische mit Verkaufspflanzen auf beiden Seiten der Eingangsthür übergehe ich und wende mich zunächst zweien zu, die beide, der eine mit einer Auswahl wunderschöner Cinerarien, der andere mit den neuen Einführungen und sonstigen seltenen Pflanzen aus dem Kricheldorf'schen Garten besetzt waren. Ich nenne die noch sehr wenig verbreitete Centroselenia picta, Begonia annulata (picta Henders., nec Sm. et al.), Croton pictum, Rhopala complicata, Acrostichum crinitum, Notochlaena chrysophylla, Ficus Leopoldi, Theophrasta macrophylla, Yucca quadricolor und eine Pincinectitia. Nicht weit davon stand auch ein hübsches Exemplar des Viburnum macrocephalum, was aber der Bürgermeister Klemens geliefert hatte.

Allgemein Beifall fanden die Aquarien und die in Form eines Hauses von Glas angefertigten sogenannten Ward'schen Kästen des Magistratsgärtners Werker im Friedrich-Wilhelms-Garten. Diese Aquarien, welche in England grossen Beifall gefunden haben und hauptsächlich zur Reinigung der Luft in den Zimmern beitragen sollen, sind in Deutschland noch keineswegs sehr häufig. Schuld mag hauptsächlich der Umstand haben, dass die grossen Gläser in der Regel ungleich abgekühlt sind und daher schon bei geringen Erschütterungen platzen. Mir sind selbst auf diese Weise 3 der Reihe nach zerbrochen. Der Magistratsgärtner Werker lässt deshalb die Glasgefässe aus starken Scheibenglase zusammensetzen. Sie erhalten dadurch zwar eine eckige Form mit Rahmen, nehmen sich aber trotzdem sehr hübsch aus. Aber ausserdem hatte ihr Besitzer für den Inhalt auf eine in der That geschmackvolle Weise gesorgt. Kalktuff, felsenartig aufgesetzt, diente den Wasserpflanzen als Unterlage und den Eidechsen und Salamandern als ein Ort der Ruhe, während allerhand Fische in munterer Anzahl ihn umschwammen: verschiedene Muscheln mit allen Farben bedeckten ausserdem den Boden. Es möchte manchem Liebhaber angenehm sein, zu erfahren, dass der Magistratsgärtner Werker so wohl Aquarien, als auch kleine Glashäuser, auf Bestellung anfertigt.

Es bleibt mir endlich noch zu erwähnen übrig, dass auch einige die Gärtnerei betreffende Thonwaaren vorhanden waren: als Vasen, Ampeln, Blumentöpfe u. s. w., die in Magdeburg angefertigt und durch die Fabrikanten Mesch und Divigneau und Komp. ausgestellt wurden.

Schon am 21. traten die Preisrichter zusammen, um folgende Preise nach einem vorher ausgegebenem Programme auszusprechen:

1. Der am geschmackvollsten aufgestellten Gruppe des Fabrikbesitzers Kricheldorf, (Obergärtner Kreutz).
2. Der Koniferen-Gruppe des Hofbuchdruckers Hänel, (Obergärtner Dressler).
3. Der aufgestellten Gruppe des Fabrikbesitzers Jordan, (Obergärtner Meyer).
4. Der aufgestellten Gruppe des Zimmermeisters Lehnert, (Obergärtner Draffehn).
5. Der aufgestellten Gruppe des Fabrikbesitzers Hauswaldt, (Obergärtner Gehrt).
6. Der aufgestellten Gruppe des Magistratsgärtners Ehrich im Herrenkruge.
7. Der Gruppe von Blattpflanzen des Fabrikbesitzers Kricheldorf, (Obergärtner Kreutz).
8. Dem Sortimente von Cinerarien des Fabrikbesitzers Kricheldorf, (Obergärtner Kreutz).
9. 4 schönen Kulturpflanzen des Hofbuchdruckers Hänel, (Obergärtner Dressler).
10. 4 zunächst schönen Kulturpflanzen des Fabrikbesitzers Kricheldorf, (Obergärtner Kreutz).
11. 4 neuen Pflanzen des Fabrikbesitzers Kricheldorf, (Obergärtner Kreutz).
12. Abermals 4 neuen Pflanzen des Fabrikbesitzers Kricheldorf, (Obergärtner Kreutz).
13. Dem getriebenen Gemüse des Hofbuchdruckers Hänel, (Obergärtner Dressler).
14. Dem getriebenen Gemüse des Rentier Niemann, (Obergärtner Rischbieter).
15. Der zweiten Zusammenstellung blühender und nicht blühender Pflanzen des Fabrikbesitzers Jordan, (Obergärtner Meyer).
16. Der zweiten Zusammenstellung blühender und nicht blühender Pflanzen des Fabrikbesitzers Hauswaldt, (Obergärtner Gehrts).

17. Der kleinern Gruppe des Hofbuchdruckers Hänel, (Obergärtner Dressler).
18. Den blühenden Pflanzen des Handelsgärtners Ruben.
19. Den Aquarien des Magistratsgärtners Werker im Friedrich-Wilhelmsgarten.
20. Den Ward'schen Kästen desselben.
21. Dem Podocarpus koraianus des Hofbuchdruckers Hänel (Obergärtner Dressler).
22. Dem Viburnum macrocephalum des Bürgermeisters Clemens.
23. Für Ausschmückung des Saales der Obergärtner im Burchardt'schen Garten. Lorenz.

Lobende Anerkennung fanden die Thonwaaren des Fabrikanten Mesch und Diviguean und Komp.

Maranta, Thalia, Phrynium und Calathea.

Bemerkungen im Allgemeinen, ihre Kultur und Beschreibung einiger neuen Arten.

Vom Professor Dr. Karl Koch und Obergärtner Lauche.

I. Allgemeine Bemerkungen.

Seitdem eine Reihe Arten mit schön gezeichneten Blättern rasch aufeinander bekannt wurden, sind die Cannaceen, zu denen genannte Geschlechter gehören, auch wiederum mehr in Aufnahme gekommen. Man findet jetzt wohl kaum noch ein Warmhaus, wo nicht die eine oder die andere kultivirt würde; ja viele Arten des grossen Geschlechtes Canna werden selbst während des Sommers vielfach zu Gruppen im Freien verwendet und sind wohl im Stande mit den Kolokasien und Xanthosomen uns auch einen Begriff von tropischen Boskets und Formen zu geben. Sie haben wesentlich dazu beigetragen, unsere Gärten zu verschönern und ganz besonders, sie mannigfacher zu machen.

Linné vereinigte mit Recht schon die Musaceen und Zingiberaceen mit den Cannaceen zu einer Familie, welche er Scitamineen nannte, Anton Lorenz v. Jussieu, der eigentliche Schöpfer unseres heutigen natürlichen Systemes, trennte jedoch zu Ende des vorigen Jahrhundertes, die mehr baumartigen Arten, nämlich die Musen, Helikonien und Ravenalen, zumal diese auch 6 Staubgefässe besitzen, als besondere Familie unter dem Namen Musaceen. R. Brown ging, schon im ersten Jahrzehend dieses Jahrhundertes, in der Trennung noch weiter, indem er in seinem Vorläufer (Prodromus) der neuholländischen Flor alle mit nur einem Staubgefässe versehenen Scitamineen, wo nur die eine Seite des Staubbeutels sich entwickelt hat, demnach auch nur 1 Fach vorhanden ist, also die Canna-, Maranta-, Thalia-, Phrynium- und Calathea-Arten, unter dem Namen Cannaceae unterschied. Für die übrigen, wo die Staubbeutel auf beiden Seiten sich entwickeln und demnach 2 Fächer vorhanden sind, wie es bei Globba, Zingiber, Curcuma, Kaempferia, Roscoea, Amomum, Hedychium, Renealmia, Alpinia, Costus u. s. w. der Fall ist, hat R. Brown den Namen der Scitamineen beibehalten. L. C. Richard nennt aber die Familie: Zingiberaceen, Bartling: Amomeen, Link hingegen: Alpiniaceen. Auch die Cannaceen erhielten später von Lindley einen andern Namen, nämlich den der Marantaceen. Meinerseits gebrauche ich die zuletzt erwähnte Benennung nur für die Scitamineen mit einfächrigem Staubbeutel, wo ein 1—3 samiger Fruchtknoten vorhanden und der Griffel an der Spitze und zwar meist hackenförmig gekrümmt ist, also für die Arten der Geschlechter Maranta, Thalia, Phrynium und Calathea, während ich mit dem Namen Cannaceen im engern Sinne die Arten mit mehr als 3-eiigen Fruchtknoten und nicht an der Spitze gekrümmten Griffel, also die des Geschlechtes Canna, verstehe.

Ob man Recht gethan hat, die von Linné natürlich gut begränzte Familie der Scitamineen in 3 zu zerlegen, steht dahin, da die Blüthenformen und selbst der Habitus kaum es erlauben möchten. Es haben sich auch schon gewichtige Stimmen dagegen erhoben. Lestiboudois weist zuerst mit grossem Scharfsinne nach, dass alle Scitamineen 4-dreigliedrige Kreise in der Blüthe haben, dass aber die 6 Glieder der beiden innern Kreise, welche bei den Musaceen sämmtlich als Staubgefässe erscheinen, bei den übrigen mit Ausnahme eines einzigen, der als Staubgefäss erscheint, sich zu blumenblattähnlichen Gebilden (Staminodien) entwickeln. Man findet also bei Cannaceen und Zingiberaceen nur 1 Staubgefäss, während diesem gegenüber ein anderes Glied des innersten Kreises, und zwar meist auf Kosten der übrigen 4, die deshalb mehr oder weniger klein und selbst verkümmert erscheinen, sich besonders gross entwickelt und den Namen der Lippe erhalten hat. Leider haben die Systematiker in der Benennung der Glieder der beiden innern Kreise wenig Konsequenz gezeigt.

Der Unterschied zwischen Zingiberaceen und Cannaceen, der in dem 1- oder 2-fächrigen Staubbeutel liegt, würde nur dann eine Bedeutung haben können, wenn auch die Pflanzen selbst in ihrer äussern Erscheinung bestimmte Verschiedenheiten, wenigstens doch in so weit, als zwischen ihnen und den Musaceen vorhanden sind, zeigten. Das ist aber durchaus nicht der Fall und wird es oft sehr schwer, ja selbst fast nicht möglich, eine Cannacee ohne Blüthen von einer Zingiberacee zu unterscheiden. Es kommt noch dazu, dass es Cannaceen mit 2-fächrigem Staubbeutel zu geben scheint. Deshalb möchte man am Besten thun, entweder mit Linné nur 1 oder mit Jussieu, dem sich übrigens in der neuesten Zeit auch Grisebach anschliesst, höchstens 2 Familien: Musaceen und Scitamineen (d. h. Cannaceen und Zingiberaceen), anzunehmen.

Für dieses Mal sollen, da mir eben ein Paar neuere, zum Theil noch nicht beschriebene Arten zu Gebote stehen und genauer untersucht werden konnten, die Cannaceen Gegenstand einer nähern Betrachtung sein; aber selbst hier beschränke ich mich noch und schliesse die vielen Arten des Blumenrohres (Canna), welche sich durch viel- (mehr als 3-) eiige Fruchtknoten und durch einen nicht an der Spitze gekrümmten Griffel unterscheiden, aus. Ich betrachte nur die, welche höchstens 3 Eichen, so wie einen an der Spitze hackenförmig-gekrümmten Griffel, haben und nach meiner Ansicht die Abtheilung der Marantaceen bilden.

Linné kannte von ihnen nur 3 Arten in 2 Genera: Thalia und Maranta, Namen die berühmten Botanikern des 16. Jahrhundertes entlehnt wurden. Joh. Thal war nämlich Arzt in Nordhausen und eigentlich der erste Botaniker, der schon 1588 eine Lokal-Flor (Sylva Hercynia), und zwar des Harzes, geschrieben hat. Barth. Maranta hingegen, aus Venusia in Apulien, veröffentlichte bereits 1559 ein lateinisch geschriebenes Werk, worin die bisher besonders bei den Alten vorkommenden Pflanzen erläutert werden. Die Schreibart Marantha ist ganz unrichtig. Uebrigens hat schon Plumier 1703 den zuletzt erwähnten Namen gegeben und eben so die beiden Pflanzen beschrieben, welche Linné zur Aufstellung der beiden Geschlechter dienten. Den Namen Cortusa, den Plumier zur Bezeichnung der Thalia geniculata benutzte, musste Linné umändern, da er ihn bereits nach Boerhave auf ein Primulaceen-Genus übergetragen hatte.

Unter Thalia versteht Linné nach Plumier eine Pflanze mit einer Steinfrucht, in der eine 2-fächrige Nuss befindlich ist. Diese Angabe hat zu verschiedenen Deutungen Anlass gegeben. Eine 2-fächrige Steinfrucht kommt nämlich bei keiner Scitaminee vor. Man weiss auch, dass die Plumier'sche Pflanze, Th. geniculata, keine Frucht mit 2-fächriger Nuss besitzt. Schon Adanson (fam. II, p. 65) hat diesen Fehler gerügt. Roscoë, der berühmte Verfasser einer Monographie der Scitamineen, der in seiner ersten Abhandlung allerdings den Plumier'schen Irrthum nachschrieb, weist die ihm von R. Brown deshalb gemachten Vorwürfe zurück und glaubt, dass man die beiden neben einander stehenden Früchte nur für eine gehalten und demnach auch 2 Fächer bekommen habe, während R. Brown meint, dass die beiden Höhlungen, die sich in dem Samen der Thalia und nach Roscoë auch anderer Marantaceen oft deutlich befinden, Veranlassung zu dem Irrthume gegeben hätten.

Es hat mir allerdings bis jetzt keine Th. geniculata L. zur Untersuchung gestanden, die ganz vorzügliche Arbeit des Präsidenten der Leopoldo-Karolinischen Akademie der Naturforscher, Nees von Esenbeck, im 6. Bande der Linnaea, Seite 303, über Maranta und Thalia und die Untersuchung einer Thalia glaucea haben mir aber Gelegenheit gegeben, den Plumier'schen Irrthum, in so fern Th. geniculata L., was doch wahrscheinlich ist, dieselbe Fruchtbildung besitzt, auf eine andere Weise zu erklären. Es sind nämlich, wie ebenfalls Adanson (Famil. II, p. 65) schon sehr bestimmt ausspricht, im Anfange bei Maranta und Thalia stets 3 Fächer und 3 Eichen im Fruchtknoten vorhanden. Von den letztern kommt jedoch nur eins zur Entwickelung, während die beiden andern, und zwar schon lange vor der Blüthen-Entfaltung, fehlschlagen. Bei Maranta verkömmern auch die Scheidewände, während diese sich meist bei Thalia verdicken, indem sie, vielleicht zu gleicher Zeit mit den fehlschlagenden Eichen, verwachsen und einen linsenförmigen, auf der innern Seite konkaven und daselbst zur Hälfte das Eichen einschliessenden Körper bilden. Nees von Esenbeck nennt diesen ein Receptaculum, an dessen Basis das Eichen seinen Ursprung habe. Diesen eigenthümlichen Körper, der an Grösse das Eichen weit übertrifft und auch noch an 2 Stellen mit der Fruchtwand zusammenhängt, kann man sehr leicht, wenn man nicht genau untersucht, für ein zweites Eichen halten. Lemaire bildet ihn sogar neben dem eigentlichen Eichen noch als aus 3 Fächern und aus 3 Eichen bestehend bei der Beschreibung der Stromanthe spectabilis de Jonghe im Jardin fleuriste (IV. t. 401) ab.

Unter Maranta führt Linné ausser der M. arundinacea noch die zu Alpinia gehörende Galanga auf. Es war ihm mit Plumier demnach nur eine einzige Art mit einsamiger, aber 3-klappiger Frucht bekannt. Willdenow lernte zuerst eine Pflanze mit 3 Fächern und 3 Samen kennen und glaubte deshalb hinlänglich Grund zu haben, ein neues Genus, Phrynium, aus ihr zu bilden. Obwohl er Phyllodes Placentaria Lour. dazu citirt, so möchte diese Art schon wegen der langen und riemenförmigen Lippe und noch mehr wegen der einsamigen Frucht doch vielleicht eine andere Pflanze sein. Dieses rechtfertigte auch nur die Beibehaltung des Namens Phrynium, da man sonst gezwungen wäre, den ältern von Loureiro, nämlich Phyllodes, als zur Bezeichnung des Genus anzunehmen. Der Name Phrynion wurde übrigens schon von Dioskorides für eine Pflanze, die mit Kröten (φρύνη) einen Wohnplatz hat, also feuchte Stellen liebt, benutzt.

1818 bildete G. F. W. Meyer in Göttingen in seinem Versuche zu einer Flora des Flussgebietes Essequebo in Guiana (Primitiae florae Essequeboënsis), Seite 7, aus der bisher unvollständig bekannten Aublet'schen Maranta Casupo Jacq. ein neues Genus und nannte es Calathea, weil die Blätter der Pflanze zu Körben (καλαθος) benutzt werden; die Art selbst erhielt den Namen C. discolor. Als Hauptmerkmal gab Meyer ebenfalls die 3-fächrige und 3-samige Frucht und einen angewachsenen Staubbeutel an. 1831 stellt wiederum Nees von Esenbeck in der oben citirten Abhandlung (Linnaea VI, 337) ein Genus: Goeppertia, mit 3-samigen Früchten auf und unterscheidet es von Maranta, die übrigens auch Arten mit 3-samigen Früchten enthalten soll, durch eine röhrige und zusammengedrückte Narbe und durch in ein Labellum verwachsene (also nicht, wie bei Maranta, getrennte) Staminodien.

Lindley erweiterte 1825 und 1829 (s. botanical Register zur 932. und t. 1210. Tafel) das Genus Calathea, indem er fast alle früher zu Maranta gehörigen und mit 3-samigen Früchten versehene Arten damit vereinigte, sagt aber selbst, dass er keineswegs noch im Stande sei, eine durchgreifende Diagnose zu geben, um Calathea von Phrynium zu unterscheiden. Auch Roscoe hat vergebens versucht, bestimmte Merkmale in Blüthe oder Frucht zur Unterscheidung beider Geschlechter zu finden. Er hat sich deshalb bestimmt dahin ausgesprochen, dass alle Maranten mit 3-fächrigen und 3-samigen Früchten unter Phrynium Willd., als dem älteren Geschlechte, zu vereinigen und Calathea einzuziehen sei. Dasselbe musste folgerecht auch mit Goeppertia geschehen.

Allerdings haben die jetzt in ziemlicher Anzahl bekannten Arten oft einen verschiedenen Habitus und weichen, besonders hinsichtlich des Blüthenstandes, ab. Dieser Umstand ist aber keineswegs ausreichend, um gleich neue Genera zu machen und dadurch die an und für sich schon hinlänglich mit neuen Namen geplagten Botaniker, Gärtner und Pflanzenliebhaber von Neuem zu belästigen. Ob es aber doch nicht in der Folge möglich sein möchte, durchgreifende Merkmale aufzufinden, das wäre allerdings späteren Untersuchungen zu überlassen. So möchte auch ich einstweilen Calathea beibehalten aber dann die ursprüngliche Art, Calathea discolor (Phrynium oder Maranta Casupo), als Norm ansehen. Was Lindley jedoch in der Note zu der 1210. Tafel des botanical Register an Arten mit Calathea vereinigt, muss zum grössten Theil jedoch zu Phrynium zurückgebracht werden, zumal ihnen auch der angewachsene Staubbeutel meistens fehlt.

Was die Arten mit einsamigen Früchten anbelangt, so ist über Thalia und Maranta gesprochen. Im Jahre 1849 hat Dr. Sonder in Hamburg aus der bis dahin hauptsächlich unter dem Namen Maranta sanguinea Fisch. bekannten Art das Genus Stromanthe gebildet. Ich glaube nicht, dass diese den Typus eines eigenen Geschlechtes, was sich hinlänglich von Thalia unterscheiden lässt, besitzt. Das von Roscoe angegebene Merkmal einer lippenartigen Verlängerung an der Narbe bei den Thalia-Arten ist zu unbedeutend und zu relativ, als dass dessen Abwesenheit bei sonst ganz ähnlichen Arten zur Gründung eines neuen Geschlechtes Veranlassung geben könnte. (Fortsetzung folgt.)

Bücherschau.

Gartenbuch für Damen. Praktischer Unterricht in allen Zweigen der Gärtnerei, besonders in der Kultur, Pflege, Anordnung und Unterhaltung des ländlichen Hausgartens. Herausgegeben von F. Jühlke. Mit 51 Holzschnitten. Berlin. Verlag von Gustav Bosselmann 1857. Preis 2¼ Thlr.

Wenn wir irgend bei der grossen Menge von Gartenbüchern, die jährlich erscheinen, eins freudig begrüsst haben, so ist es das vorliegende. Jedes Buch fängt allerdings in der Regel gleich damit an, dass es einem dringenden Bedürfnisse abgeholfen haben will; aber wie viele besitzen wir, wo es in der That der Fall ist? In unserem schreibseligen Jahrhunderte kann man noch froh sein, wenn nur das Zehnte ohngefähr einem Bedürfnisse nachkommt oder etwas Tüchtiges bringt. Bei dieser Schreibseligkeit, wo jeder Schneider und Schuster sein Lehrbuch haben kann, sollte man aber kaum glauben, dass nun doch noch ein Gegenstand für die Literatur gefunden werden könne, über den bis dahin noch nichts geschrieben.

Wir haben eine Botanik für Damen schon mehr als einmal erhalten, aber für ein Gartenbuch für Damen hatte noch Niemand bis jetzt gesorgt, obwohl das letztere weit nothwendiger gewesen wäre. Eine rein wissenschaftliche Behandlung der Pflanzen widerspricht im Allgemeinen der Frauen- und Mädchen-Natur; trockene Namen gefallen eben so wenig, als mühsame Untersuchungen über Entstehung der Zelle u. s. w. Das weibliche Gemüth hat an dem Gedeihen einer Pflanze eben mehr Gefallen, als an dem wissenschaftlichen Zergliedern; man kommt ihm mehr zu Hülfe, wenn man es in der Pflege der Pflanzen und Blumen unterstützt, als wenn man ihm Vorlesungen über Gegenstände hält, die nur für den scharfen Verstand des grübelnden Mannes passen. Mütter sollten überhaupt ihren Töchtern mehr Liebe zu Blumen einflössen; ein Mädchen, was diese liebt und sorglich pflegt, hat mehr Anwartschaft, eine gute Hausfrau zu werden, als eine andere, die sich in Romanen vertieft oder in Gesellschaften sich wohler befindet, als zu Hause. Blumen fesseln die Menschen in ihre Nähe und machen Mädchen häuslich. Blumenzucht und Gartenbau sollte ein noch grösseres Bedürfniss für Frauen und Mädchen sein, welche auf dem Lande wohnen und oft einsame Stunden haben. In dem Garten, in Gottes freier Natur, muss es ihnen wohler sein, wenn es hübsch um sie herum ist und wenn sie selbst dazu beigetragen haben. Eben deshalb muss man dem Verfasser Dank wissen, dass er da belehrt, wo es gar sehr gewünscht wird, weil es daran fehlt. Liebe zur Blumenzucht wird oft nur geschwächt, weil Pflege und Wartung der Pflanzen nicht die richtige war und diese deshalb nicht gedeihen konnten; sie wird aber vermehrt, wenn unter der pflegenden Hand sich die lieblichen Blumen rasch und in Vollkommenheit entfalten.

Das Buch ist zwar nur, wie gesagt, für das schöne Geschlecht geschrieben; wir möchten es aber grade auch dem starken, in so weit es ebenfalls ein Freund von Pflanzen und Blumen ist, recht dringend empfehlen, denn was in ihm niedergelegt ist, sind nicht leere Worte, sondern Erfahrungen aus dem eigenen Leben. Der Verfasser, Lehrer des Gartenbaues an der landwirthschaftlichen Akademie zu Eldena in Pommern und praktischer Gärtner zugleich, ist selbst mit ganzer Liebe dem Gartenbaue ergeben; er ist Gärtner durch und durch und hat in einem Theile unseres grossen Vaterlandes, wo der Gartenbau noch im Argen lag und wo leider auch das Klima keineswegs immer die Bemühungen des Einzelnen belohnte, wesentlich beigetragen, dass dieser gefördert wurde. Wir haben bereits mehre belehrende Schriften von ihm, die mit Recht volle Anerkennung gefunden haben. Von wesentlichem Nutzen ist dabei, dass der Verfasser eine leichte und angenehme Schreibart besitzt und dass man es dem Buche anmerkt, wie sehr der, der es schrieb, von dem Gegenstande selbst ergriffen war.

Es thut uns leid, dass es erst eines englischen Buches bedurfte, um den Verfasser zur Bearbeitung des Vorliegenden zu bestimmen; es freut uns aber, dass er sich nicht mit einer Uebersetzung begnügt hat, sondern sich nur des Guten darin, in so weit es für unsere Verhältnisse passt, aneignete und ausserdem selbstständig schrieb.

Es gehört keineswegs grade immer viel Geld, was allerdings in England mehr zu haben ist, dazu, um sich eines bescheidenen Genusses an Pflanzen und Blumen zu erfreuen; es liegt grade viel Weisheit darin, sich mit dem, was man hat, zu begnügen und mit Wenigem viel zu leisten. Es sind ja dieses Tugenden, die grade vor allen Völkern dem deutschen eigenthümlich sind. Alles Grosse, was von ihm ausgegangen ist, geschah in der Regel mit geringen Mitteln.

Es erlaubt uns nicht der Raum, ausführlicher auf den belehrenden Inhalt einzugehen; wir müssen uns begnügen, das Buch allen Pflanzenliebhabern zu empfehlen. Der ganze Gartenbau ist darin in 12 Kapiteln abgehandelt, deren Ueberschriften wir hier zur besseren Kenntnissnahme mittheilen wollen:

1. Die Auflockerung des Bodens. — 2. Von den verschiedenen Arten des Bodens und von den Dungmitteln mit Einschluss der Anlegung von Mistbeeten. — 3. Das Säen. Das Pflanzen der Zwiebeln und Knollen. Das Verpflanzen und Giessen. — 4. Die ungeschlechtliche Fortpflanzung und ihre Arten, nämlich: die Theilung, die Anfertigung von Ablegern und Stecklingen, das Okuliren, das Pfropfen und das Ablaktiren. — 5. Das Beschneiden, das Ziehen der Bäume an Spalieren, das Beschützen gegen Frost und das Zerstören der Insekten. — 6. Der Küchengarten. Die Kultur und Behandlung der Küchengewächse. — 7. Die Behandlung der Obstbäume. — 8. Der Blumengarten und die Kultur der Blumen. — 9. Die Behandlung des freien Rasenplatzes und die Anlagen und Gruppen der Lustgebüsche einer kleinen Villa. — 10. Künstliche Steinpartieen. Rockworks, Rockery u. s. w., Moosháuser, ländliche Sommerhäuser und Springbrunnen. — 10. Die Fenstergärtnerei und die Behandlung der Pflanzen in kleinen Gewächshäusern. — 12. Uebersichtliche Anhaltspunkte für die Verrichtung der monatlichen Gartenarbeiten.

Ausstellung.

Zu der 19. Versammlung deutscher Land- und Forstwirthe zu **Koburg** Anfang Septembers soll auch eine Ausstellung von Pflanzen u. s. w. stattfinden, zu der Medaillen vertheilt werden. Anmeldungen werden bis zum 1. Juli entgegengenommen.

Verlag der Nauckschen Buchhandlung. Berlin. Druck der Nauckschen Buchdruckerei.

No. 19. Sonnabend, den 9. Mai. **1857**

Preis des Jahrganges von 52 Nummern mit 12 color. Abbildungen 6 Thlr., ohne dieselben 5 „ Durch alle Postämter des deutsch-österreichischen Postvereins sowie auch durch den Buchhandel ohne Preiserhöhung zu beziehen.

Mit direkter Post übernimmt die Verlagshandlung die Versendung unter Kreuzband gegen Vergütung von 26 Sgr. für Belgien, von 1 Thlr. 9 Sgr. für England, von 1 Thlr. 22 Sgr. für Frankreich.

BERLINER Allgemeine Gartenzeitung.

Herausgegeben vom

Professor Dr. Karl Koch,

General-Sekretair des Vereins zur Beförderung des Gartenbaues in den Königl. Preussischen Staaten.

Inhalt: Maranta, Thalia, Phrynium und Calathea. Vom Professor Dr. Karl Koch und Obergärtner Lauche. 2. Die 4 Genera und ihre Unterscheidung. — Erythrochiton brasiliensis N. et Mart. und Pterospermum acerifolium Willd., 2 oft blühende Blattpflanzen des Warmhauses. — Der grossblühende Laurustin. — Die Pyramiden-Akazie. — Der Silberbaum des Orientes und des Occidentes (Elaeagnus angustifolia L. und Shepherdia argentea Nutt.), 2 Sträucher mit weithin duftenden Blüthen.

Maranta, Thalia, Phrynium und Calathea.

Bemerkungen im Allgemeinen, ihre Kultur und Beschreibung einiger neuen Arten.

Vom Professor Dr. Karl Koch und Obergärtner Lauche.

2. Die 4 Genera und ihre Unterscheidung.

I. Maranta L.

Sämmtliche hierher gehörige Arten zeichnen sich durch ihren ästigen und weitläufigen Blüthenstand aus; die Blüthen stehen zwar meist zu 2 nebeneinander, aber doch auf besonderen und deutlichen Stielen, und werden von unbedeutenden Deckblättern gestützt. Der Kelch besteht aus 3 in der Regel grünen Blättern. Nur ein Eichen entwickelt sich im rundlichen Fruchtknoten. Es gehören hierher:

Maranta indica Rosc., arundinacea L., divaricata Rosc., purpurascens Lk., Jacquini Schult. (lutea Jacq. nec Lam.), gibba Sm., cuspidata Rosc., cristata Nees et Mart., furcata Nees et Mart., flexuosa Presl und ramosissima Wall. Die 5 ersten habe ich fast nur in botanischen Gärten gesehen und möchten auch kaum zu empfehlen sein.

Maranta bicolor Lindl. (auch als Calathea discolor, Maranta discolor und Maranta picta in den Gärten) stellt eine nette Pflanze dar, die unten braunrothe, oben aber buntgezeichnete Blätter hat und viel in Gewächshäusern gefunden wird. Sie ist jedoch eine Thalia, da die Frucht neben dem Eichen noch den für Thalia charakteristischen dicken Körper hat, steht aber wegen der verlängerten Blumenröhre hier abnorm. Die Aublet'sche Maranta humilis ist kaum mehr als dem Namen nach bekannt.

II. Thalia L.

Die hierher gehörigen Arten, deren Zahl sich wohl bei genauerer Untersuchung aller bekannten Marantaceen mit der Zeit grösser herausstellen möchte, haben zum Theil im Habitus eine grosse Aehnlichkeit mit den Maranten, doch sind die beiden Blüthen in der Regel kurz oder nicht gestielt und werden von oft gefärbten Deckblättern eingeschlossen. Bei den meisten ist auch der ganze Blüthenstand gedrängter und meist zweizeilig. Wichtig ist die sehr kurze Blumenröhre, vor Allem aber die verdickte Scheidewand, von der schon oben gesprochen wurde, und ein mit deutlichem, stielähnlichem Faden versehener Staubbeutel. Roscoe's Merkmal: eine verlängerte Lippe an der Narbe, ist zu unbedeutend, um darauf Rücksicht nehmen zu können, zumal ähnliche Anhängsel, wenn auch kleiner, bei andern Marantaceen ebenfalls vorhanden sind. Ihr Mangel mag übrigens, wie oben schon gesagt, den Dr. Sonder bestimmt haben, die zuerst als Maranta sanguinea Fisch. von Petersburg aus verbreitete Pflanze als den Typus eines neuen Genus: Stromanthe, d. i. Deckenblume (wegen der die Blüthen einschliessenden Deckblätter), zu betrachten und sie selbst Stromanthe sanguinea zu nennen. Ich bringe sie mit Lemaire zu Thalia.

De Jonghe und Lemaire fügen diesem Geschlechte noch eine zweite Art: Stromanthe spectabilis (Jard. Fleur. IV. t. 401), hinzu, die im Habitus abweicht und vielleicht gar nicht dazu gehört. Thalien sind aber noch: geniculata L., dealbata Fras. (Peronia stricta Red.), cannaeformis Willd., bicolor C. Koch und glumacea C. Koch, welche letztere in den Gärten seit einigen Jahren als Maranta glumacea kultivirt wird, aber noch nicht beschrieben ist. Von ihr später. Nur die zuerst genannte Art besitzt den Habitus von Maranta und deshalb auch einen rispigen und weitläufigen Blüthenstand. Ob die 4 von Pöppig beschriebenen Arten: hexantha, unilateralis, bambusacea und rotundifolia hierher gehören, lässt sich nicht mit Gewissheit entscheiden. Wenn es in der That richtig und kein Versehen sein sollte, was ihr Entdecker und Autor sagt, dass der Staubbeutel nämlich 2-fächrig ist, so gehören die 4 genannten Pflanzen überhaupt gar nicht zu den Cannaceen, sondern zu den Zingiberaceen. Maranta brachystachys Benth. möchte hingegen, so wie M. pilosa Lk. (racemosa A. Dietr.) eine Thalie sein. Die letztere wird auch als Thalia racemosa in dem Willdenow'schen Herbar aufbewahrt.

Daselbst befinden sich ebenfalls noch als Thalien aufgeführt: Th. pubescens (ohne Blüthen) und latifolia (S. Mantissa in Vol. I. von R. et S. syst. veget. S. 10). Thalia cannaeformis Willd. (ob auch Forst?) ist sicher eine Thalia und möchte von der im Berliner botanischen Garten bisher als Maranta Jacquini kultivirte Pflanze nicht verschieden sein. Ich bin geneigt, Phrynium dichotomum Roxb. als Synonym dazu ziehen. Dann möchte auch Maranta oder Phrynium compositum Hort. dazu gehören.

III. Phrynium, Willd.

Dieses grosse Genus kommt in mancherlei Gestalten vor und dürfte vielleicht bei genauerer Kenntniss der einzelnen Arten, wie oben schon angedeutet ist, in mehre Geschlechter zerlegt werden. Dass es selbst aber wissenschaftlich noch keineswegs von Calathea geschieden werden kann, ist ebenfalls bereits gesagt. Der freie Staubbeutel bei Phrynium, auf den Lindley und Klotzsch einen Werth legen, scheint schon deshalb diesen nicht zu haben, weil Lindley die meisten in den Gärten kultivirten Arten, obwohl sie zum Theil einen ganz freien Staubbeutel haben, als Arten des Genus Calathea betrachtet haben will. Man kommt allerdings manchmal in Verlegenheit, mit Bestimmtheit auszusprechen: „ist hier ein freier Staubbeutel oder nicht?“ da bei der Neigung der Glieder des innersten Kreises zu Blumenblatt ähnlichen Gebilden ein so deutlicher stielförmiger Staubfaden, wie er sonst gewöhnlich gestaltet ist, bei Phrynium nicht eigentlich vorkommt. Ich vermag die beiden Genera allerdings durch den Blüthenstand leicht zu unterscheiden. Bei den ächten Phrynien ist dieser mehr kopfförmig, und die äussern Deckblätter stehen ringsherum, selten in 2 Reihen, oder sämmtlich mehr nach hinten, und sind krautartiger Natur. Rispige Blüthen mit kleinen Deckblättern haben nur einige hier zweifelhaft stehende Arten.

Von Thalia und Maranta unterscheiden sich Phrynium und Calathea durch den 3-fächrigen und 3-eiigen Fruchtknoten sehr leicht, obwohl wiederum Pöppig und Endlicher bei der Diagnose von Calathea sagen: Capsula saepe 2-, 1- locularis.

1. In der Regel hat Phrynium, wie gesagt, einen mehr gedrängten kopf- oder auch straussförmigen Blüthenstand mit grossen, aber mehr krautartigen Deckblättern, zwischen denen mehr oder weniger Blüthen, paarweise neben einander, kaum gestielt und wiederum von, aber immer mehr hautartig und weiss werdenden Deckblättern zweiten und dritten Ranges umgeben, gedrängt stehen. Nach der Ansicht der ältern Botaniker würde demnach der Blüthenstand eigentlich einen Strauss (Thyrsus) darstellen und an den der Alopecurus-Arten u. s. w. bei den Gräsern erinnern. Er kommt in der Regel mit einem besonderen Stiele, dem Schafte, bald unmittelbar aus der Erde (Scapus radicalis), bald seitlich, und zwar scheinbar, aus den scheidenartigen Blatträndern (Scapus lateralis et petiolaris). Das Letztere ist hauptsächlich bei Phrynium capitatum Roxb.*) (Phyllodes Placentaria Lour., Maranta Placentaria A. Dietr.), parviflorum Roxb., imbricatum Roxb., spicatum Roxb. (Maranta caespitosa A. Dietr.) und sonst, aber mit mehr deutlichem Blüthenstiele, der Fall. Ausserdem gehören hierher: Phrynium zebrinum Rosc., violaceum Rosc., Allouya Rosc. (Curcuma americana Lam.), floribundum Lem., Myrosma Rosc., longibracteatum Sweet., cylindricum Rosc., macilentum Sweet., coloratum Hook., ovatum Nees et Mart., longifolium (Calathea) Lindl., eximium C. Koch, Warszewiczii Klotzsch, micans Klotzsch, orbiculatum Sweet. (Maranta truncata Link, Calathea orbiculata Lodd.), varians C. Koch, (Maranta und Phrynium discolor Hort.) velutinum Poepp. et Endl., pachystachyum Poepp. et Endl. (soll, dem Charakter der Marantaceen widersprechend, hängende Eichen haben), dicephalum Poepp. et Endl., altissimum Poepp. et Endl., maximum Bl., latifolium Bl., pubigerum Bl. und

*) Was man in den Gärten in Berlin unter diesem Namen besitzt, ist Phrynium orbiculatum Sweet (Maranta truncata Lk.).

pubinerve Bl. Ausserdem möchte ich Calathea strobilifera Miqu. als ein ächtes Phrynium betrachten, und eben so die von Nees v. Esenbeck nicht näher beschriebene Goeppertia blanda. Ferner sind ächte Phrynien: Maranta bicolor, pumila, clavata, prolifera, monophylla, mischantha und tuberosa, welche sämmtlich in der Flora Fluminensis im 1. Bande auf der 7—13. Tafel als Maranten abgebildet, aber nicht beschrieben sind. Ob diese 38 Arten übrigens wirklich specifisch verschieden und die sämmtlichen Namen demnach später beizubehalten sind, müssen spätere genauere Untersuchungen lehren; mir fehlt zur Entscheidung das vollständige Material.

II. Dieser Abtheilung mit Kopf oder Strauss schliessen sich die grossblüthigen Arten an. Ihr wurzelständiger, so wie mehr oder minder sitzender Blüthenstand ist zwar ebenfalls gedrängt; ebenso stehen die Blüthen paarweise, aber die Zahl der äussern und umhüllenden Deckblätter ist geringer, als bei den Arten der vorigen Abtheilung, so dass der Strauss ein mehr oder weniger flaches Capitulum bildet. Bemerkenswerth sind die grossen und deshalb mehr ins Auge fallenden, prächtigen Blüthen von goldgelber Farbe. Es gehören hierher: Phrynium grandiflorum Rosc., flavescens Sweet und trifasciatum C. Koch, vielleicht auch Phr. probinquum Pöpp. et Endl. Wahrscheinlich möchten ebenfalls die in Gärten befindlichen und nur in Garten-Zeitschriften, bald als Maranta, bald als Phrynium beschriebenen Arten: ornatum, zu dem regale kaum als Abart gestellt werden muss, nobile, metallicum, pumilum (auch vittatum Hort.), und variegatum in dieser Abtheilung einzureihen sein.

III. Eine geringe Anzahl von Phrynien, denn nur zwei sind bis jetzt beschrieben, hat einen zweizeiligen Blüthenstand. In dem Winkel der grossen äusseren und mehr umfassenden Deckblätter, die in 2 Reihen in der Weise sich übereinander befinden, dass sie sich nur bis über die Basis, also dachziegelig, decken, stehen ebenfalls mehre Blüthen gedrängt, aber stets zu 2 nebeneinander und zwar so, dass sie selbst während der Entfaltung nur wenig herausragen und die eine (vordere) Seite des Blüthenstandes einnehmen, während die entgegengesetzte (also die Rückenseite) die grossen Deckblätter zeigt. Wegen des zweizeiligen Blüthenstandes machen die hierher gehörigen Arten einen Uebergang zu Calathea. Bis jetzt ist nur eine hierhergehörige Art gut beschrieben und auch abgebildet, nämlich Phrynium setosum Rosc. Ohne Zweifel gehört aber Maranta compressa A. Dietr. ebenfalls hierher und möchte vielleicht, so viel eben aus der Diagnose und Beschreibung zu entnehmen ist, mit Maranta Selloi, die schon sehr lange im botanischen Garten zu Berlin kultivirt wird und auch sonst ziemlich verbreitet ist, identisch sein.

Ausserdem sind jedoch in demselben grossartigem Institute noch 3, vielleicht sogar 4 Arten vorhanden, die in in dieser Abtheilung einzureihen sind, aber noch keiner botanischen Kontrole unterlagen. Wie Phrynium setosum Rosc., welches übrigens in den Gärten auch als Phr. hirsutum kultivirt wird, sind es sämmtlich hübsche Blattpflanzen, die namentlich jetzt, wo man für Wasserpflanzen besondere Häuser oder wenigstens Einrichtungen besitzt, wegen ihrer schönen, grossen Blätter in diesen eine angenehme und dankenswerthe Erscheinung darbieten. Es liegen mir zwar von mehrern getrocknete Blüthen-Exemplare vor, ich wage aber doch nicht nach diesen eine Diagnose und Beschreibung zu geben, weshalb ich vorziehe, lieber so lange zu warten, als bis die lebenden Pflanzen wiederum in Blüthe stehen. Diese 4 Arten wurden in dem botanischen Garten als Maranten und Heliconien kultivirt, und führten bis jetzt den Namen: Heliconia buccinata (nec Roxb.), Maranta Luschnathiana und M. leptostachya, müssen aber jetzt nothwendiger Weise den Geschlechtsnamen Phrynium erhalten. Ohne Zweifel gehört als 6. Art auch die als Maranta rotundifolia in den Gärten kultivirte Art hierher.

IV. Unter dem Namen Phrynium comosum bildet Roscoë eine Art mit kopfförmigen Blüthenstande ab, wo aber die obersten Deckblätter keine Blüthen einschliessen, ein Umstand, der zur Benennung „comosum" Veranlassung gegeben hat. Eine in dieser Hinsicht ähnliche Pflanze ist in der Flora peruviana von Ruiz und Pavon als Maranta capitata abgebildet, eine andere hingegen als M. lateralis nur beschrieben. Pöppig und Endlicher ziehen die erstere zu ihrem Phrynium Achira, was aber einen Stengel besitzt, der bei Maranta capitata fehlen soll.

V. Im Habitus den ächten Maranta-Arten ähnlich, also mit einem mehr weitläufigen und rispigen Blüthenstande versehen und deshalb von dem eigentlichen Typus des Genus sehr abweichend, sind: Phrynium dichotomum Roxb., virgatum Roxb. und Tonchat Aubl. (et Rosc.) zu welcher letzteren wohl auch Maranta angustifolia Sims gehört. Dass Phrynium dichotomum Roxb., in so fern es mit Thalia cannaeformis Willd. identisch sein sollte, nicht hierher gehört, ist oben schon erwähnt. Dann möchte es auch mit Phr. virgatum Roxb. der Fall sein. Diese ganze bei Phrynium abnorm stehende Abtheilung beschränkte sich dann nur auf Amerikaner, die vielleicht trotz der 3-fächrigen Frucht besser mit Maranta zu vereinigen wären. Zu ihnen hat in der neueren Zeit

Bentham noch 3 amerikanische Arten: flexuosum, ramosissimum und filipes, gebracht.

VI. Noch mehr weichen vom Typus ab und möchten mit der Zeit wohl entfernt werden:

1. Phrynium ellipticum Rosc. (Maranta dubia R. et S., M. spicata Aubl., Goeppertia spicata N. v. E.); der Thalia spectabilis de Jonghe im Habitus und im Bau der Blüthe ähnlich, aber mit kurz-rispigem Blüthenstande und mit dünnen langen Blüthen.

2. Phrynium Parkeri Rosc.; mit zolllangen dünnen Blumenröhren, die von schmalen Deckblättern eingeschlossen werden. Der Blüthenstand ist mehr in die Länge gezogen.

In den Gärten habe ich bis jetzt beobachtet: Phrynium flavescens Sweet, grandiflorum Rosc., trifasciatum C. Koch, pumilum Hort. ornatum Hort., violaceum Rosc., zebrinum Rosc., Warszewiczii Klotzsch, longibracteatum Sweet, Myrosma Rosc., eximium C. Koch, varians C. Koch, orbiculatum Sweet, micans Klotsch, cylindricum Rosc. und setosum Rosc.

VII. Calathea G. F. W. Meyer.

Gerade wo ich mit der Untersuchung der Marantaceen beschäftigt bin, blüht dasselbe Exemplar des Phrynium marantinum Willd. Herb., was dem Dr. Koernicke zu seiner Beschreibung der Pflanze in Otto und Dietrich's Gartenzeitung (im 23. Jahrgange, S. 193) diente und sich in dem Garten des Geh. Medizinalraths Casper befindet, von Neuem und giebt mir Gelegenheit zur Untersuchung der Blüthe. Die Pflanze steht der Maranta Casupo, sowie der M. Casupito und Cachibon Jacq. ausserordentlich nahe, wie ein Vergleich der Abbildungen in Jacquin's Fragmenten (Tab. 63, f. 4, 64, f. 3, 67 und 70) und in Roscoe's monandrian Plants (Tab. 43) lehrt. Da der im vorigen Jahre zu Göttingen verstorbene Professor Meyer aus Maranta Casupo Jacq., welche schon Jacquin als den Typus eines neuen Genus betrachtete, Calathea gebildet hat, so unterliegt es keinem Zweifel, dass auch Phrynium marantinum Willd. dazu gehört. Von der Existenz Phrynium's scheint aber Meyer entweder nichts gewusst oder das Genus doch wenigstens nicht berücksichtigt zu haben. Das Merkmal, worauf Meyer ein so grosses Gewicht legt, dass nämlich bei Calathea der ganze Staubfaden einem innersten Blumenblatte (oder richtig einem Staminodium) angewachsen sei und der Staubbeutel demnach unmittelbar ansitze, ist hier allerdings deutlich vorhanden.

Betrachtet man das Phrynium, nun Calathea marantina etwas näher und nimmt dabei auch auf die Beschreibung der Calathea discolor Mey. (Maranta Casupo Jacq., Maranta Cachibon Rosc.) in den Primitiae florae Essequebensis (S. 7), sowie auf die von Maranta Cachibon Jacq. (jetzt Calathea lutea Mey. und von Maranta lutea Lam. nicht verschieden) und von Maranta Casupito Jacq. (jetzt Calathea Casupito Mey.) in Jacquin's Fragmenten Rücksicht, so möchte sich das Genus Calathea auch durch den Habitus rechtfertigen lassen. Ob jedoch dann alle, auch von andern dazu gebrachten Arten hierher gehören, könnten nur weitere genaue Untersuchungen entscheiden. Wir erlauben uns vorher kein bestimmtes Urtheil über sie.

Die Calatheen scheinen, vielleicht sämmtlich, eine Art überirdischen Stammes zu bilden, der durch das Abfallen der Blätter allmählig entsteht und den weder Phrynien, noch Thalien und Maranten machen. Die sehr langgestielten Blätter stehen zweireihig, wie es übrigens auch bei der Gruppe des Phrynium setosum Rosc. der Fall ist, sind sehr gross, oft mehr als 2 Fuss lang und 1 Fuss breit und haben 2—5 Fuss lange und auch schlanke Stiele. Der Blüthenstand bildet eine zusammengesetzte Aehre, wird von einem oder wenigen sehr grossen und in der Regel weit überragenden Stützblättern gestützt und von einem bald kurzen, bald auch sehr langen Stiel getragen, im ersten Falle kommt er, wie bei den meisten Phrynien, aus den scheidenartigen Rändern der Blattstiele. Von dem Blüthenstande, wie er bei den Arten der 3. Abtheilung von Phrynium vorkommt, unterscheidet sich der von Calathea dadurch, dass die Aehren ächt zweireihig sind, d. h. die Blüthen zwei einander gegenüberstehende Reihen bilden, während bei den oben erwähnten Phrynien die Blüthen sämmtlich nach einer Seite (nach vorn), die Deckblätter nach der andern (nach hinten) stehen.

Die Deckblätter sind lederartig, umfassend, sehr gross, abgestutzt, meist braun gefärbt und stehen einander gegenüber, sich mit den Rändern selbst umfassend, so dass die Aehre breitgedrückt erscheint und zweireihig ist. Ein jedes schliesst wiederum ein kurzes Aehrchen ein, was aus 3 Paar kurz übereinander stehenden und von vielen häutig-durchscheinenden Deckblättchen umgebenen Blüthen besteht. Von diesen kommen die untern zuerst zur Entwickelung. Die äussere Reihe der Kronabschnitte sind ziemlich gross, zurückgeschlagen und anders gefärbt (bei C. discolor Mey. schmutzig grün, bei C. marantina C. Koch bräunlich), als die in der Regel stets gelben Abschnitte der innern Reihe. Das Staubgefäss ist seiner ganzen Länge nach dem einen der innersten Blumenblätter angewachsen.

Es gehören hierher: Casupito Mey., lutea Meyer (Maranta Cachibon Jacq., M. lutea Lam. nec Jacq.)

und juncea Mey. (Maranta juncea Lam., Aroama Aubl., petiolata Rudge).

Diesen ächten Calatheen schliessen sich noch andere an, wo die Aehren dünn und mehr stielrund sind, weshalb auch die Blüthen weniger in 2 Reihen stehen. Leider habe ich noch keine der Arten untersucht, getrocknete Exemplare, sowie Abbildungen genügen aber nicht; ich möchte auch deshalb nur, den Autoren folgend, sie fragweise hier anführen. Es sind dies folgende Arten: Calathea leucophaea Poepp. et Endl., polyphylla Poepp. et Endl., laxa Poepp. et Endl. (weicht noch mehr durch die abstehenden Deckblätter ab), fasciculata Presl. und villosa Lindl., zu welcher Phrynium oder Maranta pardina mit braunschwarzen Flecken auf den Blättern gehört. Maranta gracilis Rudge und obliqua Rudge sind wohl auch Calatheen. Ebenso möchten die in der Flora Fluminensis, im 1. Bande Tab. 15—17. abgebildeten Arten: marantifolia, colorata (der Thalia bicolor C. Koch im Habitus sehr ähnlich), erecta und tuberosa hierher gehören. Was Calathea Rossii Lodd. ist, weiss ich nicht.

Zu den unter Maranta, Thalia, Phrynium und Calathea aufgeführten Arten kommt noch eine Anzahl, die unter dem einen oder andern Geschlechts-Namen, besonders in belgischen Gärten, kultivirt werden und von da aus in Deutschland verbreitet sind. Ich habe sie nur zum sehr geringen Theil, und dann stets ohne Blüthe, gesehen, weshalb ich ausser Stande bin, sie generisch festzustellen. Ich führe sie sämmtlich aus diesem Grunde noch als Maranta, dem ältesten Geschlechte, auf und behalte mir vor, sie später, sobald ich in den Stand gesetzt sein werde, noch näher zu beschreiben. Es sind dieses: argyrophylla, aurantiaca, borussica, Chouca, coccinea, fasciata, insignis, leptostachys (nec Hort. Ber.), maculata, pilosa (nec Lk), Porteana, pulchella, rotundifolia (nec Poepp. et Endl.), pulverulenta (vielleicht Heliconia pulveracea oder leucogramma Hort.) und sericea.

(Fortsetzung folgt.)

Erythrochiton brasiliensis N. et Mart. und Pterospermum acerifolium Willd.

Zwei oft blühende Blattpflanzen des Warmhauses.

Neben den Araliaceen, Sauranja-, Astrapaea-, Theophrasta-, Artocarpus-, Ficus- u. s. w. Arten, welche in der neuesten Zeit als Blattpflanzen in Warmhäusern beliebt worden sind, verdienen auch noch 2 tropische Gehölze, welche ich in dem botanischen Garten zu Neu-Schöneberg bei Berlin, in Sanssouci bei dem Hofgärtner H. Sello und sonst gefunden, einer weiteren Berücksichtigung. Das eine, ein Bewohner der Neuen Welt, wurde von v. Martius, neben vielem anderen Schönen, während seines 3-jährigen Aufenthaltes in Brasilien (von 1817—1820) entdeckt, unter dem Namen Erythrochiton brasiliensis in den Verhandlungen der Akademie der Naturforscher (im 11. Bande, Seite 165) beschrieben und daselbst auch auf der 18. und 22. Tafel abgebildet. Die Pflanze blühet eben im botanischen Garten und ist unbedingt um so mehr eine Zierde des Warmhauses, als sie schöne Blätter und schöne Blüthen zugleich besitzt.

Erythrochiton brasiliensis N. et Mart. hat im Aeussern viel Aehnlichkeit mit einer Theophrasta oder Claviga-Art, indem der einfache Stengel eine Menge sehr langer, aber ganzrandiger und schmal-elliptischer Blätter, denen alle Behaarung fehlt, ziemlich dicht übereinander trägt. Aus dem Winkel der obern kommt ein langer, blattloser und mehr oder weniger überhängender Blüthenstiel hervor, der an seiner Spitze einige oft 1¼ Zoll lange Blüthen hat. Ausgezeichnet sind diese durch ihren grossen röhrigen Kelch von braunrother Farbe, der von dem Entdecker sehr passend zur Benennung der Pflanze benutzt wurde, denn Erythrochiton heisst Roth-Mantel (von ἐρυθρός roth und χιτών Kleid). Das Wort ist demnach männlichen Geschlechts und die hier und da vorkommende Schreibart Erythrochiton brasiliense eine falsche. Auch hinsichtlich der Aussprache wird das Wort oft verkannt, da der Ton auf die letzte lange Sylbe gelegt werden muss.

Aus der Kelchröhre mit ungleichen, lippenförmigen Abschnitten ragt die Röhre der weissen Krone grade heraus und legt ihre 5 grossen Abschnitte flach über. Die 5 Staubgefässe sind eingeschlossen und der 5-fache Fruchtknoten wird an seiner Basis von einer Scheibe umgeben. In jedem der 5 Fächer befinden sich 2 Eichen. Die 5-köpfige Frucht öffnet sich in der Mitte der Fächer und schliesst meist nur 5 nierenförmige Samen ein.

Was die Stellung von Erythrochiton im natürlichen Systeme anbelangt, so bildet das Genus mit der bekannteren Galipea St. Hil. (Bonplandia Willd.) und einigen andern eine Abtheilung der Diosmeen, welche de Candolle d. ä. Cusparieen nennt und nur Gehölze enthält, die in dem tropischen Amerika wachsen. Zum grossen Theil haben die Cusparieen eine einblättrige Krone und stehen deshalb unter den Pflanzen mit mehrblättriger Krone, den Polypetalen, etwas abnorm. Es ist aber keine Frage, dass die Diosmeen überhaupt mit einer Klasse der Pflan zen mit einblättriger Krone (Monopetalen), welche ich, weil doppelt so viel Staubgefässe als Kronblätter vorhanden sind, Diplostemonen genannt habe, eine grosse Verwandtschaft besitzen. Während wir bei den Diosmeen mehre Arten mit einblättriger Krone haben, sind unter den Diplostemonen viele mit mehrblättriger. Die eigenthümliche Bildung des Pistilles bei den Diosmeen, auf die man mit Recht einen grossen Werth legt, wiederholt sich auch bei den Ericaceen, besonders bei Rhododendron und einigen andern Geschlechtern.

Die Pflanze, welche übrigens früher schon als Bouplandia Erythrochiton Spreng. in deutschen Gärten kultivirt wurde, in Frankreich und England aber 1812 zum ersten Male blühte, verlangt eine Behandlung wie Theophrasta. Eine sandige und etwas lehmhaltige Haideerde, der man, um die Vegetation zu befördern, etwas Hornspähne zusetzen kann, ist der geeignetste Boden. Durch Torfbrocken und groben Kies, die man beide auf den Grund des Topfes thut, sorgt man am Besten dafür, dass das Wasser immer gehörig abfliessen kann, was sie übrigens zur Zeit der Blüthe ziemlich viel verlangt. Im Sommer muss man sie sehr gegen die direkte Sonne schützen.

Was die Vermehrung anbelangt, so bringt die Pflanze oft und ziemlich leicht Samen, die, bei der gewöhnlichen Behandlung derer von Warmhausgewächsen, leicht aufgehen. Stecklinge haben bei der Eigenthümlichkeit der Pflanze, nur einen Haupttrieb und keine Seitenäste zu bilden, ihre Schwierigkeit. Man ist gezwungen, zuvor die Spitze abzunehmen, worauf nun erst die Bildung von Aesten geschieht und damit auch Stecklinge gemacht werden können.

II. Ein Gegenstück der bekannteren Astrapaea Wallichii Lindl., von der schon früher (Seite 30) gesprochen wurde, ist das verwandte Pterospermum acerifolium Willd., was man jetzt selten sieht, obwohl es früher weit häufiger kultivirt wurde und den grossblättrigen Ficus-Arten, wie imperialis, Leopoldi, morifolia u. s. w. an die Seite gesetzt werden kann. Genannten Blattpflanzen des Warmhauses giebt es gewiss an Schönheit nichts nach. Ich habe Pterospermum acerifolium Willd. bis jetzt nur im botanischen Garten zu Neu-Schöneberg, in Sanssouci bei dem Hofgärtner H. Sello und bei dem Kunst- und Handelsgärtner Hoffmann in Berlin gefunden.

In der Tracht ähnelt das Gehölz der schon erwähnten Astrapaea am Meisten und bildet wie diese eine wenig verästelte Krone mit graufilzigen Aesten. Die grossen, in der Regel 1 Fuss und mehr im Durchmesser enthaltenden Blätter haben eine rundliche Herzform und sind am Rande gross-, aber entfernt-gezähnt. Sie stehen auf kurzen Stielen und haben eine dichte und graue Behaarung, die besonders auf der Unterfläche sich in einen noch dichtern, mehr weisslichen Filz umwandelt. Von der Anheftung des Blattstieles aus ziehen sich 7—13 fingerförmig auseinandergehende Nerven nach dem Umkreise und verlaufen in den grossen Zähnen.

Blüthen habe ich nur in der Abbildung gesehen, doch sollen sie im botanischen Garten bisweilen, aber keineswegs so häufig, als bei Astrapaea Wallichii Lindl. vorkommen, in so fern das Bäumchen nur die gehörige Höhe erreicht hat. Sie erscheinen einzeln in den Winkeln der Blätter, gewöhnlich im Juli, August oder September, sind sehr gross, bis 3 Zoll lang, haben eine weisse Farbe und verbreiten weit hin einen angenehmen Geruch. Der Kelch ist nur an der Basis in eine Röhre verwachsen, steht sonst aber mit seinen linienförmigen Abschnitten ab und ist auf der untern oder äussern Fläche ebenfalls grau. Die 5 umgekehrt eirunden Blumenblätter verschmälern sich keilförmig in einen kurzen Stiel und stehen auf dem Blüthenboden, während die 20 an der Basis verwachsenen Staubgefässe, von denen jedoch 5 unfruchtbar sind, an dem kurzen Pistillträger befestigt sind. Der 5-fächrige Fruchtknoten mit walzenförmigem Griffel verwandelt sich in eine holzige Kapsel, deren wenige Samen mit einem Flügel versehen sind.

Dieser letztere Umstand gab dem russischen Botaniker Ammann, der die Pflanze aus Rheede's Hortus malabaricus (VI, p. 271. t. 16) kennen lernte und bereits in den Actis Petropolitanis (VIII. p. 216) vom Jahre 1771 beschrieb, Gelegenheit, dem Baume den etwas langen Namen Pterospermodendrum d. i. Flügelsamenbaum zu geben, ein Name, den Schreber 1791 in Pterospermum verkürzte und zur Bezeichnung seines Geschlechtes im Linné'schen Sinne benutzte. Linné vereinigte hingegen Pt. acerifolium mit Pentapetes, einem Genus, was er später für andere, fast nur krautartige Pflanzen benutzte.

Mit Pentapetes, Astrapaea, Dombeya u. s. w. bildet Pterospermum unter den Sterculiaceen die Abtheilung Dombeyaceae, welche sich durch flache Blumenblätter und durch 15—45 Staubgefässe, von denen immer ein Theil unfruchtbar ist, auszeichnen. Mit der Abtheilung Eriolaeneae, die zahlreiche aber durchaus fruchtbare Staubgefässe haben, sind die Dombeyaceen Bewohner der Tropen Afrika's und ganz besonders Asiens, während die Lasiopetaleen nur in Neuholland, die Büttnerieen (im engern Sinne) in den Tropen Amerika's und die Hermannieen vorzugsweise in Südafrika wachsen.

Was die Kultur anbelangt, so ähnelt diese allerdings der der Astrapaea Wallichii Lindl.; sie ist aber unbedingt schwieriger, zumal die Pflanze noch immer einen warmen Fuss haben will und deshalb, wenn sie noch jung ist, am Besten in Lohbeeten gedeiht. So wenig Wasser der ahornblättrige Flügelsame im Winter verlangt, wie es übrigens bei den meisten tropischen Gehölzen der Fall ist, so viel bedarf er im Sommer. Dabei muss man aber trotzdem im Topfe für gehörigen Abfluss sorgen und ausserdem die Pflanze gegen die direkten Sonnenstrahlen schützen. Gleiche Theile einer Laub- und Moorerde, mit etwas Lehm und durch Beimengung eines groben Kieses gehörig locker erhalten, sind zum Gedeihen am Besten. Die Vermehrung geschieht durch Stecklinge, welche man am Besten im Frühlinge macht; da diese aber an und für sich schwer Wurzeln machen, ist Wärme noch nothwendiger, als bei irgend einer andern Warmhauspflanze. Eben so thut man der feuchteren Athmosphäre halber gut, noch eine Glocke darüber zu bringen.

Der grossblühende Laurustin.

Der Laurustin, der jenseits der Alpen, in Südfrankreich, in Spanien, in Portugal, auf den Azoren und in ganz Nordafrika östlich bis Tunis ziemlich verbreitet ist, wurde diesseits der Alpen, besonders in Deutschland und in Grossbritanien, schon seit sehr langer Zeit, in dem zuletzt genannten Lande selbst im Freien, kultivirt. Seiner immergrünen Blätter und seiner weissen Blüthen halber hat er in Deutschland, besonders in Thüringen und Sachsen, eine so grosse Verbreitung gefunden, dass man ihn allenthalben, in grossen und kleinen Städten, selbst in Dörfern, an den Fenstern der Häuser sieht; es ist eine Pflanze, die unter allen Verhältnissen fast wächst und sich gegen schlechte Behandlung nicht sehr empfindlich zeigt.

Obgleich es seit sehr langer Zeit mehre Abarten giebt — denn der Antwerpener Charles d'Ecluse, als Clusius mehr bekannt, führt schon im 16. Jahrhunderte 3 Formen auf —, so hat man bei uns doch nur gewöhnlich die eine mit kleinern und behaarten Blättern und eben so mit kleinern Blüthen, wie sie allgemein in Südeuropa wild wächst. Es giebt aber Abarten, die vielleicht selbst zum Theil specifisch sein möchten und sich in mehrern Hinsichten, auch gärtnerisch, und zwar zum Vortheile, unterscheiden. Dahin gehört die Abart, welche schon Aiton in seinem Hortus Kewensis als Varietas lucida aufführt und welche sich durch grössere, auf beiden Seiten völlig unbehaarte oder nur auf der Unterfläche und an den Rändern mit nur wenigen Haaren besetzte, auf der Oberfläche aber stets mehr oder weniger glänzende Blätter auszeichnet. Aber auch die Blüthen sind weit grösser und haben eine weissere Farbe, die gegen das schöne, dunkle Grün angenehm absticht. Endlich besitzen die jungen Triebe meist eine bräunlich-röthliche Farbe, die ebenfalls zur Schönheit des Ganzen beiträgt.

Diese Abart scheint in England und Schottland mehr verbreitet zu sein. Nach Loudon befand sich schon 1825 in Balruddery, dem Sitze des Earl von Meath, bei Bray ein Exemplar im Freien, was zwar nur 10 Fuss hoch war, aber nicht weniger als 125 Fuss im Umfang hatte. Nach Regel, der in seiner Gartenflora zuerst auf die Abart wieder aufmerksam machte, soll sie in der neuesten Zeit aus Frankreich zu uns gekommen sein und wahrscheinlich von den Azoren stammen. In Berlin ist sie ebenfalls erst seit wenigen Jahren, ohne jedoch die Verbreitung gefunden zu haben, welche sie doch so sehr verdient. Die Kunst- und Handelsgärtner Priem und Hoffmann, welche beide Vermehrung besitzen, erhielten sie aus Dresden, wo nach dort eingezogener Erkundigung die Abart schon seit langer Zeit vorherrschend kultivirt wird und die andere gewöhnliche Form mehr oder weniger verdrängt hat. Nach Loudon stammt sie aus Afrika, wo sie hauptsächlich bei Algier und auf dem Atlas wächst.

Was den Namen Laurustin (Laurus Tinus) anbelangt, so nannten die alten Römer das Gehölz schon Tinus, eine Benennung, die auch von mehrern Botanikern vor Linné gebraucht wurde. Wegen der Aehnlichkeit im Wachsthume mit dem ächten Lorbeer, erhielt die Pflanze von den letztern auch den Namen Laurus sylvestris, d. h. des wilden Lorbeers, oder Laurus Tinus, der nun im gewöhnlichem Sprachgebrauche in Laurustin abgekürzt wurde. Die Schreibart Laurusthin, die man hier und da sieht, ist ganz falsch. Linné fand, dass das Gehölz im Bau der Blüthe und Frucht zu Viburnum, also zu den nicht windenden Caprifoliaceen gehöre und gab ihm deshalb den Namen Viburnum Tinus, der noch jetzt im Systeme festgehalten wird.

Die Pyramiden-Akazie.

Zu der Zahl von Pyramiden-Bäumen, welche in unseren landschaftlichen Anlagen, wie bekannt, eine grosse Rolle spielen, kommt nun auch eine Pyramiden-Akazie. Nach einem kleinen Berichte in Regel's Gartenflora, im Aprilhefte, welchen ihr Besitzer, C. Schickler in Stuttgart, selbst angefertigt und mit einer Abbildung versehen hat, existirt sie schon längere Zeit, wurde aber nicht weiter beachtet. Das Haupt-Exemplar besitzt bereits 40 Fuss

Höhe und hat diese seine pyramidenförmige Gestalt ohne das geringste Zuthun des Menschen erhalten. Obwohl die wilde Akazie (Robinia Pseudoacazia) sonst sehr leicht bricht und überhaupt vom Winde oft beschädigt wird, so soll doch grade diese Abart ausserordentlich zäh sein, so dass sie den stärksten Stürmen trotzen kann.

Die fast unbewehrten Zweige haben eine hellbraune Farbe, sind glatt und hängen meist etwas über, was grade bei ihrer dichten Belaubung dem ganzen Baume ein gutes Ansehen verleiht. Die gefiederten Blätter stehen an dünnen Stielen, deren 15—17 eirunde Blättchen eine hellgrüne Farbe haben. Ob die Pyramiden-Akazie geblüht hat, wird nicht gesagt, weshalb es wahrscheinlich ist, dass sie ebenso, wie die Kugel-Akazie, keine Blüthen hervorbringt.

Der Silberbaum des Orientes und Occidentes (Elaeagnus angustifolia L. und Shepherdia argentea Nutt.)

Zwei Sträucher mit weithin duftenden Blüthen.

Professor v. Schlechtendal bringt uns Seite 192 seiner botanischen Zeitung aus v. Haxthausens Transkaukasien eine längst bekannte Sache als Neuigkeit, dass nämlich im russischen Armenien die sogenannten Pschat-Bäume (Oleander Elaeagnus) wachsen, welche wohlriechende Blüthen und essbare Früchte, von den Tataren „Igda" genannt, trügen. Einen Baum Oleander Elaeagnus kennt aber die systematische Botanik noch nicht, obwohl der Name sehr leicht auf die richtige Benennung hätte führen können, zumal schon Bieberstein, Pallas und ich nicht weniger ausführlich in meinen beiden Reisebeschreibungen von diesem Gehölze, was übrigens auch nur ein Strauch ist, gesprochen haben.

Der Oleander Elaeagnus ist nichts weiter als der bekannte Silberbaum des Orientes (Elaeagnus angustifolia L., E. orientalis L. fil., E. hortensis Bieb.), der in Zäunen und Hecken Transkaukasiens wild wächst, vielleicht auch nur verwildert ist, sonst aber auch wegen seiner essbaren, etwas mehligen Früchte, welche die dortigen Bewohner Iftch nennen, und ausserdem wegen der wohlriechenden und weit hin duftenden Blüthen in Gärten gezogen wird. Mit der orientalischen Silberlinde (deren ältester Name übrigens nicht Tilia alba W. et K., sondern Tilia tomentosa Moench ist) kenne ich keine Pflanze, die einen so intensiven Geruch hat, als der Silberbaum des Orientes. Es ist mir auf meiner Reise im Oriente mehr als einmal vorgekommen, dass ich den Geruch der Blüthen wahrnahm, wo die Sträucher noch ziemlich weit entfernt waren; erst später kamen sie mir zu Gesichte. Es ist übrigens Schade, dass der Silberbaum bei uns seltener blüht und dann immer die Blüthen mehr einzeln hervorbringt; auf jeden Fall muss er aber, ganz besonders in Anlagen, weit mehr berücksichtigt werden, als es bisher geschehen ist.

Wegen des grösseren Silberglanzes auf den Blättern verdient der Silberbaum des Occidentes, Shepherdia argentea Nutt., unsere Aufmerksamkeit noch weit mehr, zumal er allenthalben bei uns gedeiht und ganz besonders zum Decken von Winkeln, von Erdhaufen u. s. w. benutzt werden kann. In kleineren Boskets auf Grasflächen ruft er, mitten im saftigen Grüne anderer Sträucher, eine besondere Wirkung hervor. Es kommt noch dazu, dass er weit leichter zu blühen scheint und seine Blüthen ebenfalls einen sehr angenehmen Geruch besitzen. Möchte er doch mehr und häufiger Anwendung finden, als es bis jetzt der Fall gewesen ist! Wir machen auf diesen Strauch ganz besonders aufmerksam.

Shepherdia Nutt. war früher mit Elaeagnus L. vereinigt und bildet mit diesem Genus, mit Hippophaë L. und dem nur unvollkommen bekannten Conuleum L. C. Rich. die kleine, aus einigen und 30 Sträuchern bestehende Familie der Elaeagneae, die sich durch ihre mit silberglänzenden Schilferschuppen besetzten Blätter und jüngern Theile, so wie der äussern Seite der Blüthenhülle, leicht und schnell erkennen lassen. Sie kommen hauptsächlich in der gemässigten Zone Asiens und Amerika's vor, breiten sich aber auch südlich bis Ostindien und Mexiko aus. Wegen der einfachen Blüthenhülle stehen die Elaeagneen in der Nähe der Thymeläaceen und haben mit dieser die Vierzahl in der Blüthe überein, unterscheiden sich aber durch den untern Theil der Blüthenhülle, der verhärtet oder fleischig wird und die einsamige Frucht einschliesst. Hippophaë und Shepherdia sind zweihäusig, Elaeagnus aber zwitterig oder höchstens polygamisch; 8 Staubgefässe hat Shepherdia, 4 hingegen nur Hippophaë.

Der Name Elaeagnus wurde schon von Theophrast benutzt und bedeutet eine Sumpfpflanze Böotiens, vielleicht eine Weidenart. Die Ableitung von *ἐλαία* Oelbaum und *ἄγνος* Keuschbaum (Vitex Agnus castus) ist wahrscheinlich wegen der Aehnlichkeit der Pflanze, besonders hinsichtlich des weissen Ueberzuges auf den Blättern die richtige. Shepherdia wurde im Jahre 1817 von Nuttall, wie gesagt, aus frühern Elaeagnus-Arten gebildet und zu Ehren des 1836 gestorbenen Kurators des botanischen Gartens zu Liverpool genannt. S. argentea Nutt. wächst hauptsächlich im Missouri-Gebiet und wurde 1813 in Europa eingeführt.

Verlag der Nauckschen Buchhandlung. Berlin. Druck der Nauckschen Buchdruckerei.

No. 20. Sonnabend, den 16. Mai. 1857

Preis des Jahrgangs von 52 Nummern mit 12 color. Abbildungen 6 Thlr., ohne dieselben 3 -
Durch alle Postämter des deutsch-österreichischen Postvereins sowie auch durch den Buchhandel ohne Preiserhöhung zu beziehen.

Mit direkter Post übernimmt die Verlagshandlung die Versendung unter Kreuzband gegen Vergütung von 25 Sgr. für Belgien, von 1 Thlr. 5 Sgr. für England, von 1 Thlr. 22 Sgr. für Frankreich.

BERLINER

Allgemeine Gartenzeitung.

Herausgegeben vom

Professor Dr. Karl Koch,

General-Sekretair des Vereins zur Beförderung des Gartenbaues in den Königl. Preussischen Staaten.

Inhalt: Die Chinesischen oder Indischen Azaleen, besonders die des Danneel'schen und des Hoffmann'schen Gartens in Berlin. Von dem Prof. Dr. Karl Koch und dem Obergärtner Pasewaldt. — Programm zur Preisbewerbung für das 35. Jahresfest des Vereins zur Beförderung des Gartenbaues in den Königl. Preussischen Staaten zu Berlin am 21. Juni 1857.

Die Chinesischen oder Indischen Azaleen,

besonders die des Danneel'schen und Hoffmann'schen Gartens zu Berlin.

Von dem Prof. Dr. Karl Koch und dem Obergärtner Pasewaldt.

Es scheint, als wenn wir seit vielen Jahren nicht eine solche Azaleenflor gehabt hätten, als grade in diesem; die kalten Gewächshäuser von Privaten und Gärtnern vom Fache zeigten allenthalben eine seltene Pracht. Wie Kamellien in diesem Jahre eine weit längere Blüthenzeit besassen, so nicht weniger die Azaleen, obwohl diese sonst grade mehr hinfälligere Blumen haben. Viel mag allerdings das gelindere Wetter den Winter hindurch beigetragen haben; hauptsächlich mögen aber der zum grossen Theil nicht bedeckte Himmel im Januar, und zum Theil selbst auch in Februar, wo wir sonst keineswegs so anhaltend heiteres Wetter besitzen, und der dadurch bedingte Sonnenschein beigetragen haben. Die 4 Ausstellungen, welche der Reihe nach in der Gartenzeitung beschrieben wurden, zeichneten sich hauptsächlich durch ihre Azaleen-Flor aus.

Obwohl die Chinesischen oder, wie man gewöhnlich sagt, die Indischen Azaleen vielleicht schon vor 2 Jahrhunderten aus Java in den Niederlanden eingeführt wurden, so fehlten sie doch noch bis fast in das zweite Jahrzehend dieses Jahrhundertes unseren deutschen Gärten. Sie scheinen in der That fast anderthalb Jahrhundert nicht aus den holländischen Gärten herausgekommen zu sein, in so fern man nicht lieber annehmen will, dass sie auch hier wiederum verloren gegangen waren. Die erste Kunde von ihnen erhalten wir durch einen Danziger Kaufmann, Jakob Breyn, einem sehr grossen Blumen- und Pflanzenfreunde, der im Jahre 1679 zum ersten Male nach Holland reiste, um die dortigen zahlreichen und weit und breit berühmten Gärten zu besuchen. Dort fand er unter anderen vielen und schönen Pflanzen in dem Garten des Rektors der Universität zu Leiden, Hieronymus van Beverningk zum ersten Male eine blühende Indische Azalee, von der er eben so entzückt spricht, als der zu derselben Zeit dort lebende Professor der Botanik, Paul Hermann. Der letztere bedauerte nichts so sehr, als dass die Blumen der Azaleen keinen Geruch hätten, denn sonst würde es in der Natur nichts Lieblicheres und Wunderbareres geben, als diese. In seinem 1687 herausgegebenen akademischen Garten von Leiden (Hortus academicus Lugduno-Batavorum) beschreibt er die Pflanze als Cistus indicus ledi alpini foliis et floribus amplis und giebt auch die erste etwas rohe, aber doch leicht erkennbare Abbildung. Aber schon 7 Jahre früher hatte Jak. Breyn die Pflanze in seinem ersten Hefte seltener Pflanzen (prodromus fasciculi rariorum plantarum) als Chamaerhododendron exoticum, amplissimis floribus liliaceis beschrieben.

Der Blüthenstrauch wurde aus Java nach Holland gebracht. Es ist aber sehr wahrscheinlich, dass er gar nicht auf genannter Insel wild wächst, sondern erst nebst vielen anderen Pflanzen durch die Holländer von Japan übersiedelt wurde. Der Beiname „der Indischen" ist daher gar nicht passend und möchte wohl eigentlich umgeändert werden müssen, wenn man die fortwährende Namen-Veränderung nicht schon längst überdrüssig wäre. Vaterland sind ohne Zweifel Japan und China.

In Japan lernte sie auch der berühmte Reisende Engelbert Kämpfer, der in den Jahren 1683 bis 1693 verschiedene Länder Asiens, besonders aber auch Japan, besuchte, kennen. Er beschreibt in seinen Amoenitates exoticae schon 16 Haupt-Varietäten mit allerlei Farben und theilt mit, dass die Japanesen diesen auch verschiedene Namen beilegen. Einer derselben Tsutsusi wurde von G. Don und Andern (im System aber meist in Tsutsia umgeändert) zur Bezeichnung der Abtheilung, zu der das Gehölz im Genus gehört, gebraucht; Salisbury nennt die Abtheilung dagegen zu Ehren des Herrn v. Beverningk der sie, wie oben gesagt ist, zuerst kultivirte: Bevernickia (richtiger wohl Beverningkia).

In der ersten Hälfte des 18. Jahrhundertes war die Azalee gewiss auch in England, denn der berühmte Gärtner, Philipp Miller, führt sie nicht allein in der 5. Auflage seines Gärtner-Lexikons, die mir leider nur in der 1750 zu Nürnberg erschienenen Uebersetzung zu Gebote steht, schon auf, sondern giebt sogar selbst ihre Vermehrung durch Stecklinge an. Wann sie in den Apotheker-Garten zu Chelsea gekommen ist, vermag ich nicht zu sagen. 1730, wo die erste Auflage von Miller's Gärtners-Lexikon's erschien, war sie noch nicht vorhanden. In der 9. Auflage des Hortus Cantabridgensis wird aber doch das Jahr 1707 bereits als das Jahr der Einführung genannt. Der bekannte Reisende Commerson, der den Weltumsegler Bougainville begleitete, sammelte die Pflanze ebenfalls 1768 auf Java, scheint aber keine lebenden Exemplare nach Paris gesendet zu haben.

In dem letzten Viertel des 18. Jahrhundertes kann die Azalee nicht mehr in England gewesen sein, denn sie wird in keinem Verzeichnisse, die mir aus jener Zeit zu Gebote standen, mehr erwähnt. Ob sie dagegen, wie gesagt, noch in Holland kultivirt wurde, lässt sich aus gänzlichem Mangel an Nachrichten ebenfalls nicht sagen.

Mit dem Jahre 1808, wo direkt aus China Pflanzen gekommen waren, erscheint die Indische Azalee wiederum in England, aber erst im Jahre 1812, nachdem die erste illuminirte Abbildung im botanical Magazin (tab. 1480) erschienen war, fing sie an, die Aufmerksamkeit der Blumenliebhaber auf sich zu ziehen. Damals sollen nur 3 Pflanzen in ganz England gewesen sein. Im Jahre 1815 wird sie weder im Pariser Garten, noch 1817 in Gent genannt, wohl aber schon in dem Breiter'schen Garten in Leipzig. Es scheint jedoch, als wenn die Azalee mit dem Jahre 1815 doch nach dem Kontinente gekommen wäre. 1820 wird sie auch in dem Verzeichnisse des Gartens von Belvedere bei Weimar aufgeführt.

Bis dahin hatte man allerdings schon mehre Abarten in Betreff der rothen Farbe in der Blume; es ist jedoch wahrscheinlich, dass diese nicht in Europa gezüchtet, sondern direkt aus ihrem Vaterlande bezogen wurden. 1819 kam die weissblühende Azalee, die später wegen ihres drüsigen Kelches als eigene Art unter dem Namen Azalea ledifolia beschrieben wurde, durch einen gewissen Pool aus China nach England und machte mit Recht grosses Aufsehen. Hooker bildete sie ebenfalls im botanical Magazin auf der 2901. Tafel ab. Kurz darauf war sie auch in Belgien, wo schon damals Gent sich durch seine Azaleen, besonders aber auch durch Züchtung neuer Formen, auszeichnete. Obergärtner des dortigen botanischen Gartens war damals Mussche, dem wir auch ein Verzeichniss der von ihm gezogenen Pflanzen, und zwar in doppelter Auflage, verdanken. Endlich kultivirte das Institut horticole de Fromont, was der bekannte Soulange-Bodin leitete, wie man aus dem ersten, 1829 erschienenen Bande seiner Annalen (Seite 102) ersieht, eine beträchtliche Anzahl von Azaleen. Poiteau gab daselbst der neuen weissblühenden Art den Namen Azalea liliiflora, unter dem jetzt noch eine bestimmtere Form bei uns vorkommt. In England war sie übrigens ausserdem früher noch von Sweet Azalea alba genannt worden.

1830 brachte Capitain Daniels die sogenannte hartblättrige Azalee, welche Paxton im Magazin of Botany (I, 129 c. ic.) Azalea Danielsiana, George Don aber in seiner Ausgabe von Millers Gartenlexikon Rhododendron decumbens nannte, ein gewisser Mac Killigan hingegen 2 Jahre später zuerst die Azalee mit ziegelrothen Blüthen (A. indica lateritia Lindl.) nach England. Später haben der bekannte Reisende Reeves, und ganz besonders in der neuesten Zeit Fortune, eine Reihe neuer Formen, zum Theil selbstständige Arten, aus China in England eingeführt. Von ihnen nenne ich nur die, die am meisten Beifall fanden: Bealii, narcissiflora, crispiflora und amoena.

Mit dem Erscheinen der weissblühenden Azalee im Jahre 1819 begann eigentlich erst in Europa durch Blendung und Aussaaten die grössere Heranziehung verschiedener Formen, deren Zahl um so mehr zunahm, als späterhin noch andere gefärbte Blumen direkt aus China eingeführt wurden. So ist es möglich geworden, dass wir bereits Hunderte von Formen kultiviren; ja wollte man alle die verschiedenen Namen, die nach und nach gegeben wurden, zählen, so dürften wohl gegen Tausend herauskommen. Es unterliegt allerdings keinem Zweifel, dass eine und dieselbe Form, die schon an und für sich vielleicht von einer andern sich nur sehr wenig unterscheidet, 3, 4, selbst 10 Mal mit einem neuen Namen versehen und in den verschiedenen Verzeichnissen der Handelsgärtner als verschieden aufgeführt wurde.

In der neuesten Zeit haben wir von Planchon eine sehr gute Arbeit über die Indischen Azaleen erhalten und machen wir ganz besonders auf sie aufmerksam. Sie befindet sich in dem 9. Bande der Flore des Serres, Seite 75. Die interessanten Abarten führt er als eigene Arten auf, so dass nicht weniger als 23 aus der Gruppe genannt werden. Unter ihnen sind freilich 6, die wir nur aus Büchern kennen und sich nicht in den Gärten befinden. Planchon sieht nämlich zunächst die ursprünglich in Holland kultivirte und seiner Meinung nach jetzt verloren gegangene Azalee unter dem Namen Breynii, eine zweite, welche sich unter den von Kämpfer aufgeführten Formen befindet, unter dem von Kaempferi, und eine dritte, die Thunberg in seiner japanischen Flor als Azalea indica aufführt, unter dem von Thunbergii, als eigene Arten an. Dazu kommen noch 3 (mollis Blume, mucronata Blume und punctata Lour.), die in Java und Cochinchina wachsen, also eigentlich nicht hierher gehören. Von den 23 von Planchon aufgeführten Arten werden demnach 17 in Europa kultivirt.

Das Genus Azalea wurde von Linné schon im Jahre 1732 in seiner Florula lapponica gebildet und so genannt, weil die beiden Arten (lapponica und procumbens) auf dürren, trockenen Boden wachsen, denn ἀζαλέος bedeutet im Griechischen trocken. Es unterscheidet sich von Rhododendron nur durch die Zahl der Staubgefässe, von denen 5, bei genanntem Genus jedoch 10 vorhanden sein sollen. Seitdem man aber Azaleen mit mehr als 5 und Rhododendren mit weniger als 10 Staubgefässe kennt, so fällt der generische Unterschied weg. Es wird selbst schwer, die Chinesischen oder Indischen Azaleen mit ihren bleibenden Blättern von einigen Rhododendren als Abtheilung zu unterscheiden; auf jedem Falle stehen sie den Pontischen und übrigen Arten, deren Blätter abfallen und deren Blüthen in der Regel vor den erstern erscheinen, weit näher. Aus dieser Ursache betrachtet man jetzt die Azaleen mit bleibenden Blättern, also die Indischen nur als ein Subgenus von Rhododendron unter dem Namen Tsutsia, wie schon früher gesagt ist, während die mit abfallenden Blättern in der heutigen Systematik das Subgenus Azalea bilden.

Was das Wort Rhododendron selbst nun anbelangt, so bedeutet dieses im Griechischen Rosenbaum (von ῥόδον Rose und δένδρον Baum); es wurde von Dioskorides zur Bezeichnung des in ganz Südeuropa wachsenden Oleanders benutzt. Linné gebrauchte es zuerst als Geschlechts-Namen für die Alpenrosen, nachdem ein Theil von diesen, welche mehr auf der Erde liegen oder nur niedrig sind, schon von frühern Botanikern als Chamaerhododendron (von χαμαί auf der Erde und ῥοδόδενδρον, d. h. auf der Erde liegender Rosenbaum) aufgeführt worden war.

Nach diesen allgemeinen Bemerkungen über die Geschichte der Indischen oder vielmehr Chinesisch-japanesischen Azaleen und über ihre Stellung im Systeme wollen wir versuchen auf die schönsten, besonders vaterländischen Ursprunges, aufmerksam zu machen, welche in Berlin und Umgegend, so wie in Dresden und Magdeburg, besonders gern kultivirt werden und allen Azaleen-Freunden zu empfehlen sind.

Es dürfte viel zu weit führen, wollten wir sämmtliche Sorten von Azaleen aufführen, die nur in Berlin und Umgegend sich in den Gewächshäusern der Privaten und Handelsgärtner befinden. Neben vielem Schönen und Ausgezeichneten wird leider, wie gewöhnlich, auch viel Mittelmässiges, selbst Schlechtes, kultivirt. Wir wollen hoffen, dass durch unsere Aufzählung das Letztere ganz verdrängt wird. Eine Pflanze mit mittelmässigen oder gar schlechten Blumen nimmt eben so viel Raum weg und kostet ziemlich dieselbe Sorgfalt als eine mit guten. Daher doch immer nur die letzteren.

In der folgenden Auswahl haben uns die Sammlungen des Fabrikbesitzers Danneel und des Kunst- und Handelsgärtners Hoffmann (Köpenicker Strasse 131) zur Richtschnur gedient. In deren Gärten wurden von jeher Azaleen mit besonderer Liebe und Sorgfalt gepflegt. Dort sieht man jährlich vom Februar bis April einen seltenen Flor von Azaleen. Wir haben übrigens schon Gelegenheit gehabt, derselben in der Beschreibung der Frühjahrs-Ausstellung von Seiten des Vereines zur Beförderung des Gartenbaues in Nr. 16 der Gartenzeitung rühmend zu gedenken.

Bei der Unsicherheit in der Benennung der Farben, ganz besonders bei solchen Blumen, wo durch viele Kreuzungen der Reihe nach eine Menge Zwischenstufen entstanden, die nach unserer Nomenklatur der Farben kaum genügend bezeichnet werden könnten, haben wir den Versuch, die hier aufzuführenden Sorten nach den Farben einzutheilen, aufgegeben und nennen sie daher in alphabetischer Reihe. Die hauptsächlich zu empfehlen sind, haben wir mit * bezeichnet, die besten aber mit **.

1. Abd-el-Kader von ziemlich reiner Lachsfarbe und mit prächtiger ponceaufarbiger Zeichnung. Der Rand ist zwar nicht gekräuselt, die Form aber nicht ganz rund.

* 2. Admiration: eine vittata mit geringern dunkelen und hellen rothen Streifen auf weissem Grunde.

* 3. Alba grandiflora. Schöne grosse Blumen von blendend weisser Farbe, die aber in einzelnen Fällen von violetten Streifen unterbrochen wird.

4. Alba insignis: ebenfalls eine weisse grosse Blume mit grünen Punkten gezeichnet.

5. Alba striata: weniger grosse, aber immer ansehnliche Blume mit vielen rothen Längsstreifen.

6. Amoena ist wohl eine gute Art, die von Fortune eingeführt und zuerst in Chiswick 1852 ausgestellt wurde. Sie trägt eine Menge kleiner rother Blüthen, die weniger Effekt machen, aber doch eine liebliche Erscheinung sind.

7. Apeirogemetha; (vielleicht von der englischen Ageromata nicht verschieden und nur Verstümmelung des Namens). Eine eigenthümliche, dichtblühende Art, deren Blumen eine Lachsfarbe haben, aber gegen die wenig gekräuselten Ränder hin plötzlich sehr blass, selbst ganz weiss werden.

8. Atrosanguinea; wie der Name sagt, dunkelgefärbt, aber doch weniger blutroth, als sich vielmehr einer braunen Ziegelfarbe hinneigend.

9. Aurantiaca superba; besitzt dicht gedrängte, aber mehr kleinere Blüthen, wo die Orangenfarbe sich zur Lachsfarbe neigt.

10. Auriculaeflora; von Scheuermann in Frankfurt a. M. gezüchtet. Mehr interessant als schön, da die kleinen fleischrothen Blumenabschnitte zu langgenagelten Blumenblättern sich umgebildet haben. Da die Sorte auch etwas empfindlich ist, möchte sie nicht so allgemein zu empfehlen sein.

11. Baron Hügel; eine angenehme Erscheinung mit dunkel-rosafarbigen, aber leider kleinen Blumen.

* 12. Bealii; ein Frühblüher mit verschieden gefärbten, nicht sehr grossen Blumen, von denen die einen ganz weiss, die andern rothgestreift und selbst ganz roth sind.

* 13. Beauté de l'Europe; verdient in der That den Namen. Der Schlund der Blume ist prächtig rosenroth, was nach dem Rande zu plötzlich in Weiss umgeht.

14. Boeckmanni; eine eigenthümliche Farbe, violett zwar, aber doch ins Rothe sich neigend und ungemein feurig.

15. Brillant; eine prächtige Blume mit feurigem Roth. Nicht zu früh anzutreiben, weil sie dann leicht durchgeht.

* 16. Charlotte Corday; die Farbe der prächtigen und ziemlich grossen Blume steht zwischen Roth und Lila, was durch eine dunkelpurpurrothe Zeichnung unterbrochen wird.

17. Colore di Lucca; mittelmässige Blume von einer Farbe, die zwischen Lachs- und Fleischfarbe steht.

18. Concinna; mittelmässige Blume von feurigem Roth, weit offen.

** 19. Concordia; von seltener Schönheit. Die Farbe der Blume ist ein zartes Fleischroth mit hervortretender Zeichnung.

20. Coronata; der Hertha ähnlich. Die Blume roth, mit wenig violett.

21. Coronata semiduplex; in Charlottenburg gezüchtet. Zwar nicht ausgezeichnet, aber doch jedenfalls eine zu empfehlende Sorte mit hellrothen Blumen, zumal die Pflanze dankbar blüht.

** 22. Crispiflora; besitzt prächtige grosse und sehr gekräuselte Blumen von rother Farbe.

23. Delecta; Blume violett-fleischfarben, mit hübscher Zeichnung.

* 24. Diana; eine sehr zu empfehlende Azalee von ziemlich reiner Ponceau-Farbe.

* 25. Elvire; der alsbald zu erwähnenden Jenny Lind ähnlich, aber im zarten Rosenroth der Blume nicht so ganz rein, aber fast dankbarer blühend als genannte Sorte.

* 26. Exquisite; in der Grundfarbe der vorigen ähnlich, aber nicht gleich, da hell und dunkel wechselt, daher gewöhnlich auch dunkel gestreift. Mit Recht sehr verbreitet, da die Azalee dankbar und reichlich blüht, sich auch sehr leicht treiben lässt.

* 27. Eulalie van Geert; ähnlich der Exquisite, nur vollkommener und anstatt des Rosa, mehr lila-roth.

28. Extrany; eine englische, übrigens keineswegs so ganz neue Sorte von Ponceau-Farbe, die zwar sehr schön und deshalb immer zu empfehlen ist, aber doch manchem Dresdener Erzeugnisse der neuesten Zeit nachsteht.

29. Flora; steht der zart rosa-farbigen Jenny Lind sehr nahe.

30. Franklin; mehr kleine und etwas gekräuselte Blumen mit enger Röhre und von dunkeler Lachsfarbe.

31. Franz Joseph; besitzt eine mittelmässige Blume von einer eigenthümlichen Fleischfarbe, die sich etwas zum Violetten hinneigt und der bereits erwähnten Delecta ähnlich ist.

* 32. Friedrich August; Blume von freundlichem Ziegelroth, wie auch die alsbald zu erwähnende Sidonie besitzt, der diese Azalee in jeglicher Hinsicht ausserordentlich nahe steht.

** 33. Gabriele; eine ausgezeichnete Blume von feurigem Roth. Dazu kommt, dass die Sorte sehr dankbar und reichlich blüht.

34. Gledstanesii (nicht Gladsdamesii); Blume weisslich, ins Grüne spielend. Da sie ein Spätblüher ist, hat sie in so fern einen Werth, auf den sie, wenn schönere Sorten blühen, nicht Anspruch machen kann.

** 35. Göthe: eine der schönsten Sorten, die wir in der neuesten Zeit erhalten haben und ein Dresdener Erzeugniss. Eine sehr grosse und weisse Blume, die, namentlich auf den untern Abschnitten, den einen oder andern rosafarbenen Längsstreif besitzt.

36. Heloise; ein eigenthümliches dunkles Fleischroth ist die Farbe der Blume, worin sie mit der ebenfalls sehr zu empfehlenden Sophie Schröder übereinstimmt.

* 37. Henriette Sonntag: eben so lieblich in der Blume als Jenny Lind, nur wenig dunkler.

** 38. Herzog Adolph von Nassau; eine der schönsten Sorten, die wir in der neuesten Zeit erhalten haben. Mit Natalie die grösste Blume, aber von feurigstem Roth.

39. Hertha: ein Frühblüher, der schon deshalb zu empfehlen ist, sich aber ausserdem auch durch schöne und grosse Blumen mit reiner Rundung auszeichnet. Die Farbe der letztern ist ein Roth, was einen Strich ins Violette besitzt.

* 40. Herzogin Adelaide von Nassau; eine grosse Blume von feurigem Roth, sonst der vorigen ähnlich.

* 41. Jenny Lind; eine in der That schöne Blume von lieblicher Rosafärbung.

* 42. Illustris; die Blume steht in der Farbe zwischen Ziegelroth und der Lachsfarbe, die durch eine prächtige purpurrothe Zeichnung unterbrochen wird, ist aber sehr feurig.

43. Julia; ein helles Roth ist die Farbe der freundlich ins Auge fallenden Blume.

* 44. Iveryana, eine blendend weisse Blume von angenehmer Form und reich blühend

45. Koenigin von Portugal; besitzt sehr grosse und offene Blumen, welche eine helle Lilafarbe, die sich aber doch zum Rothen hinneigt, besitzen.

46. Lactea floribunda; sehr grosse milchweisse Blume, die aber doch etwas ins Rothe geht, auch bisweilen rothe Streifen besitzt. Sie blüht dankbar.

47. Lateritia elegans; eine zwar schon längst bekannte, aber immer schöne Sorte mit ziegelrothen, ziemlich grossen Blumen.

48. Lohmanni; der Boeckmanni ähnlich, aber ihre Farbe weniger rein.

49. Libussa; mittelmässige Blume von Ponceaufarbe.

50. Lineata superba; der Lactea floribunda ähnlich, aber kleiner in der Blüthe und fast gar nicht gezeichnet.

* 51. Martha: dieser Dresdener Blendling besitzt in der Blume eine dunkele Rosen- oder Fleischfarbe und hat mit Recht allenthalben gefallen.

* 52. Martha Marie: das Roth der ziemlich grossen und wohlgefälligen Blume neigt etwas ins Kupferfarbige.

* 53. Modesta; dieser noch ganz neue Dresdener Blendling sieht gewiss mit seiner schönen ziegelrothen Blume, die der Lateritia elegans sich nähert, aber gewiss den Vorzug besitzt, einer grossen Verbreitung entgegen.

54. Multiflora rubra; die etwas kleine Blume besitzt verhältnissmässig schmale Abschnitte und ein mehr helleres Roth.

55. Murrayana vera; der Heloise und Sophie Schröder sehr ähnlich und wie diese dankbar und reichblühend.

56. Napoléon; dem Abd-el-Kader in der Farbe ausserordentlich ähnlich, zeichnet sich diese Sorte doch durch grössere Blumen aus.

* 57. Narcissiflora; eine sonderbare gefüllte Form, die ebenfalls Fortune erst eingeführt hat. In der blendend weissen und gekerbten Blume befindet sich durch Umwandlung der Staubgefässe in Kronblätter noch eine zweite von mehr grünlich-weissem Ansehen.

** 58. Natalie; zum ersten Male vorhanden und von Liebig in Dresden gezüchtet. Mit Adolph von Nassau und Göthe die schönsten Sorten der neuesten Zeit und allen englischen und belgischen vorzuziehen. Die prächtige, nur wenig gekräuselte Blume von Rosafarbe hat einen Durchmesser von 3½ Zoll.

59. Nivea flore pleno; eine halbgefüllte, nicht grosse Blume von blendend weisser Farbe.

60. Optima; zwischen der vorigen und dem Abd-el-Kader inne stehend, bisweilen von der einen oder anderen kaum zu unterscheiden.

61. Prinz Albert; ebenfalls eine zwar schon alte, aber nichts desto weniger schöne Sorte, die eine feurige Ziegelfarbe besitzt.

62. Purpurea superba; die schöne grosse Blume hat eine schöne Ponceau-Farbe.

63. Rotundiflora; eine volle abgerundete Blume von fleischrother Farbe.

64. Saphir; dass dieser hässliche, aber geistreiche Satyriker dazu kommt, einer Azalee vom zartesten Rosa, wie dieses sonst Jenny Lind und Henriette Sonntag besitzen, seinen Namen geben musste, möchte selbst eine Satyre sein.

65. Saturn; steht der Delecta nahe, aber die rothe Farbe geht mehr ins Violette.

66. Selima; gehört ebenfalls zu der Gruppe der

lachsfarbigen, welche so reichlich vertreten ist, aber doch fast durchaus schöne Blumen besitzt.

* 67. Sidonie; ebenfalls ein Glied derselben Gruppe, wo die Farbe der Blume aber doch mehr zum Ziegelrothen geht. Sie blüht schon sehr zeitig und dankbar.

* 68. Sophie; die Blume besitzt eine angenehme Glockenform, ist fleischfarben und hat eine prächtige ponceaufarbige Zeichnung.

* 69. Sophie Schröder; der Heloise und Murrayana vera sehr ähnlich und manchmal in der That kaum zu unterscheiden; im Allgemeinen ist die Farbe der Blume aber doch dunkeler.

70. Stanleyana; eine englische Sorte, mit mattrothen Blumen; gewiss nicht zu empfehlen.

* 71. Striata formosissima, ziemlich grosse und weisse Blumen, die mit sehr breiten, jedoch einzelnen Lilastreifen, aber ausserdem noch mit helleren, eben so gefärbten Schnitzen versehen sind. Im Schlunde wird sie mehr grünlich.

* 71. Susanne; diese allenthalben beliebte und auch ziemlich verbreitete Sorte steht der Charlotte Corday in Farbe und Zeichnung am Nächsten.

72. Trotheriana; ein Spätblüher, der sich nur schwierig oder gar nicht treiben lässt, besitzt aber eine runde und nur wenig gekräuselte Blume. Unangenehm und die Pflanze verunstaltend ist, dass die Zweige schon während der Blüthezeit gern durchgehen.

* 74. Venus; eine schöne runde und volle Blume von zarter Fleischfarbe, die aber doch ein wenig ins Violette sich neigt.

75. Vittata; ein ächter Blendling der ursprünglichen weiss- und rothblühenden Form. Auf der ziemlich grossen und wohlgefälligen weissen Krone befinden sich rothe, aber doch mehr ins Lilafarbige sich hinneigende Längsstreifen, bald sehr gedrängt, bald einzeln.

* 76. Vittata punctata; die Streifen befinden sich in der Regel nur an den Spitzen der Blume, dagegen tritt die purpurrothe Zeichnung im Schlunde mehr hervor und verbreitet sich fast über den ganzen obern Theil der Blume. Ist ein Frühblüher.

Wenn wir nun noch wenige Worte über die Kultur der Azaleen anschliessen, so möchte es vielleicht Manchem überflüssig erscheinen; es giebt aber gewiss Andere, denen wir einen Dienst damit erzeigen. Die Azaleen im Danneel'schen Garten haben seit langer Zeit sich, namentlich bei den Ausstellungen des Vereines zur Beförderung des Gartenbaues in Berlin, eines grossen Beifalles erfreut, so dass der, der sie pflegte und heranzog, schon mehrmals aufgefordert wurde, sein Verfahren der Oeffentlichkeit zu übergeben. In dem Glauben, Bekanntes und mehrfach Gesagtes wieder zu bringen, wurde dem Wunsche bisher nicht nachgegeben. Da die Liebe zu den Azaleen, namentlich von Laien, mit der Vermehrung der Sorten jedoch sehr zugenommen hat und das Verfahren, wie es im Danneel'schen Garten angewendet wird, doch Manchem in der Azaleenkultur Interesse bieten dürfte, so zögern wir jetzt nicht länger und theilen es daher in gedrängter Kürze mit.

Was zunächst die Erde anbelangt, welche diesen beliebten Blüthensträuchern am Zuträglichsten ist, so scheint ihnen eine Mischung aus 1 Theil rother Moor- oder Torf-Erde, 2 Theilen Haide-Erde, die aus Moos und Nadelabfall sich gebildet hat, und 1 Theil feinen Flusssandes am Besten zu bekommen. Um das Wachsthum zu befördern wird ziemlich alle 14 Tage mit einer Art Dungwasser gegossen, was aber ausserdem zuvor noch verdünnt wird. Um es zu bereiten, werden Hornspähne und Malzkeime in ein mit Wasser gefülltes Fass geworfen, wo es langsam gährt. Der Topf, der eine Azalee aufnimmt, darf nie zu gross sein.

Das Verpflanzen geschieht im April, so wie die letzten Blumen abgefallen sind, und werden die Sträucher ziemlich fest in die Erde gedrückt. Es versteht sich von selbst, dass auf dem Grunde des Topfes gehörige Scherben angebracht werden, damit das überflüssige Wasser immer zur rechten Zeit abfliessen kann und damit keine Säuerung der Erde möglich ist. Bei dem Versetzen muss man auch gleich die Krone zurecht stutzen, indem man alle unnützen Aeste und Zweige, mögen sie dies- oder vorjährigen, ja ganz altes Holz haben, ohne Weiteres wegschneidet und die Form giebt, welche grade wünschenswerth ist. Man kann sich auch der Drahtreife bedienen, wenn man etwas Besonderes und Ausgezeichnetes haben will.

So zugestutzt bleiben die verpflanzten Azaleen so lange im Kalthause stehen, bis die jungen Triebe sich gehörig ausgebildet haben. Es ist dieses in der Regel im Anfange des Monates Juni der Fall. Hat man bis dahin viel trockenes Wetter bei unbedecktem Himmel, so darf man nie versäumen, die Pflanzen noch zu bespritzen, und namentlich durch Beschatten gegen die Sonnenstrahlen zu schützen. Die Azaleen dürfen nie ganz austrocken, daher sie eher nass, als trocken zu halten sind. Haben sie ein Paar Mal nur wenig gewelkt, so wird man gewiss schlechte, wenigstens nicht so vollkommene Blumen erhalten.

Mit der Erstarkung der jungen Triebe bringt man die Pflanzen ins Freie und zwar an einem möglichst offenen Standort, wo sie den ganzen Tag hindurch der Sonne ausgesetzt sind. Hier bleiben sie so lange, als es eben die

Witterung erlaubt, und erhalten in der ganzen Zeit bis zum September und selbst Oktober verhältnissmässig gleiches Wasser wie früher. Nur wenn die Knospenbildung eintritt, muss man mit dem Giessen vorsichtiger sein und darf man die Töpfe nicht zu feucht halten. In das Kalthaus zurückgebracht, lässt man sie sich entwickeln, als man eben wünscht. Die Blüthenknospen, welche sie in freier Luft angesetzt haben, entfalten sich natürlicher Weise um so rascher, je wärmer man sie stellt. Man hüte sich jedoch zu übertreiben, da in diesem Falle nicht allein die Blumen selbst nicht mehr das kräftige Ansehen besitzen und weit rascher vergehen, sondern auch die Pflanze für das nächste Jahr geschwächt wird.

Die Vermehrung geschieht nur durch Stecklinge, wie sie im Grossen zu Berlin und Dresden ausgeführt wird. Zu diesem Zwecke schneidet man im August so viel ab, als man haben will, und bringt die Stecklinge in mit sandiger Haide-Erde gefüllte Töpfe, die man, um noch mehr Feuchtigkeit zu haben, mit einer Glasglocke bedeckt, in einen lauwarmen Mistbeetkasten. Man macht sich wohl auch viereckige Kästen aus Glas und thut die Stecklinge hinein, um der darin ebenfalls feuchten und abgeschlossenen Luft auf eine vortheilhafte Weise theilhaftig zu werden. Da man alles vermeiden muss, was Fäulniss hervorruft, so bestreut man die Oberfläche der Töpfe noch mit einer dünnen Schicht Sand, so dass abfallende Blätter u. s. w. nicht mit der eigentlichen Erde in Berührung kommen. Sollten die Stecklinge im Spätherbste noch keine Wurzeln gemacht haben, so stellt man sie in das Warmhaus und zwar ziemlich nahe dem Fenster. Wie sie aber treiben wollen, werden sie in das Kalthaus zurück gebracht. Hier bleiben sie den ganzen Winter hindurch, um im März das erste Mal verpflanzt zu werden, und zwar jeden angewachsenen Steckling einzeln in einen Topf.

Ihr Standort ist nun ein abgedampfter Mistbeetkasten, der im Anfange möglichst geschlossen gehalten wird. Nach und nach lüftet man, jedoch immer erst dann, wenn die Pflanzen ordentlich angewachsen sind. Sobald Sonnenschein eintritt, muss gehörig beschattet werden. Bei dieser Behandlung sind die Stecklinge bereits schon im August so weit herangewachsen, dass sie zum Veredeln benutzt werden können. Dieses geschieht durch Kopuliren oder durch das sogenannte Spitzen.

Die veredelten Stämmchen kommen in einen dicht verschlossenen Mistbeetkasten oder auch in ein Warmhaus, wo sich ein luftdichter Kasten befindet. Schatten zur rechten Zeit gegeben, ist hier vor Allem nothwendig. Im Danneel'schen Garten werden alle Azaleen ohne Ausnahme veredelt. Die feinern Sorten sind wurzelächt viel schwieriger zu behandeln, als wenn sie dem Stamme einer mehr vertragenden Sorte, die vor allem die gewöhnliche Phoenizea ist und selbst ausschliesslich dazu verwendet wird, aufgesetzt sind. Man hat ausserdem auch die Erfahrung gemacht, dass veredelte Azaleen weit leichter und dankbarer blühen, als die wurzelächten, und in der Regel auch grössere Blumen machen. In dem 3. Jahrgange der Verhandlungen des Vereines zur Beförderung des Gartenbaues, Seite 89, ist bereits darauf aufmerksam gemacht worden.

Es versteht sich von selbst, dass wenn man schöne Blumen haben will, man immer die Triebe, wie sie sich zeigen, auskneipen muss; umgekehrt lässt man die Blumen nicht zur Entwickelung kommen, wenn man einmal auf das Blühen resignirt und lieber sich für das nächste Jahr eine stattlichere Pflanze heranziehen will.

Programm zur Preisbewerbung
für das 35. Jahresfest
des Vereins zur Beförderung des Gartenbaues in den Königl. Preussischen Staaten zu Berlin
am 21. Juni 1857.

Bedingungen.

1. Zur Preisbewerbung sind Gärtner und Gartenliebhaber des In- und Auslandes berechtigt, sie seien Mitglieder des Vereines oder nicht.
2. Ausser Pflanzen, abgeschnittenen Blumen, Gemüse und Obst sind auch Garten-Geräthe und Garten-Verzierungen, Sämereien, künstlicher Dünger und sonst auf Gärtnerei Bezug habende Gegenstände zulässig.
3. Die Gegenstände der Preisbewerbung verbleiben das Eigenthum der Besitzer.
4. Die zur Preisbewerbung beigebrachten Pflanzen müssen in Gefässen gezogen worden sein und mindestens seit 3 Monaten sich in dem Besitze des Ausstellers befinden.
5. Die deutlich zu etiquettirenden Pflanzen und sonstigen Ausstellungsgegenstände sind, von einem doppelten Verzeichnisse begleitet und mit Namen und Wohnung des Ausstellers versehen, bis zum 20 Abends einzuliefern. Nur Früchte, Gemüse und abgeschnittene Blumen werden noch am ersten Ausstellungstage bis früh 7 Uhr angenommen. Nicht rechtzeitig eingehende Gegenstände sind von der Bewerbung ausgeschlossen; auf verspätete Einlieferung von Auswärtigen soll jedoch billige Rücksicht genommen werden.
6. Die Aussteller haben in den Verzeichnissen ausdrücklich anzugeben, um welche Preise des Programmes sie sich mit den eingesandten Gegenständen bewerben wollen; es ist daher nothwendig, für jede Kategorie der einzusendenden Ausstellungsgegenstände ein besonderes Verzeichniss in doppelter

Anfertigung einzureichen. Dagegenhandelnde haben es sich selbst beizumessen, wenn ihre Gegenstände nicht die gewünschte oder gar keine Berücksichtigung der Ordner finden.

7. Das Arrangement der Aufstellung übernehmen die vom Vorstande ernannten Ordner, welche allein berechtigt sind, die eingelieferten Gegenstände anzunehmen, den dazu erforderlichen Raum anzuweisen und den Empfang in dem Duplikate der Verzeichnisse zu bescheinigen. Die Aufstellung der Ausstellungsgegenstände kann jeder selbst übernehmen oder auch den Ordnern überlassen.

8. Alle Einlieferungen müssen bis zum Schlusse der Ausstellung, am zweiten Tage Abends, aufgestellt bleiben; jedoch können Früchte auf besonderes Verlangen schon früher zurückgenommen werden.

9. Die Zurücknahme der Pflanzen u. s. w. hat am zweiten Tage Abends nach Schluss der Ausstellung, und spätestens am am andern Morgen, zu erfolgen.

10. Das Preisrichter-Amt wird aus 8 Mitgliedern in der Weise ernannt, dass 5 über Pflanzen und Gruppen, 3 hingegen über abgeschnittene Blumen, Früchte, Gemüse und Geräthe die Preise zusprechen. 5 Stellvertreter werden ihnen beigesellt.

11. Das Preisrichter-Amt tritt schon am Sonnabende zu einer Vorberathung zusammen, fasst aber erst am Sonntage einen endgültigen Beschluss, welcher in der Versammlung durch den Vorsitzenden des Preisrichter-Amtes bekannt gemacht wird. Bei Zuerkennung der Preise wird besonders auf Neuheit, Kulturvollkommenheit, Blüthenfülle, blumistischen Werth und geschmackvolle Aufstellung Rücksicht genommen. Die gekrönten Gegenstände werden nach Abfassung des Urtheils besonders bezeichnet.

12. Ausser auf Geldpreise, erkennen die Preisrichter auch auf ehrenvolle Erwähnung durch Gewährung besonderer Diplome.

13. Preise, welche die Preisrichter nicht zu vertheilen in den Fall kommen, fallen an die Kasse zurück; jedoch haben die Preisrichter das Recht, solche sämmtlich oder zum Theil auf andere Ausstellungs-Gegenstände zu übertragen, falls dazu genügende Veranlassung vorhanden ist.

14. Die Räume, in welchen die Ausstellung stattfindet, und die Namen der Ordner, so wie die der Preisrichter, werden später bekannt gemacht.

Preis-Aufgaben.

A. Links-Preis.

1) 20 Thlr. Für eine ganz vorzügliche Leistung in der Gärtnerei.

B. Für Einzel-Exemplare neuer und seltener Zierpflanzen.

2) 3 Thlr. Für eine neu eingeführte, durch Blattform oder Kultur-Vollkommenheit sich auszeichnende Pflanze.

3) 5 Thlr. Desgleichen.

4) 5 Thlr. Für eine neue, durch Blüthenfülle und gute Kultur sich auszeichnende Pflanze.

5) 5 Thlr. Desgleichen.

6) 5 Thlr. Für eine noch seltene Pflanze in gesteigertem Grade ihrer Entwickelung.

C. Für eigene Züchtungen.

7) 10 Thlr. Für drei neue und selbstgezogene Abarten oder Blendlinge holziger oder ausdauernder Pflanzen, durch Blüthe oder Blatt ausgezeichnet.

Nach dem Ermessen der Preisrichter ist dieser Preis auch in zwei zu 5 Thlr. theilbar.

D. Für vorzügliche Kultur von Einzelpflanzen.

8) 10 Thlr. Für eine ausgezeichnete Pflanze irgend welcher Familie und Form.

9) 10) 11) 12) Vier Preise zu 5 Thlr. Desgleichen.

E. Für Aufstellung mehrer Pflanzen vorzüglicher Kultur.

13) 5 Thlr. Für eine Aufstellung von 20 gut kultivirten und blühenden Pflanzen in sechszölligen Töpfen.

14) 5 Thlr. Desgleichen.

15) 5 Thlr. Für eine Aufstellung von 12 gut kultivirten Pflanzen einer bestimmten Familie oder auch nur Gattung.

16) 5 Thlr. Desgleichen.

F. Für Gruppirungen.

17) 10 Thlr. Für die am geschmackvollsten aufgestellte Gruppe blühender oder nicht blühender Pflanzen von mindestens 50 Töpfen.

18) 10 Thlr. Desgleichen für die zunächst schönste Gruppe.

19) 20, 21) Drei Preise zu 5 Thlr. für die zunächst schönsten Gruppen.

G. Für Früchte und Gemüse.

22) 5 Thlr. Für ein Sortiment gut gereifter Früchte in mindestens sechs Arten.

23) 5 Thlr. Desgleichen.

24) 5 Thlr. Für eine schöne Melone.

25) 5 Thlr. Für irgend eine besonders ausgezeichnete Fruchtart.

26) 5 Thlr. Für ein reiches Sortiment ausgezeichneten Gemüses.

27) 10 Thlr. in Gold (Graf Luckner'scher Preis). Für ein neues billiges und gutes Gemüse, was hauptsächlich auch der arbeitenden Klasse zu Gute kommen kann.

H. Für abgeschnittene Pflanzen.

28) 5 Thlr. Für geschmackvolle Anordnung oder Verwendung abgeschnittener Blumen.

29) 5 Thlr. Desgleichen.

30) 5 Thlr. Für den aus geschmackvollsten gebundenen Rosenstrauss, aus verschiedenen Sorten bestehend.

31) 5 Thlr. Für die beste und reichste Auswahl abgeschnittener Sortimentsblumen, als von Stiefmütterchen, Rosen, Pelargonien, Calceolarien, Verbenen u. s. w.

J. Für vorzügliche Leistungen irgend welcher Art.

32) 20 Thlr. zu mindestens 2 und höchstens 4 Preisen zur freien Verfügung der Preisrichter.

Angenommen in der 345. Sitzung des Vereines zur Beförderung des Gartenbaues am 31. August 1856.

Der Direktor Kette.

Verlag der Nauckschen Buchhandlung. Berlin. Druck der Nauckschen Buchdruckerei.

No. 21. Sonnabend, den 23. Mai. 1857

Preis des Jahrgangs von 52 Nummern mit 12 color. Abbildungen 6 Thlr., ohne dieselben 5 „ durch alle Postämter des deutsch-österreichischen Postvereins und durch den Buchhandel ohne Preiserhöhung zu beziehen.

Mit direkter Post übernimmt die Verlagshandlung die Versendung unter Kreuzband gegen Vergütung von 20 Sgr. für Belgien, von 1 Thlr. 4 Sgr. für England, von 1 Thlr. 22½ Sgr. für Frankreich.

BERLINER Allgemeine Gartenzeitung.

Herausgegeben vom Professor Dr. Karl Koch, General-Sekretair des Vereins zur Beförderung des Gartenbaues in den Königl. Preussischen Staaten.

Inhalt: Maranta, Thalia, Phrynium und Calathea. Bemerkungen im Allgemeinen, ihre Kultur und Beschreibung einiger neuen Arten. Vom Professor Dr. Karl Koch und Obergärtner Lauche. 3. Einige neuere Arten. 4. Die Kultur. — Kultur der deutschen Röhren-Aster für Ausstellungen in England. — Ein flüssiges Baumwachs: Mastix l'Homme-Lefort. — Der Quamasch, Camassia esculenta Lindl. — Bücherschau: Ideen zu kleinern Gartenanlagen auf 24 kolorirten Plänen, von Rudolph Siebeck; Album für Gärtner und Gartenfreunde, von G. A. Rohland.

Maranta, Thalia, Phrynium und Calathea.

Bemerkungen im Allgemeinen, ihre Kultur und Beschreibung einiger neuen Arten.

Vom Professor Dr. Karl Koch und Obergärtner Lauche.

3. Einige neuere Arten.

Unter den vielen Pflanzen des tropischen Amerika's, deren Einführung wir dem jetzigen Garteninspektor von Warszewicz in Krakau verdanken, befinden sich ausser den bereits von Dr. Klotzsch in Otto und Dietrich's Gartenzeitung (22. Band, Seite 249 und 23. Band Seite 89) beschriebenen Phrynium micans und Warszewiczii noch 2 Arten, deren Verbreitung man dem botanischen Garten zu Neuschöneberg bei Berlin und der L. Mathieu'schen Handelsgärtnerei in Berlin verdankt. Beide sind wegen ihrer bunten Blätter allen Warmhäusern zu empfehlen; die eine, P. varians C. Koch et Mathieu, nähert sich hinsichtlich der Blattform und der Blattfarbe der Thalia sanguinea Lem. (Stromanthe sanguinea Sond.), die andere hingegen, P. eximium C. Koch et Bouché, dem Phrynium zebrinum Rosc. und Warszewiczii Klotzsch, die auf ihren untern Blattflächen nur anders gefärbt, aber nicht wie P. eximium, mit einem dichten und seidenglänzenden Haarüberzuge versehen sind. Diese und jene habe ich übrigens schon in der Appendix zum Samen-Verzeichnisse des botanischen Gartens in Berlin des Jahres 1855, Seite 11 und 12, beschrieben. Da jedoch Gartenbesitzern und Gärtnern diese wenig zugekommen sein möchte und die genannten Pflanzen vor Allem empfohlen zu werden verdienen, so müssten sie wohl auch hier eine geeignete Stelle erhalten.

1. Phrynium eximium C. Koch et Bouché.

Acaule; Petiolus brevis, apice tumidiusculo glaberrimo excepto, villosus; Folii lamina oblonga, supra glaberrima, nitens, fasciis oblique transversis albescentibus instructa, subtus velutina, rubro-brunnea; Scapus brevis, ferrugineus, thyrso oblongo terminatus; Sepala pellucido-membranacea, tubo corollino duplo breviora; Stigma obliquum, membranula auctum; Germen apice truncatum, setis ferrugineis coronatum.

Diese schöne Blattpflanze hat nur kurze, kaum 6 Zoll lange und mit rostfarbenen, weichen Haaren besetzte Blattstiele, während die oft mehr als Fusslange und in der Mitte nur halb so breite Blattfläche nach beiden Enden etwas spitz zuläuft, wenigstens nicht abgerundet ist. Die grüne, meist etwas glänzende und völlig unbehaarte Oberfläche hat auf beiden Seiten zahlreiche schiefe Querbinden von weisser Farbe. Weit schöner ist die röthlich-braune Unterfläche, die wegen der weichen und rostfarbenen Behaarung sich sammtartig anfühlt. Die schief abgehenden und meistens etwas über eine Linie entfernten Seitennerven sind wenig dunkler gefärbt.

Der Blüthenschaft ist kurz und kommt unmittelbar aus dem dicken Wurzelstocke hervor. Gegen das obere

Ende macht er ein Knie und ist daselbst mit einem scheidenartigen, zolllangen und, wie der Schaft selbst, dicht mit weichen und rostfarbenen Haaren besetztem Stützblatte versehen, aus dem eigentlich der länglich-eiförmige Strauss hervorkommt. Die eirund-zugespitzten oder eirund-lanzettförmigen Deckblätter sind ebenfalls mit dunkel-rostfarbenen Zottenhaaren besetzt und schliesst ein jedes 6 oder nur 4 Paarweise stehende Blüthen ein, von denen ein jedes Paar nicht allein, sondern auch jede einzelne wiederum, mit, aber häutig-durchsichtigen, Deckblättern versehen ist. In dem oben mit rostfarbenen Haaren besetzten Fruchtknoten sind 3 dicke Scheidewände und 3 auf einem umgekehrt-kegelförmigen und kurzem Stiele stehende Eichen vorhanden.

Die häutigen Kelchblätter sind wenig länger als die Deckblättchen, aber um die Hälfte kürzer, als die weisse Kronröhre, die nach oben sich erweitert und ziemlich gleiche Abschnitte besitzt. Von ihnen haben nur die 3 äussern und elliptischen aussen eine weiche Behaarung und sind flach, während die innern gewölbt erscheinen. Die kurze Lippe umgiebt im Anfange den Griffel und besitzt an der einen Seite einen grannenförmigen Fortsatz. Von dem 2-lappigen und der Lippenbasis angewachsenen Staubgefässe trägt der äussere Lappen den einfächrigen Beutel. Der Griffel rollt sich oben nach innen und trägt eine breit-perforirte Narbe, die einen lippenähnlichen Anhängsel besitzt.

II. Phrynium varians C. Koch et L. Mathieu.

Acaule; Petiolus elongatus, pilosus, variegatus; Folii lamina elongato-elliptica, erecta, glaberrima, subtus brunnea; Scapus brevis, declinato-adscendens, more thyrsi oblongi pilis ferrugineis omnino vestitus; Sepala membranacea, corolla duplo breviora; Germen apice fulvo-hirsutum.

Unter dem Namen Heliconia discolor wurde diese Warszewicz'sche Pflanze schon seit mehreren Jahren in den Gärten Berlins, Potsdams, Magdeburgs und wahrscheinlich auch sonst vielfach kultivirt. Eine genaue Untersuchung lehrte jedoch, dass die Pflanze ein ächtes Phrynium sei, das nun, da der Beiname „discolor" bei den ächten Marantaceen schon benutzt war, wegen des buntgefleckten Blattstieles und der verschieden gefärbten Blattfläche den Namen P. varians erhielt.

Die über 2 Fuss langen, braunen, fast stielrunden und dünnen Blattstiele sind mit Ausnahme des zolllangen und etwas verdickten Endes mit weisslich-grünlichen und punktartigen Flecken, so wie mit einzelnen Zottenhaaren besetzt, während die 1½—1¾ lange, in der Mitte gegen 5 Zoll breite, schmal-elliptische, am obern Ende meist lanzettförmig verlaufende und ziemlich aufrecht stehende Blattfläche völlig unbehaart und ungefleckt ist. Die Oberfläche besitzt eine dunkelgrüne, die Unterfläche aber eine braune Farbe. Die 1½—2 Linien von einander entfernten Seiten-Nerven verlaufen in einem Winkel von 45 Grad gegen die Mittelrippe und stehen ein wenig vor. Der kaum ½ Fuss lange, unmittelbar aus dem dicken Wurzelstocke hervorkommende Blüthenschaft ist, wie seine Stütz- und Deckblätter, dicht mit rostfarbenen, meist wagerecht abstehenden Zottenhaaren besetzt und besitzt an seiner Basis ein zolllanges, hartes, unten braunes, über der Mitte hingegen ein zweites, aber kleineres, krautartiges und umfassendes Stützblatt und endigt mit einem kurz-länglichem Strausse. Die länglich-lanzettförmigen, ja selbst in eine verlängerte Spitze gezogenen Deckblätter schliessen mehre Blüthen ein, die aber immer Paarweise neben einander stehen und wiederum ihre besonderen, aber hautartigen Deckblättchen haben.

Die schmallanzettförmigen Kelchblätter sind doppelt kürzer als die schlanke und wiederum weisse Blumenröhre, deren äussere Abschnitte ebenfalls schmal erscheinen. Im Uebrigen ist der Bau der Blüthe von dem, wie ihn die Blüthe des P. eximium C. Koch et Bouché besitzt, wenig verschieden, weshalb die Beschreibung füglich übergangen werden kann.

III. Phrynium trifasciatum C. Koch.

Acaule, periodice vegetans, Folii lamina obovata, basi sensim attenuata, subtus pubescentia, supra glaberrima, fasciis tribus albescentibus latis praedita; Thyrsus capitatus, distichus, scapo brevissimo insidens; Corollae magnae laciniae exteriores flavae, 5-striatae, interiores aureae; Labellum parvum; Germen glabrum.

Zuerst fand ich diese interessante Scitaminee in dem schönen Garten des Fabrikbesitzers Danneel, der sie von van Houtte unter dem Namen Maranta trifasciata aus Belgien bekommen hatte, im Jahre 1854. Wahrscheinlich ist sie aber schon weit früher in den Gärten gewesen, denn sowohl der verstorbene Direktor Otto, als auch ich selbst, erinnerten uns, sie bereits vor vielen Jahren, ersterer namentlich in England, gesehen zu haben. Sie steht dem P. grandiflorum Rose. sehr nahe, unterscheidet sich aber durch seine fasciirten Blätter leicht.

Phrynium fasciatum zieht, wie die verwandten, ein und ruht demnach eine Zeit lang. Die Blätter haben im Durchschnitte, bei einer Breite am obern Theile von 6 Zoll, eine Länge von 1 Fuss. Ihre Form ist umgekehrt eirund, weshalb sie sich von der breiten und abgerundeten Spitze abwärts allmählig verschmälern. Ihre Farbe ist ein helles Grün, was aber auf der Oberfläche auf jeder Seite durch

3 weisse Längsbinden unterbrochen wird, während die Unterfläche weichhaarig erscheint und deshalb hinsichtlich der Färbung sich etwas ins Graue neigt. Der Blattstiel wird zwar kaum so lang, ist aber schlank und vorn mit einer Rinne versehen. Der einzelne, kurze und kopfförmige Strauss besitzt einen kurzen Stiel und hat zweireihig gestellte, konkave und unbehaarte Deckblätter, von denen ein jedes mehre, aber immer paarweise stehende Blüthen einschliesst. Die Deckblättchen sind flach, auf dem Rücken jedoch häufig mit 2 Flügeln versehen, und hautartig-durchsichtig.

Die schönen grossen Blüthen stehen ebenfalls nothwendiger Weise in 2 Reihen und haben eine fast zolllange Röhre, die nach oben sich plötzlich sehr erweitert und die lanzettförmigen Kelchblätter an Länge übertrifft. Die äussern Blumen-Abschnitte sind schmal-elliptisch, aber mit 5 Längsnerven versehen und gelb gefärbt, während die innern zwar etwas kürzer, dagegen aber sehr breit, nämlich umgekehrt-eirund, erscheinen, auch eine goldgelbe Farbe besitzen. Auf der einen Seite ist die kleine, konkave, im Anfange die Narbe einhüllende Lippe mit einem doppelten Anhängsel versehen, auf der andern hingegen ist das breite, blumenblattartige Staubgefäss angewachsen. Die schiefe Narbe ist perforirt. In dem unbehaarten Fruchtknoten befinden sich dicke Scheidewände und 3 Eichen.

IV. Thalia glumacea C. Koch.

Subacaulis; Folii lamina oblonga, breviter petiolata, supra e medio fascia longitudinali dilute virescentia, ceterum intense viridis, pilis adpressis subvelutina, subtus pallide viridis, pilis prostratis singulis adspersa; Thyrsus complanatus, compositus; Corolla albido-flavescens, calyce tertia parte longior; Stigma triangulare, perforatum. Germen fulvo-sericeum.

Wiederum hat van Houtte in Gent diese wahrscheinlich aus dem tropischen Amerika stammende Thalia, und zwar unter dem Namen Maranta glumacea, verbreitet. Im Habitus steht sie trotz des zweizeiligen und mehr gedrängten Blüthenstandes der Th. bicolor C. Koch (Maranta bicolor Lindl.) am Nächsten, unterscheidet sich aber auch durch die Blätter, welche auf der Oberfläche durch liegende, ziemlich lange und rostfarbene Haare einen seidenartigen Ueberzug haben.

Auf einem kurzen, kaum ein Paar Zoll langen, fast durchaus mit scheidenartigen Rändern versehenen und ebenfalls mit anliegenden Haaren besetzten Blattstiele steht die längliche, 6—9 Zoll lange und 4—5 breite Blattfläche ab. Während oben ziemlich dichte, rostfarbene und anliegende Haare einen seidenartigen Ueberzug geben, sind sie auf der Unterfläche ziemlich einzeln befindlich. Diese besitzt übrigens nur eine gleichmässige hellgrüne Farbe; die dunkelgefärbte Oberfläche wird dagegen auf beiden Seiten der Mittelrippe durch eine schmale pappelgrüne Längsbinde unterbrochen.

Der fast unbehaarte, sich kaum über die zahlreichen Blätter erhebende Schaft hat eine braunröthliche Farbe und zertheilt sich oben in einige wenige Aeste, von denen ein jeder einen kurzen, breitgedrückten Strauss trägt und von einem ziemlich steifen und mit den Rändern zusammengelegten, daher längs des Mittelnervens gekielten Stützblatte umgeben wird. Auf beiden Seiten stehen die hellgrünen und gleich dem Stützblatte geformten Deckblätter und schliessen die paarweisen Blüthen ein, von denen eine jede wiederum ein weissliches und häutiges Deckblättchen besitzt.

Um ein Drittel sind die länglichen, häutigen und 3½ Linien langen Kelchblätter kürzer als die weisslich-gelbliche Krone, deren breite Röhre, jedoch kurz und kaum 2½ bis 3 Linien lang ist, aber eben so viel im Durchmesser besitzt. Die 3 äussern Kronabschnitte stehen etwas ab und sind breiteiförmig-länglich, während die innern ganz schmal erscheinen. Die verhältnissmässig grosse Lippe legt sich mit ihrem Rande über jene hinweg und hängt auf der einen Seite mit dem zweitheiligen Staubgefässe zusammen. Von diesem hat sich der eine Abschnitt blumenblattartig entwickelt, ist oben kappenförmig und hüllt von hinten die gekrümmte Spitze des Griffels ein, während der andre fadenförmig erscheint und den nach der innern Seite aufspringenden Staubbeutel trägt. Der Griffel ist da, wo er sich nach innen krümmt, etwas flach gedrückt und trägt daselbst schon lange vor der Entfaltung der Blüthe Blumenstaub. Die 3-eckige Narbe ist perforirt.

Der Fruchtknoten ist mit anliegenden, rothgelben Haaren besetzt und 3-fächrig, doch so dass nur ein Fach ein fruchtbares Eichen einschliesst und die sich verdickende Scheidewand einen grössern linsenförmigen und aufrecht stehenden Körper, der aber immer noch mit der innern Wand des Fruchtknotens an 3 Stellen zusammenhängt, darstellt.

V. Calathea marantina C. Koch (Phrynium marantinum Willd.)

Caulescens, glaberrima; Folii lamina longissime petiolata, rotundato-oblonga, brevissime cuspidata, subtus paululum pallidior; Scapus brevissimus; Thyrsus compositus complanatus, foliis duobus magnis fulcratus; Spiculae 6-8-florae, a bracteis pallide rubro-ferrugineis inclusae; Corollae laciniae brunnescentes, denique revolutae.

Diese wunderschöne Blattpflanze wurde zuerst von

Dr. Körnicke in Otto und Dietrich's allgemeiner Gartenzeitung (23. Jahrg. Seite 193) als Phrynium marantinum Willd. beschrieben. Der Plantagendirektor Moritz in Venezuela sendete sie bereits schon vor mehreren Jahren nach Berlin, wo sie im Jahre 1855 bei dem Geheimen Ober-Medizinalrathe Casper zuerst blühte. In diesem Jahre brachte sie zum zweiten Male Blüthen hervor, welche mir ihr Besitzer freundlichst zur Verfügung stellte.

Für Viktoria-Häuser wüssten wir in der That keine andere Pflanze, welche durch das schöne Grün der 2 Fuss langen und bis 1½ Fuss breiten Blätter mit den schlanken, rothbraunen und 4—6 Fuss langen Blattstielen, so wie durch den leider nicht heraustretenden Blüthenstiel mit den meist 3 glänzenden, hellbraunrothen und ährenförmigen Aehren von 1 Fuss Länge mehr imponirte, als Calathea marantina. Dazu kommt nun noch, dass alle Tage mehre gelbe Blüthen aus den gefärbten Deckblättern heraustreten, um den andern Morgen wiederum durch neue ersetzt zu werden. Raum verlangt die Art allerdings, wenn sie sich gehörig ausbreiten soll, und darf ihr dieser auch gar nicht entzogen werden. Wir bezweifeln, dass sie schon viel weiter verbreitet ist, als bis über Berlin und Magdeburg; die Pflanze ist aber bereits bei ihrer leichten Vermehrung schon in beiden Städten so vervielfältigt, dass sie besonders in ersterer durch Louis Mathieu leicht bezogen werden kann.

Da bereits Dr. Körnicke an besagtem Orte eine sehr genaue und gute Beschreibung gegeben hat, so halten wir es für unnöthig, diese hier vom Neuen zu geben, wir wollen daher nur noch die Unterschiede angeben, durch welche sie sich von C. discolor Mey. (Maranta Casupo Jacq.) und lutea Mey. (Maranta lutea Lam., Maranta Cachibou Jacq.) unterscheidet, da diese 3 Arten in der That eine so grosse Aehnlichkeit mit einander haben, so dass sie sehr leicht mit einander verwechselt werden können. C. Casupito Mey. (Maranta Casupito Jacq.) ist zu wenig bekannt, um ein Urtheil darüber zu haben. Die erste fand sich auch nach dem Hortus Berolinensis von Willdenow früher im botanischen Garten zu Berlin, ist aber leider im Verlaufe der Zeit schon längst verloren gegangen. Roscoe zieht Maranta Cachibou Jacq. zu seinem Phrynium Casupo; es ist sehr wahrscheinlich, dass die von ihm abgebildete Pflanze auch gar nicht von ersterer verschieden ist. Es scheint uns daher, als wenn er die ächte Maranta Casupo Jacq. (Calathea discolor Mey.) gar nicht gekannt und dafür überhaupt Maranta Cachibou Jacq. untersucht hätte. Die Beschreibung der Calathea discolor Mey. (Maranta Casupo Jacq.) weicht auch mehrfach ab.

Calathea discolor Mey. besitzt mit C. marantina den kurz gestielten Blüthenstand, unterscheidet sich aber durch den graulichen Reif, mit dem die Unterfläche der stumpfen Blätter überzogen ist, Calathea lutea Mey. hat hingegen einen sehr lang gestielten Blüthenstand und Blätter die anfangs länglich sind, dann aber sich nach oben allmählig verschmälern.

4. Die Kultur.

Alle Marantaceen im engern Sinne, also die Maranta-, Thalia-, Phrynium- und Calathea-Arten, lieben feuchte und selbst sumpfige Stellen und sind zum grossen Theile Bewohner der tropischen Urwälder, besonders Brasiliens, Guiana's und Ostindiens mit den Sunda-Inseln. Als solche verlangen sie viel Feuchtigkeit und Wärme. Sie gehören demnach bei uns in die warmen Gewächshäuser, sowie in die Warm- und Treibbeete, und bedürfen im Winter wenigstens eine Wärme von 12 bis 15, im Sommer hingegen von 15—20 und mehr Grad.

Pflanzen für Zimmer sind es ohne Ausnahme nicht und werden auch alle Versuche, sie daselbst zu kultiviren, binnen einer kürzeren oder längeren Zeit missglücken. Die Luft ist in den Zimmern viel zu trocken. Dagegen gedeihen die Arten der 4 genannten Geschlechter ganz vorzüglich in einem Hause für Wasserpflanzen. Die Viktoria-Seerose hat, abgesehen von ihrem Interesse, was Blüthe und Blatt bei jedem Laien und Gärtner hervorrufen muss, dadurch einen grossen Nutzen gehabt, dass man auf die Nothwendigkeit besonderer Häuser für Wasser- und Sumpfpflanzen aufmerksam wurde. Nymphäen, Nelumbium's u. s. w. wurden früher in schlechten Wasserkübeln und als Appendix in den Warmhäusern kultivirt, wo sie doch nie sich in ihrer natürlichen Schönheit zeigen konnten. Es möchte später Manchem willkommen sein, wenn ein solches Gewächshaus mit Wasserpflanzen einmal in der Gartenzeitung der Gegenstand einer besonderen Abhandlung würde.

Nur hierin kann man, namentlich die grösseren Arten der Marantaceen, in ihrer natürlichen Entwickelung erhalten, während sie in den übrigen, und wenn noch so warmen, Häusern stets ein etwas verkümmertes, wenigstens nie ein so üppiges Ansehen besitzen, insofern man nicht ihrer Vegetation auf andere Weise, in Warmbeeten z. B. durch Ueberdecken, freilich nur der kleineren Arten, mit Glasglocken u. s. w., zu Hülfe kommt. Eine möglichst feuchtwarme Luft ist für ihr Gedeihen ausserordentlich wichtig. Dabei vertragen sie, wie alle die Urwaldspflanzen, wenig Licht, die direkten Sonnenstrahlen selbst gar nicht, haben aber trotzdem, wie man sieht, die schönste grüne Farbe, oft mit bunten Zeichnungen auf den Blättern. Ob denn demnach die Ansicht der meisten Physiologen, wonach das Blattgrün sich nur oder doch hauptsächlich unter dem Einflusse des Lichtes bildet, richtig ist? steht dahin. Auf den Matten der Gebirge, wo allerdings ein grelleres Licht vorhanden, haben die Pflanzen stets ein lebhaftes Grün, aber eben so in dem Dunkel unserer nordischen und noch mehr der tropischen Wälder. Umgekehrt sind grade die Pflanzen der südländischen, den ganzen Tag der Sonne ausgesetzten Wüsten am Wenigsten grün.

Es giebt wenig Pflanzen, welche eine falsche Kultur oder selbst eine Vernachlässigung so schnell in ihrem Aeussern kund geben, als grade die Marantaceen. Wie sie nicht die gehörige Boden- oder Luftfeuchtigkeit mit der nöthigen Wärme haben oder nur einmal der Sonne ausgesetzt sind, so rollen sie ihre Blätter zusammen. Ist man dadurch noch nicht aufmerksam geworden oder wiederholt sich derselbe Fehler mehrmals, so verliert die Pflanze ausserdem ihr gutes Aussehen und erkrankt, so dass sie nur mit Mühe wieder hergestellt werden kann.

Die Marantaceen lieben, da sie ein starkes Wurzelvermögen haben und stets eine Menge Ausläufer treiben, einen etwas weiten Topf. Eine lockere und fette Erde sagt ihnen am Meisten zu. Am Besten nimmt man gleiche Theile von Laub- und Torf-Erde und setzt zur Lockerung des Bodens den gehörigen Sand hinzu. Einzelne Topfscherben sind besser, als grober Kies, ganz besonders auf dem Boden des Gefässes und zum leichteren Durchlassen des überflüssigen Wassers, denn eine saure Erde vertragen die Marantaceen noch weit weniger, als viele andere Pflanzen. Hornspähne unter die Erde gemischt, befördern das Wachsthum eben so, wie Dungguss, vielleicht alle Woche einmal.

Erkrankte Pflanzen muss man in einen engeren Topf bringen. Ich kann denen nicht beistimmen, welche dann grade einen weitern haben wollen. Eine kranke Pflanze fängt augenblicklich zu gesunden an, in so fern ihr nicht sonstige Hindernisse entgegenstehen, wenn die neuen Wurzeln in die Nähe des Topf-Randes kommen. Der poröse Thon, der zu den Töpfen gebraucht wird, mag wegen seiner Eigenschaft, allerhand Nahrungsmittel aus der Luft anzuziehen und diese der Pflanze zuzuführen, die Ursache sein. Deswegen gebrauche ich zum Durchlassen des Wassers auf dem Boden ebenfalls nur Topfscherben und habe immer gefunden, dass die Pflanze dann weit mehr gedeiht.

Im Warmhause müssen die Marantaceen auf einem warmen Beete stehen, da ihnen vor Allem auch ein warmer Fuss nothwendig ist. Die kleineren Arten, wie Phrynium eximium, welches übrigens unter Verhältnissen auch recht hübsch gross werden kann, pumilum, ornatum (albo- und roseo-lineatum, so wie regale), micans und Thalia glumacea, weniger Th. bicolor, bedeckt man am Besten, wenn sie schön werden und zur sogenannten Schaupflanze sich heranbilden sollen, mit einer Glasglocke, damit sie in recht geschlossener Luft einer feucht-warmen Athmosphäre theilhaftig werden, oder bringt sie auch in einen durch besondere, in einem Rahmen vereinigte Fenster abgeschlossenen Raum. Ganz vorzüglich gedeihen die genannten Arten jedoch, wenn man ihnen eine fette Kuhmist-Erde giebt.

Ausserhalb eines Hauses mit Wasserpflanzen verlangen die Marantaceen im Sommer sehr viel Wasser, im Winter jedoch nur wenig. Von allen hierher gehörigen Arten sind es nur die der 3. Abtheilung von Phrynium und ausserdem Phrynium orbiculatum, bei uns meistens als Maranta oder Calathea truncata, auch als Maranta rotundifolia kultivirt, welche einziehen, aber freilich unter gegebenen Verhältnissen auch weiter vegetiren. Diese Arten erhalten deshalb im Winter gar kein Wasser und ruhen eine Zeit lang.

Die Vermehrung, so wie das Umsetzen, geschieht am Besten im Monat März. Die erstere ist ungemein leicht, da die Pflanzen stets eine Menge Wurzelsprossen machen, die ohne Weiteres abgenommen werden können. Man kann sie übrigens auch zertheilen. Das Verfahren, im Winter weniger zu giessen, damit die Pflanzen mehr Wurzelsprossen machen und daher weniger ins Laub gehen, halte ich für unnöthig, da nie Mangel daran ist. Bei Thalia oder Stromanthe sanguinea soll man auch mit Vortheil Stecklinge machen können. Ich habe es meinerseits noch nicht versucht, zweifle aber gar nicht, dass es geht. Zu diesem Zwecke schneidet man den Stengel, bevor die Blüthen erscheinen, 3 bis 4 Zoll unter einem Knoten durch und bringt den Steckling an eine feuchte und schattige Stelle in ein Lohbeet. Da man von mehrern Thalia-Arten auch Samen erhält und dieser in den Verzeichnissen der Handelsgärtner hier und da feil geboten wird, so kann man auch diesen aussäen und sich auf die Weise Pflanzen erziehen.

Als Warmhauspflanzen, die eine mehr geschlossene Luft lieben, besitzen die Marantaceen und besonders die zarteren und kleinern, einen sehr unangenehmen Feind an der Schwarzen Fliege. Daher ist es sehr nothwendig, namentlich die Unterfläche der Blätter, recht oft nachzusehen und dieselbe mit einem Schwamme abzuwaschen. Ausserdem darf man auch nicht vergessen, von Zeit zu Zeit zu spritzen.

Kultur der deutschen Röhren-Aster für Ausstellungen in England.

In dem Märzhefte des Florist und Fruitist befindet sich eine kleine Abhandlung über Kultur der Astern, welche im letzten Jahre auf der Ausstellung im Krystall-Pallaste zu Sydenham Aufsehen erregten, und zwar von dem Züchter E. B. Betteridge selbst. Obwohl schon in der Zeit etwas spät, halten wir es doch noch für gut, das Verfahren eines Praktikers hier mitzutheilen, zumal bei uns in Deutschland, und besonders im Norden, die Vegetation im Durchschnitte 2 und 3 Wochen später beginnt.

Betteridge spricht sich zunächst gegen das zu frühe Aussäen von Astern-Samen aus, da die Blumen sonst zu früh erscheinen. Die warme Juli- und August-Sonne vertragen die Blumen nicht gut und erhalten in dieser Zeit nie die Grösse und Schönheit, als wenn sie erst im September, also in ihrer normalen Zeit, zum Vorschein kommen. In den letzten acht Jahren hat der oben genannte Gärtner zwischen dem 26. April und dem 14. Mai ausgesäet, im vorigen Jahre geschah es am 5. des zuletzt genannten Monates. Am 14. Juni wurden die Astern ausgepflanzt, am 28. aber erst an Ort und Stelle gebracht. — Der Samen wird in einem mit Glas bedeckten kalten Kasten ausgesäet und zwar nicht zu dick in Löcher, die 6 Zoll von einander stehen. In ein Paar Tagen schon geht er auf, sobald das Beet nur gehörig der freien Luft ausgesetzt ist. Wie die Pflänzchen so ziemlich die Höhe eines Zolles erreicht haben, nimmt man das Fenster ganz weg, damit sie der vollen freien Luft für ein Paar Tage ausgesetzt sind. Hierauf werden sie zum ersten Mal verpflanzt, und zwar gleich einzeln in ein Warmbeet, so wie 3—4 Zoll von einander entfernt. Man giebt nicht allein hier keinen Schatten, sondern thut sogar das Fenster ganz weg. Bei einem warmen Fusse wurzeln sie binnen 1 oder höchstens 2 Tagen an. Sobald sie in den Stengel gehen, was in der kürzesten Zeit meist schon der Fall ist, verpflanzt man sie zum zweiten Male und zwar nun gleich an den Ort, wo man sie blühend haben will.

Der Boden muss hier gut vorgearbeitet sein. Um die Pflänzchen selbst bringt man beim Einsetzen bessere Erde oder auch etwas leichten Dünger. Man pflanzt sie 10—12 Zoll von einander entfernt in einen Fuss aus einander stehende Reihen. Ist das Wetter trocken, so hat man sie zu begiessen, aber nur so lange, bis sie vom Neuen angewurzelt sind. Später müssen sie sogar vor jeder Art von Feuchtigkeit geschützt werden. Dafür lockert man aber um die Pflanze herum den Boden auf und häufelt selbst um die Basis des Stengels verrotteten Dünger eines Warmbeetes. Man kann dabei sich gleich dessen bedienen, der in dem Warmbeete zur frühern Aufnahme der Asternpflänzchen sich vielleicht noch befindet. Ist der Boden trocken, so befeuchtet man ihn, und ganz besonders den angehäufelten Dünger.

Wenn die Astern weiter herangewachsen sind, erhalten sie zur Unterstützung Stäbe und, so bald die Blumen in so weit sich entwickelt haben, dass man ihre spätere Grösse und Schönheit beurtheilen kann, schneidet man die schwächern ab, so dass nur drei oder vier übrig bleiben. Die mittelständige wird am Besten auf jedem Fall weggenommen. Eben so bricht man alle Triebe, welche sich an der Basis zeigen, weg, wie sie sich zeigen. In dem Masse sich die Blumen entfalten, werden sie durch ein dünnes, ohngefähr 10 Zoll im Quadrat enthaltendes Brettchen, was in der Mitte an einem Stabe befestigt ist, gegen Feuchtigkeit, nicht gegen die Sonne geschützt; denn man könnte sich eben so gut, wenn es ginge, der Glasscheiben bedienen. Der Stab, der das Brettchen trägt, wird dicht an der grössten Blume eingesteckt. Man muss auch Sorge tragen, dass die Blumen gegen den Wind geschützt werden. Ist das alles geschehen, so haben sie sich binnen 8 Tagen vollständig entfaltet. Die Aster bedarf nämlich mehr Zeit dazu, als die Georgine, wo die Blume schon binnen einem Paar Tagen sich vollständig entfaltet hat.

Wenn man die Astern gleich an Ort und Stelle säet, so gehen sie oft, ganz besonders durch Würmer, Schnecken u. s. w., zu Grunde. Sie vorher in Schalen zu säen, hält Betteridge nicht für gut. Versäumt man den Tag, wo sie ausgepflanzt werden müssen, so kann man sicher sein, schlechte Pflanzen zu erhalten.

Ein flüssiges Baumwachs: Mastix l'Homme-Lefort.

Zu Belleville im Seine-Departement hat ein gewisser L'homme Lefort ein Baumwachs erfunden, was in verschlossenen Büchsen, je nach der Grösse, zu ½, 1 und zu 2 Frank durch den Erfinder zu beziehen ist und eine geschmeidige Masse darstellt, welche, gegen den Einfluss der Luft geschützt, seine halbflüssige Konsistenz besitzt, aber angewendet, in der Luft schnell verhärtet und zwar ohne dass es aufspringt und Risse erhält, die seine Wirkungen mehr oder weniger neutralisiren. Früher sah man sich gezwungen, wenn man bei Veredelungen, Krebs, Wunden u. s. w. das sogenannte Baumwachs anwenden wollte, mit einer Pfanne, die damit gefüllt war, in seinem Garten herumzugehen, um da, wo Anwendung gemacht werden sollte, die Pfanne zu erwärmen und den Inhalt flüssig zu machen.

Seitdem das Collodium, das Thraumaticin und mehre andere daraus angefertigte Mittel dafür gebraucht wurden, sind bereits Pflanne und Baumwachs wohl zum grossen Theil in den meisten Gärten und Obstplantagen verschwunden. Wo es nur darauf ankommt, die Luft abzuhalten, wie es namentlich bei allen Verwundungen, nach dem Ausschneiden von Krebs- und andern Geschwüren u. s. w. der Fall ist, möchten Collodium, Thraumaticin u. s. w. auch die gewünschte Hülfe spenden. Risse macht das letztere ebenfalls nicht, insofern der Theil, den man damit bestreicht, nicht weiter wächst und sich damit ausdehnt. In diesem Falle möchte übrigens auch das neue Baumwachs nicht genügen.

Gewiss mag aber der Mastix l'Homme-Lefort in vielen Dingen noch seine Vorzüge haben und ist es daher sehr zu wünschen, dass man ihn in Deutschland versuche. Dass er vorzüglich sein muss, geht daraus hervor, dass der Erfinder im Jahre 1855 allein 5 Medaillen, und unter ihnen die erste der Pariser Weltausstellung zugesprochen erhielt und dass Männer wie Decaisne, du Breuil, Carrière, Neumann, Willermoz u. s. w. sich entschieden zu seinen Gunsten ausgesprochen haben. Auch der Ausschuss, welcher von Seiten der Pariser Gartenbau-Gesellschaft zur Prüfung und Berichterstattung ernannt wurde, empfiehlt den Mastix zum allgemeinen Gebrauch.

Carrière sagt darüber: „In den Monaten Februar und März sind, während es regnete und wo die Sonne schien, allerhand Versuche angestellt worden, den Mastix l'Homme-Lefort bei Veredelungen zu benutzen. Ich habe die letzteren nach der Anwendung sogleich ins Wasser geworfen, oder nachdem ich den Mastix erst an der Luft hatte trocknen lassen. Ein anderes Mal wurden sie warm gelegt, selbst unter eine Glocke gebracht, wo sie bis 55 Grad C. Hitze hatten, und endlich wiederum den heissen Strahlen der Sonne unmittelbar ausgesetzt. In allen Fällen erhielt sich der Mastix vollkommen gleich. Man kann in der That nichts finden, was allen Anforderungen, die man vielleicht machen könnte, mehr entspräche, als dieser Mastix l'Homme-Lefort, weshalb er auch allen Garten- und Baumschulbesitzern nicht genug empfohlen werden kann."

Woraus dieses neue Baumwachs besteht? behält der Erfinder für sich als Geheimniss. Er hat bei der nach und nach gross gewordenen Anfrage eine Fabrik angelegt, aus der er zunächst ganz Frankreich besorgt.

Der Quamasch, Camassia esculenta Lindl.

Im botanischen Garten zu Berlin, so wie in Charlottenhof bei Potsdam, blühen jetzt mehre Exemplare der Quamasch-Zwiebel in einer solchen Fülle und Grösse, dass sie jedem Garten, der nur Ausgesuchtes enthält, eine Zierde sein würden. Und doch sieht man diese alle Jahre gleich andern Zwiebeln im Freien blühende Pflanze kaum in den Gärten einiger Privaten, und fast eben so wenig in botanischen, obwohl sie ausserdem noch sonstiges Interesse hat. In Belgien scheint sie mehr verbreitet zu sein, da sie sich in den meisten Verzeichnissen der dortigen Handelsgärtner aufgezeichnet findet.

Es kommt noch dazu, dass der Quamasch, eben so wie die Hyacinthen und sonstigen Zwiebelpflanzen, in der Kultur sehr leicht zu behandeln ist und gar keine Schwierigkeiten macht. Er gedeiht fast in jedem Boden, wenn er auch einen lockeren und sandigen mehr liebt, in so fern ihm nur eine freie und sonnige Lage gegeben wird. Man bringt die Zwiebel 5 bis 6 Zoll tief in die Erde und bedeckt sie nur bei strenger Kälte mit etwas Laub. Eben so leicht ist die Vermehrung, da die Zwiebeln einestheils Brut ansetzen, anderntheils aber auch jedes Jahr Samen bringen, der nach der Reife ausgesäet, leicht aufgeht. Die Topfkultur ist nicht schwierig und wird sie in Charlottenhof gehandhabt. Dass die Quamasch-Zwiebel sich wegen ihres späten natürlichen Blühens in der zweiten Hälfte des Mai treiben lässt, möchte wohl bezweifelt werden, da schon, wie bekannt, von den Tulpen ebenfalls nur die frühern Sorten: suaveolens und praecox, dazu benutzt werden können. Gewächshäuser und Fenster erhielten allerdings durch den Quamasch mit seinen prächtigen und sehr grossen himmelblauen Blüthen einen besondern Schmuck. Gewiss würde er an Schönheit selbst nicht den besseren Hyacinthen nachstehen.

Camassia esculenta Lindl. wächst im nordwestlichen Amerika im sogenannten Oregon-Gebiete in den Thälern des Kolumbiaflusses in ziemlicher Menge und wird von den Eingebornen begierig aufgesucht, da die Wurzel essbar ist. Diese wird zu diesem Zwecke zwischen zwei heisse Steine gelegt, bis sie in so weit getrocknet ist, dass sie die Gestalt einer getrockneten Birn und damit auch einen angenehm-süsslichen Geschmack erhält. Sie führt bei den Eingebornen den Namen Quamasch, woraus Lindley die botanische Benennung Camassia gemacht hat. Es scheint jedoch, als wenn die nordamerikanische Benennung Quamasch überhaupt eine allgemeinere Bedeutung für essbare Zwiebeln hätte, denn sie wird auch zur Bezeichnung einer andern essbaren Zwiebel im Hurongebiete, in St. Louis und am untern Ohio gebraucht. Die Pflanze der letztern ist Scilla esculenta Gawl. und im botanical Magazin tab. 1574 abgebildet.

Camassia gehört zu den Hyacinthen, also zu denjenigen Lilienpflanzen, welche, wie bei Scilla, Hyacinthus, Muscari, Ornithogalum u. s. w., eine ausdauernde Zwiebel mit seiten- (nicht gipfel-) ständigem Blüthenschafte haben, und ist wegen ihrer sechsblättrigen und blauen Blüthendecke am Meisten mit Scilla verwandt. Sie unterscheidet sich von genanntem Geschlechte durch aufsteigende und bodenständige Staubgefässe.

Bis jetzt kennt man nur eine Art, aber 2 Formen, die eine mit weissen, die andere mit schönen blauen Blüthen. Die erstere und wahrscheinlich seltenere scheint ein Jahr früher nach England gekommen zu sein und wurde von Souler am Kolumbia-Flusse gefunden; die andere hat der schon mehrmals genannte unglückliche Reisende Douglas im Jahre 1825 entdeckt und 1827 nach dem Garten der Londoner Gartenbau-Gesellschaft gesendet, wo sie ein Paar Jahr später blühte und von Hooker im botanical Magazin (tab. 1486) abgebildet wurde. Die weissblühende Form ist übrigens in demselben Werke später auf der 2774. Tafel ebenfalls von Hooker dargestellt worden.

Bücherschau.

Ideen zu kleinern Gartenanlagen auf 24 kolorirten Plänen. Mit ausführlichen Erklärungen. Von Rudolph Siebeck. Auf Subscription in 12 Lieferungen. 1. Lieferung. Leipzig 1857 bei Friedrich Voigt. Text: Bogen 1 und 2: über die Blumen; Bogen a: Erklärung der Pläne. Atlas. Tafel 1 u. 2. Subscriptions-Preis: à Lfrg. 20 Sgr.

Die erste Lieferung enthält eine Abhandlung über die Verwendung der Blumen zur Ausschmückung von Landschaftsgärten. Unter Blumen sollen aber nicht allein die von krautartigen Pflanzen, sondern auch die von Gehölzen, selbst von Bäumen, verstanden werden. Nachdem der Verfasser als Einleitung im Allgemeinen über Blumen, hauptsächlich über deren Formen und Farben, gesprochen hat, was wir gern bestimmter und belehrender, dagegen weniger Bekanntes bringend, gehabt hätten, geht er zur Aufzählung der Blumen selbst über, welche eine verschiedene Anwendung erfahren. Die Liste ist sehr gross, so dass man sich beliebig heraussuchen kann. Es befinden sich jedoch mehre Arten darunter, die zu den Blattpflanzen gehören und wo die Blume Nebensache ist, so Zea, Sorghum, Phormium (blüht sogar gar nicht bei uns), Palmen, Menispermum u. s. w.; selbst der Orangenbaum gehört nicht als Ganzes zu den Blumen. In der Auswahl hätte überhaupt etwas mehr Kürze und Sorgfalt verwendet werden müssen. Wer sucht Scabiosa ucranica, Trigonella platycarpos, Geranium geminum. Bellium minutum und bellidioides, Allium carinatum, diesen hässlichen, im Süden häufiger wild wachsende Lauch, u. s. w. unter den Felsenpflanzen? Regels vorzügliche Abhandlung über Alpenpflanzen hätte benutzt eine genauere und besser begränzte Liste gegeben.

Eben so ist die Zahl der Pflanzen zu Einfassungen viel zu gross, da wiederum eine Menge Arten aufgenommen sind, die, wenn sie ein Liebhaber zufällig wählte, einen schlechten Effekt hervorrufen würden. Zuletzt folgt der Anfang einer alphabetischen Aufzählung der Blumen, welche zur Ausschmückung von Landschaftsgärten verwendet werden, aber, so weit unsere Einsicht geht, wiederum ohne Auswahl. Was haben die Alströmerien mit einem Landschaftsgarten zu thun, und noch dazu so ausführlich? da mehre Arten kaum in einem warm gelegenen und geschützten Blumengarten im Sommer aushalten.

Was die beiden Tafeln des Atlasses betrifft, so enthalten sie Pläne zu kleineren Anlagen, in der das Wohnhaus liegt. Wir enthalten uns ein Urtheil darüber und überlassen dieses mehr Sachverständigen.

Album für Gärtner und Gartenfreunde. Ein praktischer Führer zur Anlegung und Pflege von Nutz-, Zier- und Lustgärten, herausgegeben von C. A. Rohland. Mit 24 fein illuminirten Gartenplänen u. s. w. Leipzig 1856. Arnoldische Buchhandlung. 1. Lieferung. Preis: 10 Sgr.

Der Verfasser will keineswegs nur Pläne zur beliebigen Auswahl bieten, sondern auch über Anlagen im Ganzen, wie im Einzelnen, über Wahl und Gruppirung der Bäume u. s. w., über Anlage von Grasplätzen, Stellung der Gruppen und über mehre andere Gegenstände sprechen. Bei den Plänen hat der Verf. auf unregelmässig begränzte Grundstücke Rücksicht genommen, damit dieselben möglichst vielseitig angewendet werden können. Bei der Beschreibung von Anlagen jedoch soll nicht allein das Vergnügen, sondern auch der Nutzen vorwalten. Ausser einem langen Text in grossem Lexikon-Oktav und den Plantafeln soll jedes Heft noch ein Blatt mit mannigfachen Zeichnungen von Grotten, Nischen, Gartenhäusern, Geländern, Gartenmöbeln u. s. w. bringen.

Im vorliegenden Hefte befinden sich 2 Tafeln mit 3 Plänen und den nöthigen Erklärungen, deren Beurtheilung wir ebenfalls Sachverständigeren überlassen. Die erste Abhandlung „über Gruppirung von Bäumen und Sträuchern bei der Anlage und Anpflanzung in den landschaftlichen Gärten“ enthält nur Allgemeines, während von der zweiten „Rasenplätze“ nur der Anfang vorhanden ist. Dergleichen plötzlich abgebrochene Aufsätze haben etwas Unangenehmes und hätten wir gewünscht, dass der Verf. dafür lieber die erste Abhandlung etwas verlängert hätte, um grade den Bogen zu füllen. Es hätte doch ein Leichtes sein müssen. Möchte dieses beherzigt werden!

Verlag der Nauckschen Buchhandlung. Berlin. Druck der Nauckschen Buchdruckerei.

No. 22. Sonnabend, den 30. Mai. 1857

Preis des Jahrganges von 52 Nummern mit 12 color. Abbildungen 6 Thlr., ohne dieselben 3 „ Durch alle Postämter des deutsch-österreichischen Postvereins und auch durch den Buchhandel ohne Preiserhöhung zu beziehen.

Mit direkter Post übernimmt die Verlagshandlung die Versendung unter Kreuzband gegen Vergütung von 26 Sgr. für Belgien, von 1 Thlr. 8 Sgr. für England, von 1 Thlr. 22 Sgr. für Frankreich

BERLINER Allgemeine Gartenzeitung.

Herausgegeben

vom

Professor Dr. Karl Koch,

General-Sekretair des Vereins zur Beförderung des Gartenbaues in den Königl. Preussischen Staaten.

Inhalt: Rundschau: Der Garten des Geheimen Obermedizinalrathes Casper zu Berlin. Von .....g in Berlin. — Neue Aronspflanzen oder Aroideen (Fortsetzung). Vom Professor Dr. Karl Koch. — Quin und Franc's Schwefelstreuer gegen Weinkrankheit. — Obstausstellung in Gotha.

Rundschau.

Der Garten des Geh. Ober-Medizinalrathes Casper zu Berlin.

Von .....g in Berlin.

Zu den schönsten Strassen der Potsdamer Vorstadt Berlins gehört ohne Zweifel die Bellevue-Strasse, deren Verlängerung mitten durch den bekannten Thiergarten führt und zu dem Schlosse, was der Strasse selbst den Namen gegeben hat, ihr Ende besitzt. Auf beiden Seiten der ohngefähr 350 Schritt langen und 30 Schritt breiten Strasse stehen Rosskastanienbäume, die den zahlreichen Besuchern des Thiergartens, welche diese Richtung nehmen, mitten im heissesten Sommer kühlenden Schatten wohl zu verleihen vermögen.

Sonn- und Festtage sieht man hier am frühen Morgen, und wiederum am späten Nachmittage, den Berliner Bürger mit Frau und Kindern; er schaut aber weder rechts noch links nach den schönen Gärten, sondern eilt direkt in die freie Natur, als welche schon der Thiergarten mit seinen schattigen Gängen und leider nur zu langsam und fast gar nicht fliessenden Wassern ihm scheint. Seine Kasse erlaubt ihm dieses Mal nicht, darüber hinauszugehen und einen weiten Spaziergang zu unternehmen. Der reichere Kaufmann und Fabrikbesitzer fährt aber in leichten Karossen dahin. Anders ist es an den Wochentagen, wo an den Abenden die Familie des höhern Beamten, die Haute-Volée selbst, hauptsächlich durch die Bellevue-Strasse nach dem Thiergarten geht, sich allenthalben an den herrlichen Anlagen erfreut, und, meistens nur auf der einen Seite, in der sogenannten Thiergarten-Strasse, welche mit dem beliebten Belustigungsorte der Berliner „dem Hofjäger" endet, bleibt, um daselbst angelangt, eben so langsam, als sie gekommen, zurückzukehren. Dann schlägt sie aber lieber von der Louiseninsel aus einen andern Weg ein, der sie direkt nach dem Brandenburger Thore führt.

Die Häuser der Bellevue-Strasse, besonders diejenigen, welche beim Hineingehen vom Potsdamer Platz aus auf der linken Seite sind, ähneln weniger gewöhnlichen Wohnhäusern als vielmehr Villen, die aber in grader, fortlaufender Reihe und zum Theil selbst mit einander verbunden, sich hinziehen, jedoch stets mehr oder weniger ein geschmackvolles und angenehmes Aeussere haben. Durch einen vor ihnen befindlichen Gartenraum von ohngefähr 16 Fuss Tiefe, selbst auch durch hier und da angebrachte ornamentale Verzierungen, Büsten, Vasen und in der neuesten Zeit auch durch allerhand emporsprudelnden Wasser u. s. w. gewinnen sie nicht wenig. Die Bellevue-Strasse ist in der That ein Glanzpunkt Berlins, wie ihn wohl kaum eine zweite Stadt in Deutschland, selbst Wien nicht ausgeschlossen, darbieten dürfte. Es sollte deshalb kein Fremder, besonders wenn er für dergleichen, und namentlich für Anlagen und pflanzliche Ausschmückungen, ein grösseres Interesse besitzt, versäumen, der Betrachtung der Bellevue-Strasse eine bestimmte Zeit zu widmen.

Mitten in dieser prächtigen Strasse und zwar ebenfalls auf der schönen linken Seite liegt das Casper'sche Haus mit seinen freundlichen Anlagen. Ein geschmackvolles eisernes Gitter, wie sie übrigens durchaus in der Bellevuestrasse vorhanden sind und ebenfalls eine Zierde derselben darstellen, schliesst den vordern Garten ab. Prächtige Rasen, unterbrochen durch ein Paar kleinere Gruppen, besonders aus Blattpflanzen bestehend, bedeckt den Boden bis nahe dem Hause, wo ein erhöhte Estrade zu dem Innern und zwar zunächst zu einem grossen Salonähnlichen Raume führt.

Vor der Estrade ist wiederum eine Gruppe ausgewählter Pflanzen aufgestellt. Prächtige Blattpflanzen, zum grossen Theil mit immergrünen Blättern versehen, und einige Blüthengehölze, stehen hier in freundlicher Harmonie zu einander und von der geschickten Hand des Obergärtners Kittel gruppirt.

Auf der Estrade selbst, zu der auf beiden Seiten breite Wege führen, stehen rechts und links vom Eingange wiederum zwei Gruppen. Weiss- und rothblühende Azaleen standen noch Mitte Mai nischenartig von breitblättrigen Pflanzen umgeben in der üppigsten Fülle.

Doch es ist heute keineswegs die Absicht, eine Berliner Ville mit ihren Anlagen zu beschreiben. Dafür nehmen wir noch einmal die Aufmerksamkeit der Leser besonders in Anspruch; wir wollen für jetzt uns nach dem Gewächshause des Geheimen Obermedizinalrathes Casper wenden und sehen, was derselbe jetzt grade in einer für Häuser ungünstigen Zeit an Schönheiten und mehr noch an Seltenheiten besitzt. Es mögen wenige Städte überhaupt in Europa sein, wo dem Botaniker nicht weniger, als dem Garten- und Blumenfreunde zu allen Zeiten so viel Interessantes geboten wird, als in Berlin. Neben den mannigfachen und nach allen Richtungen hin vertretenen Pflanzenschätzen des Königlichen botanischen Gartens besitzt man hier noch eine ganze Reihe von Gärten, deren Eigenthümer sich beeifern, aus dem In- und Auslande immer das Neueste und Schönste zu erlangen. Man hat Gelegenheit, sich schnell mit dem vertraut zu machen, was vielleicht erst vor einem oder zwei Jahren irgend wo in Europa direkt aus dem Vaterlande bezogen war.

Hinter dem Casper'schen Wohnhause befindet sich zunächst ein kleiner Hof mit Stall und den nöthigen Remisen, so wie sonstigen Wirthschaftsgebäuden, über den man in den Garten kommt. Es ist diese Einrichtung fast überall in der Bellevuestrasse. Obwohl eigentlich klein, so hat der Garten doch so viel Gefälliges und Abwechselndes, dass man die Kleinheit bald vergessen kann. Rasenplätze wechseln mit Rosenparthien, Calceolarien-Aufstellungen und Blattpflanzen-Gruppen ab; einige gut gezogene Obstbäume geben auch etwas Schatten. Auf der einen Seite befindet sich das Gewächshaus und steht mit einem Salon in Verbindung. Es ist zwar nicht gross, schliesst aber doch, besonders seine kalte Abtheilung, zu jeder Zeit eine Auswahl blühender Sträucher und sonstiger Pflanzen ein. Die warme und hintere Abtheilung enthält hauptsächlich Orchideen und Blattpflanzen. Azaleen, Epakris, Kamellien, auch mehre Rhododendren sind hier in den ersten Monaten des Jahres stets in seltener Schönheit vertreten. Die Zeit des höchstens Flor's war, als ich Mitte Mai dieselben besuchte, zwar schon längst vorbei, aber doch bezeugten noch hie und da einzelne Spätlinge die frühere Pracht. Ich hatte jedoch im Verlaufe dieses Winters die Gelegenheit nicht versäumt, um mich von Zeit zu Zeit an dem Schönen, was hier dargeboten, zu erfreuen. Es blühten zunächst jetzt noch einige Rhododendren aus dem indischen Alpenlande, dem Himalaya, aus dem wir seit wenigen Jahren hauptsächlich durch einen kühnen Reisenden, dem Sohne des berühmten englischen Botanikers Hooker, zu den wenigen bekannten Arten aus der Gruppe des bei uns längst bekannten Rhododendron arboreum Sm. noch eine ganze Reihe neuer Arten, von denen in der That die eine schöner als die andere ist, erhalten haben.

Obenan steht Rhododendron Dalhousiae Hook. fil., was uns ausser durch die Original-Abbildung in des jüngern Hooker Prachtwerke über die Sikkim-Rhododendren, noch hauptsächlich durch die ausführliche Beschreibung und der doppelten Abbildung in Flore des Serres (Tom. V. Tab. 460—468) bekannt geworden ist. Das Casper'sche Exemplar besitzt zwar nur eine Höhe von 3 und oben einen Durchmesser von 1 Fuss, ist aber trotz dem im Stande, uns einen Begriff von seiner Schönheit zu geben. Ich hatte die interessante Pflanze bis dahin noch nicht blühend gesehen, war daher um so mehr erfreut, als ich plötzlich, ohne es nur zu vermuthen, die 13 grossen Blüthen, die sich auf einmal entfaltet hatten, sah. Die Zeichnung in Hooker's Werke so wohl, als in Flore des Serres entsprach vollkommen dem, was mir hier geboten wurde. Aus den schmallänglichen und gegen das Ende des Stengels und der Aeste hin gehäuften Blättern mit ihrem schönem Grün auf der Oberfläche sahen die in Form eines endständigen Kopfes zusammengedrängten Blüthen heraus. Sie besassen eine weisse, aber sehr ins Gelbe spielende Farbe und hatten eine reine Glockenform. Ihre Länge betrug eben so, wie der Durchmesser der Oeffnung, fast 4 Zoll. Die 13 Blüthen waren auf 3 Aeste vertheilt, so dass zwei 5, einer hingegen nur 3 besassen. Die

Pflanze hat deshalb noch ein besonderes botanisches Interesse, dass sie keineswegs auf der Erde, wie die meisten übrigen Arten dieses Geschlechtes, wächst, sondern auf mächtigen Baumstämmen von Eichen und Magnolien, die von ihren Wurzeln umklammert werden.

Eine zweite Alpenrose des Himalaya, welche im **Casper**'schen Garten blühte, war **Rhododendron formosum** Wall., was 1832 von **Wallich** in dem 3. Bande seiner Plantae asiaticae rariores auf der 207. Tafel abgebildet ist und bereits 1815 von Smith in den Gebirgen von Silhet im nördlichen Ostindien entdeckt wurde, aber erst in unsern europäischen Gärten bekannter wurde, als sie der Sammler des Herzogs von Devonshire, Gibson, 1837 vom Neuen auffand und Exemplare nach England sendete. Hier hielt man die Art für neu und Paxton nannte sie zu Ehren ihres Entdeckers **Rhododendron Gibsonis** (Paxt. Mag. of Bot. VIII. p. 217 c. ic.), ein Name der später gewöhnlich Gibsonii geschrieben wurde. Als jedoch **Hooker** d. A. später (i. J. 1849) diese Art näher untersuchte, fand er, dass Rh. Gibsonis Paxt. sich von Rh. formosum Wall. nicht unterscheide, und zog daher den ersteren Namen ein. Trotz seiner Bekanntmachung im botanical Magazin (auf der 4457. Tafel), die auch in fast alle deutschen Garten-Zeitschriften überging, führt aber die schöne Alpenrose fortwährend in unseren Gärten den Namen Rh. Gibsonii.

Es ist zwar schon von Seiten des Herausgebers und zwar bei Gelegenheit der Beschreibung der Dresdener Ausstellung in Nr. 17. der Gartenzeitung des Rh. formosum Wall. und zwar ebenfalls als Rh. Gibsonii gedacht worden, ich erlaube mir jedoch vom Neuen darauf aufmerksam zu machen, und zwar nicht allein der Berichtigung halber, sondern weil die Casper'sche Pflanze von einer Kultur-Vollkommenheit war, wie sie mir bis dahin nicht vorgekommen. Sie besass eine solche Fülle von Blüthen, dass man kaum Blätter sah.

Rhododendron formosum Wall. hat übrigens seit wenigen Jahren, besonders seit dem die Alpenrosen des Himalaya mit der Entdeckung der interessanten Sikkim- und Bhutan-Arten das Interesse der Gärtner ganz besonders in Anspruch genommen haben, eine grössere Verbreitung gefunden und fängt selbst an, Marktpflanze werden zu wollen. Gewiss zu diesem Zwecke ein nicht unbedeutender Gewinn.

Eine dritte Alpenrose des **Casper**'schen Gartens war **Rhododendron javanicum** Benn. Es schien dieselbe Abart zu sein, welche **van Houtte** als Rh. javanicum var. flore aurantiaco im 6. Bande der Flore des Serres auf der 476. Tafel abgebildet hat. Seit ein Paar Jahren besitzt die javanische Alpenrose in den Berliner Gärten eine ziemliche Verbreitung und gehört in der Hauptform keineswegs mehr zu den Seltenheiten. Wie der Name sagt, ist Java das Vaterland dieser schönen Art, welche wegen der eigenthümlichen Anhängsel am Samen mit einigen andern (9) Arten von Blume als ein besonderes Genus unter dem Namen **Vireya** aufgestellt wurde. Da jedoch diese Anhängsel auch anderweitig bei vielen Alpenrosen vorkommen, so würde Vireya kaum als Subgenus durchzuführen sein. Im Habitus besitzen die 10 Arten übrigens eben so viel Uebereinstimmung, als hinsichtlich des Vaterlandes. Sämmtlich gehören sie nämlich den Sunda-Inseln im Süden Ostindiens an. Ihre Blumen haben eine Form, die zwischen der trichter- und glockenförmigen steht, hingegen eine Farbe, die fast alle Nuancirungen vom reinen Gelb bis zum feurigen Roth durchläuft.

Von **neuholländischen Blüthensträuchern** aus der Familie der Schmetterlingsblüthler (Papilionaceae) war vor Allem eine neue Abart des **Chorozema ilicifolium** Labill. unter dem Namen **elegans multiflorum** vorhanden, die alle Berücksichtigung verdient. Seit vielen Jahren benutzt man, wie bekannt, Chorozema ilicifolium, besonders in Berlin, als Schaupflanze; es verlangt jedoch, wenn die Pflanze den Ansprüchen nachkommen soll, viel Sorgfalt und Aufmerksamkeit. Man hat im Verlaufe der Zeit, seitdem es in Europa ist, nach London seit 1803, bereits manche Abarten erzogen, die die ursprüngliche Art an Schönheit übertreffen, aber die beste Akquisition ist unbedingt die unter dem obigen Namen, welche im **Casper**'schen Garten eben ihre Blüthen entfaltet hatte. Während die Zweige des gewöhnlichen Chorozema und der meisten Abarten in der Regel sehr dünn sind, sich mehr in die Länge strecken, als man gern hat, und nur mit einer einfachen Traube mit etwas entfernt stehenden Blüthen endigen, so erscheinen die letzteren in genannter Abart gedrängter. Die endständige, ziemlich aufrecht stehende Traube, besitzt ausserdem noch kleinere, aus einigen Blüthen bestehende Seitentriebe, so dass der Blüthenstand sich demnach in eine Art länglicher Rispe umgewandelt hat.

Chorozema ericoides ist eine zweite Art, die durch **Preiss** aus Neuholland eingeführt wurde und ganz das Ansehen einer Haide besitzt. Der Name ist nur in Gärten gebräuchlich, wahrscheinlich jedoch eine Abänderung von **ericifolia**, einem Beinamen, den Professor **Meisner** in Basel ebenfalls für ein Preiss'sches Chorozema gab, was, wenn es nicht dasselbe ist, doch sehr nahe verwandt sein muss. Ch. **ericoides** Hort. ist dem schon früher bekannten **Henchmanni** R. Br. sehr ähnlich, unterscheidet sich jedoch durch zwar nadelförmige, aber meist abgestutzte Blätter und durch eine in der Hauptfarbe gelbe Fahne. Die Art steht übrigens dem Ch. ilicifolium Labill. und den übrigen diesem verwandten Arten an Schönheit weit nach und bildet wegen seines einer Haide ähnlichen Ansehens das gut charakterisirte Untergeschlecht Aciphyllum d. h. Nadelblatt.

Zichya oder Kennedya inophylla ist zwar schon seit 1824 in den Gärten, aber doch noch keineswegs so verbreitet, als man wünschen sollte. Die ganze Pflanze bietet mit ihren dreizähligen und weichhaarigen Blättern einen hübschen Anblick dar, der zur Zeit der Blüthe gesteigert wird. Aus den Winkeln der Blätter kommen gestielte Dolden hervor, die aus mehreren prächtig-rothen Blumen bestehen. Man hat bereits von dieser Pflanze einige Abarten von grösserer Schönheit, von denen ganz besonders inophylla floribunda und inophylla superba, deren Namen schon darauf hindeuten, zu empfehlen sind.

Was die beiden Genera Kennedya und Zichya übrigens anbelangt, so ist letzteres erst in der neuesten Zeit von Baron v. Hügel von ersterem getrennt und umfasst die Arten mit mehr kreisförmiger Fahne und einem kurzen, mit deutlicher grosser Narbe versehenen Griffel, der bei den Arten hingegen, welche unter Kennedya geblieben sind, grade sehr lang ist und nur eine unbedeutende Narbe besitzt. Was den Namen Kennedya übrigens anbelangt, so wurde er zu Ehren eines Gärtners zu Hammersmith bei London Kennedy von Ventenant genannt, während Hügel die Benennung Zichya, dem eines ungarischen Grafen Zichy entlehnte.

Tremandra Huegelii Hort. besitzen wir zwar schon seit einigen Jahren, ohne dass jedoch die Pflanze eine grössere Verbreitung gefunden hätte. An Schönheit steht sie der bekannteren Platytheca galioides Steetz, welche als Tremandra verticillata Paxt. in unseren Gärten bekannter ist, keineswegs nach, obwohl die Pflanze wegen ihrer Behaarung ein etwas graueres Ansehen besitzt und ihre allerdings dunkeleren Blüthen nur bei Sonnenschein entfaltet. Die letzteren sind aber grösser und gedrängter. Ihre mehr ziegelrothen Blumen bilden zu den von ihnen eingeschlossenen Staubbeuteln von dunkelbrauner Farbe einen eigenthümlichen Gegensatz. Was den Namen Tremandra Huegelii anbelangt, so hat dieser, da die Staubbeutel nur 4- und nicht 2-fächrig, wie bei den ächten Tremandren sind, der Benennung Tetratheca epilobioides Steetz weichen müssen.

Euphorbia punicea Jacq. war früher weit mehr in den Gärten als jetzt, obwohl sie den verwandten Arten, wie E. fulgens Karw., splendens Lodd. und Bojeri Hook. keineswegs nachsteht, sondern diese zum Theil sogar wegen der prächtigen, tief karmoisinrothen Stützblätter an Schönheit übertrifft. Es geht aber häufig so, dass das anerkannte Schöne, wenn etwas Neues, was vielleicht weniger auf Schönheit Anspruch machen kann, kommt, verdrängt wird. E. punicea Jacq. ist seit dem Jahre 1773 bereits in den Gärten.

Jatropha pinnatifida heisst eine baumartige, wahrscheinlich aus dem tropischen Amerika stammende Euphorbiacee mit ganz feinen, aber doch entfernt gesägten Blättern. Leider scheint die Pflanze schwierig in der Kultur zu sein, da die Blätter leicht am Stengel abfallen und daher nur noch am Ende desselben vorhanden sind. Sie schliesst sich in der Form der letztern den feinblättrigen Aralien an und ähnelt namentlich der Aralia leucarilobe. Beschrieben scheint die Art noch nicht zu sein.

Anguria Mackoyana Lem. stammt aus Guatemala und wurde im Jahre 1846 von Jak. Makoy in Lüttich eingeführt. Sie möchte jedoch von A. capitata Poepp. und Endl. wenig verschieden sein. In unsern Warmhäusern sieht man sie leider selten, obwohl sie in der Nähe von Blattpflanzen als krautartige Liane mit ihren schönen grossen Blättern und den in einen Kopf dicht stehenden Blüthen von Zinnoberfarbe doch stets eine angenehme Erscheinung darbietet.

Gesneria Kopperi gehört zu den schönsten Akquisitionen der neuesten Zeit und trägt sich hübscher, man möchte sagen, eleganter als die verwandten Arten aus der Gruppe der magnifica, scheint auch reichlicher zu blühen. Die Blumen haben eine Länge von 2 Zoll und bieten mit ihrem feurigen Roth, was im Schlunde durch 4 braunrothe Flecken unterbrochen wird, einen angenehmen Anblick dar.

Neue Aronspflanzen oder Aroideen.

Von dem Professor Dr. Karl Koch.

(Fortsetzung der Abhandlung in Nr. 17.)

II. Xanthosoma Schott.

Ueber die im Freien zu verwendenden Arten dieses Geschlechtes ist schon ausführlich in der 3. Nummer der Gartenzeitung (Seite 19) gesprochen worden. Eben daselbst ist auch schon die Art erwähnt, welche ich bereits früher in dem Anhange zum Samenverzeichnisse des botanischen Gartens in Berlin für das Jahr 1853, obwohl mir damals noch keine Blüthen zur Verfügung standen, für ein Xanthosoma erklärte. Die Folge hat gelehrt, dass ich recht hatte. Wiederum ein Beweis, wie wichtig in der Familie der Aroideen die Nervatur ist und wie man wohl jedes Geschlecht fast an dieser schon erkennen kann.

Xanthosoma pilosum C. Koch et Aug.

Vegetatio periodica; Petiolus pilis brevibus cinereus; Folii lamina subhastato-ovata, cuspidata, praesertim subtus ad nervos et venas hirto-pilosa, cinereo-virescentia, disco plano, nervo antemarginali distincta; Pedunculus albido-pubescens; Spatha erecta, parte triente inferiore convoluta, ceterum angusto-scaphaeformis; Spadicis pars superior mascula, inferior ad basin feminea, ceterum angusta, staminodiis tecta.

Diese wegen ihrer Behaarung mehr eigenthümliche, als schöne Art wurde von dem bekannten Reisenden des Direktors Linden in Brüssel, L. Schlim in der neugranadischen Provinz Ocana auf einer Höhe von 4—5000 Fuss entdeckt, so dass man vermuthen darf, dass sie sich eben so, wie die andern, zu Gruppen im Freien verwenden lässt. Grade wegen ihrer graugrünen Färbung möchte sie inmitten des saftigen, zum Theil dunkelsten Grüns der übrigen Xanthosomen, so wie der Kolokasien einen interessanten Gegensatz bilden. In dem neuesten Pflanzen-Verzeichnisse von Linden wird die Pflanze zu 15 Frank, also zu 4 Thlr. angeboten. Seit vorigem Jahre befindet sie sich ebenfalls in der Augustin'schen Gärtnerei an der Wildparkstation bei Potsdam.

Der dünne Blattstiel hat ohngefähr die Länge von 8—10 Zoll und die scheidenartigen Ränder an der Basis schliessen die ziemlich tiefe Rinne. Er besitzt, wie ausserdem die Mittelrippe und die 6 von ihr auf jeder Seite entspringenden Seitennerven durch eine dichte, kurze und gekräuselte Behaarung ein graulich-weisses Ansehen, was sonst auf der Unterfläche des Blattes schwächer ist. Auf der Oberfläche sind nur einzelne Haare vorhanden, trotzdem ist diese aber doch in Folge einer grossen Menge von feinen grauen Punkten weniger freudig-grün, als es sonst bei den Xanthosomen der Fall ist. Die grösste Breite (6—7 Zoll) des Fuss langen Blattes befindet sich oberhalb des untersten Drittels. Von da verschmälert es sich nach oben allmählig in eine flache und gezogene Spitze, nach unten hingegen in die beiden ziemlich grossen (1½ Zoll breiten und fast 2 Zoll langen) Ohren, die doch mit der Spitze nach auswärts stehen und von dem untersten herabsteigenden und in 2 oder 3 Aeste sich theilenden Seitennerven durchlaufen werden. Der Randnerv, der alle übrigen Seitennerven mit einander verbindet, tritt weniger deutlich hervor, als bei übrigen Arten desselben Genus.

Der weisse Ueberzug des dünnen, 6—8 Zoll langen Blüthenstieles setzt sich auch auf dem unteren Theile der 4—5 Zoll langen Blüthenscheide fort. Dieser ist zusammengerollt, länglich und schliesst die unterste Hälfte des Kolbens fast ganz ein, während die obere die Form eines schmalen Kahnes und wahrscheinlich (nach einem getrockneten Exemplar) eine weissliche oder gelbliche Farbe hat. Die oberste Hälfte des Kolbens nimmt ohngefähr ½ des kahnförmigen Theiles der Blumenscheide ein, hat mit Ausnahme der sich verschmälernden Spitze eine walzenförmige Gestalt und ist ganz mit Staubgefässen bedeckt. Die untere Hälfte hingegen trägt am untern Drittel die Pistille, während sie ausserdem sich fast fadenförmig verschmälert und mit grossen weissen Staminodien besetzt ist.

III. Spathiphyllum Schott und Massowia C. Koch.

In einer grösseren Abhandlung über Aroideen in dem 4. Jahrgange der Bonplandia, Seite 10, habe ich bereits Gelegenheit gehabt, weitläufiger auseinander zu setzen, dass mein 1849 bereits aufgestelltes Genus Massowia die eine Hälfte des von Schott 1832 gebildeten Spathiphyllum ausmacht. Schott hat später (1853) Massowia als Synonym zu Spathiphyllum gebracht, dafür aber aus der anderen Hälfte dieses ursprünglichen Genus ein neues unter dem Namen Urophyllum gebildet. Ich will nicht vom Neuem über das willkürliche Verfahren sprechen, sondern im Gegentheil, da nun einmal die Namen da sind, versuchen, ob beide doch nicht beibehalten werden können.

In der gedachten Abhandlung bilden nämlich die Massowien (Spathiphyllum Schott Aroid., nec melet.) zwei gut begränzte und leicht zu unterscheidende Abtheilungen, die nach der Ansicht, die Schott bei der Bearbeitung der Aroideen mit vielen andern Botanikern festhält, noch weit eher, wie die meisten seiner neuerdings aufgestellten Genera, als Geschlecht festzuhalten sein möchte, obwohl der Habitus der Pflanzen, ohne dessen Verschiedenheit ich eigentlich nur sehr ungern ein neues Genus bilde, ziemlich derselbe ist. Thäte man dieses, dann könnte die eine Abtheilung den Namen Spathiphyllum beibehalten, während die andere als Massowia verbliebe. Es würde dann natürlicher Weise auch das Schott'sche Urophyllum wieder hergestellt werden. Ich für meinen Theil ziehe dieses vor und möchte nicht gern, so sehr das Recht auch auf meiner Seite liegt, einen neuen Genus-Namen bilden und dem einmal vorhandenen Urophyllum einen Platz in der Synonymie anweisen.

Alle Massowien und Spathiphyllen scheinen nur wurzelständige Blätter zu haben, die krautartiger Natur sind und die Nervatur der Philodendren d. h. zahlreiche von der Mittelrippe ausgehende Seitennerven besitzen. Mit Anthurium haben sie hingegen die eigenthümliche Anschwellung an der Spitze des Blüthenstieles gemein.

Ich ergreife die Gelegenheit, da eine neue Art aus der einen Abtheilung mit verlängertem Fruchtknoten und nicht verwachsenen Blüthenblättern, die ich bereits nach einem damals nicht vollständig ausgebildetem Exemplare in der Bonplandia Massowia lanceolata benannt habe und die in Sanssouçi Hofgärtner Sello kultivirt, exakter beschrieben werden soll, um beide Genera näher zu charakterisiren.

I. **Massowia** C. Koch: Spatha explanata, foliiformis, persistens, spadice omnino libero longior; Perianthii sepala connata; Stamina 6, filamentis latis, antheris contra latere quidem, sed magis extrorsum dehiscentibus; Germen 3-loculare, 6-ovulatum, vertice planiusculum, stigmate triangulari parvo coronatum.

II. **Spathiphyllum** Schott (char. emend.). Spatha explanata, foliiformis, persistens, cum spadicis brevioris stipite magis, minusve connata; Perianthii sepala libera, interdum conglutinosa; Stamina 6—8 (4—5), filamentis latis, antheris contra latere quidem, sed magis extrorsum dehiscentibus; Germen 3—4-loculare, oblongum, stylo pyramidali exserto coronatum.

Spathiphyllum lanceolatum C. Koch.

Folia magna, longe petiolata, nervis lateralibus majoribus 32—36 patentissimis percursa; Spatha elliptica, ad apicem magis cuspidata, basi petiolo oblique adnata, leviter scaphiformis; Spadix crassus, stipite nervo mediano spathae adnatus; Perigonii sepala 6, biserialia; Germen 3-loculare, ovulis 6, biserialibus in quoque loculo.

Die schönen grünen, etwas glänzenden Blätter kommen unmittelbar aus dem Wurzelstocke hervor und stehen auf einem oft fusslangen, 4—6 Linien dicken, etwas zusammengedrückten, hellgrünen und fein marmorirten Stiele, deren von unten bis oben gehende Rinne durch blattartige Ränder geschlossen ist. Die elliptische Blattfläche selbst besitzt bei der Breite eines halben die Länge von $1\frac{1}{2}$—2 Fuss und wird auf jeder Seite von 32—36 etwas mehr hervortretenden und fast wagerecht abstehenden Seitennerven durchzogen. Der Rand ist nur bisweilen etwas wollig.

Aus der Blattstielrinne kommt ziemlich oben, der etwas dreieckige und immer noch 5—6 Zoll herausragende Blüthenstiel von ohngefähr 5 Linien Dicke hervor. Die elliptische und schwach kahnförmige Blumenscheide zieht sich am oberen Ende in eine besondere Spitze zusammen, während an der Basis sich noch Blattsubstanz auf der einen Seite des Blüthenstieles flügelartig herabzieht. Sie ist 8—10 Zoll lang und 4—5 Zoll breit, steht aufrecht und hat eine grüne Farbe. Der Zoll lange und selbst noch längere Stiel des walzenförmigen, kaum in der Mitte etwas gekrümmten, 3—4 Zoll langen und 7—10 Linien dicken Kolbens ist mit der Mittelrippe der Blumenscheide verwachsen. Die sehr wohlriechenden, gelblich-grünlichen Blüthen haben eine 6-blättrige Hülle in 2 Reihen stehend. Die Blätter der äussern sind etwas grösser, aber sonst, wie die innern, kahnförmig und mit einem flachen Scheitel versehen. Die 6 Staubgefässe haben sehr breite Fäden und mehr nach aussen aufspringende Beutel. Der viereckige und etwas zusammengedrückte Fruchtknoten, der in jedem der 3 Fächer 6 in 2 Reihen stehende und anatrope Eichen einschliesst, läuft in einen um die Hälfte längeren und pyramidenförmigen Griffel aus, der eine undeutlich 3-lappige Narbe trägt. Die Frucht ist eine Beere, die (allerdings im noch nicht ganz reifen Zustande) eine längliche Gestalt und eine braunviolette Farbe besitzt.

IV. **Anthurium** Schott.

Die Zahl der Anthurien ist sehr gross und möchte dieselbe weit über 100 betragen; nach meiner Aufzählung sind 118 beschrieben. So wandelbar auch die Form der Blätter und selbst der ganze Habitus der Pflanze bei Anthurium ist, so bestimmt erscheint doch die Nervatur der ersteren. Diese ähnelt den ächten Arons-Arten, die aber alle mehr hautartige Blätter haben, während bei den Anthurien die Konsistenz pergament- oder lederartig ist. Von der Mittelrippe gehen nämlich Seitennerven aus, die sich wieder verästeln und mit einander in Verbindung treten, so dass ein grossmaschiges Adernetz entsteht. Bei dem grössten Theile der Anthurien ist in geringer Entfernung vom Rande ein ringsherumgehender Nerv vorhanden, der alle Seitennerven aufnimmt. Was endlich die Arten dieses Geschlechtes noch auszeichnet, das sind die Anschwellungen am oberen Theile des Blattstieles, die in dieser Familie nur noch bei Spathiphyllum Schott vorkommen.

Am Meisten werden die Anthurien mit den Philodendren, deren Blätter auch fast alle Formen durchlaufen, verwechselt. Hier haben aber die Blätter kein grossmaschiges Adernetz, sondern die Seitennerven laufen dicht gedrängt, kaum in einer Linie Entfernung von einander und hier und da durch Queradern mit einander verbunden, von der Mittelrippe nach der Peripherie.

Kunth, der im Jahre 1841 in dem 3. Bande seiner Enumeratio plantarum eine Monographie der Aroideen schrieb, theilt die Anthurien in 6 natürliche Gruppen, von denen

1. die erste alle Arten mit in die Länge gezogenen Blättern enthält, bei denen die Seitennerven von einem ohngefähr 2—4 Linien vom Rande entfernten und rings um das Blatt laufenden Nerven aufgenommen werden. Ich nenne diese **Antemarginalia**.

2. Eine Reihe anderer Arten besitzt ebenfalls in die Länge gezogene, aber in der Regel sehr grosse Blätter, bei denen die Seitennerven unmittelbar in den Rand verlaufen. **Marginalis.**

3. Wiederum giebt es Arten, die breiter, dagegen aber kürzer sind, in der Regel aber einen bedeutenden Umfang und häufig an der Basis eine mehr oder weniger herzförmige Gestalt besitzen. Von hier aus entspringen auch mehre divergirende Nerven in strahlenförmiger Richtung. Die Nervatur ist fingerförmig. **Digitinervia.**

4. Nur wenige giebt es, welche bei einer fingerförmigen Nervatur eben so viel Abschnitte besitzen, als von der Basis ausgehende Nerven vorhanden sind. **Kunth** bildet nach der Tiefe der Einschnitte hieraus 2 Gruppen: **Pedatiloba** und **Digitato-partita**, die ich aber beide als **Lobata** vereinige.

5. Die Zahl derer, wo die Abschnitte bis auf die Basis gehen und die Blätter selbst also fingerförmig sind, ist wiederum grösser; ich nenne sie **Digitata.**

Die Trennung in mit Stamm versehene (**Caulescentia**) und in solche, wo dieser fehlt (**Acaulia**), ist mehr oder weniger unstatthaft, da der Stamm eigentlich bei Epiphyten, welche doch wohl alle Anthurien sein mögen, immer mehr oder weniger deutlich zu sehen ist. Es kommt noch dazu, dass die Kultur auf seine geringere oder grössere Ausbildung einen bedeutenden Einfluss ausübt. Ich habe dieselben Arten mit ganz verkürztem und fusslangem, ja selbst noch längerem Stamme gesehen. Damit soll jedoch keineswegs gesagt werden, dass der Ausdruck „ohne und mit Stamm" gar nicht gebraucht werden könne, denn es scheint allerdings Arten zu geben, bei denen der Stamm sich stets, also unter allen Verhältnissen, mehr entwickelt, bei andern hingegen auf ein Minimum begränzt bleibt. In letzterer Hinsicht ist beispielsweise das ächte Anthurium acaule Schott zu nennen.

Anthurien, Philodendren und Monsteren gehören zu den schönsten Blattpflanzen der Warmhäuser und bilden ganz besonders in grössern und höhern Räumen, in sogenannten Palmenhäusern, einen nicht leicht durch andere Pflanzen zu ersetzenden Schmuck. In beschränkte Warmhäuser passen sie aber, mit Ausnahme der kleinern Arten, gar nicht, denn bei normaler Entwickelung nehmen sie gleich Palmen, Pandaneen, Musaceen, Baumfarrn, Ficus-Arten, Araliaceen, Astrapaeen u. s. w. einen grösseren Raum in Anspruch.

Ihre meist dicken und lederartigen Blätter haben in der Regel eine prächtige grüne Farbe, die namentlich bei den grösseren Arten lebhafter hervortritt. Dazu kommt nun noch das eigenthümliche Wachsthum vieler Arten, in Folge dessen diese, besonders um die keineswegs ästhetischen Ecken den Blicken zu verdecken, benutzt werden können. Keine Pflanze ist in dieser Hinsicht besser und ruft einen originelleren Effekt hervor, als Monstera Lennea. Aber auch über einem Wasserbecken, was vom Kalktuff oder von bunten Granit- und Porphyr-Steinen gebildet oder auch nur umsäumt ist, nehmen sich die gross- und herzblättrigen Anthurien und Philodendren sehr gut aus. Wo Stütz- und andere Säulen zu verzieren sind, bieten ebenfalls weniger die ersteren, als vielmehr die letzteren zu ihrer Anwendung Gelegenheit. Philodendron erubescens, hastatum, scandens, cuspidatum und die Arten mit Metallschimmer: micans und microphyllum sind Beispiele. Ich will noch nebenbei bemerken, dass der Name **Anthurium** von Schott sehr bezeichnend gewählt ist, denn er bedeutet **Blüthenschweif** (ἄνθος Blüthe und οὐρά Schweif), ebenso der Name **Philodendron** d. i. **Baumfreund** (φίλος lieb, Freund und δένδρον Baum). (Forts. folgt.)

Onin und Franc's Schwefelstreuer gegen die Weinkrankheit.

Es ist mir in diesen Tagen ein Instrument vorgelegt, was allen Weinbergsbesitzern nicht genug empfohlen werden kann, zumal, wenigstens nach den Anzeigen in den Königlichen Weingärten zu Sanssouçi, die Weinkrankheit in diesem Jahre bereits vom Neuen ihre verheerende Wirkungen hervorzubringen scheint. Von all den vielen Mitteln, welche man empfohlen hat und welche der Reihe nach mit mehr oder weniger Erfolg gegen den Weinpilz (Oidium Tuckeri) angewendet worden sind, hat keins sich so sehr bewährt, als der Schwefel und ganz besonders in der Form der Schwefelblumen. In Griechenland, wo man es im vorigen Jahre ziemlich allgemein anwendete, sieht man den Schwefel als ein besonderes Geschenk des Himmels an, denn zum ersten Male seit mehrern Jahren hat man eine einiger Massen erträgliche Aernte gehabt.

Die Schwierigkeit bei der Beschwefelung der Weinstöcke und nicht weniger die Ursache, dass das Mittel doch bisweilen die gewünschten Resultaten nicht hervorbrachte, lagen einfach darin, dass die Schwefelblumen nach den bisherigen Vorrichtungen nicht so gleichmässig zertheilt werden konnten, als es zum Heil der Weinstöcke nothwendig gewesen wäre. Auf der einen Stelle wurde zu dicht gestreut, wodurch allerhand Stockungen in der weitern Ausbildung der Theile entstanden, auf einer andern hingegen kam so wenig, zum Theil gar kein Schwefel.

so dass die Wirkung nur unbedeutend sich äussern konnte.

Alle Weinbergsbesitzer werden deshalb zweien Franzosen, Ouin und Franc in Paris, zu grossem Danke verpflichtet sein, dass diese eine Vorrichtung erfunden haben, die den Ansprüchen vollständig nachkommt und den Schwefel auf das Gleichmässigste auf den Weinreben vertheilt. Ein Versuch mit dem Instrumente, den ich anstellte, entsprach jeder Erwartung. In der kürzesten Zeit war eine Fläche auf das Gleichmässigste mit Schwefelpulver bestreut. Es kommt noch dazu, dass das Instrument, was benutzt wird, nicht weniger praktisch als auch einfach ist und ausserdem sehr wohlfeil hergestellt werden kann. Die Erfinder, um den Nutzen ihrer Erfindung auszubeuten, haben in Frankreich und den meisten Ländern Europa's um Privilegien nachgesucht und diese auch erhalten. Sie wollen demnach alle die, welche die Erfindung zu ihrem Nutzen durch Anfertigung von dergleichen Instrumenten zum Verkauf ausbeuten, mit der ganzen Strenge des Gesetzes verfolgen.

Nicht weniger leicht ist die Handhabung des Schwefelstreuers, die von Frauen und selbst von erwachsenen Kindern ohne alle Schwierigkeit ausgeführt werden kann. Das Instrument besteht aus einer ohngefähr 1¼ Fuss langen und runden blechernen Büchse, welche nach dem einen Ende sich fast um die Hälfte verschmälert und daselbst ohngefähr einen Durchmesser von kaum 2', am entgegengesetzten Ende aber von 4 Zoll enthält. Der Deckel, durch den man die Büchse in zwei ungleiche Theile auseinander nehmen kann, ist auf der mir vorliegenden Abbildung am breiten, an dem Instrumente hingegen, was mir gezeigt wurde, am schmalen Ende angebracht. Ich möchte das letztere auch praktischer finden. Am breiten Ende befindet sich ein Sieb, wo die 3 Linien im Durchmesser enthaltenden runden und in gleicher Entfernung von einander stehenden Löcher in Kreisen stehen. Die letzteren sind abwechselnd mit den einen Enden von ohngefähr 3 Zoll langen Büscheln oder Troddeln gewöhnlicher Schafwolle, wie diese eben abgeschoren wird, ausgefüllt, doch so, dass der äusserste Löcherkreis mit der Schafwolle beginnt. Im Innern, und zwar ein Paar Zoll von dem Siebe entfernt, ist ein hölzernes Kreuz angebracht.

Will man nun das Instrument benutzen, so nimmt man den Deckel ab, und füllt das Innere in so weit mit Schwefelblumen, dass diese sich noch leicht bewegen (also ohngefähr mit ¼—⅓ Pfd.). Hierauf schliesst man die Büchse wiederum zu. Das hölzerne Kreuz hindert, dass beim Schütteln und Ausstreuen nicht der ganze Schwefel sich am Siebe aufhäuft. Wie dieser durch die Löcher austritt, wird er von den auf beiden Seiten befindlichen Wolltroddeln aufgefasst und mehr oder weniger festgehalten. Durch fortwährendes Schütteln rückt er jedoch allmählig vor, bis er am obern Ende derselben ankommt, sich da, wo man ihn haben will, ausstreut und Blätter, Blüthen u. s. w. ganz gleichmässig bedeckt, wie man es nur wünschen kann. Eine Frau soll auf diese Weise in einem Tage nicht weniger als 1200 bis 1500 Stöcke eines Weinbergs bestreuen können. Für eine Schwefelung hierzu braucht man ohngefähr 6¼ bis 7 Pfund.

Will man vollständigen Erfolg haben, so sind in der Regel 3 Schwefelungen ausreichend. Die erste geschieht ohngefähr 14 Tage vor dem Blühen, so bald man nur einige weisse Punkte bemerkt, die zweite hingegen während der Blüthe selbst und die dritte endlich ohngefähr 14 Tage bis 3 Wochen später, so wie man eben sieht, dass sich wieder weisse Flecken zeigen. Sollte dieses selbst noch kurz vor der Traubenreife der Fall sein, so wird eine vierte Schwefelung nothwendig.

Die Erfinder Ouin und Franc wenden diesen Schwefelstreuer auch bei allen andern Obstgehölzen und sonstigen Pflanzen an, wo Pilze Ursachen von Krankheiten sind. Bei Obstbäumen befestigt man das Instrument an einer Stange, die hinreichend lang ist, um selbst entfernte Theile zu beschwefeln.

Der Preis eines Schwefelstreuers beträgt nur 2¼ Franc, also 18 Silbergroschen, ist demnach sehr mässig. Man muss nur bedauern, dass bis jetzt, so viel mir wenigstens bekannt ist, in Deutschland keine Niederlagen vorhanden sind, um das Instrument gleich jetzt, wo es eben Zeit ist, rasch zu beziehen. In Frankreich erhält man es durch die Erfinder (Place de la bourse 4.), in Brüssel bei Faure Bernard (rue de l'empereur 33.) und in London bei Burgess et Key (Newgate-Street 95.) Jede Büchse hat das Zeichen der Erfinder: Ouin & Franc. brévtés S. G. D. G. Pour la France & l'Etranger. Paris.

Obst-Ausstellung in Gotha.

Der Verein zur Beförderung des Gartenbaues in Berlin hat beschlossen, in der ersten Hälfte des Oktober wiederum eine allgemeine Ausstellung und zwar in Gotha zu veranstalten. Der dortige Thüringische Gartenbau-Verein ist auf das Bereitwilligste entgegengekommen und wird die nöthigen Vorkehrungen treffen. Das Nähere später.

Verlag der Nauckschen Buchhandlung. Berlin. Druck der Nauckschen Buchdruckerei.

No. 23. Sonnabend, den 6. Juni. 1857

Preis des Jahrganges von 52 Nummern mit 12 color. Abbildungen 6 Thlr., ohne dieselben 5 -
Durch alle Postämter des deutsch-österreichischen Postvereins sowie auch durch den Buchhandel ohne Preiserhöhung zu beziehen.

Mit direkter Post übernimmt die Verlagshandlung die Versendung unter Kreuzband gegen Vergütung von 26 Sgr. für Belgien, von 1 Thlr. 3 Sgr. für England, von 1 Thlr. 22 Sgr. für Frankreich

BERLINER Allgemeine Gartenzeitung.

Herausgegeben vom

Professor Dr. Karl Koch,

General-Sekretair des Vereins zur Beförderung des Gartenbaues in den Königl. Preussischen Staaten.

Inhalt: Die Weissdorn-Arten, besonders die mit gefüllten Blumen und Beschreibung einer neuen Art. Vom Professor Dr. Karl Koch. — Hymenocallis expansa Herb. und die ähnlichen Arten. Vom Professor Dr. Karl Koch. — Die Moskauer getrockneten Erbsen. Von dem Freiherrn von Fölkersahm auf Papenhof in Kurland. — Aufforderung der Redaktion des Hülfs- und Schreibkalenders f. Gärtner und Gartenfreunde.

Die Weissdorn-Arten, besonders die mit gefüllten Blumen und Beschreibung einer neuen Art.

Vom Professor Dr. Karl Koch.

Wie alle Blüthensträucher in diesem Jahre in besonderem Blüthenschmucke prangen und fast nur der Schneeball eine Ausnahme zu machen scheint, so nicht weniger der Weissdorn mit gefüllten weissen und rosafarbenen Blüthen. Namentlich in den Königlichen Gärten von Sanssouçi bei Potsdam. und ganz besonders in der Nähe von Charlottenhof, aber auch in dem Thiergarten bei Berlin, stehen zahlreiche Bäume in schönstem Blüthenschmucke und erfreuen Jedermann, wenn er nur einigen Sinn für Schönheiten besitzt. Sowohl im dichten Laube von Boskets, aber auch in dem Schatten kleinerer Haine ruft der Weissdorn mit seinen gefüllten weissen und rosafarbenen Blüthen einen freundlichen Gegensatz zu dem verschiedenem Grün der Blätter hervor. Es kommt noch dazu, dass die büschelförmig bei einander sitzenden Blüthen, die in der That sich mit kleinen Röschen vergleichen lassen, noch an ihrer Basis selbst von glänzenden Blättern, deren eingeschnittene Konturen ebenfalls zur Schönheit des Ganzen beitragen, umgeben sind und dass die schlanken, oft gar sehr in die Länge gezogenen Aeste bisweilen graziös überhängen und Guirlanden darzustellen scheinen. Auf der Louiseninsel im oben erwähnten Thiergarten sieht man jetzt ein Exemplar über und über mit gefüllten rosafarbenen Blüthen bedeckt und umgeben von dunkelem Grün der Ulmen, Elsen u. s. w., das einen in der That reizenden Anblick gewährt. Aber auch auf grossen Rasenflächen stellt der gefüllte Weissdorn allein stehend eine nicht minder liebliche Erscheinung dar.

Man möchte fragen, warum sieht man diesen wunderschönen Blüthenstrauch doch keineswegs in der Provinz so häufig, als man bei der Wohlfeilheit glauben sollte? Die Königliche Landesbaumschule zu Alt-Geltow bei Potsdam verkauft das Stück zu 5, und hochstämmig zu 10 Silbergroschen, gewiss zu Preisen, die jeder noch so unbemittelte Gartenbesitzer aufbringen kann, um sich alle Frühjahre die Freude zu machen, ihn mit Blüthen dicht bedeckt in seiner Nähe zu haben. Ganz besonders ist er Gutsbesitzern zu empfehlen, die mit so leichter Mühe das Schöne mit dem Nützlichen verbinden könnten, aber leider gar zu häufig wenig oder gar nichts für die Verschönerung ihrer nächsten Umgebung thuen. Bei keinem Gute sollte eigentlich vor dem Wohnhause ein Rasengrund mit einigen Gehölzen und Blumenparthien bepflanzt fehlen. Die Sorge dafür, dass dieser Vorraum stets reinlich und sauber gehalten ist, müsste hauptsächlich den Frauen und Töchtern obliegen. Möchten diese Zeilen etwas beitragen, um dem gefüllten Weissdorne, namentlich auch an bezeichneter Stelle, eine grössere Verbreitung zu verschaffen!

Es ist gewiss auch für Laien nicht weniger, als für Gärtner, von Interesse zu wissen, wo der gefüllte Weissdorn zuerst und unter welchen Verhältnissen er entstanden ist. Man vernachlässigt leider die Geschichte der Kulturpflanzen in unserer Zeit, wo es zum Theil noch möglich ist, ihre Entstehung nachzuweisen, viel zu sehr. Von den meisten, deren Existenz vielleicht kaum erst ein halbes Jahrhundert zurückgeht, weiss man in der Regel gar nichts.

Der Weissdorn spielt in den Kulturländern Europa's seit den ältesten Zeiten eine grosse Rolle, denn die Römer benutzten ihn schon ziemlich allgemein als Heckenpflanze. Bei den Engländern steht er fortwährend im grössten Ansehen. Der Weissdorn ist sogar eine heilige Pflanze; denn es geht die Sage, dass Joseph von Arimathia, als er mit seinen 12 Gefährten nach England kam, um das Christenthum dort zu verbreiten, und die Bevölkerung, bevor sie seinen Worten Glauben schenkte und zur Erbauung einer Kirche sich bereit erklärte, ein Wunder verlangte, seinen Stab, aus Weissdorn gefertigt, in die Erde schlug, damit er grüne und blühe. Es geschah dieses um die Weihnachtszeit in der Nähe der heutigen Glastonbury-Abtei, wo sich die älteste Kirche Englands befinden soll. Man besitzt noch in England eine Abart des Weissdorn's, welche im December oft zum zweiten Male, in der Regel aber sehr frühzeitig im Februar oder März, blüht, und behauptet, dass diese Abart von dem Baume bei der Glastonbury-Abtei stamme. Sie wird von Parkinson in seinem 1640 erschienenen Theatrum selbst als eigene Art unter dem Namen Mespilus biflora britannica, in den Verzeichnissen der englischen Gärtner gewöhnlich aber als Crataegus praecox aufgeführt. In Loudons Garten-Magazin (9. Band, S. 123, 10. Band, S. 51 u. s. w.) wird mehrmals bestätigt, dass der Dorn um Weihnachten in der That geblüht hat.

In Schottland zeigt man in einem Garten bei Edinburg einen zweiten interessanten Weissdorn, in dessen Schatten Marie Stuart sich oft aufgehalten haben soll. Vor mehrern Jahren war er noch frisch und kräftig. Der Brite, der an alten Erinnerungen gern hängt, ist eifrig bemüht gewesen, den Baum zu vervielfältigen und zu verbreiten; so findet man hier und da auf der britischen Insel Weissdorn-Gehölz, was von dem Baume bei Edinburg stammen soll. Er führt auch in Katalogen fortwährend den Namen des Königin-Weissdorns (Crataegus Reginae).

Wann der Weissdorn zuerst sich mit gefüllten weissen Blüthen gezeigt hat und wo? weiss man nicht. Die erste Kunde erhält man, so viel mir wenigstens bekannt ist, durch den schon mehrmals erwähnten Professor Paul Hermann, der in seinem Verzeichnisse der Pflanzen des akademischen Gartens in Leiden, was im Jahre 1687 gedruckt ist, neben der Mespilus Apii folio laciniato (ein Name, der von L. Bauhin und den ältern Botanikern zur Bezeichnung des Weissdorns benutzt ist,) mit einfacher Blüthe noch einen mit gefüllter aufführt. Der letztere muss aber doch damals in Holland selten gewesen sein, denn der berühmte Tournefort scheint ihn nicht gesehen zu haben, da er bei seiner Nennung nur das genannte Buch und seinen Verfasser aufführt. Dagegen wird er schon von Munting in der nauwkeurige Beschryving der Aardgewassen, die 1696 zu Leiden und Amsterdam erschien, zum ersten Mal abgebildet. Nach diesem Buche ist es ein gewisser Junker Eizo op Meyma, recommittirter Rath der hochedlen Herren van de Ommelanden zwischen Ems und Lauwers, der ihn in seinem Garten besass und wo ihn Munting sah.

In der Mitte des 18. Jahrhundertes befand er sich auch in England und in Frankreich, denn Philipp Miller und du Hamel kannten ihn. Wann er zuerst in Deutschland in Kultur war, lässt sich schwerlich noch ermitteln. Es muss dieses aber ebenfalls schon im vorigen Jahrhunderte gewesen sein, denn du Roi gedenkt seiner bereits in der ersten, im Jahre 1772 erschienenen Harbke'schen wilden Baumzucht.

Wir besitzen zwei Formen des Weissdornes mit gefüllten weissen Blüthen, denn bei der einen sind sie etwas grösser. Die, welche am Häufigsten bei uns verbreitet zu sein scheint, ist die gefüllte Abart des südlichen oder eingriffeligen Weissdornes, die Jacquin zuerst (1775) als Crataegus monogyna, Borkhausen hingegen später (1803) als C. apiifolia unterschieden hat. Diese wegen ihrer mehr glänzenden Blätter hübschere Art gehört vorzugsweise dem Süden Europa's an, während der Weissdorn mit 2 Griffeln und stumpferen Blättern, Crataegus Oxyacanthos (L.) Jacq., eine mehr nordische Pflanze ist und eigentlich erst diesseits des Alpenzuges einheimisch wird. In Süddeutschland ist er übrigens seltener als in Thüringen und Sachsen. Dass dagegen C. monogyna Jacq., namentlich im Nordosten Deutschlands ganz gewöhnlich gefunden wird, ist nur Folge von Anpflanzungen.

Der Weissdorn mit rothen Blüthen, der von Wenderoth sogar als selbstständige Art betrachtet wird, scheint aus Frankreich zu stammen. Die Sage geht, dass nach der Bartholomäus-Nacht, also am 25. August 1572, ein Weissdorn auf dem Kirchhofe von St. Innocens in Paris plötzlich zum zweiten Male, und zwar rothe Blüthen, hervorgebracht habe. Unter dem Namen Epinier Maron ist er in ganz Frankreich bekannt. Wir besitzen auch hiervon zweierlei Formen, von denen die eine rosafarbene, die andere mehr blutrothe Blüthen besitzt. Die letztere führt in den Verzeichnissen der Handelsgärtner meist den Namen Crataegus punicea und ist auch in Loddiges botanical Cabinet auf der 1363. Tafel abgebildet, während der erstere in Paxton's Magazin of botany, im 1. Bande und auf 190. Tafel eine Abbildung erhalten hat.

Von beiden Formen existiren aber auch gefüllte Blüthen. Am Häufigsten scheint die mit rosafarbenen zu sein; es ist auch die, welche allgemein in und um Berlin und Potsdam gefunden wird. Ihr Vorkommen vermag ich nur bis zu Anfang dieses Jahrhundertes zu verfolgen. In der von Pott, im Jahre 1795 herausgegebenen Ausgabe der Harbke'schen wilden Baumzucht wird noch kein Weissdorn mit gefüllten rothen Blüthen genannt, wohl aber ist bereits die Form mit rosenrothen und gefüllten Blüthen im 2. Theile des im Jahre 1803 von Borkhausen herausgegebenen Handbuches der Forstbotanik erwähnt.

Es wäre sehr zu wünschen, dass auch Andere, denen vielleicht mehr Hülfsmittel zu Gebote stehen, als mir, die Geschichte der Entstehung der Kulturgehölze und Kulturblumen, und besonders der Weissdorn-Arten mit rothen und gefüllten Blüthen, verfolgten; die Redaktion der Berliner Gartenzeitung würde die Resultate mit Dank aufnehmen und veröffentlichen.

Bei dieser Gelegenheit sei es mir erlaubt, überhaupt auf die Crataegus-Arten in landschaftlicher Hinsicht aufmerksam zu machen. Ich habe bereits in dem ersten Jahrgange der neuen Reihe der Verhandlungen des Vereines zur Beförderung des Gartenbaues S. 221—314 eine ausführliche Monographie der Weissdorn- und Mispel-Arten gegeben, damit man mit den mannigfaltigen Gehölzen, die früher in den Anlagen eine weit grössere Rolle spielten als jetzt, vertrauter werde. Seitdem bin ich fortwährend bemüht gewesen, meine Untersuchungen über das, was Art und was Abart ist, fortzusetzen und wurde mir in der Königlichen Landesbaumschule bei Potsdam sowohl, als in dem botanischen Garten in Neuschönberg in dem reichen, daselbst zu Gebote stehenden Material Gelegenheit geboten. Doch glaube ich aber ein Paar weitere Jahre zu bedürfen, um die seit der Zeit herangewachsenen Gehölze in allen Stadien ihrer Entwickelung noch genauer zu verfolgen und dann die Resultate bekannt zu machen; aber keineswegs will ich, zumal alle Crataegus-Arten sich in diesem Jahre eines seltenen Blüthenreichthumes erfreuten, versäumen, schon jetzt die Aufmerksamkeit auf Einiges zu lenken.

Wenn schon an und für sich die Weissdorn-Arten mit ihren oft glänzenden und meist gelappten oder eingeschnittenen Blättern für Boskets und Haine, aber auch zum Theil einzeln stehend auf Rasen-Parthien, um so mehr und um so besser benutzt werden können, als ihre Anzahl ziemlich gross ist, denn wir kennen bis jetzt einige und 60 Arten, von denen weit über die Hälfte sich in Kultur befindet, so haben sie ausserdem noch zwei Perioden, wo sie einen besondern Reiz besitzen. Sobald das Frühjahr im Mai die Fülle seines Blüthenschmuckes entfaltet, so sind es auch sämmtliche Weissdorn-Arten mehr oder weniger, die nicht wenig dazu beitragen. Zwischen dem frischen Grün der Blätter sitzen die bald grössern Blüthen, bald stehen sie weniger gross am Ende kurzer Zweige zu Doldentrauben vereinigt und würden mit den in der Regel blendend weissen Blumenblättern eben herabgefallenen Schneeflocken gleichen, wenn nicht die rothen Staubbeutel ihnen, in der Nähe erschaut, ein eigenthümliches punktirtes Ansehen ertheilten.

Bei der Menge der Arten, die dem Gärtner zu Gebote stehen, wird es in der That schwer, diejenigen zu nennen, die den andern vorzuziehen wären, denn alle haben ihre Eigenthümlichkeiten und Schönheiten. Es möchten jedoch die amerikanischen Arten mit 10 Staubgefässen, die zugleich auf den tief-dunkelgrünen Blättern eine glänzende Oberfläche haben, so wie die im Anfange der Abhandlung erwähnten Formen unserer beiden gemeinen Weissdorne und noch einige andere den Vorrang haben. Ausserdem erlaube ich mir aber von denen, die einzelne grosse Blüthen im Winkel der Blätter haben, noch auf eine Art besonders aufmerksam zu machen, zumal man sie fast gar nicht mehr in Anlagen sieht. Es ist dieses Crataegus uniflora Duroi, ein Dorn der eben so wie Crataegus Crus galli L. und die verwandten, auf Rasenparthien allein stehend, ein gar nicht genug zu empfehlender Strauch ist. Er wird nie hoch, erreicht kaum 4—5 Fuss, breitet sich mit seinen etwas sparrigen Aesten aber mehr in die Breite aus und bietet mit den blendend weissen, ziemlich grossen Blüthen vom letzten Drittel des Monates Mai bis zur Hälfte Juni einen in der That prächtigen Anblick dar. Leider gehört er zu den Pflanzen, die nach und nach mit einer Reihe von Namen (nicht weniger als 15) beglückt wurden, von denen ein Theil in den Verzeichnissen von Gehölzen oft neben einander figurirt, als seien es eben verschiedene Arten. Gewöhnlich wird er als Crataegus parvifolia Ait., (auch in der Landesbaumschule zu Potsdam, wo das Stück zu 6 Sgr. verkauft wird), Mespilus parvifolia Willd., Crataegus Pinschow Hort., betulaefolia Lodd., viridis Lodd. und grossulariaefolia Loud. aufgeführt.

Nicht weniger Reiz haben die Weissdorn-Arten, wenn sie im Herbste dicht mit den prächtigen rothen, gelben oder schwarzen Früchten besetzt sind. Man hat leider in Anlagen bis jetzt viel zu wenig auf Herbstschmuck Rücksicht genommen und überhaupt für die späte Jahreszeit, die immer an und für sich manches Störende mit sich bringt, oft wenig und selbst gar nichts gethan. Man zwingt keineswegs immer die Effekte mit Bewegungen und am Allerwenigsten bei kleineren Parthieen. Aber auch die grössern Parks müssen Stellen haben, wo das Auge in der nächsten Nähe und durch das Einzelne bisweilen befriedigt wird. Dem Grossen und Ganzen müssen kleinere Boskets, selbst aus einer Pflanze bestehend, beigegeben werden, soll nicht Ermüdung eintreten.

Sogar unsere beiden gewöhnlichen Weissdorn-Arten: Crataegus Oxyacanthos L. und monogyna Jacq., sind mit den glänzenden, rothen Früchten meist so sehr beladen, dass sie mitten im andern Grün, aber auch einzeln stehend, alle Berücksichtigung verdienen. Durch nichts ersetzt werden aber der Scharlach- und Purpurdorn. Der erstere, obwohl im Laubschmucke dem andern weit nachstehend, hat jedoch deshalb wiederum einen Vorzug, dass er eine nicht unbedeutende Höhe erreicht und selbst im Vordergrunde zu Baumparthien benutzt werden kann. Wir besitzen bereits eine Zahl von Abarten, die hinsichtlich der Blatt- und Fruchtform, aber auch hinsichtlich der Fruchtfarbe und Fruchtkonsistenz abweichen. Wahrscheinlich ist es mir jetzt auch, dass Crataegus (Mespilus) flabellata Bosc nur Abart der C. coccinea L. ist. Der Scharlachdorn wird in Anlagen zwar noch am Häufigsten gefunden, verdient aber eine noch grössere Verbreitung.

Der Purpurdorn, Crataegus rotundifolia Mnch. (glandulosa Willd., purpurea Loud., sanguinea der Nordamerikaner) und Douglasii Lindl. sind in mannigfacher Hinsicht zu berücksichtigen. Beide Arten unterscheiden sich hauptsächlich durch die Konsistenz der Früchte, die bei letzterem weich sind und im Vaterlande allgemein gegessen werden; vielleicht könnten sie auch bei uns eingemacht für den Winter eine angenehme Speise geben. Man muss sich übrigens hüten, beide Purpurdorn-Arten in das Dickicht grösserer Boskets oder in den Vordergrund von Laubparthien zu pflanzen, da sie unter andern Gehölzen schwer blühen und in der Regel keine Früchte hervorbringen, wenn man nicht ganz und gar auf die letzteren resigniren und nur das prächtige Laub berücksichtigen will.

Ganz allgemein verwechselt man den Purpurdorn Nordamerika's mit dem Blutdorne Sibiriens, obwohl letzterer von dem ersteren sehr abweicht. Die Landesbaumschule erhielt vor mehrern Jahren eine ganze Parthie Samen der Crataegus sanguinea Pall., von dem vor einem Paar Jahren verstorbenen Direktor des botanischen Gartens in Petersburg, Fischer, und haben die daraus hervorgegangenen Pflanzen in Sanssouci eine grössere Verbreitung gefunden. Es wurde mir dadurch hinlänglich Gelegenheit geboten, die sibirische Pflanze zu beobachten. Obwohl nicht so gross werdend, steht sie doch wegen ihrer matten, mehr gelbgrünen und deutlich gelappten Blätter dem Scharlachdorne näher, als dem allgemein mit ihm verwechselten Purpurdorne, wenngleich wiederum die blutrothen und etwas saftigen Früchte, die ebenfalls in Sibirien frisch und eingemacht gegessen werden, denen des letzteren ähneln. Ein Hauptunterschied der ächten Pallas'schen C. sanguinea ist aber, dass sie nicht 10 Staubgefässe, wie die beiden Purpurdorne, der Scharlachdorn und die ganze Gruppe des Hahndorns (C. Crus galli L.), sondern, gleich allen Arten der Alten Welt, 20 Staubgefässe in jeder Blüthe haben.

Wegen der vorherrschend gelben und grossen Früchte sind noch für Anlagen der Tüpfeldorn (Crataegus punctata Ait., cuneifolia Ehrh., edulis Moench, pentagyna flava Ronalds) und die Azarole (C. Azarolus L. und Aronia Bosc) sehr zu empfehlen. In der zweiten Hälfte des vorigen Jahrhundertes, also in einer Zeit, wo unsere Anlagen sich auf nur wenig Gehölze beschränken mussten, spielte der Tüpfeldorn mit seinen beiden Abarten, nämlich mit gelben und rothen Früchten, eine grosse Rolle und zwar um so mehr, als auch diese gegessen wurden. Hinsichtlich ihrer matten Blätter und weniger in die Augen fallenden Blüthen steht er allerdings den meisten übrigen Weissdorn-Arten nach.

Die Azarole ist ein südeuropäisches, namentlich in Italien zu grosser Vollkommenheit gebrachtes Obst, was bei uns (d. h. im Norden von Deutschland) leider gar nicht gedeihen will. Wir haben nur die Aronie, eine Art, welche vielleicht von C. Azarolus L. gar nicht verschieden ist, aber unsere harten Winter aushält. Sie blüht zwar in der Regel ziemlich reich, setzt aber nicht viel, oft sogar gar keine Früchte an. Dagegen gedeiht der ähnliche orientalische Weissdorn mit dem Rainfarrnblatte (C. tanacetifolia Pers.), der vielleicht Mutterpflanze der Azarole ist, bei uns sehr gut.

Die schwarzfrüchtigen Weissdorn-Arten der Alten Welt haben ohne Ausnahme keine hübsche Laubfarbe, da die Blätter mit einem dichten Filze bedeckt sind und daher ein graugrünes Ansehen besitzen. Da sie jedoch auch im Dickichte der Gehölz- und Baumpartbieen zu benutzen sind und wegen ihres dichten Wuchses auch zum Verdecken sich gut anwenden lassen, so verdienen sie doch Berücksichtigung. Seit langer Zeit hat man besonders in ältern Anlagen und Gärten eine schwarzfrüchtige Crataegus-Art, welche jetzt leider gar nicht mehr verwendet zu werden scheint, unter verschiedenen Namen, bald als Crataegus (Mespilus) Oliveriana und Celsiana, bald als Abart des gewöhnlichen Weissdornes. Man kannte das Vaterland bisher nicht; da ich sie aber nicht für verschieden von C. platyphylla Lindl. und melanocarpa Bory (nicht Bieb.) halte, so wäre dieses das östliche Südeuropa; Rumelien und Griechenland. Die ächte C. melanocarpa, welche Bieberstein beschrieben hat, wächst dagegen in Georgien und überhaupt im nördlichen Oriente und wurde von Lindley als C. Oxyacanthos β. Oliveriana im botanical Register (tab. 1933) beschrieben und abgebildet.

Die schönste der schwarzfrüchtigen Weissdorn-Arten ist aber unbedingt die ungarische, C. nigra W. et K., da hier auch die Blüthen in mehrfacher Hinsicht eine Berücksichtigung verdienen. Diese erscheinen nämlich in ziemlich grossen Doldentrauben und haben anfangs eine weisse Farbe, die aber allmählig sich in blauroth umändert und zuletzt als ein dunkeles Lilaroth erscheint. Wer an einem Tage, wo die Blüthen sich eben entfaltet haben, diese gesehen und betrachtet sie acht oder vierzehn Tage später, glaubt, wenn er mit dem Farbenwechsel nicht vertraut ist, ein ganz anderes Blüthengehölz vor sich zu haben.

Schliesslich soll noch eine neue Art mit grünen Früchten, die sich seit längerer Zeit in der Landesbaumschule bei Potsdam unter dem Namen Crataegus purpurea befindet und bereits in der Appendix zum Samen-Verzeichnisse des botanischen Gartens vom Jahre 1855 bekannt gemacht worden ist, näher beschrieben werden, da sie nicht weniger Beachtung verdient, als die andern, und wahrscheinlich auch wie Cr. sanguinea Pall. zu Hecken benutzt werden kann.

Grünfrüchtiger Weissdorn, Crataegus chlorocarpa Lenné et C. Koch.

Folia ovata, inciso-dentata, glabra; Corymbus pauciflorus; Sepala patula; Stamina 20; Styli 5; Pomum durum, virescens.

Diese interessante Art steht der ächten sibirischen C. sanguinea Pall. ausserordentlich nahe, unterscheidet sich aber wesentlich durch die sehr harten und grünlichen Früchte, die stets 5 Steine einschliessen und demnach auch in der Blüthe 5 Griffel zeigen, und durch die nicht zurückgeschlagenen, sondern abstehenden Kelchblätter. Die genannte Art hat rothe Früchte, die ziemlich weich sind, so dass sie, wie bereits gesagt, in Sibirien allgemein gegessen werden. Wahrscheinlich möchte C. chlorocarpa eben daher stammen.

Der Strauch in der Landesbaumschule hat, wie gesagt, ganz das Ansehen der verwandten C. sanguinea Pall., so dass er ohne Früchte nur schwierig zu unterscheiden ist. Die eirunden, aber spitzen Blätter sind mehr hellgrün, dünn zwar, jedoch etwas härtlich und am Rande eingeschnitten und grobgezähnt, doch so, dass jeder Zahn wieder vielfach scharf gezähnt erscheint. Die Oberfläche ist im Anfange mit ganz feinen Haaren besetzt, die sich jedoch später verlieren, während auf der blassern Unterfläche jede Behaarung fehlt. Die Basis des Blattes ist abgerundet, geht also nicht, wie bei der verwandten Art keilförmig zu. Die Breite beträgt meist nur etwas weniger als die Länge, nämlich 1¼—1½ Zoll, während die dünnen Blattstiele stets um die Hälfte wenigstens kürzer sind. Die halbirten, bald abfallenden Nebenblätter sind eben so lang als breit und scharf-, so wie ziemlich tief-gesägt; sie erreichen ohngefähr die Hälfte der Länge der Blattstiele.

Der armblüthige Doldentraube erscheint an der Spitze der Aestchen und ist im Anfange mit langen Haaren besetzt, wird aber später unbehaart. Der unächte Fruchtknoten hat eine rundliche Gestalt und ist ganz glatt. Die blendendweissen Blumenblätter besitzen eine rundlich-längliche Gestalt und sind fast doppelt länger als die lanzettförmigen, abstehenden und sparsam-gesägten Kelchblätter und die 20 Staubgefässe. 5 Griffel. Die Frucht wird eine hartfleischige, 5 steinige Apfelfrucht und wird stets noch von dem bleibenden Kelche gekrönt, der bei C. sanguinea Pall. meist abfällt.

Hymenocallis expansa Herb. und die ähnlichen Arten.

Von dem Professor Dr. Karl Koch.

In der Geitner'schen Gärtnerei zu Planitz bei Zwikkau, wo man beständig eine grosse Zahl von schönen und seltenen Pflanzen findet und dessen Besitzer immer bemüht ist, aus fremden Ländern Neues zu erhalten, blüht jetzt eine Amaryllidee, deren Zwiebel direkt aus Brasilien bezogen wurde. Es ist nicht zu leugnen, dass die Pflanze sowohl durch ihre zahlreichen und blendend-weissen Blüthen, als auch durch den ausgezeichneten Wohlgeruch, den sie namentlich des Abends verbreitet, unsere volle Aufmerksamkeit verdient. Eine nähere Untersuchung der Blüthe belehrte mich, dass die Amaryllidee wegen der an der Basis zu einem trichterförmigen Kranz (Corona) verwachsenen Staubgefässen in die Abtheilung der Pancratieen gehörte.

Wer sich je mit Amaryllideen, und namentlich mit der bezeichneten Abtheilung, beschäftigt hat, wird wissen, wie schwierig, trotz der vorzüglichen Arbeiten von Herbert und Kunth, die botanische Bestimmung der dahin gehörigen Pflanzen ist. Es unterliegt keinem Zweifel, dass man in England und Schottland, wo besonders vor 10 und mehr Jahren sämmtliche Amaryllideen mit Vorliebe gezogen wurden, durch Kreuzungen Blendlinge hervorgerufen hat, die, wie immer, so auch hier, die Systematik ungemein erschweren. Ist deren Anzahl auch nicht so gross und auch nicht so bestimmt nachgewiesen, wie bei Hippeastrum, so sind doch viele Arten der Gärten ihrem Vaterlande nach unbekannt, ein Umstand, der in der Regel auf einen europäischen, also auf einen Kulturursprung hindeutet.

Wie die Kenntniss der Pflanzen in der neuesten Zeit zugenommen hat, ist bereits schon früher ausgesprochen worden. Auch die Pancratieen geben ein Zeugniss davon. **Linné** kannte deren nur 7, die er sämmtlich unter dem einem Genus **Pancratium** vereinigte. Jetzt kennt man deren über 100 und hat aus dem einem Geschlechte 16 gemacht. Freilich möchten mehre Arten sich eben so wenig mit der Zeit als selbstständige behaupten können, als einige Geschlechter, wenn nun auch andernseits anerkannt werden muss, dass von den letztern die übrigen natürlich abgegränzte Gruppen bilden.

So schliessen die **Stenomesson**-Arten nur Pflanzen mit gelben, die **Coburgia**-Arten hingegen mit rothen und ähnlichen oder mehrfarbigen Blüthen ein; bei beiden Geschlechtern sind diese gestielt und bilden, wie übrigens bei allen Pancratieen, am Ende des breitgedrückten Schaftes eine Dolde. Stenomesson und Coburgia kommen auch darin überein, dass in ihrer Kapsel zahlreiche, etwas zusammengedrückte Samen befindlich sind.

Weisse Blumen haben *Eurycles*, **Pancratium**, **Hymenocallis** und **Ismene**. Bei zuletzt genanntem Geschlechte findet man aber auch gelbe Blumen. Alle (mit Ausnahme von Pancratium, deren Arten auf der äussern Seite der Blumenabschnitte auch mehr grünlich sind und eine keulenförmige Narbe haben,) kommen aber noch darin überein, dass ihre vorherrschend grünen Samen fleischig sind und einer kleinen Zwiebel nicht unähnlich erscheinen. **Ismene** und **Hymenocallis** haben stets sitzende Blüthen. **Eurycles** steht dadurch einzig unter den Pancratieen da, dass der Blüthenschaft nicht zweischneidig, sondern mehr stielrundlich ist. Ferner wird endlich die Kapsel einfächrig und springt auch nicht auf. Wohlriechend sind im hohen Grade die Blüthen bei **Hymenocallis**, deren Blumenröhre ausserdem, wie bei den ächten **Pancratium**-Arten grade und nicht am obern Theile gekrümmt ist, wie bei **Ismene**. **Calostemma** hat Arten mit weissen, gelben und rothen Blumen, aber anstatt einer Kapsel eine Beere mit einem grossen Samen. **Stenomesson**, **Coburgia**, **Ismene** und **Hymenocallis** gehören Amerika und hauptsächlich den Tropen an, **Calostemma** Australien, **Eurycles** Australien und Ostindien und **Pancratium** den wärmern Ländern der Alten Welt auf der nördlichen Halbkugel an.

Die **Geitner'sche Pancratiee** liess durch ihren sehr starken und angenehmen Geruch augenblicklich eine Hymenocallis vermuthen, was sich auch alsbald bei näherer Untersuchung bewahrheitete. **Salisbury** gab dem Genus (von ὑμήν die Haut und καλός schön) den Namen wegen des schönen zarthäutigen Kranzes. Eigenthümlich sind die grünen Staubfäden und der grüne Griffel bei den Arten dieses Geschlechtes. **Herbert** theilt die Hymenocallis in 3 Gruppen, von denen aber die beiden letztern, welche ungestielte oder an der Basis nur wenig verschmälerte Blätter besitzen, besser zu einer vereinigt worden. Bei der ersten laufen die Blätter in einen deutlichen Stiel aus, bei den andern hingegen sind sie ungestielt.

Wie oben schon gesagt, ist die Unterscheidung der Arten von Hymenocallis schwierig, zumal den gegebenen Diagnosen leider durchaus die nöthige Schärfe fehlt. Schon die Bezeichnung: „Folia humifusa oder arcuata und suberecta" zur Unterscheidung der 2. und 3. Gruppe ist schwankend, da die Blätter zuletzt mehr oder weniger immer zurückgebogen sind und selbst auf der Erde liegen. Mit Bestimmtheit lassen sich bis jetzt von den Arten mit ungestielten Blättern nur 5 oder 6 unterscheiden.

Bei **Hymenocallis rotata** Herb. ist der Kranz (corona) ziemlich flach ausgebreitet, daher auch der Name, während bei **H. litoralis** Salisb. (**Pancratium litorale** Jacq., zu der auch **Pancratium Dryandri** Gawl. gehört), der Kranz an der Basis mit der Krone verwachsen ist; deshalb gab ihn der berühmte Monograph der Amaryllideen, **Herbert**, den Namen **H. adnata**. Beide Arten sind zwar leicht zu unterscheiden, durchlaufen aber eine Reihe von Formen, die man zum Theil wieder als selbstständig betrachtet hat.

Hymenocallis fragrans Salisb., zu der **Pancratium caribaeum** L., **declinatum** Jacq., **patens** Red. und **speciosum** Red. gehören, besitzt eine verhältnissmässig dicke Blumenröhre und, der entsprechend, auch breitere, stets mehre Linien im Durchmesser enthaltende Blumenabschnitte und Blätter, deren oberes Ende lanzettförmig zuläuft. Das letztere ist auch bei **H. pedalis** Herb. (Pancratium Lodd.) der Fall, eine Art die ausserdem eine 7 Zoll lange Blumenröhre und am Rande gekräuselte Blumenabschnitte haben soll. Die grössten Blüthen werden jedoch der mir nicht hinlänglich unterschiedenen **H. caymanensis** Herb. (**Pancratium patens** Lindl., nicht Red.) zugeschrieben.

H. senegambica Kth steht hinsichtlich ihres Vaterlandes (Sierra Leona) unter den sonst nur tropisch-amerikanischen Hymenocallis-Arten abnorm, (wenn das letztere nicht aus Versehen gegeben sein sollte) und besitzt eine

5-zöllige Blumenröhre, hingegen 4-zöllige und am obern Ende in eine pfriemenförmige und rundliche Spitze gezogene Blumen-Abschnitte, die sich ausserdem noch durch mehre Längenerven auszeichnen. H. insignis Kth, die von v. Warszewicz aus Guatemala eingesendet ist, hat mit der vorigen die grössere Anzahl von Eichen (8) in jedem Fache gemein und eben so, dass die Blumenabschnitte sich am obern Ende in eine Spitze zusammenziehen. Der Kranz ist aber zwischen den Staubfäden bei H. senegambica abgerundet, bei insignis läuft er dagegen in einen spitzen Zahn aus. H. panamensis Lindl. besitzt eine 6 Zoll lange Blumenröhre und 4 Zoll lange Blumenabschnitte und möchte der H. pedalis Herb. nahe stehen.

Es folgen nun noch 3 Arten mit sehr schlanker und dünner Blumenröhre und sehr schmalen, kaum 3 Linien breiten Blumenabschnitten. Bei H. expansa Herb. stehen die Blätter mehr aufrecht, bei H. tenuiflora Herb. liegen sie auf dem Boden und sind sehr breit, bei angusta hingegen sehr zahlreich, biegen sich rückwärts über und verschmälern sich nach oben lanzettförmig. In Betreff der Länge der Blumenabschnitte zur Röhre und des Kranzes scheinen sich die 3 Arten mit dünner Blumenröhre ebenfalls leicht zu unterscheiden. Bei H. expansa Herb. sind Röhre und Abschnitte ziemlich gleich lang, bei H. angusta Herb. ist die Röhre um ⅓ kürzer, bei H. tenuiflora Herb. aber fast doppelt länger. Bei beiden letzteren läuft auch die Substanz des Kranzes zwischen den Staubgefässen in einen spitzen und selbst doppelten Abschnitt aus, während dieser sich bei H. expansa Herb. gar nicht oder nur sehr wenig entwickelt hat.

Was nun die Geitner'sche Hymenocallis anbelangt, so halte ich sie von Pancratium expansum Sims (Hymenocallis Herb.), wie dieses im botanical Magazin auf 1941. Tafel abgebildet ist, nicht verschieden. Diese Art blühte um das Jahr 1817 in England, aber Niemand wusste, woher sie stammte. Durch die Geitner'sche Pflanze wüsste man nun mit Bestimmtheit, dass Brasilien das Vaterland ist. Da Hymenocallis expansa Herb. in der neuesten Ausgabe von London's Encyclopädie nicht aufgeführt und auch in keinem der Verzeichnisse von Handelsgärtnereien, die ich durchgesehen, mehr genannt wird, so möchte es wahrscheinlich sein, dass sie seit jener Zeit wiederum aus den Gärten verschwunden ist; jeder Blumenfreund wird daher dem jetzigen Besitzer der Pflanze Dank wissen, dass sie durch ihn wieder eingeführt ist. Näherer Mittheilung nach ist sie bereits in mehreren Exemplaren vorhanden und wird ausserdem noch vermehrt, so dass den Liebhabern Exemplare zu Gebote stehen. Nach der mir eingesendeten Pflanze sind die bis 1½ Fuss langen, aber wahrscheinlich auch längeren Blätter mit Ausnahme des unteren sich etwas verschmälernden Viertels ziemlich gleich 1½—2 Zoll breit und haben ein mehr abgerundetes, als spitz zugehendes oberes Ende. Schon dadurch zeichnet sich die Pflanze vor den ähnlichen aus. Die Substanz ist ziemlich fleischig, während ihre Richtung eine nur wenig abstehende, aber nicht zurückgeschlagene zu sein scheint. Auf der Unterfläche tritt der Mittelnerv in der Form eines abgerundeten Kieles sehr hervor. Die Blätter stehen sonst in 2 Reihen und sind ziemlich zahlreich.

Aus der 2½—3 Zoll im Durchmesser enthaltenden, ziemlich runden Zwiebel kommt in der Mitte der bis zu 2 Fuss lange und wohl noch höhere und zweischneidig-zusammengedrückte Schaft hervor und hat in seinem grössten Durchmesser eine Breite von 6—8, in seinem schmälsten hingegen von gegen 3 Linien. Seine Kanten sind sehr scharf. Die Hülle, welche die 6—9 sitzenden und besonders sehr wohlriechenden Blüthen am Ende des Schaftes einschliesst, ist zweiklappig und ungleich. Beide Klappen sind trocken-häutig, an dem oberen Ende zurückgeschlagen und fast über 2 Zoll lang. Die grössere ist breit-eirund und endigt in einer verlängerten Spitze, die kleinere hingegen lanzettförmig. Ausserdem besitzt noch jede einzelne Blüthe ein mehr oder weniger zur Entwickelung gekommenes, ebenfalls trocken-häutiges Deckblatt an seiner Basis. Die schlanke, fast 5 Zoll lange und etwas grünliche, sonst weisse Blumenröhre ist schmäler als der längliche, schwach 3-eckige, 5 Linien lange, 4 Linien breite und grüne Fruchtknoten und besitzt kaum den Durchmesser von 3 Linien. Wenig länger sind die ganz schmalen, linienförmigen und blendend weissen Abschnitte, die mehr oder weniger meist in einen Bogen zurückgeschlagen sind. Der umgekehrt kegelförmige oder trichterförmige Kranz ist ebenfalls blendend weiss, hat kaum die Länge eines Zolles und besitzt zwischen den Staubgefässen nicht immer einen unbedeutenden Zahn, sondern ist daselbst häufiger abgestutzt. Die 6 Staubfäden sind fast einen Zoll kürzer als die Blumenabschnitte und haben am unteren Theile eine weissliche, sonst aber eine grüne Farbe, während die aufliegenden, sehr beweglichen und linienförmigen Staubbeutel safranfarbig erscheinen. Der 3-fächrige Fruchtknoten besitzt dicke Scheidewände und schliesst in jedem Fache 2 grundständige und anatrope Eichen ein. Der sehr lange, über der Mitte grüne, zwar fadenförmig dünne, aber doch dreieckige Griffel ist etwas länger als die Blumenabschnitte und endigt mit einer unbedeutenden, aber doch kopfförmigen Narbe.

Nach den mitgetheilten Angaben über die Kultur der

Hymenocallis expansa Herb. verhält sie sich in dieser Hinsicht der, welche bei den Crinum-Arten und überhaupt bei den tropischen Amaryllideen angewendet wird, ziemlich gleich. Darnach erhält die Pflanze eine möglichst gute Mistbeeterde zu 3, Moorerde und feinen Flusssand aber jedes zu 1 Fünftel; ausserdem darf man aber nicht versäumen, am Boden gröbern Sand und mehr zerschlagene Scherben zum bessern Durchlassen der Feuchtigkeit zu bringen. Der Topf muss nicht zu klein sein. Die Pflanze verlangt während der Wachsthums-Periode und besonders vor dem Blühen viel Wärme: 14—16, ja selbst 18 Grad, feuchte Luft und ausserdem viel Feuchtigkeit. Im Anfange kann sie in einem warmen Loh- oder Sandbeete angetrieben werden, später steht sie aber besser auf einem Gesims nahe dem Fenster, wo es zugleich recht hell ist.

Sobald die Pflanze verblüht ist, muss sie kälter gehalten und aus der Helligkeit entfernt werden. Man bringt sie deshalb auf Stellagen im hinteren Theile des Gewächshauses. Das Giessen stellt man allmählig ein und thut es zuletzt nur dann, wenn der Ballen vollständig ausgetrocknet ist. In dieser Zeit muss man sich jedoch sehr hüten, Wasser in das Herz der Pflanze zu bringen, weil dann leicht Fäulniss eintritt. So bleiben die Zwiebeln zwei und drei Monate im eigentlichen Zustande der Ruhe. Will man sie antreiben, so muss man sie erst versetzen und dabei die grösseren Wurzeln möglichst schonen. Was sich dabei an jungen Zwiebeln angesetzt hat, nimmt man ab und bringt die junge Anzucht in ein warmes Mistbeet, wo sie aber den direkten Sonnenstrahlen nicht ausgesetzt werden dürfen, sondern beschattet werden müssen. Wahrscheinlich kann man die Pflanze auch durch Samen vermehren, wenn man nur Sorge trägt, dass die Befruchtung vor sich geht.

Die Moskauer getrockneten Erbsen.

Von dem Freiherrn von Fölkersahm auf Papenhof in Kurland.

Seit vielen Jahren beschäftigt man sich in und bei Moskau mit der Kultur der Erbsen und dem Trocknen der noch jugendlichen Körner. Zu vielen Tausenden von Pfunden werden sie nach allen Gegenden des grossen Russlands, so wie nach Deutschland und Frankreich, verbreitet und allen andern Erzeugnissen der Art vorgezogen. Dieser Industriezweig ist so einträglich, dass ein Morgen Landes bei Moskau im Durchschnitte einen Ertrag von 130—160 Thaler giebt, gewiss eine ansehnliche Summe.

Man bedient sich der Englischen oder auch der gewöhnlichen Zuckererbse zur Aussaat, die man vorher einweicht und dann erst in das freie Land bringt. Der Boden wird vorher gehörig zubereitet und mit gefaultem Pferdedünger versetzt. Ein lockerer, lehmiger Sand oder eine sandige Lehmerde sind am Besten, doch gedeihen die Erbsen auch auf anderem Boden.

Sobald die Hülsen ihre eigentliche Grösse erhalten haben und die Körner inwendig auch bereits gehörig angeschwollen sind, pflückt man die ersteren und bringt die letzteren aus ihrer Umhüllung, um sie sogleich in kochendes Wasser zu thun und zu brühen. Ist dieses geschehen, so giesst man den Topf, der sie enthält, auf ein feines Sieb aus, damit das Wasser ablaufen kann, die Körner aber zurückbleiben. Diese bringt man in ein dunkeles Zimmer und breitet sie daselbst auf Matten aus, damit sie zunächst abtrocknen. Man versäume ja nicht, fleissig nachzusehen und die Körner immer von Neuem umzuführen. Nun erst kommen sie auf die Darre, wo es aber ebenfalls dunkel sein muss, um daselbst, bei mässiger, aber doch genügender Ofenwärme und auf Papier gelegt, allmählig vollends einzutrocknen.

Ihre grosse Süssigkeit erhalten sie durch das Eintauchen in das Wasser und durch das allmählige Trocknen in dunkelem Raume. Durch das Letztere verlieren sie auch ihre grüne Farbe nicht. In gut schliessenden Gefässen und an Orten, die nicht dunstig sind, werden die getrockneten Erbsen aufbewahrt. In Moskau selbst wird das Pud (35 Leipziger Pfund) mit 12—15 Rubel bezahlt (also mit ungefähr 13—16 Thaler).

Aufforderung
der Redaktion des Hülfs- und Schreibkalenders für Gärtner und Gartenfreunde in Berlin.

Der 4. Jahrgang (für 1838) befindet sich eben in Arbeit; es ergeht daher von Seiten der Redaktion (Professor K. Koch in Berlin) die ergebenste Bitte, für die darin enthaltene statistische Aufzählung der deutschen Handelsgärtnereien Nachrichten einzusenden, damit dieselbe in der neuen Auflage möglichst vollständig und brauchbar werde. Bei der jetzt sehr grossen Verbreitung des Gartenkalenders in ganz Deutschland muss die richtige Aufnahme in dem eigenen Interesse der Handelsgärtnereien selbst liegen. Es möchte weniger bekannt sein, dass von Seiten der Verlagshandlung (Gust. Bosselmann in Berlin) auch Anzeigen aufgenommen werden. — Gediegene und kurze Abhandlungen werden anständig honorirt.

Die Redaktionen der Gartenzeitungen werden freundlichst ersucht, diese Aufforderung ebenfalls in ihren Blättern aufzunehmen.

Verlag der Nauckschen Buchhandlung. Berlin. Druck der Nauckschen Buchdruckerei.

No. 24. Sonnabend, den 13. Juni. 1857

Preis des Jahrgangs von 52 Nummern mit 12 color. Abbildungen 6 Thlr., ohne dieselben 5 „
Durch alle Postämter des deutsch-österreichischen Postvereins sowie auch durch den Buchhandel ohne Preiserhöhung zu beziehen.

Mit direkter Post übernimmt die Verlagshandlung die Versendung unter Kreuzband gegen Vergütung von 26 Sgr. für Belgien, von 1 Thlr. 9 Sgr. für England, von 1 Thlr. 22 Sgr. für Frankreich

BERLINER Allgemeine Gartenzeitung.

Herausgegeben

vom

Professor Dr. Karl Koch,

General-Sekretair des Vereins zur Beförderung des Gartenbaues in den Königl. Preussischen Staaten.

Inhalt: Die Pflanzen- und Blumen-Ausstellung des Garten-Vereines in Königsberg i. Pr. am 23., 24. und 25. Mai. Von S. Ender im Wintergarten. — Der peruanische Zauberbaum, Cantua dependens Pers. Von Schrader jun., Obergärtner des Domherrn's von Spiegel auf Seggerde bei Weferlingen. — Robinia hispida L. und macrophylla Schrad. — Neue Aronspflanzen oder Aroideen. Vom Professor Dr. Karl Koch. (Fortsetzung der Abhandlung in Nr. 22.) — Stelle-Gesuch.

Die Pflanzen- und Blumen-Ausstellung des Gartenvereins in Königsberg i. Pr. am 23., 24. und 25. Mai.

Von

S. Ender im Wintergarten.

Der Königsberger Gartenverein sucht ausser durch wöchentliche Versammlungen, in denen Vorträge gehalten, Ansichten ausgetauscht und Berichte über Gartenzeitungen und andere gärtnerische Schriften abgestattet werden, auch durch wiederkehrende Ausstellungen den Sinn für die Gärtnerei anzuregen. Solcher Ausstellungen finden jährlich zwei statt, eine im Frühjahre, die andere im Herbste. Es ist selbstverständlich, dass die Ortsverhältnisse gärtnerischer Ausstellungen verschiedenes Gepräge haben müssen, dass eine Ausstellung in Königsberg in Ost-Preussen sich von Ausstellungen in Berlin, Dresden, Magdeburg, Paris u. s. w. unterscheiden wird. Die Aufgabe des Gärtners ist eine andere, wo die Natur unter günstigem Himmel reich spendet, und eine andere, wo ihr die mühsamste Arbeit oft nur karge Loose abzugewinnen im Stande ist. Doch je kürzere Sommer die Bewohner des Nordens erfreuen, desto mehr sollten sie den Werth erkennen, den die Gärtnerei für sie hat, und den Gärtner in seiner mühevollen Arbeit ermuthigen. Er lässt sich stets Sorge sein, die Zimmer in den rauhen Jahreszeiten mit Grünem und mit Blumen zu schmücken und den kurzen Sommer Allen dadurch näher zu rücken, dass er ihnen schon vorher Gelegenheit bietet, sich an Blumen und Früchten zu erfreuen. Die Gärtnerei gewinnt selbst um so mehr an Werth, je mehr leider überall die Wälder schwinden.

Ausserdem aber hat der Gärtner in den nördlichen Gegenden, wo der Landmann bei der ihm vorliegenden Bearbeitung seiner grösseren Länderflächen und der Kürze der günstigen Jahreszeit überhaupt wenig dazu kommt, auch gärtnerischen Arbeiten einige Aufmerksamkeit zuzuwenden, noch die Aufgabe, durch Einführung und Erprobung landwirthschaftlicher und technischer Pflanzen, sowie durch Anzucht guten Obstes und Gemüses anregend und helfend der Landwirthschaft zur Seite zu stehen, nicht weniger aber auf dem Lande den Sinn für Anlagen und Wegebepflanzung zu wecken und damit zu dem Nützlichen das Angenehme und Schöne zu fügen, das, wenn man den geistigen Menschen ins Auge fasst, nicht weniger wichtig ist.

Der Gartenverein in Königsberg lässt sich deshalb nicht beirren, wenn er sich auch gestehen muss, dass seine Leistungen und Ausstellungen, der Lage der Verhältnisse nach, öfters hinter den Leistungen anderer Vereine und Ausstellungen zurückbleiben; er glaubt seine Aufgabe schon zu lösen, wenn es ihm nur gelingt, im Publikum immer mehr Sinn für die Gärtnerei zu schaffen, die Gärtner aber selbst zum gemeinsamen Werke zu vereinigen und trennende und beschränkte Vorurtheile zu überwinden.

Die diesjährige Frühjahrsausstellung des Königsberger Gartenvereins fand in dem neuen Schiesshause statt, das sich zu diesem Zwecke recht passend erwies. Die Ausstellung hat die Besucher allgemein, ja mehr als je befriedigt. Wenn dem ungeachtet der Besuch nicht sehr zahlreich war, so hatte das theils in der enormen Hitze (es waren 20 Grad R.), theils darin seinen Grund, dass der Königsberger Pferdemarkt, welcher immer viele Auswärtige, zum Theil von weither, anzieht und die Königsberger selbst lebhaft beschäftigt, in dieselbe Zeit fiel.

Als Aussteller hatten sich die meisten Handels- und die namhaftesten Privat-Gärtnereien in und um Königsberg betheiligt. Einzelne hiesige Handelsgärtnereien bleiben regelmässig an den Ausstellungen unbetheiligt, obgleich von den Ausstellern nicht verlangt wird, dass sie Mitglieder des Gartenvereins sind. Fast mehr noch zu bedauern ist es, dass der hiesige botanische Garten diesmal gar Nichts zur Ausstellung eingeliefert hatte, zumal er doch über Mittel verfügt, welche den meisten Handels- und Privat-Gärtnern nicht in der Art zu Gebote stehen, und dadurch besonders berufen erscheinen sollte, von Unternehmungen sich nicht auszuschliessen, welche die Förderung der Gartenkunst, der auch er dienen soll, im Auge haben.

Dem ungeachtet erfreute sich die Ausstellung recht guter und zahlreicher Gegenstände und namentlich auch schöner Blattpflanzen, welche die Herren: Mann, Hecht und Köppe & Ender gestellt hatten. Die Pflanzen waren einfach und hübsch gruppirt.

Den Ausstellern ist diesmal um so mehr Dank zu sagen, da das in diesem Frühjahre dauernd trübe Wetter den Züchtern die grössten Schwierigkeiten entgegengestellt hatte, so dass die auf Mitte Mai bestimmte Ausstellung erst acht Tage später stattfinden konnte.

Der Kunstgärtner Hecht in Sudnicken hatte eine grosse Anzahl blühender Cinerarien, Nelken, Gloxinien, Azaleen, Rosen u. s. w. geliefert, aber ausserdem eine hübsche Blattpflanzengruppe aufgestellt: Ficus elastica, Curculigo, Musa Cavendishii, Monstera Lennea, (Philodendron pertusum), Philodendron hastatum, Dracaena Eschscholtziana, Colocasia antiquorum in schönen Exemplaren u. s. w. Ausgezeichnet waren die von demselben eingelieferten Früchte und Gemüsesorten: Musterexemplare von reichlichst mit schönen Beeren besetzten Himbeersträuchern, die grösste Gurken, Blumenkohl, Bohnen, Hülsenfrüchte etc.

Gleichfalls zeichneten sich die von dem Gutsbesitzer Busold eingelieferten Sachen aus. Schöne Exemplare blühender Azaleen, von Rhododendron Pardoloton, prächtige türkische Ranunkeln, Aurikel, Stangen-Winterlevkojen und Goldlack erhielten in der gut zusammengesetzten Gruppe allgemeinen Beifall. Ein Prachtexemplar von Deutzia gracilis und Rosen, als: Gloire de Dijon, Souvenir d'un ami, Lady Warrender, Vierge de Pamos, Hamon, Madame Démont, Géant de Bataille, Gloire de Partenay, in zum Theil ausgezeichneter Fülle gehörten zu den besten Gegenständen der Ausstellung.

Des Secretair's Lucka hübsche und reichhaltige Gruppe bestand hauptsächlich aus Rosen, als: R. General Paschet, Th. Smith Yellow, Auguste Vascher, Devoniensis, Empereur Napoléon, Génie de Chateaubriand, Duchesse of Sutherland, Roch Fouchard, Margarethe de Vaubren, Mme. Celini Briant, Präsident Menaux etc. Ausserdem enthielt sie strauchartige Calceolarien, als: Norzosa, Gem etc., Nelken, Fuchsien und Odier-Pelargonien.

Der Handelsgärtner Handschuck hatte preiswürdige Winterlevkojen, Moos- und Centifolien-Rosen in reicher Anzahl aufgestellt und hübsche Blumensträusse geliefert.

Der Obergärtner Mann (bei Konsul Oppenheim) hatte mit einer schönen Blattpflanzengruppe die Ausstellung geschmückt, in der Latania borbonica, Phönix dactylifera, Strelitzia Reginae, Gynerium argenteum, Phormium tenax, Curculigo recurvata, Monstera Lennea, (Philodendron pertusum), Maranta zebrina, Moräa Nortiana, Dracaenen, Bromeliaceen und Farrn, ferner Rhapis flabelliformis, Jubaea spectabilis, die Orchideen Oncidium altissimum u. Papilio, Coleus Blumei, Haemanthus Ottonis und Lycopodium Willdenowii, umbrosum, caesium, caesium arboreum, viticulosum, Danielsianum etc. sinnig geordnet waren. Auch verdankt man demselben einige Blumensträusse, Blumenkörbchen u. s. w.

Die Kunst- und Handelsgärtnerei von Köppe & Ender hatte ausser hübschen Rosen, als: Félicité, Parmentier, Louise Odier, Gloire de Dijon, Smith Yellow, Moos- und Centifolien-Rosen, ein prächtiges Exemplar von Dracaena spectabilis mit Knospe, weisse pontische Rhododendren (Lowianum eximium), ein schönes Exemplar von Cupressus funebris, hübsche Exemplare von Weigela amabilis, sowie ein preiswürdiges Sortiment von Pensées (darunter auch Lila mit weissem Rande) und neuere Fuchsien etc. ausgestellt. Die ausgestellten Bouquets, Blumenkörbchen und Kränze fanden allgemeinen Beifall.

Der übrigen Aussteller und ihrer dankenswerthen Lieferungen soll jetzt bei Gelegenheit des Berichtes über die Preisvertheilung erwähnt werden.

Es waren zwölf Preise zu 5 Thlr. festgesetzt und erhielten sie:

1. Der Handelsgärtner Schwill für die von ihm eingelieferten Remontanten-Rosen.

2. und 3. Die Handelsgärtnerei von Köppe & Ender für Florblumen (schöne Pensées) und einen zweiten Preis für die beste Blumenzusammenstellung in Bouquets, Kränzen, Körbchen.

4. und 5. Obergärtner Mann für schöne Blattpflanzen, und einen zweiten für ausgezeichnete Schaupflanzen von Lycopodien.

6. und 7. Handelsgärtner Handschuck für Winterlevkojen, und einen andern für die besten Moos- und Centifolien-Rosen.

8. Secretair Lucka für die besten Thee-, Bourbon- und Semperflorens-Rosen.

9. und 10. Gutsbesitzer Busold für Cinerarien, Aurikeln und türkische Ranunkeln, und einen zweiten für Azaleen und Rhododendren.

11. und 12. Kunstgärtner Hecht für schön getriebene Gemüse und einen zweiten für die grösste Anzahl blühender Pflanzen.

Ehrenvolle Erwähnung wurde zu Theil:

1. Dem Handelsgärtner Portreck für Azaleen;

2. dem Handelsgärtner Kadgien für remontirende Rosen;

3. dem Handelsgärtner Ferd. Liedtke für seine Pflanzengruppe;

4. dem Handelsgärtner Eduard Liedtke für pontische Rhododendron;

5. dem Handelsgärtner Heinze für Schaupflanzen von Reseda;

6. dem Handelsgärtner Hundrieser für seine Pflanzengruppe;

7. dem Handelsgärtner Schleicher für Calceolarien und

8. 9. 10. und 11. dem frühen Gemüse des Buchholz'schen Gartens und der Rehahn'schen, Eduard Liedtke'schen und J. D. Wonde'schen Handelsgärtnerei.

Der

Peruanische Zauberbaum, Cantua dependens Pers.

Von Schröder jun., Obergärtner des Domherrn von Spiegel auf Seggerde bei Weferlingen.

Zu den schönsten Pflanzen, welche der unermüdliche Reisende der grossen Gärtnerei von Veitch in England, Th. Lobb, in den Anden Peru's im Jahre 1850 auffand, gehört eine in der Form und der Farbe der Blüthen an mehre Fuchsien erinnernde Pflanze. Die Eingebornen nennen sie Kantu oder Zauberbaum, während sie in der Systematik den Namen Cantua dependens und buxifolia erhalten hat. Weit länger ist sie den Botanikern bekannt, denn Ruiz und Pavon, welche den französischen Reisenden Dombey begleiteten, entdeckten sie bereits in Peru und Chili in den Jahren 1779—1788, beschrieben sie hingegen erst in dem 1794 erschienenen Prodromus florae peruvianae auf Seite 26, während die Pflanze in der einige Jahre später erschienenen Flor selbst (Tom II, tab. 133) abgebildet wurde. Beide Botaniker nannten sie, da sie in der Nähe von Zäunen und Hecken (περί um und φραγμός der Zaun) wächst und herabhängende Blüthen besitzt, Periphragmos dependens, ein Name der, da L. A. v. Jussieu schon dafür das Genus Cantua 1774 aufgestellt hatte, von Persoon in Cantua dependens umgeändert wurde. 1783 jedoch hatte de la Marck (gewöhnlich Lamarck geschrieben) schon einen Zweig der Pflanze, der in den Jahren 1747 bis 1750 von Jos. Jussieu in Peru gesammelt war, bereits in A. L. Jussieu's Herbar gesehen. Das Exemplar scheint aber leider nur die obern ganzrandigen Blätter besessen zu haben; denn de la Marck nannte die Pflanze, weil die letztern seiner Meinung nach eine Aehnlichkeit mit denen unseres Buchsbaumes hatten und er daher die tiefer stehenden und dreitheiligen nicht kannte, Cantua buxifolia, ein Name, der, wie Planchon in Flore des Serres (Tom. VII, p. 11) bemerkt, obwohl früher gegeben, nicht angenommen werden darf, da er, der unrichtigen Bezeichnung halber, leicht zu Irrungen führen kann. Den Genus-Namen, der peruanischen Benennung entlehnt, hatte übrigens A. L. Jussieu, der Gründer des heutigen natürlichen Systemes, was übrigens sein Oheim Bernhardt im Garten zu Trianon zuerst aufgestellt und in Anwendung gebracht, schon 1774 gegeben.

Cantua bildet mit Phlox, Collomia, Navaretia, Gilia, (zu der auch Leptosiphon und Ipomopsis gehören) Polemonium, Loeselia, Caldasia und Cobaea die Familie der Polemoniaceen, die vorzugsweise in Amerika, und zwar zunächst die krautartigen auf der nördlichen Hälfte, wachsen. Man kennt bis jetzt gegen 140 Arten. Während die etwas abnorm stehende Cobaea eine Liane ist, gehören zu Cantua nur strauchartige Pflanzen.

So schön der Zauberbaum mit hängenden Blüthen ist, so schwierig ist doch bis jetzt seine Kultur gewesen. Seit 7 Jahren, hauptsächlich durch Veitch in England und durch van Houtte in Belgien verbreitet, kam er schnell in den Besitz der botanischen Gärten sowohl, als vieler Pflanzen- und Blumenliebhaber. Da er aber fast nirgends zum Blühen gebracht wurde, so scheint man ihn allmählig vernachlässigt zu haben. Damit ging er natürlicher Weise bald wiederum für die meisten Gärten verloren und gehört deshalb bereits zu den seltenern Pflanzen. Vor einem Paar Jahren hat er übrigens ebenfalls in dem Gewächshause des Kaufmann's Mor. Reichenheim zu Berlin geblüht.

Seit mehrern Jahren besitze auch ich mehre Exemplare der Cantua dependens, die, da sie eben nicht blühen wollten, ich nicht weiter berücksichtigte. Es war wohl ganz natürlich, dass ich bei der grossen Zahl von Pflanzen, welche unter meiner Leitung stehen, meine Zeit lieber solchen Arten vorzugsweise zuwendete, wo ich Erfolg hatte. So waren einige Exemplare der Cantua dependens Jahre lang in kleinen Töpfen fast unberührt geblieben.

Endlich wollte ich doch einmal im vorigen Jahre, wo ich Näheres über die schönen Blumen erfahren hatte, versuchen, ob es mir trotzdem nicht gelingen sollte, die Pflanze zum Blühen zu bringen. Ein zwar mageres, aber doch gesundes Exemplar wurde in freien Grund gebracht, wo es sich zu meiner Freude bald erstarkte und üppig gedieh. Ein zweites Exemplar that ich in einen etwas grössern Topf, der mit einer Mischung von feinsandiger Haide- und leichter, sandiger Rasenerde gefüllt war.

Die prächtige und ausserordentlich üppig-wuchernde Pflanze im Freien, von der ich mit Zuversicht hoffte, dass sie blühen würde, wurde im September ausgehoben, eingetopft und der Pflege eines Gehülfen übergeben. Leider hat man im Herbste, wo man alles wieder in die Häuser bringen muss, so viel zu thuen, dass man dem Einzelnen nicht immer die Sorgfalt widmen kann, als man wünschte und als es auch gut ist. Nach mehrern Wochen fand ich den peruanischen Zauberbaum halb vertrocknet und vom Winde zerfetzt, mit einem Worte, in dem kläglichsten Zustande. Es blieb mir weiter nichts übrig, als die jungen verwelkten Triebe ganz wegzuschneiden, um wenigstens die Pflanze zu retten. Unter solchen Umständen war an ein Blühen nicht mehr zu denken, denn die kürzern Seitentriebe scheinen dieses nicht zu thuen.

Das andere kleine Exemplar, was sich in einem 5-zölligen Topfe befand, erhielt mit andern Pflanzen für den Sommer im Kiesbeete seinen Stand und zwar im Halbschatten, bekam aber sonst weiter keinen Schutz. Im Winter stand es in einem Kamellien-Hause nahe am Fenster, wo es ohngefähr im Durchschnitt nur eine Wärme von 4—5 Grad R. erhielt. Anfangs Februar zeigten sich bereits eine Menge Blüthenknospen, die aber leider, wahrscheinlich wegen Mangel an Nahrung in dem kleinen Topfe, zum Theil bald schon wiederum abfielen. So blieben an jedem Zweige an der Spitze, je nach deren Stärke, 7, 6, 5, 4, 3 und selbst auch nur 2 Blüthen, die aber um desto vollkommener sich entwickelten.

Es unterliegt keinem Zweifel, dass Cantua dependens, von der übrigens im Vaterlande auch eine Abart mit weissen Blumen geben soll, mit ihren grossen, 2 Zoll und mehr langen und rothen Blüthen vielen Fuchsien, deren Blumen ebenfalls eine lange Röhre haben, wie Fuchsia splendens, corymbosa u. s. w. an die Seite gestellt und eben so verwendet werden kann. Ihre Kultur möchte vielleicht gar nicht so schwer sein, als man bisher glaubte. Mir scheint es zunächst, als wenn man die Pflanze im Allgemeinen zu warm gehalten hätte. Ohne Zweifel gehört sie im Sommer ins Freie, vielleicht grade zu ins freie Land, damit sie sich für ihre Blüthen erstarkt.

Ich werde in diesem Jahre wiederum Versuche mit ihr anstellen und dann später meine Resultate in der Gartenzeitung veröffentlichen. Es wäre jedoch sehr zu wünschen, dass auch andere Gärtner und Pflanzenliebhaber ein Gleiches thäten. Die Pflanze verdient es gewiss in hohem Grade und würde, gelänge ihre leichtere Kultur, ein grosser Gewinn für unsere Häuser werden.

Robinia hispida L. und macrophylla Schrad.

Zu den schönsten Blüthengehölzen im Juni gehören zwar ohne Zweifel die Robinien insgemein, aber bei R. hispida L. und macrophylla Schrad. übertreffen die Blumen noch an Grösse und Schönheit die der übrigen Arten. Nur Schade, dass R. hispida, welche in den Gärten übrigens weit mehr bekannt ist, als R. macrophylla, nicht allenthalben gut fortkommt und wegen ihrer zerbrechlichen Aeste von Wind und Wetter oft leicht beschädigt wird. Am Besten gedeiht die Pflanze deshalb an Spalieren und an Mauern, also im Schutz, und hat daselbst an ruhigen Lagen in der Regel eine solche Fülle von Blüthentrauben, wie sie unseres Wissens nach nur noch Wistaria (Glycine) chinensis besitzt. Beide Pflanzen neben einander gebracht, rufen, die letztere mit ihren mehr violetten, die Robinia hispida hingegen mit ihren rothen Blumen zur Zeit der Blüthe einen solchen Effekt hervor, wie keine andere Zusammenstellung von Blüthensträuchern.

Robinia macrophylla hat vor R. hispida dadurch einen Vorzug, dass ihre Aeste weniger zerbrechlich sind und dass Wind und Wetter deshalb auch weniger Einfluss auf sie ausüben können. Aus dieser Ursache möchten namentlich Garten- und Parkbesitzer, deren Anlagen den Winden mehr ausgesetzt sind, bei Anpflanzungen sich lieber der R. macrophylla als der R. hispida bedienen. Beide Pflanzen unterscheiden sich übrigens nur wenig von einander und sind wahrscheinlich specifisch gar nicht verschieden. Gewöhnlich werden sie auch nur in den Büchern als Abarten aufgeführt. Robinia hispida besitzt mit Ausnahme des allmählig ins Weisse übergehenden Kieles ein mehr reines Roth, was bei R. macrophylla hingegen durch eine schöne Rosenfarbe vertreten wird.

Der Hauptunterschied zwischen beiden Pflanzen liegt jedoch darin, dass bei R. hispida der obere Theil der Aeste, die Sommertriebe, die Blüthenstiele und, aber in schwächerem Grade, der Kelch mit rothen, ziemlich steifen Borsten besetzt sind, während bei R. macrophylla die Spitzen der Aeste ganz glatt, die Sommertriebe aber fein weichhaarig, und die Blüthenstiele, so wie der Kelch, mit kurzen, ebenfalls gefärbten Drüsenhaaren, die sich aber nicht, wie bei R. hispida in steife Borsten umwandeln, überzogen erscheinen. Ferner sind bei R. hispida die Blattstiele und die Unterfläche der Blätter, wenigstens in der ersten Zeit des Sommers, weichhaarig, was bei R. macrophylla nicht der Fall ist; dagegen übertreffen die Blätter der zuletzt genannten Pflanze die der ersteren etwas an Grösse.

Es unterliegt wohl keinem Zweifel, dass die Robinia rosea Ell., eben so wie die R. hispida β. rosea Pursh, von der Schrader'schen Pflanze nicht verschieden sind, obwohl beide oft neben einander in englischen Pflanzen-Verzeichnissen, auch in Loudon's Encyclopädia of Plants, aufgeführt wurden. Endlich gehört ebenfalls zur grossblättrigen Abart die Pflanze, welche der Graf von Hofmannsegg in dem 3. Nachtrage zu seinem Pflanzen-Verzeichnisse als R. glabrescens aufgeführt hat.

Wenn auch Robinia hispida nicht schon, wie die gewöhnliche Robinia Pseudacacia L. seit dem Jahre 1601, wo nach Duhamel der erste Samen an Johan Robin, dem Vater, dem Gärtner König Heinrichs IV., gesendet wurde, oder andern Nachrichten nach seit dem Jahre 1635, wo Valentin Robin, der Sohn, den Samen aus Nordamerika erhielt, also über 2 Jahrhunderte in Europa kultivirt wird, so ist sie doch ebenfalls über ein Jahrhundert schon wenigstens in England, und wird bereits in Philipp Miller's Gärtner-Lexikon aufgeführt.

Die Ehre der Entdeckung und der Einführung gehört dem bekannten Botaniker des vorigen Jahrhundertes Marc. Catesby, der auf Veranlassung seiner beiden Freunde Sherard und Sloane im Jahre 1722 nach den südlichen Staaten Nordamerika's ging und 4 Jahre lang daselbst Pflanzen und Thiere sammelte. Die Resultate dieser Reise sind in einem besonderen Werke: the natural History of Carolina, Florida and the Bahama-Islands, London 1731 und 1743, bekannt gemacht, und findet man auch die Robinia hispida unter den 407 abgebildeten Pflanzen, und zwar in der Appendix als Pseudacacia hispida floribus roseis und auf der 20. Tafel abgebildet. Nach Loudon's Encyclopädie ist das Jahr 1743, nach Loudon's Arboretum et Fruticetum britannicum aber erst das Jahr 1758 das der Einführung; es ist jedoch sehr wahrscheinlich, dass Catesby die Pflanze bei seiner Rückkehr 1726 schon mitbrachte. In Deutschland muss sie bereits in den 60ger Jahren gewesen sein, da sie Duroi schon kennt.

Später in den 80ger Jahren des vorigen Jahrhundertes bereiste der bekannte Wilh. Bartram wiederum Carolina und fand ebenfalls die Robinia hispida, nannte sie aber Robinia montana. Linné hält auch die Pflanze, welche der ältere Jacquin während seiner Reise nach Westindien, während der Jahre 1754 bis 1759 in Carthagena sammelte und welche er in seinen amerikanischen Pflanzen auf der 179. Tafel abgebildet hat, für identisch, was jedoch nicht der Fall ist.

Neue Aronspflanzen oder Aroideen.

Von dem Professor Dr. Karl Koch.

(Fortsetzung der Abhandlung in Nr. 22.)

1. Anthurium Miquelanum C. Koch et Aug.

Diese Art wurde in der mehrmals erwähnten Appendix zum Samen-Verzeichnisse des botanischen Gartens in Berlin nicht allein nach jugendlichen Exemplaren, sondern auch noch ohne Blüthen, beschrieben.

Caulis abbreviatus; Folii lamina erectiuscula, medio recurvatula, elliptica, coriacea, supra nitens, petiolum superans; Costa mediana subtus acuta; Nervus antemarginalis; Pedunculus subtrigonus, antice acutissimus, longitudine folii; Spatha lineari-lanceolata, horizontalis, postremo reflexa, spadice atro-brunneo, curvatulo multo brevior; Germinis vertex breviter pyramidatum.

Diese Art, welche der Professor Miquel in Amsterdam der Augustin'schen Gärtnerei bei Potsdam mittheilte und aus Brasilien stammen soll, steht zwischen A. coriaceum Endl. und Willdenowii Kth, unterscheidet sich aber von dem ersteren durch dickere und ganz flache Blätter, von dem andern hingegen durch grössere, besonders breitere Blätter und durch kurze Blattstiele. Auch ist A. lanceolatum Kth, was übrigens meist als Anthurium reflexum in den Gärten vorkommt, keineswegs so stengellos, als Kunth angiebt, sondern macht noch mehr als A. Beyrichianum Kth einen Stamm. Anderntheils nähert sich die Pflanze auch dem Anthurium trinervium Kth, was aber eine eirunde Blattbasis, in der 3 Nerven ihren Ursprung haben, besitzt. Sehr ähnlich ist endlich A. Miquelanum mit Pothos parasitica der Flora Fluminensis (Tom. IX, t. 121), wenn nicht dieselbe Pflanze

Der Stamm besteht aus einer Reihe rasch auf einander folgender Internodien und wird noch von den anfangs grünlich-weissen, später braunen und trockenen, aber stets ganzen Blattscheiden umgeben. Die schmutzig-ocherfarbigen Luftwurzeln stehen einzeln. Die 1½ bis 2 Fuss lange, aber in der Mitte 8—9 Zoll breite und sich nach beiden Seiten verschmälernde Blattfläche besitzt einen doppelt und selbst vierfach kürzern Stiel, so wie eine lederartige Konsistenz und ist oben etwas glänzend grün, unten hingegen wenig heller. Die Mittelrippe steht oben weniger hervor als unten, aber läuft auf beiden Flächen in eine scharfe Kante aus. Von ihr gehen ziemlich abstehend 25 bis 30 Seitennerven aus und werden von einem ringsherum sich ziehenden Randnerven aufgenommen. Eine Aderung ist nur wenig sichtbar.

Der bräunlich-grüne, 1—1½ Fuss lange, aber nur 3½ Linien im Durchmesser enthaltende Blüthenstiel ist ungleich 3-seitig, so dass die vordere Kante in eine sehr scharfe, fast geflügelte Leiste ausläuft, während die Rückenseite am schmalsten und wenig gewölbt ist. Die grünlich-braune Blumenscheide hat eine schmal-lanzettliche Form und steht im Anfange ziemlich wagerecht ab, schlägt sich aber später mehr oder weniger zurück. Sie ist fast um die Hälfte kürzer als der 5 Zoll lange, etwas gekrümmte und ganz dunkelbraune Kolben, der an seiner Basis kaum mehr als 2 Linien lang nicht mit Blüthen besetzt erscheint. Nur an seinem obern Ende verschmälert er sich; sonst ist er walzenförmig und besitzt einen Durchmesser von 4 bis 4½ Linien. Aus den braunen Blättern der Blüthenhülle ragt der kurz-pyramidenförmige Scheitel des Fruchtknotens hervor.

2. Anthurium Augustinum C. Koch et Lauche.

Diese wegen ihrer schönen und auf der Oberfläche glänzenden Blätter ganz besonders zu empfehlende Art hat seit der Zeit, wo ich sie zuerst in der Appendix zum Samenverzeichnisse des botanischen Gartens zu Berlin für das Jahr 1855 beschrieb, nun auch ordentlich geblüht; ich kann demnach jetzt die Beschreibung des Blüthenstandes der der übrigen Pflanze hinzufügen.

Caulis abbreviatus: Folii lamina denique horizontalis, ovata-lanceolata, basi vix cordata, sed septem-nervia, coriacea, supra nitida: Nervus antemarginalis; Pedunculus longitudine foliorum; Spatha horizontalis, recurvata in cuspidem convolutam contracta, lanceolata, supra brunnescens, subtus viridis; Spadix sessilis, brunneus: Germinis pars suprema emergens.

Anthurium Augustinum gehört zwar zur Gruppe der fingernervigen Arten, besitzt aber eine nur wenig herzförmige Basis und ist deshalb dem A. tri- und quinquenervium Kth., mit denen es sich der Gruppe mit verlängerten Blättern, welche aber einen deutlichen Randnerven haben, nähert, verwandt. Luftwurzeln der Insertion eines Blattes gegenüber sind 2 oder 3 vorhanden. Der 4—6 Linien dicke und bis 1½ Fuss lange Blattstiel ist auf seiner vordern Seite schwach gefurcht.

Das schöne Blatt hat bei einer Länge von 1½ Fuss und mehr oberhalb der etwas herzförmigen Basis eine Breite von 6 Zoll und besitzt auf der, wie schon gesagt, glänzenden Oberfläche eine gesättigt-grüne Farbe, welche auf der matten Unterfläche jedoch weit heller ist. Seine Form ist eine elrund-lanzettförmige, die Substanz aber eine dick-lederartige. Die Mittelrippe ist auf der Oberfläche sehr hervortretend, auf der Unterfläche hingegen abgerundet. Von den 3 auf jeder Seite der Basis entspringenden Nerven verlaufen die beiden äussern in dem Rande selbst, während der innere und der Mittelrippe am Nächsten stehende einen bis zur Spitze des Blattes sich hinziehenden Randnerven bildet. Zwischen den 24—30 schwachen Seitennerven ist kaum eine Aderung sichtbar.

Der meist dunkelgrüne Blüthenstiel hat die Länge der Blattfläche, während die lanzettförmige und oben braune unten grüne Blüthenscheide in eine besondere Spitze zusammen gezogen erscheint und etwas abwärts steht. Bei 8—10 Linien Breite an der Basis besitzt sie meist eine Länge von 3½ Zoll. Wenig länger ist der walzenförmige, 5 bis 6 Linien dicke und sehr wenig gekrümmte Kolben, der ausserdem eine dunkelbraune Farbe besitzt und ungestielt ist. Blüthen und Fruchtknoten mit kurz pyramidenförmigem und herausragenden und dunkelbraunem Scheitel haben eine 4-eckige Gestalt. Die Narbe ist punktförmig.

3. Anthurium Selloum C. Koch.

Subacaule; Folii lamina leviter cordata, elongata, pergamenea, basi 7—9-nervia, patula aut erecta: Nervi laterales patentes, in margine ipso arcuatim confluentes, ideoque Nervus antemarginalis manifestus nullus; Petiolus compressiusculus, ad apicem tumore crasso brevi praeditus; Spatha lanceolata, spadice cylindrico, purpureo-brunneo duplo brevior.

Eine ganz eigenthümliche Art, welche sich schon seit langer Zeit in einem Warmhause des Hofgärtners H. Sello in Sanssouci bei Potsdam befindet, leider aber noch gar keine Verbreitung erhalten hat. Im Ansehen hat sie einige Aehnlichkeit mit den gross- und langblättrigen Arten aus der Abtheilung der Marginalia, besonders mit A. crassinervium Schott und varians Miqu., in so fern letztere sich in der That specifisch von der ersten unterscheidet, gehört aber zu der Gruppe der Digitinervia, wo es dem A. quinquenervium Kth angereihet werden muss. Das Vaterland ist unbekannt, wohl aber möchte es Brasilien sein.

Ein Stamm scheint sich nicht besonders zu entwickeln, da selbst in ziemlich alten Exemplaren die Internodien ausserordentlich kurz sind. Bemerkenswerth sind die lanzettförmigen Blattscheiden, die zuletzt braun und trocken werden und ein fasrig-netzförmiges Gewebe bilden. Der Blattstiel ist bald kurz, bald aber auch sehr lang und der Länge der Blattfläche fast gleichend. Er ist von der Seite etwas zusammengedrückt und besitzt an der Basis einen kurzen Scheidentheil, an der Spitze hingegen eine ebenfalls kurze Anschwellung. Die über 1½ Fuss lange, aufrecht oder wenig abstehende und hart-pergamentartige Blattfläche hat von der herzförmigen und meist etwas kappenförmig-eingerollten Basis bis zur Mitte eine Breite von 9 Zoll, läuft aber von da an lanzettlich nach der Spitze. Die Oberfläche besitzt eine freudig-, die Unterfläche hingegen eine gelblich-grüne Farbe. Die Herzohren sind kurz, bisweilen sehr wenig hervortretend. Die Mittelrippe ist auf der Ober- und Unterfläche des Blattes abgerundet. An ihrer Basis entspringen auf jeder Seite 3 oder 4 Nerven, welche in dem Blattrande selbst endigen. Von den von der Mittelrippe ausgehenden Seitennerven verlaufen die unteren ebenfalls in dem Rande, während die obersten noch eine Art Randnerv bilden. Das Adernetz tritt besonders bei getrockneten Blättern sehr hervor, eben so wie bei Anthurium crassinervium Schott (Willdenowii unserer Gärten).

Der rundliche und nur gegen die Basis hin mit einer leichten Rinne versehene Blüthenstiel erreicht oft die Länge von 2½ bis 3 Fuss und besitzt eine hellgrüne, schmal-lanzettförmige und undeutlich 9-nervige Blüthenscheide, die mehr oder weniger absteht, und einen doppelt längern, oben etwas gekrümmten und ziemlich walzenförmigen Kolben. Der kurz kegelförmige Scheitel des sonst viereckigen Fruchtknotens ragt aus den ebenfalls roth-braunen Blüthenblättern hervor.

4. Anthurium Boucheanum C. Koch.

Subacaule; Folii lamina erectiuscula, late cordato-lanceolata, coriacea, septemnervia, nitida, petiolum gracilem subaequans, auriculis magnis, erectis, rotundatis; Nervus antemarginalis manifestus, nervos laterales complures sibi adjungens. Tumor ad apicem petioli longiusculus, viridis.

Schon seit sehr langer Zeit wird in dem botanischen Garten zu Berlin und, wie es scheint, auch sonst, z. B. in Herrenhausen bei Hannover, ein sehr hübscher Blüthenschweif mit mittelmässig-grossen und glänzenden Blättern unter dem Namen Anthurium cartilagineum Kth kultivirt. Diese Pflanze, welche aus Pothos cartilaginea Desf. gebildet wurde, wurde zu Anfang dieses Jahrhunderts in Paris kultivirt, scheint aber jetzt ganz und gar verloren gegangen zu sein. Des Fontaines hat leider nur eine sehr karge Diagnose gegeben, nach der die Art wohl kaum noch entziffert werden könnte; da er sie aber mit Pothos cordata Willd. (Anthurium cordifolium Kth) vergleicht und ihre Blätter noch länger als bei dieser Art sein lässt, so muss sie von dem weit kleineren Anthurium cartilagineum der heutigen Gärten durchaus verschieden sein.

Die Pflanze scheint sehr langsam zu wachsen und fast gar keinen Stamm zu bilden. Der dünne, 8—12 Zoll lange und 3 Linien dicke Blattstiel hat nach vorn eine leichte Furche und trägt eine höchstens Fuss lange, an der Basis 7 Zoll breite und herzförmig-lanzettliche Fläche von dicklederartiger Konsistenz und gesättigt-grüner, glänzender Farbe. Von der mässig-hervortretenden und auf der Ober- und Unterfläche abgerundeten Mittelrippe entspringen zahlreiche und rasch auf einander folgende Seitennerven, die sich sämmtlich in einem Randnerven verlieren. Von den 3 auf jeder Seite des Mittelnervens von der Basis des Blattes aus entspringenden Nerven verlaufen die beiden äussern in die grossen, abgerundeten und einander genäherten Herzohren und von ihnen theilt sich wiederum der äusserste in 2 und 3 Aeste, während die dritten und innersten den bereits oben bezeichneten Randnerven bilden. Das Adernetz ist deutlich und tritt bei getrockneten Blättern noch weit mehr hervor.

Leider ist trotz der mehrfachen Exemplare, welche in Berlin, Potsdam und sonst kultivirt werden, mir bis jetzt noch kein blühendes zu Gesicht gekommen, weshalb auch die Beschreibung der Blüthen hier nicht gegeben werden kann.

5. Anthurium Laucheanum C. Koch.

Subcaulescens; Folii lamina horizontaliter patens, oblongo-lanceolata, coriacea, basi quinquenervis, nitida, petiolo gracili vix longior, auriculis mediocribus, rectis praedita; Nervus antemarginalis manifestus, nervos laterales utrinque 7 sibi adjungens; Tumor ad apicem petioli longiusculus, pallide brunneus; Spatha late lanceolata, reflexa, spadice breviter stipitato fere duplo brevior.

Eine kleinere Art mit herzförmigen und lederartigen Blättern, welche die Augustin'schen Gärtnerei von de Jonghe in Brüssel erhielt. Sie steht dem Anthurium Boucheanum C. Koch (cartilagineum der Gärten) und dem A. cordatum C. Koch et Sello am Nächsten, unterscheidet sich aber von beiden durch die mehr wagerecht abstehende und länglich-lanzettförmige Blattfläche und durch die bräunliche Anschwellung am Ende des Blattstieles. Die zuletzt genannte Art hat auch eine sehr breite, eirunde und zugespitzte, so wie nur abstehende Blumenscheide.

Der Stamm scheint unbedeutend zu sein, möglich jedoch, dass er sich mit der Zeit mehr hebt. Der schlanke, bräunlich-grüne und feingestrichelte Blattstiel die Länge eines Fusses, die Dicke aber nur von 3 Linien. Nach vorn hat er eine leichte Rinne, während die fast zolllange Anschwellung an seinem obern Ende eine hellbräunliche Farbe besitzt. Die länglich-lanzettförmige Blattfläche ist oben gesättigt-dunkelgrün, unten aber viel heller, auf beiden Seiten glänzt sie aber sehr. Die Länge beträgt 1 Fuss, die Breite hingegen etwas mehr als die Hälfte. Aus der Basis des Blattes entspringen 5 Nerven, zu denen sich bisweilen noch 2 äusserste, aber oft undeutliche dicht am Rande der mittelmässigen, sich von der breiten Basis aus verschmälernden, aber immer abgerundeten Herzohren hinlaufende gesellen. Der mittelste auf jeder Seite steigt nach oben, um den Randnerven zu bilden, während der äussere einfach bleibt und nur die Basis der Blattohren durchläuft. Wenig deutliche Seitennerven sind auf jeder Seite 4, höchstens 5 vorhanden.

Der etwas zusammengedrückte und schlanke Blüthenstiel ist 1¼—1½ Fuss lang, aber nur 2½ Linien dick, und besitzt einen bräunlichen Anstrich. Wenig abstehend und nur sehr kurz gestielt befindet sich der 2 Zoll lange, kaum 4 Linien dicke und grau-grünliche Kolben, an dem zwischen den Blüthenblättern der wenig konvexe, bräunliche Fruchtknoten wenig hervorragt. Die breitlanzettförmige und zurückgeschlagene Blüthenscheide ist zwar hellgrün, besitzt aber, besonders in der Mitte, einen bräunlichen Anstrich.

6. Anthurium polyrrhizum C. Koch et Aug.

Caulis assurgens, lente scandens; Radiculae velatae complures, tenues, circumpositae; Folii lamina cordato-lanceolata, septemnervia, sub-pergamenea, denique sub-horizontalis, petiolum gracilem vix subaequans; Auriculae longae, approximatae, latere interiore excisae. Pedunculus petiolo brevior; Spatha lanceolata, reflexa, longitudine spadicis lilacino-rubicundi.

Eine sehr schöne Art mit kurzem Stamme und wegen der zahlreichen, dünnen, grau- oder bräunlich-grünen Luftwurzeln, welche meist horizontal abstehen, von einem ganz eigenthümlichen Ansehen. Die Substanz des Blattes ist pergamentartiger als bei den sonst ähnlichen Arten: A. costatum C. Koch et Bouché, ochranthum C. Koch und rubrinervium Kth. Leicht zu erkennen ist übrigens auch diese wahrscheinlich aus Brasilien stammende Art der Augustin'schen Gärtnerei an dem bräunlich-röthlichen Anflug der eben sich entwickelnden Blätter, was sie mit A. nymphaefolium C. Koch et Bouché gemein hat.

Der Stamm steigt, wie bei den genannten 3 Arten, nur langsam, die Internodien sind jedoch mehr oder weniger von der scheidenartigen Basis des dünnen und Fuss langen, aber nur 2—3 Linien dicken Blattstieles bedeckt. Die länglich-zugespitzte und herzförmige Blattfläche besitzt die Länge von 1½ bis 2 Fuss, oberhalb der Basis jedoch nur die Breite von gegen 9 Zoll. Ihre Farbe ist ein freudiges, aber mehr helleres Grün, was auf der Unterfläche noch bleicher ist. Die oben wenig hervortretende Mittelrippe ist auf der Unterfläche abgerundet. An ihrer Basis entspringen auf jeder Seite 3 Nerven, von denen der äusserste in die Blattohren hinabsteigt und zwar mit 3 Aesten, während von den beiden andern der innerste an seinem obern Theile einen Randnerven bildet, der jedoch gegen die Spitze hin sich dem Rande sehr nähert und sämmtliche von der Mittelrippe ausgehende Seitennerven aufnimmt. Die Aderung tritt zwar nicht hervor, ist aber doch deutlich. Die beiden Herzohren an der Basis des Blattes sind ziemlich 3 Zoll breit und lang und auf der nach innen stehenden Seite ausgeschweift, so dass eine längliche Oeffnung sich bildet. Der schlanke Blüthenstiel ist ohngefähr einen Fuss lang, erreicht demnach die Länge des Blattstieles bis zu zwei Drittel. Die lanzettförmige Scheide steht anfangs horizontal ab, rollt sich aber zeitig rückwärts zusammen und hat eine grüne Farbe, die zu der lila-fleischfarbenen des eben so langen Kolbens ganz eigenthümlich absticht.

Verlag der Nauckschen Buchhandlung. Berlin. Druck der Nauckschen Buchdruckerei.

No. 25. Sonnabend, den 20. Juni. 1857

Preis des Jahrgangs von 52 Nummern mit 12 color. Abbildungen 6 Thlr., ohne dieselben 5 „
Durch alle Postämter des deutsch-österreichischen Postvereins sowie auch durch den Buchhandel ohne Preis-Erhöhung zu beziehen.

Mit direkter Post übernimmt die Verlagshandlung die Versendung unter Kreuzband gegen Vergütung von 26 Sgr. für Belgien, von 1 Thlr. 8 Sgr. für England, von 1 Thlr. 22 Sgr. für Frankreich.

BERLINER Allgemeine Gartenzeitung.

Herausgegeben vom

Professor Dr. Karl Koch,

General-Sekretair des Vereins zur Beförderung des Gartenbaues in den Königl. Preussischen Staaten.

Inhalt: Die Franciseeen der Gärten. Von dem Professor Dr. Karl Koch und dem Obergärtner Reinecke. — Die Holder-Schwertlilie (Iris sambucina L.) mit ihren Formen, besonders die Ockermann'sche und der Harlequin. — Journal-Schau: Flore des Serres et des Jardins de l'Europe par Decaisne et van Houtte. Annales d'horticulture et de botanique ou Flore des Serres des Pays-Bas par de Siebold et de Vriese. Belgique horticole par Ch. et Ed. Morren.

Die Franciseeen der Gärten.

Von dem Professor Dr. Karl Koch und dem Obergärtner Reinecke.

Zu den bessern Pflanzen der temperirten Gewächshäuser gehören wegen ihres Laubes sowohl, als wegen ihres Ansehens, so wie wegen ihrer meist grossen und langdauernden Blüthen, die in der Regel eine prächtige himmelblaue, häufig aber auch sich bisweilen mehr oder weniger ins Violette sich neigende Farben haben, die Franciseeen. Das Verdienst, zuerst auf sie aufmerksam gemacht und mehre Arten direkt aus Brasilien eingeführt zu haben, gehört dem leider verstorbenen Professor Pohl in Wien und dem Direktor Schott in Schönbrunn bei Wien. Die Verheirathung einer österreichischen Prinzess nach Brasilien war die Ursache, dass von Oesterreich aus eine wissenschaftliche Expedition unter Pohl, Natterer und Schott, von Bayern aus eine zweite unter Spix und Martius im Jahre 1817 dahin ausgerüstet und abgesendet wurde, um das damals noch völlig unbekannte grosse Land in naturhistorischer Hinsicht zu erforschen.

Leider hat von jeder Expedition einer der Reisenden, von Oesterreich aus Pohl und von Bayern aus Spix, nicht lange die Freude gehabt, nach der Zurückkunft in Europa die Früchte der beschwerlichen Reise zu ärnten. Pohl starb im Jahre 1834 und Spix sogar schon 1826.

Die Resultate beider Reisen sind zum Theil veröffentlicht. Die österreichische Expedition ist in der Reise im Innern von Brasilien von Pohl in 2 Bänden, zu denen ein Atlas gehört, beschrieben, während die bayerische von Martius in 3 Bänden bearbeitet ist. Ausserdem sind von Pohl 200 illuminirte Tafeln neuer brasilischer Pflanzen herausgegeben worden, Martius hingegen hat in seinen nova genera et species plantarum 300 Tafeln illuminirter Abbildungen geliefert. Dazu kommen aber noch von Martius das schöne Werk über die Palmen Brasiliens und endlich die noch nicht beendete Flora von Brasilien.

Pohl beginnt seine Plantarum Brasiliae icones et descriptiones mit 7 Arten des Geschlechtes Franciscea. Gefühl des Dankes gegen seinen erhabenen Kaiser, Franz I, bestimmten ihn, eine Reihe schöner Gehölze nach dem Namen dessen, auf dessen Befehl die Expedition ausgerüstet worden war, zu benennen. Obgleich die Franciseeen durch ihre blauen und im Durchschnitte weniger langröhrigen Blüthen sich sehr leicht von den Brunfelsien, die sich durch gelbliche Blumen mit sehr langer Röhre auszeichnen, unterscheiden, so kann doch nicht die Farbe der Blumenkrone allein hinlänglich Grund sein, um ein Genus aufzustellen. Aus dieser Ursache hat Bentham, der sich um die grössere und bessere Kenntniss der Personaten oder Scrophularineen ein grosses Verdienst erworben, das Genus Franciscea Pohl's wiederum mit Brunfelsia vereinigt, nachdem er gefunden, dass der ausserdem angegebene Unterschied, wornach die Francisceen fleischige, die Brunfelsien lederartige Kapseln besitzen sollten, nicht durchgreifend ist.

Die Brunfelsien haben ihren Namen von dem Schweden Olaff Swartz zu Ehren des in Mainz geborenen Botanikers Otto Brunfels, der zuerst, und zwar schon im Jahre 1532, einiger Massen taugliche Abbildungen einheimischer Pflanzen herausgab und 2 Jahre später in Bern, wo er Arzt war, starb. Nach seinem Tode, nämlich 1536, erschien zu den beiden vorhandenen Bänden noch ein dritter.

Die Arten der Brunfelsia stehen denen der Browallia unbedingt am Nächsten, unterscheiden sich aber wesentlich durch die Staubgefässe, die bei Brunfelsia Beutel haben, deren Fächer zuletzt da, wo sie zusammenstossen, in einander übergehen. Bei Browallia verkümmert das eine Fach der beiden kürzern Staubgefässe, während bei den längern es sich vollständig entwickelt. Auch sind hier die Staubfäden wollig-behaart. Mit Duboisia, Anthocercis, Schwenkia, Salpiglottis, Schizanthus und einigen andern Geschlechtern von geringerer Bedeutung bilden die Brunfelsien und Browallien in der Familie der Scrophularineen die Unterfamilie der Salpiglossideen, welche sämmtlich schöne grosse Blüthen mit präsentirteller- oder weniger glockenförmiger Krone mit stets etwas unregelmässigem Saume haben, den Solanaceen sehr nahe stehen und sich von den übrigen Personaten durch den anfänglich stets centrifugalen Blüthenstand unterscheiden.

Die Zahl sämmtlicher Brunfelsien, die man bis jetzt kennt, beträgt 22; davon sind nicht weniger als 17 Francisceen, d. h. haben blaue Blüthen. Ob jedoch alle Arten, die man bis jetzt anerkennt, sich als solche bei genauerer Untersuchung rechtfertigen lassen, steht dahin; wahrscheinlich ist es, dass Formen der Franciscea hydrangeaeformis Pohl als selbstständige Arten beschrieben sind. Die ächten, also gelbblühenden Brunfelsien gehören den westindischen Inseln, die Francisceen hingegen mehr dem Festlande des tropischen Südamerika, hauptsächlich Brasilien, an.

Für die Gewächshäuser sind besonders die grossblumigen: B. hydrangeaeformis Benth. mit den verwandten Arten, latifolia Benth. und calycina Benth. zu empfehlen, obwohl auch die andern, als confertiflora Benth., von der F. ramosissima Benth. kaum specifisch unterschieden sein möchte, und Hopeana Benth., die meist mit dem Pohl'schen Namen Franciscea uniflora in unsern Gärten vorkommt, da wo man Raum genug hat, ebenfalls eine Zierde darstellen.

1. Brunfelsia hydrangeaeformis Benth.
Franciscea hydrangeaeformis Pohl.

Ein sehr hübscher Strauch, dessen Einführung man dem Direktor Schott in Schönbrunn verdankt und der in den nächsten Umgebungen von Rio Janeiro in Brasilien häufig wächst. Er bedarf deshalb bei der Kultur auch weit weniger Wärme als die andern, die wärmere Striche bewohnen. Die Art zeichnet sich durch ihre unbehaarten, härtlichen und grossen Blätter aus, die gegen das Ende des Stengels und der Zweige hin etwas gedrängt stehen, nur wenig abstehende und, wie die Aderung, besonders im trockenen Zustande auf der Unterfläche sehr hervortretende, auf der Oberfläche hingegen etwas eingesenkte Nerven besitzen. Sie haben ausserdem eine elliptische Gestalt, doch so dass das untere Drittel keilförmig sich verschmälert und allmählig in den sehr kurzen, bisweilen fast fehlenden Blattstiel übergeht. Die Farbe der Blätter ist auch mehr ein dunkeles Gelbgrün, was auf der Unterfläche selbst ein Graugrün ist. Die wohlriechenden Blüthen sind sitzend und stehen gedrängt an der Spitze der Zweige. Der röhrige Kelch erscheint nur um die Hälfte kürzer, als die Blumenröhre und ist, wie auch die Deckblätter, mit kleinen Härchen versehen. Er besitzt kurze Zähne.

2. Brunfelsia macrophylla Benth.,
Franciscea macrophylla Cham. et Schlecht.

Der vorigen sehr ähnlich und wohl gar nicht specifisch verschieden. Sie unterscheidet sich nur durch auf ihre Unterfläche behaarte Blätter, durch einen schlafferen Blüthenstand, durch kurzgestielte Blüthen und fast eine doppelt längere Blumenröhre. Hierher gehört ohne Zweifel die B. eximia Bosse (Franciscea eximia Scheidw.) als wenigblüthige Abart. Ob B. macrantha Bosse (Fr. macrantha Scheidw.) wiederum davon verschieden ist, wage ich nicht zu behaupten, da mir bis jetzt keine Original-Pflanzen vorgekommen sind; wahrscheinlich scheint es mir jedoch. Die Blumenkrone soll nicht weniger als 2½ Zoll im Durchmesser haben.

In der neuesten Zeit hat auch van Houtte in Gent eine Art unter dem Namen Franciscea grandiflora verbreitet. Brunfelsia grandiflora D. Don soll der B. latifolia ähnlich, ja selbst nach Bentham, der Original-Exemplare sah, gar nicht verschieden sein und ist daher eine andere Pflanze. Meines Erachtens nach bildet die van Houtte'sche Pflanze ein unbehaartblättrige Abart der Chamisso'schen Franciscea macrophylla, die der unglückliche Berliner Reisende Sello (dessen Name gewöhnlich falsch Sellow geschrieben wird und der beim

Uebersetzen über einen Fluss ums Leben kam) im tropischen Brasilien sammelte. Auch die Blumenröhre ist noch länger als bei genannter Pflanze und übertrifft dreimal an Länge den Kelch, der übrigens ebenfalls, wie jene, mit kurzen und drüsigen Haaren besetzt erscheint. Eine Pflanze blüht eben in dem Borsig'schen Garten in Moabit bei Berlin.

Brunfelsia capitata Benth. ist eine fünfte Art aus der Abtheilung der Franciseeen mit grossen und härtlichen Blättern. Sie besitzt wiederum einen dichten Blüthenstand ohne alle Behaarung an Deckblättern, so wie an Kelch und Blumenröhre. Ausserdem finde ich in der Beschreibung keinen andern Unterschied, um sie von B. hydrangeaeformis Benth. zu trennen.

3. Brunfelsia calycina Benth.
Franciscea calycina Hook.

In der Flora Fluminensis, und zwar im 6. Bande auf der 81. Tafel, ist bereits unter dem Namen Besleria inodora eine Franciscea mit einigen wenigen, aber schönen und grossen Blüthen abgebildet, welche später von mehreren brasilianischen Reisenden ebenfalls gesammelt wurde. Hooker bildete sie vom Neuen im botanical Magazin auf der 4356. Tafel ab. Seit wenigen Jahren befindet sie sich auch im botanischen Garten bei Berlin ohne Namen und blühte in diesem Jahre zum ersten Male. Sie wurde aus Hamburg bezogen. Es ist eine schöne Pflanze, welche man allen Gewächshausbesitzern empfehlen kann.

Br. calycina Benth. zeichnet sich durch den langen, röhrigen und völlig unbehaarten Kelch aus, aus dem die Blumenröhre nur wenig herausragt. Der flach ausgebreitete und etwas schiefe Saum hat einen Durchmesser von über 2 Zoll, weshalb er der der B. macrantha Bosse an Grösse gleicht. Die Blätter werden etwas lederartig angegeben; auf jeden Fall ist die Konsistenz derselben derber, als bei B. latifolia Benth. Ausgezeichnet sind sie durch die fast horizontal abstehenden Seitennerven, die selbst im getrockneten Zustande eben so wenig, wie die Aderung, hervortreten. Der Rand ist flach und die Farbe eine angenehm grüne. Ihre Grösse ist bedeutender, als bei eben genannter Art, aber geringer als bei B. hydrangeaeformis Benth. und den ähnlichen. Hinsichtlich der Gestalt kommen sie am Meisten mit denen der B. latifolia Benth. überein und sind demnach länglich oder auch elliptisch. B. bahiensis DC. fil. steht der B. latifolia Benth. gewiss sehr nahe.

4. Brunfelsia latifolia Benth.,
Franciscea latifolia Pohl.

Auch diese Art wurde schon in der Flora Fluminensis, und zwar im 6. Bande auf der 80. Tafel, als Besleria bonodora abgebildet. Bei unseren kultivirten Arten habe ich die Blumen nur schwach riechend gefunden. B. latifolia Benth. scheint hinsichtlich der Blätter und der Blüthen sehr zu ändern, denn allein in Berlin sind mir 3 Formen vorgekommen. Wenn man die Pflanze, welche Pohl in seinen brasilianischen Pflanzen im 1. Bande auf der 2. Tafel abgebildet hat, und wie sie auch schon vor längerer Zeit aus Schönbrunn bei Wien bezogen im botanischen Garten bei Berlin kultivirt wird, als Norm annimmt, so sind die länglichen, nach beiden Enden mehr oder weniger abgerundeten Blätter am Rande etwas wellenförmig. Von denen der B. calcynia Benth. unterscheiden sie sich durch eine geringere Grösse und durch eine hautartige Konsistenz. Die fast gar nicht hervortretenden Nerven stehen auch in einem Bogen aufwärts gerichtet, also nicht fast horizontal ab. Die kurzgestielten Blüthen sind zu 2—6, nach Bentham zu 6 bis 12, an der Spitze der Zweige beisammen und haben einen kurzen, becherförmigen, also offenen und völlig unbehaarten Kelch, von dem 2 Abschnitte höher verwachsen sind. Aus ihm ragt die 2 und 3 Mal längere Blumenröhre hervor und trägt einen flachen, aber ebenfalls etwas schiefen Saum von 1—1½ Zoll im Durchmesser.

Im botanischen Garten bei Berlin kultivirt man schon seit längerer Zeit eine Form mit zwar ebenfalls hautartigen, aber ganz flachen und elliptischen, also nach oben und unten mehr spitzzugehenden Blättern, mit einem weit offenern Kelche, so dass die Breite eben der Länge entspricht, und endlich mit etwas grösseren Blüthen. Ich habe sie als B. latifolia Benth. β. elliptica bezeichnet. Sie möchte aber kaum eine Abart darstellen, da auch andere Exemplare im botanischen Garten bei Berlin kultivirt werden, wo wenigstens die Blätter nach dem unteren Ende zu mehr spitz verlaufen.

Charakteristischer ist eine zweite Form und stellt gewiss eine mehr konstante Abart dar. Sie befindet sich in mehreren schönen Exemplaren in dem Garten des Geheimen Oberhofbuchdruckers Decker in Berlin und wurde von Low in Clapton vor ohngefähr 12 Jahren bezogen. Die Blätter sind nämlich ebenfalls ganz flach, aber weit derber und kommen hinsichtlich ihrer Konsistenz mit denen der B. calycina Benth. überein. Am obern Ende ziehen sie sich plötzlich zu einer dreieckigen Spitze zusammen. Ferner ist der Kelch noch einmal so gross, so dass er von der Blumenröhre kaum um die Hälfte überragt wird. Auch hierin nähert sich die Pflanze der eben genannten Art. Endlich scheint der Blumensaum einen grössern Durchmesser, selbst bis zu 2 Zoll, zu besitzen. Ich habe sie als B. latifolia Benth. γ. duriuscula bezeichnet.

Wahrscheinlich ist es mir, dass auch B. grandiflora Don nur eine Abart mit kurzem Kelche, aber mit um desto längerer Blumenröhre und grösserem Saume darstellt. Die Blätter werden hier zu einem halben Fuss Länge angegeben.

5. Die Kultur der Franciscéen.

Bei der Behandlung von Pflanzen hat der Gärtner vor Allem sich Gewissheit über die Art und Weise des Wachsthumes derselben zu verschaffen; fragt man hinsichtlich der Franciscéen, so erfährt man, dass diese hauptsächlich in Vorgehölzen an den Abhängen von mittlern Bergen und auf Hügeln, wo die Sonne ungehindert Zutritt hat, wachsen. Es betrifft dieses wenigstens die Arten, welche wir in unseren Gewächshäusern kultiviren; von diesen kommt keine auf dem Hochlande vor. Die meisten Franciscéen wachsen auch mehr im Süden von Brasilien in der Nähe und jenseits des südlichen Wendekreises und verlangen deshalb in unseren Gewächshäusern eine mässige Wärme der Luft, dagegen eine erhöhte des Bodens. Die erstere darf daher in der Winterzeit nicht mehr als höchstens 8, weniger aber auch nicht als 6 Grad betragen; es gehören also die Franciscéen zunächst in ein temperirtes Haus oder auch in ein Ananashaus, wo in dieser Zeit der Ruhe für diese Frucht-Pflanzen die Wärme nicht mehr beträgt. Man bringt sie dort in ein Beet, dessen Boden durch einen darunter weggehenden Kanal bis zu 10 Grad erwärmt ist. Wenn die Sonne darauf scheint, kommt die Luftwärme übrigens eben so hoch.

Die Franciscéen lieben, wie gesagt, offene Stellen, daher sie auch im Gewächshause möglichst nahe dem Fenster stehen müssen, um viel Licht zu haben. Erhalten sie dieses nicht und ist noch dazu eine höhere Wärme vorhanden, so spillern sie gern und es stellt sich, ehe man es ahnt, die grosse weisse Schmier- oder sogenannte Kaffee-Laus ein. Es ist das Erscheinen dieses unangenehmen und sehr schädlichen Insektes auf einer Pflanze überhaupt ein Zeichen, dass man zu warm kultivirt.

Feuchtigkeit lieben die Franciscéen durchaus nicht und muss man nur wenig und selten giessen. Wie sie viel Wasser erhält, treibt die Pflanze sogleich, wächst ins Laub und bringt nur wenige und kleinere Blüthen hervor. Im Januar verpflanzt man und fängt nun erst an, die Pflanze ein wenig wärmer zustellen. Am Besten geschieht die Erhöhung der Temperatur allein durch die Einwirkung der Sonne. Selbst in dieser Zeit darf man ebenfalls nur wenig Wasser geben.

Im Februar zeigen sich zuerst Blüthen, die obwohl zart aussehend, doch keineswegs von kurzer Dauer sind. Da fortwährend neue Triebe sich aus den Knospen entwickeln, kommen auch, damit Hand in Hand gehend, neue Blüthen zum Vorschein. Es dauert dieses die ganzen Monate März und April selbst bis zum Mai hinein; bei buschig gezogenen Exemplaren besitzt man fortwährend eine Fülle blauer Blüthen.

Sobald im Mai das Wetter beständig zu werden beginnt und keine zu kalten Nächte mehr zu befürchten sind, bringt man die Pflanzen ins Freie und zwar in eine recht sonnige Lage. Auch hier wird wenig gegossen. Die jungen Triebe, an deren Enden Blüthen waren, erstarken sich in der freien Luft; mit der allmähligen Reife des Holzes bilden sich in den Winkeln der später abfallenden Blätter Knospen für den nächsten Winter. Sobald im Freien das Wetter wiederum ungünstig wird und Fröste einzutreten scheinen, was übrigens sich bisweilen bis Ende September hinziehen kann, bringt man die Pflanzen ins temperirte Haus zurück, wo sie bis in den Januar hinein in einer Art Ruhe verbleiben und langsam einzelne Blätter abwerfen. Kurz nach dem Verpflanzen im Januar treibt man sie allmählig, wie oben schon gesagt, an und die Knospen schlagen aus.

Was die Erde anbelangt, welche die Franciscéen verlangen, so möchte eine gute gemischte Erde, zur Hälfte aus Moor- und zur Hälfte aus Haide-Erde bestehend, am Zuträglichsten sein. Man versäume aber ja nicht für gehörige poröse Unterlage zu sorgen, da hier grade jede Stockung des Abflusses leicht faule oder wenigstens kranke Wurzeln hervorruft.

Die Holder-Schwertlilie (Iris sambucina L.) mit ihren Formen, besonders die Ockermann'sche und der Harlequin.

Der botanische Garten zu Neu-Schöneberg bei Berlin besitzt eine grosse Reihe von Formen der Schwertlilie, welche verschieden gefärbte, den Blüthen der Sambucus nigra L. ähnlich riechende Blumen hat und deshalb in der zweiten Hälfte des Mai und im Juni eine besondere Zierde der Gärten bildet. Weniger bekannt dürfte es sein, dass alle Formen sich auch treiben lassen und daher mit den andern Zwiebeln- und Knollen-Blumen in Kalthäusern nicht weniger, als in den Fenstern der Wohnzimmer, einen angenehmen Schmuck bilden. In dem Borsig'schen Garten zu Moabit befanden sich im Februar und März dieses Jahres mit Crocus und Hyacinthen auch einige getriebene Schwertlilien und besassen in der That ein hübsches Ansehen. Sie trugen zur Verschönerung der Gewächshäuser nicht wenig bei.

Die Leichtigkeit, mit der die Holder-Schwertlilie die Farben in den Blumenblättern und Narben wechselt, zeichnet diese Art vor Iris germanica L. aus. Man hat bereits aber einige Formen, die der zuletzt genannten Art so nahe kommen, dass Einige der Meinung sind, Iris germanica L. und sambucina L. seien nur Formen einer und derselben Art. Andere gingen sogar noch weiter, und erklärten selbst noch I. bohemica Schmidt und pumila L., für zwergige, amoena Red. und variegata L. für andere Formen der gewöhnlichen Schwertlilie.

Dem ist jedoch durchaus nicht so. Die genannten Arten: Iris germanica L., sambucina L., variegata L., amoena Red., bohemica Schmidt und pumila L. unterscheiden sich hinlänglich und blühen auch zu verschiedenen Zeiten. Am frühsten bringt die zuletztgenannten ihre Blüthen. Wir besitzen auch von ihr eine Reihe von Formen, deren Blumen alle Nuancirungen des Blau besitzen, auch gelb, in welche Farbe bei den Schwertlilien überhaupt das Blau gern und leicht übergeht, sein können. Iris pumila L. hat fast stets nur eine Blüthe, die in der Regel von den kurzen Blättern noch überragt wird. I. bohemica Schmidt, vielleicht die ächte Linné'sche aphylla und die Lamarck'sche nudicaulis, bestimmt von der übrigens ähnlichen hungarica W. et K., nicht aber von Fieberi Seidl. specifisch verschieden, besitzt einen gablich getheilten Stengel und 2 bis 3 Blüthen, die etwas später, als bei der vorigen Art, zum Vorschein kommen und auf kurzem Schafte, der den Blättern an Länge gleicht oder sie wenig überragt, später aber, zur Zeit der Fruchtreife stets überragt wird, stehen. Unterscheidend sind auch die durchaus grünen oder lila gefärbten scheidenartigen Deckblätter hautartiger Substanz. Das letzte Merkmal haben auch I. variegata L. und amoena Red. mit ästigem Stengel und bunten Blüthen. Einige halten die letztere nur für eine Form der erstern.

Schwieriger sind die beiden grössern Arten: I. sambucina L. und germanica L., deren Blüthenschaft die Blätter in der Regel weit überragt und die zum Theil trockenhäutige Deckblätter haben, zu unterscheiden. Die letztere blüht 14 Tage und selbst 3 Wochen früher als die erstere. Alle Merkmale in der Blüthe zwischen beiden Arten, namentlich dass die äussern Blumenblätter auf der Oberfläche anders gefärbt sein sollen, als auf der unteren, sind schwankend, seitdem man eine Form besitzt, wo die drei äussern Blumenabschnitte auf der Ober- und Unterfläche ziemlich gleichfarbig blau sind. Eben so finde ich, dass die Länge des Staubbeutels zu dem Staubfäden kein durchgreifendes Unterscheidungsmittel giebt. Wohl aber liegt in den Blättern ein Unterschied, der zu jeder Zeit der Vegetation klar vorliegt und selbst auch für alle mit dem Blumenstaub der I. germanica L. wahrscheinlich gezogenen Blendlinge gilt. Die weit mehr mit Reif überzogenen Blätter sind nämlich bei der gewöhnlichen Schwertlilie ganz glatt, während sie bei der nach den Hollunderblüthen riechenden deutlich erhaben gestreift erscheinen. Man könnte dieses selbst, ohne darauf zu sehen, sehr leicht durch das Gefühl bemerken. Endlich ist die Substanz der Blätter bei I. sambucina L. weniger fleischig, sondern mehr hautartig und dünner.

Was die Blüthen der letzteren anbelangt, so durchlaufen ihre verschiedenen Formen alle Nuancirungen des Blau und Violett zur Blei- oder Broncefarbe. Die äussern zurückgeschlagenen Blumenabschnitte sind fast immer anders gefärbt, als die innern und aufrechten, deren Farbe sich stets weit mehr aus dem Blau zum Gelb sich hinneigt. Vollkommen Einfarbige giebt es gar nicht; selbst die Abart, wo beiderlei Blumenabschnitte ein violett-bläuliches, aber doch nicht gleiches Ansehen haben, sind diese ausserdem noch nach der sich plötzlich verschmälernden Basis zu heller und etwas ins Bleifarbige sich neigend gefärbt. Diese Abart hat Hornemann, zu Willdenow's Zeit Direktor des botanischen Gartens in Kopenhagen, als eigene Art unter dem Namen I. neglecta unterschieden; von ihr existirt im botanical Magazin auf der 2435. Tafel eine recht gute Abbildung.

Ihr zunächst steht die Form, welche Linné vorzugsweise I. sambucina, also Schwertlilie mit nach Hollunder riechenden Blüthen, genannt und Redouté in seinem berühmten Lilienwerke unter diesem Namen abgebildet hat. Weil Linné Jacquin's in der Farbe der Blume etwas abweichende Abbildung im Hortus Vindobonensis (Tab. 2.) dazu citirt, so hält man gewöhnlich die daselbst abgebildete Pflanze für die ächte I. sambucina. Diese hat jedoch die innern aufrechten Blumenblätter mehr von einer schmutzig-violett-bronzeartigen Farbe, wie sie Linné in höherem Grade von einer andern Art, die er I. squalens d. h. die Schwertlilie mit schmutzig-gefärbten Blüthen nennt, verlangt, und steht demnach zwischen dieser und jener. Redouté ist deshalb ganz im Recht, wenn er die I. sambucina L. auf der 338. Tafel mit Abschnitten von mehr blauer, die squalens L. auf der 365. Tafel mit violett-bronzener Farbe abbildet. Linné sagt in der Diagnose von der erstern: Petala erecta pallida, saturatius tamen. coerulea, von der andern: Petala erecta squalide lutescentia. Durch die Kultur sind übrigens von beiden Haupt-Abarten allmählig so viele Formen entstanden, dass es jetzt oft schwer wird, zu bestimmen, wohin die eine oder andere gehört.

Zu diesen Formen muss auch Iris lurida Ait., die blassgelbliche Schwertlilie gerechnet werden, die in Südeuropa wachsen soll und sich wesentlich durch den völligen Mangel an Geruch von allen Formen der I. sambucina L. unterscheidet. Die innern Blumenblätter haben eine mehr braunere Farbe. Redouté bildet aber in seinem schon genannten Lilienwerke auf der 419. Tafel eine I. lurida ab, wo die äussern und innern Blumenblätter kupferbraun sind.

Endlich hatte Willdenow noch eine Form unter dem Namen I. sordida, eine Benennung, die ebenfalls eine schmutzig-blättrige Schwertlilie bedeutet, beschrieben und die wahrscheinlich ein Blendling mit I. variegata L. ist. Die Grundfarbe der Blume ist nämlich gelb, die Zeichnung darin aber violett.

Eine Sammlung aller Formen der nach Hollunder-Blüthen riechenden Schwertlilie möchte wohl für einen einiger Massen umfangreichen Garten eben so interessant sein, als diese alle zusammen eine besondere Zierde darstellen würden. Der eben genannte botanische Garten bei Berlin besitzt eine grosse Anzahl und hat bereits zu deren Verbreitung in den letzten Jahren nicht wenig beigetragen. Auch in Gent, namentlich in van Houtte's Etablissement, scheint man jetzt wiederum die Schwertlilien mit bärtigen Blumenblättern mit besonderer Vorliebe zu ziehen, da neuerdings Formen auch bei uns, und zum Theil unter seltsamen Namen, von dort aus verbreitet wurden.

Vor 2 und 3 Jahrzehenden waren es Booth und Söhne in Hamburg, welche sich der Kultur dieser Iris-Arten mit Vorliebe zuwendeten und eine Menge neuer Formen, hauptsächlich durch Blendungen, erzielten. Von da aus wendete der bekannte Zwiebelzüchter von Berg auf Neuenkirchen ihnen eine besondere Sorgfalt zu. Er suchte sich möglichst viel Material zu verschaffen und machte eine Reihe Aussaaten, aus denen eine nicht unbeträchtliche Anzahl von Formen wiederum hervorging. Die Resultate sind in den Beiblättern zum ersten Bande der Flora vom Jahre 1833 und zum zweiten Bande vom Jahre 1835 niedergelegt. Später hat man in Böhmen, besonders in Prag durch Fieber, diese Versuche fortgesetzt, und wiederum neue Formen erhalten.

Ich behalte mir vor, wenn die Sammlung des botanischen Gartens bei Berlin vervollständigt sein wird, ausführlich darüber zu berichten und beschränke mich daher jetzt besonders auf 2 Formen, die unbedingt alle andern an Schönheit übertreffen. Es kommt noch dazu, dass beide am Spätesten blühen und selbst noch in diesem zum Theil heissen Sommer bis in das letzte Drittel des Monates Juni Blumen besassen.

Harlequin heisst mit Recht die eine und wurde, wenn wir nicht irren, aus Hamburg von Booth und Söhne bezogen. Sie scheint ein Blendling der I. amoena Red. und sambucina L. zu sein, da die Grundfarbe weiss ist. Die 3 äussern und zurückgeschlagenen Blumenblätter haben im obern überhängendem Drittel ein tiefes Azurblau, sonst sind sie aber auf der obern Fläche mit einer violett-gelblichem Nervatur auf weissem Grunde versehen. Die Spitzen des einfach gelben Bartes sind goldfarbig. Die 3 innern und aufrecht stehenden und oben abgestutzten Blumenblätter besitzen einen weissen Grund; es gehen aber azurfarbige Flecken und Streifen von dem Rande nach der weissen Mitte und geben ein eigenthümliches geschecktes Ansehen. Die Narben haben eine bläulich-weisse Farbe. Die ganze Blüthe ist verhältnissmässig klein und steht der der I. neglecta Hornem. am Nächsten.

Iris Ockermanni ist eine Form der I. squalens L. mit sehr grossen Blüthen. Die grossen äussern und breiten Blumenblätter haben auf der Oberfläche der eirunden und zurückgeschlagenen obern Hälfte eine prächtige violette Sammetfarbe, die nur am Rande heller gesäumt erscheint. Die untere immer noch breite Hälfte ist weiss und violett-geadert. Der Bart hat eine goldgelbe Farbe, die ebenfalls breiten und im Bogen sich zusammenneigenden innern Blumenblätter sind blasshellblau und besitzen eine länglich-runde Platte und einen um die Hälfte kürzern Stiel. Die Narben erscheinen ebenfalls blasshellblau, aber nach dem Rande zu stets etwas ins Gelbliche übergehend.

Journal-Schau.

Der ausländischen Journale sind seit der Zeit, wo einiger derselben gedacht wurde, zwar viele eingelaufen; es fehlte bisher aber der Raum, um weiter mitzutheilen, was sie Interessantes gebracht haben.

I. Flore des Serres et des Jardins de l'Europe par Decaisne et van Houtte. Nach einer langen Unterbrechung von fast 4 Monaten erschien wiederum im Mai ein Heft und zwar vom 2. Bande der neuen Reihe das vom Januar, dem alsbald das vom Monat Februar folgte. Das erstere beginnt mit einem Blendlinge wahrscheinlich der längst bekannten Gaillardia aristata Pursh mit splendens Hort. (aristato-picta), der den Namen Gaillardia grandiflora erhalten hat. Er ist der ersteren, welche gewöhnlich unter dem Namen G. bicolor auch in den Gärten vorkommt, sehr nahe und scheint mir nur durch die grossen Blüthenkörbchen verschieden zu sein.

Auf der nächsten Tafel (1184) ist eine Kopie der

schon besprochenen Castanea chrysophylla Dougl. aus dem botanical Magazin gegeben.

Delphinium formosum Hort. ist auf der nächsten Tafel dargestellt und eine zu empfehlende Pflanze des freien Landes. Meines Erachtens nach möchte die Pflanze jedoch, was übrigens van Houtte selbst vermuthet, nicht verschieden von D. speciosum Bieb. sein. Diese Art sah ich auf den Hochebenen der armenischen Provinz Eriwan in grosser Menge und trug sie hauptsächlich zur Mannigfaltigkeit und Schönheit der dortigen Wiesen bei.

Gardenia amoena Sims, ähnlich der schönern G. Stanleyana, aber mit kleinern Blüthen und schon seit 1827 bekannt, auch bereits im botanical Magazin (tab. 1904) und botanical Cabinet (tab. 935) abgebildet. Sollte die Pflanze in der That, wie Loddiges behauptet, ein Südafrikaner sein? In den Gärten Norddeutschlands habe ich als G. amoena meist eine Abart der G. florida gesehen.

Farfugium grande Lindl., eine Kopie der schon Seite 108 besprochenen Abbildung im Florist.

Aquilegia eximia van Houtte, ein hübscher Akelei, dessen Samen van Houtte aus Kalifornien erhielt. Seine schönen rothen Blüthen sind kleiner als bei A. Skinneri und ähneln sonst denen der A. canadensis L.

Diervilla amabilis Carr. fol. var. erhielt van Houtte im vorigen Jahre zufällig bei einer Aussaat. Auch bei uns kommt diese Form hin und wieder selbst bei Stecklingen vor und scheint demnach diese Eigenthümlichkeit keine Seltenheit zu sein. Ich möchte doch das Thunberg'sche Genus Weigela (nicht nach Persoon Weigelia) beibehalten und für Diervilla die Bedeutung annehmen, welche Linné giebt. In den Gärten kommt jetzt auch eine Weigela Metelerkampi vor, welche von Hamburg aus durch Ohlendorf verbreitet wurde, aber von Weigela amabilis van H. nicht verschieden ist. Nach dem Gardener's Chronicle unterscheidet sich übrigens diese Art gar nicht von Diervilla grandiflora S. und Z., die in der Flora japonica eine sehr gute Abbildung erhalten hat und kann ich nur beistimmen. Diese Pflanze ist aber wiederum Synonym von Weigela coraeensis Thunb., ein Name, der als der älteste beibehalten werden muss. Eben so muss der spätere Name des verwandten Blüthenstrauches Weigela rosea Lindl. der alten Thunberg'schen Benennung W. japonica weichen.

Tydaea Eeckhautii Hort. v. Houtte ist ein neuer, noch von Rözl gezüchteter Blendling, der der T. Ortgiesii nahe steht.

Auf der 1191. Tafel endlich ist ein Rainfarrn, Tanacetum elegans Dne, den Boursier de la Riviere in Kalifornien sammelte, abgebildet. Da wir dergleichen Pflanzen schon genug haben und diese ausserdem, namentlich in kleinern Gärten, leicht durch schönere ersetzt werden können, so möchte ich die Pflanze höchstens botanischen Gärten empfehlen. Van Houtte glaubt, dass die Blätter zerrieben wegen ihres Aroma's gleiche Dienste leisten möchten, als das zuerst von mir auf meiner Reise nach dem kaukasischen Isthmus im Jahre 1836 entdeckte sogenannte Persische Insektenpulver. Ich bezweifle es eben so, wie es bestimmt bei dem verwandten gewöhnlichen Rainfarrn (Tanacetum vulgare L.) nicht der Fall ist, denn das Wirksame bei dem Persischen Insektenpulver liegt nur in dem Blumenstaube der beiden Mutterpflanzen Pyrethrum carneum et roseum Bieb., die sonst vollständig geruchlos sind.

Im Februarhefte beginnt Achimenes (Naegelia) amabilis Dne den Reigen, eine weissblühende Art, die aus Mexiko stammt, worauf ein weissgestreiftes Pelargonium roseum folgt. Wenn ich nicht irre, ist es dasselbe, was im Dannel'schen Garten zu Berlin sich unter dem Namen Pelargonium striatum befindet. Ein ähnliches wurde auch früher schon (Tab. 607) als P. roseum striatum abgebildet, was weisse längliche Flecken, und nicht Streifen, auf den Blumenblättern besitzt. Gezüchtet wurde die zuerst genannte Sorte von Stanislas im Dubus'schen Garten.

Auf der 1194. Tafel ist eine neue Begonie mit Knollen und ohne Stengel: Begonia rosacea Putz., welche Linden aus Neugranada erhalten und bereits in seinem neuesten Verzeichnisse aufgeführt hat, abgebildet, auf der nächsten hingegen ein neuer Haemanthus, von Decaisne wegen seiner mehr zinnoberfarbigen Blüthen H. cinnabarinus genannt. Er stammt von Gabon, woher van Houtte 1855 die Pflanze erhielt.

Dendrobium Falconeri Hook. ist ein Bewohner Bhutans, gehört also zu den Orchideen, die im Sommer recht gut im Freien gedeihen. Es steht einestheils dem ceylanischen D. Mac Carthiae Thwaith. (abgebildet im botanical Magazin auf der 4886. Tafel.) andererntheils aber dem D. tetragonum All. Cunn. nahe und bildet ein Glied des Subgenus Dendrocoryne. Die Farbe der Blume ist ein ganz helles Fleischroth, was plötzlich an der Spitze in ein dunkeles Violett übergeht. Dieselbe Farbe bildet an der Basis der Lippe in der Mitte einen runden Flecken, der von Orangegelb umsäumt wird. Die Pflanze wurde im vorigen Jahre zu gleicher Zeit in Gent bei van Houtte und in der Grafschaft Sommerset bei George Reid eingeführt.

Fuchsia galanthiflora fl. pl., auf der 1198. Tafel abgebildet, ist bei uns schon sehr verbreitet, aber allerdings jeder Empfehlung werth. Sie ist, wie bekannt, eine Story'sche Züchtung.

Die 1199—1200. Tafel bringt eine Zusammenstellung von sogenannten Kamellien-Balsaminen, die in Deutschland schon länger bekannt sind. Ich habe sie in dem Garten des Vereines zur Beförderung des Gartenbaues, aber auch sonst in und bei Berlin, so wie in Erfurt, in einer Vollkommenheit und Grösse gesehen, die selbst noch die gegebene Abbildung weit hinter sich lassen.

II. Annales d'horticulture et de botanique ou Flore des Serres du royaume de Pays-Bas, par de Sieboldt et de Vriese. Livr. 2—4. In dieser für die Flora Japan's, Java's und Sumatra's sehr wichtigen Zeitschrift ist die Fortsetzung der Abhandlung über die Pandaneen, worauf eine Beschreibung und Abbildung der bisher wenig bekannten Aralia japonica Thunb. folgt.

Von der Aufzählung neuer Pflanzen des botanischen Gartens in Leiden verdienen die 4 Paratropien (Araliaceen): P. tomentosa Miqu., parasitica Miqu., Coronasylvae Miqu. und Junghuhniana Miqu., ferner der im Freien aushaltende Ahorn: Acer oblongum Bl. aus Java (von der Wallich'schen Pflanze d. N. aus dem Himalaya verschieden?), die interessante Hamamelidee Corylopsis spicata S. et Z., die Staphyleacee Euscaphys staphyleoides S. et Z. (beide durch die Flora japonica von Siebold bekannt), Artocarpus venenosa Zoll., Bleekera callocarpa Hassk., Neuwiedia veratrifolia Bl., eine javanische Orchidee mit 3-fächrigem Fruchtknoten, und das seltene und höchst interessante Chrysoglossum villosum Bl., ebenfalls aus Java, eine besondere Erwähnung.

In dem Doppelhefte März und April sind 3 illuminirte Abarten der bekannten Pharbitis polymorpha S. et de Vr., nämlich: coerulea variegata, azurea und punicea picta, alle 3 mit bunten Blättern, dargestellt. Eine vierte Abbildung zeigt eine Darstellung von Pityrosperma acerinum S. et Z., der alten Actaea japonica Thunb., die sich durch die geringe Anzahl von Staubgefässen (5) wesentlich von den Verwandten unterscheidet.

III. Belgique horticole par Ch. et Ed. Morren. 5—7 livr. Im Februarhefte sind Alpinia mutica Roxb. und Iris Swertii Lam. abgebildet. Die zuerst genannte und schon 1811 eingeführte Pflanze steht der bei uns sehr verbreiteten A. nutans Rosc., so wie der seltnern A. magnifica Rosc. an Schönheit nach, während die schon wenigstens seit 2½ Jahrhunderten in den Gärten kultivirte Iris Swertii Lam. keineswegs so häufig in den Gärten gefunden wird, als sie es verdiente. Ueberhaupt werden die schönen Schwertlilien viel zu wenig in der neuesten Zeit berücksichtigt, obwohl namentlich aus der Gruppe der I. sambucina L. seit lange Zeit schon eine Reihe von Formen existiren, die alle Aufmerksamkeit verdienen.

Im Märzhefte sehen wir eine andere Alpinia calcarata Roxb. abgebildet, die an Schönheit der A. mutica Roxb. keineswegs nachsteht, sondern diese im Gegentheil übertrifft. Da sie, wie A. nutans Rosc., noch dazu einen angenehmen Geruch besitzt, möchte auch diese Art in den Gewächshäusern, wo man sie selten findet, zu empfehlen sein. Scutellaria macrantha Fisch. ist ein Lippenblüthler des südlichen Sibiriens, der sehr gut unser Klima verträgt und auch in unsern Ziergärten einen Platz verdient; in botanischen Gärten ist die Pflanze bekannt.

Das Aprilheft enthält eine Abbildung der wunderschönen Canna iridiflora R. et P., einer zwar schon seit der zweiten Hälfte des vorigen Jahrhunderts bekannten und bereits seit 1816 in den Gärten Englands kultivirten Pflanze Peru's, die mehrmals, am Besten in Roscoe's Monandrian plants, abgebildet wurde, aber doch noch keineswegs so häufig gefunden wird, als sie es verdient. Sie steht im Bau der von v. Warszewicz eingeführten Canna liliiflora nahe, besitzt aber schöne rothe Blüthen. Diese letztere hat im vorigen Jahre in dem Garten des Hofbuchdruckers Hänel in Magdeburg lange Zeit hindurch geblüht.

Im Texte eingedruckt sind Abbildungen der interessante Uvulariee des Himalaya: Tricyrtis pilosa Wall. von der Samen durch den jüngern Hooker und durch Thompson nach London eingeschickt war, und der ächten Liliacee Cyclobothra alba Benth. Obschon die letztere ein Vierteljahrhundert bekannt und auch in den Gärten von dem oft genannten Reisenden Douglas eingeführt ist, hat die Pflanze doch erst in der neuesten Zeit in dem Garten der Gartenbaugesellschaft in London geblüht. Wegen ihrer schönen, grossen und weissen Blumen ist sie zu empfehlen.

Was den Obstgarten anbelangt, so sind im Februarhefte die Birnen: Rousselet Bivort und Napoléon Savinien, im Märzhefte die schon bereits erwähnte Traube: Raisin Hambourg doré de Stockwood und im Aprilhefte die Ananas de Ripley dargestellt.

Verlag der Nauckschen Buchhandlung. Berlin. Druck der Nauckschen Buchdruckerei.

No. 26. Sonnabend, den 27. Juni. 1857

Preis des Jahrgangs von 52 Nummern mit 12 color. Abbildungen 6 Thlr., ohne dieselben 5 –. Durch alle Postämter des deutsch-österreichischen Postvereins sowie auch durch den Buchhandel ohne Preiserhöhung zu beziehen.

Mit direkter Post übernimmt die Verlagshandlung die Versendung unter Streifband gegen Vergütung von 20 Sgr. für Belgien, von 1 Thlr. 8 Sgr. für England, von 1 Thlr. 22 Sgr. für Frankreich.

BERLINER Allgemeine Gartenzeitung.

Herausgegeben vom Professor Dr. Karl Koch,

General-Sekretair des Vereins zur Beförderung des Gartenbaues in den Königl. Preussischen Staaten.

Inhalt: Die grosse Fest-Ausstellung von Pflanzen, Blumen, Obst, Gemüse u. s. w. des Vereines zur Beförderung des Gartenbaues zu Berlin am 21. und 22. Juni. Von dem Generalsekretär des Vereins, Prof. Dr. Karl Koch. — Die Chinesische Kartoffel und der Bergreis. — Dasylirion acrotrichon Zucc. — Verkäufliche Pflanzen. — Offerte.

Die grosse Festausstellung von Pflanzen, Blumen, Obst, Gemüse u. s. w. des Vereines zur Beförderung des Gartenbaues zu Berlin am 21. und 22. Juni.

Von dem Generalsekretär des Vereins, Professor Dr. K. Koch.

Man mag gegen Ausstellungen einwenden, was man will, so wird doch Niemand, der den Aufschwung der Gärtnerei in den letzten Jahren verfolgt hat, ableugnen können, dass die Ausstellungen hauptsächlich beigetragen haben, die Liebe zu Pflanzen und Blumen bei Laien zu erhöhen und den Gärtner, da er grössern Absatz erhalten hat, zu bestimmen, mehr Sorgfalt auf die Erziehung von Pflanzen und Züchtung neuer Formen zu verwenden. Es ist demnach ein erfreuliches Zeichen, dass auch in kleinen Städten Gartenbau-Vereine unter der speciellen Leitung von Männern, die gern bereit sind, da wo es gilt, einzutreten, entstehen und diese von Zeit zu Zeit Ausstellungen ins Leben rufen. Es herrscht in dieser Hinsicht in manchen Gauen unseres grösseren deutschen Vaterlandes eine Thätigkeit, über die man sich nur freuen kann und die zu weiteren Hoffnungen berechtigt.

Scheinbar steht damit im Widerspruche, dass grade in grössern Städten, wie in Berlin, Hamburg u. s. w., wo die dortigen Gartenbau-Vereine schon seit langer Zeit Ausstellungen veranstalteten und eigentlich den ersten Antrieb zum Aufschwunge der Gärtnerei gaben, der Eifer dafür allmählig zu erkalten scheint. Thatsächlich ist es, dass namentlich in beiden genannten Städten die Betheiligung von Jahr zu Jahr geringer ist und die Ausstellungen deshalb schwieriger werden. Nachdem viele Jahre lang auf das Bereitwilligste Beiträge zur Verfügung gestellt und von mehreren grossen Gartenbesitzern mit wahrer Opferfreudigkeit zur Verherrlichung der Ausstellungen Alles geschah, hat sich seit wenigen Jahren einer derselben nach dem andern zurückgezogen. Die Betheiligung beschränkt sich jetzt nur noch auf einige Wenige, die trotz der Gleichgültigkeit Anderer, in ihrem Eifer nicht erkaltet sind und fortwährend sich berufen fühlen, für das Allgemeine etwas zu thuen.

Man würde aber wiederum sehr in Irrthum sein, wollte man hieraus den Schluss ziehen, dass in Berlin der Sinn für Pflanzen und Blumen, so wie für Verschönerung der nächsten Umgebung, allmählig wieder abnehme, und darin den gewöhnlichen Lauf der Dinge erblicken. Im Gegentheil muss man grade in dieser geringern Betheiligung bei Ausstellungen in Berlin einen weitern Fortschritt sehen. Bei Gelegenheit der Beschreibung des Casper'schen Gartens habe ich auf die gärtnerischen Anlagen und Verschönerungen der Bellevue-Strasse aufmerksam gemacht. Man glaube aber nicht, dass diese etwa auf die bezeichnete Gegend allein beschränkt wären, denn in allen Stadttheilen, die in neuerer Zeit vor den Thoren Berlins sich gebildet haben, zeigt sich das Bestreben zu Verschönerungen durch Anlagen, Anpflanzungen u. s. w. am Meisten. Die Thiergarten- und Potsdamer-Strasse haben nicht weniger, als die Bellevue-Strasse, eine

Reihe zu Villen umgewandelte Wohnhäuser aufzuweisen. Es ist das Bedürfniss nach Pflanzen und Blumen seit vorigem Jahre, wo die grossen Wasserwerke ins Leben gerufen sind und in allen Theilen der Stadt zu jeder Zeit Wasser zur Verfügung steht, noch grösser geworden und hat sich selbst in dem Innern derselben, ja grade in den ältesten Strassen, wo am Wenigsten Raum für Gärten und Verschönerungen vorhanden ist, am Meisten geltend gemacht. Unscheinliche Hofräume, ja selbst die für Pflanzen ungünstigsten Winkel werden, oft mit den grössten Mühen und bei seltener Ausdauer, benutzt, um daselbst wenigstens einige Pflanzen und Blumen zu ziehen. Man nimmt einzelne Steine aus dem Pflaster, um dafür irgend etwas Grünes oder Blühendes einzusetzen. Es wird mir bei der Beschreibung der Ausstellung Gelegenheit geboten, eines interessanten Beispieles der Art zu gedenken.

Die grössern und ältern Gärten Berlins haben zum grossen Theil in der neuesten Zeit eine Vervollständigung erhalten, so dass sie eigentlich selbst eine fortdauernde Ausstellung darstellen. Mit zum Theil nicht unbedeutenden Kosten hat man sich Vermehrungshäuser für die Anzucht blühender Pflanzen erbaut, um den Garten und die eigentlichen Gewächshäuser, die für den Besuch bestimmt sind, zu jeder Zeit geschmückt zu haben. Man sieht daselbst stets in grösster Fülle blühende Pflanzen, aber niemals verwelkte Blumen. Das ist grade Kunst des Gärtners — und darin hat es in der That der Berliner weit gebracht, — den Besuchenden und Beschauenden zu jeder Zeit etwas Fertiges zu zeigen. Man bemerkt gar nicht, dass man Tausende von Töpfen der Primeln, Vergissmeinnicht, der Stiefmütterchen u. s. w. erst künstlich heranzog und grade in dem Augenblicke eingesetzt hatte, wo die Blüthenfülle am Ueppigsten sich zeigte. Kommt man 4 Wochen später, so erblickt man nicht etwa genannte Blumen im Ab- oder gar im Verblühen, denn diese sind ganz verschwunden, sondern an ihrer Stelle eine neue Blüthenpracht anderer Pflanzen. Rosen, Levkojen, Petunien u. s. w. sind an die Stelle der Primeln, Vergissmeinnicht und Stiefmütterchen getreten, um vielleicht einige Wochen später Lobelien, Verbenen, Astern u. s. w., sämmtlich ebenfalls gleich in voller Blüthe, Platz zu machen. Immer frisch aufsprossendes Leben, nirgends etwas Verwelktes und Vertrocknetes, was den Menschen an das eigene Geschick erinnern könnte.

Der Berliner ist keineswegs so egoistisch, als er ausserhalb dargestellt wird; er freut sich im Gegentheil, wenn das, was er Schönes sich geschaffen, auch Anderen Freude macht. Kein Gartenbesitzer schliesst deshalb seine Blumen und Pflanzen ängstlich ab, sondern öffnet gern denen die Pforte, die sich dafür interessiren, insofern sie nur um Erlaubniss bitten. Bei der von Jahr zu Jahr zunehmenden Liebe des Berliners für Flora's liebliche Kinder wurde der Andrang der Besuchenden allmählig auch grösser; dazu kamen noch die Tausende von Fremden, die stets in der preussischen Residenz- und Hauptstadt sich aufhalten und zum Theil auch gern von dem, was die Gärtnerei in Berlin darbietet, Kenntniss nehmen wollten. Man konnte es unter diesen Umständen den Besitzern grösserer Gärten und Gewächshäuser gewiss nicht verargen, wenn sie endlich dem allmählig den eigenen Genuss zu sehr störendem Andrange dadurch einige Schranken zu setzen suchten, dass sie nur an gewissen Tagen und gegen die Erstattung eines Eintrittsgeldes, was aber stets für einen wohlthätigen Zweck bestimmt wurde, den ferneren Besuch gestatteten.

Aber grade diese fortwährende Ausstellung in solchen Gärten wirkte höchst nachtheilig auf die seit 35 Jahren von dem Vereine zur Beförderung des Gartenbaues veranstalteten Ausstellungen, da ihre Besitzer natürlich von da an keine Beiträge mehr lieferten. Das einmal gegebene Beispiel veranlasste leider Andere, sich ebenfalls von jeder Betheiligung zurückzuziehen. So fehlen seit einigen Jahren eine Reihe schöner Gruppen und vorzüglich gezüchteter Schaupflanzen in den Ausstellungen des Vereines, welche früher wesentlich zu deren Verherrlichung beigetragen hatten. Um so mehr ist man deshalb den Gartenbesitzern, die unbekümmert um das, was Andere thuen, fortwährend Theil nehmen, zu Dank verpflichtet. Möchten nur auch diejenigen, die seit einigen Jahren keine Pflanzen zu den Ausstellungen mehr lieferten, wiederum ebenfalls vom Neuen zur Verherrlichung derselben beitragen und bedenken, dass sie Gutes thuen, wenn sie die Liebe zu Pflanzen und Blumen erhöhen und dadurch zur Veredelung des Menschen nicht wenig thun.

Der Verein zur Beförderung des Gartenbaues muss seinen Statuten gemäss alle Jahre an dem Sonntage, der dem 21. Juni, seinem Stiftungstage, zunächst liegt, eine grössere Ausstellung veranstalten und ist dieses bereits seit dem Jahre 1823 geschehen. Die diesmalige, welche auf den 21. Juni selbst fiel und noch den 22. fortdauerte, ist demnach die 35., welche er gehalten. Trotz der oben besprochenen nachtheiligen Einwirkungen gehört sie zu den bessern, die der Verein seit mehrern Jahren veranstaltet hat. Den grössten Antheil hat zwar immer, und ganz besonders wiederum dieses Mal, der Königliche botanische Garten in Neuschöneberg bei Berlin, der bei seinen grossen Pflanzenschätzen nicht allein viel Seltenes, Neues und Interessantes selbst ausstellt, sondern auch ausserdem stets aushilft, wo es fehlt. Es unterliegt keinem Zweifel, dass die Ausstellungen des Vereines ohne die

Betheiligung des botanischen Gartens weit magerer ausfallen würden.

Zur grössern Verherrlichung der Ausstellung trugen aber auch die zahlreichen Betheiligungen von auswärts wesentlich bei; sogar Brüssel und Harlem hatten Vorzügliches geliefert. Endlich verdankt man es wohl hauptsächlich der malerischen Aufstellung und Anordnung, dass selbst bei solchen, die an und für sich weniger Interesse für Pflanzen und Blumen haben, eine gewisse Befriedigung sich geltend machte und dann geistigen Genuss erweckte. Die Königliche Akademie der Künste hat sich aus diesem Grunde veranlasst gefühlt, in einem besonderen Schreiben ihren Beifall über die geschmackvolle Aufstellung auszusprechen. Ich habe schon früher Gelegenheit gehabt, mich darüber auszusprechen, dass man bei Ausstellungen noch viel zu wenig auf das Malerische der Gruppirungen Rücksicht nimmt, und möchte daher vom Neuen allen denen, die die Anordnung übernehmen, dieses recht ans Herz legen. Die in dieser Hinsicht gelungene Ausstellung war wohl auch Ursache, dass der Besuch sich fortwährend und ganz besonders am andern Tage, so sehr steigerte, dass der grosse, viele Menschen umfassende Raum zu jeder Zeit von Besuchern überfüllt war und zuletzt diese kaum umfassen konnte. Der Verein sieht es als eine Ehrensache an, seine Ausstellungen Liebhabern und Blumenfreunden unentgeldlich zu öffnen, und waren zu diesem Zwecke über 5000 Billete vertheilt. Trotzdem reichten diese nicht aus und wurde das Verlangen darnach, besonders von Fremden, allmählig so gross, dass man vom Sonntag Nachmittag fortwährend noch Billete vertheilte.

Die Anordnung des Ganzen hatten der Thiergarten-Inspektor Henning und der Gärtner des Vereines, E. Bouché, übernommen. Von Seiten des Königlichen Hofmarstall-Amtes war die Reitbahn in der Breiten-Strasse zur Verfügung gestellt, ein sehr grosser Raum von 111 Fuss Länge und 49 Fuss Breite. Sie ist sehr hoch (36 Fuss) und besitzt deshalb den Vortheil, dass die grosse Hitze des Tages weniger Einfluss ausüben konnte, die mehr oder weniger herrschende Frische wurde aber noch von einem grossen Wasserbassin mit Springbrunnen unterstützt. Auf jeden Fall befanden sich die hier aufgestellten Pflanzen besser, als in den frühern Räumen, wo bis dahin die Ausstellungen stattfanden.

Was nun die Aufstellung selbst anbelangt, so hatte man zunächst gegen den Eingang hin die Ecken durch Tapetenwände abgerundet und dadurch zu gleicher Zeit 2 Räume für die Preisrichter einerseits und für die mit der Anordnung und Aufsicht vertrauten Gärtner andererseits gewonnen. 3 grosse Orangenbäume, welche der Oberhofgärtner Fintelmann in Charlottenburg freundlichst zur Verfügung gestellt hatte, standen auf jeder Seite inmitten der daselbst sich befindlichen Gruppen, während über der Thüre eines jener Farrn mit grossen Blättern freischwebend befestigt war, wie sie in den tropischen Urwäldern an entsprechenden riesigen Stämmen von Myrtaceen, Bombaceen u. s. w. befindlich sind und zur Eigenthümlichkeit der dortigen Vegetation wesentlich beitragen.

Dem Eingange gegenüber am andern Ende hatte man eine 5 Fuss hohe Estrade angebracht, zu der auf beiden Seiten breite Treppen führten. Auf ihr ganz im Hintergrunde war aus den Fürsten unter den Pflanzen, wie Linné ganz passend die Palmen nannt, aus Dracäneen, Pandaneen, Cycadeen und einigen Farrn, umgeben auf beiden Seiten von immergrünen Neuholländern, welche zu gleicher Zeit die hässliche Ecke ausfüllten, eine malerische Gruppe aufgestellt, aus der die bekränzten Büsten Sr. Majestät des Königs, des erhabenen Protektors des Vereines, Ihre Majestät der Königin und des höchst seligen Königs Friedrich Wilhelm III, freundlich herausblickten. Der reiche botanische Garten hatte das Material geliefert.

Rechts und links an den Seiten standen einige Schaupflanzen und neue Einführungen, davor aber die eingelieferten Früchte. Der Königsgruppe gegenüber und zwischen den beiden Treppen, welche auf die Estrade führten, so wie auf dem Gesims der erstern waren die abgeschnittenen Blumen, vor Allem die Rosen, so wie die Harlemer Ranunkeln und Anemonen, daneben wiederum abnorm gestaltete Cacteen, nebst einigen sinnreich gebundenen Bouquets und Kränzen aufgestellt, die die eingelieferten Gemüse in der Mitte einschlossen. Der Raum vor der Estrade und zwischen den Treppen füllte eine ausserordentlich liebliche Gruppe von allerhand, zum Theil seltenen, Gewächshausblumen des botanischen Gartens aus. Längs der beiden langen Seiten des noch immer fast 95 Fuss langen Raumes zogen sich Tafeln nach vorn und waren mit den Gruppen der verschiedenen Aussteller besetzt, doch so, dass die eine in die andere überging, also nirgends ein leerer Raum und deshalb auch nicht die nackte Wand sichtbar war.

Was nun die ganze übrige grosse Fläche anbelangt, so war eigends dazu ein 10 Fuss im Durchmesser enthaltendes Bassin aus Portland-Cement angefertigt. In seiner Mitte erhob sich eine mehre Fuss lange Röhre, in der eine Wassersäule emporstieg und eine andere in ihr befindliche mit verschiedenen Zierrathen versehene Röhre durch das Ausströmen aus verschiedenen Löchern in Bewegung setzte, so dass ein liebliches Wasserspiel sich bildete, was auch zur Erfrischung des ganzen grossen

Raumes sehr viel beitrug. Der Fuss der ersten Röhre war mit Tuff- und andern Steinen pyramidenartig umstellt, doch so, dass Räume und Lücken genug zwischen ihnen vorhanden waren, die zur Eintopfung von allerhand blühenden Wasserpflanzen benutzt werden konnten. Um das Bassin selbst war eine 2 Fuss im Durchmesser enthaltende Rabatte angebracht, in der wiederum allerhand wohlgefällige Blattpflanzen, besonders Caladien mit bunten Blättern, standen. Ein ziemlich breiter Weg zog sich um alles dieses herum. Auf gleiche Weise führten ziemlich breite Wege längs der Gruppen von vorn nach den Treppen der Estrade.

Prächtiger Rasen bedeckte den übrigen Boden, so dass dadurch zwischen dem Eingange und dem Wasserbassin, in dem übrigens allerhand Goldfische lustig herumschwammen, eine viereckige grosse grüne Fläche und eine andere zwischen dem letztern und dem Querwege vor der Estrade gebildet war. An den 4 Ecken einer jeden standen herrliche Exemplare von Dracaena arborea, indivisa, umbraculifera und canariensis einerseits und Yucca recurvata, Yucca Draconis, eines Kaffeebaumes mit halbreifen Früchten und der Zimmetpflanze in Blüthe. Auf kleinen Tischen, Konsolen nicht unähnlich, erschaute man ferner prächtige Kulturpflanzen und neue Einführungen selbstständiger Arten und durch Kultur entstandener Abarten, während der Rasen selbst an den Seiten nach den Gruppen zu von Sortimenten neuer Verbenen, Pelargonien, Fuchsien, Petunien und Ab- und Spielarten der Begonia xanthina eingefasst war. Ausserdem hatte man aber noch hie und da einzelne Bouquets auf dem Rasen angebracht.

Der Anblick war in der That, wenn man eintrat, überraschend, da man vorn mit einem Blicke das ganze, höchst geschmackvolle Arrangement erschaute und im Hintergrunde die grosse Königsgruppe einen in der That majestätischen Schluss machte. Eingetreten verlor sich der freie Blick über das Ganze mehr oder weniger; man sah sich gezwungen, dem Einzelnen seine Aufmerksamkeit mehr zu zuwenden, doch immer so, dass nichts ganz verdeckt war. Eine Abwechselung folgte der andern, bis man zur Estrade kam und diese selbst erstieg. Hatte man mit Musse die prächtigen Exemplare der Palmen, Cycadeen u. s. w. betrachtet und auch rechts und links den Schaupflanzen, so wie den einladenden Pfirsichen, Aprikosen, Pflaumen u. s. w. einige Aufmerksamkeit zugewendet, so eröffnete sich, wenn man seine Blicke wiederum der Thüre zuwendete, ein neuer Blick, nicht weniger schön, ich möchte selbst sagen, grossartig, als der, dessen man sich beim Eintritte erfreute. Das reine Grün des Rasens, hier und da unterbrochen von Blumen und hohen Blattpflanzen, das Bassin in der Mitte mit den spielenden und sich stets drehenden Wasserstrahlen, das dichte Gehölz, aus dem in allen Farben prangende Blumen hervorlugten und über der Thüre das früher schon erwähnte Farrn, gleich einem Adler in der Luft schwebend, diesem zur Seite wiederum die goldfrüchtigen Bäume der Hesperiden, dieses Alles zusammen mit der beweglichen Menge der Beschauenden, von denen der grössere Theil weiss oder bunt gekleidet erschien, rief in der That bei Jedem, dem der Alltagsmensch für dergleichen Naturschönheiten nicht schon seine Sinne abgestumpft, der dagegen noch einen Sinn für alles Höhere und Schöne in seiner Brust sich erhalten hat, einen eigenthümlichen Eindruck hervor, der noch lange Zeit sich geltend macht und freudig bewegt.

So habe ich versucht, ein Bild von dem, was die 35. Festausstellung des Vereines zur Beförderung des Gartenbaues darbot, zu geben und will nun jetzt das aus dem reichen Material, was dieses Mal geboten und was vorzugsweise einer nähern Betrachtung werth ist und Pflanzen- und Blumenliebhabern empfohlen werden kann, näher bezeichnen. Es hatten sich 43 Aussteller betheiligt und zwar in der Weise, dass von 16 Ausstellern Gruppen, von 15 hingegen Schaupflanzen, von 7 neue Einführungen, von 4 eigene Züchtungen, von 10 abgeschnittene Blumen, von 7 Obst, von 6 Gemüse und von 3 endlich andere die Gärtnerei betreffende Gegenstände geliefert waren.

Ich beginne mit den Pflanzen des botanischen Gartens. Ausser den oben schon genannten beiden grossen Gruppen war durch den Inspektor Bouché noch eine dritte auf der Seite aufgestellt. Eine kleinere und demnach vierte endlich und zwar ausgesuchter Pflanzen, befand sich auf einem Tische. Rechnet man dazu noch die Pflanzen auf dem Rasen nebst den Schaupflanzen und den neuen Einführungen, so waren von diesem Königlichen Institute nicht weniger als 442 Pflanzen geliefert. Ich übergehe die Palmen, Dracäneen und die anderen Pflanzen der Königsgruppe, da hier hauptsächlich das geschmackvolle Arrangement ins Auge gefasst war, wenn sich auch manche interessante und seltene Art darunter befand.

Aus den übrigen Gruppen waren bemerkenswerth: die Palmen Georgia speciosa, Hyophorbe indica, Brahea calcarata und Chamaedorea Ernesti Augusti, von den Pandaneen hingegen: Pandanus furcatus, javanicus, (6½ Fuss im Durchmesser) graminifolius und der noch ganz neuere leucacanthus, welcher von dem Leidener Garten zuerst verbreitet wurde; Freycinetia nitida wurde meines Wissens nach noch nirgends beschrieben. Carludowica palmaefolia Lodd.

ist die Kunth'sche C. Plumieri und eine den Palmen sich anreihende schöne Blattpflanze. Die baumartigen Lilien waren grade durch die selteneren Arten und durch zum Theil auch prächtige Exemplare vertreten. Das letztere war namentlich bei D. umbraculifera und indivisa der Fall. Die falschen Namen der zuletzt genannten Pflanze, nämlich: Dianella australis, Dracaena australis und Freycinetia Baueriana scheinen aus den Gärten gar nicht verschwinden zu wollen. Selten sind: Dracaena Rumphii und canariensis, so wie arborea.

Anthurium costatum ist wenig verbreitet, war aber hier in einem grossen Exemplare, dem ältesten allerdings, was überhaupt in Europa vorhanden ist, mit mehre Fuss hohem Stamme vorhanden. Nicht weniger stattlich nahmen sich die beiden bleifarbenen Exemplare der Alocasia metallica auf dem Rasen aus, die überhaupt in dieser Hinsicht häufiger angewendet werden sollten. Die ächte Musa coccinea sieht man keineswegs immer so hübsch kultivirt, als es hier der Fall war, und die noch ganz neue breitblättrige Aechmea surinamensis erinnert im Wachsthume an das Encholirion Jonghii, was in der Gartenzeitung (Seite 22) zuerst näher beschrieben wurde; bis jetzt hat sie noch nicht geblühet und sieht demnach einer Veröffentlichung bald entgegen. Pitcairnia undulata, obwohl schon seit vielen Jahren in den Gärten Berlins, aber ausserdem wenig bekannt, besitzt schöne rothe Blüthen und langgestielte Blätter, was der Pflanze ein eigenthümliches Ansehen giebt. Tradescantia discolor β. lineata stellt eine hübsche Abart dar, die ihren Ruf verdient. Allium grandiflorum ist besonders Staudenliebhabern zu empfehlen.

Casuarina nodiflora, zwar schon von Forster im vorigen Jahrhunderte auf den Neuen Hebriden entdeckt, ist keineswegs sehr bekannt und möchte besonders Koniferen-Liebhabern zu empfehlen sein, da sie sich im Habitus den Ephedren anschliesst. Die sonderbar gestaltete Gesneriacee Alloplectus speciosus ist gut kultivirt eine Zierde der Gewächshäuser, hat aber meist in Folge der leicht abfallenden Blätter ein nacktes Ansehen. Statice puberula ist auf den canarischen Inseln zu Hause und Stylidium bellidiflorum eine der schönern Arten aus dieser durch ihren Blüthenbau interessante Familie, welche der neuholländische Sammler Preis eingeführt hat. Ein 15 Fuss hoher Kaffeebaum bot, mit halbreifen Früchten dicht besetzt, einen eigenthümlichen Anblick dar. Diosma thyoides, schon von Willdenow beschrieben, findet sich fast nur in einigen botanischen Gärten, obwohl hübsch und zu Schaupflanzen passend. Fortunea chinensis, eine nette Juglandee, die schon kaum etwas über 1 Fuss hoch alle Jahre zu blühen scheint, fehlt noch ganz in den Gärten der Privaten, obwohl sehr zu empfehlen. Eben so möchten die beiden Araliaceen Gastonia palmata und Candollei eine grössere Verbreitung verdienen, zumal man neuerdings die Arten dieser Familie liebt.

Aus Begonia xanthina und rubrovenia hat der Inspektor Bouché eine ganze Reihe von Blendlingen und Formen erzogen, die wegen ihrer schönen Blattzeichnung alle Beachtung verdienen und, dem Rasen des Ausstellungsraumes eingesenkt, einen angenehmen Kontrast zu dem Grün des Grases darboten. Weinmannia trichosperma, schon von Cavanilles im vorigen Jahrhundert beschrieben, aber wenig bekannt, stellt eine hübsche Cunoniacee dar. Blumen- und Staudenliebhabern ist Lupinus subcarnosus zu empfehlen, wogegen Lychnis Sieboldii, obwohl immer eine gute Akquisition, doch der alten und viel kultivirten Lychnis fulgens an Schönheit nachsteht. Als Blattpflanze schliesst sich manchen Proteaceen die mit freudig-grünen und angenehm geformten Blättern versehene Sapindacee Cupania Cunninghami an, die meist in den Gärten als Stadmannia australis kultivirt wird. Interessant, schon der Männer wegen, deren Namen sie tragen, sind Goethea cauliflora und Leonus robinioides, letztere den Indigofera-Arten ähnlich und stets reichlich blühend. Goethe liebte, wie bekannt, vom Allgemeinen abweichende Pflanzen, was wohl Nees v. Esenbeck und v. Martius, die das Genus Goethea aufstellten, veranlasst haben mag, grade Pflanzen, wo prachtvolle Blüthen, die einiger Massen an die des sonst so entfernt stehenden Alloplectus speciosus erinnern, aus dem Stamme selbst hervorkommen, nach Goethe zu nennen. Das Exemplar war sehr reich an Blüthen und möchte deshalb diese Pflanze, wenn sie nur gut gezüchtet wird, auch Liebhabern zu empfehlen sein.

Die Gruppe des Universitätsgärtners Sauer enthielt hauptsächlich Farrn und Palmen. Unter den letztern befanden sich hübsche Exemplare der noch wenig verbreiteten Weinpalme, Oenocarpus altissimus, der Wachspalme, Klopstockia cerifera, der Chamaedorea pygmaea und concolor; unter den Farrn waren zu bemerken: das mexikanische Cibotium Schiedei, mehre Arten leichtes Frauenhaars, besonders Adiantum cuneatum und macrophyllum. Reich waren auch die Aroideen und besonders die Caladien vertreten. Ein besonderes Interesse erregten die beiderlei Zimmetbäume: Cinamomum aromaticum und zeylanicum, von welchem ersteren sich noch ein zweites Exemplar in

Blüthe auf dem Rasen vorfand. Hedysarum oder Desmodium gyrans ist interessant wegen seiner beständig auf- und abwärts gehenden Seitenblättchen.

Der Kunst- und Handelsgärtner L. Mathieu hatte nahe 200 Pflanzen zu einer gemischten Gruppe verwendet. Besonders reich erschienen hier die Aroideen, Dracäneen und Marantaceen, so wie die Farrn. Von den Aronspflanzen waren allein die buntblättrigen Caladien mit 9 Arten und 26 Exemplaren vertreten. Obwohl vielfach vorhanden, so verdienen diese zum Theil eben so hübschen Blüthen- als Blattpflanzen doch noch weit mehr angewendet zu werden, als es der Fall ist. Ganz besonders geben C. pellucidum, was meist als C. discolor und rubricaule in den Gärten vorkommt und auch mannigfach zu ändern scheint, so wie haematostigma, picturatum und marmoratum hübsche Schaupflanzen. Aber auch andere Arten mit gefärbten Blättern waren reichlich vorhanden, so Coleus Mackayi, mehre Begonien, Dracänen, Curcuma rubricaulis, Phrynium varians, meist als Heliconia discolor in den Gärten, Phrynium Warszewiczii, Thalia sanguinea (Stromante oder Maranta sanguinea), Yucca quadricolor, eine noch seltene und im Preise auch theure Pflanze. Von den Farrn nenne ich Polypodium sporodocarpum.

Ferner hatte Herr L. Mathieu einige neuere Pelargonien und Verbenen an einer andern Stelle gruppirt. Von den erstern verdienten General Simpson, Rosymoon, Reine du bal, Argus und glaucum grandiflorum, von den letztern der Fahnenträger (Standart-Bearer) und Préeminent genannt zu werden.

Aus dem Königlichen Garten zu Bellevue war vom Hofgärtner Crawack eine freundliche Gruppe aus verschiedenen Blatt- und Blüthenpflanzen zusammengestellt. Zwischen Dracänen, einigen Musen und Palmen, Maranten und Farrn, zum Theil auch von ihnen überragt, befanden sich blühende Gesnerien, Achimenes und eine ganze Reihe verschiedenfarbiger Pelargonien in freundlicher Harmonie zu einander.

Der Vereinsgärtner E Bouché hatte eine andere Gruppe aufgestellt, die nur aus Blattpflanzen bestand. Dracäneen, Palmen, Marantaceen, Aroideen und Farrn herrschten in ihr vor. Als neue Einführung waren aus den Vereinsgarten das früher besprochene Cosmidium Buridgeanum (s. Seite 84), Nemesia versicolor nana, Oxalis tropaeoloides und die schöne Statice brassicaefolia vorhanden.

Eine kleine Gruppe verdankte man dem Kunst- und Handelsgärtner Priem. In keinem Jahre hat ein so reger Verkauf von Pflanzen in Berlin stattgefunden, als in diesem, wo namentlich, um die Ausstellung in Stettin auszuschmücken, von dort aus hier grossartige Ankäufe gemacht worden waren. Man darf sich deshalb nicht wundern, wenn selbst diejenigen Handelsgärtner, welche ihr eigenes Interesse wohl verstehen und sich stets und gern bei den Ausstellungen des Vereins betheiligen, dieses Mal nur geringe Beiträge liefern konnten. Die Priem'sche Gärtnerei zeichnet sich aber grade durch derlei Pflanzen aus, ohne jedoch das Neueste, was in der Blumenwelt erscheint, zu versäumen.

Von den 9 ausgestellten Töpfen enthielt der eine, eine hübsch gezogene Mitraria coccinea, während ein anderer Mimulus Queen Victoria, unbedingt die schönste der in der neuesten Zeit so mannigfaltigen Gauklerblumen, ein dritter ein blühendes Phrynium varians (Heliconia discolor) enthielt. Interessant waren auch die 4 Veredelungs-Arten der Arbutus Andrachne auf A. Unedo, die im vorigen August durch Kopulation, Placage, à la Pontoise und durch Einspitzen (Incision) gemacht waren. (Fortsetzung folgt.)

Die Chinesische Kartoffel und der Bergreis.

1. Die Chinesische Kartoffel, wie der Garteninspektor Jühlke in Eldena bei Greifswald die Yams-Batate, d. h. die Knollen der Dioscorea Batatas, treffend nennt, ist seit den wenigen Jahren ihrer Einführung bald in hohem Grade angepriesen worden, bald hat man sie wiederum ohne Weiteres als unbrauchbar für unser Klima und unsere Boden-Verhältnisse erklärt. Wenn man bedenkt, wie lange Zeit die ächte oder amerikanische Kartoffel Zeit bedurfte, um sich bei uns einzubürgern, um endlich, gleich dem Roggen und Weizen, eine unentbehrliche Speise zu werden, wenn man ferner weiss, dass Friedrich der Grosse die Bauern in der Mark mit dem Stocke zum Kartoffelbaue zwingen musste, so darf es nicht auffallen, dass der Anbau der Yams-Bataten in unserer aufgeklärten Zeit noch keine so grosse Fortschritte gemacht hat. In Deutschland ist sie selbst schon zum grossen Theil aufgegeben worden, obwohl bewährte Männer, wie Jühlke in Eldena und Borchers in Herrenhausen bei Hannover, fortfahren, ihren Anbau mit Aufmerksamkeit zu verfolgen.

In Frankreich scheinen weit mehr Kultur-Versuche angestellt zu werden. Zwei Gesellschaften, deren ausserordentliche Thätigkeit vielen deutschen Vereinen als Beispiel dienen möchte, die kaiserliche Gartenbau-Gesellschaft (Société impériale et centrale d'horticulture) und der Akklimatisations-Verein (Société impériale zoologique d'acclimatisation), beide mit ihrem Hauptsitze in Paris, haben Rundschreiben erlassen, um Gartenbau- und landwirthschaftliche Vereine sowohl, als auch Privatpersonen aufzufordern, ihre Beobachtungen und Resultate in Betreff der Chinesischen Kartoffel ihnen mitzutheilen. Erst wenn von allen Seiten dieses geschehen, gleiche Aufmerksamkeit und Sorgfalt noch einige Jahre hindurch auf den Anbau verwendet ist und all den verschiedenen klimatischen Einflüssen und Boden-Verhältnissen Rechnung getragen wird, möchte es möglich sein, ein sicheres Urtheil abzugeben. Wir fordern daher auch unsererseits auf, den Wünschen beider Vereine im Interesse des Anbaues einer so gewichtigen Pflanze, die in China Millionen von Menschen ernähren soll, nachzukommen.

Die Pariser Gartenbau-Gesellschaft legt 27 Fragen vor, die sie beantwortet zu haben wünscht; Victor Chatel in Vire (Calvados), dem von Seiten des Akklimatisations-Vereines der Auftrag wurde, das Rundschreiben zu entwerfen, ist so gar noch specieller gewesen und hat nicht weniger als 112 Fragen aufgestellt. Wir beschränken uns hier, die Fragen der Gartenbaugesellschaft bekannt zu machen, sind aber gern erbötig, denjenigen, welche auch auf die des Akklimatisations-Vereines eingehen wollen, die Rundschreiben desselben nebst den Fragen mitzutheilen, wenn sie in portofreien Briefen sich an uns wenden wollen. Da der Verein zur Beförderung des Gartenbaues zu Berlin schon mit dem ersten Erscheinen der Pflanze in Europa sein besonderes Augenmerk auf die Kultur gerichtet und ebenfalls Versuche angestellt hat, so wird er auf jedem Falle seine Erfahrungen dem Pariser Schwester-Vereine mittheilen. Er ist auch gern bereit, die Berichte anderer seinerseits in Empfang zu nehmen und weiter zu befördern. Man wolle sich deshalb nur an das General-Sekretariat desselben wenden. Wer direkt sie abgeben will, beliebe sie an den Inspektor des Boulogner Hölzchens (Conservateur du bois de Boulogne) A. Pissot bei Paris zu senden.

Besagte Fragen sind:

1. Beschaffenheit des Bodens?
2. Tiefe des Bodens?
3. Feuchtigkeitsgehalt des Bodens (ob kühl, feucht trocken u. s. w.)?
4. Beschaffenheit des Untergrundes?
5. Lage (Nord, Süd, West, Ost)?
6. Terrain (Ebene, Hügel, Berge u. s. w.)?
7. Beschaffenheit und Art des angewendeten Düngers?
8. Art und Weise der Auflockerung des Bodens (mit dem Pfluge oder mit dem Spathen) und bis zu welcher Tiefe?
9. Beschaffenheit der zur Pflanzung angewendeten Theile (ob Brutknospen, ganze oder getheilte Knollen)? und Angabe, woher man sie entnommen? ob von der Basis des Stengels, weiter unten, oder endlich von den rübenförmigen Theilen selbst?
10. Angabe des Gewichtes, in so fern man ganze Knollen nahm?
11. Angabe der Behandlung während der Vegetation (Behacken, Begiessen u. s. w.)?
12. Zeit der Aernte?
13. Angabe der Instrumente, welche man bei der Herausnahme der Wurzeln benutzt hat?
14. Angabe der Zeit, wo diese aus der Erde genommen wurden?
15. Ertrag an Gewicht?
16. Gestalt der Knollen?
17. Länge der Knollen?
18. Güte als Nahrungsmittel?
19. Art und Weise, den Stärkemehlgehalt zu bestimmen?
20. Verhältniss des Stärkmehls zu den übrigen Theilen?
21. Art und Weise, die Knollen aufzubewahren?
22. Art und Weise der Vervielfältigung durch überirdische oder Stengeltheile (durch Knospen, Stengeltheile u. s. w.)?
23. Anwendung der Stengeltheile als Viehfutter?
24. Ist es vortheilhaft, die Knollen 2 Jahre in der Erde zu lassen oder alle Jahre zu ärnten?
25. Ist es besser, in so fern man nur alle 2 Jahre ärnten will, die Knollen den Winter über in der Erde zu lassen, oder sie im Herbste herauszunehmen und sie im nächsten Frühjahr wieder zu pflanzen?
26. Zu welcher Zeit soll man pflanzen?
27. In welcher Entfernung sollen die Knollen gelegt werden?

II. Was den Bergreis (Riz sec) anbelangt, der neuerdings von Seiten des Akklimatisations-Vereines in Paris zu Kultur-Versuchen empfohlen ist und von dem mit grosser Liberalität nach allen Seiten hin, auch nach dem Auslande, reichlich gespendet wurde, so möchte wohl ein Gelingen der Kultur desselben und demnach Erfolge zu bezweifeln sein, obwohl vor einem halben Jahrhunderte in Hannover gelungene Versuche mit dem Anbaue des Bergreises gemacht sein sollen. In dem Hannover'schen Magazine der Jahre 1793 bis 1808 finden sich mehrfache Berichte darüber. Ein Landwirth soll sogar nach und nach 40 Himten, also ohngefähr 21 preussische Scheffel, des Bergreises geärntet haben. Sonderbarer Weise, heisst es weiter, hatte man keine Maschine zum Enthülsen und so sah sich der Besitzer gezwungen, die ganze Masse den Schweinen zu füttern.

Der Eskadron-Chirurgus Frederichs (Neues Hannöv. Mag. 3. Jahrg. Seite 727) erzählt von einem Förster, der unter dem gewöhnlichen käuflichen Reise 20 unenthülste Körner fand und dieselben pflanzte. Da er nach 3 Monaten ¼ Metze Reis erhielt, so streute er diesen im nächsten Jahre zur Zeit, wo der Hafer gesäet wurde, ganz dünn auf Feldland aus. Bevor noch der Hafer reif war, ärntete er und erhielt, wobei er ganz gewöhnlich dreschen liess, 2¼ Himten Körner. Kein Müller konnte auch ihm den Reis enthülsen, denn die Körner zersprangen in getrocknetem Zustande, im feuchten brachte man aber die Schalen nicht herunter. Der Eskadron-Chirurgus Frederichs giebt deshalb an angegebener Stelle die Beschreibung einer Maschine zum Enthülsen.

Auch in Sachsen wurden in der zweiten Hälfte des vorigen Jahrhundertes Versuche mit dem Reisbaue gemacht. Es berichtet darüber der Sekretär der Königlich-Sächsischen Leipziger ökonomischen Societät, Kommissionsrath Riem, in den Schriften derselben. Die Pflanzen waren im Freien so gediehen, dass die einzelnen zum Theil aus 14 Halmen mit 223 Körnern bestanden. Ein Exemplar hatte sogar 23 Halme mit 375 Körnern. Die Aussaat gab einen 25 bis 30fachen Betrag.

Auch in England hat man zu verschiedenen Zeiten Versuche angestellt, die aber, so viel uns bekannt, sämmtlich nicht so günstige Resultate lieferten. John Banks erhielt zwar im Jahre 1799 von einer Aussaat sehr üppige Pflanzen, aber keinen reifen Samen, so dass er sich gezwungen sah, die ersten als Viehfutter zu benutzen.

Alle Versuche, die seit dem Jahre 1837 in Herrenhausen durch den für dergleichen Versuche gewiss sehr geeigneten Hofgartenmeister Borchers vom Neuen gemacht wurden, sind misslungen. Trotz dem werden sie aber immer noch fortgesetzt und sollen zur Zeit die Resultate veröffentlicht werden. In dem zweiten Jahrgange der neuen Reihe der Verhandlungen des Vereines zur Beförderung des Gartenbaues zu Berlin befindet sich eine Kultur-Angabe des Bergreises von Borchers, die wir allen denen, die sich für diesen Gegenstand interessiren, empfehlen können.

Der Bergreis wird hauptsächlich in China in den mehr gebirgigen Provinzen kultivirt. Er bedarf keineswegs eines sumpfigen Bodens und einer erhöhten Temperatur, wie der gewöhnliche, und dürfte deshalb für unsere wärmern Sommer geeignet sein, wenn wir nur mit Sicherheit darauf rechnen könnten. Im Pontischen Gebirge, und zwar auf den Abfall nach dem Schwarzen Meere zu, wo ich mich im Jahre 1843 befand, wird er ebenfalls gebaut, giebt aber nur geringen Ertrag. Das Korn ist im Allgemeinen kleiner, hat aber dagegen ein weisseres Mehl.

Dasylirion acrotrichon Zucc.

In dem Garten des Oberlandesgerichtsrathes Augustin an der Wildpark-Station bei Potsdam und in dem des Domherrn von Spiegel in Seggerde bei Weferlingen im Magdeburg'schen blühen eben Exemplare dieser schönen Baumlilie.

Aus Südamerika

empfange ich von den dortigen Botanikern Appun und Horn Anfang Juli eine direkte Zusendung von circa 300 diversen Sämereien, welche meist erst im März und April eingesammelt werden, daher ganz frisch und völlig reif sind.

Von lebenden Pflanzen u. dergl. erhielt ich eben daher Ende Juli die erste diesjährige Sendung bereits bestellter Sachen, dabei jedoch Amaryllis Belladonna und

— (Hippeastrum) solandraeflora

in ganz besonders starken und blühbaren Exemplaren, welche ich in beliebiger Anzahl, bei Abnahme von 100 Stück sehr billig, offerire.

Gedruckte Verzeichnisse über Sämereien und Pflanzen stehen auf Verlangen sofort zu Diensten, geehrte Aufträge werden von mir schnellstens ausgeführt.

Die Herren Appun und Horn befinden sich jetzt eben in Santa Marta in Neu-Granada, und kehren erst Ende August nach Venezuela zurück, sie fahren ununterbrochen mit Pflanzen- und Samensendungen an mich fort. Die botanische Ausbeute ihrer jetzigen interessanten Reise wird überaus gross sein.

Carl Friedr. Appun,
Buchhändler in Bunzlau in Schlesien.

Offerte.

Die Cacteen-Sammlung des Garten-Etablissements von Knop in Göttingen, bestehend aus circa

112 Stück Mammillarien in 48 Arten,
160 - Echinocacteen in 26 -
200 - Cereen, Epiphyllen und Rhipsaliden in circa 60 Arten und Hybriden,
30 - Opuntien in 12 Arten,

wird zu verkaufen, oder auch gegen andere, dem Besitzer convenirende Pflanzen zu vertauschen beabsichtigt.

Hierauf Reflektirende werden ersucht, sich mit obigem Etablissement in Correspondenz zu setzen und kann das Verzeichniss darüber auf Verlangen erfolgen.

D. Red.

Verlag der Nauckschen Buchhandlung. Berlin. Druck der Nauckschen Buchdruckerei.

No. 27. Sonnabend, den 4. Juli. 1857

Preis des Jahrganges von 52 Nummern mit 12 color. Abbildungen 6 Thlr., ohne dieselben 5 -. Durch alle Postämter des deutsch-österreichischen Postvereins sowie auch durch den Buchhandel ohne Preiserhöhung zu beziehen.

Mit direkter Post übernimmt die Verlagshandlung die Versendung unter Streifband gegen Vergütung von 26 Sgr. für Belgien, von 1 Thlr. 4 Sgr. für England, von 1 Thlr. 22 Sgr. für Frankreich.

BERLINER

Allgemeine Gartenzeitung.

Herausgegeben vom

Professor Dr. Karl Koch,

General-Sekretair des Vereines zur Beförderung des Gartenbaues in den Königl. Preussischen Staaten.

Inhalt: Die grosse Festausstellung von Pflanzen, Blumen, Obst, Gemüse u. s. w. des Vereines zur Beförderung des Gartenbaues zu Berlin am 21. u. 22. Juni. Vom Generalsekretär des Vereines, Professor Dr. Karl Koch. (Fortsetzung). — Ueber den Garten zu Buitenzorg auf Java. Briefliche Mittheilung des Herrn Hasskarl. — Ueber Spiersträucher im Allgemeinen, besonders über die aus der Gruppe der Callosa Thunb. u. Douglasii Hook. Nebst einem Paar neuen Blendlingen der Landesbaumschule bei Potsdam. — Petunien mit gefüllten Blumen. — Ueber Ouvirandra fenestralis und einige andere Pflanzen der Geitner'schen Gärtnerei. Von dem Besitzer derselben. — Die Laurentius'sche Gärtnerei in Leipzig.

Die grosse Festausstellung von Pflanzen, Blumen, Obst, Gemüse u. s. w. des Vereines zur Beförderung des Gartenbaues zu Berlin am 21. und 22. Juni.

Von dem Generalsekretär des Vereins, Professor Dr. K. Koch.

(Fortsetzung aus No. 26.)

Ich gehe von den gemischten Gruppen zu den bestimmten über. Der Hofgärtner Morsch in Charlottenhof bei Potsdam hatte um 12 hübsche und grossblumige Sommer-Calceolarien verschiedene andere Blumen, namentlich Gladiolen, gruppirt. Schön und gelungen waren die 5 von ihm selbst gezüchteten Petunien und verdienen dieselben eine weitere Verbreitung. Buschige Exemplare bildete der grossblühende rothe Lein. Zu empfehlen sind ausserdem die Immortellen Acroclinium roseum, nicht aber Polycalymna Stuartii.

Die Kunst- und Handelsgärtner, Gebrüder Barrenstein, Besitzer des Libo'schen Garten's bei Moabit, hatten ebenfalls Petunien in 15 Sorten geliefert und unter ihnen sehr hübsch gezeichnete, die allen Blumenliebhabern zu empfehlen sind. Ausserdem waren von ihnen eine vollblühende Fuchsia, nämlich Prinz Albert, als Schau- oder Kulturpflanze, und aus andern Fuchsien, ausserdem aber aus Diplacus grandiflorus, Lysimachia Leschenaultii, Calceolaria nana, Pelargonium Princ. Alice u. a. m. eine Blumengruppe aufgestellt. Endlich verdient noch die chilenische Myrtus Ugni, die neuerdings ihrer essbaren Früchte halber in England viel gezogen wird, genannt zu werden.

Wer Scharlach-Pelargonien, besonders mit bunten Blättern, liebt, fand in der Sammlung des Fabrikbesitzers Danneel eine reiche Auswahl der besseren und neueren. Der Obergärtner Pasewaldt hatte sie zu einer hübschen Gruppe vereinigt. Von ihnen nenne ich nur: den Glühwurm (Glowworm), Dandy, Kaiser Napoléon, die goldene Kette (Golden Chain), den Silberkönig und die Silberkönigin (Silver-King and Silver-Queen), den Lichtberg (Mountain of light) und die Blüthe des Tages (Flower of the day). Ausserdem fanden sich noch aus demselben Garten als neue Einführungen vor: Petunia Gloire de France, Calceolaria Norma, Dianthus Lord Raglan und einige andere, als Kulturpflanzen endlich: Diplazium pubescens und Didymochlaena sinuosa.

Seit Jahren stellt der Kunst- und Handelsgärtner Allardt Orchideen aus; auch dieses Mal war eine stattliche Gruppe dieser sonderbaren Pflanzen vorhanden. Die Zahl der Arten betrug 35, unter ihnen 7 Oncidien und 8 Epidendren, ausserdem Stanhopea Martiana, bicolor und Devoniana, letztere mit 10 Blüthen, Promenaea lentiginosa und xanthina, Lycaste tetragona mit 8 Blüthen, Trichopilia coccinea, Cymbidium pendulum, Acropera Loddigesii purpurea mit 4 Trauben u. a. m.

Der Obergärtner der grossen Gärtnerei des Oberlandesgerichtsrathes Augustin an der Wildparkstation bei

Potsdam, Lauche, hatte eine interessante Aroideen-Gruppe von 12 Arten, meist neuer Anthurien und Philodendren, aufgestellt. Von den erstern ist bereits in dem Aufsatze über einige neuere Aroideen in der Gartenzeitung (S. 190—193) gesprochen worden, weshalb sie hier übergangen werden können. Ausserdem waren aber noch Philodendron latipes, das ebenfalls schon früher beschriebene Xanthosoma pilosum (s. Seite 173), Homalonema coerulescens, Arisarum Konjac, ohne Zweifel aber ein Amorphophallus oder Sauromatum vorhanden. Nicht weniger Interesse nahmen aus demselben Garten die übrigen Pflanzen in Anspruch. Neue Einführungen waren: Species e Mirador, mit auf der Unterfläche silberweissen Blättern, wohl eine Helianthee, vielleicht in der Nähe von Cosmophyllum cacaliifolium stehend und wahrscheinlich wie diese, zu Blattpflanzen im Freien zu verwenden; ferner die neue und zu gleicher Zeit gut gezogene Tradescantia discolor β. lineata und die von van Houtte neuerdings als picta vera verbreitete Begonie. Es ist diese letztere aber nichts weiter, als eine, aber allerdings hübsche, Form der Begonia xanthina und daher von der ächten Pflanze d. N., der Begonia picta Smth, weit verschieden. Endlich nenne ich die beiden neuen, ebenfalls schon in der Gartenzeitung (Seite 4 und 5) beschriebenen Orchideen Anecochilus argyroneurus und Spiranthes Eldorado. Macodes marmorata (Anecochilus Lowii, s. Seite 3 und 117) war als Schaupflanze ausgestellt.

Aus Breslau hatte der Vorsitzende des Central-Gärtner-Vereines, Kunst- und Handelsgärtner Breiter, eine Gruppe von Pelargonien gesendet, die um so mehr Anerkennung fanden, als sie von ihm selbst durch Kreuzung gezüchtet waren. Sie enthielt einige, die an Schönheit manchen englischen und erst mit vielem Geld eingeführten Formen vorzuziehen waren.

Als Einfassung auf dem Rasen nahmen sich die 30 verschiedenfarbigen Verbenen des Kunst- und Handelsgärtners Schäffer sehr hübsch aus und können dieselben allen Liebhabern dieser in der Farbe der Blume vielfach spielenden Pflanzen empfohlen werden.

Aus dem Königlichen Garten zu Charlottenburg hatte der Nestor unter den Gärtnern, der bereits im 84. Jahre stehende Oberhofgärtner Fintelmann, eine freundliche Gruppe hochstämmiger Rosen, ausserdem aber noch 5 grosse Orangenbäume, zur Verfügung gestellt.

Endlich bleibt als letzte Gruppe noch zu erwähnen übrig die des Kakteenzüchters Aug. Linke. Sie bestand aus 23 Kakteen und zwar aus 4 Mammillarien, aus eben so viel Echinokakteen und aus 2 Cereus. Unter den letztern befand sich auch in Blüthe Cereus speciosissimus β. Jenkinsonii. Von den erstern sind noch neu oder selten: Mammillaria bocasana, Schaeferii, Wegnerii und melanocentra, von den Echinokakten hingegen: echinoides, setispinus, Wislizeni, crispatus, Williamsii und melanocanthus γ. flore roseo.

Ich gehe zu den Schau- oder Kulturpflanzen, so wie zu den neuen Einführungen und zu den eigenen Züchtungen über. Von den Ausstellern sind bereits die, welche zu gleicher Zeit Gruppen lieferten, genannt. Was die übrigen anbelangt, so war aus dem Garten des Fabrikbesitzers Nauen, dem der Obergärtner Gireoud vorsteht, die grösste Anzahl geliefert. Des prächtigen Farrn, Polypodium Reinwardtii, was über dem Eingange schwebend angebracht war und seine fast 9 Fuss langen Wedel abwärts hängen liess, ist schon gedacht. Die grossblühende Hoya imperialis war um einen 3 Fuss hohen und 13 Zoll im Durchmesser enthaltenden Cylinder geschlungen und besass 2 Trauben, eine von 7 und die andere von 3 Blüthen. Die Mitraria coccinea bildete ein hübsches, buschiges und über und über mit Blüthen besetztes Exemplar von 18 Zoll im Durchmesser. Tydaea amabilis war bereits schon von der Aprilausstellung bekannt. Ardisia hymenandra wird wenig in Gärten kultivirt und ist doch eine schöne, nicht schwierig blühende Pflanze. Als Blattpflanze verdient die noch neuere Jacaranda Clausseniana alle Berücksichtigung, eben so die Araliacee Oreopanax macrophyllum. Keineswegs so häufig verbreitet ist die ächte Dracaena arborea, wie uns Professor Göppert in seiner vorzüglichen Bearbeitung der Dracäneen zuerst nachgewiesen hat. Einer besonders guten Kultur erfreuten sich ausserdem: Erica ventricosa magnifica, Helichrysum macranthum roseum, das Aërides odoratum mit seinen blendend weissen Blüthen, Saccolabium guttatum, Cattleya maxima u. m. a. Als neue Einführung hatte der Obergärtner Gireoud endlich noch eine Aristolochia ohne Namen eingesendet, die etwas zu versprechen scheint.

Von Magdeburg hatte der Fabrikbesitzer Krichel-dorf durch seinen Obergärtner Kreutz ein schönes Farrn, Dictyoglossum crinitum, was allen Liebhabern dieser Familie empfohlen werden kann, und Cassinia borbonica (gewiss aber keine Composite) als neue Einführung zur Ausstellung geliefert.

Dem Kunst- und Handelsgärtner Nicolas verdankte man einige hübsch gezogene Hortensien und Citrus chinensis, welche letztere über und über mit Blüthen besetzt waren, dem Kunst- und Handelsgärtner P. Fr.

Bouché hingegen ein stattliches Exemplar der Aralia nymphaefolia, eine Art, die wegen ihrer grossen und ganzrandigen Blätter sich mehreren Ficus-Arten anschliesst. Einen schönen Anblick auf dem Rasen bot ein blühendes Exemplar der Yucca recurva und eine Chamaerops humilis, welche der Kunst- und Handelsgärtner Späth geliefert hatte.

Was man aus gewöhnlichen Pflanzen machen kann, hatte der Hofgärtner Hempel im Prinz-Albrecht'schen Garten an dem pyramidenförmig-gezogenen und bis zu 3 Fuss hohen Frauenspiegel (Specularis Speculum) gezeigt. Diese hier und da im mittlern und südlichen Deutschland unter dem Getreide wachsende Campanulacee vermochte man kaum wieder zu erkennen. Von nicht geringerem Interesse waren die reichblühenden Fuchsien, welche die Frau Schlächtermeister Welde unter den ungünstigen Verhältnissen eines engen Hofes, also in ziemlich geschlossenem Raume, binnen einem Jahre aus Stecklingen und aus Samen selbst erzogen hatte. Eben so nahm die zweijährige Myrte, ebenfalls in demselben engem Hofe erzogen, die Aufmerksamkeit der Besucher in Anspruch.

Einen blühenden Gummibaum (Ficus elastica, Urostigma elasticum) hatte eine Dame mit Recht als eine Seltenheit eingesendet, da selbst mehre ältere Gärtner diese jetzt wohl allgemein verbreitete Blattpflanze der Zimmer noch nicht in Blüthen gesehen hatten.

Von den neuen Einführungen erregten keine das Interesse, namentlich der Gärtner und Gartenbesitzer, so sehr, als die 9 Pflanzen des Direktor Linden in Brüssel. Von ihnen befand sich nur eine, eine Gesneriacee, Tapina splendens, in Blüthe. Sie ist bereits in mehreren Katalogen, die im Frühjahr die Linden'schen Gärtnerei ausgegeben hat, abgebildet. Die übrigen waren Blattpflanzen, sämmtlich von seltener Pracht. Alle aber überragte die grossblättrige Melastomatee: Cyanophyllum magnificum und die Begonia Rex, der B. annulata (s. Gartenzeitung Seite 76), welche von Henderson als B. picta verbreitet wurde, ähnlich, aber schöner. Die übrigen waren: Boehmeria argentea, Maranta fasciata, pulchella und argyrophylla. Campylobotrys argyroneura und Putzeysia rosea, eine Araliacee. Da ich in einer der nächsten Nummern weitläufiger über diese Pflanzen sprechen werde, übergehe ich hier alles Nähere.

Ausser den schon früher angegebenen Züchtungen hatte auch der Kunst- und Handelsgärtner Heinemann einen Delphinium-Blendling mit schönen und grossen blauen Blüthen eingesandet. Er steht dem vielgestalteten Delphinium elatum nahe und mag auch dieses wohl Mutterpflanze sein.

Ich wende mich den abgeschnittenen Blumen zu. Aus Breslau hatte der Obergärtner Rehmann im Banquier Eichborn'schen Garten eine Sammlung von Eriken, neuholländischen Schmetterlingsblüthlern, Petunien und andern Lieblingsblumen gesendet, welche von der guten Kultur ihres Züchters Zeugniss ablegten. Von den letztern waren besonders schön: Isis, Maria Gloriosa, Aristides und Uranus.

Allgemeinen Beifall fanden die Ranunkeln und Anemonen der Gebrüder Eldering in Overween bei Harlem, die trotz einer mehrtägigen Reise im dunkelen Kasten, noch eine Farbenpracht, und zwar fast in allen Nuancirungen vom hellsten Weiss durch Gelb, Roth und Violett bis zum dunkelsten Purpur, entfalteten, wie man sie nur selten sieht. Alle Liebhaber dieser schönen Blumen, die leider in der neuesten Zeit gar nicht mehr so häufig in den Gärten gesehen werden, als früher, finden in der genannten Gärtnerei eine grosse Auswahl und ist dieselbe deshalb ganz besonders zu empfehlen.

Rosen in sehr grosser Auswahl und in vorzüglicher Qualität hatten der Baumschulbesitzer Lorberg (Schönhauser Allee bei Berlin) und der Kunst- und Handelsgärtner Kuntze in Charlottenburg geliefert, eine kleinere Sammlung ausgewählter Sorten aber Dr. Richter und einige gelbe Rosen endlich von vorzüglichem Bau der Apotheker Döhl in Spandau. Da ich vielleicht in einer der späteren Nummern über die bessern Rosen ausführlicher sprechen werde, übergehe ich hier alles Weitere.

Sehr hübsche Bouquets hatten der Vereinsgärtner E. Bouché, der Gärtner im Thiergarten, Krause, und die Gehülfen im botanischen Garten Jannoch und König, gebunden, während der Kunst- und Handelsgärtner D. Bouché verschiedene Blumen sinnig zu einem Kranze vereinigt hatte.

Obst und Gemüse standen, wie gewöhnlich, bei solchen Ausstellungen, den Pflanzen nach. Schöne Pfirsiche, Aprikosen, Pflaumen und Erdbeeren hatten der Hofgärtner Nietner in Sanssouçi, Weintrauben und Erdbeeren der Hofgärtner Sello in Sanssouçi, Pflaumen die Hofgärtner Nietner in Schönhausen und Brasse in Pless, Erdbeeren der Gutsbesitzer v. Hake, Melonen und Pfirsiche der Kunst- und Handelsgärtner Nicolas, und Ananas der Kunst- und Handelsgärtner Ostwald geliefert. Prächtigen Erfurter Blumenkohl verdankte man den Kunst- und Handelsgärtnern Moschkowitz und Siegling in Erfurt, ebenfalls Blumenkohl, ausserdem aber Gurken, Wirsingkohl und sechserlei Kartoffeln, unter diesen die vielleicht am Ertragreichsten Algier'sche, dem Hofgärtner Nietner in Sanssouçi, Blumenkohl, Wirsingkohl, Mohrrüben, Kohlrabi und Gurken, letztere von enormer Grösse, dem Kunst- und Handelsgärtner Späth, zweierlei Gurken dem Vereinsgärtner E. Bouché und ebenfalls Gurken dem Kunst- und Handelsgärtner Crass.

Was endlich die übrigen Gegenstände anbelangt, so hatte der Professor Koch eine Büchse des neuerdings so sehr gerühmten Mastix l'Homme-Lefort aus Paris aus- und dem Vereine zu Versuchen anheimgestellt. (S. Gartenzeitung Seite 166.) Von dem Gärtner Gerntz in Bornstädt bei Potsdam waren Champignonbrut-Steine vorhanden, die dieser selbst angefertigt hatte und eine sehr lange Zeit, ohne zu verderben, aufgehoben werden können. Der Hofgärtner Nietner in Sanssouçi empfahl diese Champignonbrut als vorzüglich. Das Pfund kostet einzeln 10, in grösserer Menge aber 7½ Sgr.

Endlich verdient noch die Kalkstuff-Aufstellung des Kaufmanns und Samenhändler Lossow eine Erwähnung. Der Kalkstuff hat in Gärten und in Zimmern, hier namentlich als Unterlage für Pflanzen, noch keineswegs die Anwendung gefunden als es wünschenswerth ist.

Ausspruch der Preisrichter.

I. Den Linkspreis erhielten die neuen Pflanzen des Direktor Linden in Brüssel.

II. Für neue oder seltene Zierpflanzen 5 Preise, von denen aber nur 3 zuerkannt wurden, nämlich der Tradescantia lineata und dem Philodendron latipes des Ober-Landesgerichts-Rathes Augustin in Potsdam (Obergärtner Lauche), so wie der ächten Dracaena arborea des Fabrikbesitzers Nauen (Obergärtner Gireoud).

III. Für eigene Züchtungen: Die Petunien des Hofgärtner Morsch in Charlottenhof.

IV. Für Schaupflanzen: Von den 5 Preisen wurden nur 4 zugesprochen und zwar: der Hoya imperialis des Fabrikbesitzers Nauen (Obergärtner Gireoud), der Pimelea Hendersonii des Kunst- und Handelsgärtners Hoffmann, der Coffea arabica des botanischen Gartens (Inspektor Bouché) und dem Polypodium Reinwardtii des Fabrikbesitzers Nauen (Obergärtner Gireoud).

V. Für Aufstellung mehrer Pflanzen vorzüglicher Kultur 4 Preise, von denen aber nur 2 zuerkannt wurden, und zwar: den Verbenen des Kunst- und Handelsgärtners Schäffer und den Eriken des Kunst- und Handelsgärtners Hoffmann.

VI. Für Gruppen 6 Preise, welche erhielten: die Gruppe des Universitäts-Gärtners Sauer, die des Kunst- und Handels-Gärtners L. Mathieu, die beiden des Inspektors Bouché im botanischen Garten und die des Kunst- und Handelsgärtners Allardt.

VII. Für Früchte und Gemüse 6 Preise, von denen 4 zugesprochen wurden und zwar: dem Fruchtsortiment des Hofgärtner Nietner in Sanssouçi, den Pflaumen des Hofgärtner Brasse in Pless und dem Gemüse-Sortimente des Kunst- und Handelsgärtner Späth. Den Graf von Luckner'schen Preis erhielt die Algier'sche Kartoffel des Hofgärtners Nietner in Sanssouçi.

VIII. Für abgeschnittene Blumen 4 Preise, von denen 3 zuerkannt wurden, nämlich: dem Bouquet des Kunstgärtner Krause, dem des Kunstgärtners Jannoch und dem Rosensortimente des Kunst- und Handelsgärtner Kuntze in Charlottenburg.

IX. Für vorzügliche Leistungen irgend welcher Art 4 Preise, welche aber nicht zuerkannt wurden: dagegen sprach man von den nicht zuerkannten Preisen noch zu: der Tydaea amabilis des Fabrikbesitzers Nauen (Obergärtner Gireoud), der Cassinia borbonica des Fabrikbesitzers Kricheldorf in Magdeburg (Obergärtner Krentz), der Aroideen-Aufstellung des Ober-Landesgerichts-Rathes Augustin in Potsdam (Obergärtner Lauche), der Macodes marmorea desselben, der Didymochlaena sinuosa des Fabrikbesitzers Dannel (Obergärtner Pasewaldt), dem Cinnamomum aromaticum des Universitätsgärtners Sauer, der Calceolarien-Gruppe des Hofgärtners Morsch in Charlottenhof, dem Rosen-Sortimente des Baumschulbesitzers Lorberg und dem Bouquet des Vereinsgärtners E. Bouché.

X. Ehrendiplome erhielten: Die Aristolochia sp. des Fabrikbesitzer Nauen, die Pelargonien des Kunst- und Handelsgärtners L. Mathieu, das Dictyoglossum crinitum des Fabrikbesitzers Kricheldorf in Magdeburg, die abgeschnittenen Ranunkeln der Gebrüder Eldering in Overween bei Harlem, die abgeschnittenen Rosen des Dr. Richter, die Erdbeeren des Gutsbesitzers v. Hake in Klein-Machnow und des Hofgärtners Sello in Sanssouçi und endlich der Blumenkohl der Kunst- und Handelsgärtner Moschkowitz und Siegling in Erfurt.

Ueber den Garten zu Buitenzorg auf Java.

Briefliche Mittheilung des Dr. Hasskarl.

In der Nähe von Batavia auf Java befindet sich der botanische Garten von Buitenzorg (Hortus Bogoriensis), den die holländische Regierung schon seit sehr langer Zeit im Interesse der Kultur von wichtigen Pflanzen und der Wissenschaft mit nicht unbedeutenden

Kosten unterhält. Jetzt ist Teysmann Inspektor, ein nicht weniger talentvoller Gärtner, als enthusiastischer Pflanzenfreund. Alljährlich fast macht derselbe Reisen auf Java selbst, so wie auf den benachbarten Sunda-Inseln. Im April ist er nach Palembang auf der Ostküste Sumatra's abgegangen, während er im vorigem Jahre sich auf der Westküste befand, um allerhand Pflanzen für den botanischen Garten zu sammeln.

Durch diese fast alljährlich stattfindenden Reisen hat der genannte Garten einen solchen Zuwachs von neuen Pflanzen erhalten, dass er gar nicht mehr nach dem Verzeichnisse von 1844 beurtheilt werden kann; die Anzahl der Pflanzen überhaupt beträgt jetzt daselbst mehr als das Doppelte. Ein grosser Theil derselben hat bis jetzt noch gar keiner botanischen Kontrole unterliegen können und möchte gar nicht beschrieben sein. Der Eifer mit dem Teysmann solchen Reisen obliegt, kann nicht genug gerühmt werden. Die im vorigen Jahre gesammelten Pflanzenschätze wird dieser verdienstvolle Gärtner nach Amsterdam an Miquel zur Bestimmung und Veröffentlichung senden.

In Betreff seiner Rafflesia-Zucht, über die bereits früher schon (Seite 33) in einem längern Artikel der Gartenzeitung gesprochen wurde, theilt er mit, dass die Sämlinge geblüht haben. Die grösste Blüthe hatte aber nur 21 Zoll im Durchmesser. Wahrscheinlich ist es Ursache, dass zu viel Blüthenknospen sich entwickelten, von denen die eine die andere in ihrem Wachsthume mehr oder weniger hinderte. Leider sind es aber nur weibliche Blüthen, die zum Vorschein gekommen sind, und konnte demnach noch keine Befruchtung geschehen.*)

Ende März erschien auch das Keimblatt der Seychellen-Palme (Lodoicea Sechellarum), nachdem der Keim selbst erst ungemein tief in die Erde gedrungen war. Aus Furcht die Pflanze zu verlieren, wagte Teysmann nicht nachzusehen und die Länge desselben zu messen. Das Keimblatt steigt senkrecht in die Höhe und stiess anfangs gegen die Nuss selbst an. Diese war vor etwa 9 Monaten gepflanzt, hatte aber einen schon etwa 2—3 Monate alten Keim getrieben (wie das ja auch mit der Kokosnuss der Fall ist). Das Keimblatt soll die Länge von 18 Fuss erreichen und muss demnach sich schnell entwickeln.

Die Vanille-Kultur liefert auf Java sehr günstige Resultate. Die kleine Aupflanzung Teysmann's hat in den letzten Jahren etwa 1250 Pfund trockene Früchte geliefert. Bekanntlich werden diese nur durch künstliche Befruchtung gewonnen, zu welchem Ende eine Anzahl Frauen angelehrt wurden. Die Früchte sind von ausgezeichneter Grösse und starkem Aroma, so dass sie im Handel schon die natürliche Vanille aus Südamerika übertreffen und einen bessern Preis erhalten haben.

*) Dr. Hasskarl, der, so bald seine Gesundheit einiger Maassen wieder erstarkt sein wird, nach Java zurückkehrt, ist von Seiten der Redaktion ersucht worden, ihr zu Kulturversuchen keimfähigen Rafflesia-Samen zur Verfügung zu stellen und wird zur Zeit das Nähere bekannt gemacht werden.

Ueber Spiersträucher im Allgemeinen, besonders aber über die aus der Gruppe der callosa Thunb. und Douglasii Hook.

Nebst einem Paar neuen Blendlingen der Landesbaumschule bei Potsdam.

Von dem Professor Dr. Karl Koch.

Gruppen von Blüthensträuchern fehlen oft unseren Anlagen und doch tragen sie zur Verschönerung derselben nicht wenig bei. In den frühern Zeiten wurden sie, namentlich als Vorgehölze für Lusthaine, mehr benutzt. Man sieht noch in den ältern Parks, z. B. in dem bei Weimar, längs der Haupt- und deshalb breiteren Wege: Spiersträucher, Pfeifensträucher oder Wilden Jasmin (Philadelphus), Weissdorn-Arten, Schneebeere (Symphoria), Heckenkirschen (Lonicera-Arten), auch windende Geisblätter oder Jelänger je lieber (Caprifolium) hinter den mit allerhand grossen, aber auch blühenden Stauden, als Rudbeckien, Sonnenrosen (Helianthus-Arten), Silphien, Astern, ausserdem mit Stockmalven u. s. w. besetzten Rabatten und vor dem höheren Gehölze. In den neuern Anlagen sind sie mehr oder weniger verbannt; man verlangt jetzt die Haine und Waldparthien im reinen Grün und ohne allen Blüthenschmuck, hat dagegen auf grössern Strecken mehr gepflegten Rasens Boskets von Blüthensträuchern und hohen Blüthenstauden, letztere jedoch seltener, angebracht.

Es ist nicht zu leugnen, dass Boskets von Blüthensträuchern einen ausserordentlichen Eindruck zu machen vermögen, in so fern ihre Zusammenstellung nur eine richtige ist und, namentlich für alle Zeiten im Jahre, etwas Besonderes darbietet. So schön diejenigen sind, welche nur für Mai und Juni berechnet werden, und einen so freundlichen Effekt z. B. eine Zusammenstellung von Flieder, Pfeifenstrauch, Deutzien, Weigelen, Robinien, Caraganen, Cytisus u. s. w. hervorruft, so unangenehm und jedem ästhetischen Gefühle widersprechend werden diese jedoch, wenn man nicht Sorge trägt, dass zunächst gleich nach dem Verblühen die sparrigen und nackten Blüthenstengel abgeschnitten werden und andere Gegenstände den eben untergegangenen Schmuck wenigstens zum Theil ersetzen. Darin fehlt man aber leider sehr häufig in der neueren Zeit.

Für den Juli wird diese Vernachlässigung am Allerempfindlichsten, weil in dieser Zeit noch das Grün in ziemlicher Frische an den Bäumen und auf dem Rasen vorhanden ist. Es ruft ein unangenehmes Gefühl hervor, wenn auf einmal anstatt vollendeten Blüthenschmuckes eben abblühende oder schon verblühte Gehölze dem Beschauer entgegentreten und den Menschen an die eigene Vergänglichkeit erinnern. Man wechselt in den Gärten und auf Terrassen wohl mit den Blumen, thut aber in dieser Hinsicht in der Regel gar nichts für die grössern Anlagen und Parks. Und doch sind wir keineswegs so arm an verschiedenen Gehölzen, von denen es Arten giebt, die alle Monate etwas Schönes darzubieten vermögen.

Eine wichtige Rolle nehmen in dieser Hinsicht die Spiersträucher ein, da von den 60 bekannten Arten es einige giebt, welche mit dem ersten Erwachen des Frühjahres auch ihre Blüthen entfalten, wie acutifolia Willd. (sibirica Hort.), die ganz Unrecht mit der weit verschiedenen S. hypericifolia L. verwechselt und zu dieser als Abart gestellt wird, während andere hingegen, wie die zuletzt genannte und die ganze Gruppe der Verwandten, als crenata L., cana W. et K., inflexa Hort. (eine schon längst und häufig in den Gärten gezogene, aber bisher von allen Botanikern vernachlässigte und von mir zuerst beschriebene Art), Pikoviensis Bess. und media Schmidt, bald darauf folgen. Etwas später fangen Cantonensis Lour. (Reevesiana Lindl.), prunifolia S. et Z., ferner chamaedryfolia L., oblongifolia W. et K., mollis C. Koch, flexuosa Fisch. und triloba L. zu blühen an, um wiederum nach einigen Wochen von ulmifolia Scop., opulifolia L., sorbifolia L. und Lindleyana Wall. ersetzt zu werden. Alle aber übertrifft in dieser Zeit die schlanke, vor Allem wegen ihres leichten Ansehens nicht genug zu empfehlende Spiraea ariaefolia Sm.

In der zweiten Hälfte des Juli treten die Arten der Gruppe von Sp. callosa Thunb., welche seltener weiss, sondern mehr oder weniger roth und zwar meist in zusammengesetzten Traubendolden blühen und besonders im Himalaya wachsen, etwas später die der Gruppe von Sp. salicifolia L., deren Blüthen längliche und zusammengedrängte Rispen bilden und die hauptsächlich in Nordamerika zu Hause sind, an die Stelle der oben genannten und entfalten in günstigen Jahren bis Mitte August und noch später ihre Blüthen, um nun allerhand Fruchtsträuchern, hauptsächlich Weissdorn-Arten, Schneebeeren (Symphoria oder Symphoricarpos), Heckensträuchern (Lonicera), Pfaffenhütchen (Evonymus), verschiedenen *Pyrus* (P. baccata L., cerasifera Wender. und prunifolia Willd.) und Sorbus-Arten Platz zu machen.

Ich wende mich dieses Mal vorzugsweise einigen Arten der Himalaya-Gruppe, welcher ich wegen ihrer Schönheit den Namen Colospira gegeben habe, und der Nordamerika's, welche Seringe in seiner Monographie in der Abtheilung Spiraria beschreibt, zu. Wer sich jedoch specieller für Spiersträucher interessirt und sich zu belehren wünscht, dem empfehle ich meine Monographie über diesen Gegenstand, welche in Regels Gartenflora vom Jahre 1854 abgedruckt ist.

Wenn schon überhaupt die Gehölze, namentlich die der Gärten, mannigfache Schwierigkeiten hinsichtlich ihrer Nomenklatur darbieten, so ist es bei den Spierstauden um so mehr der Fall, als diese sehr leicht Kreuzungen eingehen, und allmählig deshalb eine Reihe Mittelformen entstanden sind, die man keiner Art mit Sicherheit zu theilen kann. Gärtnerischerseits ist dieses, namentlich in Betreff der Himalaya-Arten, benutzt, und man findet in den Verzeichnissen der Handelsgärtnereien eine Menge neuer Namen aufgeführt, über die kein Buch Rechenschaft geben kann. In meiner oben angegebenen Monographie habe ich allerdings bis dahin versucht, Aufschlüsse zu geben; es sind aber in der neuesten Zeit wiederum Namen entstanden, die mir zum Theil unbekannt blieben.

Aus der Gruppe Colospira verdient vor allem S. callosa Thunb. um so mehr eine Berücksichtigung, als sie bei uns gut aushält, sich leicht, auch aus Samen, vermehrt und, ordentlich zugestutzt oder selbst bis zur Wurzel heruntergeschnitten, reichlich und lange blüht. In der Abtheilung der Königlichen Landesbaumschule, welche sich in Sanssouçi befindet, hat man vor ein Paar Jahren eine ziemliche grosse Fläche damit besäet und aus der Aussaat eine Menge verschiedener Formen, zum Theil der Sp. Douglasii Hook., von der bei der Mutterpflanze Exemplare standen und eine Kreuzung bedingt haben mögen, sehr ähnlich erhalten. Während der Blüthezeit bot die ganze Fläche, schon von Weitem, einen reizenden Anblick dar.

Einer dieser Blendlinge der Sp. callosa Thunb. mit Douglasii Hook., der in der Landesbaumschule den Namen Spiraea Sanssouciana erhalten hat und schon in dem diesjährigen Verzeichnisse derselben zu einem sehr mässigen Preise angeboten werden wird, ist ganz besonders Liebhabern von Blüthensträuchern zu empfehlen.

Der Stengel besitzt die weiche Behaarung und die graulich-grünlich-weisse Farbe der Sp. Douglasii, aber die Blätter stehen in jeglicher Hinsicht zwischen denen dieser Art und der Sp. callosa Thunb. Während die der letztern zugespitzt und doppelt gesägt sind, die der erstern aber nach beiden Enden mehr stumpf und mit grossen Zähnen besetzt erscheinen, spitzen sich die der Sp. Sanssouçiana nur etwas zu und besitzen scharfe und doppelte Zähne. Die Farbe gleicht mehr der, wie man sie bei den Blättern der Sp. callosa sieht: sie ist oben mehr dunkelgrün, unten hingegen mehr bläulich-graugrün.

Der Blüthenstand gehört, wie bekannt, bei beiden zu dem centrifugalen, d. h. zu demjenigen, wo die Blüthen der Mitte sich zuerst entfalten, und ist bei S. callosa eine doldentraubige Rispe, während er bei Sp. Douglasii eine pyramidenförmige Aehren-Rispe darstellt. Bei Sp. Sanssouçiana steht er genau mitten inne, indem die Blüthen eine eiförmige und kurze, aber stets gedrängte Rispe bilden. Auch hinsichtlich der Farbe ist bei zuletzt genannter Pflanze die Mitte von dem schönen Rosenroth der Sp. callosa und dem dunkelern, aber allmählig heller werdenden und etwas ins Blaue sich neigenden Roth der Sp. Douglasii inne gehalten. Sonst hat die Blüthe mehr Aehnlichkeit mit denen der letztern und mit dieser die längern Staubgefässe und den zurückgeschlagenen Kelch gemein.

Eine zweite interessante Form befindet sich in der Landesbaumschule und hat sich zufällig an einer andern Stelle gezeigt; sie scheint aus einer Kreuzung der spitzblättrigen Abart der Sp. latifolia Borckh. (carpinifolia Willd.), welche unter dem sonderbaren Namen Sp. Bethlehemensis in den Gärten vorkommt, mit Sp. callosa Thunb. entstanden zu sein und wird ebenfalls als Sp. Bethehemensis aufgeführt. Die ächte Pflanze dieses Namens blüht aber weiss, hat jedoch eine fleischrothe Ringscheibe, auf der die Staubgefässe stehen. Sie unterscheidet sich von der Hauptart, wie gesagt, nur durch die nicht stumpflichen, sondern spitzen Blätter.

Der botanische Garten in Neuschöneberg bei Berlin, hat in der neuesten Zeit aus der Handelsgärtnerei von Moschkowitz und Siegling in Erfurt unter dem Namen Sp. Belardi eine Spierstaude erhalten, welche die rothen Blüthen der Sp. salicifolia L. besitzt, die Blätter aber ähneln in der Form denen der Sp. Bethlemensis oder der Hauptart Sp. latifolia. Der Blüthenstand bildet an den Seiten eiförmige und gedrängte Rispen, die mit den in der Mitte ziemlich in einer Fläche stehenden eine Art zusammengesetzter Traubendolden bilden. Die Farbe der Krone ist ein etwas ins Blaue sich neigendes Rosenroth. Wahrscheinlich ist sie ebenfalls ein Blendling einer der beiden genannten Arten mit Sp. callosa Thunb.

Endlich besitzt die Landesbaumschule noch einen dritten interessanten Blendling, der aus Sp. latifolia Borckh. und Douglasii Hook. gebildet zu sein scheint. Der Habitus der ganzen Pflanze gleicht der Abart Bethlehemensis, aber die ebenfalls nicht verschieden geformten Blätter sind auf der Unterfläche grauweissfilzig, auf der Oberfläche hingegen graugrün, wie es bei den Blättern der Sp. Douglasii der Fall ist. Der Blüthenstand bildet eine etwas gedrängte und pyramidenförmige Rispe und die dunkel-fleischrothe Krone neigt etwas ins Bläuliche.

Schliesslich sei es mir noch erlaubt, die Synonyme der aus den beiden Gruppen der Calospira und Spiraria bei uns in den Gärten häufig vorkommenden Arten anzugeben, um dadurch Gelegenheit zu bieten, möglichen Täuschungen zu entgehen.

1. Spiraea callosa Thunb. wurde auch vom jüngern Linné als japonica beschrieben und von Planchon in Flore des serres (IX, t. 871) als Sp. Fortunei abgebildet.

2. Sp. bella Sims. Hierher gehört die Sp. callosa des Himalaya.

3. Sp. expansa Wall. Von Morren als Sp. amoena (Ann. de Gand II, t. 72) abgebildet und sonst als Spiraea sp. de Kamaon in den Gärten. Sp. pulchella Kze ist vielleicht ein Blendling mit Sp. callosa Thunb., während Sp. ovata des Züricher Gartens nicht verschieden ist.

4. Sp. canescens D. Don. als Sp. cuneifolia von Wallich aufgeführt. Scheint sehr zu ändern, denn Sp. nutans der Gärten (ob auch Royle?) und rotundifolia Lindl. gehören hierher. In den Gärten als argentea, cuneata, daurica, grandiflora, indica, rotundifolia, sp. de Himalaya und vaccinifolia (aber nicht Don).

5. Sp. tomentosa L. Sp. glomerata Raf.

6. Sp. Douglasii Hook., Sp. tomentosa Raf. In der neuesten Zeit auch als Sp. californica dem botanischen Garten mitgetheilt.

7. Sp. latifolia Borkh. Schon 1803 unter diesem Namen beschrieben, während Willdenow erst 1809 den Namen Sp. carpinifolia, Mühlenberg 1813 den Namen Sp. corymbosa und Rafinesque 1833 den der Sp. ovata gegeben haben. Aber schon früher kannte Aiton die Pflanze und beschrieb sie 1789 im Hortus Kewensis als Sp. salicifolia β. latifolia.

8. Sp. lanceolata Borkh. Ebenfalls in der sehr lehrreichen Forstbotanik von Balth. Borkhausen schon 1803 beschrieben. Weit später erhielt der Blüthenstrauch von dem Grafen von Hoffmannsegg den Namen Sp.

lancifolia, während sie in der Gartenzeitung von Otto und Dietrich als Sp. angustifolia aufgeführt wurde. Torrey und Grey, die Verfasser der Flora von Nordamerika, betrachten sie als Abart lanceolata der Sp. salicifolia L.

9. S. palba Duroi. Schon im Jahre 1772 in der Harbke'schen Wilden Baumzucht als gute Art von der rothblühenden Sp. salicifolia L. unterschieden und später von Borkhausen zuerst Sp. undulata, dann cuneifolia genannt. G. Don hat ihr dem Namen Sp. paniculata gegeben, weil Aiton sie in seinem Hortus Kewensis Sp. salicifolia β. paniculata nannte.

10. Sp salicifolia L. Die Art scheint nicht, wie die 3 vorhergehenden in Nordamerika, sondern nur in Sibirien vorzukommen, weshalb Rafinesque sie auch Sp. sibirica nennt. Was Loddiges als Sp. grandiflora abbildet, ist nur eine grossblättrige Abart der Sp. salicifolia L.

Petunien mit gefüllten bunten Blumen.

Seitdem man in Paris die gefüllte weissblumige Petunie erzog, war das Bestreben besonders der französischen Gärtner darauf gerichtet, auch von den Petunien mit bunten Blumen gefüllte Sorten zu erziehen. In Deutschland machte man ebenfalls vielfältige Versuche. In Frankreich, wenn wir nicht irren in Lyon, glückte es in diesem Jahre einem Gärtner, endlich 4 Pflanzen mit gefüllten Blumen zu erhalten, die aber nach denen, die sich Kenntniss von ihnen verschafften, keineswegs blumistischen Ansprüchen genügten. Um so erfreulicher ist es nun, dass es deutschen Gärtnern gelungen ist, bessere Resultate zu erhalten, und wir deshalb uns der sichern Hoffnung hingeben können, neben den gefüllten weissblumigen Petunien auch gefüllte buntblumige in unsern Gärten zu besitzen.

Interessant ist es, dass die Anzucht der letztern an zwei ganz verschiedenen Orten gelungen ist, in Weimar und in Marienborn bei Helmstädt. In der zuerst genannten Stadt ist es der jüngere Sieckmann, ein talentvoller Gärtner, von dem gewiss die Blumistik noch Manches zu erwarten hat, der jetzt gefüllte bunte Petunien besitzt. Wir machen alle Liebhaber von Blumen, und ganz besonders von diesen, darauf aufmerksam, da ihr Besitzer bei der sehr leichten Vermehrung derselben rasch Sorge tragen wird, dass er junge Pflanzen abgeben kann.

Marienborn ist ein Rittergut in der Nähe des allen Gärtnern durch die Harbke'sche wilde Baumzucht wohl hinlänglich bekannten Harbke mit recht hübschen Anlagen. Der dortige Gärtner, Albrecht, hat ebenfalls Versuche mit Aussaaten gemacht und das Glück gehabt, unter den aufgegangenen Pflanzen einige Petunien mit bunten und gefüllten Blumen zu bekommen.

Ueber

Ouvirandra fenestralis und einige andere Pflanzen der Geitner'schen Gärtnerei in Planitz bei Zwickau.

Briefliche Mittheilung des Besitzers.

Ouvirandra fenestralis möchte gut kultivirt nicht allein botanischen, sondern auch gärtnerischen Werth besitzen und dürfte nicht weniger Interesse für Gartenbesitzer haben, als etwa Cephalotus follicularis, Dionaea Muscipula, die Sarracenien und andere Pflanzen. Ich kultivire bereits Exemplare mit Blättern von 9 Zoll Länge, welche sich über den Rand des Gefässes, worin ich sie habe, hinweglegen und dadurch der Pflanze ein hübsches Ansehen geben. Im April zeigten sich 2 Blüthenknospen, die aber leider, da ich die Pflanze nach Dresden zur dortigen Ausstellung geliefert hatte, nicht zur Entwickelung kamen. Im Mai hat sich vom Neuem eine Blüthenknospe gezeigt, die bereits ein gutes Ansehen besitzt. Jetzt (22. Juni) ist sie der Entfaltung nahe und hat sich an einem Tage fast um 1 Zoll verlängert.

Ich erlaube mir, auf einen Encephalartos caffer mit einer Stammhöhe von 4¼ Zoll und einen Stammumfang von 3 Fuss 11 Zoll aufmerksam zu machen. Ein kräftiger Knabe von 6 Jahren konnte ihn nicht umklammern. Er besitzt eine Krone von 32 Wedeln.

Vor Kurzem erhielt ich Disa barbata, major und grandiflora, Phalaenopsis amabilis und grandiflora, so wie Aërides suaveolens. Für Deutschland neu möchten auch die Baumfarrn Alsophila pycnocarpa Kze und armigera Kze, so wie das niedliche Farrn Cheilanthes Mathiewii sein.

Die Laurentius'sche Gärtnerei in Leipzig.

Es kommt uns eben das Sommer- und Herbst-Verzeichniss der genannten Gärtnerei zu. Wir haben schon mehrmals Gelegenheit gehabt, derselben vortheilhaft zu gedenken. Bis dahin waren es aber hauptsächlich die Warmhauspflanzen, besonders die Orchideen, die unsere Aufmerksamkeit in Anspruch nahmen. Aus vorliegendem Verzeichnisse ersehen wir nun, dass dieselbe auch ausserordentlich reich an Modeblumen, Pelargonien, Heliotropien, Petunien, Phlox, Fuchsien, Lantanen, Verbenen, Pentstemons etc. ist und selbige um sehr billige Preise abgiebt.

Verlag der Nauckschen Buchhandlung. Berlin. Druck der Nauckschen Buchdruckerei.

Hierbei der Nachtrag zum Hauptverzeichniss No. 13 von I. H. Ohlendorf & Söhne in Hamburg.

No. 28. Sonnabend, den 11. Juli. 1857

Preis des Jahrgangs von 52 Nummern mit 12 color. Abbildungen 6 Thlr., ohne dieselben 5 „ Durch alle Postämter des deutsch-österreichischen Postvereins sowie auch durch den Buchhandel ohne Preiserhöhung zu beziehen.

Mit direkter Post übernimmt die Verlagshandlung die Versendung unter Kreuzband gegen Vergütung von 26 Sgr. für Belgien, von 1 Thlr. 8 Sgr. für England, von 1 Thlr. 22 Sgr. für Frankreich.

BERLINER

Allgemeine Gartenzeitung.

Herausgegeben vom

Professor Dr. Karl Koch,

General-Sekretair des Vereins zur Beförderung des Gartenbaues in den Königl. Preussischen Staaten.

Inhalt: Monstera Lennea C. Koch, eine schöne Blattpflanze für Gewächshäuser und Zimmer. Von dem Professor Dr. Karl Koch und dem Obergärtner Lauche. Mit einer Abbildung. — Die Sonnenblume (Helianthus annuus). — Roezl's mexikanische Sämereien von Koniferen. — Chermes coccineus u. viridis, die rothe u. grüne Fichten-Rinden-Laus. Vom Kunstgärtner Gadau.

Monstera Lennea C. Koch,

eine schöne Blattpflanze für Gewächshäuser und Zimmer.

Von dem Professor Dr. Karl Koch und dem Obergärtner Lauche.

Mit einer Abbildung.

Zu den schönsten Akquisitionen, welche die Gärtnerei in den beiden letzten Jahrzehenden gemacht hat, gehört die interessante Monstera, welche zu Ehren des hauptsächlich um die ästhetische Gartenkunst, aber auch sonst, so verdienstvollen Generaldirektor's Lenné genannt wurde, und zwar um so mehr, als sie auf die verschiedenste Weise angewendet werden kann. Ich habe bereits schon ein Paar Mal Gelegenheit gehabt, von ihr zu sprechen und sie zu empfehlen; sie verdient es aber in hohem Grade, dass auch Pflanzen- und Blumenfreunde, denen das Glück nicht zu Theil ist, ein Gewächshaus zu besitzen, durch eine besondere, ihr allein gewidmete Abhandlung auf sie aufmerksam gemacht werden.

Wie sie wohl jetzt in jedem Gewächshause, in so fern dieses nur einiger Massen mit den Fortschritten, welche die Einführung aus allen Ländern in der neuesten Zeit gemacht hat, weiter gegangen ist, gefunden wird, so sollte sie auch in keinem Zimmer, wo einmal die liebliche Göttin Flora sich heimisch gemacht hat und besonders von den Gliedern des schönen Geschlechtes verehrt wird, fehlen. Monstera Lennea ist zwar eine tropische Pflanze, aber doch keineswegs in der Kultur so empfindlich und schwierig, wie viele andere Bewohner der Urwälder Brasiliens, Guiana's und der drei kolumbischen Republiken. Möchte daher diese Abhandlung dazu beitragen, der in der That wunderschönen und nicht minder interessanten Pflanze noch eine grössere Verbreitung zu verschaffen, als sie schon an und für sich, wenigstens im Nordosten unseres deutschen Vaterlandes, besitzt!

Ich habe seit der kurzen Zeit, als die Berliner allgemeine Gartenzeitung besteht, schon manchmal Gelegenheit gehabt, eines Mannes zu gedenken, der sich um Gärtnerei und um Einführung schöner Pflanzen aus dem tropischen Amerika grosse Verdienste erworben hat; bei der Beschreibung der Monstera Lennea ist sie mir vom Neuem geboten, denn einem kühnen Reisenden, dem jetzigen Garteninspektor v. Warszewicz in Krakau, verdanken wir sie. Mitten in dem tiefsten Dunkel eines Urwaldes, wie ihn das tropische Amerika und vor Allem Guatemala, nur besitzen kann, fand er an dicken, viele Fuss im Durchmesser enthaltenden Stämmen verschiedener Bäume eine gigantische Aroidee mit grossen, vielfach zerschlitzten und durchlöcherten Blättern. Ihr Entdecker spricht noch gern von der Zeit, wo er unter vielen Entbehrungen und unter grossen Mühen sich erst, das Beil in der Hand, Bahn in das Innere des Urwaldes brechen musste. Wer nie Europen's doch meist gastliche Gauen verlassen und nie die unwirthsamen Gegenden fremder Länder betreten hat, vermag sich gar nicht in die Zustände versetzen, welche einem Reisenden in den letztern, in so fern er nicht etwa nur auf Handelsstrassen sich bewegt, leider nur gar zu oft bevorstehen. Man erfasst in der Regel nur das Romantische und denkt beim Lesen einer Schilderung aus einem fremden Lande nicht an die Opfer, die der Reisende schon zum Theil gebracht hat, ehe er bis dahin gelangt ist. Mühen aller Art, Hunger, Entbehrungen u. s. w. sind noch das, was ein gesunder und kräftiger Körper, der aber immer noch durch Enthusiasmus unterstützt werden muss, am Besten erträgt, aber Gefahren aller Art, vor Allem Krankheiten, und zwar grade die bösartigsten, lauern oft da, wo sie gar nicht geahndet werden, und treffen deshalb um so härter.

Kein Wunder demnach, dass auch der, der freudig sich allem diesem unterzieht, doch bisweilen Stunden und selbst Tage haben kann, wo er sich fragt, für wen und für was unterziehst Du dich freiwillig, vielleicht selbst ohne auch nur den geringsten Vortheil späterhin daraus zu ziehen, solchen Entbehrungen? Niemand weiss Dir Dank. Anstatt dass das, was Du für Wissenschaft gethan, im spätern Leben erkannt werden sollte, ist es, wie leider wir gar zu viele Beispiele haben, grade oft ein Hinderniss für das weitere Fortkommen. Eine trübe Stimmung, vielleicht auch Heimweh nach der Scholle, auf der zuerst das Licht der Welt erblickt wurde, erfasst den Reisenden plötzlich um so mehr, als er sich weit, weit von einer ihm gleich fühlenden Brust sieht. Da blickt er auf und sieht vor sich eine Pflanze, wie er noch nie erschaut. Hastig eilt er auf sie zu, bricht der Zweige und Blumen möglichst viele, um sie wenigstens getrocknet dem Vaterlande zuzuführen. Er untersucht die Verhältnisse, unter denen sie gewachsen, und schreibt sich Alles auf, um in der theuren Heimath wiederum angelangt, von den Notizen wissenschaftlichen Gebrauch zu machen. Noch glücklicher ist er, wenn es ihm gelingen sollte, der Pflanze einen Theil zu entnehmen, von dem er die Hoffnung hegen könnte, dass derselbe die weite Wanderung nach dem geliebten Vaterlande verträgt, und er, wenn er sie dort sieht, Gelegenheit hat, aller der Erinnerungen sich hinzugeben, welche ihm von damals geblieben.

So ging es fast dem Reisenden, als er zuerst die Monstera Lennea erblickte. Ungünstiges Wetter hatten ihn viele Tage lang in seinen Wanderungen gehemmt. Was er sich an Nahrungsmitteln mitgenommen, war zum grossen Theil verdorben; ihm war nur noch wenig getrockneter Kassava, jenes mehlreichen Rückstandes aus der Wurzel der Maniokpflanze (Jatropha Manihot L.), als einzige, noch gute Speise übrig geblieben. Seine Sammlungen hatten zum grossen Theil unter den ungünstigsten Verhältnissen so gelitten, dass sie kaum noch einen weiten Transport vertrugen. V. Warszewicz war über alles gar sehr betrübt; aber trotz dem verzweifelte er noch keineswegs an dem Gelingen seines Unternehmens, dieses Mal grade Pflanzen zu sammeln und nach Europa zu senden, die bei Gärtnern und Botanikern ein höheres Interesse in Anspruch nehmen sollten. Da schaute er vor sich hin und erblickte die sonderbar gestaltete Monstera Lennea in seltener Schönheit. Alles war mit einem Male vergessen, was er bis dahin gelitten. Blüthen und Früchte schmückten die Pflanze. Seine Freude war um so grösser, als einer seiner Begleiter, ein Indianer, ihm mittheilte, dass die Früchte essbar seien und einen angenehmen, süssen Geschmack besässen. Auf einmal hatte er zu der trockenen harten Kassava eine saftige Zugabe.

Ein Stück der Pflanze wurde einer Sendung beigelegt, die für den Königlichen Garten zu Sanssouçi bestimmt war. Glücklicher Weise gehörte es zu den wenigen Pflanzen, welche der Hofgärtner H. Sello, für den die Sendung bestimmt war, noch für gut befand, als diese nach manchen Irrfahrten endlich an ihrem Bestimmungsorte ankam. Das Stück Monstera wurde in ein Warmbeet gesteckt, wo sich sehr schnell eine Knospe entwickelte und alsbald ein Paar herzförmige Blätter, die fast einen Fuss Durchmesser besassen, hervorbrachte. Die Pflanze gedieh sichtlich. Anstatt der herzförmigen Blätter kamen aber später eingeschnittene und von grösserem Umfange; diesen folgten sogar solche, wo sich Löcher in der Substanz selbst zeigten.

Es befanden sich damals zwar schon einige verwandte Pflanzen in den Gärten, wo die natürliche Bildung von Löchern mitten in der Substanz des Blattes bereits bekannt war. Das alte Dracontium pertusum L., dem Schott späterhin den Namen Monstera Adansonii gab, das aber treffender und richtiger nach de Vriese Monstera pertusa genannt werden muss, war zwar, in den Gärten von Norddeutschland wenigstens, wiederum verschwunden; dafür wurde aber eine andere Pflanze, die Schott mit Recht als verschieden erkannte und zu Ehren des Dr. Klotzsch, Kustos am Königlichen Herbar zu Neuschöneberg bei Berlin, Monstera Klotzschiana nannte, kultivirt, deren Blätter besonders auf einer Seite, später in der Substanz einige Löcher erhalten. Von der Anzahl, wie die letztern sich aber bei Monstera Lennea vorfinden, hatte man jedoch bis dahin noch kein Beispiel, abgesehen davon, dass diese Aroidee eine stattliche Pflanze darstellt und das saftige Grün ihrer Blätter auf jedes Auge einen wohlthuenden Einfluss ausübt. Man darf sich deshalb nicht wundern, dass die Pflanze allgemeines Aufsehen erregte. Sie wurde zunächst dem botanischen Garten zu Neuschöneberg bei Berlin mitgetheilt, wo sie der Professor Dr. Kunth näher untersuchte und in der Appendix zum Samenverzeichnisse des botanischen Gartens vom Jahre 1848 für ein Philodendron erklärte, indem er sie wegen der Löcher Ph. pertusum nannte.

Mit der bekannten Liberalität, mit der Hofgärtner H. Sello die Pflanzen an Liebhaber abgiebt, vertheilte derselbe auch Monstera Lennea. Bei dem Wohlgefallen, den sie allenthalben fand, kann es nicht auffallen, dass sie wenigstens im Nordosten Deutschlands schnell allgemeiner wurde. Monstera Lennea ist von den vielen Einführungen der neueren und neuesten Zeit einige der wenigen Pflanzen, welche keineswegs zu den Erscheinungen gehören, die mit viel Geschrei angepriesen werden, aber in wenig Jahren schon wiederum aus den Gärten verschwunden sind, sondern zu denjenigen, die sich einen dauernden Werth verschafft haben und mit der Zeit gewiss noch eine grössere Verbreitung finden werden.

Im Jahre 1850 blühte Monstera Lennea in Sanssouçi zum zweiten Male und der Blüthenstand wurde mir zur Verfügung gestellt. Eine nähere Untersuchung belehrte mich, das die Pflanze zu Monstera gehöre und keineswegs ein Philodendron sei. Da der Beiname Monstera pertusa, den unsere Pflanze eigentlich erhalten sollte, bereits von de Vriese, und zwar ganz mit Recht, für Dracontium pertusum gebraucht war, so fühlte ich mich gedrungen, einen neuen Beinamen zu bilden, den ich nicht würdiger geben zu können glaubte, als wenn ich ihn dem Namen des Gartendirektor's Lenné, durch dessen Auftrag die Pflanze nach Deutschland kam, entlehnte. Ich machte bald darauf die Resultate meiner Untersuchung in einer Sitzung des Vereines zur Beförderung des Gartenbaues bekannt und theilte später der Redaktion der botanischen Zeitung eine kleine Abhandlung über diese und ein Paar andere Aroideen mit, die denn auch im 10. Bande, Seite 277. veröffentlicht ist.

Jetzt hat die Pflanze, in Berlin wenigstens, sich bereits einen Weg in die Zimmer und Boudoirs der Damen gebahnt, und nimmt sich zwischen Blumen, Blüthensträuchern und anderen Pflanzen sehr gut aus. Das Original-Exemplar in Sanssouçi wurde für das Haus, indem es sich bis dahin befand, zu gross und vertauschte im vorigen Jahre seinen Aufenthalt mit dem Palmenhause auf der Pfaueninsel bei Potsdam, wo es nun unter der sorgsamen Pflege des Hofgärtners G. A. Fintelmann ist.

Monstera gehört zu den Calleen, d. h. denjenigen Aroideen, die zwar zwitterige Blüthen, aber keine Blüthenhüllen besitzen. Die Nervatur in den Blättern ist für diese Gruppe eben so charakteristisch, wie für die übrigen in der Familie, und steht zwischen dem der Philodendren und der ächten Anthurien. Es gehen nämlich von dem Mittelnerven zahlreiche Seitennerven, die aber immer einen Zwischenraum von ein Paar Linien und mehr zwischen sich lassen, in einem Bogen der Peripherie des Blattes zu und verbinden sich nicht allein gegen den Rand hin gegenseitig mit ihren obern Enden, so dass ein, aber nicht sehr hervortretender und ringsherumgehender Randnerv gebildet wird, sondern senden auch, hauptsächlich am obern Theile, einige schwache Aeste aus, zwischen denen ein nur wenig bemerkbares und in der Grösse mittelmässiges Adernetz erscheint. Die meisten Blätter haben eine herzförmige Basis und sind im untersten Drittel am Breitesten. Ihre Substanz ist meistens etwas lederartig, aber weit dünner als bei denen der Anthurien und deshalb ähnlicher der der Philodendren. In der Regel glänzt auch die Oberfläche mehr oder weniger.

Ausser Monstera, Scindapsus und Raphidophora gehören die Genera Calla und Heteropsis zu den Calleen. Aus dem zuletzt genannten Geschlechte habe ich nur getrocknete Exemplare gesehen. Seine Arten besitzen einen durch den verästelten und holzigen Stamm so eigenthümlichen Habitus, dass Kunth ihnen deshalb den Namen (von ἕτερος und ὄψις d. h. abweichende Gestalt) gab. Unsere einheimische Calla ist hinlänglich bekannt.

Was die 3 zuerst genannten Genera anbelangt, so stimmen diese im Habitus so sehr überein, dass ich trotz neuer Untersuchungen noch nicht wage, sie als gut abgegränzt beizubehalten. Schott in Wien, der in Nr. 3 der Bonplandia von diesem Jahre eine aphoristische Arbeit über sie gegeben hat, bildet sogar noch 3 neue Genera dazu und verspricht in der Folge Näheres darüber mitzutheilen. Möglich, dass es ihm gelingen wird, da ihm sehr viel Material zu Gebote steht, seine Genera fester zu begründen, nach dem was vorliegt, vermag ich noch nicht zu urtheilen. Wenn es in der That nur gelänge, für die Bewohner Amerika's: Monstera und für die Ostindiens: Scindapsus festzuhalten, so wäre es allerdings schon ein Gewinn. Scindapsus occidentalis Poepp. tritt aber mit seinem eineiigen Fruchtknoten, den es mit ostindischen Arten gemein hat, bis jetzt störend dagegen. Raphidophora Hassk., was durch seine nicht abfallende Blumenscheide sich von den beiden andern Geschlechtern allerdings unterscheidet, hat in der genannten Abhandlung durch Schott wiederum eine Umänderung und Erweiterung erhalten, durch die die meisten frühern Scindapsus-Arten hier eingereihet werden. Es sind aber nun bei dieser Ausdehnung wiederum Arten mit 2 amphitropen und bodenständigen und solche mit zahlreichen, wandständigen und anatropen Eichen in einem Genus vereinigt, von dem grade Hasskarl verlangt, dass ein zweifächriger Fruchtknoten mit 2 Eichen in jedem Fache vorhanden sein soll. Mag nun dem sein, wie es will, so muss man konsequent, in so fern man der zu grossen Zertrennung der Genera nicht huldigt, wie ich, nur 1 Genus, nämlich Monstera, annehmen, hält man aber jede Abweichung im Baue der Blüthe für hinlänglich, um gleich Geschlechter zu bilden, dann müssen deren zunächst so viel gemacht werden, als ich in meiner Abhandlung über diesen Gegenstand, die ebenfalls in der Bonplandia (4. Jahrg. S. 4) abgedruckt ist, Subgenera aufgestellt habe. Dazu kämen nun noch die 3 neuen Schott'schen Geschlechter, von denen ich oben gesprochen.

Das Genus Monstera wurde im Jahre 1750 von Adanson aufgestellt, wahrscheinlich zu Ehren eines Mannes. Leider giebt der Autor nichts Näheres darüber an. Was Adanson unter diesem Namen verstanden hat, lässt sich schwerlich noch sagen. Seine Pflanze soll 5 Blumenblätter, 7 Staubgefässe und einen einfächrigen, so wie vieleiigen Fruchtknoten haben. Nach dieser Angabe möchte es eher ein Dracontium gewesen sein, als eine Monstera im Schott'schen Sinne. Der Name des Autors Adanson ist demnach hinter dem des Genus Monstera ganz unzulässig, in so fern man nicht, was allerdings auch etwas vor sich hat, damit nur den Mann bezeichnen will, der überhaupt sich der Benennung zuerst bediente. Diese Ansicht verfolgte, wie bekannt, früher Hofrath Reichenbach in Dresden.

Die amerikanischen Monsteren (Monstera Schott) zerfallen in 3 Subgenera: Eumonstera, Coriospatha und Cymbospatha. Das letztere enthält nur eine Art, die Pöppig als Scindapsus occidentalis bekannt gemacht hat. Sie besitzt fiederspaltige Blätter und einen 1-fächrigen Fruchtknoten mit 1 grundständigem Eichen, während Eumonstera und Coriospatha einen 2-fächrigen Fruchtknoten und 2 Eichen in jedem Fache einschliessen. Bei dem zuerst genannten Subgenus ist die Blumenscheide weniger lederartig, als bei dem andern, auch nur eine Zeit lang geöffnet, während sie bei Coriospatha ihre kahnförmige Gestalt so lange besitzt, als bis sie abfällt. Die Blätter sind auch hier fiederspaltig, aber mit zahlreichen Löchern versehen. Es gehört zu Eumonstera ausser der früher in England kultivirten und von Miller abgebildeten, auch wohl von Linné bekannten Monstera pertusa de Vr. (Dracontium pertusum L.) und der sehr ähnlichen M. Klotzschiana Schott noch die Pflanze, die Plumier in seinen Plantes de l'Amérique auf der 56. und 57. Tafel abgebildet hat und welche Schott seiner Beschreibung nach in der neuesten Zeit hauptsächlich unter M. Adansonii verstanden zu haben scheint.

Coriospatha umfasst bis jetzt 3 Arten: Monstera Lennea C. Koch, deliciosa Liebm. und M. Jacquini Schott. Die letztere ist früher in Wien (ob auch jetzt noch?) kultivirt worden und von Jacquin in dem Hortus Schoenbrunnensis (Tom. II. Tab. 184. 185) abgebildet. M. deliciosa wurde von dem leider in diesem Jahre verstorbenen Professor Liebmann in Kopenhagen in Mexiko entdeckt und in einem Vortrage in der Königl. Dänischen Akademie im Jahre 1850, der aber erst 1852 gedruckt oder wenigstens veröffentlicht wurde, bekannt gemacht. Direktor Schott in Wien hält diese mexikanische Art von der Pflanze, welche v. Warszewicz in Guatemala entdeckte, für nicht verschieden und zieht den von mir gegebenen Namen zu M. deliciosa Liebm. Abgesehen, dass die Priorität für meine Benennung sprechen möchte, scheint mir die mexikanische Pflanze sich hauptsächlich durch die weisse krustig-pergamentartige und zerbrechliche Blumenscheide, die dem einem mit schwarzen Papillen besetzten Stiele aufsitzenden Kolben an Länge gleicht, durch die schwarzgrünen Blätter, deren Mittelrippe auf der Oberfläche rinnenförmig ist, und durch die wellig-erweiterten und mit schwarzen Papillen besetzten Blattstielränder unterscheidet. Ausserdem möchte auch das Vaterland auf eine Verschiedenheit hinweisen, da Mexiko und Guatemala nur wenig Pflanzen, namentlich Aroideen, gemein haben.

Monstera Lennea ist ein sogenannter Epiphyt, dem der Baumstamm nur als Unterlage dient, um auf ihm in wenig oder gar nicht windender Richtung emporzusteigen. Beifolgende Abbildung giebt eine Ansicht, wie die Pflanze in ungebundener Freiheit inmitten der Urwälder emporsteigt und wächst. Leider ist die Abbildung mannigfacher Schwierigkeiten halber, die sich der Ausführung entgegensetzten, keineswegs so gelungen, als es wohl wünschenswerth gewesen wäre.

Mit ihren oft mehre Fuss langen, sich aber bisweilen auch an den Enden verdickenden Luftwurzeln umschlingt Monstera Lennea den Baum, ohne ihm nur im Geringsten Nahrung zu entziehen. Sie entnimmt diese hauptsächlich vermittelst der letztern, die auch zum Theil lang herunterhängen, der feuchten Luft, welche sie im Urwalde umgibt. Je nach dieser Feuchtigkeit, die geboten wird, und dem rascheren oder langsamern daraus hervorgehenden Wachsthume sind die Internodien, d. h. die Zwischenräume von einem Blatte bis zum andern, ½—2 Fuss und mehr auseinander gerückt. Eine in der Mitte mehr grünliche,

IV

Monstera Lennea C. Koch.

sonst aber weissliche Scheide schliesst die in der Jugend zusam engerollten Blätter ein, hat auf dem Rücken einen doppelten hervorragenden Kiel und fällt meist mit der vollständigen Entwickelung des Blattes ab.

Die ersten Blätter haben eine herzförmige Gestalt und den Durchmesser eines Fusses. Bei den spätern stellen sich Einschnitte und alsbald auch Löcher in der Substanz ein. Damit nimmt auch der Umfang bedeutend zu, so dass bei guter Kultur die Länge bis nahe 3 und die Breite bis 2½ Fuss betragen kann. Das Exemplar, was im Frühjahre in dem Gewächshause des Grafen Magnis jun. in Ullersdorf (s. Gartenzeitung Seite 96) blühte, hatte 2 Fuss 7¼ Zoll Länge und 2 Fuss 3½ Zoll Breite, 32 Fiederspalten und 115 Löcher. Im Borsig'schen Garten zu Moabit bei Berlin befinden sich im dortigen schönen Palmenhause 2 Exemplare, welche regelmässig blühen und Früchte bringen. Ein Blatt hat daselbst sogar 35 Blatt-Abschnitte, aber nur einige und 80 Löcher. Nicht weniger ist das Exemplar, was sich in einem Gewächshause des Fabrikbesitzers Nauen in Berlin befindet, von einem stattlichen Ansehen, da es ebenfalls Blätter von 2½ Fuss Länge und mit einigen und 80 Löchern in der Substanz besitzt.

Die Frage, wie die Löcher sich bilden, ist nicht schwierig zu beantworten, und auch schon früher, wenigstens für ähnliche Pflanzen, gelöst. Bei der fortwährenden Neubildung von Zellen und dadurch bedingten Vergrösserung des Blattes hört diese plötzlich an einzelnen Stellen auf, wo nun, je grösser die Anzahl sich neubildender Zellen wird, natürlich da, wo dieses nicht geschieht, leere Räume entstehen müssen. Um so mehr demnach sonst das Blatt wächst und dieses nach der Peripherie zu zunimmt und grösser wird, um so mehr müssen auch die einmal gebildeten Löcher zunehmen. Sobald das Wachsthum aufgehört hat, vergrössern sich auch die Löcher nicht mehr.

Die Bildung neuer Blätter an der Spitze des Stammes geschieht, namentlich wenn hinlänglich Feuchtigkeit geboten wird, sehr rasch. In der Knospe sind sie zusammengerollt und werden in diesem Zustande von der oben schon erwähnten Blatt-Scheide eingeschlossen. Wie die Aufrollung geschieht, hängt die Blattfläche mit der Spitze nach unten und hebt sich erst nach und nach, bis sie endlich dem Blattstiele gleichlaufend aufrecht und zuletzt von diesem ein wenig in einen Bogen absteht. Der Blattstiel besitzt eine verschiedene Länge, ist jedoch meist 1½ Fuss lang und an der Basis ¾—1 Zoll dick. An dem untern Drittel oder Viertel ist er mehr dunkel graugrün, von kurzen, punktartigen Erhabenheiten etwas rauh und ziemlich rund, wobei jedoch die scheidenartigen Ränder, aus denen das nächste Blatt hervorkommt, eine Art Rinne einschliessen und diese später ganz bedecken. Weiter nach oben wird der Blattstiel auf der innern Seite flach und später auch auf dem Rücken weniger konvex, ja selbst zuletzt ebenfalls etwas flach, so dass er von oben und unten zusammen gedrückt erscheint.

Aus dem Winkel der später mehr von einander abstehenden Blätter kommen die kurzgestielten, bisweilen Fuss langen, oft 2 Zoll im Durchmesser enthaltenden und länglichen Kolben von grüner Farbe hervor und werden von einer lederartigen, flach kahnförmigen, aber an einer Seite etwas eingezogenen Scheide von schmutziger Ocherfarbe umgeben. Alsbald nach der Befruchtung löst die letztere sich und fällt ab, während der dicke Kolben selbst allmählig eine gelblich-grüne Farbe annimmt. Anfänglich stehen die Blüthen dicht gedrängt an einander und nur die Staubbeutel treten über die Oberfläche hervor, um den Blumenstaub auszuwerfen und der Narbe mitzutheilen. Allmählig werden jedoch die Fruchtknoten lockerer und saftiger; damit erhalten sie auch eine gelbliche Farbe. Die hier folgende Abbildung giebt nur den obern Theil des Kolbens in ziemlich reifem Zustande, so weit dieses wenigstens in unseren Gewächshäusern der Fall ist.

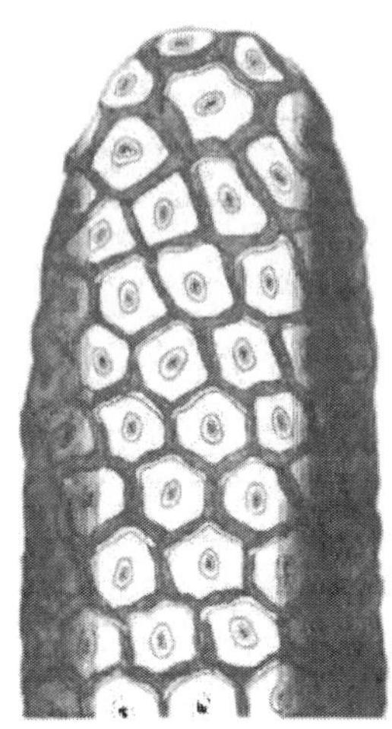

Die Blüthen sind Zwitter. Da sie aber keine Blume oder Hülle haben und dicht bei einander stehen, so ist es oft schwierig die Staubgefässe, welche der einen oder andern Blüthe angehören, fest zu bestimmen. Darauf beruht die unrichtige Angabe einiger Botaniker von einem unten weiblichen, oben pseudo-hermaphroditischen Kolben und von in unbestimmter Anzahl das Pistill umgebenden Staubgefässen. Die letztern haben breite Staubfäden mit darauf stehenden und aufrechten Beuteln. Das Oeffnen derselben geschieht nicht durch regelmässige Längsspalten und genau nach innen, sondern es bilden sich am obern Theile und mehr nach der Seite Löcher, die sich allmählig nicht unbedeutend vergrössern.

2 Eichen. Staubbeutel. Staubgefäss. Fruchtknoten, Längsdurchschnitt.

Das Pistill ist säulenförmig und besitzt einen flachen Scheitel. Je nach dem mehr oder weniger ungleichem Drucke ist es 4-, 5- und 6-eckig. Es zerfällt in 2 Theile, von denen der untere und kleinere 2 Höhlungen, jede mit 2 gepaarten, grundständigen und amphitropen Eichen einschliesst, der obere, mit Ausnahme eines von der linienförmigen, quer aufliegenden Narbe ausgehenden engen Kanales, aber ziemlich fest ist und einen dicken Griffel darstellt. Während der untere Theil allmählig saftig und beerenartig wird, bleibt der obere mehr oder weniger konsistent. Es lösen sich aber in ihm oben und unten zugespitzte, längliche und sehr dickwandige Zellen, welche eine senkrechte Lage haben und, sobald der obere Theil abfällt, auf der Bruchfläche in Form von Spitzen hervortreten. Diese Spitzen hält man gewöhnlich für Raphiden, d. h. für innerhalb der Zellen gebildete Krystalle verschiedener Natur. Obwohl Schleiden schon im Jahre 1839 in Wiegmanns Archiv (S. 231) die Unrichtigkeit dieser Annahme nachgewiesen hat und die dieses betreffende Abhandlung auch in seinen Beiträgen zur Botanik aufgenommen ist, so hat doch, ausser Hasskarl, Niemand auf die interessante Berichtigung eines so ausgezeichneten Physiologen Rücksicht genommen, und man spricht noch wie vor von Raphiden.

Wenn man den deckelartigen obern Theil der Frucht abstösst, so bleibt eine beerenartige Masse übrig, die einen sehr angenehmen und süsslichen Geschmack besitzt. Dieser untere Theil wird allgemein im Vaterlande gern gegessen und hat auch von Exemplaren, die in Sanssouçi und im Nauen'schen Garten in Berlin gezogen wurden, Anerkennung gefunden. Da grosse Exemplare der Pflanze leicht und gern blühen, so mache ich Gärtner und Gartenbesitzer ganz besonders darauf aufmerksam. Reifen Samen habe ich nie in den Früchten gefunden, vermag also nichts über sie zu sagen.

(Fortsetzung folgt.)

Die Sonnenblume (Helianthus annuus).

Der Anbau der Sonnenblume als Oelfrucht ist schon mehrfach versucht, hat sich aber bis jetzt noch keineswegs als vortheilhaft bestätigt. In der neuesten Zeit ist von Karlsruhe aus eine neue Sorte als besonders ölreich empfohlen und auch in einzelnen Gegenden versucht worden, ohne dass sie bessere Resultate gehabt hätte. Sie führt sonderbarer Weise den Namen der kaukasischen Sonnenrose, obwohl weder in Cis- und Transkaukasien, noch im Gebirge selbst Sonnenrosen gezogen werden. Der Orientale liebt allerdings die steife Pflanze mit den grossen und gelben Blüthenkörbchen und hat sie deshalb gern in seinen Gärten; im Grossen angebaut habe ich sie aber nirgends auf meinen Reisen in Vorderasien gesehen. Nach brieflichen Mittheilungen des Baron's von Fölkersahm in Kurland wird jedoch die Sonnenblume im Grossen als Oelfrucht auf den Gärten des Grafen Scheremetijeff gebaut, so dass jährlich mehre tausend Morgen damit bestellt werden. Die dortigen Bauern sollen ihren Anbau vortheilhafter finden, als den des Getreides.

Vielleicht ist die kaukasische Sonnenrose auch die des Grafen Scheremetijeff. Die erstere wird im Allgemeinen grösser als unsere gewöhnliche und besitzt sparrig-abstehende Blätter des Hüllkelches. In dieser Hinsicht stimmt sie mit einer andern Sorte überein, welche der Generaldirektor Lenné aus China erhielt und welche in der Landesbaumschule bei Potsdam bereits einige Jahre hintereinander kultivirt wurde. Zu erneuten Anbau-Versuchen möchte diese Sorte in jeglicher Hinsicht zu empfehlen sein.

Baron v. Fölkersahm theilt in demselben Briefe mit, dass da, wo Bienenzucht getrieben wird, der Anbau der Sonnenblume höchst nachtheilig auf diese einwirkt. Die Sonnenblume sondert nämlich oft zwischen den Blüthchen ein eigenthümliches klebriges Harz ab, was den

Bienen, welche ihren Honig hier entnehmen wollen, die Füsse und auch die Flügel beschmutzt und Ursache wird, dass dieselben kleben bleiben. Die Absonderung des harzähnlichen Saftes ist mir zwar keineswegs unbekannt, aber doch habe ich sie nie in einer solchen Menge und auf allen Blüthenkörbchen gesehen, so dass Bienen darauf kleben geblieben wären. Die Sonnenblumen werden allerdings viel von Bienen besucht.

Baron v. Fölkersahm behauptet deshalb, dass in allen Gegenden in Russland, wo man früher viel Bienenzucht getrieben und später den Anbau der Sonnenblume eingeführt habe, die erstere allmählig zurückgekommen sei. Mir sind diese Beobachtungen völlig unbekannt; aber interessant und selbst wichtig wäre es zu erfahren, ob diese sich auch in Deutschland bestätigten. Alle Bienenzüchter sowohl als die, welche sich mit der Kultur der Sonnenblumen beschäftigen, möchte ich deshalb ersuchen, ihre Erfahrungen darüber mitzutheilen.

Roezl's Mexikanische Sämereien von Koniferen.

Seit einem Paar Jahren befindet sich zu Napoles bei Mexiko eine Gärtnerei Roezl & Comp., die für Europa von um so grösserer Wichtigkeit zu werden scheint, als ihr Chef, der frühere Obergärtner im van Houtt'schen Etablissement zu Gent, Roezl, allen Pflanzen- und Blumenliebhabern als ein tüchtiger Mann bekannt sein dürfte. Wie wir in der neuesten Zeit schon seit mehrern Jahren aus den kolumbischen Provinzen, besonders aus Venezuela, sowie aus Brasilien und aus Guatemala, durch Reisende, Botaniker und Gärtner, eine Menge schöner und interessanter Pflanzen erhalten haben, so können wir nun auch Mexiko zu den Ländern rechnen, welche uns von nun an noch mehr erschlossen werden, als es schon an und für sich der Fall war. Bis jetzt hatten wir übrigens hauptsächlich durch die Reisenden Schiede und Deppe, so wie durch Ehrenberg, Hartweg und Wislizenus schon manche schöne Art aus Mexiko erhalten.

Roezl hat in diesen Tagen ein Verzeichniss von Koniferen eingesendet, was von einem Reichthume an diesen jetzt so sehr beliebten Pflanzen zeugt, wie wir kaum ahnen konnten, obwohl das mexikanische Hochland bereits mehre Koniferen an unsere Gärten abgegeben hatte. Da diese Gehölze zum grossen Theil nur auf den hohen Plateau's und Terrassen vorkommen und Mexiko überhaupt schon zum Theil ausserhalb des nördlichen Wendekreises liegt, so verlangen auch die von dort stammenden Pflanzen keine so grosse Wärme und demnach auch weniger Sorgfalt, als die der oben genannten Länder, und sind endlich deshalb auch leichter zu kultiviren.

Das Verzeichniss ist 34 Seiten stark und, da es in französischer Sprache abgefasst ist, Jedermann verständlich. Die Preise erscheinen für zum grossen Theil neue Arten mässig. Am Meisten sind die Kiefern (ächte Pinus-Arten) mit 5 Nadeln vertreten. Von ihnen kannten wir aus Mexiko bis jetzt 19; zu den 9 ältern Arten bringt nun Roezl noch 73 neue. Ob freilich alle gute Arten sind, möchte wohl erst eine genauere Untersuchung darlegen. Auf jeden Fall stellen sie aber doch wohl interessante Abarten und Formen dar, die nicht weniger unsere Aufmerksamkeit verdienen.

Dagegen fällt es uns auf, dass Roezl nur so wenig Cypressen und Wachholdern sammelte, da doch diese beiden Geschlechter nächst den Kiefern mit 5 Nadeln an Arten und Individuen in Mexiko ziemlich verbreitet zu sein scheinen. Von Cupressus kannten wir bis jetzt 6, von Juniperus 4 Arten aus Mexiko; dazu kommen allerdings noch ein Paar Arten, die im botanischen Garten in Berlin kultivirt werden und noch nicht beschrieben zu sein scheinen. Cupressus-Arten hat aber Roezl überhaupt nur 3, Juniperus-Arten hingegen 4 Arten gesammelt. Unter den letztern erhält man auch 2 neue; die 3 erstern sind sämmtlich bekannt. Ausserdem befinden sich noch unter der Sammlung eine Tsuga, die jedoch der bekannten T. Douglasii sehr nahe zu stehen scheint, ferner 2 Tannen (Abies du Roi, Picea L.), beide schon beschrieben, und das bekannte Taxodium distichum. Von letzterem glaubt jedoch Roezl, dass es von der mehr nördlich wachsenden Pflanze dieses Namens verschieden sein möchte; es ist jedoch bekannt, dass die kalifornische Ceder, welchen Namen [illegible] Art führt, auch in der Kultur mehre Formen durchläuft.

Was die ächten Kiefern (die Pinus-Arten) anbelangt, so sind, wie gesagt, die fünfnadeligen am Meisten, nämlich mit 82 Arten vertreten; dazu kommen nun noch 12 dreinadelige und 1 zweinadelige, welche letztere sich wahrscheinlich den beiden von Wislizenus entdeckten anschliesst, so dass im Ganzen 25 Arten vorhanden sind. Unter den fünfnadeligen befinden sich die Arten mit langen Nadeln und grossen langen Zapfen am zahlreichsten. Gewiss in der Folge ein grosser Gewinn.

Roezl bietet Zapfen und Samen für die Gärtner und Zapfen begleitet von einem Zweige für die Botaniker an, und zwar zu folgenden Preisen:

1. Tsuga Lindleyana, nur wenn sich 100 Abnehmer für 100 Samen zu 5 mexikanischen Thalern gefunden

haben. Dieser Thaler wird mit 5¼ Franc, 1 Thlr. 14 Sgr. oder zu 35 Hamburger Schilling berechnet.

2. Abies religiosa und hirtella, der Zapfen zu 2, 25 zu 40, 50 zu 70 und 100 zu 100 Thalern.

3. Die Cupressus-Arten, sämmtlich 25 Gramme des Samens zu 1, 100 zu 3 und 1000 oder 1 Kilogramm (d. i. 2 Pfund) zu 20 Thaler.

4. Taxodium distichum, 25 Gramme des Samens zu 1, 1000 zu 20 Thaler.

5. Die Juniperus-Arten, 100 Beerenzapfen zu 2, 1000 aber zu 15 Thaler.

6. Die Pinus-Arten, mit Ausnahme der Strobus-Gruppe, 100 Samen einer Art zu 2, 1000 aber zu 15; 50 Arten nach seiner Wahl jede 100 Samen zu 80, 100 Arten*) aber in gleicher Menge zu 150 Thaler.

7. Die Arten von Pinus aus der Strobus-Gruppe, 50 Samen zu 2 und 1000 zu 30 Thaler.

8. Von Pinus-Zapfen mit einem Zweige, jede zu 2, 100 verschiedene Zapfen hingegen zu 150 Thaler.

9. 1 Pinus-Zapfen aus der Abtheilung von Strobus mit einem Zweige zu 6 Thaler.

Nach dem Verzeichnisse werden nur Bestellungen nicht unter 100 Franc angenommen und müssen diese spätestens bis zum 2. December d. J. geschehen, in so fern sie für 1858 berücksichtigt werden sollen. Spätere Bestellungen erhalten erst im darauf folgenden Jahre ihre Berücksichtigung. Die Samen werden frei nach Hamburg oder Zürich, wie man eben wünscht, gesendet. Bei Uebersendung werden die Agenten zu gleicher Zeit für den Betrag der Factur auf den Käufer ziehen.

Nach einer brieflichen Mittheilung, die dem Verzeichnisse beilag, werden aber auch kleinere Bestellungen unter 100 Franc angenommen, aber diese müssen mit Beifügung des Wechsels über die Zahlung bei H. J. Ganz in Zürich gemacht werden.

Chermes coccineus und viridis, die rothe und grüne Fichten-Rinden-Laus.

Vom Kunstgärtner Gaden in Lossen bei Brieg.

Diese Insekten können, sobald sie in Masse vorkommen, ganze Pflanzungen von Fichten (Abies excelsa) verheeren.

Ratzeburg beschreibt zwei Arten von Fichten-Rinden-Läusen, Chermes coccineus und viridis. Beide setzen ihre Brut an Fichten, und zwar an junge Triebe, wo sie Ananas ähnliche Gallen, hervorrufen.

Die Larven leben von dem Safte, der den jungen Trieb ernähren und ausbilden soll. Letzterer kann nun, sobald er angestochen ist, sich nicht gehörig entwickeln, verkrüppelt und geht auch in der Regel ein. Ist ein junger Fichten-Stamm mit solchen Gallen überladen, so verkümmert derselbe, wenn man nichts dafür thut. Die Gallen von Chermes coccineus haben die Schuppen lilla und grün karirt, von Chermes viridis hingegen schön grün, mit rothen sammetartigen Auswüchsen und Rändern. Chermes coccineus kriecht im Juni, Chermes viridis im August aus.

Man muss die Gallen recht zeitig abschneiden und verbrennen. Das Weibchen, welches in weisser Wolle eingehüllt am Fichtenstamme überwintert, ist im ersten Frühjahre durch Klopfen und Rütteln desselben zu entfernen, wo möglich auf ausgebreiteten Tüchern zu sammeln und dann zu vertilgen. Auch suche man die Pflanzung zu kräftigen, denn an üppigen Stämmen habe ich immer nur wenige, fast gar keine dieser Insekten gefunden.

Ausführliche Belehrung über schädliche und nützliche Forst- und Garten-Insecten findet man in dem zwar etwas theuren, aber sehr schönen und für den Forstmann und Forstbesitzer fast unentbehrlichen Werke über Forst-Insekten von Ratzeburg. Auch hat P. Fr. Bouché d. A. die Garten-Insekten systematisch geordnet und aufgezählt, auch die Vertilgungsweise angegeben und beschrieben. Aber dennoch kümmern sich die wenigsten Gärtner um das Studium der Garten-Insekten. Diejenigen namentlich, welche Garten- und Parkanlagen verwalten, sollten sich aber stets bemühen, jedes schädliche und nützliche Garten-Insekt kennen zu lernen, das letztere zu hegen und zu schonen, das erstere hingegen zu vertilgen wissen.

Und man würde nicht so häufig in den Gärten kahl gefressene Bäume, wie namentlich es bei Viburnum Opulus roseum oft durch die Larven von Chrysomela Viburni der Fall ist. Leider habe ich seit Jahren Gelegenheit gehabt, selbst in berühmten und grossen Gärten, dergleichen Verwüstungen zu sehen.

*) Da überhaupt nur 95 Pinus-Arten aufgeführt sind, von denen wiederum 3 zur Strobus-Gruppe gehören, so ist die Angabe von 100 Arten mit Ausnahme derer aus der Strobus-Gruppe unverständlich.

Verlag der Nauckschen Buchhandlung. Berlin. Druck der Nauckschen Buchdruckerei.

Hierbei die illuminirte Beilage Monstera Lennea C. Koch für die Abonnenten der Illustr. Ausgabe der Berl Allg. Gartenz.

No. 29. Sonnabend, den 18. Juli. 1857

Preis des Jahrganges von 52 Nummern mit 12 color. Abbildungen 6 Thlr., ohne dieselben 5 „ Durch alle Postämter des deutsch-österreichischen Postvereins sowie auch durch den Buchhandel ohne Preiserhöhung zu beziehen.

Mit direkter Post besorgt die Verlagshandlung die Versendung unter Streifband gegen Vergütung von 26 Sgr. für Belgien, von 1 Thlr. 9 Sgr. für England, von 2 Thlr. 22 Sgr. für Frankreich.

BERLINER

Allgemeine Gartenzeitung.

Herausgegeben vom

Professor Dr. Karl Koch,

General-Sekretair des Vereins zur Beförderung des Gartenbaues in den Königl. Preussischen Staaten.

Inhalt: Einiges über Zapfenträger oder Koniferen, insbesondere über Podocarpus koraianus. Vom Professor Dr. Karl Koch. Nebst einer Abbildung. — Die Schiller'sche Orchideen-Sammlung in Hamburg. — Journal-Schau: L'Illustration horticole. 4. livr. — Programm für die zu Gotha vom 9–13. October 1857 stattfindende zweite allgemeine Obst-, Wein- und Gemüse-Ausstellung und Versammlung deutscher Pomologen und Obstzüchter.

Einiges über

Zapfenträger oder Koniferen,

insbesondere über

Podocarpus koraianus.

Vom Professor Dr. Karl Koch.

Nebst einer Abbildung.

Man ist in der Regel der Ansicht, dass Namen, welche man Pflanzen oder auch Pflanzengruppen giebt, bezeichnend sein müssen, und hätte gewiss auch recht, in so fern man gleich anfangs im Stande wäre, die einzelne Pflanze oder eine Gruppe verwandter Arten nach allen Seiten hin so genau kennen zu lernen, dass der Charakter, den man dem Namen entlehnt, auch in der That keine Veränderung mehr erleidet. Dieses ist aber meist nicht der Fall, ganz besonders wenn man nach relativen Merkmalen, wie sie Grösse und Form der Blätter u. s. w. geben, oder nach der Farbe der Blüthen, nach dem Vaterlande u. s. w. nennt; es kommen in dieser Hinsicht die grössten Widersprüche vor. Ich erinnere nur an Chrysanthemum Leucanthemum L., Ajuga Genevensis L., eine Pflanze, die nicht allein bei Genf, sondern fast in ganz Europa wächst, Calla aethiopica L., die gar nicht in Aethiopien vorkommt und an hundert andere, alltäglich vorkommende Beispiele. Welcher Laie sucht die Minzen unter den Lippenblüthlern, das Wasser-Vergissmeinnicht unter den Rauhblättern (Asperifoliaceae), den Gingkobaum unter den Nadelhölzern oder Zapfenträgern? Man frage sich einmal selbst, wie oft man schon durch derlei ursprünglich bezeichnende Namen irre geführt worden ist? Sind doch dergleichen Benennungen für Begriffe aus dem Alltagsleben oft mit der Zeit eben so unpassend, als viele Pflanzennamen es werden. Welcher Widerspruch liegt nicht in der Bezeichnung „hölzernes Falzbein!“

Meiner Meinung nach ist jeder Name für Pflanzen und ganz besonders für Pflanzengeschlechter gut, wenn er kurz ist und leicht im Gedächtnisse behalten werden kann. Wäre es möglich, so viele nichts bedeutende Namen aufzufinden, als wir für unsere Pflanzen-Geschlechter brauchen, so würde es allerdings am Besten sein, diese in Anwendung zu bringen; da dieses aber wohl ausserhalb der Möglichkeit liegt, so dürften vor Allem einheimische Benennungen der Pflanzen oder solche, die Männern, welche sich um die Wissenschaft verdient gemacht haben, entlehnt werden, in so fern sie nur einigermassen wohlklingend und nicht zu lang sind, einen Vorzug haben. Die meisten Aublet'schen Benennungen und Namen, wie Andrzeiowskia, klingen allerdings zu barbarisch und dürften nicht nachgeahmt werden. Das Verfahren einiger Botaniker Namen aus der Mythologie zu verwenden, hat um so mehr sein Gutes, als man voraussetzen kann, dass dieselben jedem Gebildeten mehr oder weniger bekannt sind.

Ein Beispiel, wie leicht Namen namentlich für Geschlechter und Familien, welche man einem anfangs noch so passenden Merkmale entnommen hat, mit der Zeit unpassend werden können, liefern auch die Pflanzen, zu welchen die Arten von Podocarpus gehören. Seit sehr langer

Zeit, wo man die Arten weit mehr nach äussern, in die Augen fallenden Merkmalen unterschied, belegte man Kiefern, Tannen, den gewöhnlichen Wachholder u. s. w. mit dem bezeichnenden Namen „Nadelhölzer". Man bediente sich selbst noch zum Theil der Benennung, als man die Gruppe der Pflanzen wissenschaftlich festzustellen suchte und deshalb gezwungen war, Lebensbäume, Cypressen und andere ähnliche nicht mit Nadeln versehene Arten in ihr aufzunehmen. Andere Botaniker verwarfen sie aber und führten dafür die Bezeichnung „Zapfenträger oder Coniferae" ein, obwohl schon der weibliche Blüthen- und Fruchtstand der Podocarpus- und Taxus-Arten ein anderer war.

Mit dem Fortschreiten der Wissenschaft fand man — Robert Brown gehört das Verdienst, zuerst darauf aufmerksam gemacht zu haben, — dass alle die in der äussern Form und zum Theil auch in der Stellung der Blüthen zu einander so verschiedenen Pflanzen, welche man bisher unter dem Namen der Nadelhölzer oder Zapfenträger zusammengefasst hatte, ohne Ausnahme doch ein Merkmal gemeinschaftlich haben. Sämmtlich besitzen sie nämlich die Eigenthümlichkeit, dass ihre Samen nicht in einem Behälter, der entweder von blattartigen Theilen oder von einer Höhlung an der Spitze des Blüthenstieles (der sogenannten unteren Frucht) gebildet ist, liegen, sondern frei an Achsengebilden entstehen. Diese Eigenthümlichkeit besitzen auch die Cycadeen, Pflanzen, die in ihrer äusseren, sehr abweichenden Erscheinung mehr an die Palmen und Farrn oder zum Theil auch an die Cyclantheen erinnern. Beide sonst so sehr verschiedene Pflanzengruppen hat man deshalb zu einer Klasse oder einer grösseren Abtheilung vereinigt und Nacktsämler, Gymnospermae, genannt.

Die Blüthen der Nacktsämler und hier speciell der Zapfenträger sind stets getrennten Geschlechtes und ausserordentlich einfach, da sie entweder nur aus Eichen oder aus Staubgefässen bestehen, die beide einem mehr oder weniger flachen Körper, gewöhnlich Schuppe, Squama, genannt, angewachsen sind. Ueber die Natur der letzteren hat man verschiedene Ansichten. Wohl die meisten halten sie für umgeänderte Blätter und zwar entweder für Deckblätter, eine Meinung, welche wohl jetzt wenig Anhänger mehr hat, oder für Frucht- und Staubblätter, d. h. mit anderen Worten, für offene Fruchtknoten und für Staubgefässe. Andere glauben aber, dass diese blattartigen Ausbreitungen, welche die Eichen oder Samen tragen, nur flache Ei- oder Samenträger (Placenten) seien.

Je mehr man in der neuesten Zeit Pflanzen aus der Gruppe der Zapfenträger entdeckt hat, um so schwieriger wird es, sie weiter in natürliche Familien einzutheilen. Durchgreifende Merkmale finden sich, ausser dem Stande der Eichen, nicht vor; deshalb thut man wohl mit den Professoren David Don und Grisebach gut, sämmtliche Koniferen nur als eine einzige Familie und die bisher gegebenen Abtheilungen nur als Unterfamilien zu betrachten. Dav. Don legt selbst auf den Stand der Eichen so wenig Werth, dass er sein von ihm erst neu aufgestelltes Genus Arthrotaxis, weil es eine weit grössere Verwandtschaft zu vielen Cupressineen besitzt, trotz der hängenden Eichen zu diesen, nicht aber zu den Abietineen bringt.

Cl. M. Richard brachte die Koniferen zuerst in 3 Abtheilungen.

I. Aechte Zapfenträger oder Nadelhölzer (Abietineae). Die Knospen besitzen zum Schutze der jungen Blätter Tegmente und die Schuppen der weiblichen Zapfen sind nicht fleischig und mit einander verwachsen. Die Spitze der Eichen ist nach unten gerichtet. Die Blätter der meisten hierher gehörigen Arten bilden Nadeln und stehen abwechselnd, zerstreut oder in Büscheln. Die Bäume besitzen meist einen Stamm mit quirlförmigen Aesten, aus welchen letzteren normal der erstere nicht entsteht. Nach der Zahl der Samen, welche sich auf jeder Schuppe befinden, unterscheidet man am Besten 3 natürliche Gruppen.

1. Einsamige: Araucaria Juss., Dammara L.

2. Zweisamige: Pinus (L.) Lk, Tsuga Carr., Abies Lk (Picea Don), Picea Lk (Abies Don), Larix Lk, Cedrus Lk.

3. Mehrsamige oder abnorme Nadelhölzer: Cunninghamia R. Br. (Belis Salisb.), Sciadopitys S. et Z., Sequoja Endl. (Wellingtonia Lindl.) und Arthrotaxis D. Don. Dass das zuletzt genannte Genus wegen seiner 4- und 5reihigen, also nicht abwechselnden Blätter und nackten Knospen besser bei den Cupressineen steht, ist schon oben gesagt.

II. Unächte Nadelhölzer oder Cypressen (Cupressineae). Die Knospen sind nackt und die Schuppen der Zapfen häufig fleischig und eben so oft mehr oder minder mit einander verwachsen. Die Spitzen der Eichen sind nach oben gerichtet. Die Blätter stehen mit wenigen Ausnahmen einander gegenüber oder zu drei und haben an einem und demselben Exemplare oft eine verschiedene Form, sind nämlich nadelförmig oder kurz, anliegend und schuppenförmig.

1. Unächte Cypressen: Blätter abwechselnd; mit ächtem Zapfen: Taxodium Rich., Cryptomeria D. Don, Glyptostrobus Endl.; mit Beerenzapfen: Widdringtonia Endl.

2. Zapfencypressen. Blätter schuppenförmig, gegenüberstehend; ächter Zapfen: Microcachrys.

3. Wachholder: Blätter meist von doppelter Form, auf einem Exemplare stechend und schuppenförmig; mit Zapfenbeeren: Juniperus.

4. Aechte Cypressen: Blätter meist nur schuppenförmig;

a) Beerenzapfen mit schildförmigen Schuppen: Chamaecyparis Spach, Cupressus L.

b) Beerenzapfen mit sich nur an den Rändern berührenden, nicht schildförmigen Schuppen: Frenela Mirb., Actinostrobus Miqu., Callitris Vent. und Libocedrus Endl.

c) Beerenzapfen mit sich zum Theil deckenden Schuppen: Biota Don, Thuja L., Fitzroya Hook. fil., Thujopsis S. et Z.

III. Taxbäume. (Taxineae). Mit einzelnen, paarweise oder quirlförmig an der Achse stehenden, mehr oder weniger fleischigen Früchten. Blätter vorherrschend mehr oder wenig flach, wenigstens nicht so nadelförmig als bei den Kiefern, oder nur als Scheiden, wie bei Ephedra, erscheinend. Mit Ausnahme des zuletzt genannten Geschlechtes bildet diese Familie oder Gruppe eine natürliche Zusammenstellung, ist aber in der neueren Zeit in drei: Taxineae, Podocarpeae und Gnetaceae, zerlegt worden.

1. Bei den ächten Taxineen ist zur Blüthezeit der Anfang einer dritten Eihaut vorhanden, welche nach der Befruchtung mit Ausnahme von Gingko L. (Salisburya Sm.) fleischig wird, die Basis des Samens umgiebt, wie bei Phyllocladus, oder darüber hinwegwächst und oben offen bleibt, wie bei Taxus L. oder endlich oben schliesst und daher den Samen in Form einer fleischigen Hülle umgiebt. Es ist das Letztere bei Torreya Arn. und Cephalotaxus S. et Z. der Fall.

2. Bei den Podocarpeen Endl. wird das Ende des Fruchtstieles, auf dem sich 1, selten 2 Samen befinden, häufig fleischig. Die dritte Eihaut fehlt, dafür wird aber die zweite fleischig und ist oben offen, wie bei Saxe-Gothaea Lindl. und Dacrydium Sol., oder geschlossen, wie bei Podocarpus l'Herit.

3. Die Gnetaceen Bl. So verschieden im Habitus, stimmen sie doch darin überein, dass die männlichen Blüthen von Scheiden eingeschlossen sind. Von den 3 oder 2 Eihäuten wird die äussere fleischig oder lederartig und bleibt oben offen, um das griffelähnlich zusammengezogene Ende der innern durchzulassen: Gnetum L. und Ephedra L.

Wenden wir uns nun den Podokarpeen speciell zu und von diesen namentlich zu der Art, welche in den Gärten zum Theil als Podocarpus koraianus vorkommt, aber von der Pflanze verschieden ist, welche v. Siebold zuerst in dem Jahresberichte der Gartenbaugesellschaft in den Niederlanden vom Jahre 1844 (Seite 35) beschrieben hat, obwohl dieser um die Flor Japan's so sehr verdienstvolle Reisende auch die oben erwähnte Gartenpflanze unter demselben Namen verbreitet haben soll! Wahrscheinlich möchte die letztere aber eine neue Art sein, über die ich mich jedoch für jetzt noch nicht zu entscheiden wage, da leider sämmtliche Blüthen und Samen des in Magdeburg bei dem Hofbuchdrucker Hänel befindlichen Exemplares, nach dem die Zeichnung entworfen ist, in Folge des anhaltenden heissen und trockenen Wetters plötzlich abgefallen waren und mir nicht mehr frisch für genauere Untersuchungen zu Gebote standen. Ich behalte mir deshalb diese für das nächste Jahr vor, wo hoffentlich die Hänel'sche Pflanze wiederum Blüthen und Samen bringen wird. Es ist das Abfallen in diesem Jahre um so mehr zu bedauern, als wiederum wie früher in den Samen keimfähige Embryonen sich entwickelt hatten, und demnach von Neuem ein Beispiel der Parthenogenesis, d. h. der Bildung von Embryonen ohne Zuthun der Pollenschläuche, mehr vorhanden ist.

Das Genus Podocarpus wurde nach Kunth von dem 1800 zu Paris ermordeten Botaniker l'Heritier de Brutelle aus Arten, welche früher mit Taxus vereinigt waren, gegründet und wegen des oben fleischigen Fruchtstieles Podocarpus d. h. Frucht mit einem Fusse, genannt. Sämmtliche hierher gehörige und bis jetzt bekannte Arten besitzen weniger Nadeln, als vielmehr zum Theil ziemlich breite, aber auch schmale, härtliche und dickliche Blätter, die nur bei einigen wenigen Arten einander gegenüberstehen. Der grösste Theil der letztern besitzt die männlichen und weiblichen Blüthen auf zwei verschiedenen Pflanzen, ist also diöcisch.

Man kennt bis jetzt 49 Arten, die sich in der Weise vertheilen, dass 11 auf Amerika (2 auf die Antillen, 1 auf Kolombien, 2 auf Brasilien, 2 auf Peru und 4 auf Chili), 12 auf Neuholland (und zwar auf die Ostküste) und Neuseeland, 3 auf Neuguinea, die Molukken und Philippinen, 1 auf Singapur, 8 auf die Sunda-Inseln, 2 auf Nepal, 7 auf China und Japan und 4 auf Südafrika kommen. Die meisten wachsen demnach auf den Inseln des Stillen Meeres oder an den daran gränzenden Ländern. Nur die beiden brasilischen und die beiden nepal'schen Arten sind mehr im Binnenlande zu Hause. Von einer Art kennt man das Vaterland nicht und eine (P. elongatus l'Her.) wächst zu gleicher Zeit in Südafrika und in Abyssinien.

Man besitzt bereits in den Gärten zwar eine Menge

Arten von Podokarpus, aber ihre Nomenklatur befindet sich in einer solchen Verwirrung, dass eine und dieselbe Pflanze unter verschiedenen, zum Theil 3 und 4 Namen vorkommt, anderntheils aber wiederum ganz verschiedene Arten unter einem Namen kultivirt werden. Leider sind in Endlicher's und in Carrière's Monographie der Koniferen die Diagnosen der Podokarpus-Arten im Allgemeinen sehr dürftig ausgefallen und entsprechen einander so wenig, dass eine Bestimmung, noch dazu ohne Blüthen und Früchte, ausserordentlich schwierig ist. Es kommt noch dazu, dass die Eintheilung der ächten Podokarpus-Arten nach ihrem Vaterlande diese gar nicht unterstützt. Die wenigen Abbildungen, welche wir von Pflanzen dieses Geschlechtes besitzen, reichen eben so wenig aus, als selbst die grössern Herbarien, wie z. B. das Königliche zu Berlin, nicht genügendes Material darbieten.

Unter diesen Umständen wage ich es auch nicht, über den Podocarpus koraianus einiger Gärten, ein sicheres Urtheil schon jetzt abzugeben, zumal, wie schon gesagt, ich die Pflanze mit Blüthen und Samen zwar einmal gesehen hatte, durch das plötzliche Abfallen derselben mir aber jede Untersuchung vereitelt war. Die Abbildung der Pflanze mit meist reifen Samen wurde durch den Hofbuchdrucker Hänel in Magdeburg angefertigt und auch alsbald auf Stein übergetragen. Trotz der Unbestimmtheit der Benennung und der mangelhaften Beschreibung zögerte ich nicht im Geringsten, dieselbe schon jetzt der Gartenzeitung mitzutheilen, da der Podokarpus ohne Zweifel eine der besten Akquisitionen der Neuzeit für unsere kalten Gewächshäuser ist und wohl verdient, weiter verbreitet zu werden. Wenn er schon als blosse Blattpflanze eine Zierde der Gewächshäuser ist, so stellt er diese doch noch in weit höherem Grade dar, so bald aus fast allen Achseln der Blätter Blüthen und Samen in allen Grössen und Färbungen sichtbar sind. Zu dem hellen Grün der Zweige und des Laubes bilden die letztern mit allen Nuancirungen von Grün zu Lila einen eigenthümlichen, aber stets angenehmen Gegensatz.

Da mir einige Samen des Podocarpus koraianus der Gärten im trockenen Zustande zu Gebote stehen und durch Carrière's Bemerkung in seinem Traite général des Conifères (pag. 435) über die Natur der innern Samenschale eine verschiedene Ansicht herrscht, so möchte es auch hier am Platze sein, mitzutheilen, was ich gesehen. Beide Samenschalen sind bei meiner Pflanze nicht streng geschieden, sondern, obwohl die äussere nach aussen eine dünne fleischige Schicht bildet, so werden doch die Zellen nach innen allmählig trocken, ziemlich hart und gleichen denen der innern Schale, die ich deshalb keineswegs dünn und zerbrechlich gefunden habe, wie Carrière bei Podocarpus chinensis Wall. angiebt.

Was die Darstellungen des Samens auf der Abbildung anbelangt, so stellt die äusserste Figur rechts einen Samen mit dem fleischigen Fuss (Receptaculum), die in der Mitte einen Längsdurchschnitt beider, die links endlich einen Querdurchschnitt des Samens allein dar.

Der botanische Garten zu Neuschöneberg bei Berlin besitzt eine Pflanze, welche er 1848 aus Leiden erhielt und welche v. Siebold selbst für den ächten Podocarpus koraianus erklärt hat. Diese Pflanze hat eine sehr grosse Aehnlichkeit mit der, welche schon seit längerer Zeit in den Gärten als P. chinensis und Maki kultivirt wird, in so fern sie nicht ganz und gar mit ihr eine und dieselbe Art darstellt. Ohne Blüthen und Samen sind beide gar nicht zu unterscheiden. Es kommt noch dazu, dass, wie mir von Jemand, der längere Zeit in England war, mitgetheilt wurde, Podocarpus chinensis daselbst auch unter der Benennung P. koraianus kultivirt wird. Da unser P. chinensis häufig blühet, so wird, sobald das von v. Siebold für die ächte Pflanze des P. koraianus erklärte Exemplar ebenfalls blühen wird, eine Vergleichung die Verschiedenheit oder Gleichheit beider Pflanzen leicht und bald herausstellen.

Im botanical Magazin, Tab. 4655, und wiederholt in der Flore des Serres et des Jardins de l'Europe Tom. VIII. tab. 768 befindet sich ein Podocarpus neriifolia Don abgebildet. Die Pflanze dieses Namens soll identisch mit der sein, welche Wallich unter dem Namen P. macrophylla mit der Nummer 6052 A ausgegeben hat. Wenn aber das Exemplar, was das Königliche Herbar unter derselben Benennung und Nummer von Wallich erhalten hat, wie es auch nicht anders denkbar sein kann, so bald keine Verwechslung stattgefunden, richtig ist, so unterscheidet sich die Wallich'sche Pflanze durchaus von beiden Abbildungen, die meines Erachtens nach weit eher eine mit P. chinensis Wall. sehr nah verwandte, wenn nicht gar dieselbe Art darstellen. Ein Exemplar der letzteren im botanischen Garten blüht eben und zeigt mit den Abbildungen ausserordentliche Aehnlichkeit. Es scheinen nur die Blätter etwas kleiner zu sein.

Podocarpus chinensis Wall. und koraianus Sieb. haben einen so eigenthümlichen Habitus, der zum Theil an Taxus baccata L. β. fastigiata (hibernica), zum Theil auch an Cephalotaxus pedunculata S. et Z., die in den Gärten unter dem Namen Taxus Harringtonia Forb. bekannter ist, erinnert, dass Carrière in seiner Monographie der Koniferen (Seite 465) bei der Beschreibung des Podocarpus koraianus,

Podocarpus Hordianus

den er noch nicht blühend gesehen hatte, sogar der Meinung ist, dass genannte Pflanze gar kein Podocarpus sein möchte. An diesem an den Pyramiden-Taxbaum erinnernden Habitus sind P. chinensis und koraianus von allen andern Arten dieses Geschlechtes sehr leicht zu unterscheiden.

Die
Schiller'sche Orchideen-Sammlung in Hamburg.

Eben ist uns ein Verzeichniss der Orchideen zugekommen, welche zu Ovelgönne an der Elbe bei Hamburg im Garten des Senators G. W. Schiller kultivirt werden. Wir müssen offen gestehen, dass der Inhalt uns überraschte. Das Verzeichniss vom Jahre 1854 hatte der Professor Reichenbach in Leipzig schon früher mitgetheilt; dasselbe enthielt 801 Species, das vom Jahre 1857 hingegen weist nicht weniger als 1268 nach, zeigt also eine Vermehrung von 467 Arten.

Wir besitzen damit eine Sammlung, wie sie selbst in England nicht existirt und welche ohne Zweifel die reichste ist, welche auf dem Kontinente und sonst sowohl in dem Besitze eines Privatmannes, als auch in einer öffentlichen Anstalt sich befindet. Nach sachverständigen Augenzeugen, die mehr als einmal die Sammlung beschauten, sind die Pflanzen auch zum grossen Theil in grossen und ansehnlichen Exemplaren vorhanden, wie man sie leider nicht immer in Gewächshäusern sieht. Der Obergärtner Stange, dessen Sorgfalt sie anvertraut sind, pflegt sie mit ganz besonderer Liebe und Sachkenntniss. Mit Stolz können wir Deutsche demnach auf die Sammlung unseres Landsmannes in Hamburg blicken, und zwar um so mehr, als ihr Besitzer auf die freundlichste Weise seine Gewächshäuser allen Liebhabern dieser interessanten Pflanzenfamilie öffnet und Jedermann den hohen Genuss gönnt. Wir erlauben uns deshalb, ganz besonders Gärtner und Botaniker, wenn sie nach Hamburg kommen, aufzufordern, von der Liberalität des Senators Schiller Gebrauch zu machen. Der Botaniker, und zwar vor Allem der Systematiker hat hier Gelegenheit, umfassende Studien zu machen.

Wenn schon überhaupt es ein erfreuliches Zeichen unserer Zeit ist, dass viele reiche Leute für Pflanzen- und Blumenzucht, so wie für die Verschönerung ihrer nächsten Umgebung ein lebhaftes Interesse an den Tag legen und, wie schon gesagt, auch erlauben, dass Andere, Sachverständige oder Laien, an dem, was in dieser Hinsicht oft mit grossen Unkosten erst in Stand gesetzt ist, ihre Freude zu haben, so ist es noch in höherem Grade anzuerkennen, wenn die Besitzer von Gärten und derlei Pflanzenschätzen auch zu gleicher Zeit die Wissenschaft fördern und Gelegenheit geben, sich Kenntniss von Pflanzen zu verschaffen und den Sinn für Natur-Schönheiten zu erhöhen und zu erläutern. Dem Besitzer genannter Orchideen-Sammlung genügte es keineswegs, die Pflanzen mit den seltsamen, in allen Formen und Farben sich gefallenden Blumen zu haben, sein Streben ging zu gleicher Zeit noch mehr dahin, diese wissenschaftlich zu verwerthen und dadurch die Kenntniss der Pflanzen überhaupt und der Orchideen insbesondere zu fördern.

Vor Allem wollte der Senator Schiller die von ihm kultivirten Pflanzen richtig benannt haben. Er setzte sich deshalb mit dem Professor Reichenbach in Leipzig, der seit Jahren grade umfassende Studien mit den Orchideen gemacht hat und ihr tüchtigster Kenner ist, in nähere Verbindung und sandte diesem nicht allein die Blüthen aller ihm zweifelhaften Arten, sondern veranlasste ihn auch, mehrmals nach Hamburg zu kommen, um die ganze Sammlung vom Neuen zu revidiren. Auf diese Weise befinden sich jetzt die Schiller'schen Orchideen hinsichtlich ihrer Nomenklatur in einer musterhaften Ordnung, wie sie vielen andern Gärten wohl zu wünschen wäre.

Dass die botanische Nomenklatur sich überhaupt leider grade in einer Zeit, wo die Liebe zu Pflanzen bei Laien einen mächtigen Aufschwung erhalten hat, in trauriger Verwirrung befindet, hat wohl vorzugsweise darin seinen Grund, dass seit Schleiden's Entdeckungen und Bereicherungen in der Pflanzen-Physiologie die meisten Botaniker sich der physiologischen Seite, namentlich dem allerdings wichtigen Befruchtungsprocesse und der Neubildung von Zellen zu wandten und die Kenntniss der Pflanzen selbst als Nebensache betrachteten. Man fiel damit von einem Extreme zum andern. Während früher Botaniker, die keine Pflanzen kannten, wenn sie auch noch so gute pflanzenphysiologische Kenntnisse besassen, nicht für ebenbürtig gehalten wurden, so wollen jetzt zum Theil die Pflanzenphysiologen das Prädikat eines Botanikers allein in Anspruch nehmen. Es kommt selbst vor, dass man sich rühmt, keine Pflanzen zu kennen.

Es ist deshalb um so erfreulicher, dass die wenigen Systematiker, die wir jetzt haben, um so eifriger für die Pflanzenkenntniss selbst arbeiten und bei der grossen Ausdehnung, welche die Zahl der bekannten Arten in den letzten beiden Jahrzehenden erhalten hat, sich speciell mit wichtigeren und schwierigeren Familien beschäftigen. Man kann dem Prof. Reichenbach in Leipzig gar nicht genug danken, dass er die so schwierigen Orchideen fortwährend mit besonderer Aufmerksamkeit verfolgt. Möchten nur alle Orchideen-Besitzer ihm Material zur Verfügung stellen und dadurch sich auch richtige Namen verschaffen.

Wir sind zwar fern davon, dem Systematiker, der sich speciell mit einer Pflanzenfamilie beschäftigt, für Bestimmungen von Pflanzen daraus ein ausschliessliches Recht, eine Art Monopol, zu geben, sind im Gegentheil davon überzeugt, dass je mehr sich Botaniker mit einer und derselben Familie beschäftigen, die Erforschung und Kenntniss derselben eine gediegenere werden wird, wir treten aber noch entschiedener allen denen entgegen, die da glauben, wenn sie sich einmal oberflächlich mit Pflanzen einer Familie beschäftigt haben, dass sie auch gleich berufen wären, neue Namen in die Welt zu schicken. Denn durch dergleichen Veröffentlichungen wird die Kenntniss nur erschwert. Das Schiller'sche Orchideen-Verzeichniss führt Arten auf, die nach und nach 5. 6. 7, ja 8 Namen erhielten. Sehr wünschenswerth wäre es, und ganz besonders erspriesslich für die Wissenschaft, wenn die Botaniker nicht gleich neue Namen in die Welt schickten, so oft sie glauben, eine neue Pflanze vor sich zu haben, sondern zuvor sich mit denen, welche sich mit der Familie, zu der sie gehört, speciell beschäftigen, verständigten.

Nächst dem leichtsinnigen Bekanntmachen neuer Pflanzen trägt zur Verwirrung der Nomenklatur noch bei, dass viele Botaniker keine Diagnosen machen können oder wollen. Eine Diagnose verlangt allerdings möglichst genaue Kenntniss aller Arten eines Geschlechtes, resp. einer Familie, und ist daher gar nicht so leicht. Viele haben sich daher angewöhnt, deshalb lieber gar keine zu machen, sondern nur die Exemplare einer Art, welche ihnen grade zu Gebote stehen, und zwar ohne alle Vergleichung, zu beschreiben, man möchte lieber sagen, abzuschreiben. Wir wollen keine Namen nennen, aber diese Botaniker doch fragen, wie es möglich ist, dass ein Anderer da, wo sie sich selbst nicht klar sind, sich herausfinden soll? Linné, Aiton, Willdenow, Jacquin u. A. der frühern Zeit würden ein solches Verfahren wohl kaum für möglich halten. Allerdings ist es nach dem heutigen Standpunkte der Pflanzenkenntniss durchaus nothwendig, eine möglichst genaue Beschreibung neuer Pflanzen zu haben, diese ist aber neben der Diagnose gar nicht ausgeschlossen und wurde auch in den frühern Zeiten gegeben.

Nicht weniger ist das Hinwerfen einiger unterscheidender Brocken, wie es leider grade gewisse, sonst tüchtige Pflanzenkenner an sich haben, einer richtigen Bestimmung hinderlich. Manche Synonyme sind weniger aus Schuld dessen entstanden, der sie machte, als vielmehr dessen, der die Art zuerst ungenügend bekannt machte. Es ist dieses Verfahren zum Theil eine Missachtung des botanischen Publikums, zum Theil beruht es aber auch auf eigener mangelhafter Kenntniss.

Doch wir kehren zu dem Verzeichnisse des Senators Schiller zurück. Dass dieser fortwährend bemüht ist, seine Orchideen-Sammlung zu vermehren, beweist die rasche Zunahme derselben in den letzten Jahren. Autoren und Vaterland sind bei jeder Art angegeben, was den wissenschaftlichen Werth des Verzeichnisses nicht wenig erhöht. Wir sind nun im Stande, von allen kultivirten Orchideen dieses leicht zu erfahren; wir hätten nur gewünscht, dass Professor Reichenbach hinter dem Namen auch das Buch oder die Zeitschrift citirt hätte, wo die Art beschrieben ist, damit man im Stande wäre, sich selbst zu belehren, ob man wirklich die ächte Pflanze vor sich hat.

Noch mehr würde der gelehrte Verfasser dieses Verzeichnisses sich um die Kenntniss der Orchideen ein Verdienst erwerben, wenn er recht bald eine Synopsis dieser so ausserordentlich schwierigen Familie schriebe. Bei der sehr zerstreuten Literatur ist es fast unmöglich, sich herauszufinden, wenn man nicht gleiche umfassende Studien gemacht hat.

Journal-Schau.

1. Illustration horticole. 4. livr. Auf der 125. Tafel ist eine Kopie der Quercus lamellosa Wall., aus des jüngern Hooker und Thomsons Prachtwerke: Illustrations of the Himalayan plants. Sie ist eine der schönsten Eichen mit immergrünen, grossen, denen der ächten Kastanienbäume ähnlichen Blättern, welche Wallich zuerst in Nepal entdeckte und bereits in seinem grossen Werke: Plantae rariores asiaticae Tab. 149, abgebildet hat, eine Abbildung, die den Herausgebern der Illustration horticole unbekannt ist. Schade, dass die Eicheln, welche der jüngere Hooker auf dem Dartscheiling (Darjilling), einem Gebirge, was Nepal im Süden von dem eigentlichen Ostindien trennt, fand und nach England sendete, sich nicht entwickelt haben und dass uns demnach zunächst wohl auch keine Aussicht ist, diese wunderschöne Pflanze in unseren Gewächshäusern zu erhalten. Allen Reisenden, welche in Gegenden kommen, wo sie Gelegenheit haben, Eicheln interessanter Arten zu sammeln, ist es gar nicht genug anzuempfehlen, diese nicht trocken einzupacken, weil der Eiweissstoff der Kotyledonen sehr schnell austrocknet und dann nicht mehr im Stande ist, Feuchtigkeit anzuziehen und damit den Vegetationsprocess zu beginnen. Leider haben auch alle die Eicheln, welche ich von den durch mich entdeckten Arten im Pontischen Gebirge sammelte, ebenfalls in der Heimath nicht gekeimt, und sind dadurch selbige.

von denen eine, Quercus pontica, der Q. lamellosa Wall. ähnlich sein muss, für unsere Gärten verloren gegangen. Am Besten thut man wohl, wenn man die Eicheln in Erde absendet, die nur wenig feucht sein darf, damit der Keimungsprocess darin nur langsam vor sich geht.

Cypripedium villosum Lindl. stammt nach dem jüngern Reichenbach keineswegs von den Sunda-Inseln, wie Lemaire glaubt, sondern von der Halbinsel Malakka, wo sie in der Provinz Martaban auf der nordwestlichen Küste, in der Nähe von Mulmein, entdeckt wurde. Sie ist in Berlin und Umgegend bereits viel vorhanden und befanden sich in der Frühjahrs-Ausstellung des Vereines zur Beförderung des Gartenbaues aus dem schönen Garten des Kommerzienrathes Reichenheim grosse Pflanzen in Blüthe. Es ist übrigens meines Wissens nach dieses die erste Abbildung der Pflanze, welche wir hier erhalten haben.

Auf der nächsten (127.) Tafel befindet sich wiederum eine Kopie aus dem oben citirten Werke von dem jüngern Hooker und Thomson. Schade, dass die Pflanze, Buddleja Colvillei Hook. fil. et Thoms., eben so wenig, wie Quercus lamellosa Wall., sich in unsern Gärten befindet und, wie es scheint, auch wenig Aussicht dazu ist. Der Originalzeichnung nach muss die Art eine wunderschöne Pflanze darstellen, welche an Pracht selbst die tropisch-amerikanischen übertrifft und die chinesische, neuerdings in unsern Gärten hier und da kultivirte B. Lindleyana Fort. weit hinter sich lässt. Die grosse schöne rothe Blüthenrispe erinnert zum Theil an einige Bignonien, zum Theil an Habrothamnus-Arten. Es möchte wenig bekannt sein, dass Bentham in seiner vorzüglichen Arbeit über die Loganiaceen das Genus Buddleja, was bisher mit mehreren andern die Abtheilung Buddlejineae in der Familie der Scrophularineen oder der Maskenblüthler bildete, in obiger Familie einreiht.

Im 5. Hefte ist zunächst eine Orchidee: Odontoglossum anceps Lem. auf der 120. Tafel abgebildet. Wir besitzen bereits 2 Pflanzen d. N., die beide nach Reichenbach d. J. nur Synonyme bereits bekannter Arten darstellen. Odontoglossum anceps Klotzsch ist Miltonia anceps Lindl., bekannter in unsern Gärten als Miltonia Pinelli, während die Lemaire'sche Pflanze Odontoglossum maculatum Lindl. darstellt und bereits auch schon im botanical Register auf der 30. Tafel des 26. Bandes abgebildet ist. Ich übergehe sie deshalb, zumal sie keineswegs zu den schönsten Arten gehört.

(Fortsetzung folgt.)

Programm
für die
zu Gotha vom 9.—13. Oktober 1857 stattfindende
Zweite allgemeine Obst-, Wein- und Gemüse-Ausstellung
und
Versammlung deutscher Pomologen und Obstzüchter.

Der Verein zur Beförderung des Gartenbaues in den Königlich Preussischen Staaten forderte im Jahre 1853 alle Obstzüchter und Pomologen Deutschlands auf, in den Tagen vom 9. bis 13. Oktober in Naumburg a. d. S. zusammen zu kommen, um die Mittel und Wege zu berathen, wie man einestheils überhaupt auf eine grössere Verbreitung des auch in national-ökonomischer Hinsicht gewichtigen Obstbaues hinwirken, anderntheils aber, wie man der von Jahr zu Jahr schwieriger werdenden Nomenklatur mehr Sicherheit geben, so wie dem Anbaue schlecht r Sorten entgegentreten, dagegen dem der bessern mehr Eingang verschaffen könne. Dass der Verein mit dem Aufrufe einem längst gefühlten Bedürfnisse entgegengekommen war, konnte man an der regen Theilnahme erkennen, die sich aus allen Gegenden kund gab.

Es wurde damals in Naumburg beschlossen, diese mit Ausstellungen von Obst und Gemüse verbundenen Versammlungen alljährlich zu wiederholen, und dem Vereine zu Berlin, der einmal den Anfang dazu gemacht, es übertragen, die Leitung derselben auch für künftige Zeiten zu übernehmen, mit dem Versammlungsorte zu wechseln und die nöthigen Vorkehrungen zur nächsten Zusammenberufung zu treffen. Schlechte, auf einander folgende Obstjahre und sonstige Hindernisse traten der Wiederholung bis jetzt entgegen.

Vielfache Aufforderungen, die Versammlung und Ausstellung in diesem im Allgemeinen an Obst reichen Jahre auszuschreiben, haben den Verein zur Beförderung des Gartenbaues in Berlin veranlasst, mit dem Thüringischen Gartenbau-Vereine zu Gotha in Verbindung zu treten, und, da auch die dortigen Behörden auf das Freundlichste entgegengekommen sind, die Stadt Gotha, die so günstig mitten in Deutschland und an einer Eisenbahn liegt, als den Ort der Versammlung und der Ausstellung für dieses Jahr zu bezeichnen.

Die Gartenbau-Vereine zu Berlin und Gotha fordern daher alle Pomologen und Obstzüchter auf, im Interesse des Obstbaues und der Obstkenntniss sich an der Versammlung und an der Ausstellung zu betheiligen.

Da vielfach der Wunsch ausgesprochen ist, auch dieses Mal, wie es ebenfalls in Naumburg der Fall war, Gemüse auszustellen, um die bessern Sorten desselben kennen zu lernen, so geht ebenfalls an die Gemüsezüchter die Bitte, Erzeugnisse ihres Anbaues einzusenden. Eben so sind neue und besonders brauchbare Geräthschaften aus dem Bereiche der gesammten Gärtnerei willkommene Gegenstände der Ausstellung.

Die Vereine zu Berlin und Gotha werden ferner die Nachbildungen von Früchten, welche in Folge der Naumburger Versammlung unter der speciellen Aufsicht eines von dem zuletzt erwähnten Vereine ernannten Ausschusses angefertigt sind, so wie die von dem verstorbenen General-Lieutenant v. Pochhammer in Berlin angefertigte und dem Vereine zu Berlin als Vermächtniss überwiesene grosse Sammlung von Obstzeichnungen vorlegen.

Nähere Anfragen beantwortet in Berlin das Generalsekretariat des Vereines zur Beförderung des Gartenbaues, in Gotha der Vorstand des Gartenbau-Vereines daselbst, welcher letzterer auch zugleich besondere Aufträge für Wohnung u. s. w. übernimmt.

Die Theilnehmer an der Versammlung haben sich im Lokale des Gartenbau-Vereines zu Gotha in der Limonadière zu melden und empfangen gegen Zahlung von 1 Thaler eine Karte, auf welche sie zur Ausstellung und zu allen speciellen Versammlungen zugelassen werden.

A. Anordnungen für die Ausstellung.

§. 1. Die Ausstellung beginnt am 9. und dauert bis zum 13. Oktober. Sie findet in den Räumen des Herzoglichen Hof-Theaters statt.

§. 2. Gegenstände der Ausstellung sind: Erzeugnisse des gesammten Obstbaues, also Kern-, Stein-, Wein-, Nuss-, Beeren- und sonstiges Obst (Feigen, Melonen u. s. w.), und der gesammten Gemüsezucht, so wie Geräthschaften aus dem Bereiche der Gärtnerei.

§. 3. Jeder Aussteller kann nur seine Erzeugnisse mit seinem Namen ausstellen und reicht ein doppeltes Verzeichniss der ausgestellten Gegenstände ein, von denen er das eine dem mit der Aufstellung betrauten Personale überlässt und das andere nach stattgehabter Kontrole zurückerhält.

§. 4. Die Gegenstände, besonders Kernobst, müssen spätestens bis zum 6., Gemüse bis zum 7. in Gotha sein, da die Aufstellungen viel Zeit beanspruchen. Wünschenswerth ist es aber, dass diejenigen, welche sich mit Gegenständen des Obstes oder des Gemüses betheiligen wollen, hiervon bis zum 24. September gefälligst Anzeige machen. Für Fracht durch die Eisenbahn wird eingestanden. Die einfache Adresse „an die Obstausstellung in Gotha" genügt.

§. 5. Es ist den Ausstellern überlassen, für ihr eingesendetes Obst Preise anzugeben oder sonst darüber zu verfügen, und selbst grössere Mengen, diese aber nur auf eigene Kosten, zum Verkaufe einzusenden. Wer nichts darüber bestimmt, überlässt das Obst stillschweigend der Ausstellung. Rückfracht wird nicht vergütigt.

§. 6. Ein dazu niedergesetzter Ausschuss wird die Revidirung des eingesendeten Obstes, so weit wie möglich, vornehmen. Werden Aufschlüsse über einzelne Obstsorten verlangt, so muss dieses in einem besonderen Schreiben ausgesprochen werden.

§. 7. Ein anderer Ausschuss wird die Obstsorten bezeichnen, welche in den folgenden Jahren, und zwar zunächst bis zur dritten Versammlung und Ausstellung, künstlich nachzubilden sind.

§. 8. Ueber die Zeit-Eintheilung wird ein besonderes Programm, was jeden Ankommenden ausgehändigt wird, Nachricht geben.

B. Gegenstände der Verhandlung.

1. Welche weitere und sichere Erfahrungen können über die in Naumburg empfohlenen Obstsorten mitgetheilt werden?

2. Welches sind die nächsten 10 Sorten von Aepfeln und Birnen, welche man a. als Tafelobst, b. als Wirthschaftsobst empfehlen könnte?

3. Was ist in den verschiedenen Ländern zur Hebung der Obstkultur geschehen und was hat sich am Meisten bewährt?

4. Auf welche Weise wird das Obst in den verschiedenen Obstbau treibenden Gegenden Deutschlands verwendet und wie verhalten sich die eingeführten Benutzungs- und Verwerthungsarten, sei es zur Tafel, zum Handel, zum Dörren, zu Most u. s. w., bezüglich des dadurch erzielten Werthes des Obstes und mit Rücksicht auf besondere Benutzung einzelner Sorten zu einander, a. in obstreichen, b. in obstarmen Jahren?

5. Welche neuen praktischen wichtigen Erfahrungen sind im Bereiche der Obstbaumzucht in den verflossenen 4 Jahren gemacht?

Berlin und Gotha, den 20. Juli 1857.

Borchers, Hofgartenmeister in Herrenhausen. Buddeus, Obermedizinalrath in Gotha. Hassenstein, Professor und Vorsitzender des Thüringischen Gartenbaues in Gotha. Fr. A. Haage jun., Kunst- und Handelsgärtner in Erfurt. Jühlke, Garteninspektor in Eldena. Kette, Geh. Oberregierungsrath und Vorsitzender des Vereines zur Bef. d. Gartenb. in Berlin. Koch, Pfarrer in Burgtonna bei Gotha. K. Koch, Professor u. Generalsekretair des Vereines zur Bef. d. Gartenb. in Berlin. Lucas, Garteninspektor in Hohenheim. Oberdieck, Superintendent in Jeinsen im Hannöverschen. Thränhardt, Stadtrath a. D. in Naumburg.

Verlag der Nauckschen Buchhandlung. Berlin. Druck der Nauckschen Buchdruckerei.

Hierbei die illuminirte Beilage Podocarpus koraianus für die Abonnenten der Illustr. Ausgabe der Berl. Allg. Gartenz.

No. 30. | Sonnabend, den 25. Juli. | 1857

Preis des Jahrgangs von 52 Nummern mit 12 color. Abbildungen 6 Thlr., ohne dieselben 5 –. Durch alle Postämter des deutsch-österreichischen Postvereins sowie auch durch den Buchhandel ohne Preiserhöhung zu beziehen.

Mit direkter Post übernimmt die Verlagshandlung die Versendung unter Kreuzband gegen Vergütung von 26 Sgr. für Belgien, von 1 Thlr. 9 Sgr. für England, von 1 Thlr. 22 Sgr. für Frankreich.

BERLINER Allgemeine Gartenzeitung.

Herausgegeben

vom

Professor Dr. Karl Koch,

General-Sekretair des Vereins zur Beförderung des Gartenbaues in den Königl. Preussischen Staaten.

Inhalt: Neue Aronspflanzen oder Aroideen. Von dem Professor Dr. Karl Koch. — Tapina splendens Triana und Achimenes cupreata Hook. Von Dr. Hanstein in Berlin. — Zur Kakteenkunde. I. Zwei neue Echinopsis-Arten von Dr. Niedt in Berlin. II. Sechs neue Kakteen von A. Linke in Berlin. — Ueber Verwendung von Frühlingspflanzen. Vom Geh. Medicinalrathe Dr. Göppert in Breslau. — Dasylirion acrotrichon Zucc. und Victoria regia Hook.

Neue Arons-Pflanzen oder Aroideen.

Von dem Professor Dr. Karl Koch.

(Fortsetzung aus No. 24.)

Anthurium brachyspathum C. Koch et Bouché.

Caulis brevis, assurgens; Folia elliptica, coriacea; Nervus antemarginalis; Pedunculus brevis, crassiusculus; Spatha brevis, ovata, plana, patentissima, spadice duplo paene brevior; Pistilla stylo pyramidali exserto praedita.

Eine unscheinliche Pflanze, welche der Fabrikbesitzer Blass in Elberfeld unter dem Namen Anthurium surinamense dem botanischen Garten zu Berlin mittheilte. Eine Art d. N. stellte Miquel zuerst auf, die Pflanze muss aber, da die Blätter kein Adernetz, sondern zahlreiche, einander parallellaufende Seiten-Nerven besitzen, zu Philodendron gebracht werden. Hinsichtlich der Blattbildung nähert sich A. brachyspathum dem A. violaceum Schott, besonders der Abart, wo die Blätter nach beiden Enden sich verschmälern, während der Blüthenbau, namentlich die kurze Blüthenscheide und der pyramidenförmige Griffel, auf eine Verwandtschaft mit A. radicans C. Koch et Haage hindeutet.

Es bildet sich ein kurzer, aufwärts steigender Stengel mit schnell auf einander folgenden Internodien, die ausserdem noch von den zurückbleibenden Fasern der die Blätter anfangs umgebenden Scheiden bedeckt werden. Wie es scheint, kommt nur eine Adventiv-Wurzel jedem Blatte gegenüber zum Vorschein. Dieses selbst hat eine elliptische Gestalt und eine lederartige Konsistenz, so dass der von dem Rande ziemlich entfernte und sich ringsherumziehende Nerv nicht deutlich, das Adernetz aber sogar bisweilen gar nicht unterschieden werden kann. Die Länge der Blätter scheint bei ausgewachsenen Exemplaren nicht über 5 Zoll, die Breite hingegen bis zu 2 Zoll zu betragen. Ihre Oberfläche hat eine tief-dunkelgrüne, die Unterfläche aber eine hellgrüne Farbe, ist aber ausserdem noch mit zahlreichen bräunlichen Punkten besetzt. Auf ihr tritt die etwas flache Mittelrippe wenig, auf der Oberfläche hingegen desto mehr und schärfer hervor. Der kurze, kaum 1½—2 Zoll lange Blattstiel erweitert sich an der Basis scheidenartig, ist ausserdem halbrund und auf der Oberfläche mit einer leichten Rinne versehen.

Auf einem kurzen, kaum zolllangen Schafte steht der 10 Linien lange, 3½—4 Linien im Durchmesser enthaltende und etwas gebogene Kolben von grünlich-weisslicher Farbe und wird an der Basis von einer hellgrünen, 5 Linien langen, 4 Linien breiten, eirunden und weit abstehenden Blüthenscheide umgeben. Nur die äusserste Spitze der letztern zieht sich etwas zusammen. Aus den grünlich-weissen Blüthenblättern ragt der pyramidenförmige und abgestutzte Griffel mit bräunlicher Narbe hervor. An ihm liegen die 4 herausgetretenen und fast quadratischen Staubbeutel, die anfangs eine bräunliche, nach der Emission des Blumenstaubes aber eine schwärzliche Farbe besitzen.

7. Anthurium nymphaefolium C. Koch et Bouché.

Caulis assurgens, lente scandens; Folii lamina pergamenea, cordato-ovata, longepetiolata, dependens, denique horizontalis; Nervi basilares cum mediano 13, subtus acute elevati, secundarii majores utrinque sub 4; Nervus antemarginalis manifestus; Auriculae approximatae, marginibus interioribus sese tegentes; Pedunculus foliis paene dimidio brevior; Spatha erecta, scaphiformis, albido-virescens, spadice brunneo, paululum prono, subsessili, cylindrico, erecto longior.

Diese Art, welche der bekannte Pflanzensammler Kolumbiens, Wagener, dem botanischen Garten mittheilte, wurde von mir bereits in dem Anhange zum Samen-Verzeichnisse des botanischen Gartens in Berlin vom Jahre 1853, aber ohne Blüthen, beschrieben. Seitdem bin ich in den Stand gesetzt, das Fehlende nachzuholen, wobei ich nicht unterlassen kann, ganz besonders auf die schöne Blattpflanze aufmerksam zu machen, zumal auch die hübsche Blumenscheide, die sonst bei den Anthurien ohne Bedeutung ist, ihr einen besonderen Reiz verleiht. Von den übrigen bekannten Arten mit überhängender Blattfläche, besonders von A. costatum C. Koch et Bouché, unterscheidet sich diese Art deshalb sehr leicht.

Eine Art Stamm mit allerdings kurzen, bisweilen aber auch längeren Internodien ist vorhanden und hebt sich mehr oder weniger in die Höhe. Der bis 2 Fuss und mehr lange und ziemlich schlanke Blattstiel besitzt gegen die Basis hin eine Stärke von 5, nach oben hingegen von nur 3 Linien und endigt nach oben mit einer 1 Zoll langen Anschwellung, welche anfangs in der Mitte sich überbiegt, später aber grade steht, so dass nun die 16 bis 18 Zoll lange, oberhalb der Basis 13 Zoll breite und herzförmig-eirunde, jedoch zugespitzte und anfangs überhängende Blattfläche eine horizontale Richtung erhält. Die Oberfläche ist etwas dunkeler grün, als die Unterfläche, während die Konsistenz fast mehr häutlich-häutig, als pergamentartig ist. Von der Basis entspringen 13 Nerven, welche sämmtlich unten mehr hervortreten. Von ihnen bilden die innersten auf jeder Seite der Mittelrippe einen deutlichen Randnerven, der die 4 grössern und die übrigen wenig hervortretenden Seitennerven aufnimmt. Die abgerundeten, 3 Zoll langen und fast 4 Zoll breiten Herzohren sind sich einander meist so genähert, dass sie sich mit den innern Rändern mehr oder weniger bedecken.

Der grüne und von der Seite aus etwas zusammengedrückte Blüthenstiel ist ohngefähr 10 Zoll lang und gegen 4 Linien dick. Von besonderer Schönheit ist, wie schon gesagt, die kahnförmige, grünlich-weisse und ziemlich aufrecht-stehende Blumenscheide, welche sich plötzlich in eine runde Spitze zusammenzieht. Ihre Länge beträgt 4, die Breite aber in der Mitte über 2 Zoll. Der dickliche, kaum 3 Zoll lange Kolben sitzt einem kurzen Stiele auf. Aus den oben braunen Blumenblättern ragt kaum mehr als die punktförmige Narbe hervor.

Nachdem mir von dieser Pflanze und von meinem Anthurium cardiophyllum, was ich in der Appendix des Samen-Verzeichnisses des Berliner botanischen Gartens von 1854 als Art aufstellte, vollständig ausgewachsene Exemplare in Blüthe zu Gebote gestanden haben, unterliegt es mir keinem Zweifel mehr, dass beiderlei Pflanzen nicht verschieden sind und daher die Benennung A. cardiophyllum wieder eingezogen werden muss. Der Randnerv, der bei eben genannter Pflanze früher zu fehlen schien, ist bei grössern und ausgebildeten Blättern vorhanden.

8. Anthurium Lindenianum C. Koch et Aug.

Caulis assurgens, lente scandens; Folii lamina cartilaginea, profunde cordata, longe petiolata, dependens, denique horizontalis; Nervi basilares cum mediano 7, subtus acute elevati, secundarii utrinque sub 6; Nervus antemarginalis manifestus; Auriculae erectae, magnae; Pedunculus folia subaequans; Spatha patens, plana, apice recurva, nivea, spadice stipiti brevissimo insidente, subprono, niveo longior.

Der Oberlandesgerichtsrath Augustin in Potsdam erhielt diese schöne Art im vorigen Frühjahre von dem Direktor Linden in Brüssel, der sie wiederum aus Brasilien zugeschickt bekam. Am Nächsten steht sie dem A. nymphaefolium C. Koch et Bouché, was aber Blattohren, die sich mit den Rändern decken, und eine kahnförmige Blumenscheide besitzt.

Der kurze Stamm hebt sich, wie bei A. nymphaefolium C. Koch et B. und dem bekannteren A. Beyrichianum Kth. Seine schlanken Blattstiele besitzen die Länge von 2 bis $2\frac{1}{2}$ Fuss, aber nur eine Stärke von 4 Linien. Ihre zolllange Anschwellung biegt sich im Anfange in der Mitte zurück, später steht sie aber grade, so dass die $1\frac{1}{4}$ Fuss lange, $1\frac{1}{4}$ Fuss breite und tief herzförmige Blattfläche eine horizontale Richtung erhält. Der letzteren Konsistenz ist pergament-lederartig, ihre Farbe hingegen auf der Oberfläche freudig-grün, auf der untern hingegen heller. Beim Heraustreten aus der Blattscheide besitzen die Blätter jedoch, wie bei A. polyrrhizum C. Koch et Aug., einen bräunlichen Schein. Der Rand des Blattes ist übrigens auch etwas gross- und entfernt-wellig. Von den 3 Nerven, welche auf jeder Seite des Mittelnerven, so wie aus der Basis entspringen und auf der Unterfläche ziemlich scharf hervorstehen, verlauft der äussere in den grossen, abgerundeten, 4 Zoll langen und 3 Zoll breiten Blattohren, welche einen Ausschnitt von 1 Zoll einschliessen. Die beiden innern hingegen verbinden sich an der Spitze mit einander, bilden den Randnerven und nehmen auf jeder Seite gegen 6 nicht sehr deutliche Seitennerven auf.

Der rundliche und schlanke Blüthenstiel ist ein Drittel kürzer als der Blattstiel und trägt an der Spitze den 2½ Zoll langen, vorn nur wenig gebogenen und sehr kurz-gestielten Kolben, der eine gelblich-weisse Farbe besitzt, während die der fast 3 Zoll langen, aber nur 1½ Zoll breiten, elliptischen und ziemlich flachen Blumenscheide, welche sich plötzlich in eine ½ Zoll lange Spitze verschmälert, ganz weiss erscheint. Aus den oben gelblich-weissen Blumenblättern ragt nur die braune, punktförmige Narbe des etwas pyramidenförmigen Fruchtknoten heraus.

9. Anthurium signatum C. Koch et L. Math.

Brevicaulis; Folia trifida, pergameneo-membranacea, laciniis lateralibus subhorizontalibus, media duplo brevioribus; Nervus antemarginalis; Tumor ad apicem petioli gracilis, tenuis.

Diese interessante Art erhielt der Kunst- und Handelsgärtner L. Mathieu in Berlin vor mehreren Jahren von dem bekannten Reisenden, jetzigen Inspektor des botanischen Gartens in Krakau, v. Warszewicz aus Venezuela und theilte sie dem botanischen Garten zu Berlin und der Augustin'schen Gärtnerei bei Potsdam mit. Neuerdings hat sie der Direktor Linden zu Brüssel von seinem Reisenden L. Schlim aus der Provinz Santa Martha in Neugranada und von einer Höhe von 3—4000 Fuss über dem Meeres-Spiegel erhalten. Sie steht ganz eigenthümlich da und lässt sich mit keinem andern Blüthenschweife vergleichen. Leider standen mir bis jetzt noch keine Blüthen zu Gebote; ich zweifle aber gar nicht, dass die Pflanze zu Anthurium gehört und zwar in die Abtheilung mit gelappten Blättern.

Sie macht einen nur sehr kurzen Stengel, da die wenigen Internodien rasch auf einander folgen. Die lanzettförmigen, zuletzt braunen und trockenen Blattscheiden erscheinen endlich mehr oder weniger geschlitzt. Wie bei den übrigen Arten mit gelappten und fingerförmigen Blättern sind diese auch hier bei den ersten, die sich bilden, noch einfach, haben aber eine länglich-lanzettliche Gestalt. Bei den demnächst erscheinenden, die bereits eine Länge von 8 bis 10 Zoll haben, treten an der Basis bereits blattartige Theile in Form von Anhängseln hervor, bis diese endlich als 4—5 Zoll lange, 3 Zoll breite und ziemlich wagerecht abstehende Lappen erscheinen und damit auch ein dreitheiliges Blatt mit etwas ausgeschweifter, also schwach-herzförmiger Basis vorhanden ist. Die Einschnitte reichen bis über das unterste Drittel des Blattes. Der Mittellappen ist fast doppelt so gross, als die seitlichen, mehr länglich und endigt mit einer feinen und gezogenen Spitze, während die an den Seiten grade an dem mehr nach oben gerichteten obern Ende abgerundet sind. Die Substanz des Blattes ist häutig-pergamentartig, die Farbe hingegen schön grün, auf der Unterfläche nur wenig heller.

Aus der Basis entspringen 5 besonders auf der Unterfläche sehr hervortretende Nerven, von denen der unterste, auf jeder Seite sich alsbald in 4 zertheilend, in den Seitenlappen verläuft, der nächste aber dem Rande des Mittellappens zugeht und vor demselben einen Randnerven bildet, der die 7 mehr hervortretenden Seitennerven in sich aufnimmt. Aber auch die 4 Aeste des untersten Nerven bilden in jedem Seitenlappen einen etwas undeutlichen Randnerv.

Tapina splendens Triana und Achimenes cupreata Hooker.

Von Dr. J. Hanstein.

Auf der letzten Pflanzen- und Blumen-Ausstellung des Berliner Gartenbauvereins am 21. und 22. Juni d. J. erschien eine von Linden aus Brüssel eingesandte Gesneracee unter dem Namen Tapina splendens, welche sich auch, als von Triana gesammelt und benannt, im diesjährigen „Catalogue des plantes exotiques" des Einsenders Seite 3 angeführt und auf der beigegebenen Tafel abgebildet findet. Die auffallende Aehnlichkeit dieser Pflanze mit der seit langer Zeit in den Berliner Gärten kultivirten sogenannten Achimenes cupreata veranlasste einen Vergleich beider Arten, welcher ergab, dass beide nicht allein mit Nothwendigkeit derselben Gattung zuzurechnen sind, sondern sogar noch nicht einmal mit unzweifelhafter Sicherheit als verschiedene Arten angesehen werden können.

Wenn es schon nicht ersichtlich ist, was einen so ausgezeichneten Beobachter, wie Hooker, als er zuerst im botanical Magazine von 1848 die genannte Pflanze beschrieb und abbildete, veranlasst haben mag, dieselbe der Gattung Achimenes beizufügen, mit der sie, wie ich schon früher (S. Gesner. in Linnaea XXVI. p. 178) bemerkt habe, ausser einer ganz oberflächlichen Kronenähnlichkeit kein wesentliches Merkmal gemein hat, so ist ganz und gar nicht einzusehen, aus welchem systematischen Grunde Linden, da ihm die Hooker'sche Pflanze, wie aus seiner Bemerkung hervorgeht, bekannt ist, nun die seinige als eine „Tapina" der Oeffentlichkeit übergiebt, unter welchem Namen Martius eine völlig verschiedene Gesneraceen-Gattung beschrieben und abgebildet hat.

Die Gattung **Achimenes** hat einen völlig mit dem Kelche verwachsenen, also unterständigen Fruchtknoten, während die fraglichen beiden Pflanzen einen deutlich oberständigen und freien besitzen, ein Kennzeichen, das die ganze Familie der Gesneraceen in zwei sehr leicht zu unterscheidende Haupt-Abtheilungen sondert. Dazu kommen bei Achimenes eine grade Kronenröhre, eine tief zweispaltige Narbe und krautige Stengel, die, alljährlich absterbend, sich aus kätzchenförmigen Schuppenknollen wieder erneuern, während die Pflanzen in Rede eine doppelt gekrümmte Kronenröhre, eine mundförmige Narbe, einen halbstrauchigen Wuchs, aber keinerlei Knollenbildung zeigen. **Tapina** andererseits hat freilich den oberständigen Fruchtknoten mit den letzten gemein, doch besitzt sie eine völlig verschiedene Blüthengestalt, da ihre Krone dicht über der Basis weitläufig aufgeblasen ist, sich dann zu einem engeren Schlunde zusammenzieht, und mit einem vergleichsweise schmalen Saum endet, die Hooker'sche und Linden'sche Pflanze dagegen eine röhrige, nur nach oben etwas erweiterte Krone mit flach ausgebreitetem Saum haben. (Vgl. d. ang. Abh. und ausserdem Martius nov. gen. III. t. 226, 1. und Linnaea XXVI. Taf. 1 Fig. 4 und Taf. 2 Fig. 39 und 47.)

So wenig also **Hooker's** Pflanze eine **Achimenes**, so wenig ist die von **Triana** gesammelte eine **Tapina**. Am oben genannten Orte hatte ich schon bei Gelegenheit einer allgemeinen Besprechung der Gesneraceen-Gattungen die **Achimenes cupreata** Hooker als selbstständige Gattung charakterisirt und für sie den Namen „**Cyrtodeira**" (aus κυρτός und δειρή, wegen der gekrümmten Kronenröhre, gebildet) vorgeschlagen. Derselbe würde dann auch auf die **Linden**'sche Pflanze anzuwenden sein.

Zum Nachweis der grossen Uebereinstimmung beider Pflanzen scheint es nicht überflüssig, noch einmal eine genaue Beschreibung derselben zu geben, da die Hooker'sche Schilderung und Abbildung, so vortrefflich beide sind, doch einige für die jetzige Diagnostik der Gesneraceen nicht zu entbehrende Merkmale nicht genau genug berücksichtigen.

Cyrtodeira cupreata ist ein Halbstrauch mit weichen, saftigen, niederliegenden oder hängenden, weit verzweigten, an den Spitzen aufstrebenden Stengeln, die röthlich überlaufen und von weissen Haaren, wie die Blatt- und Blumenstiele, zottig sind. Die Blätter stehen in gekreuzten Paaren an röthlichen, wie der Stengel behaarten Stielen und umgürten, am Grunde zusammenfliessend, den Stengel mit einem wulstigen Ring. Sie sind umgekehrt-eirund, wenig spitz, herzförmig, gekerbt, 3—3½" lang, 2—2½" breit, oben runzelig, dunkelgrün ins Bräunliche ziehend, mit langen aus zwiebligen Papillen entspringenden Haaren besetzt, unten an den Adern hellroth und von langen weissen Haaren bedeckt, in den vertieften Zwischenräumen aber kahl, weiss und silberglänzend.

Die Blumenstiele sind achselständig, länger als der Blattstiel, aber kürzer als das Blatt, und tragen meist zwischen zwei Vorblättchen zwei Blüthen, die verschieden weit entwickelt sind. Diese sind 1 Zoll lang und ebenso breit. Der Kelch ist 5-blättrig, ⅓—½ so lang wie die Blumenröhre, mit etwas ungleichen, länglich-umgekehrt-eiförmigen, etwas spitzen Blättchen, deren rückenständiges das kleinste ist, und die an Farbe und Behaarung den Laubblättern ähneln. Die Krone ist schief in den Kelch eingesetzt, und der hervorragende, erweiterte, farblose Sporn drängt das eine Kelchblatt rückwärts. Die Kronen-Röhre ist über dem Sporn etwas verengt, steigt schief an, ist dann abwärts und gegen den Schlund hin wieder aufwärts gekrümmt und erweitert, besonders auf dem Rücken, je weiter nach oben, desto dunkler scharlachroth und desto dichter mit weissen Härchen besetzt, innen gelb und nach dem Schlunde zu roth punctirt. Der Saum ist fast gleichmässig fünflappig, mit rundlichen, am Rande unregelmässig gezähnelten Lappen, ziemlich flach ausgebreitet, mit rückwärts gerichteter Oberlippe und vorgestreckter Unterlippe, ganz kahl, oben vom gesättigtsten Scharlach, unten rosenroth. Der Schlund ist mit einem scharf begränzten Gürtel kleiner krystallinisch glänzender papillöser Härchen bezeichnet.

Die 4 didynamischen Staubgefässe sind an ihrem verbreiterten Grunde unter sich und mit der Kronenröhre verwachsen. Die Antheren sind kurz, in der Kronenröhre verborgen, haben ein schwieliges Connectiv und hängen in Kreisform zusammen. Die rückenständige Drüse ist kurz, an der Spitze ausgerandet und auf dem Rücken gefurcht. Ein Ring um das Ovarium ist nicht bemerkbar. Dieses selbst ist eiförmig, röthlich und von langen weissen Haaren zottig, einfächrig, mit zwei seitlichen, gespaltenen Placenten, die an ihren verdickten Längskanten viele Eichen tragen. Der Griffel ist weisslich, kahl und trägt eine zweilappig-mundförmige Narbe, deren kurze Oberlippe zipfelförmig über die etwas gekerbte Unterlippe herabgebogen ist. Reife Früchte habe ich noch nicht gesehen.

Diese Beschreibung passt nun in allen Stücken ebenso genau auf **Linden's Tapina splendens**, nur dass bei dieser die Biegung der Kronenröhre und ihre Erweiterung nach oben viel geringer und ihr Sporn etwas kleiner ist, dass die Laubblätter unterhalb auch auf den Adern weisslich erscheinen, und vielleicht, dass die Kronensaumlappen auf der Unterseite eine Behaarung zeigen. Ob aber diese Unterschiede als Charakteristik für eine neue Art genügen, oder nur eine andere Varietät, deren es bei den Gesneraceen schon im Vaterlande so viele zu geben pflegt, bezeichnen, kann erst dadurch dargethan werden, dass die Beständigkeit der angegebenen Unterschiede durch längere Kultur erprobt wird.

Ich lasse schliesslich die Diagnosen der Gattung und der beiden Arten folgen:

Cyrtodeira m. (Genus Gesnerae. e tribu Beslerieareum, subtr. Drymoniearum, conf. Genu. in Linn. XXVI. p. 178, 207; t. 2. f. 39).

Calycis foliola subaequalia, obverse lanceolata, apice recurvata; Corolla in calyce obliqua et oblique hypocraterimorpha, vix ringens, limbo plano, ventrem amplitudine plus duplo superante, subaequaliter 5-lobo, tubo basi postice gibbo, basi sursum, dein deorsum curvato et leviter ampliato. Stamina 4 didynama, filamentis basi inter se et cum corolla connatis, antheris brevibus orbiculatim connexis, inclusis. Glandula dorsalis e duabus composita, annulo obsoleto. Ovarium liberum. Stigma bilabiato-stomatomorphum. Placentae longitudinaliter fissae, marginibus incrassatis seminiferae.

1. C. cupreata m. Caulis suffruticosus, elongatus, decumbens, apice ascendens, ramosus, cum petiolis et pedunculis pilis albis villosus, rubescens, succosus; Folia petiolata, obovata, vix acuta, crenata, basi cordata, superne rugosa, hirta, saturate viridia, inferne in nervis rosea et pilosa, inter nervos glaberrima, argenteo-nitida; Pedunculi plerumque biflori, bibracteolati; Corolla saturate coccinea*), tubo conspicue bicurvato intus fulvo, coccineo-punctato, limbo irregulariter denticulato, utrinque glaberrimo, fauce cingulo papilloso-piloso nitido notata.

Achimenes cupreata Hook bot. Mag. 1848, t. 4312. — Ann. d. l. soc. d'agric. d. Gand, 1847. t. 156, p. 367.

Von Purdie in Neu-Granada gefunden.

2. C. Trianae m.: Differ ta sp. praec. tantum foliis etiam in nervis paginae inferioris pallidis, corollae tubo minus curvato et ampliato, gibbo minore, et (?) limbi lobis pagina exteriore pilosis.

Tapina splendens Triana in Linden Cal. 1857 p. 3. — Achimenes splendens Laurentius Cat. 1847 p. 3.

Von Triana gesammelt im östlichen Zweige der Cordillere von Neu-Granada.

Es wäre recht zu wünschen, dass die Herausgeber der Gartenzeitschriften sich endlich entschliessen könnten, zu ihren oft so prächtigen Habitus-Abbildungen auch die zur Diagnose der Pflanzen nöthigen einzelnen Merkmale darstellen zu lassen, was im Vergleich mit dem, was geleistet zu werden pflegt, keine grosse Mühe wäre. Es würden dann auch nicht so leicht dergleichen verwirrende Nomenklaturen, wie die eben besprochenen, aufgestellt und verbreitet werden.

*) Das Scharlachroth der Blüthe ist bei dieser Art von derselben Tiefe, wie bei den andern, so dass dies, wie Linden angiebt, keinen Unterschied bedingen kann.

Zur Kakteenkunde.

I. Zwei neue Echinopsis-Arten.

Von Dr. Niedt in Berlin.

I. In der vortrefflichen Kakteensammlung des Herrn Linke befindet sich eine von v. Warszewicz aus Bolivien eingeführte Pflanze, die im Juli d. J. zum ersten Male blühte. Sie gehört der Abtheilung der höckrigen Echinopsen (Ech. tuberculat.) an und kommt im Habitus der Echinopsis Scheerii am Nächsten.

1. Echinopsis tuberculata Niedt.

Stamm: 2" hoch und an der Basis 1[illegible]" Durchmesser, graugrün, am Scheitel nicht eingedrückt.

Rippen: 17 vertikal, [illegible]" breit und hoch, am Scheitel schmaler und niedriger.

Furchen: scharf; Kanten: schmal, aber abgerundet, aus einzelnen Höckern zusammengesetzt, die an der Basis der Pflanze deutlich erkennbar bleiben, während die Kanten sonst nur eingekerbt erscheinen. In den Kerben sitzen die Areolen [illegible]" entfernt. Scheitelareolen waffenlos, nur mit sehr kurzem, spärlichem, hellgrauem Wollhaar versehen; die andern Areolen nackt. Stacheln unbestimmt, 2—5, grau, gerade, wenig abstehend, [illegible]" lang, der obern seitlichen öfters [illegible]". Zuweilen ist der oberste Stachel der längste, [illegible]" lang, zuweilen fehlt er auch. An den untersten Höckerareolen stehen hie und da die beiden ersten Seitenstacheln über 1" lang und sind leicht rückwärts gekrümmt.

Die Knospen treten aus den untern älteren Areolen hervor. Sie haben das Eigenthümliche, dass die Narben schon bei halber Entwickelung aus der Spitze hervorsehen; nur am letzten Tage vor der Entfaltung wachsen die Blumenblätter so schnell, dass sie die Narben wieder verdecken.

Blumen 1[illegible]" lang. Fruchtknoten [illegible]", Röhre [illegible]", Blumenblätter [illegible]" lang. Fruchtknoten und Röhre lebhaft gelblich-grün. Fruchtknoten etwas dunkler; beide sind spärlich mit dunkleren, schmalen, lanzettlichen, wie bei allen Echinopsen, behaarten Schuppen besetzt. Röhre über dem Fruchtknoten etwas verengt, sich allmählig bis zu [illegible] Zoll erweiternd. Kelchblätter: [illegible]" breit, allmählig bis [illegible] Zoll lang werdend, aussen grün, die längsten seitlich violett, innen hellgrün mit röthlichem Anfluge, bei voller Oeffnung der Blumen stark zurückgekrümmt, wie bei der Echinopsis Zuccariniana; Kronblätter: zweireihig, 16—18, ¾'' lang. Die äussern 3''' breit, vom obern Drittel ab lanzettlich zugespitzt, aussen bläulich-roth; Mittelnerv und Spitze grün, innen dunkler blauroth, Spitze grün. Die innere Reihe ¼'' breit, stumpfer zugespitzt, innen dunkelroth, Mittelnerv, Spitze und Rand blauroth, aussen gänzlich blauroth. Bei vollständiger Oeffnung im Sonnenschein hat die Blüthe ¾ Zoll Durchmesser und ¾'' Röhrenweite; der Saum ist dann radförmig ausgebreitet, sonst rückwärts gekrümmt und schimmert gänzlich bläulich roth.

Der äussere, mit der Röhre verwachsene Staubfadenkranz ragt ¼'' über den Röhrenrand senkrecht hervor und besteht aus etwa 44; die übrigen nicht sehr zahlreichen gelbgrünen Staubfäden sind nur am Saume des Fruchtknotens angewachsen und stehen frei um den Griffel in mehrern Kreisen herum; die innersten etwa ¼ Zoll lang, die äussern längsten erreichen mit ihren Staubbeuteln noch nicht den weisslich-grünen Röhrensaum. Staubbeutel schwefelgelb, nach dem Griffel überhängend. Griffel senkrecht im Mittelpunkt, hell grüngelb und ragt etwas über den Saum hervor; Narben 5—6, schwefelgelb, linear, aneinander liegend (wenigstens habe ich sie selbst bei vollster Expansion der Blumen nicht anders gesehen). Griffel und äusserster Staubfadenkranz ragen daher bei voller Oeffnung der Blüthe reichlich ¼ Zoll über den Saum hervor und bei halb geschlossener Becherform der Blume bis zur Hälfte der Blumenblätter.

Die Blüthen beginnen bei hellem Himmel zwischen 6 und 7 Uhr Morgens sich zu öffnen, wie Echinopsis tricolor, amoena und pulchella; sie erreichen um 9 Uhr ihre volle Expansion, und gehören dann zu den zierlichsten und schönsten Echinopsenblüthen. Verschleiert sich die Sonne, so beginnt die Blume sich sofort zu schliessen und öffnet sich wieder bei vollem Lichte. Um 1 Uhr Mittags fand ich die Blüthe bereits zur Becherform zurückgekehrt und um 2 Uhr vollständig verblüht. Nur die vierte und letzte Blüthe, die wegen bedeckten Himmels am ersten Tage nicht zur vollen Expansion gelangte, öffnete sich drei Morgen hintereinander bis zur Becherform, ehe sie verwelkte, nachdem sie sich Abends vollständig geschlossen hatte.

Früchte hat die Pflanze nicht angesetzt; nur so viel liess sich erkennen, dass das Perigon nicht hinfällig ist. Dagegen sprosst die Pflanze von der Basis aus und ist somit leicht zu vermehren.

Ausser dieser höckrigen Echinopse blühte in diesem Jahre in der Linke'schen Sammlung noch eine andere, der Abtheilung der gerippten (costatae) Echinopsen angehörige, noch nicht beschriebene Pflanze:

2. Echinopsis simplex Niedt.

Stamm: 3'' hoch und breit; kuglich, graugrün.

Rippen: 12, vertikal, ¾'' hoch und breit. Kanten: scharf. Areolen: eingesenkt, nackt, ¼'' entfernt.

Radialstacheln: 8, der obere häufig fehlend, strahlig ausgebreitet, etwas rückwärts gekrümmt, ¼—¾'' lang; die untern seitlichen am längsten.

Centralstachel: 1—1¼'' lang, nach oben stark zurückgekrümmt. Furchen: scharf, an der Basis der Pflanze flach.

Im Habitus kommt die Pflanze der Echinopsis campylacantha am nächsten, ist aber schöner und kräftiger bestachelt, die Knospen treten, nach Art der Echinopsis Zuccariniana, hellgrau und wollig behaart aus den Seitenareolen hervor. Die Blüthe öffnet sich Abends und ist 4½'' lang. Fruchtknoten ¾'' lang, ½'' Durchmesser, dunkelbraun, ziemlich dicht-beschuppt; die Schuppenwinkel dünn behaart. Die Röhre ist 3¼'' lang, allmählig bis zu ¾'' sich erweiternd, glänzend-braun, nach oben etwas heller braungrün. Schuppen sparsam, dünn behaart.

Kelchblätter grünlich-braun, innen grün mit röthlichem Schimmer, ¼'' breit, ¾'' lang, lanzettlich zugespitzt, zurückgeschlagen. Kronblätter zweireihig, 16—18. Die äussern ¼'' breit, 1'' lang, lanzettlich zugespitzt, innen dunkel-rosenroth, nach der Spitze braungrünlich abschattend, aussen rosenroth mit braunen Mittelstreif. Die innere Reihe ist etwas breiter und stumpfer zugespitzt, 1'' lang, innen heller rosenroth, nach der Spitze dunkler, aussen dunkler rosenroth mit schmalem, dunklerem Mittelstreife; die Krone war 10 Uhr Vormittags bei hellem Sonnenscheine glockenförmig mit zurückgeschlagenen Kelchblättern, ist aber bei voller Expansion wahrscheinlich tellerförmig ausgebreitet und reichlich 2'' im Durchmesser.

Staubfäden sehr zahlreich, weissgelb. Staubbeutel etwas dunklergelb. Die äussere, mit der Röhre verwachsene Reihe der Staubfäden ragt ¼'' über den Röhrenrand frei hervor, während die innern Kreise der allmählig kürzer werdenden, sehr zahlreichen freien Staubfäden sich mit ihren nach innen gekehrten Staubbeuteln an die Röhrenwand legen, dieselbe fast vollständig mit ihren Staubbeuteln verdecken und einen mit Staubbeutel bekleideten Trichter darstellen, in dessen Achse der gelb-grüne Griffel fast bis zur Höhe des äussersten Staubgefässkreises senkrecht hervorragt. Narben 12, gelbgrün, von der Form der andern langröhrigen Echinopsen, ¼'' lang, so dass der Griffel mit den Narben bei geöffneter Blüthe reichlich ¼'' über den äussersten Staubbeutelkranz hervorragt.

Diese Stellung des Stempels mit den Narben im Mittelpunkte und die gleichmässige concentrische Vertheilung der Staubfäden und Staubbeutel um den Griffel sondern diese gerippte Echinopse von allen andern langröhrigen und nachtblühenden Arten ab und nähern sie den höckrigen tagblühenden, wie diese wiederum durch die Eigenschaft des Tagblühens und die concentrische Stellung der Staubfäden und Staubbeutel sich den Echinocacteen anschliessen.

Früchte hat die Pflanze, obgleich sie dankbar jährlich mit mehreren Blüthen erscheint, noch niemals angesetzt, und auch noch niemals Sprösslinge getragen.

Das Vaterland ist unbekannt.

II. Sechs neue Kakteen von August Linke in Berlin.

1. Echinopsis grandiflora A. Linke.

Stamm: 6" hoch, 4" Durchm., bis jetzt alle Exemplare einfach, dunkel grün; Kanten: constant 12, vertikal, fast scharf, wenig wellig; Furchen: tief, aufgeschweift. Areolen: ¾ bis 1 Zoll von einander entfernt, in der Jugend mit einem hellgrauen Filzkissen bekleidet, im Alter nackt; äussere Stacheln: 5 bis 13, sechs bis neun Linien lang; innere: 1, selten 2 bis 3 oder 0, stärker und länger vorgestreckt; alle gerade, pfriemenförmig, in der Jugend rothbraun, im Alter rabenschwarz.

Blüthen: reichlich den Sommer hindurch einen Fuss lang, trompetenförmig, vollkommen ausgebreitet 4½ Zoll Durchm., schneeweiss; sie sind sehr wohlriechend und bleiben 3 bis 5 Tage geöffnet. Röhre: schlank und grün, auf länglichen, zottigen Fruchtknoten sitzend; Kelchblätter: lanzettlich, 1½ Zoll lang, 3 Linien breit, zurückgeschlagen; Kronenblätter: in zwei Reihen stehend, bis 9 Linien breit, 2 Zoll lang, länglich-umgekehrteirund, mit langer schmaler Spitze, rein weiss; Staubfäden: weiss mit gelben Beuteln; Griffel: gelblich weiss, mit 12 starken, gelblichen, über 5 Linien langen Narben. Vaterland: Brasilien.

2. Echinopsis nigricans A. Linke.

Stamm: einfach, kugelig, schwarzgrün; Kanten: 15, stumpf, wenig wellig, etwas zusammengedrückt; Knoten: elliptisch, eingesenkt, in der Jugend graufilzig, im Alter nackt; Stacheln: steif, in der Jugend schwarz, später dunkelgrau, äussere: 9 bis 11, ¾ bis 1 Zoll lang, mittlere: 2, länger und stärker, beide nach oben gebogen; Blüthen noch unbekannt. Vaterland Chili.

3. Mammillaria conimamma A. Linke. (§ 11. Aulacothelae.)

Stamm: kugelig, 4" hoch, 4" breit, glänzend und dunkelgrün; Warzen: kegelförmig, ¾" lang, ½" breit, mit tiefer Längenfurche, durch Druck breiter als hoch, an der Spitze schräg nach unten abgestutzt. Areolen: weissflockig, später nackt; Achseln: in der Jugend weisswollig im Alter nackt; Stacheln: zweierlei, äussere 6 bis 9, steif, hornfarben, an der Spitze schwarz, 4 bis 6 Linien lang, 6 bis 8 davon stehen fast gebüschelt oder fächerartig nach oben, die übrigen 1 oder 2 sind nach unten gerichtet; innere: 3, stärker, dunkler, ¾ bis 1" lang, zurückgebogen, unregelmässig nach beiden Seiten und nach unten stehend. Blüthen: reichlich, aus der Längenfurche der Warzen, ausgebreitet 2½" Durchmesser, schwefelgelb; Kelchblätter: gelb mit rothbraunen Mittelstreifen; Blumenblätter: ¼" breit ¾" lang, schwefelgelb; Staubfäden: karmoisin mit goldgelben Staubbeuteln; Narben: 5, schwefelgelb. Vaterland Mexiko.

4. Cereus macracanthus A. Linke (vielleicht ein Echinocereus?)

Stamm: stark, 8" hoch, 4" Durchmesser, graugrün, einfach, an der Basis spärlich aussprossend; Kanten: 8, stark, vertikal, etwas abgerundet; Furchen: breit, flach, am obern Theile tief eingeschnitten; Areolen: 1¼" von einander entfernt, gross und graufilzig; Stacheln: sehr stark und sehr lang, pfriemenartig, in der Jugend schwarz, im Alter grau. Radialstacheln: 8 bis 10, regelmässig strahlenartig ausgebreitet, 1 bis 2½" lang, die seitlichen die längsten; Centralstacheln: 1 bis 3, im Durchschnitt rautenförmig, 2 bis 3" lang, der längste in der Mitte vorgestreckt, der kleinere nach oben; wo 3 Centralstacheln sind, da sind 2 schwächere nach oben seitlich aufgerichtet. Vaterland Mexico. Blüthen unbekannt.

Im Systeme würde dieser Cereus vorläufig seine Stelle bei Cer. eburneus S. bekommen müssen.

5. Echinocereus Poselgerianus A. Linke.

Stamm: 6" hoch, 1½" Durchmesser, einfach, selten an der Basis einen Ast austreibend, aufrecht, jedoch einer Stütze bedürfend, hellgrün; Kanten: 6, selten 7 vertikal, aus Reihen ¼" vorstehender Höcker bestehend, welche ½" von einander entfernt sind; Furchen: nur in der Jugend wahrnehmbar, im Alter ausgeglichen; Areolen: in der Jugend gewölbt, weiss wollig, im Alter nackt. Stacheln: Radialstacheln: 8, selten 9, dünn, steif, grade, regelmässig radförmig aufgebreitet, in der Jugend rosenroth, später an der Basis rostfarben, in der Mitte weiss, an der Spitze braun, einer davon nach oben gerichtet, fast ganz schwarz, ¼'' lang; Centralstacheln: einer, grade vorgestreckt, stärker, länger, bis einen Zoll lang, bräunlich oder braun. Vaterland Mexico, von Dr. Poselger eingeführt und von mir nach ihm benannt; Blüthen noch unbekannt.

6. **Mammillaria globosa A. Linke.** (Salm's Katalog § 1. Longimammae.)

Stamm: kugelig, einfach, 3¼'' hoch, 4'' breit; Areolen: mit gelblich weisser Wolle, im Alter nackt; Achseln: fast nackt; Warzen: gedrängt stehend, hellgrün, fast walzlich, nach der Spitze kegelförmig, etwas nach oben gerichtet und auf der obern Seite ein wenig abgeflacht, 1'' lang, ¾'' Durchmesser; Stacheln: äussere 10 bis 11, ¼'' lang, dünn, rauh, strahlenförmig ausgebreitet und so ein Netz über die Pflanze bildend, in der Jugend gelblich, dann bräunlich-grau, an der Basis rostbraun; innere 1 bis 2, stärker, wenig länger, braun, wo einer ist, da ist er grade vorgestreckt, wenn zwei sind, so ist einer etwas nach oben, der andere etwas nach unten gerichtet: Blüthen: gelb, gross, 2¼'' Durchmesser den Blüthen der Mamm. sphärica ähnlich. Vaterland Mexico.

Nach dem Urtheile geübter Kenner, wie nach dem meinigen, steht diese Art der Mamm. sphärica Dietr. näher als der Mamm. longimamma DC.; von der erstern unterscheidet sie sich durch die weit grösseren Warzen, das hellere Grün, einfachen Stamm, Zahl, Grösse und Farbe der Stacheln; von der M. longimamma, durch einfachen Stamm, durch die gedrängte Stellung der Warzen und deren Form, ferner durch die Zahl, Farbe und Stellung der Stacheln.

Ueber Verwendungen von Frühlingspflanzen.

Vom Geheimen Medizinalrathe und Professor Dr. Göppert in Breslau.

Wenn die botanischen Gärten auch als obersten Zweck die Pflege der Wissenschaft und des Unterrichtes stets zu betrachten haben, so lässt sich damit auch ohne Beeinträchtigung dieser Bestrebungen die ästhetische Seite wohl verbinden, um auch nach dieser Richtung hin anregend zu wirken. Von diesem Gesichtspunkte habe ich schon vor ein paar Jahren unter andern zierliche Frühlingswaldpflanzen zur Einführung in unseren Gärten, namentlich zur Anpflanzung zwischen Sträuchern und am Rande von Partieen empfohlen, welche im Frühjahre vor Entwickelung ihrer Blätter und Blüthen sehr öde erscheinen. Es gehören hieher die Leberblümchen, die Anemonen (Anemone nemorosa und ranunculoides), die Hohlwurzel- (Corydalis-) Arten, die Primeln, Isopyrum thalictroides, das grosse und kleine Schneeglöckchen (Galanthus nivalis und Leucojum vernum), die Dentarien, Seidelbast, das goldgelbe Milzkraut (Chrysosplenium), das Waldvergissmeinnicht (Myosotis sylvatica), das Lungenkraut (Pulmonaria-Arten, besonders P. angustifolia) u. m. a. Hieran kann man noch Hyacinthen, ganz besonders aber die verschiedenen Crocus-Arten, Scilla bifolia, sibirica u. s. w. setzen, welche sich hier mindestens eben so gut ausnehmen, als auf sorgsam zugerichteten, mehr oder minder steifen Beeten und Rabatten. Jedoch ist hierbei auch ein wissenschaftliches Interesse vertreten, indem Zusammenstellungen dieser Art in Verbindung mit Allium, Colchicum, Irideen etc. (alle Abfälle des Zwiebelbeetes pflege ich hiezu zu verwenden) bei der Eintheilung der gesammten Vegetation unseres Gartens in Florengruppen die Steppenflora repräsentiren, die im Frühjahr einem Theile des östlichen Europa's einen eigenthümlichen Reiz verleiht. Ich wünsche, dass diese neue, so zu sagen natürliche, Verwendung dieser schönen Gewächse recht viel Nachahmung finden möge.

Dasylirion acrotrichum Zucc., und Victoria regia Schomb.

In dem botanischen Garten, in dem Universitätsgarten zu Berlin und im Borsig'schen Garten blühen wiederum 5 Exemplare des Dasylirion acrotrichon; leider sind es sämmtlich, eben so wie die früher erwähnten, männliche Exemplare. Sollte sich irgendwo eine weibliche Pflanze vorfinden, so bittet man die Redaktion davon zu benachrichtigen, da eine Zeichnung angefertigt werden soll. Wir sind auch gern bereit, zur Befruchtung derselben Blumenstaub abzugeben.

In der nächsten Woche wird in dem Seerosen-Hause des Oberlandesgerichtsrathes Augustin bei Potsdam eine Viktoria blühen. Ein Gleiches soll in Herrenhausen bei Hannover stattfinden. Im botanischen Garten, wo übrigens das stattlichste Exemplar zu sein scheint, wird wohl ebenfalls bald eine Blüthe zum Vorschein kommen.

Pflanzen-Katalog.

Hierdurch erlauben wir uns, auf das beiliegende Verzeichniss des Herrn Ernst Benary, Kunst- und Handelsgärtner in Erfurt über Harlemer und Berliner Blumenzwiebeln und diversen Knollengewächsen, Sämereien von August — October auszusäen, Auszug neuer und schöner Pflanzen, aufmerksam zu machen. Herr Benary erbittet sich Aufträge darauf recht frühzeitig.

Verlag der Nauck'schen Buchhandlung. Berlin. Druck der Nauckschen Buchdruckerei

No. 31. Sonnabend, den 1. August. 1857

Preis des Jahrganges von 52 Nummern mit 12 color. Abbildungen 6 Thlr., ohne dieselben 5 „ Durch alle Postämter des deutsch-österreichischen Postvereins sowie auch durch den Buchhandel ohne Preiserhöhung zu beziehen.

Mit direkter Post übernimmt die Verlagshandlung die Versendung unter Kreuzband gegen Vergütung von 26 Sgr. für Belgien, von 1 Thlr. 9 Sgr. für England, von 1 Thlr. 22 Sgr. für Frankreich.

BERLINER Allgemeine Gartenzeitung.

Herausgegeben vom Professor Dr. Karl Koch,

General-Sekretair des Vereins zur Beförderung des Gartenbaues in den Königl. Preussischen Staaten.

Inhalt: Einige neue Pflanzen aus der Linden'schen Gärtnerei zu Brüssel. Vom Professor Dr. Karl Koch. — Monstera Lennea C. Koch, eine schöne Blattpflanze für Gewächshäuser und Zimmer. Von dem Professor Dr. Karl Koch und dem Obergärtner Lauche. (Fortsetzung.) — Cibotium Schiedeanum Schlecht. et Cham. Von dem Obergärtner Lauche. — Journalschau: I. Illustration horticole, 3—7 livr. II. Journal mensuel des travaux de l'académie d'horticulture de Gand, 3. 4. livr. — Neue Petunien-Formen. — Frucht- und Gemüse-Ausstellung in Dessau. — Pflanzen-Katalog.

Einige neue Pflanzen aus der Linden'schen Gärtnerei zu Brüssel.

Vom Professor Dr. Karl Koch.

In dem Berichte der Festausstellung des Vereines zur **Beförderung des Gartenbaues** in Berlin sind bereits die Pflanzen erwähnt worden, welche der Direktor Linden in Brüssel eingesendet hatte und wegen ihrer Schönheit allgemeines Aufsehen erregten. Nur eine fand sich blühend vor, Tapina splendens Triana, und ist dieselbe bereits auch in der 30. Nummer besprochen worden. Die andern waren Blattpflanzen.

Gewöhnlich hört man von Seiten der Gärtner und Gartenbesitzer die Klage, dass die Pflanzen bei Ausstellungen schon durch den Transport leiden, und haben sich bereits viele deshalb zurückgezogen. Wer aber die Linden'schen Pflanzen in der Ausstellung gesehen hat, wird sich überzeugt haben, dass diese trotz des mehrtägigen Einschlusses in einem dunkelen Kasten auf einer ziemlich langen Reise von Brüssel bis Berlin ein so frisches Aussehen besassen, als wären sie nur von einem Gewächshause in das andere getragen worden. Man muss noch bedenken, dass einige derselben, namentlich Cyanophyllum magnificum und Tapina splendens zarter Natur waren und trotz dem nichts an ihrem Ansehen verloren und auch nicht den geringsten Schaden gelitten hatten. Es liegt also oft hauptsächlich an den Einsendern selbst, wenn ihre Pflanzen auf den Ausstellungen Schaden leiden. Es wäre wohl zu wünschen, dass Direktor Linden die Art und Weise seiner Einpackung in einer besonderen Abhandlung der Oeffentlichkeit übergeben wollte, denn leider machen selbst Handelsgärtner bei ihren Versendungen nicht selten grobe Verstösse, und doch liegt es auch in ihrem Interesse, wenn die verkauften Pflanzen gut ankommen.

1. Cyanophyllum magnificum.

Eine Melastomatee aus der Abtheilung der Micouiaceen, welche ihren Namen, der „prächtiges Blaublatt" bedeutet, verdient. Selbst die schönsten Marantaceen der neuesten Zeit nicht ausgeschlossen, besitzen wir keine Pflanze in unseren Gewächshäusern, welche sich mit Cyanophyllum messen könnte. Ob es freilich so schön bleibt, wenn es grösser geworden ist, müsste man erst beobachten; viele Blattpflanzen verlieren bekanntlich mit dem Alter. Das prächtige Blaublatt wurde von dem bekannten Reisenden Ghiesbreght in der mexikanischen Provinz Chiapas entdeckt und kam im vorigen Jahre nach Brüssel. Das Exemplar der Ausstellung war einige Fuss hoch und besass an einem bräunlichem, aber mit flockiger und abwischbarer Wolle besetztem Stengel gegenüber stehende und kurzgestielte Blätter von 16 Zoll Länge und 7½ Zoll Breite. Diese hatten ausserdem eine länglich-lanzettförmige Gestalt und waren von 3 Parallelnerven durchzogen. Die letzteren wurden wiederum durch horizontale, ½ Zoll von einander abstehende Seitennerven verbunden, während zwischen diesen selbst zahlreiche Querlinien sich befanden. Der Rand war mit feinen Haarspitzen besetzt. Die Farbe der Oberfläche hatte ein prächtiges Sammetgrün, aus dem die weissen Mittel- und die hellgrünen Seitennerven lebhaft hervortraten, die Unterfläche hingegen zeigte auf das Prächtigste jene blaurothe Farbe, welche die Engländer meist als purpurfarbig bezeichnen, ich aber zum Unterschiede von dem ächten tiefdunkeln Purpurroth gewöhnlich purpurblau nenne.

2. Begonia Rex Putz.

In der That der König der Schiefblätter und ein würdiges Seitenstück der Begonia splendida (s. Gartenzeitung Seite 74) und der von Henderson unter der falschen Benennung Begonia picta ausgegebenen, von mir B. annulata genannten Art am Nächsten stehend. Linden bezeichnet sie als zu Gireoudia Klotzsch gehörend, was ich wohl bezweifeln möchte. Die Pflanze stammt aus Assam und wurde erst im Mai d. J. eingeführt. Sie hat einen ziemlich dicken und horizontalen Wurzelstock. Die schiefen und eirund-spitzen Blätter besitzen abgerundete Ohren und haben eine Länge von 7¼ Zoll, aber eine grösste Breite von 4¾ Zoll, doch so dass die Ohren selbst 2 Zoll lang sind. Von der Basis gehen 7 im Anfange weissliche Nerven aus und verästeln sich zeitig. Die Oberfläche besitzt eine grünlich-olivenbraune Farbe, die aber durch einen silberglänzenden, zackigen Ring, der ziemlich die Gestalt des Blattes hat und sich auch in die Spitze des Blattes fortsetzt, unterbrochen wird. Dazu kommen aber noch einzeln stehende, am Rande jedoch ziemlich zahlreiche Borsten von rosenrother Farbe. Auf der Unterfläche ist anstatt des Olivenbraunen ein Purpurblau vorhanden, während der Ring eine hellgrüne Farbe angenommen hat. Auf gleiche Weise sind auch die mit weissen Spreuborsten besetzten Blattstiele gefärbt.

3. Putzeysia rosea Pl. et Lind.

Eine Araliacee Neu-Granada's, die im Herbste 1856 (wahrscheinlich durch Triana) eingeführt wurde. Ihre Blätter waren gedreit; möglich, dass aber später die Anzahl der Blättchen grösser wird. Diese erschienen völlig unbehaart, 11 Zoll lang, aber nur 4¾ Zoll breit und besassen eine elliptische Gestalt, so wie ¼ Zoll lange und dickliche Stielchen. Gegen den ganzen Rand hin war die Blattfläche etwas wollig. Ihre Konsistenz zeigte sich, wie bei den meisten Araliaceen, ziemlich härtlich, fast pergamentartig. Die Oberfläche besass aber eine freudiggrüne Farbe, die auf der Unterfläche nur wenig heller erschien; an der Einfügung der Blättchen befand sich jedoch eine bräunlich-rosenrothe Färbung, die wohl Ursache zur Benennung gegeben haben mag. 13 ziemlich abstehende Seitennerven gingen auf jeder Seite der Mittelrippe nach der Peripherie. Die Länge des allgemeinen Blattstieles betrug 6 Zoll.

4. Campylobotrys argyroneura Lind.

Diese an einige Gesneraceen erinnernde Rubiacee wurde ebenfalls in der mexikanischen Provinz Chiapas von Ghiesbreght entdeckt und im Herbste vorigen Jahres in der Linden'schen Gärtnerei eingeführt. Sie scheint der Campylobotrys discolor Lem. sehr nahe zu stehen und sich nur durch eine lebhaftere Färbung zu unterscheiden. Der kurze, etwas viereckige Stengel ist braunroth und mit einzelnen Härchen besetzt. Die elliptischen Blätter verschmälern sich in einen kurzen Blattstiel, stehen einander gegenüber und sind ganzrandig. Die Farbe der Oberfläche, welche übrigens zwischen den Seitennerven sich etwas wölbt, so dass diese tiefer liegen, ist ein eigenthümliches Olivenbraun-Grün, was durch die silbergraue Mittelrippe, so wie durch die eben so gefärbten, 5 Linien auseinanderstehenden, anfangs horizontalen, dann in einen Bogen nach oben gehenden Seitennerven und Queradern unterbrochen wird, während die Unterfläche eine Farbe besitzt, welche zwischen Silbergrau und Olivengrün liegt. In der ersten Jugend hat das ganze Blatt jedoch eine braunröthliche Färbung. Ausser den kurzen Härchen gegen den etwas umgebogenen Rand hin ist auf der Oberfläche keine Behaarung vorhanden. Die Länge der Blätter beträgt 6 Linien, die Breite hingegen nur 3.

Was das Genus Campylobotrys anbelangt, so ist es nach Planchon (s. Flore des Serres Tom V. zur 427. Tafel) nicht von der Persoon'schen Higginsia verschieden. Genannter Botaniker nennt Campylobotrys discolor deshalb Higginsia discolor.

5. Boehmeria? argentea Lind.

Ebenfalls von Ghiesbreght in der mexikanischen Provinz Chiapas entdeckt und im Herbste 1856 in der Linden'schen Gärtnerei eingeführt. Die Pflanze besitzt eine entfernte Aehnlichkeit mit Boehmeria nivea Hk. et Arn., die aber allerdings eine chinesisch-ostindische Art ist, und besass bereits einen 3 Fuss hohen, grünen und mit feinen Haaren dicht besetzten Stamm. Die abwechselnden, länglich-zugespitzten, 11 Zoll langen, aber nur 6 Zoll breiten Blätter stehen auf einem rothbraunen, etwas von den Seiten zusammengedrückten, nach oben schwach rinnigen und mit anliegenden Borsten besetzten Stiele und besitzen am Rande mit kurzen Spitzen versehene Kerbzähne. Die grüne Oberfläche erscheint mit erhöhten silbergrauen Schilferpusteln besetzt und wird von einer silbergrauen, tiefliegenden Mittelrippe, von der nach jeder Seite bis 5 ebenfalls vertiefte und gegenüberstehende Seitennerven auslaufen, durchzogen. Auf der hellgrünen Unterfläche treten hingegen die rothbraune Mittelrippe, die Seitennerven und selbst die mit Borsten besetzten Adern hervor.

6. Maranta fasciata Lind.

Diese hübsche Marantacee wurde nebst den beiden folgenden von dem Linden'schen Sammler, Porte, im Innern der Provinz Bahia entdeckt und im vorigen Herbste in Brüssel eingeführt. Die rundlichen Blätter sind mit einer kurzen und dreieckigen Spitze versehen und besitzen einen etwas wellenförmigen Rand. Von den 3 Linien von einander stehenden Seitennerven befinden sich abwechselnd 5 oder 6 auf der Mitte einer dunkelgrünen Wölbung, 2 hingegen in einer hellgrünen Vertiefung. Ausserdem ist das Blatt silbergrau fasciirt. Der Mittelnerv ist ziemlich breit. Jüngere Blätter sind weniger silbergrau-fasciirt, als vielmehr in den hellgrauen Querstreifen mit dunkelgrünen Querlinien versehen. Die Länge des Blattes beträgt 6, die Breite 5½ Zoll.

7. Maranta pulchella Lind.

Sie sieht dem Phrynium zebrinum Rosc. ausserordentlich ähnlich und möchte vielleicht nur eine Abart sein. Die zahlreichen Seitennerven gehen in einem Winkel von gegen 45 Grad ab und stehen 2½ Linie von einander entfernt. Zwischen dunkelsammetgrünen, den Nerven parallel sich nach dem Rande hinziehenden Querstreifen befinden sich hellere.

8. Maranta argyrophylla Lind.

Hat das Ansehen einer Thalia und möchte vielleicht einmal diesem Geschlechte zugezählt werden. Die 9 Zoll langen, 3½ Zoll breiten, elliptischen und ziemlich horizontal abstehenden Blätter haben auf der Oberfläche ein silbergraues Ansehen, doch so dass immer in der Entfernung eines halben Zolles ein dunkler gefärbter Seitennerv gehoben ist. Diese stehen selbst 1½ Linien von einander entfernt. Die Unterfläche hat eine purpurblaue Farbe. Der ziemlich lange Stiel ist auf der einen Seite mit scheidenartigen Rändern versehen, die eine offene Rinne einschliessen.

Monstera Lennea C. Koch.

Eine schöne Blattpflanze für Gewächshäuser und Zimmer.

Von dem Professor Dr. Karl Koch und dem Obergärtner Lauche.

(Fortsetzung.)

Bei der Kultur von Pflanzen kommt es vor Allem darauf an zu erfahren, unter welchen Verhältnissen und auf welchem Boden sie in ihrem Vaterlande wachsen. Es giebt allerdings Gärtner, die da meinen, dass alle Pflanzen in jedem guten Boden gedeihen, da sämmtliche Bestandtheile, welche eine Pflanze bedarf, darin enthalten sind. Kieselsäure, Kalk, Thon und Alkalien finden sich in allen Erden mehr oder minder vor. Wenn dieses auch im Allgemeinen richtig ist, so muss man jedoch bedenken, dass die sogenannten näheren oder mineralischen Bestandtheile der Pflanzen, auch wohl Aschenbestandtheile genannt, welche hauptsächlich aus dem Boden genommen werden, zwar allerdings vorhanden sind, aber keineswegs immer in der durchaus nöthigen löslichen Verbindung, oder genau in der Menge, wie es erforderlich ist. Für Kalk-, Thon- und Kieselpflanzen kann hinsichtlich des Wachsthumes ein Uebermass von Kalk, Thon und Kieselsäure selbst eben so nachtheilig sein, als ein Mangel. Es kommt noch dazu, dass die physikalischen Eigenschaften des Bodens und der diesen umgebenden Luft nicht weniger Einfluss ausüben.

Monstera Lennea ist ein Epiphyt, also eine Pflanze, die andere bedarf, um an ihnen eine Stütze zu haben. Sie entnimmt im Vaterlande ihre Nahrung einzig und allein aus der Luft und wird darin durch die hygroskopische Eigenschaft der Rinde ihrer Unterlage unterstützt. Die umgebende Luft ist in den Urwäldern, wo Monstera Lennea wächst, gehörig mit Feuchtigkeit gesättigt und enthält ausser den allgemeinen Nahrungsmitteln auch verschiedene Mengen mineralischer Bestandtheile, die ihr ebenfalls zu Gute kommen.

Man ist zwar gewöhnlich der Meinung, dass die mineralischen oder Aschenbestandtheile der Unterlage und zwar hauptsächlich der Rinde derjenigen Bäume, welchen die Epiphyten aufsitzen, entnommen werden, allein eine genaue chemische Untersuchung der letztern lehrt uns, dass die Menge der Aschenbestandtheile in der Rinde, wo Epiphyten aufsitzen, sich durchaus nicht wesentlich verändert. Da der Theil der Rinde, der als Unterlage dient, bereits meist abgestorbene Borke ist, also die einzelnen Zellen derselben für Wasser und darin lösliche Salze nicht mehr permeabel sind, so würde eine Entnahme der darin enthaltenen mineralischen Bestandtheile auch nur bis zu einem bestimmten, aber immer geringen Grade möglich sein, auf keinen Fall aber ausreichen, um den Bedarf an diesen für den darauf befindlichen Epiphyt auszufüllen. Die epiphytischen Orchideen sind, so weit unsere Untersuchungen geschehen sind, an mineralischen Bestandtheilen reicher, als diejenigen, welche in der Erde vorkommen. Untersucht man aus unsern Gewächshäusern die Rinden, worauf man Orchideen kultivirt, vor- und nachher, so wird man finden, dass die mineralischen Bestandtheile in ihnen ziemlich gleich geblieben sind, obwohl die aufsitzenden Pflanzen verhältnissmässig gerade eine grosse Quantität nachweisen. Es können diese aber, da sie nicht der Rinde der Unterlage entnommen ist, nur aus der Luft stammen. Monstera Lennea verlangt nach dem, was eben gesagt ist, als Epiphyt viel Feuchtigkeit. Man sieht, wie sie und alle epiphytischen Aroideen in den Gewächshäusern nach allen Seiten hin Luftwurzeln entsenden, welche besonders an ihrer Spitze ausserordentlich thätig sind und der Pflanze Nahrung zuführen. Wo hinlänglich Feuchtigkeit geboten wird, wie es in Orchideen- und Palmenhäusern der Fall ist, da bedarf auch die Pflanze einer eigentlichen Wurzel fast gar nicht. Man sieht selbst, dass diese und der ganze untere Theil des Stengels allmählig absterben und also dass von daher keine Nahrung mehr zugeführt werden kann.

Wo jedoch eine feuchtwarme Luft nicht geboten wird, muss eine Wurzel auch um so mehr nothwendiger sein, als jene trocken ist. Monstera Lennea gehört aber zu den Pflanzen, die auf beide Weisen gedeihen können, nämlich mit in der Erde befindlicher Wurzel und mit überirdischen Adventiv-, sogenannten Luft-Wurzeln, je nach dem die umgebende Luft mehr oder weniger feucht ist. Will man genannte Aroidee im Zimmer haben, wo es doch immer mehr oder weniger trocken ist, so muss man auch dafür sorgen, dass sie eine Wurzel besitzt, welche hauptsächlich aus der leichten und möglichst porösen Erde ihre Nahrung entzieht. Als Epiphyt wird Monstera Lennea im Zimmer nie gedeihen. Am Besten möchte eine Mischung von guter Garten- und Holzerde, versetzt mit Torfbrocken und Topfscherben, sein.

Da Wasser nicht allein für Pflanzen ein Nahrungsmittel ist, sondern auch als Medium dient, durch was die übrigen Nahrungsmittel ihr zugeführt werden, so ist auch das regelrechte Begiessen ein Haupterforderniss zum Gedeihen derselben. Man sollte es aber kaum glauben, dass darin selbst viele sonst tüchtige Gärtner verstossen. Der Hofgärtner F. A. Fintelmann auf der Pfaueninsel bei Potsdam, gewiss einer unserer intelligentesten Gärtner, sagt im 2. Theile des Hülfs- und Schreibkalenders für das Jahr 1855, Seite 111: „Gärtner, die da meinen, das Reinigen und Säubern sei eine Arbeit für die dummen Jungen und die unbeaufsichtigten Lehrlinge, sind in einem argen Irrthume. Es fordert die ganze Sorgsamkeit und Achtsamkeit derer, die Pflanzen lieben und ihres Wachsens sich erfreuen wollen, fast so sehr, wie das allerdings noch viel wichtigere Giessen, was so häufig den Unerfahrenen allein überlassen wird. Das wachende Auge muss überall sein, die fertige Hand überall mitarbeiten."

Man hört sehr häufig von Blumenliebhabern die Klage, dass trotz aller sorgfältigen Behandlung Pflanzen, namentlich im Zimmer, zu Grunde gehen. Forscht man nach den Ursachen, so ist immer das Giessen Schuld. Bald hat man zu wenig, bald zu viel gegeben. In der englischen Garten-Zeitschrift Cottage-Gardener von diesem Jahre befindet sich ein interessanter Artikel über diesen Gegenstand, der wohl verdiente, einmal in's Deutsche übersetzt zu werden, denn er hat einen praktischen Gärtner zum Verfasser. In den Zimmern ist, wie bekannt, die Pflanzenpflege meist den Frauen überlassen. Diese an eine regelrechte Hausordnung gewöhnt, glauben denn auch, dass sie ihre Pflichten den Pflanzen gegenüber vollständig erfüllt haben, wenn sie zu bestimmten Stunden des Tages regelmässig Begiessen.

Diese Regelmässigkeit ist aber grade der Verderb für alle mehr oder weniger empfindlichen Pflanzen, denn diese verlangen im Topfe nur dann Wasser, wenn die Erde anfängt auszutrocknen und damit auch zuletzt ihre hygroskopische Eigenschaft verlieren kann. Dieser Zustand stellt sich jedoch nicht regelmässig ein, sondern hängt von äusseren Umständen ab. Man kann gezwungen sein, an einem Tage mehrmals zu giessen, und dann muss man wieder längere Zeit abwarten, bis es sich nothwendig macht. Giesst man zur unrechten Zeit, so sammelt sich zu viel Feuchtigkeit an. Im Topfe angestautes Wasser zieht aber mehr Kohlensäure aus der Luft an, als der Pflanze zuträglich ist; die Erde wird, wie man im gewöhnlichen Leben sagt, in diesem Falle sauer. Umgekehrt, ist einmal die Erde in einem Topfe ganz ausgetrocknet, so wird sie nur schwierig wieder feucht. Sie zieht das Wasser nicht mehr wie früher leicht an, sondern dieses läuft zum grossen Theil durch, ohne der Pflanze zu Gute zu kommen. Alles Giessen hilft hier wenig oder gar nichts mehr. Am Besten thut man, wenn man sogleich umsetzt, oder in geringen Zeiträumen kleine Mengen von Wasser auf die Oberfläche des Topfes bringt, die langsam einsickern und die Erde allmählig wiederum befähigen, leichter es anzuziehen und zurückzubehalten. Ist die Erde einmal sauer geworden, so ist Begiessen mit selbst bis 30 Grad warmen Wasser in vielen Fällen ausserordentlich heilsam; in Folge der Säure krank gewordene Pflanzen erholen sich bald wieder. Hilft dieses nichts, so muss man ebenfalls umsetzen.

Die Frage, wann man eigentlich giessen soll? ist sehr schwierig zu beantworten. Man muss sich durch die Praxis einen sichern Blick verschaffen, denn es lässt sich weniger beschreiben. Gewöhnlich sagt man, dass, um sich Gewissheit darüber zu verschaffen, man an der Mitte des Topfes anklopfen soll. Wenn es dann dumpf klingt, ist Feuchtigkeit genug vorhanden; ein heller, sogenannter hohler Ton gilt hingegen als Zeichen, dass begossen werden muss. Mehr noch möchte für unsere gewöhnlichen Pflanzen und Blumen, die nicht zu grosse Töpfe oder gar Kübel haben, einen Anhaltspunkt hinsichtlich des Giessens geben, wenn man mit dem Daumen und den Zeigefingern etwas Erde aufhebt. Hält diese zusammen, so ist hinlänglich Feuchtigkeit vorhanden, fällt sie aber auseinander, so muss begossen werden.

Der Inhalt des Topfes muss stets so beschaffen sein, dass nirgends überflüssiges Wasser sich ansammeln kann. Aus dieser Ursache ist es gut, auf den Boden eine nicht geringe Anzahl von Scherbenstücken so aufeinander zu legen, dass zwischen ihnen hinlänglich Räume zum bessern Abzug vorhanden sind. Noch besser thut man, namentlich bei in dieser Hinsicht empfindlichen Pflanzen, wenn man im Topfe und zwar in der Mitte des Bodens einen zweiten, aber weit kleinern Topf umgekehrt, so dass dessen Boden nach oben sieht, einsetzt und den Zwischenraum auf der Seite noch mit Scherben ausfüllt.

Da die Pflanzen aber nicht allein durch Wurzeln Nahrung aufnehmen, sondern zwischen allen grünen Theilen, besonders zwischen den Blättern und der äussern Luft ein beständiger Austausch der Stoffe vorhanden ist, so muss man auch Sorge tragen, dass dieser möglichst gut geschehen kann. Liegt Staub auf den Blättern oder sind diese gar mit einer schmierigen Schicht, wie man leider so häufig findet, überzogen, so kann diese Wechselwirkung nur in geringerem Masse geschehen, ist wohl auch zum Theil ganz und gar unterbrochen. Man ist daher genöthigt, Sorge zu tragen, dass die Oberflächen immer rein sind, und müssen diese so oft als möglich mit einem Schwämmchen abgewaschen werden. Ein Bespritzen von Zeit zu Zeit, selbst im Zimmern, wo es durch Unterstellen grösserer Gefässe auch leicht bewerkstelligt werden kann, thut allen Pflanzen, ganz besonders aber der Monstera Lennea, sehr gut. Die Luftwurzeln, die sich auch bei Zimmerkultur entwikkeln, finden in Zimmern wenig Feuchtigkeit; man thut deshalb gut, ihre Spitzen in die Erde zu stecken, wo ihnen mehr Nahrung geboten wird. Will man das Wachsthum der Pflanze beschleunigen und zugleich ein frischeres und dunkeleres Grün hervorrufen, so kann man auch von Zeit zu Zeit mit einer schwachen Guano-Lösung spritzen.

Nicht jedes Wasser ist den Pflanzen gleich zuträglich. Alle Pflanzen bedürfen zu ihren chemischen Prozessen eine bestimmte Wärme, wenn sie gedeihen sollen, tropische und überhaupt solche, die an ein wärmeres Klima gewöhnt sind, natürlicher Weise immer mehr, als die unseres Vaterlandes. Wird den ersteren demnach, namentlich plötzlich, kaltes Wasser gegeben, so wird dieses auf den nur unter einer höhern Temperatur vor sich gehenden chemischen Prozess nachtheilig wirken. Die Pflanze erkältet sich eben so, wie der Mensch und die Thiere unter ähnlichen Verhältnissen, und wird dadurch erkranken. Brunnenwasser ist immer kühler, als die athmosphärische Luft, und muss demnach stets vermieden werden. Am Besten ist es, besondere Kübel zu haben, in denen man das Wasser ein und zwei Tage ruhig stehen lässt, bevor man es zum Giessen benutzt.

In der neuesten Zeit sind in den meisten grösseren Städten Gasbereitungs-Anstalten. Bereits wird in vielen Häusern das Gas auch in die Zimmer geleitet, um bei einbrechender Dunkelheit zum Leuchten benutzt zu werden. Wo dieses der Fall ist, gedeihen aber keine Pflanzen. Wir erlauben uns daher ganz besonders darauf aufmerksam zu machen, zumal uns von mehrern Seiten Klagen zugekommen sind, dass in solchen Zimmern, wo die Pflanzen und Blumen bis dahin prächtig gediehen, worin aber später Gas gebrannt wurde, diese in der kürzesten Zeit zu Grunde gingen.

Cibotium Schiedeanum Schlecht. et Cham.

Von dem Obergärtner Lauche.

Unter den Pflanzen, welche die bekannten Reisenden Schiede und Deppe in Mexiko zu Ende der zwanziger und im Anfange der dreissiger Jahre sammelten, befand sich auch das Kistchen-Farrn, denn dieses bedeutet Cibotium, was nach einem der beiden Reisenden, der leider 1836 daselbst starb, genannt wurde. Es ist eine der schönsten und grössten Farrn, welches wir in Kultur haben, in so fern man ihm nur gehörig Raum und die nöthige Nahrung giebt, um sich nach allen Seiten hin gleichmässig entwickeln zu können. In einem der Palmenhäuser des Augustin'schen Etablissements bei Potsdam befinden sich 2 Exemplare, welche wegen ihrer Schönheit und Grösse die Aufmerksamkeit von Laien und Sachverständigen, welche jenes besuchen, im hohen Grade erregen und wohl im Stande sind, einen Begriff von dem üppigen Wachsthume tropischer Pflanzen zu geben.

Die beiden Exemplare sind 4 Jahr alt und besitzen bereits einen Durchmesser von 16 Fuss. Sie stehen auf beiden Seiten eines Wasserbassins in 14zölligen Töpfen und hat jetzt das eine 12 gesunde und kräftige Wedel, von denen die grössern eine Länge von 8 und eine Breite von 4 Fuss besitzen. Man kann sich in der That nichts Elegancres denken, als diese Pflanze, welche in einem leichten Bogen ihre Wedel nach allen Seiten hin entwickelt und durch ihr prächtiges Grün das Auge erfreut. Der Wedel besteht auf jeder Seite aus 16 abwechselnden Blättchen, von denen ein jedes wiederum gegen 37 abwechselnde Fiederblättchen besitzt, was endlich in 24 deutliche und einige undeutliche Fiederspalten zerfällt. Der Umriss des ganzen Wedel's hat eine längliche Gestalt, während die Fiederblätter und Fiederblättchen mehr länglich-lanzettförmig erscheinen. Einige nicht sehr hervortretende Kerbzähne ziehen sich am Rande der Fiederspalten herum. Die Oberfläche besitzt nicht ein glänzendes, wie Mettenius sagt, sondern grade ein mattes, die Unterfläche hingegen ein mehr ins Blaue sich neigendes Grün. Wenn die Wedel jedoch eben austreiben, haben sie ein graugrünes Ansehen und sind mit langen, an der Basis breiten, also spreublattähnlichen Zotten besetzt, die sich aber bald schon verlieren. Der Blattstiel hat bis zum ersten Fieder-Paare eine Länge von 2 Fuss und ist mit zahlreichen rostbraunen Spreublättchen ziemlich dicht besetzt, verliert diese aber oft mehr oder weniger mit der Zeit, so dass er bisweilen zuletzt glatt erscheinen kann.

Wenn Cibotium Schiedei auch keineswegs zu den ächten Baumfarrn gehört, so bildet es doch allmählig einen Stamm, der bei besagten Exemplaren bereits die Höhe von 1 Fuss und den Durchmesser von 5 Zoll erreicht hatte.

Seit dem Mai haben 4 Wedel angefangen zu fruktificiren. Dieses geschieht, wie bekannt, am Rande der Fiederspalten in einer eigenthümlichen Weise, indem der Kerbzahn, an dem im Diachym die Bildung von Sporen geschieht, mit der in die Höhe gehobenen Oberhaut, dem sogenannten Schleier (Indusium), verwächst und so eine Art Behältniss, ein Kistchen oder Säckchen von gelblicher Farbe, bildet, was die Sporen einschliesst und zuletzt sich am obern Ende mit 2 Lippen spaltet. Dieser, so viel ich weiss, nur Cibotium zukommende Umstand, der dem ganzen Farrn den Namen Kistchen-Farrn, Cibotium, gegeben hat, lässt sich bei der nach Schiede genannten Art sehr leicht verfolgen.

Im Mai 1853 wurden die Sporen der beiden beschriebenen Exemplare ausgesäet, welche schon nach 14 Tagen aufgingen und alsbald Prothallien entwickelten. Kurz darauf fand die Piquirung statt und nach Verlauf von gegen 6 Wochen zeigten sich die ersten Wedel.

Was die Behandlung des Cibotium Schiedei betrifft, so verlangt diese Pflanze eine recht lockere Eichenlaub-Erde, die mit etwas Lehm und mit Torfstückchen versetzt ist. Zur grössern Porosität der Erde darf man nie versäumen, Topfscherben zu zerschlagen und jener beizumengen, so wie durch Auflegen der letzteren auf dem Grunde des Bodens, für gehörigen Ausfluss zu sorgen. Will man die Pflanze in ihrem Wachsthume unterstützen, so kann man sie alle 3 und 4 Wochen einmal mit einer schwachen Guano-Lösung giessen; es ist dieses besonders in der Zeit gut, wenn frische Wedel austreiben wollen.

Cibotium Schiedei liebt weniger einen sehr warmen, als vielmehr einen hellen Standort und ist, obwohl an und für sich eine feuchte Luft ihr zuträglich wird, doch gegen tropfbarflüssiges Wasser sehr empfindlich, weshalb sie nie bespritzt werden darf. Thut man dieses doch, so werden die Wedel bald schwarz. Im Allgemeinen kann man als Norm ansehen, dass Farrn, und wohl überhaupt Pflanzen, welche eine matte Farbe besitzen, behaart, mit Spreublättern versehen oder bestäubt sind, weniger Feuchtigkeit, aber mehr Licht bedürfen und also trocken gehalten werden müssen, während Arten, die unbehaart sind oder gar glänzende Oberflächen haben, viel Feuchtigkeit bedürfen.

Journal-Schau.

(Fortsetzung von No. 29.)

Die 120. Tafel giebt uns einen Blendling der Regelschen Heppiella atrosanguinea und der buntblättrigen Naegelia zebrina Reg., d. h. der alten Gesneria zebrina L., unter den Namen Gesneria egregia und Heppiella naegelioides hybrida zugleich. Man scheint in der neuesten Zeit noch gar nicht genug daran zu haben, durch unendliche Theilung der Genera und dadurch bedingtes Geben neuer Namen für alte Pflanzen das an und für sich schon genug geplagte Gedächtniss der Gärtner und Botaniker in Anspruch zu nehmen, es ist sogar noch, wie vorliegendes Beispiel Zeugniss ablegt, besonders in Belgien, Sitte geworden, den Pflanzen gleich zwei Namen zu geben, von denen der eine der ältere, der andere der neuern Nomenklatur angehört. Dadurch glaubt man sich die Autorschaft auf jeden Fall zu reserviren. Vorliegende Pflanze ist übrigens recht hübsch und kann zur Vermehrung einer Sammlung von Gesnerien Liebhabern etwas beitragen. Wer jedoch nur eine Auswahl trifft, dürfte hübschere finden.

Azalea indica var. caryophylloides (Taf. 130). Ein Erzeugniss von Scheuermann in Frankfurt a. M., was der alba striata und vittata sehr ähnlich sieht, also weisse Blumen mit fleischrothen Streifen besitzt.

Endlich enthält diese Lieferung noch eine Kopie von Astrocaryum Murumuru Mart., einer sehr schönen und zu empfehlenden Palme, welche in Berlin und Umgegend in mehrern Exemplaren vorhanden ist.

Im 6. Hefte erhalten wir zunächst auf der 131. Tafel eine neue Datura aus der Abtheilung Brugmansia unter dem Namen albidoflava Lem.; der Abbildung nach ist aber die Farbe der Blumenkrone nicht weisslich sondern grünlich-gelb. Im Habitus scheint sich die Pflanze, eben so wie in der Grösse der Blüthe, den übrigen Brugmansien anzuschliessen. Die ganze Pflanze ist unbehaart. Ein eigenthümliches Ansehen mögen die dunkel-violetten Aestchen und Blattstiele, welche sich als Mittelnerven fortsetzen, geben. Die Oberfläche der Blätter hat eine dunkelgrüne, die Unterfläche hingegen eine etwas ins Violette spielende Farbe. Der ziemlich grosse, 5-eckige und 5-zähnige, fast zolllange Kelch schliesst die Basis der fast 4 Mal längern und trichterförmigen Krone ein. Die Pflanze wurde im Jahre 1817 von Fr. de Vos auf der brasilischen Insel St. Katharine entdeckt und der Verschaffelt'schen Gärtnerei mitgetheilt. Beschrieben ist sie schon im 4. Bande des Jardin fleuriste (Misc. 16). Sie steht der Datura suaveolens Humb. et Bonpl., die gewöhnlich als Brugmansia arborea in unsern Gärten vorkommt, sehr nahe und unterscheidet sich nur durch den gänzlichen Mangel an Behaarung und durch die grünlich-gelbe Blumenkrone, so wie durch den unangenehmen Geruch der Blüthe. Die ächte D. arborea L. hat einen geschlitzten, nicht fünfzähnigen Kelch, aber ebenfalls eine blendend weisse Krone, und ist von mir noch in keinem Garten gesehen worden.

Die 132. Tafel bringt einen hübschen sibirischen Türkenbund, Lilium tenuifolium Fisch., der zwar längst in botanischen Gärten befindlich ist, aber unbegreiflicher Weise sonst noch keineswegs in den Gärten die verdiente Verbreitung gefunden hat, obwohl er schon mehrmals in, besonders englischen, Garten-Journalen abgebildet ist.

Farfugium grande Lindl., die von uns schon mehrmals erwähnte bunte Blattpflanze scheint nun allmählig in allen Garten-Journalen abgebildet zu werden.

In den Miscellaneen wird einer neuen Spigelia unter dem Namen Sp. aenea Erwähnung gethan, welche Ch. Lemaire im März dieses Jahres in der Linden'schen Gärtnerei sah. Sie ist zwar klein, hat aber ein elegantes Laub, da die dunkelgrüne Farbe der Blätter etwas ins Kupferfarbige schillert. Die grossen weissen, an der Spitze aber rosafarbigen Blüthen bilden eine Aehre und ähneln denen der bei uns bekannten Sipanea carnea Brongn. (Pentas carnea Hook. bot. mag. t. 4086).

In der letzten Ausstellung zu Gent machte ein grosses Exemplar des Dendrobium nobile Lindl. wegen der Fülle der Blüthen Aufsehen. So bekannt und verbreitet auch genannte Pflanze ist, so weiss man doch, wie selten sie zur Blüthe kommt. Ein Kultur-Verfahren, was der Obergärtner Lauche in der Augustin'schen Gärtnerei bei Potsdam den Verhandlungen des Vereines zur Beförderung des Gartenbaues (1. Jahrg. S. 92) mittheilte, hat deshalb bereits auch in ausländischen Zeitungen Anerkennung gefunden und machen wir darauf aufmerksam. Die dem Hefte beigegebene Skizze des Verschaffelt'schen Pracht-Exemplares zeigt uns, was aus dieser Pflanze zu machen ist.

Das Juliheft beginnt mit einer schönen und grossblühenden Laelia, welche Lemaire schon früher im 3. Bande der Illustration horticole, Misc. p. 68 unter dem Namen Brysiana beschrieben hat. Die Pflanze wurde direkt von Parauhyba in der Serra, Esclavona Centralamerika's an Verschaffelt's Korrespondenten Brys gesendet. Der Zeichnung nach muss die Blüthe ziemlich 6 Zoll im Durchmesser enthalten. Da nun auch das Farbenspiel ausgezeichnet sein soll, so ist diese Orchidee unbedingt eine der besten Akquisitionen, welche wir in der neuesten Zeit erhalten haben. Die Lippe hat eine prächtige violett-karminrothe Sammetfarbe, während die übrigen Blumenblätter ein mattes Fleischroth besitzen.

Die 135. Tafel giebt wiederum eine Abart der Cydonia japonica mit dem Beinamen Mallardii. Sie wurde zufällig von einem Blumenliebhaber d. N. in Mans im Departement der Sarthe gezüchtet und steht der im vorigen Jahrgange in der Illustration unter dem Namen Moerloosii abgebildeten Abart sehr nahe. Während aber hier das Weiss am Rande mit Rosa abwechselte, ist dort der ganze Rand ringum weiss.

Eine sehr hübsche Azalea mit grossen, von Rosa wie angehauchten Blumen giebt die nächste Tafel unter dem Namen Baron de Vrière. Sie wurde von Vincke, Handelsgärtner in Bruges erzogen und zu Ehren des Gouverneurs von Westflandern genannt. In der Farbe steht sie am Nächsten der Alba illustrata und Bealii.

Die Petunie Inimitable ist in der That schön und gross. Ein ächter Blendling zwischen der alten weissblühenden P. nyctaginiflora und violacea wurde er in Nancy von Munier erzogen und an Verschaffelt mitgetheilt.

II. Journal mensuel des travaux de l'académie d'horticulture de Gand, 3. livr. enthält eine Tafel mit Abbildungen. Die beiden Azaleen Criterion und Admiration, welche van Houtte schon im 8. Bande der Flore des Serres abbilden liess, sind sehr spät in Handel gekommen und haben daher erst jetzt nach den Gärten der reichern Pflanzenliebhaber einen Platz gefunden. In Berlin besitzt sie der Fabrikbesitzer Danneel (Obergärtner Pasewaldt); geblüht haben sie jedoch noch nicht. Zum ersten Male erscheint aber eine Abbildung der interessanten Naegelia-Plectopoma zebrino-gloxiniaeflora. In Betreff der Nomenklatur scheinen wir in der That wiederum in die Zeit gekommen zu sein, wo man Kindern in der Taufe ganze Verse als Namen gab. Wie viele Pflanzenliebhaber werden nicht vor einer solchen Benennung zurückschrecken und lieber auf den Besitz der Pflanze verzichten, als mit ihm gezwungen zu sein, einen solchen Namen zu merken. Möchten doch die Handelsgärtner dieses bedenken und lieber Namen auswählen, die sich leicht merken lassen!

Das Aprilheft (weiter ist uns noch nichts zugekommen, obwohl wir bereits August haben) enthält unter andern eine kleine Abhandlung über die chinesische Zuckerhirse (Sorghum saccharatum), deren Anbau wiederum empfohlen wird. Die Pflanze stellt, gleich dem Maise, eine hübsche Blattpflanze dar, ist aber zum Anbau in landwirthschaftlicher Hinsicht für ganz Deutschland nicht tauglich, da wir keinen reifen Samen erhalten. Als Viehfutter giebt die Pflanze aber in der That einen so reichlichen Ertrag, dass man nur bedauern muss, dass sie nicht für unser Klima tauglich ist. Ihr Gehalt an Zucker ist gar nicht so unbedeutend. Im vorigem Jahre erhielten wir von dem Amtsinspektor Albert in Köthen Syrup, der sich von dem des ächten Zuckerrohres wenig unterschied. Dieses Sorghum saccharatum ist übrigens, wie wir schon mehrmals in den Versammlungen des Vereines zur Beförderung des Gartenbaues auszusprechen Gelegenheit hatten, von der Pflanze des Namens, welche schon sehr lange in Italien und Südfrankreich gebaut wird und auch einmal zur Zuckerbereitung benutzt wurde, schon durch seine schwarzbraunen Körner verschieden. Passerini hat dieses in einer besonderen Abhandlung nachgewiesen und das aus China erhaltene Sorghum saccharatum deshalb Sorghum glycychylum d. h. süsssaftige Mohrhirse, genannt.

Der Verfasser genannter Abhandlung, Turrelsu Toulon empfiehlt ausserdem noch eine andere Art, welche unter dem Namen Imphy oder Kaffer-Sorghum in Guadeloupe angebaut wird. Man soll es hauptsächlich anbauen, um mit den Körnern die Sklaven zu ernähren. Das Kraut dient zum Viehfutter und aus dem ausgepressten Safte bereitet man eine Tafia.

Neue Petunien-Formen.

Es sind uns die Abbildungen einiger Petunien-Formen eines Handelsgärtners in Erfurt, W. Bahlsen, der sich erst in diesem Jahre etablirt hat und bei seiner Thätigkeit und Rührigkeit viel zu versprechen scheint, zugekommen, und erlauben wir uns auf dieselben besonders aufmerksam zu machen. Die eine war gleichmässig einfarbig, wie man sie jetzt selten gleich rein findet, und zeichnete sich durch eine sehr lange Blumenröhre aus. Die Farbe selbst hatte was Angenehmes und war ein Fleischroth, dem etwas Violett zugemischt erschien.

Die beiden andern Formen besassen sehr grosse Blumen und gehörten zu den gestreiften, deren wir allerdings bereits sehr viele haben, aber wenige, wo die Zeichnung so angenehm und wohlgefällig erschien. Beide hatten Weiss als Grundfarbe, während die Streifen, welche von der breiten Spitze der Blumenblätter nach der Basis zu gingen und oben am Breitesten sich zeigten, bei der einen bläulich-violett, bei der andern mattrosenroth waren. Eleganter und zarter war ohnstreitig die letztere.

Frucht- und Gemüse-Ausstellung in Dessau.

Der Anhaltische Gartenbau-Verein wird am 7. u. 8. Oktober d. J. eine Frucht- und Gemüse-Ausstellung, verbunden mit einer Preisbewerbung im Saale des Gasthauses zum goldenen Hirsch hierselbst veranstalten. Es werden die Obst- und Gartenfreunde des In- und Auslandes hierdurch freundlichst eingeladen, sich dabei mit ihren Erzeugnissen zu betheiligen. Das ausführliche Programm ist in der Expedition dieser Zeitung einzusehen und in Empfang zu nehmen.

Dessau, den 24. Juli 1857. Der Vorstand.

Pflanzen-Katalog.

Es ist uns eben ein Verzeichniss von Pflanzen durch Verschaffelt in Brüssel zugekommen, was viele schöne und neue Pflanzen enthält weshalb, wir besonders darauf aufmerksam zu machen uns erlauben. D. Red.

Verlag der Nauckschen Buchhandlung. Berlin. Druck der Nauckschen Buchdruckerei.

No. 32. Sonnabend, den 8. August. 1857

Preis des Jahrgangs von 52 Nummern mit 12 color. Abbildungen 6 Thlr., ohne dieselben 5 „
Durch alle Postämter des deutsch-österreichischen Postvereins sowie auch durch den Buchhandel ohne Preiserhöhung zu beziehen.

Mit direkter Post übernimmt die Verlagshandlung die Versendung unter Kreuzband gegen Vergütung von 2½ Sgr. für Belgien, von 1 Thlr. 3 Sgr. für England, von 1 Thlr. 22½ Sgr. für Frankreich.

BERLINER Allgemeine Gartenzeitung.

Herausgegeben
vom
Professor Dr. Karl Koch,
General-Sekretair des Vereins zur Beförderung des Gartenbaues in den Königl. Preussischen Staaten.

Inhalt: Ueber einige weniger bekannte Formen von Sträuchern und ihre Verwendung. Vom Professor Dr. Karl Koch. — Weitere Bemerkungen über die Franziceen der Gärten. Briefliche Mittheilung des Kunst- und Handelsgärtners de Jonghe in Brüssel. — Einige interessante Pflanzen des Dresdener botanischen Gartens. — Journalschau: III. Flore des Serres et des Jardins etc. IV. Belgique horticole. — Vertilgung der Ameisen in den Baumschulen und Baumgärten. Von dem Kreisgerichts-offizial Schamal in Jungbunzlau. — Vom Neuen blühende Kastanienbäume. — Pflanzen-Verzeichnisse. — Mastix L'homme-Lefort.

Ueber einige weniger bekannte Formen von Sträuchern und ihre Verwendung.

Von dem Professor Dr. Karl Koch.

Schon mehrmals habe ich Gelegenheit gehabt, auszusprechen, dass namentlich in kleineren Anlagen und Gärten die Gehölz-Parthien sich noch keineswegs der Beachtung erfreuen, als es wünschenswerth sei. Und doch hat man jetzt eine Auswahl, die die reichlichste Abwechslung möglich macht und zu jeder Zeit im Jahre, selbst im Winter, Schönheiten, bald durch Laub, bald durch Blüthe und Frucht bedingt, darbieten. Möchten Gartenbesitzer dieses recht beherzigen und nicht glauben, dass Blumen- oder Blattpflanzen krautartiger Natur, mit denen man, ganz besonders wenn nicht viel Raum geboten wird, leider gar zu oft überladet, allein schön sind, sondern dass neben diesen und einem gut gehaltenen Rasen, dem man ebenfalls gar nicht so häufig sieht, grade kleine Sträucher und selbst Halbsträucher, bald in mit der Grösse derselben harmonirenden Gruppen, bald als einzelne Pflanzen Effekt hervorrufen und selbst nicht wenig beitragen, dass die Farbenpracht der Blumen grade durch den Gegensatz in der Farbe noch einen besonderen Reiz erhält. Das gleichmässige Grün der Rasenfläche genügt keineswegs immer.

Man hat oft Manches zu decken, was nicht durch hohe Gehölze geschehen darf. Es tritt z. B. an irgend einer Stelle des Rasens ein Weg hervor, der sich nöthig macht und aus Gründen nicht verlegt werden kann. Sein gelblicher oder röthlicher Schein stört mitten auf der weithin sich ziehenden grünen Fläche; ein Bosquet oder Busch ist zu hoch und störend für die weitere Aussicht und eine höhere Einzelpflanze mit hervortretendem Stamm genügt nicht. Durch eine sanfte Wölbung vor dem Wege, die zwar oft, namentlich wenn dieser schmal ist, ausreicht, wird ferner nicht immer die unangenehme Farbe des Kieses und Sandes vollkommen gedeckt. Da sind nun blattreiche Halbsträucher, selbst Lianen mit tiefdunkelen Blättern, welche man am Rande des Weges sich auf dem Boden in scheinbar ungestörter Entwickelung hinziehen lässt, am rechten Orte.

Umfriedigungen, namentlich Planken und Stakete von Holz, aber auch Mauern sollten in keiner Anlage, am allerwenigsten in Gärten, gesehen werden. Man deckt sie auch in der Regel, aber verstösst ebenfalls wiederum, dass man Gehölze nimmt, die man grade zur Hand hat und ein einförmiges Ansehen besitzen. Es kommt noch dazu, dass gar nicht selten versäumt ist, wenigstens durch Bewegung in der Kontur, Lichtmodifikationen hervorzurufen und dadurch den eintönigen Anblick zu mildern. Grade aber hier ist die grösste Sorgfalt und Aufmerksamkeit nothwendig. Ich habe gesehen, dass man Flieder nahm, der kaum hier und da durch Cornus mascula, sanguinea oder gar alba, Weissbuche, Massholder, Schneebeere u. s. w. unterbrochen wurde, um sich einiger Wochen der prächtigen und weithin riechenden Blüthen zu erfreuen. So schön sich Flieder, wenn er gut gehalten wird, in Gruppen, aber auch in Zäunen ausnimmt, so störend ist er oft nach der Blüthe, wenn die gelbgrauen Fruchtrispen nicht abgeschnitten werden, oder gar, wenn im Juli und August sich grössere Hitze einstellt, und das frische Grün der Blätter sich ganz verloren hat. Ich kann mir nichts Unangenehmeres und jedem ästhetischen Gefühle Widersprechenderes denken, als den Flieder in diesem Zustande; und doch begegnet man ihm so häufig. Die Geschlechter Crataegus, Betula, Fagus, Carpinus, Corylus, Acer, Fraxinus u. s. w. bieten so reiches und mannigfaltiges Material dar, dass in der That nicht viel dazu gehört, um eine passendere Auswahl zu treffen.

Doch ich will nicht Lehren für Landschaftsgärtnerei geben, denn dazu sind andere Männer berufen. Die allgemeinen Prinzipien abgerechnet, lernt man sie auch weniger durch Vorschriften oder durch Bücher, sondern man muss bei einigem Sinn dafür der Natur selbst absehen, was schön und demnach nachzubilden ist. Man muss sich in den Schöpfungen unserer Meister viel bewegen und sich an den Stellen länger aufhalten, wo ein besonderer Effekt vorhanden ist, um zu sehen, worauf es ankommt und wodurch die Tinten in der Färbung, ob nur durch Bewegung oder auch durch Abwechslung im Laube, hervorgerufen werden. Man muss ferner sehen, wie sich die einzelnen Formen zu einander verhalten. Nicht jedes Gehölz passt zu jeder Gruppe oder als Einzelpflanze; die ganze Tracht, das was der Botaniker Habitus nennt, ist bedingend. Auch die Gestalten des Laubes können nicht willkürlich zusammengeworfen werden, sondern müssen zu einander in wohlgefälliger Harmonie stehen.

Für dieses Mal will ich nur auf einige Gehölze aufmerksam machen, die zum Theil weniger selten, als vielmehr vernachlässigt sind. Die **Königliche Landesbaumschule** bei Potsdam, wo sie in grösserer Menge gezogen werden, hat mir Gelegenheit gegeben, sie vielseitig zu beobachten und zu sehen. Einige derselben sind Formen, andere Blendlinge.

1. Der St. Petersstrauch mit goldrandigen Blättern. (*Symphoricarpos orbiculatus* Moench, *foliis aureo-variegatis*.)

Seit sehr langer Zeit befindet sich der **St. Petersstrauch** in unsern Gärten, ist aber in der neuesten Zeit durch Spiersträucher und andere Gehölze, ganz besonders aber durch die mit ihren bis tief in den Winter hinein dauernden und blendend weissen Beeren in allen Anlagen beliebte und deshalb hinlänglich bekannte **traubenblüthige Schneebeere** (*Symphoricarpos racemosus* Mich.) mehr oder weniger verdrängt worden. Es ist auch nicht zu leugnen, dass der St. Petersstrauch an Schönheit weit nachsteht. Anders verhält es sich jedoch mit der Abart, welche goldrandige Blätter besitzt, da diese im Gegentheil allen denen, welche Parks und selbst kleinere Gärten in Stand zu setzen haben oder letztere selbst pflegen, nicht genug empfohlen werden kann.

Der **St. Petersstrauch mit goldrandigen Blättern** hat das ganze Jahr hindurch seinen Werth, da dieser eben weniger von den Blüthen und Früchten abhängt, als vielmehr von der eigenthümlichen Zeichnung der Blätter. Das Gehölz besitzt einen gedrängten Wuchs und verästelt sich gleich von unten aus. Aus dieser Ursache kann es besonders da eine Anwendung finden, wo man, namentlich bei grössern und kleinern Gruppen, Boskets u. s. w., Stämme und Aeste decken will. Es eignet sich diese Pflanze um so mehr dazu, als sie auch im Schatten fast eben so gut gedeiht, als im Lichte. Da die graugrünen und wie gesagt, am Rande mehr oder weniger goldfarbigen Blätter, obwohl Paarweise gegenüberstehend und die Paare in der Stellung abwechselnd, einen mehr oder weniger zweireihigen Stand haben und dadurch die langen dünnen Aestchen das Ansehen gefiederter Blätter erhalten, diese auch wiederum zu den rostfarbenen Aesten und Aestchen einen freundlichen Gegensatz bilden, so nimmt sich die Pflanze ganz besonders in Gemeinschaft mit andern Gehölzen, die ein dunkeles oder freudig-grünes Laub haben, gut aus.

Will man kleine niedrige Hecken, die deshalb auch keinen grossen Umfang haben dürfen, um z. B. Rundtheile*) oder überhaupt bestimmt ausgesprochene Figuren zu begränzen, so ist dieses Gehölz mit seinen goldrandigen Blättern ebenfalls zu empfehlen. Man liebt jetzt auch kleinere Anlagen in einer Art Rokoko-Styl mitten im Park in der Nähe von Wohnungen und nähert sich darin dem alten italienisch-französischen Geschmacke wiederum etwas. Darin sind dergleichen Hecken von 2—3 Fuss Höhe ganz an ihrem Platze. Hat man Raum genug, so lässt man sie mit andern von Ilex, Buchsbaum und virginischem Wachholder abwechseln.

Der **St. Petersstrauch** hat den Vortheil, dass er nicht von Insekten heimgesucht wird und auch nicht von der grössten Kälte leidet. Es gilt dieses nicht weniger von genannter Abart mit bunten Blättern. Vaterland nämlich ist Nordamerika, wo der Strauch selbst bis Kanada sich hinzieht, also ziemlich hoch im Norden sich ausbreitet.

Es bleibt mir noch übrig, ein Paar Worte über den systematischen Namen zu sagen. Man hat 2 Schreibarten:

*) Anstatt des französischen Rondel bediene ich mich des gut gebildeten und ächt deutschen Ausdruckes „Rundtheil."

Symphoricarpos und Symphoria. Die erstere ist die ältere und schon von dem Darmstädter Arzte und Botaniker Dillenius, der 1747 als Professor der Botanik zu Oxford starb und durch seinen mit vielen Abbildungen versehenen Hortus Elthamensis hauptsächlich bekannt ist, wegen der dicht bei einander stehenden Früchte gegeben. Linné, welcher das Genus nicht als solches anerkannte, nannte die Pflanze Lonicera Symphoricarpos. Necker schrieb (1790) in seinen Elementen Symphoricarpa. Persoon schien der Name zu lang, kürzte ihn daher in seiner Synopsis ab und nannte die Pflanze Symphoria conglomerata. Gewöhnlich heisst sie bei uns nach Michaux Symphoricarpos vulgaris; da jedoch dieser Name zuerst 1803 in dessen Flora Nordamerika's gebraucht wurde, Mönch aber schon im Jahre 1794 in seiner Methodus den Strauch Symphoricarpos rotundifolius nennt, so muss auch der letztere beibehalten werden. Uebrigens hat Borkhausen in seiner vorzüglichen, von den meisten Botanikern ganz übersehenen Forstbotanik, die ebenfalls 1803 erschien, noch einen andern Namen, nämlich Symphoricarpos humilis, in Anwendung gebracht.

Als das Jahr der Einführung des Strauches in England giebt London schon 1730 an. Bald darauf mag er nach Frankreich gekommen sein, während er in Deutschland erst später, hauptsächlich durch den bekannten Forstmann Jul. von Wangenheim, verbreitet wurde. Auf dem Schlosse Weissenstein, der jetzigen Wilhelmshöhe bei Kassel, und in Harbke bei Helmstädt scheint er zuerst gewesen zu sein. Unsere gewöhnliche Schneebeere (Symphoricarpos racemosus Mich.) kam weit später, erst in diesem Jahrhunderte, nämlich gegen das Jahr 1827, nach Europa.

2. Das zwergige Pfaffenhütchen.
(Evonymus nana Bieb.)

Ein sehr zu empfehlender, kaum mehr als Fuss hoher Strauch des kaukasischen Isthmus, der leider in Gärten fast gar nicht gesehen wird, obwohl er hauptsächlich zu Einfassungen von Rabatten einen eigenthümlichen Reiz besitzt und diesen, mit seinen Schönheiten wechselnd, dem ganzen Sommer hindurch bis spät in den Herbst hinein behält. Wenngleich niedrig, besitzt er doch ziemlich hartes Holz, was von einer ursprünglich grünen, später braunrissigen Rinde umschlossen wird. Seine schmalen, fast linienförmigen Blätter haben eine dickliche Konsistenz und eine angenehme grüne Farbe, ganz besonders im Frühjahre, wenn sie erst hervorgekommen sind. Wenn auch die unscheinlichen, denen der übrigen Evonymus-Arten ähnlichen Blüthen weniger in die Augen fallen, so sind es doch um so mehr die rosafarbigen Früchte, welche schon Ende Juli's anfangen zu reifen und im August sich öffnen, um ihre scharlachrothen, glänzenden und von einem eben so gefärbten, aber matten und an kurzen Stielen befestigte Samen zu zeigen. Zwischen dem dunkelen Grün des Laubes nehmen sich die letzteren ganz besonders hübsch aus.

Dieser niedrige Strauch scheint, wie gesagt, eine sehr geringe Verbreitung zu haben. Man findet ihn kaum in einigen Verzeichnissen. In England und Frankreich muss er noch unbekannter sein oder ist wenigstens daselbst wieder verloren gegangen. Sweet giebt allerdings das Jahr 1829 als das Jahr der Einführung an, London jedoch scheint auch in der neuesten Ausgabe seines Dictionnaire's die Pflanze gar nicht gekannt zu haben. In seinem Arboretum britannicum wird sie nur kurz angezeigt. Es ist in der That eigenthümlich, wie viele Zeit oft schöne Pflanzen bedürfen, um eine grössere Verbreitung zu finden, während viel schlechtere rasch die Runde durch alle Gärten fast machen und dann, wenn sie nicht gefallen, eben so schnell wieder vergessen werden.

Das zwergige Pfaffenhütchen wurde zuerst in dem Supplemente der Flora taurico-caucasica von Bieberstein im Jahre 1819 beschrieben, scheint aber auch spät nach Deutschland gekommen zu sein. Willdenow kennt es noch nicht; eben so hat es Link noch nicht in seiner Aufzählung der Pflanzen des botanischen Gartens in Berlin. Erwähnt wird es als eingeführt zuerst von Dietrich in seinem zweiten Nachtrage zum Gärtner-Lexikon vom Jahre 1836.

Was die Schreibart anbelangt, so bedient man sich bald der griechischen „Euonymos,“ bald der lateinischen „Evonymus.“ Linné hat sich der letzteren bedient.

3. Die elegante Zwergrebe.
(Vitis elegans C. Koch.)

Unter dem Namen Vitis heterophylla oder Vitis foliis elegantissimis besitzt seit einer Reihe von Jahren der botanische Garten in Berlin, so wie die Landesbaumschule bei Potsdam, eine Zwergrebe mit bunten Blättern, welche in hohem Grade eine grössere Verbreitung verdient und gewiss eine dauernde Akquisition bleiben wird. Der botanische Garten hat sie bis jetzt in Töpfen kultivirt, während sie in der Landesbaumschule im Freien sich befindet und auch ohne alle Bedeckung aushält. Auf Terrassen, in Fensterbrüstungen u. s. w. bietet die Pflanze in Töpfen aufgestellt, aber auch nicht weniger im freien Lande, besonders auf Rabatten, weniger auf-sen, aber wiederum auf kleinen, von Buchsbaum und sonst eingefassten kleinen Beeten im Rokoko-Style eine angenehme Erscheinung dar, wie sie nicht leicht durch eine andere Pflanze geboten wird. Besonders schön ist sie in kleinen Felspartien und zwischen Steinen, wie man beide jetzt sowohl im Freien, als auch in Gewächshäusern besitzt, namentlich in letzteren mit der indischen Erdbeere, (Duchesnea fragarioides Sm. oder Fragaria indica Andr.). Deren schön rothe und vom grünen Kelche umgebene Beeren bilden mit der blauvioletten Farbe derer der Vitis elegans eine freundliche Abwechslung.

Die Reben bleiben stets sehr kurz und hängen im Topfe nur wenig über, während sie auf der Erde, da die Verästelung gleich vom Boden aus nicht wenig geschieht, diese ziemlich dicht bedecken. Die längsten Reben, welche ich gesehen, waren etwas über 2 Fuss lang. Da die Internodien kürzer sind, als die weissgefleckten, sonst denen des gewöhnlichen Weines sehr ähnlichen, aber doch stets kleineren Blätter, so ist die Belaubung ebenfalls dicht. Wenn auch die Blüthen, wie die der übrigen Vitis-Arten nur unbedeutend sind, so nehmen sie sich doch in diesem Falle in den Blattwinkeln recht hübsch aus. Von besonderer Schönheit ist aber endlich die Pflanze, wenn die violett-blauen und runden Beeren reif sind und die Abwechslung in der Farbe des Laubes noch vermehren helfen.

Woher die Pflanze eigentlich stammt, habe ich nicht erfahren können. Wahrscheinlich ist sie amerikanischen Ursprunges und stellt nur eine Abart der Vitis aestivalis Mich. dar. Aussaaten würden es bald lehren, ob man eine Abart oder eine ächte reine Art vor sich hat.

4. Ribes nigrum L. und seine Formen.

Die schwarze Johannisbeere, auch Ahlbeere genannt, ist zwar ein vaterländischer Strauch, der aber trotzdem in keiner Anlage fehlen sollte, zumal Blätter und Früchte eine verschiedene Anwendung im Haushalte finden können und ausserdem die Pflanze, wenn sie auch als solche weniger Effekt macht, doch sobald sie mit glänzenden Beeren besetzt erscheint, was im Hochsommer der Fall ist, wo an und für sich der Blüthenreichthum zurücktritt, einen angenehmen Anblick darbietet. Es kommt noch dazu, dass wir bereits eine Reihe von Formen besitzen, welche zum Theil ein originelles Ansehen haben und zur grössern Mannigfaltigkeit im Laube beitragen.

Das Blatt der schwarzen Johannisbeere hat, wie bekannt, ursprünglich eine 5- und 3-lappige Form und ähnelt darin im Allgemeinen dem der rothen, von dem es sich jedoch durch seine nach Moschus, andere sagen, nach Wanzen riechenden Drüsen, womit besonders die Unterfläche bedeckt ist, auszeichnet. Wir besitzen aber Formen in der Landesbaumschule, wo die Abschnitte ziemlich tief gehen, so dass die Blätter 3-theilig werden, ja selbst aus 3 Blättchen bestehen. In der Revue horticole (4. ser. Tom. II, pag. 272) wird hingegen eine Abart beschrieben, wo sich gewöhnlich nur 2, selten auch 3 tiefgehende Abschnitte gebildet haben. Man hat der letztern den Namen Ribes nigrum bilobum gegeben, weshalb die Abart der Landesbaumschule als Ribis nigrum tripartitum bezeichnet ist. Die Blätter der letztern sind ziemlich gross und die Abschnitte wiederum eingeschnitten-gesägt. Bei einigen Exemplaren werden die Blätter am Rande etwas kraus, so dass Uebergänge zu der ächten krausblättrigen Form vorhanden sind.

Diese, Ribes nigrum crispum, hat stets tiefer eingeschnittene und kleinere Blätter. Vor einigen Jahren wurden Samen dieser Abart ausgesäet und man erhielt normale Pflanzen, krausblättrige und endlich noch eine Form, wo das Eingeschnittensein und das Krause den höchsten Grad erreicht hatten. Wie bei allen Gehölzen, wo diese Form sich ausbildet, die Triebe sich wenig strekken und demnach kurz bleiben, so auch hier. Die Blätter stehen am Ende derselben ziemlich gedrängt und sind eigentlich doppelt und tief 3theilig, so dass die ersten Blättchen auch gestielt erscheinen. Die schmallänglichen Abschnitte sind unregelmässig-gekerbt, ja selbst eingeschnitten. Das ganze Blatt hat kaum mehr als den Durchmesser eines Zolles. Man besass früher eine Abart in den Gärten unter dem Namen Ribes nigrum aspleniifolium, die wahrscheinlich dieselbe ist und deshalb auch unter diesem Namen fortgeführt wird.

In den Verzeichnissen der Handelsgärtner wird endlich noch eine Abart unter dem Namen R. nigrum spectabile aufgeführt, die mir aber völlig unbekannt ist.

Einen besondern Reiz haben die buntblättrigen Formen, von denen es ebenfalls mehre giebt. Am Schönsten ist die Form, wo das Grün, namentlich an den 3 Hauptnerven, durch eine weisslich-gelbliche Färbung unterbrochen wird. Diese ist bald mehr oder weniger vorhanden und bildet bald grössere Flecken, bald kleinere Punkte und Flecken. Verschieden von ihr ist die Form, wo die gelblich-weissliche Färbung sich längs des Randes hinzieht.

Aber auch die grosse und starkriechende Beere ändert ihre Farbe. Man besitzt Abarten mit gelblichen und grünlichen Beeren. In Paris hat man aus R. aureum Pursh (palmatum Desf.) und R. nigrum L. einen Blendling erzogen, der im Allgemeinen die Tracht des zuerst genannten Strauches beibehalten hat, aber dunkelrothe Beeren von der Form derer des R. nigrum besitzt.

Unter dem Namen Ribes altaicum befindet sich endlich in der Landesbaumschule eine Abart der schwarzen Johannisbeere, welche einen ausserordentlich geringen Geruch besitzt, sich aber sonst gar nicht unterscheidet.

(Fortsetzung folgt.)

Weitere Bemerkungen über die Franciseeen der Gärten.

Briefliche Mittheilung des Kunst- und Handelsgärtners de Jonghe in Brüssel.

In Nr. 25 Ihrer Gartenzeitung haben Sie eine ausführliche Abhandlung über die Franziseeen gegeben; gestatten Sie mir derselben noch Einiges hinzuzufügen, zum Theil auch zu berichtigen. Sie sagen zunächst, dass man die Mehrzahl der in den Gärten kultivirten Arten den Reisenden Pohl und Schott verdanke. Dieses möchte nicht richtig sein, da meines Wissens nach diese nur Fr. Pohleana, die sich von Fr. uniflora nicht unterscheidet und die am Wenigsten zu empfehlen ist, und hydrangeaeformis einführten. Nach Gardner (travels in the Interior of Brezil, London 1846 p. 549) soll jedoch die zuletzt genannte Pflanze auch erst 1841 nach England gekommen sein.

Nach den Mittheilungen Libon's, der für mich Pflanzen in Brasilien sammelte, kommt die Fr. Pohliana hauptsächlich in dem obern Theile der Gebirgskette von Corco Vado, die Fr. hydrangeaeformis hingegen in der Sierra d'Estrella und in dem Gebirge der Orgonen vor. Vom Jahre 1843 bis 1847 sandte genannter Reisender mir von der letzteren mehr als 300 Pflanzen, während er die erstere, als zu unbedeutend, gar nicht berücksichtigte. Um dieselbe Zeit entdeckte Libon auch Fr. latifolia und augusta (ramosissima) in der Provinz der Minen (Minas-Gernês), und zwar erstere auf mehr bewaldeten Bergen in der Nähe von Auropreta, letztere ebenfalls im Gebirge Lagoa Sancta.

Eine fünfte Art: Fr. calycina, (laurifolia oder confertiflora?) fand er in der Sierra von Cubataö nicht weit von Santos in der Provinz St. Paul, während endlich noch 2 Arten im Jahre 1849 in einem Walde ohngefähr 30 Stunden von Villa Franca in derselben Provinz entdeckt wurden. Die eine derselben blühte alsbald in Europa und wurde von Scheidweiler Fr. eximia genannt. Im Jardin fleuriste Tom. III, auf der 248. Tafel ist sie abgebildet und mit einer Beschreibung versehen. Es ist unbedingt die Art, welche am Schönsten und am Reichsten blüht. Die andere, wahrscheinlich doch nur eine Abart der Fr. eximia, erhielt von Lemaire den Namen Fr. macrantha und wurde ebenfalls, und zwar auf der nächsten Tafel desselben Werkes, abgebildet.

Im Jahre 1851 schrieb ich eine Notiz über die Kultur und Behandlung der Franziseeen und ist dieselbe in Gardener's Chronicle abgedruckt worden.

Seitdem ist nun eine achte Art in Europa eingeführt worden, welche den Namen Fr. elegans oder rubescens führt. Sie ähnelt hinsichtlich ihrer Tracht und ihres Laubes der Fr. hydrangeaeformis, hat aber leider bei mir bis jetzt noch nicht geblüht, so dass ich nicht wage, sie weiter zu bestimmen.

Von allen hier aufgeführten Arten besitze ich Original-Exemplare. Nachdem ich sie 7 bis 12 Jahre in Kultur gehabt habe, glaube ich auch berechtigt zu sein, über ihren Werth als Gewächshauspflanzen zu urtheilen. Nach Libon bilden sie sämmtlich eine Art Sträucher und nehmen sich in ihrem Vaterlande sehr gut aus. In meinen Häusern ist Fr. eximia die Art, welche am Leichtesten zu kultiviren ist und auch am Dankbarsten blüht. In Paris giebt man der Fr. calycina, in England hingegen der Fr. hydrangeaeformis den Vorzug.

Seit dem ersten Male, wo die Fr. eximia bei mir blühte, habe ich mich bemüht, Samen zu bekommen. Ich habe von Neuen ausgesäet und wiederum Samen erhalten, den ich ebenfalls bald in die Erde brachte. Auf diese Weise erzielte ich eine Reihe verschiedener Formen, die sämmtlich rascher wachsen und noch reichlicher blühen, als die Originalpflanze. Ich habe auch gefunden, dass diese Formen besser und leichter gedeihen, und zwar um so mehr, je weiter die Exemplare durch wiederholtes Aussäen von der Mutterpflanze standen. Es scheint auch hier die Erfahrung, welche man in der Pomologie gemacht hat, zur Geltung zu kommen, dass, je mehr eine Art oder Abart sich von ihrem eigentlichen Vaterlande befindet, sie um so grössere Neigung hat, wenn sie ausgesäet wird, Veränderungen zu erleiden. Wenn man ferner bedenkt, welche Fortschritte die Gärtnerei gemacht hat, um die Arten bestimmter Geschlechter durch künstliche Befruchtung zu verschönern, so bieten dem Praktiker die beiden Franziseeen, eximia und calycina, noch ein weites Feld zu erfolgreichen Versuchen.

Einige interessante Pflanzen des Dresdener botanischen Gartens.

Auf einem kleinen Ausfluge besuchte ich unter Anderem auch den botanischen Garten in Dresden. Ich hatte ihn seit sehr langer Zeit nicht gesehen und freute mich, als ich unter der vorzüglichen Pflege des Inspektors Krause, ganz besonders die Zahl der Gewächshaus-Pflanzen, nicht allein grösser wie früher, sondern auch in einem erfreulichen Kultur-Zustande fand. Es ist das Letztere um so mehr anzuerkennen, als der Garten mit verhältnissmässig geringen Mitteln erhalten werden muss und mit einer grossen Unannehmlichkeit zu kämpfen hat. Die vielen Rauchfänge der Nähe verbreiten nämlich stets eine solche Menge von Rauch ringsherum, dass, besonders Sträucher und Bäume des freien Landes, in der Regel ganz damit überzogen sind.

Unter den vielen interessanten Pflanzen, welche mir entgegentraten, erfreute mich vor Allem ein weibliches Exemplar der Cycas circinnalis, was bereits seine Blüthen zu entfalten begonnen hatte. Es wäre wohl zu wünschen, dass eine Befruchtung stattfände, um vielleicht keimfähige Samen zu erhalten. Leider entwickelt der Blumenstaub des männlichen Kolbens einer Cycas revoluta, welcher im vorigen Jahre zu Seggerde bei Weferlingen im Magdeburg'schen zur Entwickelung gekommen war und mir zu Gebote steht, keine Pollenschläuche mehr. Es geht daher an alle Gartenbesitzer, welche vielleicht ein männliches Exemplar einer Cycas in Blüthen haben, die ergebenste Bitte, mir oder direkt dem Inspektor Krause in Dresden Blumenstaub zu kommen zu lassen, um dadurch eine Befruchtung möglich zu machen.

Nicht weniger erregte ein Exemplar des sonst keineswegs seltenen Crinum longifolium wegen seiner über 8 Fuss langen Blätter meine Aufmerksamkeit. Die Pflanze stand in einem ziemlich hohen Hause auf einer Stellage am Fenster und ihre Blätter hingen in oben angegebener Länge graziös herab. Sie war eben im Begriff ihre Blüthen zu entfalten und machte auch wegen ihres gesunden und kräftigen Ansehens einen angenehmen Eindruck.

Endlich erwähne ich noch einer, wahrscheinlich in unsern Gärten noch neuen, Aroidee, welche zu meiner Massowia gehört und mit dem nur unvollkommen bekannten Spathiphyllum Gardneri vielleicht identisch ist. Die Pflanze erscheint, wie auch der Blüthenstand, viel kleiner als Massowia cannaefolia. Die Farbe der innern Seite der Blumenscheide ist blendend weiss und möchte später kaum in Grün übergehen, wie bei genannter Art.

Journal-Schau.

III. Flore des Serres et des Jardins de l'Europe par Decaisne et van Houtte. Mars. Leider ist uns bis jetzt nur erst das Märzheft zugekommen. Die 1201. Tafel enthält eine Abbildung der zugleich schönen und interessanten Aralia papyrifera Hook., welche bereits in den Gärten Berlin's und Umgegend ziemlich verbreitet ist und in der That auch in den warmen Gewächshäusern neben den andern Arten dieses Geschlechtes eine Zierde darstellt. Durch Hooker's Journal of botany vom Jahre 1852 (p. 53) erfuhren wir zuerst, dass aus dem Mark genannter Pflanze das sogenannte chinesische Papier angefertigt wird. Ursprünglich soll diese Art nur auf der Insel Formosa wachsen und erst von da nach Hongkong gebracht sein. Auf der ersteren, welche eine Kornkammer für die östlichen Provinzen China's bildet, im Innern aber grosse Wälder, von einem eigenthümlichen, noch gar nicht bekannten Urvolke bewohnt, besitzt, wächst die Papier-Aralie in ziemlicher Menge. In ihrem Innern schliesst der Stamm einen grossen Mark-Cylinder ein, den man in der Regel nur ausführt. Zur Anfertigung des Papieres wird das Mark in ganz dünne Scheiben geschnitten, die aufgelegt und stark gepresst werden. Die Pflanze wurde bereits im Jahre 1851 von der Wittwe des englischen Konsuls in Amoy, Layton, nach Kew in mehrern Exemplaren, zugleich mit einer Abbildung, die der bekannte Reisende und Pflanzensammler Reeves schon im Jahre 1830 angefertigt hatte, gesendet, kam aber leider todt an. Vor 2 Jahren überschickte der Gouverneur in Hongkong, Bowring, vom Neuen lebende Pflanzen nach Kew, die gut ankamen und selbst schon bald so zur Vermehrung benutzt werden konnten, dass die Pflanze sich rasch in England und auf dem Kontinente verbreitete.

Bryonia laciniosa L., eine längst bekannte krautartige Liane Ceylon's, die schon vor ein Paar hundert Jahren in Holland kultivirt wurde und bereits von dem mehrmals in diesen Blättern erwähnten Professor Hermann in Leiden in seinem Hortus Lugduno-Batavus (Seite 97) abgebildet wurde. Nach London befindet sie sich ebenfalls seit 1711 in englischen Gärten. In dem botanischen Garten zu Berlin wird die Pflanze nicht weniger schon seit längerer Zeit kultivirt. Wir stimmen keineswegs der Empfehlung bei, da wir weit hübschere Pflanzen aus dieser Familie besitzen, die auch weit rascher und üppiger wachsen. Wir wollen nur die beiden Momordica-Arten, Charantia und Balsamine, so wie Pilogyne suavis nennen.

Auf der 1203. Tafel wird die gefüllte Purpur-Skabiosa (Scabiosa atropurpurea fl. pl.), welche der Obergärtner Döller des Grafen von Schönborn bei Wien zuerst erhalten hat, dargestellt, während man auf der nächsten Tafel die Blendlinge Tropaeolum grandiflorum und Zipseri splendens abgebildet findet. Namentlich letztere sind in Deutschland hinlänglich bekannt und verbreitet.

Oxalis corniculata mit braunrothen Blättern ist

eine neuere Akquisition, welche der bekannten Abart des Trifolium repens mit eben so gefärbten Blättern ausserordentlich ähnlich sieht und wie diese sehr gut im Freien aushält. Sie soll von Loos bei Lille stammen und wurde anfänglich als Oxalis tropaeoloides verbreitet. Wahrscheinlich möchte die Farbe sich auch nur halten, wenn die Pflanze mehr im Schatten und etwas feucht steht. Zwischen Steinen, die in einer Schlucht angebracht sind, nimmt sich das bunte Trifolium repens, und wahrscheinlich auch Oxalis corniculata, die übrigens mehr im Süden eine ganz gewöhnliche Pflanze ist, sehr gut aus.

Eine erfreuliche neue Einführung ist Lilium sinicum Lindl., unserem bekannten L. bulbiferum nahe stehend, aber weit kleiner und kaum 1 Fuss hoch werdend. Noch mehr ähnelt die Pflanze dem L. croceum. Sie wurde schon 1824 im Garten der Gartenbau-Gesellschaft eingeführt, ging aber wieder verloren, bis sie wiederum vom Neuen durch Fortune in der Gärtnerei von Standish und Nobel eingeführt und von da aus weiter verbreitet wurde. Der Stengel ist mit einer weichen Behaarung versehen, während die zerstreuten, bisweilen auch scheinbar zu drei stehenden Blätter fast ganz unbehaart sind. Aufrecht stehende Blüthen kommen zu 3—5 am obern Theil des Stengels hervor und haben eine scharlachartige, etwas ins Orange gehende Farbe.

Astilbe rubra Hook. et Thoms. ist bereits im botanical Magazin auf der 4959. Tafel als Astilbe rosea Hook. fil. abgebildet und schon auf Seite 63 von uns besprochen worden. Die Doppeltafel 1208 und 1209 bringt eine Abbildung der zuerst im Februarhefte abgebildeten Raisin Hambourg doré de Stockwood, die der Reihe nach in der Illustration horticole, Belgique horticole und nun auch in Flore des Serres kopirt und auch von uns (Seite 31) schon erwähnt wurde.

IV. Belgique horticole. Auf der 37. Tafel der 8. Lieferung sind 2 Pflanzen abgebildet. Calonyction diversifolium Hassk. β. sulphureum ist eine gelbblühende Nachtwinde, welche Morren von dem Gärtner Peragnet auf Hyères erhielt und wegen ihrer Farbe verbreitet zu werden verdient. Sie stammt aus Ostindien und besitzt handförmig-getheilte Blätter. Clematis Gusseoi ist eine C. coerulea Lindl., deren Blüthenblätter oben dunkelrothblau, unten hingegen weisslich mit rosenrothen Adern gefärbt sind. Ein Luxemburger Blumenliebhaber, dessen Namen sie trägt, hat sie erzogen. Die nächste Tafel bringt die von uns schon besprochene Quercus chrysophylla Dougl.

In der 9. Lieferung ist auf der ersten Tafel ebenfalls wiederum eine doppelte Abbildung, nämlich von der Melastomatee Monochaetum ensiferum Naud. und der Veronica syriaca R. et S. Die zuerst genannte Pflanze ist bereits in dem letzten Linden'schen Verzeichnisse abgebildet und stellt einen reichblühenden kleinen Strauch mit eirund-lanzettförmigen Blättern mit behaarter Unterfläche dar. Die dunkelfleischfarbenen Blüthen zeichnen sich durch ihre abwechselnd kleineren Staubbeutel aus, die eine schöne rothe Farbe besitzen, sich aber in einen messerförmigen gelben Fortsatz verlängern. Daher wurde der Beiname entlehnt. Entdeckt wurde die Art von Giesbrecht (gewöhnlich wegen der richtigen Aussprache im Französischen Ghiesbreght geschrieben) auf den mexikanischen Kordilleren.

Veronica syriaca R. et S. ist bereits Seite 84 besprochen. Sie ist ein trauriger Beweis lobhudelnder Anpreisungen. Wenn man die Abbildung, welche englische Handelsgärtner verbreitet haben, mit dem Original-Exemplar vergleicht, so hält man es für gar nicht möglich, dass eine so schlechte Pflanze, die unserer Veronica agrestis nahe steht, als Zierde für Gärten verkauft werden kann. Leider ist es uns bei vielen andern noch so sehr angepriesenen Sommergewächsen nicht besser gewesen. Wir erinnern beispielsweise noch an Anthoxanthum gracile, was eins der hübschesten Gräser sein sollte, auch als Viehfutter empfohlen wurde und nun nichts weiter ist, als Polypogon monspeliensis.

Im Jardin fruitier derselben Lieferung ist die eine wohlschmeckende Birn, welche als Beurré oder Doyenné Sterckmans, d'Esterkeman, Streqneman, auch als Beurré Belle Alliance, in Belgien viel gebaut wird und auch empfohlen werden kann, abgebildet.

Vertilgung der Ameisen in den Baumschulen und Baumgärten.

Von dem Kreisgerichtsoffizial Schamal in Jungbunzlau.

Unter die häufigen Gartenfeinde aus dem Thierreiche werden gewöhnlich auch die Ameisen gerechnet, und zu deren Vertilgung in vielen Gartenbüchern oft kostspielige und zeitraubende Mittel, als Fläschchen mit Zuckerwasser, Kreide, siedendes Wasser und dergleichen vorgeschlagen. Es scheint jedoch gegentheilig erweislich zu sein, dass die Ameisen möglichst geschont und als eine sehr thätige Gartenpolizei, gleichartig wie die Vögel, in Ehren gehalten werden sollten, indem ihnen in dieser Beziehung die wichtigsten, obwohl von uns noch wenig beachteten Verrichtungen von der Natur zugewiesen zu sein scheinen.

Bei der näheren Beobachtung irgend einer im Garten geschäftigen Ameisenfamilie muss man wahrscheinlich erstaunen über die grosse Anzahl von Spannraupen, Regenwürmern u. dgl., die von den Ameisen, was ich sehr häufig zu beobachten Gelegenheit hatte, angefallen, getödtet und ihrem haushälterischen Familienbedarfe mühsam und unverdrossen zugeschleppt werden.

Der einsichtsvolle Baumzüchter möge daher nicht ungehalten sein, wenn ihm nebenbei so ein thätiges Ameisenhäuflein die ersten Blüthen einiger jungen Bäume zerstört und so seine Habsucht nach Fruchterstlingen in die geziemenden Schranken zurückweiset. Vielleicht haben gerade diesfalls die Ameisen das Amt der Gartenpolizei am Zweckmässigsten verwaltet, indem sie die ganz zarten, noch kaum gehörig bewurzelten Bäumchen von dem voreiligen Fruchtansatze befreit und in der Ausbildung ihrer zur gehörigen Krone nothwendigen Holztriebe ganz naturgemäss unterstützt haben. Hätten es die Ameisen nicht gethan, so müsste es wohl der kluge Baumpfleger selbst durch das Abpflücken der Blüthenknospen oder der bereits angesetzten Früchte eigenhändig nachtragen.

Haben derlei Bäumchen in der Zeitfolge ihre natürliche Ausbildung erlangt, dann können ihnen die Ameisen nicht mehr viel schaden, gegentheilig aber durch Wegräumung des Ungeziefers, ja vielleicht auch durch Zerstörung übermässig gehäufter Blüthenknospen manchen ausgiebigen bisher noch unbeachteten Vortheil zuführen. Bei mir werden daher die Ameisen stets geschont und meine Baumschule befindet sich dabei sehr wohl. Sollten indessen die Ameisen Jemanden dennoch zu stark belästigen, so dürfte zu deren Vertilgung nachstehendes Mittel als das Zweckmässigste und Wohlfeilste erscheinen.

Es werden im Garten jene Plätze, wo die Ameisen ihre unterirdischen Nester und offenen Gänge haben, mit einzelnen umgestürzten kleinen Blumentöpfen bedeckt und dann nur gelegentlich im Vorbeigehen nachgesehen, ob sich die Ameisen darin gesammelt haben. Ist dieses der Fall, so wird jeder Blumentopf in der Richtung nach Abwärts, wie er eben den Ameisenbau bedeckte, gehoben, an den festgetretenen Gang, wo man so eben steht, etwas stärker angestossen, und dann das Zertreten der herausgefallenen Ameisen schleunigst, bevor sie nämlich noch auseinander kriechen, vorgenommen.

Diese an sich unbedeutende Beschäftigung ist hinreichend, die Ameisen sammt ihrer Brut haufenweise zu vernichten. Der Zeitpunkt, wo sich die Ameisen vorzüglich in warmen Vormittagsstunden in den Töpfen zu versammeln und das Bodenloch mit Erde zu verstopfen pflegen, wird gar zu bald in der Praxis erkannt werden.

Vom Neuen blühende Kastanien.

Der heisse Sommer und die anhaltende trockene Witterung ist die Ursache, dass viele Bäume, namentlich einzelne Rosskastanienbäume, die an und für sich an ein kälteres Klima gewöhnt sind, ihre Blätter abzuwerfen anfingen. Als nun vor einigen Wochen ein Paar Tage anhaltender Regen kam, so schlugen in dem sogenannten Kastanien-Wäldchen hinter der Neuen Wache in Berlin einige junge Bäume wieder vom Neuen aus und sind nicht allein jetzt mit frischem Laube, sondern auch sehr reich mit Blüthen bedeckt. Es ist dieses übrigens eine Erscheinung, welche an demselben Standpunkte schon mehrmals in frühern Jahren, aber doch nie in so hohem Grade beobachtet wurde. Neben den übrigen mit nur wenigen, bereits schon gelblichen Blättern versehenen Kastanienbäumen nehmen sich die blühenden Exemplare ganz eigenthümlich aus.

Pflanzen-Verzeichnisse.

Die Blätterkarte meines vorzüglichen Nelkenflores (s. No. 6 dieser Zeitung) liegt gegen freie Briefe und eben solche Zurücksendung zur gef. Ansicht bereit, ebenso steht das Blumenzwiebel-Verzeichniss des Herrn E. H. Krelage & Sohn in Haarlem (Holland) zu Diensten, nach welchem ich kostenfrei ab Erfurt zu den Katalogspreisen zu verkaufen in den Stand gesetzt bin. Ferner empfehle ich noch zu den Herbst-Aussaaten alle um diese Zeit nöthigen Sämereien in frischer und ächter Qualität, desgleichen die beliebtesten neuesten Pflanzen von diesem Frühjahr, wie man sie zum Theil aus den Verzeichnissen meiner Herren Konkurrenten ersieht, mein specielles Pflanzen-Verzeichniss wird erst später dem Druck übergeben werden. Unter Zusicherung stets reeller und prompter Bedienung bitte ich um recht häufige Aufträge.

Erfurt den 1. August 1857.

Carl Appelius,
Kunst- und Handelsgärtner.

Mastix L'Homme Lefort.

Herr L'homme-Lefort (s. No. 21 dieser Zeitung) in Belleville hat mir seinen berühmten Mastix (Baumwachs) für Hier und Umgegend zum alleinigen Verkauf übergeben; die Vortrefflichkeit desselben bezeugen am besten die in den letzten 3 Jahren in Frankreich erhaltenen 8 Medaillen und der bedeutende Absatz. Ich verkaufe in Originalblechbüchsen gegen freie Einsendung des Betrages

1 Büchse mit 6 Pfd. für 2 Thlr. 15 Sgr.
1 - - 4 - - 1 - 20 -
1 - circa 1½ - - — - 20 -
1 - - ½ - - — - 12 -
1 - - 10 Lth. - — - 7 -

Erfurt den 1. August 1857.

Carl Appelius.

Verlag der Nauckschen Buchhandlung. Berlin. Druck der Nauckschen Buchdruckerei.

Hierbei das Preis-Verzeichniss pro 1857 der Harlemer und Berliner Blumenzwiebeln etc. von Krüger & Petersen in Berlin

No. 33. Sonnabend, den 15. August. 1857

Preis des Jahrgangs von 52 Nummern mit 12 color. Abbildungen 6 Thlr., ohne dieselben 5 „
Durch alle Postämter des deutsch-österreichischen Postvereins sowie auch durch den Buchhandel ohne Preiserhöhung zu beziehen.

Mit direkter Post übernimmt die Verlagshandlung die Versendung unter Kreuzband gegen Vergütung von 26 Sgr. für Belgien, von 1 Thlr. 9 Sgr. für England, von 1 Thlr. 22 Sgr. für Frankreich.

BERLINER
Allgemeine Gartenzeitung.

Herausgegeben
vom
Professor Dr. Karl Koch,
General-Sekretair des Vereins zur Beförderung des Gartenbaues in den Königl. Preussischen Staaten.

Inhalt: Phrynium trifasciatum C. Koch und weitere Bemerkungen über die Marantaceen. Von dem Professor Dr. Karl Koch. Mit einer Abbildung. — Ueber einige weniger bekannte Formen von Sträuchern und ihre Verwendung. Vom Professor Dr. Karl Koch. (Fortsetzung.) — Die Blumen-Ausstellung des Anhalt'schen Gartenbau-Vereines zu Dessau am 16. April. — Journalschau: 1. Botanical Magazin, 2. und 4. Heft. — Der pomologische Kongress zu Lyon. — Herbstausstellung des Hannover'schen Gartenbau-Vereines zu Hildesheim.

Phrynium trifasciatum C. Koch und weitere Bemerkungen über die Marantaceen.

Von dem Professor Dr. Karl Koch.

Nebst einer Abbildung.

In der 21. Nummer der Gartenzeitung, und zwar Seite 162, ist bereits eine Marantacee beschrieben, welche zuerst aus Belgien unter dem Namen Maranta trifasciata zu uns kam und welche von mir zuerst in der Appendix zum Samen-Verzeichnisse des botanischen Gartens vom Jahre 1854, Seite 11, als noch nicht beschriebene Art unter dem Namen Phrynium trifasciatum aufgestellt wurde. Seitdem hat sich die Pflanze, wenigstens in Berlin und Umgegend, ziemlich verbreitet und wurde mir mehrmals Gelegenheit geboten, sie blühend zu sehen und einer näheren Untersuchung zu unterwerfen.

Da sie nicht weniger wegen ihrer schönen Blattzeichnung, als auch wegen ihrer prächtigen, goldgelben Blüthen für Warmhäuser empfohlen werden kann, so glaube ich allen Liebhabern der Blattpflanzen einen wesentlichen Dienst erzeigt zu haben, dass ich sie zeichnen liess. Wenn auch die Pflanze selbst im Buntdruck, namentlich malerisch, hübsch aufgefasst und ziemlich gut ausgeführt ist, so thut es mir doch um so mehr leid, dass ich selbst keineswegs mit den Zergliederungen zufrieden sein kann. Ich muss mich jedoch auch hier, wie bei der ganz verfehlten Zeichnung der Monstera Lennea, von aller Schuld freisprechen.

Eine Beschreibung des Phrynium trifasciatum brauche ich hier um so weniger zu liefern, als sie an oben angeführter Stelle ziemlich vollständig gegeben ist. Ich könnte nur noch hinzufügen, dass die Blätter bei guter Kultur noch länger als einen Fuss und breiter als sechs Zoll werden. Ferner ändert sich die eirund-umgekehrte Form oft in ein reines Länglich um. Auch die Blüthen werden länger und der oft auch nicht zweizeilige Kopf hebt sich bei gut kultivirten Exemplaren bisweilen mehr oder weniger aus der Erde und wird demnach gestielt. Was die Abbildung anbelangt, so ist die ganze Pflanze drei Mal verkleinert, so dass sie nur ein Drittel der normalen Grösse darstellt. Die Blüthe ist hier hingegen so gross gegeben, wie sie sich in der Natur zeigt, während die beiden Blattabschnitte der innern Reihe, der Querdurchschnitt des Fruchtknotens, der Längsdurchschnitt mit dem Eichen und das Eichen selbst, einmal von vorn und einmal von hinten gesehen, im vergrösserten Massstabe gegeben sind.

Seit der Zeit, wo ich die Abhandlung über die Marantaceen schrieb, habe ich jede Gelegenheit benutzt, um möglichst viel Blüthen der verschiedenen Arten zu untersuchen und dadurch zur bestimmteren Abgränzung der einzelnen Genera zu kommen. Ich glaube, dass es mir gelungen ist. Doch will ich die erlangten Resultate meiner Untersuchungen für jetzt nicht der Oeffentlichkeit übergeben, sondern, um sie noch vollständiger mittheilen zu können, eine spätere Zeit abwarten; ich kann jedoch einstweilen aussprechen, dass die früher in meiner Abhandlung über die Marantaceen ausgesprochene Behauptung in Betreff der Natur der Kelch-, Blumen- und Staubgefässblätter sich durch die Entwickelungs-Geschichte bestätigt hat.

Darnach sind ursprünglich 3 Kelch-, 6 Blumen- und 3 Staubgefässblätter in jeder Blüthe vorhanden. Bei Maranta und Thalia sind alle Theile mehr oder weniger leicht, auch später, nachweisbar, während bei Phrynium und Calathea dieses nicht der Fall ist, indem stets ein Blatt der innern Blumenblätter und auch meist der Staubgefäss-Reihe verkümmert, aber auch sonst Veränderungen und Verwachsungen vorkommen.

Ein Blatt der Staubgefässreihe oder ein Staminodium ist oben kappenförmig und schliesst bei Phrynium den Griffel mit der Narbe fast die ganze Zeit der Blüthen ein, bei Maranta und Thalia nur im Anfange. Bei diesen beiden letztern Geschlechtern nimmt ein zur Lippe sich entwickelndes Blatt der innern Blumenblattreihe später den obern Theil des Griffels in einer eigenen Wölbung auf, während bei Phrynium die Lippe nur breiter als der innere Blumenabschnitt ist und mit diesem durch seine Grösse ausgezeichnet erscheint.

Ob Phrynium in der angenommenen und von mir in besagter Abhandlung (Seite 146) einstweilen beibehaltenen Ausdehnung bleiben kann, muss ich schon jetzt bezweifeln. Auf jeden Fall ist die ganze dritte Abtheilung (Seite 147 der Gartenzeitung) zu entfernen und zu Thalia zu bringen. Genaue Untersuchungen weisen bei Phrynium setosum Rosc. und compositum Lk. bei Maranta Selloi Hort. und leptostachya Hort. einen Blüthenbau, wie bei Thalia, nach und bilden deshalb genannte Pflanzen mit einigen anderen noch nicht beschriebenen Arten des botanischen Gartens in Berlin ein besonderes Subgenus in genanntem Geschlechte. Wie Roscoe dazu kommt, den Fruchtknoten des Phrynium, jetzt also Thalia setosa, mit 3 Eichen abzubilden, verstehe ich nicht, und muss es auf einer groben Täuschung beruhen. Ich habe wenigstens einige und 30 Blüthen von 6 verschiedenen Pflanzen untersucht und stets in der Fruchtknotenhöhle die dicke Scheidewand und nur ein einziges Eichen gefunden.

Wahrscheinlich möchte auch die 5te Abtheilung der Arten von Phrynium, welche Pflanzen im Habitus den Maranten ähnlich enthält, nicht dazu, sondern in der That auch zu den letztern gehören. Dass Phrynium dichotomum Roxb., in so fern es mit Thalia cannaeformis Willd. wirklich identisch ist, trotz der Angabe mehrer Autoren von 3 Eichen im Fruchtknoten nicht zu Phrynium gehört, habe ich schon früher nachgewiesen. Ob die amerikanischen Arten dieser Abtheilung, obwohl auch hier 3 Eichen angegeben und sogar abgebildet werden, bei genauerer Untersuchung der Blüthe, selbst wenn jene Angabe richtig sein sollte, ferner bei Phrynium verbleiben können, möchte ich ebenfalls bezweifeln. Schon Nees v. Esenbeck legt übrigens in seiner in dem 6 Bande der Linnaea (Seite 303) gegebenen Abhandlung auf die Zahl der Eichen zur Begründung der Genera gar keinen Werth.

Ueber

einige weniger bekannte Formen von Sträuchern und ihre Verwendung.

Vom Professor Dr. Karl Koch.

(Fortsetzung von No. 32.)

5. Die Traubenkirsche mit dem Aukubablatt (Prunus Padus L. γ. aucubaefolia.)

Von diesem bald als Baum, bald als Strauch häufig wild und in Anlagen vorkommenden Gehölze besitzt die Landesbaumschule schon längst eine interessante Form, welche wohl einer grösseren Verbreitung werth ist. Auf den Blättern befinden sich nämlich einzelne ein Paar Linien im Durchmesser enthaltende gelbliche Flecken, welche gegen das dunkele Grün einen eigenthümlichen Anblick gewähren. Der Name dieser Form ist sehr bezeichnend, da die Erscheinung in der That an die normale Zeichnung von Aucuba japonica erinnert.

In der Landesbaumschule befinden sich Stand-Exemplare von nicht unbedeutender Höhe, allerdings als Strauch, wo diese Zeichnung sich auf den Blättern aller Theile, selbst bis auf die höchsten Spitzen der Zweige, durchaus erhalten hat. Alle Jahre kehrt sie wieder und wurde nie schwächer. Am Schönsten tritt sie allerdings an jungen Trieben und an Wasserreisern hervor, zumal hier auch die Blätter ein dunkeleres und frischeres Ansehen besitzen und grösser sind. Im Frühjahre namentlich kann man sich in der That nichts Schöneres denken, als einen Busch der Aukubablättrigen Traubenkirsche für sich allein auf einem Rasen oder auch als grösseres Exemplar in Boskets und in Gruppen. Die Färbung verliert sich zwar im Hochsommer und noch mehr im Herbste etwas, es geschieht aber doch nicht in so hohem Grade, als bei andern buntblättrigen Gehölzen.

6. Das goldblättrige Bittersüss. (Solanum Dulcamara L., foliis aureo-variegatis).

Wenn schon an und für sich das einheimische Bittersüss in Niederungen, an Flussufern, in Weiden- und Erlen-Gebüsch u. s. w. zur Zeit der Blüthe und der Frucht sich sehr hübsch ausnimmt und in unseren grösseren Anlagen, ganz besonders an Teichen, die leider in der Regel viel zu nackt gehalten werden, mit andern Feuchtigkeit liebenden Pflanzen mehr benutzt zu werden verdiente, so ist es mit der goldblättrigen Abart noch weit mehr der Fall. Es kommt noch dazu, dass die Pflanze fast eben so an trockenen Stellen fortkommt und gedeihet, wie an feuchten. In der Landesbaumschule befinden sich Exemplare von 6 Fuss Höhe auf dürrem Sandboden, die selbst in diesem so heissen und trockenen Sommer wenig von ihrer Frische verloren hatten.

Meinerseits finde ich die Pflanze besonders schön, wo irgend etwas Steifes zu decken ist. Da sie unter günstigen Umständen zugleicher Zeit etwas windet, so kann sie namentlich an Stangen und Pfählen, die irgend einen Zweck auszufüllen haben, sehr gut ihre Anwendung finden. Ich habe sie in einem hiesigen Garten auf diese Weise benutzt gesehen. Es kommt noch dazu, dass der Bittersüss in der Regel den ganzen Sommer hindurch, oft bis in den Spätherbst hinein, blüht und die violettblauen, ziemlich reichlichen Blüthen dann zugleicher Zeit mit den prächtig-scharlachrothen und länglichen Beeren einen höchst freundlichen Anblick gewähren, der besonders noch dadurch erhöht wird, wenn die Blätter eine goldfarbige Zeichnung haben.

So hübsch sich der goldblättrige Bittersüss auch als Einzelpflanze anderswo hier und da angebracht, ausnehmen würde, so scheint er daselbst doch nicht so üppig zu gedeihen. Die einzelnen Zweige strecken sich zwar auf der Erde hin, nehmen aber zu viel Raum weg, ohne diesen hinlänglich auszufüllen. Besser ist es daher noch, ausser zu dem bereits angegebenen Zwecke, ihn bei kleinern Boskets oder auf Rabatten anzuwenden, welche sich in grössern Parks bisweilen von breiten Hauptwegen an beiden Seiten hinziehen und, um weniger Arbeit zu machen, an und für sich mit allerhand Stauden und Blüthensträuchern bepflanzt werden müssen.

7. Der chinesische Bocksdorn. (Lycium chinense Mill.)

Der gewöhnliche Bocksdorn ist als Heckenpflanze nicht sehr beliebt, weil er den Boden stets verunreinigt und ihm auch viel Nahrung entzieht, anderntheils aber durch Absterben einzelner Ruthen oft ein schlechtes Ansehen besitzt; aber doch ist er in vielen Fällen eine gar nicht zu ersetzende Pflanze. An Mauern, die Terrassen stützen, bietet er, auf der Höhe der erstern angebracht und mit seinen langen ruthenförmigen Aesten herunterhängend, einen freundlichen Anblick dar, namentlich im Hochsommer und im Herbste, wenn er dicht mit den ziegelfarbigen oder etwas scharlachrothen Beeren besetzt ist. Nicht weniger ist er auf und an Ruinen, mögen sie natürlich sein oder erst künstlich hervorgerufen sein, eine zu empfehlende Pflanze; endlich giebt es Fälle, wo er, als dichte Hecke benutzt, gute Dienste leistet. Nebenbei sei gesagt, dass Dunal in seiner vorzüglichen Monographie der Solanaceen im 1. Theile des 12. Bandes des de Candolle'schen Prodromus nachgewiesen hat, dass unser gewöhnlicher Bocksdorn keineswegs das Linné'sche Lycium barbarum darstellt, wie man gewöhnlich glaubt, sondern davon verschieden ist. Er giebt unserer Pflanze deshalb den passenden Namen Lycium vulgare.

Die genannten Vortheile vollständig bietend, aber ausserdem noch in mannigfacher Hinsicht vor dem gewöhnlichen Bocksdorne den Vorzug verdienend, ist der chinesische: Lycium chinense Mill. (nicht Lam.), der gewöhnlich als Lycium Trewianum R. et S. in den Verzeichnissen vorkommt. Er verunreinigt weniger den Boden, scheint demnach auch weniger dicht zu wachsen; dafür hat er aber ein frischeres Ansehen und seine Ruthen sterben nicht so leicht ab. Die grössern Blätter besitzen ein lebhafteres Grün und laufen in einen deutlichen Stiel aus. An jungen Ruthen erreichen sie bisweilen eine Länge von 3 Zoll und mehr. Auch die Blüthen scheinen etwas grösser zu sein; aus ihnen ragen die Staubgefässe und der diese an Länge übertreffende Griffel hervor, während bei Lycium vulgare Dun. Krone, Staubgefässe und Pistill eine gleiche Länge besitzen. Die schönen Beeren stehen bei den Exemplaren der Baumschule fast durchaus gepaart und sind dicker und überhaupt grösser. An schlanken, nach oben aber keulenförmig sich verdickenden, eben so langen Stielen hängen sie graziös herab.

8. Einige Formen der strauchartigen Brombeere. (Rubus fruticosus L.)

Wenn schon an für sich die strauchartige Brombeere mannigfach in Anlagen verwendet werden kann, so haben die 3 Formen, von denen ich sprechen will, vor den übrigen manche Vorzüge. Die erste dieser Formen ist die mit bunten Blättern, von denen wir mehre Modifikationen besitzen. Am Meisten gefällt mir die, wo die Blättchen am Rande ziemlich breit von einer gelben Zeichnung eingefasst sind. Nur Schade, dass die Blätter dann in der Regel kleiner werden und deshalb wenig decken.

An Zäunen, Hecken u. s. w. hat diese Form einen ganz besonderen Reiz; aber auch einzelnes Gebüsch, was von den Ranken der buntblätterigen Strauch-Brombeere durchzogen wird, erhält dadurch ein wohlgefälliges Ansehen, besonders wenn tiefdunkeles Laub darin vorherrschend ist. Nicht weniger ist die Pflanze brauchbar, um an Pfähle und selbst an Baumstämme, welche man decken will, gepflanzt zu werden.

Seit sehr langer Zeit schon kultivirt man im Berliner botanischen Garten eine Strauchbrombeere mit geschlitzten Blättern unter dem Namen Rubus laciniatus. Willdenow hat sie zuerst beschrieben und abgebildet. Von Berlin aus ist sie früher an mehre botanische Gärten, auch nach Belgien, Frankreich und England, abgegeben. Eine eigentliche Verbreitung in die Gärten der Privaten, in die Parks und Anlagen hat sie jedoch nicht gefunden, so sehr sie es auch verdient. An Mauern, Planken u. s. w. gepflanzt, überzieht sie diese rasch und ertheilt diesen, schon durch die eigenthümliche Form und das freundliche Grün der Blätter, aber noch mehr durch ihre grossen, rosafarbigen Blüthen, deren Blumenblätter an der Spitze ebenfalls geschlitzt sind und die achselständige Rispen bilden, so wie später, im Hochsommer und im Herbste, oft auch durch ihre grossen und glänzenden schwarzen Beeren ein eigenthümliches Ansehen, was durch die zahlreichen und sehr gekrümmten Stacheln noch an Reiz gewinnt. Ich erlaube mir daher ganz besonders auf diese Abart aufmerksam zu machen. Leider erfrieren die Ranken nicht selten in harten Wintern und noch mehr im beginnenden Frühjahre, wenn plötzlich Kälte eintritt. In Folge dieses Umstandes glauben einige Gärtner, dass Rubus laciniatus eine gute Art sei; es ist jedoch eine bekannte Sache, dass derlei Abarten in der Regel auch zarterer Natur sind.

Die dritte Abart, die vielleicht auch eine selbstständige Art darstellt, führt in der Landesbaumschule den Namen Rubus jaspideus. Bei den auseinandergehenden Ansichten, die heut zu Tage über den Begriff Art bei Rubus unter Botanikern und Gärtnern herrschen, wage ich mich nicht zu entscheiden; eben so wenig vermag ich zu sagen, zu welcher der 100 und mehr Arten, resp. Abarten, vorliegende gehört. Ich kann sie nur empfehlen. Die Ranken gehen weit hin und nehmen sich, besonders auf der Erde hingestreckt oder an Pfählen, Baumstämmen u. s. w. gezogen, sehr gut aus. Sie sind rund mit einem bläulichen Reife überzogen. Stacheln, und zwar nicht gross, erscheinen weniger gehäuft, sondern mehr einzeln. Von den 3 oben dunkel-grünen, unten von feinem Filz grünlich-grauen und doppelt scharfgesägten Blättern ist nur das mittelste gestielt. Sehr hübsch nehmen sich die weissen Blüthen, welche kurze Rispen bilden, aus und fast noch mehr die Beeren, zumal man sie an einer Rispe in allen Stadien der Reife und demnach in allen Nuancirungen eines bräunlichen Roth bis zum tiefsten Schwarz sehen kann.

9. Das grosse und kleine Singrün mit goldrandigen Blättern (Vinca major L. et minor L. fol. aureo-marg.).

Zu Einfassungen von Rabatten u. s. w. giebt es in der That nichts Schöneres, als die beiden Singrün-Arten mit goldrandigen Blättern, und doch sieht man sie keineswegs häufig verwendet. Das grosse Singrün bildet ziemlich lange Ranken, welche sich auf den Boden flach hinlegen, so dass die schönen, runden Blätter in ihrer ganzen Ausdehnung entgegentreten, und, weil sie nie so dicht neben einander wachsen, immer etwas Zierliches behalten. Umgekehrt treibt der gewöhnliche oder kleine Singrün, der in vielen Gegenden Deutschlands als Wintergrün bekannter ist, viele Ranken dicht nebeneinander. Diese schlagen an den Knoten wieder Wurzeln und treiben am obern Theile des Stengels von neuem Ranken. Zum Bedecken von kleinen Erhöhungen, namentlich von Gräbern, ist nebst dem Epheu nichts passender, als das kleine Singrün. Auf Rabatten oder auch auf Rasen nehmen sich übrigens kleine Beete mit Singrün ebenfalls sehr gut aus. Vor Allem aber geben beide Arten an Felsen, Steinen u. s. w., namentlich wenn man zu gleicher Zeit noch verschiedene Alpenpflanzen anbringt, eine freundliche Bekleidung.

Die Blumen-Ausstellung des Anhaltischen Gartenbauvereins zu Dessau,

am 16. April d. J.

Verschiedene Hindernisse hatten im vorigen Jahre den Anhaltischen Gartenbauverein abgehalten, eine Ausstellung von Pflanzen und Blumen zu veranstalten; um so mehr glaubte derselbe daher in diesem Jahre, eine solche Festlichkeit ins Werk setzen zu müssen. Durch Beschluss in der Monats-Versammlung am 11. März wurden die Tage des 16. und 17. April dazu angesetzt, weil diese Zeit nicht allein eine günstige hinsichtlich der zur Blüthe kommenden Pflanzen ist, sondern weil auch der letztere dieser beiden Tage ein hoher festlicher für Dessau und ganz Anhalt ist, indem auf denselben das Geburtsfest Ihrer Hoheit, der Durchlauchtigsten Frau Erbprinzessin, fällt. Diesem zufolge, erliess der Vorstand durch ein Programm die Einladung an alle Anhaltischen Gärtner und Gartenfreunde, sich an der Ausstellung zu betheiligen.

Durch die Gnade Sr. Hoheit des Herzoges, des Protektors des Vereins, wurde derselbe zugleich in den Stand gesetzt, für die vorzüglichsten Leistungen Preismedaillen zu vertheilen, nämlich eine silberne vergoldete, zwei sil-

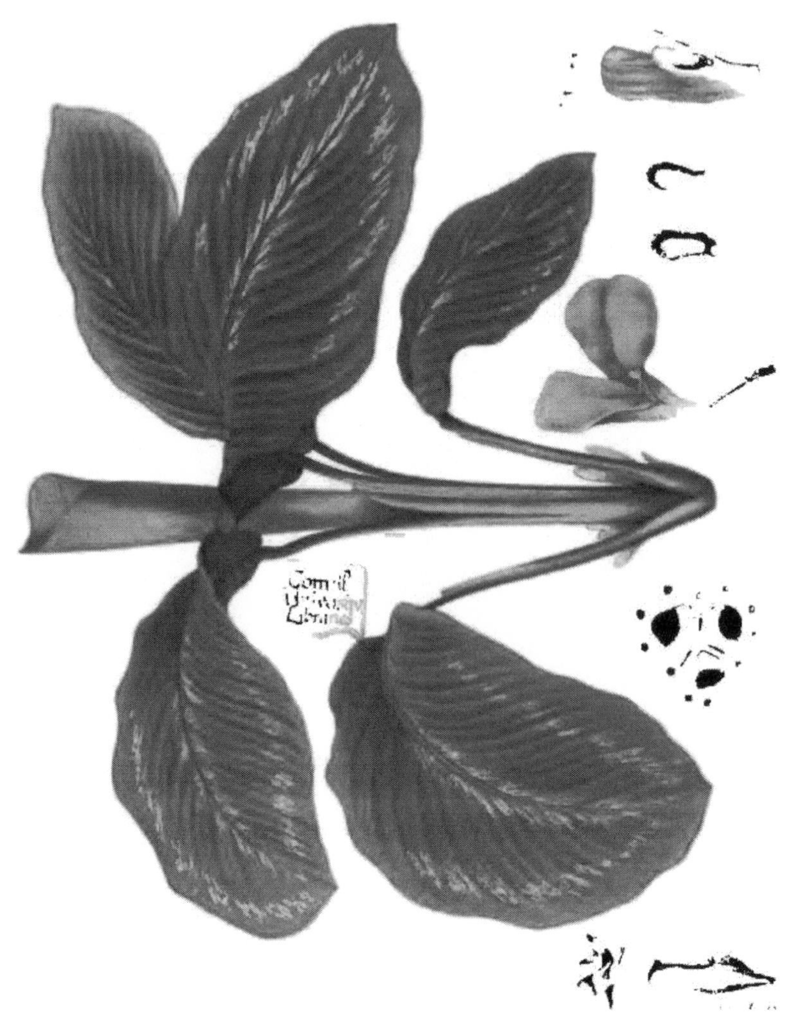

berne und drei bronzene. Zum Ausstellungslokale waren die schönen Säle des Gastwirths W. Herre „zum goldenen Hirsch" in Dessau bestimmt, die sich auch in der That vortheilhaft dazu eigneten.

Es standen drei an einander gränzende Räume zur Verfügung. Aus einem schmäleren führte eine breite Thür in den vordern grossen Saal, an welchen unmittelbar und durch keine Zwischenwand getrennt, sich der hintere, etwas schmälere und kleinere anschloss. In dem ersten ebenfalls Saalartigen Raume wurde bloss die Rückwand zur Aufstellung einer Pflanzengruppe benutzt, in den beiden grössern hingegen waren nicht allein die Rückwände, sondern auch die Fensterseiten mit fortlaufenden Tafeln versehen, auf welchen man Pflanzen gruppirt hatte. Ausserdem standen noch in der Mitte Tafeln zur Aufnahme derselben, so wie auch drei künstlich aus natürlichen Hölzern verfertigte Blumentische oder Etagèren. In der Mitte der Hinterwand des ersten grossen Saals befanden sich endlich auf Konsolen die Büsten Sr. Hoheit, des ältestregierenden Herzogs, in der Mitte und zu beiden Seiten die Sr. Hoheit des Erbprinzen und Ihrer Hoheit der Frau Erbprinzessin, umgeben von den Blumengruppen.

Betrachten wir nun die Ausstellung näher. Vorn gleich im Entrée standen einige hohe Dekorationspflanzen des Hofgärtners Schoch, gleichsam als Wächter des Eingangs. Ebendaher war in dem ersten schmalen Saale, wie schon gesagt, die ganze Hinterwand einnehmend, eine grosse Blattpflanzengruppe, die einen in der That imposanten Eindruck gewährte. Sie bestand aus schönen Exemplaren verschiedener Palmen, Baumlilien, (Dracaenen, Cordylinen), Koniferen, Alpenrosen oder Rhododendren, Schiefblättern oder Begonien, aus Plectogyne variegata und andern grossblättrigen Pflanzen, gemischt mit einzelnen blühenden Gewächsen.

In dem ersten grossen Saale wenden wir uns zuerst links nach der Hinterwand, wo uns zunächst die Pflanzengruppe des Kunst- und Handelsgärtners Seyffert, reich an schönblühenden Pflanzen verschiedener Gattungen und Arten, entgegentrat: wir nennen daraus: Acacia armata, eine Reihe schöner indischer Azaleen, Salvia gesneriflora, Streptocarpus biflorus u. s. w. Von den Blattpflanzen verdienten eine Bemerkung: mehrere Yucca-Arten, Cordyline rubra, Gynerium argenteum u. s. w. An diese anschliessend und den grössten Theil der übrigen Wand einnehmend, folgten nun die zu einer grossen Gruppe verbundenen Pflanzen des Hofgärtners Richter vom Louisium, in deren Mitte sich die drei Büsten der höchsten Herrschaften befanden. Eine grosse Zahl blühender und nicht blühender Pflanzen zeichnete sie darin aus. Von ersteren bemerken wir: Begonia nelumbiifolia und xanthina marmorea, Acacia lineata, Adenocarpus intermedius, Clianthus puniceus, Epacris grandiflora, Gnidia imbricata, Pultenaea Brunonis und stricta, Veltheimia viridifolia, verschiedene Indische Azaleen, Rhododendron arboreum und Gibsonii; von nichtblühenden und Blattpflanzen hingegen: ein prächtiges Exemplar des Pandanus graminifolius, ferner die buntblättrige Liane: Cissus discolor, und mehre Koniferen, besonders: Dacrydium cupressinum, elatum, fuscatum und Mayi, Cunninghamia sinensis u. s. w. Von interessanten Farnen sind zu nennen: Platycerium grande, Adiantum macrophyllum, Asplenium Belangeri, Aspidium decursive-pinnatum, Pteris leptophylla, Cyrtonium falcatum u. s. w. Den Schluss auf dieser Seite machte eine kleine, aber vortreffliche Gruppe des Kaufmanns J. W. Senn, die besonders schöne hohe Kamellien, und zwar grade neuere Sorten, Rhododendron arboreum in einigen schönen Abarten, Leucopogon Cunninghamii, Erica mutabilis, Correa speciosa major u. s. w. enthielt.

Die rechte oder Fensterseite des Saales nahmen hauptsächlich die Pflanzen des Hofgärtners Schmidt aus dem Georgium ein. Unstreitig bildete diese Gruppe den Glanzpunkt der Ausstellung in jeder Hinsicht, sowohl was die Schönheit und Seltenheit der aufgestellten Pflanzen, als auch deren gute Kultur betraf. Man konnte fast jedes Exemplar eine Musterpflanze nennen. Wir könnten alle Arten dieser Gruppe mit gleichem Rechte aufführen, wollen aber des beschränkten Raumes nur nennen: Leucopogon Cunninghami, Tremandra Hügelii, Calceolaria grandis, Eriostemon intermedius, Statice Halfordii, Acacia lanuginosa, Viburnum macrocephalum, Azalea indica delecta, delicatissima und Direktor Augustin, verschiedene schöne Rosen u. s. w.; ferner nicht blühend: Dryandra mucronulata, Grevillea robusta, Araucaria excelsa, Libocedrus chilensis.

Der übrige Raum dieser Seite enthielt endlich noch eine kleine Gruppe des Kunst- und Handelsgärtners Seyffert, ein schönes Kronenbäumchen der Telline (Cytisus) Attleyana, umgeben von schönen Cinerarien-Sämlingen, dann einige Kamellien des Kantor emer. Schmidt aus Jonitz, zu denen sich noch mehre Exemplare der Dicentra spectabilis gesellten. Zwischen diesen beiden Gruppen war eine aus Gotha vom dortigen Gartenbauvereine eingeschickte Sammlung künstlicher aus Porzellanmasse angefertigter Obstfrüchte, die ausserordentlich täuschend waren, so wie auch etwas getriebenes Gemüse vom Hofgärtner Schoch ausgestellt.

Indem wir uns nun nach der kleinern und hinteren Abtheilung des Saales wenden, finden wir zuerst auf der linken Seite eine grosse Gruppe, meist aus Blattpflanzen.

wie Baumlilien oder Dracaenen, Begonien, gemischt mit Kamellien, von F. Marx, Kunst- und Handelsgärtner in Dessau, aufgestellt. An diese schloss sich unmittelbar eine Gruppe des Kunst- und Handelsgärtners Joachimi in Köthen an. Auch diese bestand meistens aus schönen und theilweise seltenen Blattpflanzen, von denen wir aufführen: Dracaenen, Yucca aloifolia fol. variegatis, longifolia, recurvata, curvifolia, Lennena und tubiflora, Dasylirion acrotrichon, Agave lurida, Polymnia Uredalia, Boehmeria utilis und Araucaria imbricata. Ferner eine Anzahl halbstämmig-veredelter neuerer Rosensorten, weissblühend, darunter: Rosa Thea Hermine de Vaucluse, R. Bourbon Paxton, R. hybrida remontant Baronne Harray, Madame Place, Gervais Rouillard, Madame Knorr u. s. w. Auch auf einen kleinen Theil der nun folgenden Fensterseite erstreckte sich diese Gruppe, und es standen hier meist blühende Pflanzen, darunter Kamellien, neuere Fuchsien, Deutzia gracilis, Streptocarpus polyanthus u. s. w. Den übrigen Raum dieser Fensterseite nahmen die Pflanzen des Handelsgärtners Boos ein, und bestanden dieselben aus vielen Cinerarien-Sämlingen, aus Monstera Lennea (Philodendron pertusum), Pimelea decussata, blühenden Centifolien, Azaleen, Cytisus Attleyanus, Rhododendron ponticum u. s. w.

Die dritte und letzte Wandseite dieser Abtheilung, in der Mitte durch eine Thür unterbrochen, enthielt auf der ersten Hälfte die vereinigten Pflanzen der Kunstgärtner Fr. Krause aus Naundorf und Becker aus dem Coquischen Garten hierselbst in einer schönen und blüthenreichen Gruppe. Wir führen an: Azaleen und Ericen, Pitcairnia pyramidalis, Habrothamnus elegans und fascicularis, Pimelea decussata, Mahernia aurea, Amaryllis Johnsoni und Reginae, Fabiana imbricata u. s. w., an Blattpflanzen: Dracaena nutans, spectabilis und terminalis rosea, ein prächtiges Exemplar der Cordyline dracaenoides u. s. w. Auf der andern Hälfte der Wand befanden sich die Pflanzen des Handelsgärtners Lindemann und die des Rechtsanwalts Matthiae. Unter den ersteren sah man schöne Cinerarien, Fuchsien, Petunien u. s. w., unter den letztern ebenfalls schöne Kamellien in 14 Sorten, und ausserdem Azaleen, Rhododendren, Primula, Hearda u. s. w.

Es bleibt nun noch übrig, diejenigen Gegenstände zu erwähnen, die in der Mitte der Säle aufgestellt waren. Auf der ersten Tafel, gleich vorn am Eingange befanden sich ausser mehrern, nach Pariser Art gebundenen Bouquets, zwei Kasten, eine Sammlung abgeschnittener Blumen von Kamellien auf grünem Moose, enthaltend, welche letztere der Hofgärtner Schoch eingesendet hatte, und einen in der That schönen Anblick, so wie interessanten Vergleich, darboten. Endlich trug die Tafel noch eine Merkwürdigkeit, nämlich unter mehrern gut erhaltenen Aepfeln der letzten Aernte, auch 4 Stück vom Jahre 1855, also 1½ Jahr alt. Der Kunstgärtner Krause aus Naundorf hatte sie geliefert; leider besassen sie keine Namen. Wenn sie auch nicht als Tafelobst zu rühmen waren, so besassen sie doch einen angenehmen Geschmack und hatten gewiss wegen der langen Haltbarkeit einen Werth.

Hinter besagter Tafel stand ein recht zierlich und sauber aus natürlichen Hölzern gearbeiteter, mit Töpfen besetzter Blumentisch, von dem Kunstgärtner Robert Eberius angefertigt, der sich durch gute Konstruction und gefälliges Ansehen auszeichnete. Hierauf folgte wiederum eine Tafel, auf der in der Mitte zwei mächtige Exemplare des Phajus grandifolius mit vielen blühenden Blumenstengeln versehen, standen, umgeben von einem reichen Sortimente schöner Stiefmütterchen oder Pensées und mehrern Exemplaren von Bellis perennis Highländer, vom Hofgärtner Schoch in Dessau beigebracht. Hinter dieser Tafel befand sich abermals ein aus verschieden natürlichen Hölzern gefertigter Blumentisch oder vielmehr Etagère, in achteckiger Form mit drei Absätzen, die mit verschiedenen, meist blühenden Gewächsen, darunter hübschen Azaleen, besetzt war. Diese vom Hofgärtner Kilian in Gross-Kühnau gebrachte und dekorirte Etagère fand vielen Beifall. Eine dritte Tafel befand sich endlich in der Mitte der kleinern Abtheilung. Sie war von dem Kunst- und Handelsgärtner Göschke in Köthen mit getriebenen oder gut konservirten Gemüsearten belegt, und erregte mit Recht allseitiges Interesse. Von ersteren sah man verschiedene Sorten Gurken in schon recht ansehnlichen Exemplaren, ferner Kopfsalat und Radieschen, dann gute Karoten, Rettige, Sellerie, Meerrettig, Schwarzwurzeln, Zwiebeln in 2 Sorten, Schalotten u. s. w. Ausserdem hatte derselbe ein Sortiment der besten und neuesten Kartoffeln in 36 Sorten aufgestellt, die allgemeinen Beifall fanden. Auch die neue chinesische Kartoffel oder Yams-Batate (Dioscorea Batatas) war in einer grossen Knolle und in einigen kleinen Pflänzlingen vorhanden. Endlich hatte der Kunst- und Handelsgärtner Göschke noch eine Menge kleiner Bouquets und Kränze mitgebracht, die guten Absatz fanden.

Den Schluss bildete abermals ein zierlich gearbeiteter, aus Holz verfertigter und mit grünem Moose, so wie mit trockenen und frischen Blumen verzierter Blumentisch, der besonders deshalb grossen Beifall fand, weil auf seiner Platte ein kleines Bassin mit lebenden Fischen angebracht war. Dieses hatte im Grunde einen Spiegel in dem sich die Fische wiederum abspiegelten. Er war von dem Kunst- und Handelsgärtner Seyffert geliefert.

Die Preisrichter vereinigten sich zu folgendem Ausspruche:

1) Die silberne vergoldete Medaille der Gruppe Nr. 13, des Hofgärtners Fr. Schmidt, wegen Schönheit und Seltenheit der Pflanzen.
2) Eine silberne Medaille der Gruppe Nr. 2, des Hofgärtners Schoch, mit zwei prächtigen Exemplaren des Phajus grandifolius.
3) Eine silberne Medaille der Gruppe Nr. 16, des Hofgärtners Richter, wegen der reichen Zahl seltener und werthvoller Pflanzen.
4) Eine bronzene Medaille der Gruppe Nr. 18, des Kunst- und Handelsgärtners Seyffert, wegen schöner blühender Pflanzen und geschmackvoller Aufstellung.
5) Eine bronzene Medaille der Gruppe Nr. 15, des Kunst- und Handelsgärtners Boas, hauptsächlich wegen einer vorzüglich-grossen Kulturpflanze der Dicentra spectabilis.
6) Eine bronzene Medaille der Gruppe Nr. 2, des Hofgärtners Schoch, eine geschmackvoll aufgestellte Sammlung schöner Blattpflanzen enthaltend.

Ausser diesen 6 Hauptpreisen wurden noch die vom Vereine ausgesetzten sechs Ehren-Certificate als besondere Belobungen folgenden Ausstellern für ihre Gruppen oder Gegenstände ertheilt:

1) Der Gruppe Nr. 1, des Rechtsanwaltes Matthiae.
2) „ „ „ 7, des Kaufmanns J. W. Senn.
3) „ „ „ 25, Gemüse u. s. w., des Kunst- und Handelsgärtners Göschke.
4) dem verzierte Blumentisch des Kunst- und Handelsgärtners Seyffert, (Nr. 18).
5) der Blumenetagère des Hofgärtners Kilian (Nr. 14).
6) der Gruppe Nr. 20, mit Blattpflanzen des Kunst- und Handelsgärtner Marx in Dessau.

Einer ehrenvollen Erwähnung fanden die Preisrichter noch nachstehende Gruppen u. s. w. würdig:

die Cinerarien-Sämlinge und ein schönes Exemplar des Cytisus Attleyanus (Nr. 18) des Kunst- und Handelsgärtners Seyffert;

die Kamellien-Blumen (Nr. 22) des Hofgärtners Schoch;

die Sammlung schöner Pflanzen des Kunst- und Handelsgärtners Boas;

die Pflanzengruppe (Nr. 5) des Kunst- und Handelsgärtners Th. Joachimi;

endlich die beiden vereinigten Gruppen Nr. 3 u. 15. von Fr. Krause aus Naundorf und Becker aus Dessau.

Journal-Schau.

1. Botanical Magazin. Da aus Versehen in Nr. 15 der Gartenzeitung der Inhalt nicht des Februar-, sondern des Märzheftes gegeben ist, holen wir hier das Versäumte nach. Auf der 4964. Tafel ist Lobelia texensis Raf. Dr. Klotzsch gehört das Verdienst, diese Art in unsern Gärten zuerst fest bestimmt zu haben, nachdem sie Otto und Dietrich in der Gartenzeitung (VII, S. 299) als L. punicea, v. Schlechtendal in der Linnaea als L. cardinalis bestimmt hatten. Das Verdienst ihrer ersten Einführung gehört dem Preussischen Ministerresidenten, damals in Mexiko, jetzt in Washington, v. Gerold, der Samen an den botanischen Garten zu Berlin sendete, wo die Pflanze seitdem kultivirt ist und von wo aus sie verbreitet wurde. Lobelia texensis bildet mit ihren prächtigen dunkelrothen Blüthen 3 Fuss hohe Stengel und steht der L. cardinalis L. und graminea L. ausserordentlich nahe, welche beide jedoch kürzere Deckblätter besitzen, weshalb die Blüthen auch mehr hervortreten. Ausser Texas, von woher sie Rafinesque bekannt machte, wächst sie in Mexiko.

Ansellia africana Lindl. der 4965. Tafel ist bereits schon mehrfach besprochen.

Der Körbchenträger (Composita) Stokesia cyanea l'Herit. aus der Abtheilung der Vernoniaceen der 4966. Tafel ist schon sehr lange, seit 1766, in unseren Gärten, aber keineswegs so häufig verbreitet, als sie es verdiente. Aber auch im Vaterlande, nämlich in den südöstlichen Staaten Nordamerika's, scheint sie in ihrem Vorkommen beschränkt zu sein. Wie der Beiname sagt, haben die Blüthenkörbchen eine blaue Farbe.

Phytolacca icosandra L. der 4967. Tafel wächst in Mexiko und gehört deshalb in's Kalthaus. Da die Art den bekannten Kermesbeeren des freien Landes an Schönheit fast nachsteht, so möchte sie kaum empfohlen werden können.

Rhododendron campylocarpum Hook. fil., eine Sikkim-Alpenrose, hat zuerst im vorigen Jahre bei Standish und Noble geblüht, auf dem Festlande aber, so viel wir wissen, noch nicht. Hooker vermuthet, da die Pflanze auf einer Höhe von 11—14000 Fuss gefunden wurde, dass sie in unsern Gärten, wenn auch bedeckt, im Freien aushalten dürfte. In Deutschland gewiss nicht. Es kommt noch dazu, dass die Zeit des Blühens ausserordentlich früh zu fallen scheint. Nach ihrem Entdecker soll es keinen schönern Anblick geben, als Rh. campylocarpum in Blüthe, zumal diese noch einen süsslich-aromatischen Geruch verbreitet. Es mag wohl prachtvoll sein, die dichte

Dolden bildenden und glockenförmigen Blumen von schwefelgelber Farbe, umgeben von dem dunkeln Grün der Blätter, zu sehen. Am Nächsten steht die Art dem Rh. Thomsoni.

Im Aprilhefte ist zuerst auf der 4975. Tafel Symphoricarpos microphyllus H. B. K. abgebildet. Die Pflanze wächst auf dem Hochgebirge Mexiko's und gehört demnach in's Kalthaus, wo sie aber mehr für botanische Gärten, als für Pflanzen- und Blumenliebhaber passt. Cervantes, Professor in Mexiko, sandte im Jahre 1829 Samen an Robert Barclay in Bury Hill. Im botanischen Garten findet sich die Pflanze ebenfalls. Sie steht dem St. Petersstrauch (S. rotundifolius Moench, s. Seite 250) am Nächsten und hat kleine eirund-spitze und unten blaugrüne Blätter, aber ziegelrothe Beeren von der Grösse und Form der Preusselsbeeren. Wohl möchte Hooker Recht haben, dass S. montanus und glaucescens H. B. K., die beide in den nova genera et species Humboldt's im 3. Bande auf der 295. und 296. Tafel abgebildet sind, mit S. microphyllus nur eine Art ausmachen.

Die schöne Camellia reticulata Lindl. haben wir schon besprochen. Das hier zum Theil abgebildete Exemplar erhielten Standish und Noble in den vierziger Jahren von Fortune aus China unter dem Namen Double reticulata und stellt ohne Zweifel eine der schönsten Erscheinungen dar, welche man in Gärten und Gewächshäusern sehen kann. Es bildete schon 1849 einen Strauch von 13 Fuss Höhe und 5 Fuss Durchmesser. Im vorigen Frühjahre scheint sie ihren Glanzpunkt erreicht zu haben, denn sie war mit nicht weniger als 2000 pfirsichrothen Blüthen, die im Durchschnitt einen Umfang von 18—20 Zoll besassen, dicht bedeckt. Die Pflanze wurde 1820 in Europa bekannt und kam 1826 zuerst zur Blüthe.

Cirrhopetalum Medusae Lindl. der 4977. Tafel, schon im botanical Register (vom Jahre 1842 auf der 12. Tafel) abgebildet, ist eine mehr interessante, als schöne Pflanze, welche wir in Berlin ebenfalls mehrfach besitzen und die in den Gewächshäusern des Kommerzienr. Reichenheim im Winter gewöhnlich blüht. Es stehen eine Menge gelber und rothpunktirter Blüthen am Ende des Stengels und sind dadurch ausgezeichnet, dass die beiden seitlichen Blumenblätter sich zu langen Fäden entwickeln und bis 5 Zoll herunterhängen. Daher auch der Name.

Auf der 4978. Tafel ist Sonerila elegans Wight abgebildet. Eine Nilgerry- (Neelgherry-) Pflanze, die zuerst im Januar bei Veitch in Exeter bei London blühte. An Schönheit steht sie der S. margaritacea Lindl. nach, bleibt aber trotz dem eine empfehlenswerthe Pflanze. Die oben dunkelgrünen Blätter haben unten eine purpurblaue Farbe und stehen an einem rothen Stiele, während die in gipfelständigen Doldentrauben befindlichen Blüthen schön pfirsichroth-gefärbt sind.

Costus afer Ker wurde zuerst von Sierra Leone auf der Westküste Afrika's eingeführt und bald darauf im botanical Register auf der 683. Tafel abgebildet; die Pflanze scheint aber wiederum verloren gegangen zu sein. Im März 1855 brachte sie Capt. Selwyn vom Neuen nach England und Fox Strangways theilte sie dem botanischen Garten zu Kew mit. Die Blätter sollen in ihrem Vaterlande gegessen werden und ähnlich denen des Sauerklees (Oxalis Acetosella L.) schmecken; man benutzt sie gegen Erbrechen. Eigenthümlich ist es, dass die Spitze des mit schönen, weissen, aber mit gelbem Lippenschlunde versehenen und grossen Blüthen bedeckten Schaftes nach dem Verblühen sich allmählig senkt, bis sie endlich die Erde erreicht. In der Weise, als der Schaft vertrocknet, entwickeln sich an dem Ende des Blüthenstandes Knospen, die ihre Wurzeln in die Erde schlagen und so neue Pflanzen bilden.

Der pomologische Kongress zu Lyon.

Die praktische Gartenbau-Gesellschaft der Rhone zu Lyon hat für den 26. September den zweiten pomologischen Kongress ausgeschrieben und fordert alle Gartenbau-Gesellschaften des In- und Auslandes auf, durch Vertreter Antheil zu nehmen. Es wird eine Kommission ernannt, die über den Werth des eingelieferten Obstes urtheilt; alles was dem Urtheile der Kommission nicht unterbreitet war, soll von den Gesellschaften zurückgewiesen werden. Die Resultate werden allen theilnehmenden Gesellschaften unentgeldlich zugesendet, aber auch sonst gegen Zahlung des Druckpreises jeden, der sich dafür interessirt verabfolgt. Der Kongress selbst bestimmt schon jetzt die Früchte, über die im nächsten Jahre speciell verhandelt werden soll.

Herbst-Ausstellung des Hannover'schen Gartenbau-Vereines.

Vom 18—20 September findet in Hildesheim eine Ausstellung von Gemüsen, Obst und Blumen statt, zu deren Betheiligung aufgefordert wird. Die Gegenstände, die auch aus Garten-Geräthschaften und Ornamenten bestehen können, müssen 3 Tage vor Beginn an den Rechnungsführer des Vereines, Kaufmann Lubrecht, angemeldet und am Tage vorher bis Mittags 12 Uhr eingesendet werden, und zwar kostenfrei. An Preisen werden vertheilt für Gemüse 15, für Obst und Obstbäume 10, für Blumen 10 und für Geräthschaften, so wie Ornamente 5 Thaler. Die ausgestellten Gegenstände können auch verkauft werden.

Verlag der Nauckschen Buchhandlung. Berlin. Druck der Nauckschen Buchdruckerei.

Hierbei die illuminirte Beilage Eryngium trifasciatum für die Abonnenten der Illustr. Ausgabe der Berl. Allg. Gartenz.

No. 34. Sonnabend, den 22. August. **1857**

Preis des Jahrgangs von 52 Nummern mit 12 color. Abbildungen 6 Thlr., ohne dieselben 5 -. Durch alle Postämter des deutsch-österreichischen Postvereins sowie auch durch den Buchhandel ohne Preiserhöhung zu beziehen.

Mit direkter Post übernimmt die Verlagshandlung die Versendung unter Kreuzband gegen Vergütung von 20 Sgr. für Belgien, von 1 Thlr. 4 Sgr. für England, von 1 Thlr. 22 Sgr. für Frankreich.

BERLINER Allgemeine Gartenzeitung.

Herausgegeben vom

Professor Dr. Karl Koch,

General-Sekretair des Vereins zur Beförderung des Gartenbaues in den Königl. Preussischen Staaten.

Inhalt: Ein Besuch in Harbke. Vom Professor Dr. Karl Koch. — Eupatorium ageratifolium DC. β. texanum. Ein zu empfehlender Halbstrauch mit weissen Blüthen. Von dem Obergärtner Pasewaldt in Berlin. — Journalschau. I. botanical Magazin. Maiheft. — Xanthosoma pilosum C. Koch.

Ein Besuch in Harbke.

Vom Professor Dr. Karl Koch.

Seit mehreren Jahren schon hatte ich die Absicht, Harbke mit seinen hohen, zum Theil hundertjährigen Bäumen aus der Neuen Welt, und mit den Schöpfungen zweier um Gartenkunst und Botanik so verdienstvollen Männer, des Hofrichters von Veltheim und des Dr. Du Roi, mit eigenen Augen zu erschauen, wurde aber leider stets durch Berufs-Geschäfte und sonst sich einstellende Hindernisse bis dahin abgehalten. Die Harbke'sche wilde Baumzucht, ein klassisches Werk, war grade in der letzten Zeit Gegenstand besonderer Studien meinerseits gewesen, seitdem die Königliche Landesbaumschule bei Potsdam mir mehr Gelegenheit geboten hatte, meine Kenntnisse der Gehölze zu vermehren.

An einem schönen Morgen, wie uns der heisse Sommer in diesem Jahre gewöhnlich brachte, wanderte ich in aller Frühe von Helmstädt nach dem nur eine Stunde entfernten Harbke. Ich hatte kurz vorher die Beschreibung der dortigen Gehölze vom Neuen studirt und mir Notizen über zweifelhafte Arten gemacht, die ich hier im Leben und wahrscheinlich zu mächtigen Exemplaren herangewachsen, zu erschauen hoffte, um nach sorgfältiger Prüfung und Untersuchung endlich über sie Klarheit zu erhalten. Wenn ich auch schon im Allgemeinen erfahren hatte, dass der jetzige Besitzer bemüht sei, die alten Gehölze möglichst zu erhalten, und er darin von seinem Gärtner treulich unterstützt wurde, so kannte ich doch auch mehre Beispiele, wo die schönsten Anlagen in wenigen Jahren vollständig zu Grunde gegangen waren. Wo sich keine besonderen Erinnerungen daran knüpfen und wo sonst kein künstlerischer oder wissenschaftlicher Werth damit verbunden ist, mag es für diejenigen, welche die Anlage oder den Garten näher kannten, traurig sein, wenn sie sehen, wie beide nach und nach verfallen und die Gehölze bald wild durcheinander wachsen, eine Schöpfung aber, wie die Harbke'sche, eine der ersten und grossartigsten dieser Art in ganz Deutschland, möchte man jedoch für alle Zeit gewahrt wissen! Sind doch seitdem fast hundert Jahre verflossen, wo der Hofrichter von Veltheim zuerst Hand anlegte und mit vielen Kosten Samen von Bäumen und Sträuchern aus Nordamerika kommen liess!

In der Mitte des vorigen Jahrhundertes brachen sich auch in Deutschland die sogenannten Englischen Gärten und damit der Sinn für natürliche Anlagen, Bahn, nachdem in England und Schottland eine Reihe von Männern, die zu gleicher Zeit über Geist und Geld verfügen konnten, gegen die Zwangsjacke eines Zeitalters, welches ein einziger Mann, Ludwig XIV., vollständig beherrschte und welchem er rücksichtslos seine Launen aufdrückte, wenigstens hinsichtlich der Gärten mit genialen Schöpfungen protestirten und den ersten Grund zur Umkehr zur Natur legten. Mit Recht nennt ein damaliger Botaniker den gezwungenen Styl, dem Le Nôtre die Vollendung gab, „Spitäler des Kräuterreiches und Zierungen kranker Pflanzen." Nicht weniger treffend sagt ja selbst Schiller: „der Baum muss (in diesem französischem Geschmacke) sein schönes selbstständiges Leben für ein geistloses Ebenmass, und seinen leichten schwebenden Wuchs für einen Anschein von Festigkeit hingeben, wie das Auge sie von steinernen Mauern verlangt."

Geistreiche Fürsten und Herren, mit besonderem Sinn für das Schöne begabt, beriefen in jener Zeit in der Gärtnerei erfahrene Männer, um ihre Umgebungen von der Unnatur zu befreien, die ein verkehrter Geschmack hervorgerufen. Praktische Männer, namentlich Forstleute, wie v. Veltheim, v. Wangenheim, v. Münchhausen, Borckhausen u. s. w., und Gelehrte, die Weisheit nicht aus Büchern allein und im Studierzimmer suchten, wie Mönch, Medikus, DuRoi u. a. m., unterstützten die mit jedem Jahre sich vergrössernde Vorliebe zu natürlichen Anlagen. Im Herzen Frankreichs selbst, zu Trianon bei Paris, lebte und wirkte Adrian Lorenz von Jussieu durch sein natürliches System nicht wenig für eine natürlichere Auffassung der Gärten.

Wie arm war doch damals das Verzeichniss der Gehölze, welche eine Anwendung finden konnten, im Vergleiche zu dem heutigen Reichthume? Ein Blick in Mönch's Verzeichniss ausländischer Bäume und Sträucher des Lustschlosses Weissenstein (der jetzigen Wilhelmshöhe) bei Kassel zeigt uns die damalige Armuth. Selbst Duroi's wilde Baumzucht weist nur verhältnissmässig wenige Bäume und Sträucher nach, welche damals eine Anwendung finden konnten. Die meisten Gehölze waren erst aus amerikanischen Samen erzogen und zu gering an Zahl, um damals schon für Anlagen benutzt werden zu können.

Wenn es einmal im Volke liegt, sich von einer Gewöhnung zu emancipiren, so bedarf es nur eines Funken zur Ausführung. 2 Fürsten, der Kurfürst von Hessen und der Fürst von Anhalt-Dessau, waren die ersten, welche in der zweiten Hälfte des vorigen Jahrhundertes sogenannte Englische Anlagen ins Leben riefen und zwar gleich in einer Vollendung, dass sie, noch heut zu Tage wenig verändert, als Muster dastehen. Die schon genannte Wilhelmshöhe bei Kassel und der berühmte Park zu Wörlitz bei Dessau beanspruchen mit ihren zum Theil weitläufigen Anlagen noch immer die Aufmerksamkeit aller Gartenliebhaber. Ihnen reihet sich Harbke, zwar weniger gross, aber um so werthvoller durch die Mannigfaltigkeit seiner Gehölze, an.

Der Hofrichter von Veltheim veranlasste im Jahre 1765 den damals 24-jährigen Joh. Phil. Du Roi, den Sohn des Auditeurs Ask. Christ. Du Roi, welcher ersterer sich noch fortwährend Studien halber auf der damaligen Universität Helmstädt aufhielt, nach dem nahen Harbke zu ziehen, um die wissenschaftliche Leitung seiner Schöpfungen zu übernehmen. Seit mehrern Jahren hatte er Samen aus Amerika direkt bezogen; ihm lag es daran, dass das, was er that, auch wissenschaftlich verwerthet werde. Eine glücklichere Wahl konnte nicht getroffen werden. 6 Jahre lebte Du Roi in Harbke, im eigentlichen Sinne des Wortes unter seinen Bäumen und Sträuchern, und verfasste die erste Dendrologie unter dem Namen der Harbke'schen wilden Baumzucht. 1771 ging er als Arzt nach Braunschweig, um den Druck selbst zu leiten und schon im nächsten Jahre erschien sie.

In Braunschweig war Du Roi ein sehr gesuchter Arzt, zumal er sich auch diesem Berufe mit ganzer Liebe hingab. Dabei besuchte er mehrmals im Jahre das ihm so lieb gewordene Harbke, wo der Hofrichter von Veltheim fortwährend bemüht war, neue Gehölze direkt aus dem Vaterlande zu beziehen. Emsig trug Du Roi alles nach und, da sein Werk Anerkennung fand und allenthalben freudig begrüsst wurde, so bereitete er alsbald eine zweite Auflage vor. Sie selbst herauszugeben, war ihm jedoch leider nicht vergönnt.

Als Mensch und Gelehrter gleich gross, entwickelte er im Jahre 1785, als ein bösartiges Nervenfieber in Braunschweig epidemisch auftrat, eine grosse Thätigkeit, um dem Uebel, was täglich seine Opfer verlangte, möglichst entgegen zu steuern. Manchem rettete er das Leben. Tag und Nacht gönnte er sich fast keine Ruhe; er war stets da, wo er sich für nöthig hielt. Da half kein Mahnen, sich zu schonen und auch an sich und die Seinigen zu denken, er folgte seiner Pflicht, um endlich selbst zu unterliegen. Du Roi starb am 8. December 1785 nach einem kurzen, nur zweitägigen Krankenlager. Die Wissenschaft nicht weniger, als die Landschaftsgärtnerei hat seinen frühen Tod unendlich zu beklagen. Sein Körper ruht auf dem Kirchhofe der Domgemeinde in Braunschweig vor dem Steinthore und seinen Grabhügel beschatten 4 ausländische Bäume aus der Harbke'schen Pflanzung.

Es ergriff mich in der That eine eigenthümliche Stimmung, als ich an oben angegebenen Morgen noch sehr früh das Dorf Harbke durchschritt und über den mit einzelnen Bäumen bepflanzten und sehr sauber gehaltenen Hof des Schlosses, des Stammsitzes der schon im 13. Jahrhunderte bekannten Veltheim'schen Familie, ging, um die berühmten Anlagen endlich selbst zu schauen. Durch das Schloss selbst führte der Weg über eine Brücke nach dem Garten. Da stand ich und erblickte einen Theil der alten Bäume, die zum Theil schon ein Jahrhundert auf derselben Stelle gestanden. Prächtige Exemplare der Juglans nigra, der Weihmuthskiefer, von Tulpenbäumen, amerikanischen Eichen und Birken u. s. w., von denen mehre auch fast 100 Fuss hoch waren, wuchsen hier in einer Ueppigkeit und Gesundheit, wie man sie nicht anders im Vaterlande erwarten kann. Was Wunder demnach, wenn das Alles einen wohl nie zu verlöschenden Eindruck auf mich machte und ich lange Zeit mich auf der Stelle, wo ich einmal stand, gebannt fühlte, um bald rechts und links, bald vor mich hinzuschauen.

Der Mann, dem die Leitung des Ganzen übertragen war, Schlossgärtner Hartmann, und der seine gärtnerische Laufbahn in Wörlitz begonnen, in Sanssouci aber seine weitere Ausbildung erhalten hatte, war bald aufgefunden, um für 2 Tage mein Führer zu sein. Obwohl das Wetter meine Besichtigungen sehr begünstigte und diese nicht unter angenehmeren Verhältnissen geschehen konnten, so waren zwei Tage doch eigentlich für eine so klassische Gegend viel zu wenig. Ich wäre gern, Du Roi's Harbke'sche Baumzucht in der Hand, die ganzen Anlagen langsam durchgegangen und hätte Studien gemacht; doch nahm mich beim ersten Male das Ganze zu sehr in Anspruch, um dem Einzelnen schon jetzt Rechnung tragen zu können. Hoffentlich werde ich später noch einmal so viel Zeit und Musse erübrigen, um Harbke nicht allein, sondern auch Wörlitz und die Wilhelmshöhe, besuchen zu können. Eine vergleichende Beschreibung der 3 ersten Parks in Deutschland möchte von Interesse sein.

Die Anlagen von Harbke bestehen aus 3 von einander verschiedenen Theilen: aus dem eigentlichen Schlossgarten, der amerikanischen Anlage und aus dem Forste. Das Ganze umfasst ein Terrain von gegen 7000 Morgen, von denen 800 auf die amerikanischen Anlagen, und (wenn ich nicht irre) 24 auf den Schlossgarten kommen. Der letztere liegt hinter dem Schlosse, von dem er durch den alten, nur hier erhaltenen Wallgraben, geschieden ist. Einer unbedeutenden Höhe zieht er sich hinan und wird daselbst gegen das freie Feld durch eine Pflanzung schöner und hoher Rosskastanienbäume begränzt. Sonst zieht sich ein meist aus natürlichen Pfählen angefertigter und ziemlich niedriger Zaun ringsherum, um das Wild des nahen Waldes abzuhalten.

Obwohl, wie gesagt, der Schlossgarten an und für sich eine geneigte Ebene bildet, so bewegt sich doch ausserdem noch der Boden in angenehmen, wohl künstlichen Rondungen. Haine und zum Theil ziemlich umfangreiche Rasenflächen wechseln mit einander ab. Boskets und Gruppen fehlen; dafür stehen aber prächtige Einzelbäume, schön gewachsen, auf den Rasen, namentlich in der Nähe der Wege. Diese sind sämmtlich so gelegt, dass man sie nur da sieht, wo man darauf steht. Am Häufigsten sind sie durch sanfte Wölbungen verdeckt. Sehr geschickt ist dieses ganz besonders da geschehen, wo vom Schlosse aus die Rasenfläche ununterbrochen bis zum Kastanienhaine sich hinzieht.

Ohngefähr 50 Schritte vom Schlossgraben entfernt und mehr seitwärts, ist ein zweites Wasser, bei angenehmen Konturen einen Fluss darstellend, angebracht, was die beiden in einer graden Linie liegenden und einen Salon in der Mitte einschliessenden Gewächshäuser, im Style der englischen Gartenhäuser, und den eigentlichen Blumengarten auf der einen Seite begränzt. Auch dieser ist durch einen niedrigen Zaun getrennt und schliesst recht hübsche Gruppen von Blumen und Blattpflanzen ein.

Obwohl die gräfliche Herrschaft bei meinem Besuche schon seit Wochen abwesend war, so befand sich doch der ganze Garten, man möchte sagen, die ganze weitläufige Anlage in einer meisterhaften Ordnung, die manchen kostspieligeren Gärten und Parks zu wünschen wäre. Die Wege waren so reinlich, als hätte eben der Besen das Seinige gethan; der Rasen erfreute sich trotz der anhaltenden Hitze und Dürre einer Frische, als hätte ferner hier Regen mit Sonnenschein abgewechselt. Die Bäume zeigten einen gesunden und kräftigen Wuchs. Nirgends dürre Aeste oder mit Flechten und Moos bewachsene Stämme. Wenn man bedenkt, dass dieses Alles nur durch Bauerfrauen des Dorfes und durch wenige Männer geschieht, muss man um so mehr die leitende Hand anerkennen, die sich jene erst mit vieler Mühe zu diesen Arbeiten heranziehen musste.

Es würde zu weit führen auf alle die Einzelnheiten einzugehen, die es werth waren, darauf aufmerksam zu machen. Wo niedriges Buschwerk, um die Haine zu schliessen und die Baumstämme zu decken, nicht gut gedeihen wollte, war der Attich, (Sambucus Ebulus) angebracht. Obwohl Staude, hat diese Pflanze doch viel Aehnlichkeit mit unserem Holler (Sambucus nigra), zumal er keineswegs niedrig bleibt und einzelne Exemplare eine Höhe von 5 und 6 Fuss erreicht hatten. Das dunkele und frische Grün, wie der Attich besitzt, möchte nicht leicht durch das Laub eines Gehölzes ersetzt werden.

Eine zweite Staude, welche selbst im tiefsten Schatten wächst und gedeiht, und namentlich hier im hintern Theile des Blumengartens, wohin zu keiner Stunde des Tages das Sonnenlicht gelangte, in wahrhaft üppiger Fülle wuchs, auch eine ziemlich grosse Fläche einnahm, war die Monarda didyma, eine längst bekannte, aber leider in der neuesten Zeit sehr vernachlässigte Pflanze. Abgesehen von den prächtigen, rothen Blüthen hat sie deshalb noch einen Vorzug vor andern, dass diese sehr lang dauern und die Pflanze keine besondere Pflege verlangt.

Von interessanten Bäumen, an denen der Schlossgarten so reich ist, erwähne ich zuerst den *Gingko-Baum*, dieses interessante Nadelholz mit breiten, oben geschlitzten Blättern, von dem ich früher in einer besonderen Abhandlung im 2. Jahrgange der Verhandlungen des Vereines zur Beförderung des Gartenbaues (Seite 8) gesprochen und eine ausführliche Beschreibung gegeben habe. Der Baum wird mit besonderer Vorliebe von dem Herrn und dem Gärtner gehegt und gepflegt und hat ein ganz eigenthümliches Ansehen. Schade, dass er keinen andern Platz hat und nicht freier steht, um von allen Seiten und mehr aus der Ferne gesehen werden zu können. Er ist nämlich im Schutze einer hohen Mauer gepflanzt; man ahndete damals noch nicht, dass der japanische Gingko-Baum unsere kältesten Winter aushält.

Nicht weit davon steht eine hundertjährige *Weihmuthskiefer* (*Pinus Strobus*) in der Nähe des Wassers; ein stattlicher Baum, der noch dadurch ein besonderes, wohlgefälliges Ansehen erhält, dass die Aeste ziemlich tief am Stamme heruntergehen und nach unten gerichtet sind, so dass ihre Spitzen auf dem Rasen aufliegen, um sich im Bogen wiederum aufzurichten. Es macht sich dieses, namentlich auf grossen Rasenflächen, sehr gut und wird diese Eigenthümlichkeit, besonders in Parks und grössern Anlagen noch gar nicht so häufig in Anwendung gebracht, als es wünschenswerth wäre. Im Harbke'schen Schlossgarten sieht man sie hingegen oft, auch bei andern Bäumen, bei Ahorn, Ulmen u. s. w.

Nicht minder schön waren ein Paar Exemplare der *Zürbelkiefer* (*Pinus Cembra*) und der *Schierlingstanne* (*Pinus canadensis*). Ferner interessirte mich ein stattlicher *Sorbus edulis* von nicht unbedeutender Höhe. Das Gehölz fehlt in der *Du Roi*'schen Aufzählung und ist als *Pirus edulis* in der Willdenow'schen Enumeratio plantarum horti Berolinensis zuerst aufgeführt. Es wird zwar Frankreich als Vaterland angegeben: aber wohl möchte es der Himalaya sein, denn das Gehölz, was sich vom Sorbus Aria wesentlich durch die sehr in die Länge gezogenen Blätter und durch die mehr birnförmigen Früchte unterscheidet, kommt gar nicht in Frankreich vor, und wird auch in einigen Handelsgärtnereien und in der Landesbaumschule als Pirus nepalensis kultivirt. Es wäre wohl zu wünschen, dass es in Anlagen, selbst in kleineren, eine Anwendung fände!

Von besonderer Schönheit war auch eine *Crataegus flava* mit einer Höhe von einigen 40 Fuss. Dieses Gehölz scheint nicht leicht einen ordentlichen Baum darzustellen; obwohl hier etwas nachgeholfen war, so bildete der Stamm doch schon zeitig Verästelungen, zwischen denen dieser sich bald verlor. Prächtig erschienen die mächtigen Exemplare der *Juglans nigra*, zumal sie zum Theil einzeln auf dem Rasen standen.

Die Abart der gewöhnlichen Hainbuche mit geschlitzten Blättern, welche als *Carpinus incisa* in den Gärten vorkommt, war hier in einem schönen Exemplare vorhanden, was frei auf dem Rasen, leider etwas dem Wege zu nahe, stand. Die Pflanze war hübsch gewachsen und bildete weniger eine Pyramide, als dass sie vielmehr die Gestalt eines länglichen Eies besass. Nach allen Seiten hin hatten sich die Aeste ziemlich gleichmässig entwickelt, so dass eine vollkommene Rundung vorhanden war.

Nicht weniger nahmen einige Bäume mit bunten Blättern mitten im dunkeln Grüne eines Haines meine Aufmerksamkeit in Anspruch. Es waren dieses ein *stumpfblättriger Ahorn* von einigen und 70 Fuss Höhe und eine *kleinblättrige Ulme*, die nur wenig niedriger sein mochte. Nicht weit davon standen wiederum eine mächtige *amerikanische Ulme* und mehre *amerikanische Ahorn-Arten*. Obwohl ein gewöhnliches Gehölz so erwähne ich doch den *Massholder*, da er sich hier in einem stattlichen Exemplare von 60 Fuss Höhe und als Baum mit einer prächtig-gewachsenen Krone vorfand.

Die Zahl der ausländischen Gehölze erschien mir übrigens im Allgemeinen für den Schlossgarten sehr gering, was mir, der mit dem Inhalte der Harbke'schen wilden Baumzucht sehr vertraut war, einestheils leid that; unwillkürlich suchte ich bald nach dem Einen, bald nach dem Andern, was ich gross und von bedeutendem Umfange zu finden hoffte. Leider scheint für Harbke auch einmal eine Zeit gewesen zu sein, wo man den Anlagen keineswegs die Sorgfalt widmete, die sie durchaus, und ohne Unterbrechung verlangen, wenn sie nicht Schaden leiden sollen. Zum Glück ist der jetzige Besitzer, Graf *von Veltheim*, ein grosser Freund der Natur und sucht nicht allein zu erhalten, was vorhanden, sondern ist auch ferner bemüht, dem Garten sowohl, als den ganzen Anlagen, neue Reize zu verleihen. Ich möchte wohl wünschen, dass die Gehölze, welche in der Harbke'schen wilden Baumzucht beschrieben sind und im Verlaufe von fast einem Jahrhunderte verloren gingen, vom Neuen angepflanzt würden.

In Begleitung des freundlichen Schlossgärtners besuchte ich auch einige Mal die *amerikanischen Anlagen*, die unmittelbar mit dem Schlossgarten zusammenhängen. Dicht an der Gränze machte mich mein Führer auf eine Merkwürdigkeit aufmerksam. Zwei ein Paar Fuss im Durchmesser enthaltende Bäume, eine Ulme und eine

Rothbuche, waren an der Basis so zusammengewachsen, als sei eben nur ein Stamm vorhanden. Bei genauerer Untersuchung fand ich, dass die Rothbuche fortwährend, wenn auch nur dünne Schichten nach der Seite der Ulme ansetzte, während dieses bei der letzteren nicht der Fall war. Hier zeigte sich nach der Buche zu gar keine Rinden- und Bastschicht, so dass diese jene überwallt hatte.

Vorn auf einer Höhe der amerikanischen Anlage steht ein Thurm mit einer modernen Ruine in Verbindung. Derselbe wurde von dem Kreisbaumeister Krahn in Braunschweig erbaut, sieht aber leider noch etwas zu neu aus, obwohl das Ganze sonst treffend ausgeführt und auch der Oertlichkeit angepasst ist. Eine wunderschöne Aussicht tritt Einem entgegen, wenn man auf der im Innern befindlichen Wendeltreppe die Höhe erstiegen hat. Auf der einen Seite breiteten sich das Dorf mit seinen vielen Gärten und darüber hinaus die Felder aus. Bis zu den nächsten, gegen 4—6 Stunden entfernten und bewaldeten Höhen sah man eine nicht geringe Anzahl anderer Dörfer, die ein lautes Zeugniss von der Fruchtbarkeit der Gegend ablegten und zur grösseren Belebung des Ganzen beitrugen.

Die nächste Umgebung des Thurmes ist absichtlich verwildert gehalten. Der hierher führende und weniger breite Weg wird von der Ferne schwach gesehen. Einzeln stehende Kiefern, Lärchen, Birken u. s. w. befinden sich dem Gemäuer zum Theil zu nahe, erhöhen aber seinen mahlerischen Reiz. Besenkraut (Spartium scoparium), Dierville, Sadebaum, wilde Rosen u. s. w. von Jelänger je lieber (Lonicera Periclymenum) und Brombeersträuchern durchzogen, stehen in der Nähe mit Gruppen krautartiger Pflanzen, welche daran erinnern sollen, dass früher Menschen hier lebten. Schierling, Hundspetersilge, grosse Melden, Stechapfel, Bilsenkraut, Nesseln u. s. w. kommen immer vor, wo Menschen sind und existirt haben. Nur tief unten nach dem Dorfe zu war eine Art kleinen Hofes, der zu einer unter dem Thurme befindlichen, grottenähnlichen Nische führte, und in einen Blumengarten umgewandelt war, vorhanden. Man sah hier regelrechte Beete mit Modeblumen bepflanzt und von grünem Rasen umgeben.

Wendete man sich der andern Seite des Thurmes zu, wo die amerikanischen Anlagen ihren Anfang nahmen, so eröffnete sich hier ein prächtiger Waldblick. Ein Steinbruch aus uralter Zeit hatte sich wieder mit allerhand Kräutern und Sträuchern bedeckt, aber seine unregelmässigen Formen beibehalten. An seinem Rande waren 3 mehre Fuss im Durchmesser enthaltende Rothbuchen, die ihre unteren Aeste bis zur Erde senkten. Eine Bank stand daneben und lud zur Ruhe ein, damit die Blicke ungestört unter dem grünen Laubdache nach dem schluchtartigen Wiesengrunde schweifen konnten, der sich in des Waldes Dunkel allmählig verlor.

Die amerikanische Anlage besteht aus 4 Abtheilungen: Pudelsruh, Florida, Neufundland und Libanon. Eine wunderschöne Allee, auf der einen Seite von Rothbuchen, auf der andern von hohen Eschen begränzt, führt mitten durch Pudelsruh. Die ersteren haben sämmtlich eine gleichmässige Höhe und einen ziemlich schlanken Stamm. Bei ohngefähr 35—40 Fuss Höhe beginnen erst die Aeste, welche sich nach der Seite der Allee in einer angenehmen Rundung quer über den Weg breiten, so dass ein gewölbter Bogen entsteht, der so gleichmässig gebildet erscheint, als wäre er durch des Menschen Kunst angefertigt. Pudelsruh enthält hauptsächlich inländische, aber doch auch einige amerikanische Gehölze. So bemerkte ich von den letzteren verschiedene Ahorn- und Eschenarten. Das Terrain bildet eine wenig schräg-aufsteigende Ebene, die nach oben mit dem Höhenzuge, der die Forsten trägt, zusammenhängt. Den Namen soll die Abtheilung erhalten haben, weil in frühern Zeiten die Jäger — die Veltheim'sche Familie liebte in der ältern, wie in der jetzigen Zeit gar sehr die Jagd —, wenn sie ermüdet heimkehrten, hier sich erst eine Zeit lang der Ruhe pflegten und mit Speise und Trank erfrischten. Wer aber an der Jagd Theil nehmen wollte, musste dem Jagdorden, der Pudelsorden hiess, als Mitglied angehören.

Am Interessantesten ist ohne Zweifel das Thal, welches den Namen Florida erhalten hat. Man glaubte bei der ersten Anpflanzung nordamerikanischer Gehölze, dass diese durchaus einer geschützteren Lage und eines wärmern Klima's bedürften. Bei den Gehölzen, welche wir aus Florida und den übrigen südlichen Staaten Nordamerika's erhalten haben, ist dieses allerdings richtig, nicht aber bei denen, die aus nördlichen Staaten stammen und die zur Zeit der ersten Anlage Harbke's von Jenseits des atlantischen Oceanes bezogen wurden. Hofrichter von Veltheim wählte deshalb das bezeichnete Thal, was früher einen Karpfenteich enthalten hatte und trocken gelegt worden war.

Wenn Harbke nur dieses Florida besässe, so wäre die Anlage allein schon werth, dass nicht allein Gärtner und Gartenliebhaber, sondern auch Forstleute es besuchten und ihm einige Zeit widmeten. Die gewöhnlichen amerikanischen Gehölze finden wir zwar jetzt mehr oder weniger in allen, selbst kleineren Anlagen, vertreten; aber von einer solchen Höhe, mit einem solchen Umfange des Stammes und von einem solchen naturwüchsigem Aussehen als hier doch nicht leicht wo anders. Schon wenn man auf den Boden sah und Tulpenbaum-, Zucker-Ahorn-, Hikkory u. s. w. Blätter auf den Boden erblickte, so glaubte man sich aus unseren heimischen Wäldern nach jenen der Neuen Welt versetzt. Schade, dass einzelne Bäume sich darunter befanden, welche nicht aus Nordamerika stammten, also eigentlich auch nicht hierher gehörten, wie unsere Lärche, die Rothbuche, die Platane des Orientes u. s. w.

Die Anlage mochte ziemlich hundert Jahre alt sein. Die Bäume fanden in dem im frühern Karpfenteiche massenweise abgesetzten Humus hinlänglich Nahrung und hatten ohne Ausnahme einen schlanken Stamm. Viele von ihnen mochten auch über 100 Fuss hoch sein. Schade, dass man im Walde selbst nicht die Gipfel bequem erschauen konnte und sonst kein Ort vorhanden war, der es möglich machte. Der Schlossgärtner Hartmann zeigte mir unter Anderem eine Lärche, die einen Stamm an der Basis von 3½ Fuss im Durchmesser und über 70 Fuss hoch grade und ohne Aeste aufsteigend besass, um dann noch eine eben fast so hohe Krone zu tragen. Ein wunderschöner Baum, von dem man nur bedauern kann, dass er ebenfalls nirgends vollständig gesehen werden konnte.

Der Raum erlaubt mir auch hier nicht, ausführlicher zu berichten, was ich gesehen. Im Allgemeinen fand man alle die von Nordamerika aus bei uns eingeführten Waldbäume in seltener Höhe. Reich waren vor Allem die Ahorn-, Carya-, Eschen- und Eichen-Arten der Neuen Welt vertreten. Von besonderer Schönheit bemerkte ich einzelne Exemplare der Hikkory-Nussbäume, der Juglans nigra, der amerikanischen Ulmen, des Zucker-Ahorns u. s. w. Eschen waren vorhanden, die der oben erwähnten Lärche an Höhe vielleicht nur wenig nachgaben; eben so Birken, besonders Betula excelsa und carpinifolia. Eigenthümlich nahmen sich die zahlreichen Tulpenbäume aus. Am Wenigsten imponirten im Verhältniss zu den andern die Eichen, namentlich Quercus coccinea, rubra und palustris, so dass sich auch hier der Ausspruch der Forstleute bewahrheitete, dass amerikanische Eichen bei uns nie einen forstlichen Werth erhalten werden. Am Ende des Thales angekommen, stehen 2 Rothbuchen, gleichsam als Wächter, von denen eine jede einen Stamm von 5 Fuss Durchmesser an der Basis besitzt.

Geht man auf der einen Seite des Thales aufwärts, so kommt man nach Neufundland, was hauptsächlich der vielen Nadelhölzer halber, von denen eine jede Art gleich einige Morgen Landes einnimmt, seinen Namen erhalten hat. Die grosse und angenehme Mannigfaltigkeit, welche in Florida stattfindet, hat man hier nicht; interessant bleibt es nichts desto weniger doch, wenn man Pinus inops, Taeda und Strobus, auch unsere südländische Pinus Cembra, in grösserer Menge, ich möchte sagen, waldartig sieht. Auf diese folgen die verschiedenen Lärchen, von denen besonders die Du Roi'sche Pinus intermedia (Larix microcarpa Forb., Larix americana Mich., Pinus microcarpa Lamb.) mich interessirte, da sie nach der Aussage des Schlossgärtners Hartmann der Meinung anderer entgegen einen guten Forstbaum darstellt. An diese Nadelhölzer schlossen sich einige Bestände mit Quercus rubra und coccinea an.

Neufundland hat in so fern auch weniger Interesse als Florida, als die Gehölze seit der ersten Bepflanzung durch den Hofrichter von Veltheim einige Mal gewechselt haben. Die jetzigen Bestände mochten kaum einige 40 Jahre, zum Theil nicht einmal so alt sein. Noch weniger ist die vierte Abtheilung, welche den Namen Libanon führt und früher einige Cedern, nebst mannigfachen Lärchen, gehabt haben soll, in ihrem ursprünglichen Zustande erhalten. Zum grossen Theil wird sie jetzt durch eine Eichenschonung ausgefüllt. In den 30ger Jahren sollen aber noch schöne Bestände von der Hemlocks- und Balsam-Tanne, so wie von der Yersey- und Weihmuths-Kiefer vorhanden gewesen sein. Diese wurden jedoch durch einen plötzlich eingetretenen Sturm im Jahre 1830 sämmtlich zerstört.

Von Interesse sind einige Schläge von Tulpenbäumen und Scharlach-Eichen, welche im Jahre 1822 angelegt wurden. Wenn auch die erstern nie für uns einen forstlichen Werth erhalten werden, so ist es doch nicht zu leugnen, dass ein Hain aus Tulpenbäumen bestehend, in grösseren Parks und Anlagen zur Zierde dienen würde. Man hatte hier auch in Betreff des Wachsthumes Versuche mit der Lärche und der Kiefer gemacht, die beide durch einander gepflanzt waren. Die letztere blieb zurück.

Was nun endlich den 6000 Morgen enthaltenden Forst anbelangt, so führt dieser über mehre Höhen hinweg und ist demnach reich an Abwechselungen. Die schönsten Parthieen stehen durch Wege mit einander in Verbindung und können auf diese Weise leicht besucht werden. Um auch hier alles zu sehen, dazu gehörten vom Neuen einige Tage, die mir leider nicht zu Gebote standen. Die Beschreibung des Forstes liegt aber auch ausserhalb des Zweckes dieser Schilderung, durch die nur wiederum auf eine Gegend aufmerksam gemacht werden sollte, die es in vielen Hinsichten verdient.

Eupatorium ageratifolium DC. β. texanum.

Ein zu empfehlender Halbstrauch mit weissen Blüthen.

Von dem Obergärtner Pasewaldt in Berlin.

Der botanische Garten in Neuschöneberg bei Berlin erhielt vor einigen Jahren ein halbstrauchiges Eupatorium aus Magdeburg, wohin es direkt aus Mexiko gekommen sein soll und was von Seite der Gartenbesitzer, hauptsächlich aber der Handelsgärtner, alle Berücksichtigung verdient. Mir wurde es von einem Freunde mitgetheilt, der es wahrscheinlich aus oben genannten Garten bekommen hatte. Wenn schon E. aromaticum L. mit allen seinen Formen, mit denen es in botanischen Gärten vorkommt, als Staude mehr Berücksichtigung verdient, als es gewöhnlich besitzt, so ist dieses um so mehr mit der texanischen Abart von E. ageratifolium DC. der Fall, als diese an und für sich eine hübsche, fast das ganze Jahr hindurch blühende Pflanze darstellt und auf verschiedene Weise benutzt werden kann. Es kommt noch dazu, dass sich wenige Pflanzen so leicht vermehren, kultiviren und auch erhalten lassen, als grade diese.

Ich benutze sie auf eine doppelte Weise, als Topfpflanze, welche in den Monaten September und Oktober blüht, und dann für die spätere Flor im Freien zur Bepflanzung von Rabatten oder für sich als Einzelpflanze. In beiden Fällen nimmt sie sich mit den blendend-weissen Blüthen und den glänzenden, so wie freudig-grünen Blättern sehr hübsch aus. Es kommt noch dazu, dass sie bis in den Spätherbst hinein immer neue Aeste mit frischen Doldentrauben hervorbringt, bis endlich der Frost ihrem ferneren Wachsthume ein Ende macht. Ganz besonders schön würde sie sich auf bestimmt-abgegränzten Beeten und mit andern, die bunte Farben haben, mit Ipomopsis, Lobelia fulgens, Pentstemon's, Scharlach-Pelargonien, Perilla-Arten u. s. w. abwechselnd, ausnehmen und möchte ich sie sehr dazu empfehlen.

Für die Topfkultur verlangt die texanische Abart des E. ageratifolium DC. eine leichte und nahrhafte Erde und bediene ich mich einer Mischung von Laub- und Haide-Erde, der etwas Sand zugetheilt wird. Will man eine grössere Ueppigkeit erzielen, so nimmt man noch etwas Hornspähne darunter. Handelsgärtner können sich in der That keine bequemere und leichtere Marktpflanze heranziehen, als grade diese.

Im freien Lande, wohin man sie als überwinterte Stecklinge bringt, verlangt sie, um recht zu wuchern, nur eine gute Gartenerde und von Zeit zu Zeit eine Bespritzung mit einer Guano- oder irgend einer andern Dunglösung.

Die Vermehrung geschieht durch Stecklinge und zwar am Besten im Frühjahre, aber auch sonst im Jahre. Ich liebe die zuerst genannte Zeit, weil ich dann noch in demselben Jahre blühbare Pflanzen erhalte. In einem lauwarmen Mistbeetkasten wachsen die Stecklinge ausserordentlich leicht an. Die Ueberwinterung geschieht im kalten Hause an einem keineswegs ausgesuchten Platze, in so fern man sie nicht für das Blühen eingerichtet hat.

Eupatorium ageratifolium DC. gehört in die Abtheilung des aus mehr denn 300 Arten bestehenden Geschlechtes, welche sich durch eirunde Blüthenkörbchen auszeichnet und deren Hüllkelch höchstens aus 2 Reihen Blättchen besteht. Die Zahl der durchaus gleichförmigen weissen Blüttchen beträgt 24 bis 30, während bei E. aromaticum L., was sich aber meist als E. ageratoides und cordifolium in den Gärten befindet, kaum 20, in der Regel weniger, vorhanden sind. Eupatorium ageratifolium bildet einen Halbstrauch, der unser Klima keineswegs aushält, und wird höchstens bis 2½ Fuss hoch, während die ähnliche genannte Art eine ächte Staude ist, unsere Winter ganz gut aushält, aber allerdings, wie alle Stauden, stets bis auf die Wurzel im Spätherbste abstirbt, und die weit bedeutendere Höhe von 4 bis 6 Fuss oft erreicht. Der Stengel ist ebenfalls, wie die Aeste, die Blatt- und Blüthenstiele und zum Theil auch, aber in weit geringerem Grade, die Oberfläche der Blätter mit ganz feinen Härchen besetzt, ein Umstand, der diese in Texas, wo Lindheimer die Pflanze zuerst sammelte und wahrscheinlich auch Samen nach Europa sendete, und Mexiko wachsende Form hauptsächlich von der Hauptart unterscheidet. Auch scheinen die eirund-spitzen, bisweilen an der Basis herzförmigen Blätter mit glänzender oberer und unterer Unterfläche und am Rande mit groben Zähnen versehen, weniger bestimmt gegenüberstehend, als vielmehr abwechselnd, ganz besonders an den Aesten, zu sein. Da sie sich ausserdem ziemlich gedrängt befinden, so sticht auch ihr freudiges Grün um desto mehr gegen die dicht bei einander stehenden weissen Blüthen ab. Diese bilden zusammengesetzte, etwas rispenartige Traubendolden, welche alle Aeste und Zweige begränzen und deshalb in sehr reichlicher Anzahl vorhanden sind.

Journal-Schau.

(Fortsetzung aus No. 33.)

Das Maiheft bringt auf der ersten (4990.) Tafel die zuerst durch Pöppig bekannt gewordene und auch abgebildete Comparettia falcata Poepp. und Endl.; eingeführt wurde diese jedoch später durch Linden, der sie von

Merida in Kolumbien erhielt, während sie Pöppig in Peru fand. Sie steht der C. coccinea Lindl. sehr nahe, hat aber schmälere Blätter. Die 4 oder 5 schön rothen und herunterhängenden Blüthen bilden eine weitläufige Aehre. In Berlin besitzt man die Art mehrfach.

Bejaria Mathewsii Field. et Gardn. der 4981. Tafel ist schon 1844 von ihren Autoren in ihrem Sertum auf der 69. Tafel, aber allerdings nicht illuminirt, abgebildet. Ausser Mathews, der sie zuerst in Mexiko entdeckte, und Hartweg, der sie später in den Anden von Papayan fand, wurde sie von Veitch's thätigem Reisenden und Sammler Lobb in Peru entdeckt. Ob aber die Bejaria Peru's dieselbe ist, welche die beiden andern Reisenden in Mexiko fanden? Die Bejarien gehören zu den Ericeen mit mehrblättrigen Kronen und sind, wie bekannt, in der Kultur etwas schwierig. Vorliegende Art hat gipfelständige Dolden mit schwefelgelben Blumen. Die Schreibart Befaria ist falsch, obwohl der jüngere Linneé das Genus auf die Autorität von Mutis so nennt. Dieser spanische Botaniker des vorigen Jahrhundertes gab aber den Namen zu Ehren eines Professors der Botanik zu Cadix Bejar. Befaria ist demnach nur irrthümlich gedruckt worden.

Auf der nächsten (4982.) Tafel ist wiederum eine Orchidee: Aërides cylindricum Lindl., was wir schon durch Wight, aber nicht illuminirt, dargestellt haben, abgebildet. Die Pflanze befindet sich noch nicht in Berlin und Umgegend und ist durch seine walzenförmigen Blätter ausgezeichnet. Die schön weissen Blüthen sind verhältnissmässig kleiner, als bei den übrigen, meist auch schönern Arten. Hooker erhielt eine blühende Pflanze von Parker in Hornsey im vergangenen Februar.

Begonia heracleifolia Schl. et Cham. β nigricans. Diese interessante Abart des schon früher bekannten bärenklaublätterigen Schiefblattes, was bereits im botanical Register (tab. 1668) und im botanical Magazin (tab. 3444) abgebildet und in Norddeutschland ziemlich verbreitet ist, wurde zufällig aus mexikanischer Erde erhalten und zuerst von Dr. Klotzsch als B. punctata (icon. plant. t. 7) beschrieben. Die Abart unterscheidet sich nur dadurch, dass die hellgrüne Mitte von einem tief-dunkelgrünen Saum umgeben ist.

Endlich wird in demselben Hefte noch die Begonia picta Henders. abgebildet, welche bereits in der 10. Nummer vom 7. März der Gartenzeitung als eine von der ächten Pflanze dieses Namens hinlänglich verschiedene Art beschrieben und B. annulata genannt wurde. Hooker fand ebenfalls die Verschiedenheit und nannte sie, aber 2 Monate später, weil er in seinem Herbar ein Exemplar von Griffith gesammelt besass, B. Griffithii, ein Name der demnach wieder eingezogen werden muss.

Xanthosoma pilosum C. Koch et Aug.

Eben blüht in einem der Augustin'schen Gewächshäuser auf der Wildparkstation bei Potsdam Xanthosoma pilosum, von dessen Blüthenstande früher (Seite 173) nach einem getrockneten Exemplare die Beschreibung gegeben wurde, daher diese hier vervollständigt wird. Es kommen auf ein Mal mehre zum Vorschein und jeder steht auf einem Fuss langen Stiele. Die an der Basis etwas nach hinten gebogene Blüthenscheide hat über 6 Zoll Länge und besteht aus dem untern zusammengerollten und bauchigen grünen Theile von 2 Zoll Länge und 1¼ Zoll im Durchmesser, der die Pistille und Staminodien einschliesst und aus dem obern gefärbten Theile in Form eines auf dem Rücken abgerundeten Kahnes. Der letztere hat eine weisslich-gelbe Farbe, nimmt aber am untern Ende, wo er sich ganz schmal zusammenzieht und in jenen übergeht, eine schmutzig-violette Farbe an, welche auf der Innenseite sich mehr in Braun umändert und sich auch auf dem untern Theile bis fast an die Basis fortsetzt.

Die dünne, obere Hälfte des Kolbens hat eine schmutzigweisse Farbe, 3 Zoll Länge und ist dicht mit Staubgefässbündeln besetzt. Diese haben einen überragenden Scheitel und sind an den Seiten ringsherum mit 10 Staubfächern, die unterhalb des Scheitelvorsprunges mit einem Loche aufspringen und daselbst den goldfarben-glänzenden Staub auswerfen, versehen. Die schmutzig-helllilafarbenen Staminodien stehen in 5 Quirlen und sind in die Länge gezogen. Die unterste Reihe ist grösser, meist zu 8, und sind auf breiten Stielen befindlich, so dass sie den untersten mit Stempeln dicht besetzten, über Zoll langen Theil überragen. Der scheibenförmige, bald in Schleim zerfliessenden Scheitel trägt in der Mitte die rundliche und gelbgefärbte Narbe und ist nicht mit den anstossenden verwachsen. In jedem der 3 Fächer des kurzen und eckigen Fruchtknotens befinden sich die gestielten und ana- oder hemianatropen Eichen ziemlich zahlreich an der Centralsäule befestigt.

Verlag der Nauckschen Buchhandlung. Berlin. Druck der Nauckschen Buchdruckerei.

No. 35. Sonnabend, den 29. August 1857

Preis des Jahrganges von 52 Nummern mit 12 color. Abbildungen 6 Thlr., ohne dieselben 5 „ Durch alle Postämter des deutsch-österreichischen Postvereins sowie auch durch den Buchhandel ohne Preiserhöhung zu beziehen.

Mit direkter Post übernimmt die Verlagshandlung die Versendung unter Kreuzband gegen Vergütung von 26 Sgr. für Belgien, von 1 Thlr. 9 Sgr. für England, von 1 Thlr. 22 Sgr. für Frankreich.

BERLINER Allgemeine Gartenzeitung.

Herausgegeben
vom
Professor Dr. Karl Koch,
General-Sekretair des Vereins zur Beförderung des Gartenbaues in den Königl. Preussischen Staaten.

Inhalt: Die Bouché'schen Nymphäen-Blendlinge im Borsig'schen Garten zu Moabit bei Berlin. Vom Professor Dr. Karl Koch. — Die Kartoffel aus Algier. Vom Obergärtner Reuter in der Landesbaumschule bei Potsdam. — 337. und 338. Versammlung des Vereines zur Beförderung des Gartenbaues am 26. Juli und am 30. August. — Bücherschau: The ferns of Great-Britain and Ireland by Thomas Moore. — Die neuesten Linden'schen Pflanzen. — Verkauf von Pflanzen und Gewächshäusern in Paris.

Die Bouché'schen Nymphäen-Blendlinge im Borsig'schen Garten zu Moabit bei Berlin.

Von dem Professor Dr. Karl Koch.

Wer jetzt von Pflanzen- und Blumenliebhabern nach Berlin kommt, versäume ja nicht den Borsig'schen Garten zu Moabit zu besuchen. Wenn derselbe auch zu jeder Zeit seine besonderen Schönheiten besitzt und in der That in seiner Art ausgezeichnet ist, so bietet er doch jetzt und noch tief bis in den Herbst hinein einen Genuss dar, wie wir vergebens wohl, nicht allein auf dem Festlande, sondern auch in England und Schottland, ihn suchen. Freilich möchten auch nur wenigen Gartenbesitzern die Mittel in jeglicher Hinsicht so zu Gebote stehen, als es hier der Fall ist.

Es befinden sich nämlich inmitten des Gartens, der auf der einen Seite dicht an die Spree gränzt, Wasserbassins in angenehmen Konturen sich abschliessend, und erhalten ihren Inhalt aus den Eisen-Fabriken, die ganz in der Nähe liegen. Dasselbe Wasser, was der Mensch sich dort dienstbar gemacht hat, um dem harten Eisen beliebige Formen zu geben, dient hier nun lieblichen Blumen zum Aufenthalte. Da es direkt aus den Dampfkesseln ausströmt und nur einen kurzen Weg zu durchlaufen hat, so besitzt es, sobald es in den besagten Behältern angekommen ist, immer noch eine Wärme von 40 und 50 Grad R. Der Besitzer hat Goldfische in das Wasser gethan, die sich sehr wohl befinden und sich am Liebsten an den Stellen in der Mitte aufhalten, wo das Wasser emporsprudelt, also noch am Wärmsten ist. Ausserdem aber befinden sich allerhand Nymphäen darin, auch unsere einheimischen, vor Allem aber die Blendlinge, welche der Inspektor des botanischen Gartens, Karl Bouché, hauptsächlich aus Nymphaea rubra und Lotus, erzogen hat.

Ich rathe Jedermann, der sich den seltenen Genuss machen will, etwas zu sehen, was ihm, wie gesagt, sonst nirgends geboten wird, schon früh die Wanderung nach Moabit anzutreten, so dass er bis gegen 10 Uhr sich an Ort und Stelle befindet. Kommt man später, so schliesst sich eine Blume nach der andern, bis diese sämmtlich gegen Mittag herum ihr prachtvolles Innere den Blicken der Schauenden entzogen haben. Hat man aber die angegebene Zeit gewählt, so kann man in der That sich nichts Schöneres und Prachtvolleres denken, als diese Hunderte von Blumen in allen Nuancirungen vom reinsten Weiss bis in das schönste Roth und Violett und umgeben von den freudig grünen und wohlgefällig geformten Blättern. Man wähnt gar nicht mehr in dem rauhen Norden zu sein und fühlt sich versetzt in die Heimath der Lotuspflanzen hin nach den Gestaden des Nil's und des Ganges. Aber selbst dort kann dem Beschauer nicht das dargeboten werden, was er hier zu sehen Gelegenheit besitzt, denn Niemand hat sich die Mühe gegeben, durch Kunst neue und andere Farben in den Blumen hervorzurufen. Es würde aber auch nicht gehen, denn die weissen Wasserrosen des Nils sind zu entfernt von den rothen des Ganges, um eine gegenseitige Befruchtung ohne vorherige Uebersiedelung der einen zu der andern zu ermöglichen.

Noch eigenthümlicher ist die Erscheinung der im Freien blühenden Nymphäen, wenn man im Spätherbste und selbst noch im Anfange des Winters in den Borsig'schen Garten kommt und nun auf einmal noch schöne südländische Blumen in seltener Flor erschaut, während die kalte Jahreszeit, oft schon der Frost, selbst einheimischen Pflanzen das Laub entrissen hat. Das warme Wasser der Behälter erhält fortwährend auch die Temperatur der Luft unmittelbar über demselben stets bis zu einem Grade, dass die Nymphäen gut existiren können.

Da es bis jetzt zweifelhaft ist, ob die Nymphäen-Blendlinge im Freien ausdauern, so werden die Knollen derselben im Spätherbste aus dem Schlamme des Teiches herausgenommen, in flache Töpfe gepflanzt, in ein warmes Haus von 10 bis 12 Grad Wärme gestellt und nur soviel begossen, dass die sehr lehmhaltige Erde nicht austrocknet. Lässt man sie unter Wasser stehen, so tritt keine Ruhezeit ein; sie treiben allmählig Blätter und entkräften sich.

Ende Februar werden die Knollen in frischer Erde, die aus 2 Theil Lehm, 1 Theil Haideerde und 1 Theil Sand besteht, verpflanzt, in einem warmen Wasserbassin angetrieben und Mitte Mai ins Freie ausgepflanzt oder mit angemessen grossen Gefässen in den Teich eingesenkt.

Wenn auch schon anderwärts, so namentlich in England und in Belgien, in welchem letzteren Lande namentlich der jetzige Obergärtner Ortgies im botanischen Garten zu Zürich, zur Zeit seines Aufenthaltes in der Gärtnerei von van Houtte zu Gent sich Verdienste um die Zucht von Nymphäen-Blendlingen erworben hat, gelungene Versuche mit Kreuzungen zwischen der weissblühenden Nymphaea Lotus des Nils und der rothblühenden N. rubra des Ganges gemacht sind, so doch nirgends in dieser Ausdehnung und Vollkommenheit, wie sie in den Jahren 1852 und 1853 durch den Inspektor Bouché in dem Königlichen botanischen Garten ausgeführt wurden. Alle Blumenliebhaber, namentlich diejenigen, welche die Mittel haben, um sich besondere Häuser zur Aufnahme der Wasserpflanzen erbauen zu können, werden deshalb ihm besonders dankbar sein, aber gewiss auch nicht weniger die, die die Blendlinge in andern Gärten erschauen. Man möchte nur wünschen, dass der Inspektor Bouché, der sich einmal Erfahrungen in ihrer Heranziehung gesammelt hat, die Versuche noch weiter fortsetzen wollte. Wir besitzen auch blaublühende Nymphäen, die mit dem Blumenstaub der roth- und weissblühenden oder umgekehrt diese mit dem Blumenstaube der ersteren befruchtet, gewiss auch, nicht allein in der Farbe, sondern auch in der Form der Blume selbst, interessante Blendlinge hervorrufen würden. Ganz besonders möchte ich auf die neuholländische Nymphaea gigantea aufmerksam machen, zumal diese grade am Tage blüht, wo jene ihre Blumen geschlossen haben. Sollte nicht auch einmal eine Kreuzung der Victoria regia mit der letzteren möglich sein?

Die Zahl der von dem Inspektor Bouché überhaupt gezogenen Blendlinge beträgt 16. Davon sind 7 dadurch erhalten, dass die Blüthen der Nymphaea rubra mit dem Blumenstaube der N. Lotus befruchtet wurden, während die übrigen durch Befruchtung der Blüthen der dadurch entstandenen Blendlinge wiederum mit dem Blumenstaube der Nymphaea Lotus gezüchtet worden sind. Sie haben meist nach Personen Namen erhalten, die in irgend einem Verhältnisse zu dem botanischen Garten stehen, oder sich mit der Kultur der Wasserpflanzen beschäftigten.

I. Reine Blendlinge.

1. Gustav Fintelmann (Hofgärtner auf der Pfaueninsel bei Potsdam). Hat die dunkelste Farbe und unterscheidet sich von der Mutterpflanze nur wenig. Die Staubfäden besitzen jedoch eine braune Farbe.

2. Dr. Klotzsch (Kustos des Königlichen Herbariums). Die Farbe der Blumenblätter ist ein helles Purpur, die Staubfäden sind aber rothbraun.

3. Dr. Caspary (früher Privatdozent in Berlin, jetzt in Bonn). Die Farbe der Blumenblätter erscheint etwas dunkler, als bei dem vorigen Blendlinge, die der Staubfäden ist aber ebenfalls rothbraun.

4. Professor Dr. K. Koch (Adjunkt des Direktors am botanischen Garten). Die Blume steht in der Färbung zwischen Nr. 1 und 3, gleicht aber der ersteren doch mehr und besitzt deshalb auch braune Staubfäden.

5. Nymphaea Boucheana. Sie besitzt ein sehr zartes Rosa, zumal die innersten Blumenblätter ganz weiss sind, aber gelbe Staubfäden. Der Blendling ist bereits auf der 1033. Tafel und im 10. Bande der Flore des Serres abgebildet.

6. Theodor Jannoch (Garten-Gehilfe im botanischen Garten, unter dem die Wasserpflanzen speciell gestellt sind). Eine prächtige und grosse Blume von Rosafarbe, die der von van Houtte in Flore des Serres (im VIII. Bande auf der 775. Tafel) abgebildeten N. Ortgiesiana rubra, die wiederum von N. Devoniensis nicht verschieden ist, etwas gleicht.

7. Adele. Die Blume besitzt eine reine Purpurfarbe, aber orangenfarbige Staubgefässe.

II. Doppelt-Blendlinge.

8. Königin Elisabeth. Sehr grosse und schöne Blüthen mit rosafarbigen Blumenblättern und gelben Staubfäden.

9. Generaldirektor Lenné (der Königl. Gärten in Sanssouci), ähnelt Nr. 5 und besitzt ebenfalls ein ausserordentlich zartes Rosa, was in der Mitte fast in ein reines Weiss übergeht. Die Staubfäden sind wiederum gelb.

10. Professor Dr. Braun (Direktor des botanischen Gartens). Die Blüthe zeichnet sich durch ihre sehr breiten Blumenblätter aus, die eine blassrothe Farbe haben, aber in der Mitte einen weissen Streifen besitzen. Die Staubfäden sind gelb.

11. Van Houtte (Chef und Eigenthümer der grossen Gärtnerei in Gent). Die Blüthe ist rosa, hat aber einen bläulichen Anflug. Die Staubfäden besitzen jedoch eine braune Farbe.

12. Geheimer Kommerzienrath Borsig (Gründer der grössten Eisenwerke in Deutschland zu Berlin). Die Blumenblätter haben eine helle Rosafarbe.

13. Th. Nietner (Hofgärtner in Schönhausen bei Berlin). Purpur ist die Farbe der Blumenblätter, aber mit einem bläulichen Anfluge. Die Staubfäden sind orangenfarbig.

14. Wendland (Hofgarten-Inspektor in Herrenhausen bei Hannover). Aehnelt im Allgemeinen Nr. 6, die Farbe ist aber doch mehr ein helles Purpur. Die Staubfäden sind ocherfarbig.

15. L. Mathieu (Kunst- und Handelsgärtner in Berlin). Die Blumenblätter sind rosafarbig, haben aber einen bräunlichen Anflug; die Staubgefässe besitzen eine Orangenfarbe.

16. Friedericke. Dem vorigen Blendlinge ähnlich, aber etwas dunkeler in der Farbe. Die Staubfäden sind ocherfarbig.

Die Kartoffel aus Algier.

Vom Obergärtner Reuter in der Landesbaumschule bei Potsdam.

In der Festausstellung des Vereines zur Beförderung des Gartenbaues befanden sich unter andern Gegenständen aus dem Bereiche des Gemüsebaues auch einige getriebene Kartoffeln aus den Treibereien des Königlichen Hofgärtners E. Nietner in Sanssouçi, die wegen ihres schönen Ansehens sowohl, als wegen ihrer Grösse die Aufmerksamkeit der Beschauenden, besonders aber der Sachverständigen, erregten. Nach speciellen Berichten des Ausstellers und besonders von Seiten der Königlichen Landesbaumschule, welche auf Verlangen der Preisrichter mitgetheilt wurden, hielten diese die Kartoffeln für so wichtig, dass ihnen der Graf v. Luckner'sche Preis für ein neues, hauptsächlich den ärmern Leuten zu Gute kommendes Gemüse zugesprochen wurde.

Es dürfte wohl von Interesse sein, auf diese bis jetzt hinsichtlich ihrer Fruchtbarkeit und daraus folgenden Nutzens einzig dastehende Kartoffel auch im weiteren Kreise aufmerksam zu machen und dadurch zu ihrer grösseren Verbreitung beizutragen. Während der grossen Industrie-Ausstellung, wo zugleich auch, wie bekannt, eine Ausstellung von Pflanzen, Blumen und allerhand Erzeugnissen aus dem Gewächsreiche stattfand, sah der Generaldirektor der Königlichen Gärten, Lenné, unter Anderem eine Kartoffel von gutem Aussehen, die ihm viel zu versprechen schien. Seinem Wunsche, ein Paar Knollen zu erhalten, entsprach man auf das Bereitwilligste.

Im November desselben Jahres 1855 kamen dieselben nebst andern Gegenständen in Sanssouçi an. Leider hatten eine ungünstige Verpackung und die plötzlich eingetretene Kälte so nachtheilig auf die Knollen eingewirkt, dass nur von einer zwei Augen keimfähig geblieben waren. Ich erhielt dieselbe mit der Bemerkung, sie mit besonderer Sorgfalt zu pflegen. Den Theil des Knollens, welcher die beiden erwähnten Augen enthielt, brachte ich in das Beet eines warmen Hauses, um sie anzutreiben. Schon zeitig entwickelten sich die Augen und ich benutzte die beiden Triebe, um Stecklinge anzufertigen.

Ende März wurden einige der letztern auf einen auch für andere Kartoffeln bestimmten Treibkasten ausgepflanzt. Sie wuchsen rasch an und schon in kurzer Zeit übertrafen sie an Grösse der Knollen sowohl, als der Höhe des Krautes, alle übrigen Pflanzen, die sonst hier versucht wurden, obwohl deren Knollen schon 3 und 4 Wochen früher gelegt waren. Ende Mai und Anfang Juni wurden die Kartoffeln der letzteren geärntet, während das Kraut der Stecklings-Pflanzen fortwährend ein frisches, kräftiges Ansehen behielt. Eine genauere Untersuchung ergab, dass sich neben den grossen und völlig reifen Knollen noch so viel kleine gebildet hatten, dass ich gezwungen war, wiederholt zu häufeln.

Die übrigen Stecklinge, etwa 20 an der Zahl, wurden Mitte Mai auf einer Rabatte des freien Landes ausgepflanzt. Auch hier blieb sich die Pflanze gleich, denn Kraut und Knollen wuchsen so kräftig und gediehen so üppig, als keine der anderen der in der Baumschule kultivirten Sorten. Wenn schon die Pflanzen des Treibkastens einen sehr reichlichen Ertrag gegeben, so war es mit denen im freien Lande noch weit mehr der Fall. Im Herbste erhielten wir von den 20 Pflanzen nicht weniger als einen halben Scheffel Knollen, zum Theil von einer nicht unbedeutenden Grösse. Einige besassen selbst einen Durchmesser von 2 und 3 Zoll.

Es wurden dem Gartenkondukteur Meyer, der während der Krankheit des Hofgärtners Ed. Nietner in Sanssouçi fungirte, einige Knollen derselben zur Verfügung gestellt, um weitere Treibversuche damit anstellen zu lassen. Die Resultate waren eben so glänzend, als die früheren in der Landesbaumschule. Die Algier'sche Kartoffel lässt sich sehr gut treiben und giebt hier ebenfalls einen reichlichen Ertrag. Ein Theil der Knollen ist der Festausstellung des Vereines zur Beförderung des Gartenbaues zur Verfügung gestellt worden und erhielt dieselbe, wie gesagt, den Graf v. Luckner'schen Preis.

In der Baumschule wurden auch in diesem Jahre vom Neuen Versuche damit angestellt. Da die Kartoffel keineswegs zu den frühen Sorten gehört, sondern im Gegentheil erst im Herbste geërntet werden kann, so lässt sich in dieser Hinsicht noch nichts Bestimmtes sagen, aber die Pflanzen stehen sehr gesund und kräftig, und zweifle ich gar nicht, dass sie denselben Ertrag geben werden. Von einer Krankheit, weder am Kraute, noch an den Knollen, ist bis jetzt noch keine Spur bemerkt worden. Allerdings scheint die Zeit, wo die Krankheit allgemein auftrat und eine grosse Verbreitung hatte, vorbei zu sein und werden wir sie, wie wir sie auch in den frühern Zeiten gehabt haben, auch immer noch einzeln später beobachten können.

Die Algier'schen Kartoffeln gehören zu den weissen und runden und haben eine schöne hellgelbe Ocherfarbe, während ihr etwas grobes, aber an Stärkmehl reiches Fleisch gelblich-weiss gefärbt erscheint. Zu den feinen Sorten gehört sie keineswegs, aber doch ist ihr Geschmack nach dem Ausspruche derer, welche sie gekostet haben, dem der gewöhnlichen rothen Kartoffeln ziemlich gleich. Als Wirthschafts-Kartoffel, und namentlich zur Spiritusbereitung, möchte sie von keiner andern Sorte übertroffen werden, und verdient sie in dieser Hinsicht alle Berücksichtigung.

---

357. und 358. Versammlung des Vereines zur Beförderung des Gartenbaues,

am 24. Juli und am 30. August.

Während der Redaktion, besonders aus der Ferne, mehrseitig der Dank ausgesprochen wurde, dass in diesen Blättern auf die interessanten Verhandlungen des Vereines zur Beförderung des Gartenbaues in Berlin hingewiesen wird, so ist andernseits, und zwar einmal öffentlich, gerügt worden, dass man einen und denselben Bericht einmal in den gelesensten Zeitungen Berlins, dann in der Gartenzeitung und zuletzt wiederum in den Verhandlungen des Vereines erhielte. Diese mehrmalige Veröffentlichung könnte nur zum Nachtheile der letztern, die dadurch an Interesse verlören, geschehen. Man hat sogar darauf hingedeutet, dass die Gartenzeitung eigentlich nur ihre Spalten damit füllen wolle.

Was das letztere anbelangt, so steht wohl bei allen, die nicht absichtlich etwas suchen wollen, fest, dass wohl wenige Zeitschriften existiren, die eigentlich, wie die Gartenzeitung, nur aus Original-Artikeln bestehen; selbst die Journal-Schau, die mit dem in ausländischen Zeitschriften gegebenen Wichtigeren für die Gärtnerei bekannt macht, kann wohl kaum als Uebersetzung angesehen werden. Wenn man die drei Berichte in den verschiedenen Zeitschriften mit einander vergleicht, so wird man mit leichter Mühe herausfinden, dass, obwohl aus einer Feder geflossen, doch alle drei sich wesentlich von einander unterscheiden. Die Verhandlungen des Vereines geben die Mittheilungen ausführlich und meist in grossen Abhandlungen. So lange der Verein besteht, also seit 35 Jahren, wurde von Seiten des Generalsekretariates auch ein kurzer Bericht für die 3 gelesensten Zeitungen Berlins ausgearbeitet, und besteht die Vorschrift noch. Man bezweckt damit hauptsächlich, um auch ausserdem auf die Thätigkeit des Vereines aufmerksam zu machen, und kann also ohnmöglich dadurch selbst die Verhandlungen beeinträchtigen.

Die Gartenzeitung hat zum grössten Theile ganz andere Leser, bei denen aber gewiss vorausgesetzt werden kann, dass sie sich speciell für die Verhandlungen des Vereines interessiren. Sie hat sich seit der sehr kurzen Zeit ihres Bestehens nicht wenig ausserhalb Deutschland verbreitet und wird bereits in belgischen und französischen Zeitschriften vielfach benutzt. Die Zahl derjenigen, welche die Berliner politischen Zeitungen und die Gartenzeitung zugleich lesen, ist wohl verhältnissmässig sehr gering. Die Verhandlungen des Vereines sind aber so mannigfach, dass man hinlänglich Stoff hat, um keineswegs genöthigt zu sein, in beiden dasselbe zu geben. Eine genaue Vergleichung wird lehren, dass der Bericht in der Gartenzeitung ein ganz anderer ist, als der in den 3 politischen Zeitungen Berlins, dass man also beide recht gut, selbst neben einander, lesen kann, um Neues und ohne genau Dasselbe zu finden. Es sind zum Theil sogar in beiden andere Gegenstände behandelt, zum Theil zur Besprechung andere Seiten abgewonnen. Wir werden demnach uns nicht abhalten lassen, aus den Monats-Sitzungen des Vereines auch ferner noch das Interessanteste hier mitzutheilen, und sind überzeugt, dass wir damit, namentlich ferner Wohnenden, einen Dienst erweisen. Es muss auch dem Vereine selbst daran liegen, dass seine Thätigkeit in weiterem Kreise be- und er in seinen Bestrebungen erkannt wird.

In der 357. Sitzung am 26. Juli legte unter Anderem der Inspektor Bouché Proben eines Gespinnstes vor.

was in der Flachsbereitungs-Anstalt zu Suckau in Schlesien aus den im botanischen Garten zu Neuschöneberg bei Berlin gezogenen Stengeln der Boehmeria oder Urtica nivea und der Girardinia armata, ebenfalls einer Urticee, bereitet war, vor. Als Gespinnstpflanzen verdienen genannte Arten bei uns gar keiner Berücksichtigung, desto mehr aber als Blattpflanzen. Die erstere ist mehr bekannt, die letztere aber gar nicht, obwohl sie von Seiten der Gartenliebhaber alle Berücksichtigung verdient. Eine einzige nicht zu junge Pflanze bildet oft einen mehre Fuss im Durchmesser enthaltenden Busch, der in einem Jahre die Höhe von 6 Fuss und mehr erreichen kann. Das prächtige Dunkelgrün der grossen und mehrfach eingeschnittenen Blätter sticht selbst noch gegen die Farbe der Rasen ab. Man darf sich übrigens der Pflanze, die dicht mit Brennhaaren besetzt ist, nicht zu sehr nahen, wenn man sich nicht durch Berührung Schmerzen machen will. Auch ein Vortheil, der die Pflanze gegen Beschädigungen und überhaupt Muthwillen schützt! Wer sich übrigens über sie belehren will, findet in einer Abhandlung im 2. Jahrgange der zweiten Reihe von Verhandlungen des Vereines, Seite 153, hinlänglich Gelegenheit.

Es war die Frage gestellt worden, aus welchen Gründen kommt ein in der Nähe von wildem Wein (Ampelopsis trifoliata) stehender Jasmin- (oder vielmehr Pfeifen-) Strauch (Philadelphus coronaria) nicht zur Blüthe? Da die Thatsache den anwesenden Mitgliedern nicht bekannt war, so konnte natürlicher Weise auch keine Erklärung gegeben werden. Es wäre doch interessant zu erfahren, ob sie auch anderwärts beobachtet ist oder nur vereinzelt dasteht. Das gewisse Pflanzen, namentlich auf die Blüthen anderer, einen nachtheiligen Einfluss ausüben können, ist hauptsächlich von dem Sauerdorn beobachtet worden, dessen Blumenstaub die Blüthen des Weizens verkümmern macht. Es ist dieses wenigstens von mehreren tüchtigen Landwirthen beobachtet, die in der Nähe von Sauerdornhecken Weizenfelder hatten. Alle Aehren in der nächsten Nähe derselben blieben taub.

Der Vereinsgärtner E. Bouché legte Angora-Melonen und Arnstädter, so wie weisse Schlangengurken vor und empfahl beide zum Anbau. Eben so hatte der Gasthofsbesitzer Jaschke in Ratibor einige Exemplare der Kirsche: Monstreuse de Bavay, eingesendet. Diese Frucht hat zwar die Gestalt einer Herzkirsche, gehört aber zu den Glaskirschen und ist wegen ihres angenehmen Geschmackes sowohl, als auch wegen ihrer Grösse sehr zu empfehlen.

Der Kunst- und Handelsgärtner Siegling aus Erfurt, der gegenwärtig war, theilte mit, dass die Weisse und Termis-Lupine, von denen er Samen durch den Verein erhalten hatte, in der Gegend von Erfurt sehr gut gedeihen und auch, den Berichten Anderer entgegengesetzt, reife Samen in reichlicher Menge ansetzen. Es scheint sich herauszustellen, dass diese nur für guten Boden passt, die gelbe hingegen für schlechten, namentlich Sandboden. Letztere will bei Erfurt gar nicht gut fortkommen.

Ueber die ausgestellten Pflanzen berichtete der Inspektor Bouché. Von denen des botanischen Gartens zogen besonders die Jäger'schen Gloxinien die Aufmerksamkeit der Anwesenden in Anspruch. Es ist wohl nicht zu laugnen, dass der Hofgärtner Jäger in Eisenach sich durch die Anzucht derselben ein bleibendes Verdienst erworben hat. Seine Sorten verdienen alle Berücksichtigung und sind den englischen und belgischen vorzuziehen. Aber auch die Achimenes Verschaffeltii ist zu empfehlen und ausserdem von reinen Arten: die mehrmals in diesen Blättern besprochene Tydaea amabilis, ferner Koellikeria argyrostigma β. chlorocaulon und vor Allem Gesnera Donckelaarii. Von letzterer war ein Exemplar als Schaupflanze vorhanden, das Zeugniss ablegte von der vorzüglichen Kultur sowohl, wie von der Brauchbarkeit dieser Gesnere.

Unter den übrigen Pflanzen waren 2 Monokotylen vorhanden, die leider gar nicht so häufig gesehen werden, als sie es verdienen, nämlich Bravoa geminiflora und Amaryllis reticulata striatifolia. Die erstere verdanken wir dem Begleiter des unglücklichen Schiede, dem jetzigen Kunst- und Handelsgärtner Deppe in Witzleben bei Charlottenburg, der sie im Jahre 1826 nebst vielen andern schönen Pflanzen aus Mexiko brachte. Die von Link und Otto unter dem Namen Coetocapnia geminiflora gegebene Abbildung (Abbildungen neuer und seltener Gewächse des botanischen Gartens, 18. Tafel) ist keineswegs der Art, wie sie der Schönheit der Pflanze entspricht. Möchte sie doch eine grössere Verbreitung finden.

Die brasilianische Amaryllis oder jetzt das Hippeastrum reticulatum Herb. β. striatifolium wurde früher mehr kultivirt und ist bereits unter verschiedenen Namen beschrieben: Coburgia striatifolia Herb., Leopoldia striatifolia Herb., Leopoldia principis Roem. Amaryllis princeps Salm Dyck. und Amaryllis Carolinae Sterl. Es ist unbedingt eine der schönsten Rittersterne, wie der Kunst- und Handelsgärtner Priem in seiner Abhandlung über Amaryllis-Blendlinge in der Nr. 9. der Gartenzeitung Hippeastrum treffend übersetzt hat, und verdient wiederum mehr die Berücksichtigung von Seiten der Gartenbesitzer.

Unter den übrigen Pflanzen befand sich auch Cryptolepis longiflora der belgischen Gärten, eine recht hübsche Asklepiadee im Habitus und in der Blüthenform an mehre Jasmin-Arten erinnernd. Die Pflanze gehört jedoch keineswegs zu Cryptolepis, sondern wahrscheinlich zu Alstonia, oder vielmehr zu dem daraus gebildeten Genus Blaberopus, und möchte der Bl. venenata DC. fil. (Alstonia venenata R. Br.) sehr nahe stehen. Leider sind keine reifen Samen vorhanden, um mit Bestimmtheit die Abtheilung und das Genus, wohin die Pflanze gehört, festzusetzen.

Phygelius capensis ist als etwas Besonderes empfohlen, möchte aber kaum den Ruf verdienen, der der Pflanze vorausgegangen ist. Sie stellt einen Halbstrauch von etwas steifen Ansehen dar, besitzt gegenüberstehende Blätter und Aeste und trägt an der Spitze der letztern die schmutzigrothen Blüthen in Form von einfachen und wenig zusammengesetzten Trauben.

Von Seiten der Preisrichter wurde den Pflanzen des botanischen Gartens ein Preis zuerkannt.

Die 358. Versammlung am 30. August brachte so viel, dass wir uns hier nur auf Einiges beschränken und sonst auf die ausführlichen Verhandlungen verweisen müssen. Der Kunstgärtner Forkert in Berlin, als vorzüglicher Rosenzüchter bekannt, theilte eine Veredelungs-Methode mit, die ganz besonders für Obst-Gehölze und Rosen von grosser Wichtigkeit werden wird. Es ist eine Art Okulation, die aber zu jeder Zeit geschehen kann, so bald man nur vollständig-entwickelte Augen zur Verfügung hat. Sie ist keineswegs an die Zeit des Safttriebes gebunden, sondern kann vor- und nachher geschehen. Man weiss, wie schwierig sich, ganz besonders bei Rosen, oft die Schale löst und wie oft man eine günstige Zeit, da man anderwärts vielfach beschäftigt war, versäumte.

Wir haben uns selbst bei dem Kunstgärtner Forkert überzeugt von der Vorzüglichkeit der Methode; von mehrern Hunderten von Rosenstämmchen, die zum Theil ganz vertrocknet schienen, war nur ein einziges, und wie es schien, nicht ganz reifes Auge fehlgeschlagen, während die Zahl derer, die auf die gewöhnliche Weise zur Zeit des Safttriebes okulirt wurden und ausgeblieben waren, in diesem so heissen Sommer gar nicht gering erschien. Der Obergärtner Pilder in Wilmersdorf bei Berlin hatte Versuche mit 1½ Zoll im Durchmesser enthaltenden Pflaumen- und Kirsch-Stämmchen gemacht, die alle angenommen hatten. Die Methode ist sehr einfach und kann rasch ausgeführt werden, gewiss ein nicht wenig zu berücksichtigender Vortheil! Sie besteht darin, die Luft in der Zeit der Verwachsung des Auges mit dem Mutterstämmchen vollständig abzuschliessen.

Zu diesem Zwecke schneidet man ein Auge, was man benutzen will, und zwar keineswegs so vorsichtig, wie es sonst der Fall sein muss, selbst noch mit etwas Holz, heraus und nimmt an dem Wildlinge eine ziemlich gleiche, eher etwas grössere Fläche, weg um nun das Auge anzuplatten. Durch einen Faden wird es in seiner Lage erhalten. Hierauf bedient man sich irgend einer flüssigen, aber indifferenten Masse, des Mastix l'Homme Lefort, des Lucas'schen Baumwachses, selbst des Collodiums oder Thraumaticin oder irgend eines flüssigen Baumwachses, und überpinselt die Veredelungsstelle so, dass die Luft vollständig abgehalten ist. Die Zellenbildung geschieht unter der hinläuglich schützenden Decke mehr oder weniger rasch, das Kambium des Wildlings und des Auges verwachsen mit einander und bald ist die Verbindung so innig, dass das Auge sich hebt und schon zeitig die darüber gestrichene Masse durchbricht

Wir machen alle Baumschulbesitzer namentlich, aber auch Gärtner und Gartenbesitzer, auf diese Methode aufmerksam, da sie noch jetzt angewendet werden kann. Gewiss hat es der Eine oder Andere versäumt und kann es nun nachholen. Da sie auch mit Zeitgewinn verbunden ist, so steht damit auch bei Baumschulen eine Verringerung der Kosten in Verbindung.

Es waren von Seiten des Hofgärtners Hempel und des Landes-Aeltesten von Thielau in Lampertsdorf in Schlesien Blätter des Schiras- und Ohio-Tabackes vorgelegt. Den Samen des ersteren hat Professor Petermann aus Berlin von seiner Reise im Oriente mitgebracht, da in Asien der Schirastaback zu den feinsten Sorten gehört. Kultur-Versuche haben ihn auch bei uns erprobt und empfehlen wir ihn deshalb ganz besonders zum Anbau. Von den Ohiotaback erhielt der Verein Samen von dem Königlichen Landesökonomie-Kollegium, das ihn direkt aus dem Vaterlande bezogen hatte, wo er sehr gerühmt wird. Er besitzt sehr grosse Blätter, die besonders bei Cigarren als Deckblätter eine vortheilhafte Anwendung finden können.

Der Handelsgärtner Bahlsen in Erfurt, von dessen Petunien wir schon in der 31. Nummer gesprochen haben, hatte Bouquets, Blumenkörbchen und sogenannte Haargarnirungen, von Immortellen und in französischer Manier, eingesendet, die allgemeinen Beifall fanden. In Paris giebt es Gärtner, die weiter gar nichts thun, als dergleichen Pflanzen heranzuziehen und ihre Blüthen für den Winter zu benutzen. Seit wenigen Jahren erst hat man auch in Deutschland damit angefangen und gehört in dieser Hinsicht dem Kunst- und Handelsgärtner Schmidt in Erfurt das Verdienst, den Anfang gemacht zu haben.

Professor Braun sprach über einen neuen Farn-Blendling, den der Hofgärtner Mayer in Karlsruhe aus Gymnogramme tartarea und lanata zufällig erzogen hatte, und nannte ihn Gymnogramme Mayeriana.

In der vorigen Sitzung hatte der Inspektor Bouché über eine Gartenspritze berichtet, welche das Ministerium der landwirthschaftlichen Angelegenheiten zur Zeit der grossen Pariser Industrie-Ausstellung angekauft und dem Vereine zur Verfügung gestellt. Der Preis betrug gegen 60 Thaler. Wenn dieselbe auch brauchbar erschien, so erschien doch der Umstand, dass 3 Leute von ihr beansprucht wurden, keineswegs günstig. Dieser Umstand war Veranlassung gewesen, dass der Mechanikus Franke um die Erlaubniss nachsuchte, in dieser Sitzung einige der von ihm verfertigten Spritzen zu Versuchen übergeben zu dürfen, was denn auch geschah. Die kleinste von ihnen kostet 25 Thaler und kann um so mehr allen Gartenbesitzern empfohlen werden, als sie von einem einzelnen Menschen, da sie mit einem Rade versehen, an Ort und Stelle gefahren und dann auch geleitet werden kann. Einen Sauger hat sie nicht und muss das Wasser allerdings in das Gefäss der Spritze getragen werden. Eine zweite Spritze kostet 55 Thaler und hatte einen Sauger. Sie trug das Wasser eben so hoch, als die Pariser, konnte aber bequem von 2 Menschen behandelt werden. Die dritte ähnelte schon mehr einer Feuerspritze und war nur für grosse Anlagen zu gebrauchen, wo man höhere Bäume bespritzen wollte.

Der Regierungsrath Heyder berichtete als Kurator des Vereinsgartens über die ausgestellten Statice-Arten desselben. Dr. Bolle, durch seine wiederholten Reisen auf Madeira und den kanarischen Inseln hinlänglich bekannt, hatte Samen derselben mitgebracht und dem Vereinsgärtner, E. Bouché, im vorigen Jahre zur Verfügung gestellt. Mehre von ihnen begannen bereits zu blühen und waren deshalb ausgestellt. Von ihnen verdienen ganz besonders Statice brassicaefolia, macrophylla, arborea und Humboldtii alle Beachtung der Gärtner und Gartenliebhaber, da sie an Schönheit der beliebten St. Halfordii nicht nachgeben und bis jetzt noch nicht in den Gärten kultivirt wurden.

Unter den Pflanzen des botanischen Gartens, über die der Inspektor Bouché berichtete, befand sich unter Anderem auch eine blühende Alocasia metallica, eine der beiden Aroideen, welche als Caladium sp. e Borneo oder metallicum vor wenigen Jahren in den Handel kamen und wegen der Metallfarbe ihrer Blätter die Aufmerksamkeit erregten. In vorliegender Art sind diese mehr bleifarben.

Als Nutzpflanze südlicher Länder, besonders der Tropen Amerika's, nahm die Arakatscha (Aracacha esculenta) das Interesse der Anwesenden in Anspruch. Im Habitus der mit ihr verwandten Sellerie-Stande, wird auch ihre knollige Wurzel vielfach zubereitet und gegessen.

Unter den Orchideen des Kunst- und Handelsgärtners Allardt waren besonders Cattleya maxima, Oncidium micropogon und Lanceanum, so wie Miltonia Moreliana zu nennen.

Den Preis erhielten dieses Mal die Statice-Arten des Vereinsgartens.

Bücherschau.

The ferns of Great-Britain and Ireland by Thomas Moore, edited by John Lindley. Nature-printed by Henry Bradbury. London 1856. published by Bradbury and Evans.

In vorliegendem Prachtwerke in Gross-Folio erhalten wir die Abbildungen und Beschreibungen aller Farnen Englands, Schottlands und Irlands in einer Weise, wie wir sie noch nicht kennen. Der bekannte britische Farnkenner, Thomas Moore, hat nämlich die Beschreibungen so vollständig als möglich geliefert und Heinrich Bradbury, der sich die Kunst des Naturdruckes auf eine anerkennungswerthe Weise angeeignet, besonders dazu passende Exemplare von Farnen zur Verfügung gestellt, um von diesen vermittelst des Naturdruckes Abbildungen darzustellen. Auf diese Weise ist vorliegendes Werk entstanden und füllt, zumal es auch äusserlich ausserordentlich elegant ausgestattet ist, trotz aller der vielen Werke, welche man in Grossbritannien über einheimische Farnen besitzt, eine wesentliche Lücke aus.

Wenn die Nervatur der Blätter in allen Familien der Pflanzen schon eine wichtige Rolle spielt und noch keineswegs in der Systematik hinlänglich gewürdigt ist, so nimmt sie dagegen bei den Farnen um so mehr eine wichtige Stelle ein, als die Nerven hier für Unterscheidung der Genera und Subgenera, zum Theil auch der Arten, hauptsächlich bedingend sind. Der genaueste Zeichner ist meist nicht im Stande, die oft so feinen und vielfach verschlungenen Nerven so treu wieder zu geben, als es durch den Naturdruck geschieht. Der erstere mag vielleicht die Pflanze künstlerischer darstellen, gewiss aber nicht getreuer

Man kann auch voraussetzen, dass, wenn die Wahl der durch Naturdruck dargestellten Gegenstände gut ist, selbst den Ansprüchen der Kunst genügt werden kann. Ein Blick auf eine der 51 Tafeln genügt, um sich zu überzeugen, wie auch der Naturdruck der Kunst entsprechende Zeichnungen geliefert hat. Heinrich Bradbury hat sich gewiss ein bleibendes Verdienst erworben. Wir freuen uns zugleich zu vernehmen, dass nun auch die Reihe an eine Herausgabe der exotischen Farnen kommen wird und liegen uns einige Blätter vor, welche denen des genannten Werkes nicht im Geringsten nachstehen. Auf gleiche Weise sollen auch die Moose bearbeitet werden, und haben wir ebenfalls einige Blätter gesehen, welche ein ausserordentlich wohlgefälliges Ansehen hatten.

Da in der neuesten Zeit bei Gelehrten sowohl, wie bei Gärtnern und Pflanzenliebhabern die Liebe zu der interessanten Familie zugenommen hat, und auch unsere einheimischen Farnen vielfache Anwendung in den Gärten finden, so ist das obige Werk, um sich weiter zu informiren, ganz besonders zu empfehlen. Es kommt noch dazu, dass auch die Beschreibung, wie es allerdings von einem so tüchtigen Farnenkenner, als Thomas Moore, nicht anders zu erwarten war, vorzüglich ist, wir hätten nur gewünscht, dass in dem Texte noch Holzschnitte angebracht worden wären, welche die Theile, namentlich die Häufchen, die Kapseln und die Sporen in vergrössertem Maassstabe darstellten, um auch in dieser Hinsicht zu genügen. Bei der spätern Herausgabe der exotischen Farnen möchten wir die Verfasser ganz besonders darauf aufmerksam machen.

Einen besonderen Werth hat endlich obiges Farnwerk noch dadurch, dass auch auf alle Formen die, ausser bei Scolopendrium, noch vielfach bei Aspidium und andern Geschlechtern vorkommen, dargestellt sind. Wie bekannt, hat man einige bereits als Arten beschrieben, ja sogar eigene Genera daraus gemacht.

Die neuesten Linden'schen Pflanzen.

Von Seiten der Linden'schen Gärtnerei in Brüssel ist uns die Anzeige gekommen, dass drei Pflanzen, die bereits in ihrem im Frühjahre ausgegebenen Pflanzen-Verzeichnisse erwähnt wurden, mit dem 1. September ausgegeben werden. Zwei davon wurden bereits in der März-Ausstellung in Gent wegen ihrer Schönheit gekrönt und können wir wohl auch dieselben allen Blumenliebhabern empfehlen. Da die Pflanzen in dem erwähnten Verzeichnisse abgebildet sind, so kann sich auch Jedermann von dem, was er erhalten wird, eine Vorstellung machen.

Gesnera (Naegalia) cinnabarina Lind.. Bulbillen dieser Pflanze wurden im vorigen Jahre von Ghiesbreght aus der Provinz Chiapas im Süden Mexiko's eingesendet. Die Pflanze steht der Gesnera zebrina sehr nahe, soll aber sowohl hinsichtlich der Metallfärbung auf den Blättern, als auch durch die prächtige Zinnoberfarbe der eine lange pyramidenförmige Traube bildenden Blüthen noch einen Vorzug verdienen. Die Pflanze blüht vom November bis April und wird zu 20 Frank abgegeben.

Tapina splendens Triana ist eine zweite Gesneracee, von der bereits schon in Nr. 30. der Gartenzeitung ausführlicher gesprochen ist. Sie wird zu 15 Frank abgegeben.

Die dritte Pflanze endlich ist die Melastomatee Monochaetum ensiferum Naud.; sie wurde ebenfalls von Ghiesbreght in Mexiko, und zwar in Oaxaca, entdeckt. Sie bildet einen hübschen Strauch mit prächtigen, schönrothen und einen Zoll im Durchmesser enthaltenden Blüthen, die hauptsächlich an der Spitze kleiner Aestchen stehen, aber auch aus den Winkeln der Blätter hervorkommen. Diese sind eirund-lanzettförmig und ganzrandig und stehen auf kurzen Stielen, die ebenso, wie die Zweige, eine röthliche Färbung haben. Die Pflanze gehört in's Kalthaus und blüht vom Februar bis Ende März. Sie soll 15 Frank kosten.

Verkauf von Pflanzen und Gewächshäusern in Paris

Bei Menot, Florimont et Comp., in der Avenue des Champs-Élysée Nro. 13 zu Paris wird ein Winter-Garten aufgegeben und sein reicher Inhalt an Pflanzen nebst den Gewächshäusern, sowie an Gartentischen, Gartenbänken, Bassins, Statuen, Vasen und sonstigen Verzierungen für Gärten aus freier Hand verkauft. Wir erlauben uns hier auf die Gelegenheit aufmerksam zu machen.

Wie bekannt, erbaut man in Paris Gewächshäuser von angenehmen Aeussern und bequemer Bauart aus Eisen, die sich ausserdem noch durch Wohlfeilheit auszeichnen. Ein solches befindet sich seit einem Jahre in Berlin und lässt in der That nichts weiter zu wünschen übrig, als dass es dauerhafter sein möchte. Das ist aber grade ein sehr gewichtiger Umstand, der beim Ankaufe zu berücksichtigen ist.

Verlag der Nauckschen Buchhandlung. Berlin. Druck der Nauckschen Buchdruckerei.

No. 36. Sonnabend, den 5. September. 1857

Preis des Jahrganges von 52 Nummern mit 12 color. Abbildungen 6 Thlr., ohne dieselben 5 „ Durch alle Postämter des deutsch-österreichischen Postvereins sowie auch durch den Buchhandel ohne Preiserhöhung zu beziehen.

Mit direkter Post übernimmt die Verlagshandlung die Versendung unter Kreuzband gegen Vergütung von 26 Sgr. für Belgien, von 1 Thlr. 9 Sgr. für England, von 1 Thlr. 22 Sgr. für Frankreich.

BERLINER Allgemeine Gartenzeitung.

Herausgegeben vom

Professor Dr. Karl Koch,

General-Sekretair des Vereins zur Beförderung des Gartenbaues in den Königl. Preussischen Staaten.

Inhalt: Ueber Lebensbäume (Thuja und Biota). Vom Professor Dr. Karl Koch. — Eugenia Ugni Hook. et Arn. und Myrtus Ugni folia Lind. Von dem Obergärtner Lauche bei Potsdam. — Die Herbstausstellung zu Breslau und Eldena. — Die Obstausstellung in Gotha. — Journalschau: botanical Magazin. Juniheft. — Pflanzen-Verzeichnisse.

Ueber Lebensbäume (Thuja und Biota).

Von dem Professor Dr. Karl Koch.

Wie sehr die Koniferen hinsichtlich ihrer Nomenklatur sich in den Gärten in Verwirrung befinden und wie oft sie unter falschen Namen kultivirt werden, ist schon früher gesagt worden; es ist dieses aber weniger mit den Abietineen, als ganz besonders in der Familie der Cupressineen der Fall, wo allerdings die verschiedene Gestaltung der Blätter für die Bestimmung und Erkennung grosse Schwierigkeiten darbietet. An einer und derselben Pflanze sind diese schuppenförmig und gegenüberstehend, so wie nadelförmig und dann meist zu 3 in einem Quirl befindlich. Im erstern Falle sind diese wiederum bald an flach ausgebreiteten Aesten und Zweigen befestigt, bald stehen sie kreuzweise, also abwechselnd einander gegenüber; endlich befinden sie sich auch in Spiralen oder vielmehr in gar keiner bestimmt ausgesprochenen Reihenfolge. In der Regel liegt sonst bei den Pflanzen ein bestimmter Habitus zu Grunde, der die einzelnen natürlichen Geschlechter, auch ohne Blüthen und Früchte, charakterisirt. Für Cupressus und Juniperus einestheils, so wie Thuja und Chamaecyparis anderntheils, giebt es aber für jetzt in dieser Hinsicht gar keine Gränzen; wenigstens ist es mir noch keineswegs gelungen, etwas Bestimmtes im Habitus für jedes der 4 genannten Genera festzuhalten, so leicht auch, wenn Früchte vorhanden sind, diese sich unterscheiden.

Genannte 4 Geschlechter stimmen darin überein, dass die Schuppen des ursprünglichen Zapfens fleischig sind und mit einander verwachsen, und zwar entweder nur für eine Zeit, nämlich bis zur Reife, oder für immer; im letzteren Falle entsteht die Zapfenbeere, wie bei Juniperus, im ersteren der Beerenzapfen (Galbulus), wie bei den andern. Die Frucht-Schuppen sind ferner bei Cupressus und Chamaecyparis schildförmig, also in der Mitte befestigt, und schliessen bei ersterem viel, bei letzterem höchstens zwei Samen ein, während sie bei Thuja dachziegelförmig übereinander liegen. Sind die Samen im letzteren Falle mehr eiförmig und dick, wie bei Thuja orientalis, so gehören die Arten nach Endlicher zu Biota, haben sie aber Flügel an den Seiten, wie es bei Thuja occidentalis der Fall ist, so sind die Arten dem Geschlechte Thuja auch ferner geblieben. Im Habitus zeichnen sich Thuja und Biota nicht aus, denn beide haben später in einer Fläche liegende Aeste und Zweige; vielleicht möchten sie deshalb besser nur als Untergeschlechter zu betrachten sein, wie es übrigens Don, der den Namen Biota zu erst brachte, auch in dem grossen Lambert'schen Koniferen-Werke gethan hat.

Die verschiedenartigen Formen, die oft an einer und derselben Pflanze in der Familie der Cupressineen vorkommen, haben einzelne Handelsgärtner leider benutzt, um Stecklinge, die sich dann meist im Wachsthum eine Zeit lang gleichförmig erhalten, daraus zu machen, diese weiter zu vermehren und dann mit neuen Namen in den

Handel zu bringen. Es gilt dieses ganz besonders von den Formen der Juniperus virginiana und, jedoch weniger, von denen der J. Sabina. Von beiden sind auf diese Weise 10 bis 12 Formen als ganz neue Pflanzen nach und nach in die Welt geschickt worden. Hat man aber eine solche neue Pflanze eine Reihe von Jahren kultivirt, dann kommt die ursprüngliche Form der Art plötzlich einmal wieder zum Vorschein, und man sieht sich betrogen.

Ich beschränke mich heute nur auf Thuja und Biota. Obwohl beide Geschlechter mit Samen sehr leicht zu unterscheiden sind, so vermögen es doch, wie schon angedeutet, nur geübte Kenner, ohne diese es zu thuen. Das ist auch die Ursache, warum die Arten beider Genera in den Verzeichnissen der Handelsgärtner, welche in der Regel auch trotzdem Biota angenommen haben, ohne aber eigentlich zu wissen, worauf es ankommt, oft bunt durch einander geworfen sind, ja bisweilen selbst dieselben Arten unter beiden Geschlechtern, also doppelt und als ganz verschiedene Pflanzen, aufgeführt werden.

Von Libocedrus und Thujopsis sind Thuja und Biota sehr leicht zu unterscheiden, obwohl auch hier die in einer Fläche liegenden Zweige im Allgemeinen einen gleichen Habitus bedingen. Bei Libocedrus sind aber die Schuppenblätter, welche auf der Fläche selbst befindlich sind, also nach unten und oben stehen, sehr klein und fast verkümmert im Verhältniss zu den am Rande stehenden, während Thujopsis zwar beiderlei Blätter von einerlei Grösse besitzt, diese sich jedoch durch den Mangel der Drüse auf dem Rücken, dagegen durch das Vorhandensein zweier deutlichen Längslinien auf denen der Fläche wesentlich und sehr leicht unterscheiden. Die Arten beider Genera findet man übrigens in den Verzeichnissen der Handelsgärtner meist unter Thuja aufgeführt. Dasselbe gilt auch von den, aber im Habitus ganz verschiedenen und durch die langen zusammengedrückten Glieder ausgezeichneten Arten des Genus Callitris, was Linné und Andere übrigens auch mit Thuja vereinigt hatten. Für Chamaecyparis habe ich keine durchgreifenden Merkmale gefunden, um die Arten von den Lebensbäumen gut zu unterscheiden.

Die Arten der beiden Geschlechter oder Untergeschlechter Thuja und Biota charakterisiren sich im Habitus, indem die mit ihren Verästelungen in einer Fläche liegenden grünen Zweige bei dem zuerst genannten Genus oder Subgenus eine solche Richtung haben, dass die eine Fläche der Erde, die andere dem Himmel zusieht. Bei Biota haben sie in so fern eine Drehung erhalten, als die Zweige mit ihren Rändern diese Richtung haben, also senkrecht stehen. Ausserdem sind die Drüsen, welche sich auf den Blättern der Flächen befinden, bei dem zuletzt genannten Genus nur im Anfange erhaben, bilden aber später, indem sie eintrocknen, vertiefte Rinnen; bei den Arten der Thuja bleiben die Drüsen beständig und finden sich selbst bei ältern Blättern vor. Auch hinsichtlich des Vaterlandes unterscheiden sich die beiden Geschlechter, indem die Biota-Arten auf das östliche und südliche Asien, die von Thuja hingegen auf Nordamerika bis Mexiko südlich beschränkt sind.

In den verschiedenen Verzeichnissen der Handelsgärtnereien kommen gegen 40 Namen vor, die Arten und Formen der Lebensbäume darstellen. Mehr als die Hälfte möchte aber den Synonymen eingereiht werden. Die meisten habe ich untersuchen können, da Exemplare mir theils aus der reichen Sammlung des botanischen Gartens, theils aber auch aus Privatgärten, besonders aus dem des Kommerzienrathes Reichenheim in Berlin und des Hofbuchdruckers Hänel zu Magdeburg zu Gebote standen. Nur was ich gesehen, vermag ich zu besprechen. Unbekannt ist mir Thuja sinensis argentea Topf, die wohl dem Vaterlande nach zu Biota gehören möchte. Dasselbe gilt von Thuja macrocarpa der Plantagen von Althaldensleben. Was Thuja species de Caucase von Houtte anbelangt, so müsste diese, da sie aus Asien stammt, ebenfalls eine Biota sein; allein weder im kaukasischen Gebirge, noch in den nördlich und südlich an dieses gränzenden Ländern wächst eine Thuja oder Biota. Uebrigens existirt in englischen Pflanzen-Verzeichnissen noch eine zweite Thuja aus dem Kaukasus, die von dieser verschieden sein soll. Der Lebensbaum aus Meaux, Thuja oder Biota Meldensis ist eine Form der T. orientalis Ten. oder pyramidalis Ten.

Thuja californica und californica gigantea Papeleu sind ächte Thuja-Arten, wahrscheinlich zu gigantea Nutt. gehörig. Thuja thurifera mexicana Verschaffelt könnte ein Cupressus vom Ansehen eines Lebensbaumes, vielleicht auch eine Chamaecyparis sein. Der botanische Garten zu Berlin und die Londoner Gartenbaugesellschaft besitzen eine Chamaecyparis thurifera aus Mexiko, die vielleicht die Verschaffelt'sche oder Papeleu'sche Pflanze darstellt. Die Miquel'sche Thuja curviramea, welche als Cupressus majestica in den Gärten vorkommt, ist eine Abart der Cupressus torulosa der Gärten. Ueber Thuja dumosa Verschaffelt, plicatilis Verschaffelt und Papeleu (vielleicht eine Form der Th. plicata Don) und endlich über microcarpa Papeleu vermag ich gar nichts zu sagen.

I. Wenden wir uns zuerst zu den Lebensbäumen des Orientes, oder vielmehr zu denen des östlichen und wahrscheinlich auch Central-Asiens zu. Es ist schon gesagt, dass die hierher gehörigen Arten dicke und längliche Samen besitzen und deshalb dem Genus oder Subgenus Biota einzureihen sind; aber auch die ganzen Beeren-Zapfen erscheinen dicker, grösser und fleischiger. Bis jetzt sind zwar 3 Arten beschrieben, aber es wird schwer, diese einzeln mit bestimmten Merkmalen zu unterscheiden, denn wir besitzen eine Menge von Mittelformen, die im Verlaufe der Zeit sowohl im Vaterlande, also besonders in China und Japan, aber auch bei uns in Europa entstanden sein mögen. Diese 3 Arten sind: orientalis, pyramidalis und pendula, welche letztere namentlich in der Thuja intermedia Hort. einen Uebergang zu pyramidalis Ten. besitzt, so dass man jene mit gleichem Rechte als zu dieser gehörig betrachten könnte.

1. Thuja orientalis Ten., Thuja acuta Moench, Biota orientalis Endl. ex p., Cupressus Thuja Targ. Tozz., Platycladus stricta Spach besitzt im Allgemeinen die Schuppenblätter gedrängter, so dass diese an den äussersten Verzweigungen auf der flachen Seite eben so breit als lang sind. Auch ist ihre Farbe mehr gelblichgrün. Das ganze Gehölz wächst ebenfalls gedrängter und werden die etwas abstehenden Aeste kaum gesehen; es hat deshalb weniger eine Pyramiden- als eine längliche Eiform. Die Beerenzapfen sind grösser als bei der folgenden Art, rundlich und die freien Spitzen der Fruchtschuppen treten nur wenig hervor; von ihnen haben die 4 mittleren jede 2 Samen, während die 2 obern und die 2 untern unfruchtbar sind. Die bräunlichen Samen selbst erscheinen rundlich und kaum länger als breit.

Diese Art ist, wenigstens gegen unsere Winter in Norddeutschland, sehr empfindlich und friert oft zum Theil ab, geht auch wohl ganz und gar zu Grunde. Das Vaterland lässt sich nicht mit Bestimmtheit feststellen; obwohl gewöhnlich Nordchina angegeben wird, so möchte es doch vielleicht Persien, und ganz besonders Gilan im Süden des Kaspischen Meeres, sein. In der neuesten Zeit hat der Reisende Buhse in Dorpat die Pflanze in der zuletzt genannten persischen Provinz wieder aufgefunden. Sie ist wahrscheinlich erst in diesem Jahrhunderte in unseren Gärten eingeführt worden, daher auch Linné die jetzige Th. orientalis Ten. wohl nicht darunter verstanden haben kann, sondern Th. pyramidalis Ten. Auf diese auch passt wenigstens seine Diagnose genauer, als auf jene. Es wäre demnach vielleicht Grund vorhanden, einen neuen Namen zu geben, wenn man nicht vorzöge, doch trotzdem den frühern beizubehalten, um nicht wiederum Veranlassung zur Verwirrung zu geben. Man muss nur als Autor Tenore, der zuerst die Thuja pyramidalis specifisch unterschied, hinter den Namen der Pflanze setzen. Abgesehen davon, dass man doch keineswegs mit Bestimmtheit sagen kann, welche Pflanze Linné gekannt, so wie, ob er vielleicht nicht beide vor sich gehabt und nur nicht als Arten unterschieden habe, spricht auch die Angabe von Carrière, wonach die Franzosen auf ihren Gräbern nur Thuja orientalis Ten. haben, wiederum einiger Maassen für die Ansicht, dass diese doch früher vorhanden und demnach die ächte Linné'sche Pflanze sei.

2. Thuja pyramidalis Ten., Thuja orientalis (L.), Wats. dendr. brit. t. 149, Thuja tatarica Forb., Biota pyramidalis Carr. Die Schuppenblätter stehen in der Regel weniger gedrängt, so dass, wenigstens an den äussersten Verzweigungen und auf der flachen Seite, diese etwas länger als breit erscheinen. Die Aeste sind ebenfalls gestreckter und die Zweige stehen entfernter, gehen auch mehr senkrecht in die Höhe, so dass die ganze Pflanze ein mehr pyramidenförmiges Ansehen erhält. Die Farbe der Verzweigungen ist endlich auch weniger ein gelbliches, als vielmehr ein reines, jedoch immer mattes Grün. Unterscheidend sind jedoch vor Allem die kleineren Beerenzapfen, deren Schuppen viel weniger hoch verwachsen sind, so dass fast die ganze obere Hälfte in Form einer rundlichen und an ihrer Spitze gekrümmten Verlängerung erscheint. Die Samen sind ebenfalls mehr in die Länge gezogen und beträgt ihre Zahl, da das unterste und oberste Schuppen-Paar, wie bei Thuja orientalis Ten., unfruchtbar ist und von den beiden mittlern Paaren das oberste in der Regel nur einen zur Reife bringt, daher meist nur 6.

Das Verdienst, die Art näher festgestellt zu haben, hat, wie schon gesagt, der Direktor des botanischen Gartens in Neapel, Tenore, der in den Memoiren der Neapeler Akademie, im 3. Bande und Seite 35, eine gute Beschreibung gab und die Pflanze auch auf der 2. Tafel abbildete. Wahrscheinlich ist es, dass diese Art gegen die Mitte des vorigen Jahrhundertes in Europa eingeführt wurde. Missionäre, welche damals vielfach China bereisten, brachten sie mit nach Frankreich, von wo aus man sie weiter verbreitete. Wegen ihrer Cypressenform und ihres grössern Widerstandes gegen Kälte, wird sie namentlich in Deutschland vielfach auf Gräbern angepflanzt. Sie hält unsere Winter ganz gut aus und erfriert selbst im nördlichen Deutschland kaum und dann auch mehr in dem Falle, wo im Frühjahre wiederum plötzlich Kälte eintritt. Vaterland ist China, die Tatarei und das Himalaya-Gebirge.

Hierher und nicht zu Thuja orientalis Ten., wie Carrière in seiner sonst so vorzüglichen Monographie der Koniferen behauptet, gehören sämmtliche Abarten (oder zum Theil wohl auch Blendlinge), welche mir mit Früchten in den Gärten zu Gebote standen. Wie es scheint, giebt es aber doch nur vier Hauptformen, welche sich bestimmter von einander unterscheiden. Von der einen, welche ich als die speciell chinesische Abart bezeichnen möchte, besitze ich Original-Exemplare durch die Freundlichkeit des Professor Blume in Leiden und stimmen diese ziemlich genau mit der Abbildung in Siebold's Flora von Japan (im 2. Bande auf der 118. Tafel) überein. Hier stehen die Zweigelchen am Meisten von einander entfernt und die Beerenzapfen sind mehr in die Länge gezogen, so dass sie sich in der Form denen der Thuja pendula Lamb. und selbst entfernter denen der Thuja occidentalis L. nähern. Die hakenförmigen Spitzen treten sehr hervor und stehen grade in die Höhe. Für die zweite Abart möchte ich die Namen nepalensis beibehalten, da sie meist unter dieser Benennung vorkommt und der botanische Garten bei Berlin Originalpflanzen von daher besitzt. In den Gärten wird sie sonst auch als Thuja expansa, incurvata, hybrida, japonica, Wallichii und gracilis kultivirt.. Die äussersten Verzweigungen stehen weniger entfernt und die Früchte sind kurz, aber grösser, wie bei jener, und kaum länger als breit; trotzdem haben sich aber die hakenförmigen Spitzen sehr entwickelt. Wir haben hiervon wiederum eine Form, wo das Gehölz nicht hoch wird und kaum die Höhe von 4—5 Fuss erreicht, aber einen mehr gedrängten Wuchs von Ansehen der ächten Thuja orientalis besitzt. Sie führt in dem Garten des Kommerzienrathes Reichenheim in Berlin den Namen Thuja pumila.

Die dritte Abart wächst noch gedrängter; auch ihre Schuppenblätter sind feiner und folgen kürzer auf einander, so dass man eine ächte Thuja orientalis in dieser Hinsicht vor sich zu haben meint. Es kommt noch dazu, dass zwar die Beerenzapfen um die Hälfte kleiner und mehr in die Länge gezogen sind, wie es bei der chinesischen Form der Th. pyramidalis Ten. der Fall ist, dass aber die Spitzen der Schuppen sehr wenig, kaum mehr als bei Th. orientalis Ten., hervortreten. Es ist mir deshalb wahrscheinlich, dass die Pflanze einen Blendling beider genannten Arten darstellt. Ich habe sie in den meisten Gärten, auch im botanischen zu Berlin, als Thuja australis, sonst aber auch als Thuja tatarea vorgefunden, weshalb ich auch den ersteren Namen beibehalten werde.

Als eine vierte Hauptform könnte man die zwergige unter der Bezeichnung Thuja pyramidalis nana aufführen. Sie zeichnet sich dadurch aus, dass dicht über der Erde, eine Menge Aeste senkrecht bis zur Höhe von höchstens 3—3½ Fuss emporsteigen, so dass das ganze Gehölz eine rundliche oder kurz-eiförmige Gestalt erhält. Es giebt aber hiervon wiederum zwei Unterformen.

Die eine, welche Carrière mit der Bezeichnung nana unter Thuja orientalis aufführt, hat meist in den Gärten den Namen Thuja compacta, auch wohl Thuja freneloides und Thuja nana. Die Farbe der Verzweigungen ist ein mehr mattes Grün. Unterscheidend ist ausserdem noch der Umstand, dass die Aeste nach oben etwas gedreht sind.

Die zweite Unterform besitzt eine grünlich-goldgelbe Farbe und ist deshalb auch in den Gärten als Thuja aurea bekannt und wegen ihrer Schönheit sehr beliebt. Hier und da hat die Form auch den Namen Thuja Sieboldii. Die schönsten und grössten Exemplare, die mir vorgekommen, besitzen der Fabrikbesitzer Nauen in Berlin und der Hofbuchdrucker Hänel in Magdeburg. Ausser durch die Farbe unterscheidet sich diese Form noch von der Thuja pyramidalis compacta durch die grade aufstrebenden, durchaus nicht gedrehten Aeste. Die Früchte verkümmern in der Regel, doch kommen sie auch bisweilen zur Reife. In ihrer äussern Form ähneln sie denen der Thuja pyramidalis chinensis, sind also kleiner und mehr in die Länge gezogen.

Von Formen mit sogenannten panachirten Blättern (foliis variegatis) habe ich nur die goldgelbe, Thuja aureo-variegata, gesehen, doch wird in den Verzeichnissen auch eine Thuja argenteo-variegata oder schlechthin Thuja argentea angegeben. Die erstere gehörte zu Thuja pyramidalis Ten.; ob es auch Exemplare der Thuja orientalis Ten. mit panachirten Blättern giebt, weiss ich nicht.

3. Thuja pendula Lamb., Thuja filiformis Lodd., Thuja orientalis flagelliformis Jacq., Thuja orientalis pendula Hort., Thuja flagelliformis Hort., Biota pendula L., Cupressus pendula Thunb., Cupressus patula Pers., Cupressus pendulata Hort., Cupressus filiformis Hort. Diese also unter 10 Namen in den Gärten vorkommende Art ist schon früher in seiner Specifizität bezweifelt worden und wird es trotz des so sehr abweichenden Ansehens wiederum. Carrière spricht es in seiner Monographie ziemlich bestimmt aus. Wenn man die in den Gärten als Thuja intermedia vorkommende Pflanze betrachtet, so steht diese Form allerdings genau zwischen der Thuja pyramidalis chinensis und der Thuja pendula. Carrière bringt sie als Abart zu der letztern; nach den mir aus dem botanischen Garten zu Gebote stehenden Exemplaren wäre ich aber vielmehr geneigt, sie als Abart zu Thuja pyramidalis zu bringen, zumal das mir aus Japan zu

Gebote stehende Exemplare der letztern der Thuja intermedia des botanischen Gartens ausserordentlich nahe steht.

Die Zweige sind hier denen einer Cypressen-Art ähnlicher, als denen eines Lebensbaumes, da sie rundlich und nicht zusammengedrückt sind, eben so wenig aber in einer Fläche liegen. Auch die schuppenförmigen, mit der Spitze abstehenden, sonst aber mehr in die Länge gezogenen Blätter kommen mehr mit denen einer Cypressen-Art überein. Die Beerenzapfen erscheinen sehr schmal, ähneln mehr denen einer Thuja occidentalis L. und bestehen nur aus 6 Schuppen, die an der Basis mit einander verbunden sind und allmählig in die hakenförmig gekrümmte Spitze übergehen. In Loudon's Arboretum et Fruticetum britannicum (Tom. IV, Seite 2461) sind die Früchte irriger Weise ähnlich denen der Thuja orientalis Ten., also rundlich, angegeben.

Thunberg und v. Siebold stellen die Art als einen kleinen Baum von 10 bis 12 Fuss Höhe dar, dessen sehr in die Länge gezogenen Zweige bald überhängen und oft so lang werden, dass sie die Erde erreichen. Man findet die Pflanze häufig in den Gärten der Japanesen, besonders in der Nähe der Tempel. Im Vaterlande soll es mehre Abarten mit panachirten Blättern geben. In England hat man Thuja pendula im Freien und zum Theil in sehr ansehnlichen Exemplaren. Wahrscheinlich hält sie auch bei uns aus, und möchte sie deshalb im Freien angepflanzt die Zahl der Gehölze mit hängenden Aesten und Zweigen vermehren.

Was die früher besprochene Mittelform anbelangt, so scheint allerdings die Pflanze, welche Carrière in seiner Monographie beschreibt, der Thuja pendula näher zu stehen. Die Exemplare des botanischen Gartens bilden, wie gesagt, eine Form der chinesischen Form der Thuja pyramidalis Ten. mit sehr entfernt, aber immer in zwei Reihen stehenden und in einer Fläche liegenden Zweigen.

(Fortsetzung folgt.)

Eugenia Ugni Hook. et Arn. und Myrtus filifolia Lind.

Von dem Obergärtner Lauche bei Potsdam.

In England wird jetzt eine Myrtacee wegen ihrer essbaren Früchte sehr viel kultivirt. Sie ist bereits auch schon seit dem vorigen Jahre in Deutschland und befindet sich unter Anderem in dem Gewächshause des Fabrikbesitzers Nauen zu Berlin. Der Obergärtner daselbst, Gireoud, hat sogar in diesem Jahre Früchte gezogen und in einer der Versammlungen des Vereines einige mitgetheilt. Obwohl man keineswegs an ihnen den in England so sehr gerühmten feinen und angenehmen Geschmack finden konnte und ich überhaupt der Meinung bin, dass Eugenia Ugni, für die Gewächshäuser der Liebhaber wenigstens, eine vorübergehende Erscheinung sein möchte, so dürfte es doch von Interesse sein, hier etwas über die Pflanze mitzutheilen.

Eugenia Ugni wurde schon in den Jahren 1707 bis 1709 von dem Pater Feuillée, dem Nachfolger Plumier's, in Chili entdeckt und ist auch bereits in dessen Reiseberichte, im 3. Bande und auf der 31. Tafel, unter dem Namen Mortilla abgebildet. Später lernte sie auch der Jesuit Molina kennen und hat sie ebenfalls in der Naturgeschichte von Chili, aber als Myrtus Ugni, beschrieben. Durch beide Naturforscher erfährt man, dass die Früchte mit Wasser in ihrem Vaterlande ein erfrischendes und den Durst stillendes Getränk liefern, was wegen seines angenehmen Geschmackes und schwach aromatischen Geruches von den Eingebornen sehr geliebt wird. Man bereitet auch einen magenstärkenden Wein daraus. Endlich werden die Blätter zu einem Thee benutzt.

In der spätern Zeit ist die Pflanze, so viel wir wissen, von keinem spätern Reisenden wieder besonders erwähnt worden; eben so kamen weder Pflanzen, noch Samen, nach Europa. Erst im Jahre 1848 wurde sie aus der südlichen Provinz Chili's, aus Valdivia, eingeführt und gelangte zuerst nach dem botanischen Garten von Kew, von wo aus sie sich rasch über ganz England verbreitete. Hooker bildete die erste blühende Pflanze auch alsbald im botanical Magazin auf der 4626. Tafel ab, nachdem sie in den botanischen Miscellaneen (III, 318) durch Hooker und Arnott schon vorher einer genauern Untersuchung unterworfen worden war.

Beide Botaniker fanden, dass Myrtus Ugni wegen der grossen und zweitheiligen Eiträger oder Placenten und wegen der dicken, fleischigen und fast ganz verwachsenen Kotyledonen in das Genus Eugenia gehöre und nannten die Pflanze nun Eugenia Ugni. Sie hat im Aeussern sehr viel Aehnlichkeit mit unserer gewöhnlichen Myrte und besitzt wie diese schöne weisse Blüthen, mit, den meisten übrigen Eugenien entgegen, 5, selten 4 Blumenblättern, einzeln in den Winkeln der Blätter. Diese haben eine eiförmig-längliche oder längliche Form, eine Länge von bis 9 und eine Breite von bis 4 Linien. Ihre Substanz ist noch etwas härter als bei unserer Myrte, die Farbe aber dieselbe. Die rundlichen, dunkelbraunrothen Beeren werden an der Basis von 2 kleinen Deckblättern umgeben und schliessen nur einige wenige Samen ein.

Die Kultur der Pflanze ist sehr leicht und ähnelt der

der Myrte, ein Umstand, der allerdings die Pflanze empfehlenswerth macht. Sie liebt ganz besonders die Sonne, wenn sie blüht und Früchte tragen soll. In England hält man sie für härter als die Myrte und hat Versuche mit ihr im Freien angestellt, die jedoch, so viel mir zugekommen ist, keineswegs geglückt sind. Ganz besonders empfindlich hat sie sich, wenn sie blüht, gegen kalte Nächte gezeigt.

Die zweite in der Ueberschrift genannte Pflanze, welche Linden im Jahre 1853 als Myrtus filifolia in den Handel brachte und wahrscheinlich ebenfalls eine chilenische Pflanze darstellt, ist eine der im Habitus leichtesten Pflanzen, welche für Kalthäuser eine Zierde genannt zu werden verdienen. Ich besitze in der Augustin'schen Gärtnerei ein Exemplar, was allgemein wegen seines zarten und leichten Baues bewundert wird. Auch im Borsig'schen und Nauen'schen Garten finden sich hübsche Pflanzen vor. Leider hat noch keine geblüht und man weiss demnach gar nicht, ob Myrtus filifolia in der That zu diesem Genus oder nicht vielmehr zu Eugenia oder irgend einem andern Myrtaceen-Geschlechte gehört.

Die Pflanze des Augustin'schen Gartens besitzt eine Höhe von gegen 3½, einen Durchmesser hingegen von fast 3 Fuss. Hauptstamm und Aeste haben eine rauhe und schmutzig-ochergelbe Farbe, die gegen das schöne Grün der Blätter angenehm hervortritt. Die ersten Aeste zertheilen sich hauptsächlich gegen ihr oberes Ende in mehre schlanke und in einem graziösen Bogen schwach überhängende Zweige von verschiedener Länge. An ihnen bilden die gegenüberstehenden Blätter in einer Fläche liegend zwei Reihen, deren Paare einen halben Zoll von einander stehen. Sie selbst haben eine schmal-elliptische Form, doch so, dass der grösste Breitendurchmesser von 3½ bis 4 Linien oberhalb des untersten Drittels liegt und die Fläche sich von da nach unten und oben allmählig verschmälert. Die Länge beträgt ziemlich 2 Zoll. Während die Oberfläche ein freudig grünes, aber immer mehr dunkeles Ansehen besitzt, erscheint die Unterfläche weit heller. Der Rand ist ganz.

Was die Kultur der Myrtus filifolia anbelangt, so gedeiht die Pflanze keineswegs unter einer und derselben Behandlung. Wenn ein frischer Trieb beginnt, so muss sie warm (bis 15 Grad) und feucht gestellt werden. Hier bleibt sie so lange stehen, bis die Zweige allmählig sich zu verholzen anfangen. Dann muss sie aber in ein kaltes Haus kommen, um sich zu erstarken, und den ganzen Sommer darin zu bleiben. Kultivirt man sie immer kalt, so gedeihen die Triebe nicht und die Zweige erhalten kein schlankes, graziöses Ansehen. In der Regel bleiben sie auch kurz und stehen grade in die Höhe. Lässt man die Pflanzen hingegen auch im Sommer im Warmhause, so geschieht keine kräftige Verholzung der Zweige; diese wachsen mehr nach oben und spindeln. Ehe man sich versieht, ist die schwarze Fliege da, und ein Blattpaar fällt nach dem andern ab. Im Freien während des Sommers scheint Myrtus filifolia ebenfalls nicht zu gedeihen, aber auf keinen Fall darf sie irgendwo unmittelbar der Sonne ausgesetzt werden.

Was die Erde anbelangt, so gebe ich hier, wie bei den meisten Gehölzen, eine gute und leichte Holzerde mit etwas Lehm und Sand und bringe gute Abzüge fürs Wasser an. Man darf weder zu viel noch zu wenig giessen. Die Vermehrung ist leicht und geschieht im Frühjahre durch Stecklinge, aber mit reifem Holze.

Die Herbstausstellungen zu Breslau und Eldena.

I. Die überaus thätige Obstsektion der Schlesischen Gesellschaft für vaterländische Kultur veranstaltet vom 4. bis 7. Oktober eine Ausstellung von Pflanzen-Erzeugnissen aller Art mit Preisvertheilung in dem Lokale der Gesellschaft in der Börse am Blücherplatz No. 16. Die Einlieferungszeit muss bis am 3. Oktober Nachmittags 5 Uhr geschehen und an den Ordner, Obergärtner Rehmann, erfolgen. Da das Verzeichniss der durch Grösse, Kultur oder Neuheit hervorragenden Pflanzen- und Gemüse-Exemplare, so wie der vorzüglichsten Obstsorten für die Besucher gedruckt werden soll, sind solche bei dem Ordner (Tauenzienstrasse No. 86) schriftlich namhaft zu machen. Es sind ausserdem 2 Verzeichnisse einzureichen. Transportkosten werden nur auswärtigen Theilnehmern, wenn das Eingesendete über 50 Pfund beträgt, erstattet. Verkäufliche Gegenstände müssen besonders bezeichnet werden. Die Abholung muss bis 12 Uhr am 8. Oktober geschehen.

An Preisen wird ausgegeben die silberne Medaille der Schlesischen Gesellschaft für vaterländische Kultur nach dem Ermessen der Preisrichter; ausserdem aber an grössern und kleineren silbernen Medaillen der Sektion:

1. Für die reichhaltigste Sammlung von Weintrauben.
2. Für die Sammlung der vollkommensten Weintrauben in wenigstens 6 Sorten.
3. Für die an Sorten reichhaltigste Sammlung an Aepfeln in 2—5 Exemplaren von jeder Sorte.
4. Desgleichen für Birnen.
5. Für eine Sammlung von wenigstens 12 guten und richtig benannten Aepfeln oder Birnen, auch gemischt

6. Für die reichhaltigste Sammlung von Steinobst, Melonen, Ananas, Orangen, Feigen u. dergleichen.
7. Für das beste Sortiment von Kohl- (Kraut-) Arten.
8. Für die reichhaltigste Sammlung von Wurzelgewächsen und Zwiebeln.
9. Für neues, hier noch wenig oder gar nicht gebautes, marktfähiges Gemüse.
10. Für das grösste und schönste Sortiment blühender Pflanzen einer Gattung.
11. Für ein einzelnes, blühendes Exemplar von ausgezeichneter Kultur.
12. Für eine hier zum ersten Male ausgestellte Pflanze in vorzüglicher Kultur.

Accessite haben ausser den Preisen noch No. 3, 4, 5, 6, 10, 11 und 12.

II. Welchen grossen Einfluss auf die Beförderung des Gartenbaues, und namentlich des Obstbaues, der Gartenbauverein für Neu-Vorpommern und Rügen in Eldena ausübt, ist bekannt. Wie in Breslau, werden auch in Eldena alljährlich mehre Ausstellungen von Pflanzen-Erzeugnissen veranstaltet. Am 28. September findet die 13. Jahres-Versammlung statt, wobei dieses Mal zwar keine allgemeine Frucht- und Blumen-Ausstellung stattfindet, wo aber doch durch Aufstellung von einigen wenigen interessanten und empfehlenswerthen Pflanzen, Obstsorten oder Gemüse u. s. w. gefördert werden soll.

Desto mehr will man dieses Mal durch Verhandlung über wichtige Fragen zu wirken suchen. Es wäre wohl zu wünschen, dass bei allen Ausstellungen, wo sich doch in der Regel eine grössere Anzahl von Mitgliedern und Gästen einfindet, Gelegenheit genommen würde, um das Eine oder Andere öffentlich zu besprechen. Noch besser möchte es sein, wenn, wie in Eldena, die Gegenstände, über die verhandelt werden soll, schon vorher zur Kenntniss kommen. 4 Fragen sind es, die am 28. debattirt werden sollen und in der That auch gewichtig erscheinen.

1. Welche Obstsorten bewähren sich in diesem Jahre in Bezug auf Tragbarkeit und Gesundheit am Besten?
2. Welche weitere Erfahrungen liegen über den Erfolg des Anbaues der China-Kartoffel (Dioscorea Batata) vor?
3. Welche Salatsorten widerstanden der Dürre in diesem Jahre am Besten und brachten geschlossene Köpfe?
4. Welche Nadelhölzer eignen sich — neben unseren einheimischen — zur Kultur im Freien und welche Vermehrungs- und Behandlungsweise sagt den zarteren dieser Gattung in Töpfen am Meisten zu?

Die Obstausstellung in Gotha.

Die Zeit derselben rückt heran. Wir erlauben uns nochmals auf deren Wichtigkeit aufmerksam zu machen und auf das Programm in der 29. Nummer der Berliner Gartenzeitung hinzuweisen. Allem Anscheine nach wird die Ausstellung nicht allein reichlich beschickt, sondern auch unsere tüchtigsten Obstkenner werden zum grossen Theil Antheil nehmen, so Superintendent Oberdiek in Jeinsen bei Schloss Kalenberg im Hannöver'schen, Ministerialrath von Trapp in Wiesbaden, Medizinalassessor Jahn in Meiningen, die Hofgärtner G. A. und K. Fintelmann auf der Pfaueninsel und am Neuen Palais bei Potsdam, Hofgartenmeister Borchers in Herrenhausen bei Hannover, die Garteninspektoren Jühlke in Eldena bei Greifswald und Lucas in Hohenheim bei Stuttgart, James Booth in Hamburg u. A. Von Vielen, die wahrscheinlich ebenfalls nach Gotha kommen werden, um an den Verhandlungen Theil zu nehmen, ist es uns nur nicht bekannt.

In mehren Ländern und Provinzen haben Gartenbau-Gesellschaften und einzelne Männer, die reges Interesse dafür haben, die Angelegenheit in die Hand genommen und suchen in denselben alle Sorten des Kernobstes, welche daselbst gebaut werden, zusammen zu bringen, um sie als eine vollständige Sammlung in Gotha aufzustellen. Es geschieht dieses, so viel uns bekannt ist, namentlich in Schlesien durch die Obstsektion der Schlesischen Gesellschaft für vaterländische Kultur in Breslau, in Neuvorpommern durch den Gartenbauverein in Eldena bei Greifswald, im Rheingau durch den Ministerialrath von Trapp, in Würtemberg durch den Garteninspektor Lucas in Hohenheim bei Stuttgart, in Kurhessen durch den Gartenbauverein in Kassel und in den Anhalt'schen Herzogthümern durch den Gartenbau-Verein in Dessau. Es ist sehr zu wünschen, dass es in andern Gegenden ebenfalls geschehen möchte. Einige derselben, wie der Dessauer, Schlesische und der Pommer'sche, haben vorher selbst eine Ausstellung und bringen dann eine ausgewählte Sammlung nach Gotha, um die Namen dort zu berichtigen; andere, wie der Kasseler, wollen erst nachher das berichtigte Obst zu Hause ausstellen.

Man sieht aus Allem, wie zeitgemäss die Obstausstellung war und wie sehr sie erwartet wurde. Wir erlauben uns nur darauf aufmerksam zu machen, dass die Obstzüchter, die speciell über einzelne Obstsorten Aufklärung haben wollen, nach dem Programme diese in besonderen Kisten zu verpacken und mit besonderen, darauf zu bemerkenden Verzeichnissen zu versehen haben.

Journal-Schau.

(Fortsetzung aus No. 34.)

Im Junihefte erhalten wir zuerst auf der 4986. Tafel Echeveria canaliculata Hoock., eine Dickpflanze, welche sich mit ihren brennendrothen Blüthen den andern Arten dieses Geschlechtes anreihet und empfohlen werden kann. Die Pflanze wurde von Staines im Real del Monte in Mexiko entdeckt und dem botanischen Garten zu Kew mitgetheilt. Sie steht der im botanical Register (31. Band, tab. 27) abgebildeten E. Scheerii Lindl. am Nächsten und unterscheidet sich leicht durch mehr gleichbreite und an den Rändern in die Höhe gehobene, daher rinnenförmige Blätter.

Gardenia citriodora Hook. wurde 1849 von Gueinzius in Port Natal (Südafrika) entdeckt, kam aber erst später lebendig nach England zu Rollinson, von dem sie dem Direktor des botanischen Gartens zu Kew mitgetheilt wurde. Der immergrüne Blüthenstrauch scheint nicht hoch zu werden und trägt die blendend weissen Blüthen kopfartig in den Winkeln der Blätter. Die Pflanze besitzt eine nicht geringe Aehnlichkeit mit einer Citrus chinensis, zumal auch ihre Blüthen eben so angenehm duften.

Begonia Wageneriana Hook. (Moschkowitzia Wageneriana Kl.) stammt aus dem Augustin'schen Garten zu Potsdam, wohin sie Wagener aus Kolumbien sendete. Da sie von vielen anderen Arten dieses reichen Geschlechtes an Schönheit übertroffen wird, so findet man sie auch wenig verbreitet. Die männlichen Blüthen haben 2 weisse Blumenblätter, während die weiblichen mit ihren 5 Blättern eine grüne Farbe besitzen.

Xanthosoma sagittifolium Schott auf der 4989. Tafel stellt eine Pflanze mit einem kurzen Stamme, wie auch Jacquin sein Arum sagittaefolium abbildet (Hort. Vindob. II, t. 157), dar. Linneé nennt sein Arum sagittifolium mit bestimmten Worten stengellos (acaule), obwohl er, wie ich in der Appendix zum Samen-Verzeichnisse des botanischen Gartens vom Jahre 1854 nachgewiesen habe, 4 verschiedene Arten darunter begreift. Alle 4 sind aber stengellos und ziehen ein, d. h. die krautartigen Theile sterben ab und bleibt die Pflanze nur auf die Knollen beschränkt, die später wiederum austreiben. Durch Absterben der unteren Blätter kann sich zwar bisweilen eine Art Stengel bilden, zumal wenn man künstlich die Pflanze nicht einziehen lässt, aber dieses verändert die Sache nicht. In Westindien und überhaupt in den tropischen Ländern Amerika's werden nur die Xanthosoma-Arten, die, eben so wie Colocasia antiquorum, einziehen, unter dem Namen „Karaibischer Kohl", wie uns mehrfach von Reisenden mitgetheilt wurde, benutzt.

Die 4990. Tafel bildet Cypripedium hirsutissimum Lindl. aus Java ab. Die Pflanze wurde von Parker in Hornsey an Hooker mitgetheilt. Es steht allerdings dem C. insigne Wall., dem schon besprochenen villosum Lindl. und purpuratum Lindl., die alle drei ostindischen Ursprunges sind, sehr nahe, zeichnet sich aber durch den mit langen, wagerecht abstehenden Borsten besetzten Schaft aus. Von den 3 Kelchblättern sind die seitlichen und schmälern grün und verwachsen, das oberste breite hingegen ist mehr rothbraun, während die breiten Kronblätter eine purpurblaue Farbe haben, die Lippe endlich grünlich-braungefärbt erscheint.

Im Juli-Hefte beginnt Puya virescens Hook., wahrscheinlich aber eine Pitcairnia oder ein Cochliopetalum, da die Pflanze der Puya flavescens ähnlich angegeben wird. Die Pflanze stammt aus Belgien und mag wohl ursprünglich aus Venezuela oder auch aus Neugranada gekommen sein. Zu den empfehlenswerthen Bromeliaceen gehört P. virescens keineswegs, da die gelblich-grünlichen Blüthen kein hübsches Ansehen haben.

Pflanzen-Verzeichniss.

Die Preis-Verzeichnisse der Booth'schen Samenhandlung in Hamburg erscheinen in der Mitte Januar und sind unter andern in unten bemerkten Städten zu haben:

In Berlin bei Herrn I. G. Heuze.
- Breslau bei Herrn C. F. G. Kaerger.
- Bromberg bei Herren Trower & Appelbaum.
- Cracau bei Herren F. I. Kirchmeyer & Sohn.
- Danzig bei Herrn F. W. von Frantzius.
- Dresden bei Herrn A. L. Mende.
- Königsberg bei Herrn C. Funk.
- Leipzig bei Herrn Immanuel Müller.
- Posen bei Herrn D. L. Luboneu, Wwe & Sohn.
- Prag bei Herren C. A. Fiedler und Söhne.
- Stettin bei Herren Grützmacher Söhne.
- Wien, Mariahilfer Hauptgasse, Laimgrube 11 bei Herrn F. Helmbacher.

Verlag der Nauckschen Buchhandlung. Berlin. Druck der Nauckschen Buchdruckerei.

Hierbei das Verzeichniss der Rosensammlung von J. Ernst Herger zu Köstritz im Fürstenthume Reuss.

No. 37. Sonnabend, den 12. September. 1857

Preis des Jahrgangs von 52 Nummern mit 12 color. Abbildungen 6 Thlr., ohne dieselben 5 „
Durch alle Postämter des deutsch-österreichischen Postvereins sowie durch den Buchhandel ohne Preiserhöhung zu beziehen.

Mit direkter Post übernimmt die Verlagshandlung die Versendung unter Kreuzband gegen Vergütung von 26 Sgr. für Belgien, von 1 Thlr. 6 Sgr. für England, von 1 Thlr. 22 Sgr. für Frankreich.

BERLINER Allgemeine Gartenzeitung.

Herausgegeben vom

Professor Dr. Karl Koch,

General-Sekretair des Vereins zur Beförderung des Gartenbaues in den Königl. Preussischen Staaten.

Inhalt: Der Schlossgarten zu Tetschen. Vom Professor Dr. Karl Koch. — Wistaria chinensis DC. und Apios tuberosa Moench. Zwei zu empfehlende Lianen. — Drei neue Koniferen. — Die gelbe Therose Isabella Gray oder Miss Gray. — Journal-Schau. (Fortsetzung aus Nr. 36.)

Der Schlossgarten zu Tetschen.

Vom Professor Dr. Karl Koch.

Wo die Natur mit ihren Gaben freigebig gewesen ist und aus dem Füllhorn ihrer Reize reichlich ausgeschüttet, da braucht der Mensch weniger zu thun; wo sie aber nur kärglich gespendet und in ziemlich gleicher Gestalt sich allenthalben wiederholt, wo dieselbe Ebene, hier und da kaum von einer wellenförmigen Erhebung unterbrochen, sich viele Meilen weit hinzieht und nirgends eine Abwechslung von Berg und Thal sich dem Auge darbietet, so hat der Künstler Gelegenheit zu schaffen und zu verschönern. Hier ist auch das Verlangen nach Mannigfaltigkeit bei dem, der ästhetischen Sinn in seiner Brust besitzt, mächtiger und wohl auch natürlicher.

Deshalb finden wir hauptsächlich in dem ebenen Norddeutschland, und mehr noch im Osten als in Westen, wo eine grosse, zum Theil selbst sehr unfruchtbare Ebene sich hinzieht, Gärten mit grösseren und kleineren Anlagen im englischen Geschmacke, während in dem schönern Süddeutschland diese seltner und, wo sie vorhanden, noch zum Theil im französischem, gezwungenen Style, erhalten sind. Man möchte die letztern hier fast auch noch mehr rechtfertigen, als sonst, denn sie geben doch wenigstens Gelegenheit zu begreifen, was für Barockes aus den Werken des Menschen wird, sobald dieser die Natur, die ursprüngliche Lehrerin, verlässt und auf eigenen Füssen stehen will.

Gewöhnlich glaubt man, dass Anlagen in schönen Gegenden leicht herzustellen sind. Ich bin keineswegs der Meinung, sondern halte es im Gegentheil für sehr schwierig, mit der Natur zu wetteifern. Man kommt zu leicht in Gefahr, Etwas zu thuen, was dem Geiste des Ganzen zuwider läuft, oder wenigstens, was zu dem Uebrigen nicht recht passen will. Man darf und soll es aber nicht sehen, dass es der Mensch erst gethan hat; es muss sich mit dem Uebrigen im Einklange befinden. In einer schönen Gegend, die um so schwieriger aufzufassen sein möchte, um desto mannigfaltiger und abwechselnder sie sich darbietet, gebraucht der Künstler Zeit, um die Idee herauszufinden, welche die Natur hier durchgeführt hat; aber um das zu können, muss er nothwendiger Weise sich mit dem Einzelnen erst vertrauter machen, um klar zu werden, wodurch die Gegend eben schön ist. Er muss diese gründlich studieren.

Wenn man das Elbthal oberhalb Dresden durchgangen und ausserdem vielleicht noch sogar die Sächsische Schweiz durchwandert ist, und tritt nun in Böhmen ein, um in kurzer Zeit darauf nach dem Kessel zu gelangen, den nach Norden auf der einen Seite der Schlossberg von Tetschen, auf der andern der Schäferberg schliesst, so haben sich bereits eine Reihe schöner Erinnerungen dem Gemüthe des Menschen unmittelbar eingeprägt. Man befindet sich aber auch in einer Gegend, die dem, was man eben gesehen, an Schönheit nichts nachgiebt. Die bis dahin im engen Thale ziemlich rasch dahin geflossene Elbe fliesst in einem lieblichen, von vielen Menschen bewohnten Kessel ruhiger und in vielen Windungen dahin, um nach einigen Stunden Wegs zwischen den oben genannten Höhen herauszutreten und, vom Neuen mehr von Bergen eingeengt, ihren fernern Lauf zu verfolgen.

Hier noch Neues schaffen zu wollen, möchte man fast Frevel nennen. Es kann nur die Rede sein, da, wo irgend ein Zufall eine Dysharmonie hervorgerufen hat, diese wegzuschaffen und die ursprüngliche Natur wiederum zur Geltung zu bringen. Man kann vielleicht auch hier und da durch Anpflanzungen nachhelfen oder umgekehrt durch Aushauen und Lichten Aussichten hervorrufen, aber Hauptsache bleibt immer, dass der Künstler eigentlich nichts weiter thut, als die schönsten Punkte durch Wege und Pfade mit einander zu verbinden. Der schauende Mensch muss oft geleitet werden; man muss ihm das Schönere leichter und bequemer vorführen. Nicht darauf aufmerksam gemacht, hätte er es vielleicht ganz und gar in der Weise nicht ergriffen, ja auch ganz übersehen. Für den aber, der sich nur eine Zeit aufhält, kommt noch dazu, dass geleitet er Zeit gewinnt, um grade nur die schöneren Punkte kennen zu lernen.

Tetschen ist ein kleines, aber freundliches Städtchen an der Nordseite des Schlossberges auf dem rechten Ufer der Elbe, über die eine erst vor wenigen Jahren erbaute Kettenbrücke nach Bodenbach und der dortigen Eisenbahnstation führt. Auf dem Schlossberge ganz nach vorn, wo dieser sehr steil bis zu einer Tiefe von 114 Fuss nach dem Flusse zu abfällt, erheben sich die ziemlich bedeutenden Wohngebäude des Grafen v. Thun-Hohenstein und bieten, besonders von der Eisenbahnstation aus betrachtet, einen wunderschönen Anblick dar. Auf der andern Seite verliert sich der Schlossberg allmählig in einem Einschnitte des Kessels, hinter dem hohe und bewachsene Berge sich erheben. Von dort aus hat man einen ziemlich breiten und graden Fahrweg in den Sandstein gehauen, der direkt zu dem Schlosse führt. Mauern gleich stehen auf beiden Seiten noch die ursprünglichen Felsen, durch die man auch seitlich Thüren durchgebrochen hat, um nach den die Abhänge und den Fuss des Schlossberges bekleidenden Anlagen zu gelangen.

Geht man durch eine der Thüren links, also nach Süden zu, so kommt man auf eine Terrasse von ziemlicher Breite, auf der die Wohnung des Obergärtners Josst, nebst einigen Orangerie- und andern Gewächshäusern sich befindet. Die Aussicht von hier ist in der That überraschend. Der ganze Elbkessel breitet sich unten aus und gleich einem vielfach geschlungenen, silberglänzenden Bande fliesst der schöne Fluss zwischen bebauten Feldern und Gärten ruhig dahin. In einem Halbkreise erheben sich die Berge überall, meist mit Laub, aber auch mit Nadelholz bewachsen, und schliessen in angenehmen Konturen den Horizont. Doch ich will nicht Aussichten schildern, sondern nur die Anlagen und den Garten des Grafen von Thun-Hohenstein.

Die Pflege nicht allein derselben, sondern auch die Verschönerung der ganzen Umgegend ist dem bereits genannten Obergärtner Josst anvertraut; der Graf v. Thun-Hohenstein wünschte, dass die schönsten Punkte der ganzen Umgegend, besonders für Fernsichten, durch Wege mit einander verbunden würden. Niemand war wohl auch dazu geeigneter, als der Mann, der auch ausserdem schon mehrfach nicht allein Kunstsinn, sondern auch Kunstfertigkeit an den Tag gelegt hatte. Selbst in wissenschaftlicher Hinsicht erfreut sich der Obergärtner Josst mit Recht der Anerkennung, denn ihm verdanken wir ein für dem Botaniker sowohl, wie für dem Gärtner brauchbares und gutes Werk über die Orchideen.

Von der obersten Terrasse führen Wege nach den beiden andern tiefer gelegenen, so wie nach dem Fusse des Berges, wo der eigentliche Blumengarten sich ausbreitet. Die Gewächshäuser befinden sich nicht allein auf der ersteren, sondern auch auf den beiden andern Terrassen und sind dem Felsen entweder nach hinten angelehnt oder auch grade zu diesem mehr oder weniger eingehauen. Es ist dieses in jeglicher Hinsicht ein Vortheil, zumal dadurch im Winter viel Holz erspart werden mag. Die Zahl der Gewächshäuser ist nicht unbedeutend, da ausser dem Bedarf von Warm- und Kalthauspflanzen, welche zur Dekorirung der vielen Räume im und am Schlosse nothwendig sind, auch noch nicht unbedeutender Handel, namentlich mit einzelnen bestimmten Pflanzen, getrieben und daher nothwendiger Weise grade auch auf diese Sorgfalt verwendet wird.

Eine Pflanzen-Familie, die, wie man aus dem Vorhergehenden schon ersehen haben mag, hier mit besonderer Vorliebe kultivirt wird, ist die der Orchideen. Um über 600 Arten, zu denen noch fast 100 Abarten und Formen kommen, in guten Exemplaren unterzubringen, dazu gehört schon ein geräumiges Haus. Die Aufstellung war eigenthümlich und ist sie mir in dieser Weise noch nicht vorgekommen, so zweckmässig sie auch war und so sehr man sie andern Orchideenliebhabern anrathen könnte. Die Orchideen fanden sich nämlich nicht auf flachen Tischen oder terrassenartig über einander, wie es sonst meist der Fall ist, sondern es waren Baumstämme mit 6, 8 bis 10 kurz abgestutzten Aesten angebracht, auf welchen letztern die Gefässe mit den Pflanzen standen oder an denen man sie seitlich befestigt hatte.

Diese Aufstellung hat den Vortheil, dass die feuchte

Luft leichter herantreten und wechseln kann und dass die Pflanzen selbst von allen Seiten bequemer betrachtet werden können, abgesehen davon, dass es sich hübscher dem Auge darbietet, zumal wenn man noch auf andere Weise die an und für sich durch Mangel von Blättern und sonst keineswegs hübschen Orchideen-Pflanzen in ihrer äussern Erscheinung unterstützt, wie es hier der Fall war. So hatte man ausserdem Bromeliaceen, blühende Achimenen und andere Gesneraceen, Cyrtandraceen, ferner Selaginellen u. s. w., hauptsächlich in den Winkeln der Aeste, aber auch ausserdem, angebracht.

Auf alles das Schöne, was mir hier entgegentrat, aufmerksam zu machen, möchte zu weit führen. Ich kann nur im Allgemeinen sagen, dass die Pflanzen sämmtlich ein gutes Ansehen und zum Theil auch einen ziemlichen Umfang besassen. Von besonderem Interesse waren für mich mehre der javanischen Orchideen in Blüthe, da man diese grade sonst nicht sehr häufig vertreten findet. So Sarcopodium Lobbii Lindl., was auch als Bolbophyllum Maschallii in den Gärten vorkommt, Rhynchostylis praemorsa Blume (Saccolabium Lindl.) und retusa Blume (Saccolabium Blumei Lindl.), auch die Abart major, so wie Rh. miniata Lindl. und micrantha Lindl., Vanda tricolor Lindl., ferner Acampe papillosa Lindl. des ostindischen Festlandes, Aërides quinquevulnerum Lindl. β. candidissimum der Philippinen, Catasetum Russelianum Lindl. (Cycnoches viride Hort.) u. a. m. Auch einige Phalaenopsis-Exemplare befanden sich in Blüthe. Neu war mir die Bemerkung des Obergärtners, dass die Blüthenstengel dieser Orchideen sehr gut zu Stecklingen benutzt und so die Pflanzen auf eine leichte Weise vermehrt werden können.

Aber auch das sehr in die Länge gezogene Warmhaus fand ich ziemlich reich an Blüthen- und Blattpflanzen. Von den letzteren waren besonders die Ficus-Arten und Marantaceen in schönen und seltenen Exemplaren vertreten; so Ficus subpanduraeformis, Neumanni und die noch nicht beschriebene amazonica, ferner Maranta cannaefolia, metallica, regalis u. a. m. Auch Baumlilien (Dracäneen) sah ich in reichlicher Anzahl; von ihnen nenne ich besonders Dracaena mauritiana, nigra, reflexa und salicifolia. Zu den besonderes Interesse in Anspruch nehmenden Pflanzen gehören Nepenthes phyllamphora, Hookeri und laevis, Cephalotes follicularis und Dionaea Muscipula in schönen Exemplaren. Auch Steffensia rheifolia von Warszewicz, obwohl hier weniger geschätzt, möchte doch nicht zu verwerfen sein.

Die Blüthenpflanzen bestanden hauptsächlich aus Achimenen und Gesneren in zahlreichen Sorten, zum Theil noch in Blüthe. In der Züchtung der letztern hat sich der Obergärtner Josst selbst Ruf erworben und verdienen besonders genannt zu werden: Johanna Gräfin Thun, der Jäger'schen virginalis nicht unähnlich, so wie Fürstin Dietrichstein, eine weisse aufrechte Blume mit einem rosenrothen Ringe am Schlunde, und stellata, die auch als Hauptmann Wuthe ausgegeben wird. Unter den übrigen Gesneren fiel mir die bekannte Episcia pulchella auf, da sie sich nach dem Urtheile des Obergärtners Josst sehr gut als Schaupflanze heranziehen lässt, wenig Mühe macht und sehr dankbar blüht. Als Marktpflanze hingegen ist Rondeletia speciosa, die ich hier in zahlreichen, schön gezogenen Exemplaren fand, zu empfehlen. Hoffentlich wird mir noch einmal Gelegenheit darüber zu sprechen und möchte nur der Obergärtner Josst freundlichst der Redaktion sein Kultur-Verfahren für beide Pflanzen mittheilen.

So klein und unscheinlich auch das Haus mit den Wasserpflanzen aussieht, so schöne Arten schliesst es doch ein. In der Nelumbium-Zucht besitzt der Obergärtner Josst schon lange Ruf und verdankt man ihm einige sehr interessante und schöne Formen, von denen Graf von Thun alle Beachtung verdient. Von der Abart aus Peking besitzt man hier auch die weissblühende Form. Seit vorigem Jahre ist eine neue Abart entstanden, welche den Namen Mutabile erhalten hat. Sie besitzt rosenrothe, an der Basis jedoch goldgelbe Blumenblätter. Auch die Bouché'schen Nymphäen-Blendlinge fand ich hier in ziemlicher Vollständigkeit vertreten.

Die grosse Ananas-Treiberei von Tetschen ist bekannt. Leid that es mir, dass bereits die Zeit vorüber war, wo die Blüthensträucher, welche der Obergärtner Josst mit Vorliebe kultivirt, sich in ihrer eigentlichen Pracht befanden. Ganz besonders reich ist seine Sammlung von Kamellien, da sie über tausend verschiedene Formen enthält. Alle die, welche ausgesucht in der Verschaffelt'schen Iconographie abgebildet sind, findet man hier vertreten; aber auch ausserdem sieht man alle schönen Formen, die irgendwo in Deutschland, Belgien, Italien und sonst gezüchtet sind, in der Gräflich-Thun'schen Sammlung.

Nicht minder gross sind die Sortimente indischer Azaleen und Rhododendren. Gegen 400 Sorten der ersteren werden kultivirt, obwohl nur das Schöne behalten und das, was nicht entspricht, alsbald wiederum entfernt wird. Die Zahl der Rhododendren, Arten, Abarten und Formen, beträgt sogar gegen 600. Unter ihnen befinden sich fast alle Arten, die erst vor wenigen Jahren aus Sikkim, Bhutan und Assam eingeführt wurden.

Endlich gehören auch Rosen zur besonderen Liebhaberei des Grafen v. Thun und seines Obergärtners. Obwohl die Zeit der eigentlichen Blüthe schon längst vorüber war, so hatten doch noch Remontanten hinlänglich Blumen, um sie bewundern und sich an ihnen freuen zu können. Vielleicht wird mir einmal später Gelegenheit, zu einer andern Zeit Tetschen besuchen zu können und behalte ich mir dann vor, vom Neuen auf die einen oder andern der genannten Blüthensträucher zurückzukommen. Ich wende mich deshalb für jetzt den freundlichen Anlagen zu.

Diese ziehen sich rings um den Schlossberg und setzen sich selbst im Süden jenseits des Gebirgs-Flüsschen Pulsnitz, was hier sich mit der Elbe verbindet, in der Ebene fort. Ich beginne mit dem nördlichen Theile und trete deshalb auf der rechten Seite der Auffahrt durch eine Thüre, um dort einen der terrassirten Felsen zu ersteigen und mich an der seltenen Aussicht daselbst zu erfreuen. Prächtige Kastanien-, Linden- und Ahorn-Bäume, zum Theil von nicht unbedeutendem Umfange und hohem Alter, stehen zwischen dieser Terrasse und dem Schlosse. Zwischen ihnen führt der Weg nach dem ziemlich jähen Nordabhange des Berges, der aber trotzdem mit allerhand Waldbäumen von schlankem Wuchse bewachsen ist. Man hat hier einen schmalen, aber doch ziemlich bequemen Pfad, zum Theil in Felsen eingehauen, und kommt im Zickzack an den Fuss des Berges, in den eigentlichen Schlossgarten, der auf der andern Seite bis zur Strasse reicht und daselbst durch ein hohes Gitter abgesperrt ist.

Dieser hat keinen bedeutenden Umfang und erstreckt sich nach vorn bis zur Elbe, zu dieser hin in geringer Neigung abwärts gehend. Gruppen grosser Bäume wechseln mit kleinen Rasenpartien ab. Die Bäume sind schön, haben meist ein gesundes und kräftiges Ansehen, aber doch für die lichten Stellen zu viel Raum einnehmend, zumal die nördliche Lage und der theilweise gänzliche Mangel an Sonnenschein an und für sich die feuchte Luft fördert. Selbst an einem heissen Augusttage war es hier auffallend kühl. Es möchte auch, wenn etwas mehr gelichtet würde, der Schlossberg gewinnen, der besonders nach der Elbe zu steiler abfällt und mit seinem graugrünem Ueberzuge von Farnen, Laub- und Lebermoosen, so wie von Flechten, der mannigfach durch kurzes Gesträuch unterbrochen wird, einen, ich möchte sagen, ehrwürdigen Anblick darbietet.

Nach der Elbe zu wird es freier. Der Weg, welcher hier nach der Vorderseite führt, bietet einen schönen Blick auf den Schlossberg dar, der hier um so romantischer und barocker aussieht, als die Felsenwand keineswegs in einer Fläche jäh abfällt, sondern als aus mächtigen Blöcken zusammengesetzt erscheint. Eine hübsche Juglans fertilis, über und über mit in Knäueln zusammengedrängten Früchten bedeckt, bietet zu dem Bilde eine hübsche Staffage.

Weiter hin kommt man an ein Monument der verstorbenen Gräfin, die ihre 3 Knaben in der ersten Jugend selbst ernährte, gewidmet, was sinnig ausgeführt ist und hier mitten im Halbdunkel dicht belaubter Bäume einen passenden Platz erhalten hat. Es ist einfach, aber wird bei Jedem, der es erschaut, auch wenn er der Familie fern steht, einen tiefen Eindruck hinterlassen.

Es musste der Felsen ausgehauen werden, um auf die andere Seite zu gelangen. In diesem trockenem Jahre wäre es freilich auch ohne diesen Pfad gelungen, denn das Wasser der Elbe war weit zurückgetreten und so seicht, dass die von Dresden kommenden Dampfschiffe nur mit Mühe aufwärts schiffen konnten. Auf der andern Seite zeigte mir mein freundlicher Führer an einer ziemlich senkrecht abfallenden Schlucht des Berges Gemäuer mit der Erklärung, dass dieses eine Wendeltreppe einschliesse, welche von dem Schlosse aus herunterführe. Wahrscheinlich der Festigkeit derselben nicht mehr trauend, hat der Graf den Eingang zumauern lassen, und wird die Treppe demnach nicht mehr benutzt.

Der Abhang des Schlossberges ist auf der Südseite weniger steil abfallend und ebenfalls bewachsen. Ohne weitere Schwierigkeiten liessen sich hier bequeme Wege anbringen, welche selbst in leichten Windungen nach dem anfangs erwähnten Blumengarten und nach den mit den Gewächshäusern versehenen Terrassen führen. An einzelnen Stellen kommen hier selbst kleine Rasenparthien zum Vorschein; auch stehen die Bäume weniger dicht und werden selbst durch Strauchgruppen unterbrochen.

Ein zwar scheinbar dunkelgefärbtes, aber doch helles Wasser, das Flüsschen Pulsnitz, was in nicht weiter Ferne, im Lausitzer Gebirge, seine Quellen besitzt, trennt den Schlossberg von der südlichen Ebene, und ergiesst sich, wie gesagt, hier in die Elbe. Eine schmale Brücke führt nach den jenseitigen Anlagen, die schon ihrer Lage nach eine ganz andere Ansicht darbieten. Der Boden ist ziemlich eben und nur wenig bewegt, konnte also selbst zu einem Englischen Garten im ursprünglichem Sinne benutzt werden. Ein solcher unterscheidet sich in der Regel dadurch wesentlich von den norddeutschen Anlagen, dass er mehr abgeschlossen ist und mit der übrigen Landschaft weniger oder gar nicht in Verbindung steht. Hohe Mauern und Zäune, wiederum durch Bäume und Gehölz gedeckt, schliessen die meisten, oft umfangreichen Gärten der englischen Grossen und Reichen ab. Diese wollen darin mehr abgeschlossen von der übrigen Welt in ungestörter Freiheit einige Tage hinbringen und suchen deshalb dagegen durch allerhand grössere Thiere, durch Hirsche und Rehe, aber auch durch weidendes Rindvieh und durch Heerden von Schafen, selbst durch Pferde, Leben in die Landschaft zu bringen. Unsere norddeutschen Gärten werden hingegen fast immer mit der Umgegend möglichst in Verbindung gebracht; man sucht von dieser zum Vortheil der Anlage so viel als möglich Nutzen zu ziehen und ruft z. B. Aussichten hervor, die auf irgend etwas Fernes, auf ein Dorf, auf einen Thurm, auf eine Höhe u. s. w., berechnet sind.

Nicht eine solche Anlage wünschte der Graf v. Thun-Hohenstein. Fernsichten waren ihm allenthalben geboten, mochte er sich befinden, wo er wollte. Ihm verlangte es grade einmal nach Ruhe, wo er seinen innern Beschauungen sich hingeben konnte, ohne von den Schönheiten einer grossartigen Natur in seinen Sinnen gestört zu werden. So entstand der Park jenseits des Flüsschen Pulsnitz, gross genug, um Stunden lang darin spazieren zu gehen. Allerhand Gehölz, aber nicht in die unschöne Form eines Zaunes oder einer lebendigen Hecke gebracht, deckte die Gränzen nach aussen und versperrte zu gleicher Zeit mehr oder weniger die Fernsicht. Desto lieblicher trat der eingeschlossene Raum im Innern entgegen. Haine und kleinere Baumgruppen, einzelne Bäume und Boskets auf schönem Rasengrunde und in freundlicher Harmonie zu einander stehend, wechselten hier ab. Bänke und sonstige Ruhesitze befanden sich an günstigen Stellen, damit man die nahen Schönheiten, z. B. eine Gruppe, einen Baum u. s. w. betrachten oder an den prächtigen Wiesen und an den mannigfachen Nuancirungen des Laubes der verschiedenerlei Gehölze seine Freude haben konnte.

Auch ich sehnte mich nach der Ruhe, nachdem ich mehre Stunden lang mich bald an der romantischen Nähe, bald an der grossartigen Ferne erfreut hatte; ich fühlte, dass mein Geist sich sammeln musste, und eben deshalb that mir der Aufenthalt in dem Parke jenseits des Flüsschens wohl. Zuletzt führte mich mein freundlicher Begleiter nach dem äussersten Osten in einen Winkel, der durch einen Bach begränzt war. Auf dem jenseitigen Ufer stand eine Mühle, doch so, dass grade die Seite mit dem Werke und den grossen Rädern, die durch das Wasser in Bewegung gesetzt wurden, sich gegenüber befand. Einige schöne und hohe Bäume beschatteten das diesseitige Ufer.

Unter einem derselben hatte der Graf ein Paar Bänke angebracht, um hier bisweilen eine kürzere oder längere Zeit dem Rauschen des Wassers zuzuhören. Auch meinerseits betrachtete ich die Stelle als den eigentlichen Ruhe- und Endpunkt meiner ziemlich umfangreichen Wanderung; so nahm auch ich mit meinem Begleiter auf einer der Bänke Platz. Es that mir wohl. Alles das, was ich gesehen, hatte sich mir tief eingeprägt, aber die Eindrücke waren noch nicht geordnet; sie lagen zum Theil schwer und ermattend noch auf meinem Geiste. Wenn nun auch die Wanderung durch den Park mir schon wohl gethan und mein Geist allmählig sich wieder erholt, so bedurfte ich doch noch einer Zeit, um endlich ganz frisch zu werden. Am rauschenden und tosenden Mühlbache sassen wir aber still eine Zeitlang neben einander, denn das Getöse war lauter als die menschliche Sprache, um endlich, als die Sonne bereits lange schon den höchsten Punkt am Himmel erreicht hatte, dem freundlichen Gärtnerhause, wo man uns längst erwartet, wiederum zuzuwandern.

Ich habe schon erwähnt, dass der Graf auch dafür gesorgt hat, die schönsten Punkte der Umgebung durch Pfade mit einander zu verbinden. Die vielen Fremden, welche jetzt alljährlich hierher kommen und zum Theil in Bodenbach die Heilquellen benutzen, werden ihm Dank wissen. Die wenigen Tage, welche ich hier zubrachte, erlaubten mir aber nicht, weitere Spaziergänge zu machen, da das Nahe mich zu sehr in Anspruch nahm. Nur den Schäferberg, durch den ein Tunnel für die Eisenbahn gebauen werden musste, erstieg ich eines Tages, um mich der herrlichen Aussicht zu erfreuen.

Aber auch der praktischen Gärtnerei wendet der Graf mit seinem Obergärtner seine Aufmerksamkeit zu und vor Allem hat er sich um den Obstbau grosses Verdienst erworben, indem er einestheils bessere Sorten einführte und anderntheils umfangreiche Anpflanzungen machte und diese alljährlich vergrössert. Einige derselben durchwanderte ich und erfreute mich an den dicht mit Obst besetzten Bäumen, denen man auch ausserdem ansah, dass sie gepflegt wurden. Es möchte wohl zu weit führen, wollte ich auch hierüber berichten; ich beschränke mich deshalb nur noch im Allgemeinen, über den ganzen Bestand einige Zahlen zu geben.

Die Zahl sämmtlicher Fruchtbäume beträgt bereits über 32000; davon ist aber fast die Hälfte noch in den Baumschulen und gegen 5000 sind noch nicht tragbar, so dass die, welche jetzt eine Einnahme an Obst geben, über 10000 beträgt. Davon sind allein über 6000 Aepfel- und über 3000 Pflaumenbäume. Birnenbäume sind 1000 vorhanden, Kirschbäume hingegen, die hier übrigens nicht recht gut gedeihen wollen, nur über 500. Auch mit Wallnuss-Anpflanzungen hat man Versuche gemacht und muss man nun erst sehen, welchen Ertrag sie liefern. Ihre Zahl beträgt erst 42.

Wistaria chinensis DC. und Apios tuberosa Moench.

Zwei zu empfehlende Lianen.

Fortune spricht in seinem interessanten Reiseberichte: a residence among the Chinese, unter Anderem auch von der Wistaria chinensis und ihrer Benutzung, um Baumstämme zu decken. Er kann gar nicht genug rühmen, wie schön diese Schlingpflanze, wenn sie an Bäumen sich windet und Hunderte und selbst Tausende der schönen und lieblichen Blüthentrauben herunterhängen, sich ausnimmt und rathet allen Gartenbesitzern an, das Beispiel der Chinesen zu befolgen. In England ist dieses bereits geschehen und wird besonders auf ein Exemplar aufmerksam gemacht, das in der Baumschule von Haywood zu Lower-Wich bei Worcester an einem Birnbaume sich emporgeschlungen hat. Für Deutschland möchte die Nachahmung wohl mit einigen Schwierigkeiten verbunden sein, da das rauhe Klima hinderlich ist. Uebrigens ist die Pflanze keineswegs so zart, als man gewöhnlich glaubt, und hält an geschützten Wänden, wo sie ausserdem noch in der kältesten Zeit bedeckt werden kann, recht gut aus.

In dem Garten des Fabrikbesitzers Nauen zu Berlin befindet sich auf diese Weise ein Exemplar von ziemlichem Umfange, was alle Jahre, und namentlich in diesem, sehr reich mit Blüthen bedeckt war und einen ausserordentlich freundlichen Anblick darbot. Auch sonst ist sie in Norddeutschland hier und da auf gleiche Weise angepflanzt. An Bäumen haben wir sie allerdings noch nicht gesehen und wäre es wohl wünschenswerth, dass Versuche angestellt würden. Gegen die Kälte liessen sich wohl für den Winter Schutzmittel finden, wenn man die Pflanze nur mit dem Stamme, an dem sie sich befindet, einbinden wollte. Auch könnte man, in so fern die Verschlingung es nicht verhindert, sie im Winter herabnehmen und auf gleiche Weise damit verfahren, wie man es mit der Weinrebe macht.

Nicht weniger möchte aber zu gleichen Zwecken die nordamerikanische Glycine Apios L., oder Apios tuberosa Mönch, zu verwenden sein, zumal hier noch dazu kommt, dass sie Knollen bildet, welche einen angenehmen Geschmack haben und demnach als Speise dienen können. Früher wurde sie weit mehr kultivirt, als jetzt. Wenn ihre mehr gedrängten Blüthentrauben auch keineswegs an Schönheit mit denen der Wistaria chinensis DC. wetteifern können, so verdient die Apios tuberosa Moench doch in unseren Gärten alle Berücksichtigung auch als Zierpflanze, und möchten wir hier ganz besonders auf sie aufmerksam machen. Obwohl sie krautartiger Natur ist und demnach alle Jahre ihre Stengel vom Frischen aus der Erde hervortreiben muss, so wächst sie doch so rasch, dass sie in kurzer Zeit eine ziemlich grosse Fläche überziehen kann. In einer Abtheilung der Königlichen Landesbaumschule befindet sich an einer aus Schilf angefertigten Wand eine Pflanze, welche diese vollständig überzogen hat und mit Hunderten von Blüthentrauben bedeckt ist.

In Betreff der Genera Glycine, Wistaria und Apios ist zu bemerken, dass Linné unter dem zuerst genannten Namen 10 sehr verschiedene Arten, unter denen auch die der beiden andern vereinigte, die später als Typen von eben so vielen Geschlechtern betrachtet wurden. Was man jetzt noch unter Glycine versteht, sind tropische Lianen holziger und krautiger Natur, deren Blätter, wie bei dem Klee, zu 3 auf einem gemeinschaftlichen Stiele stehen und mit besonderen Nebenblättchen versehen sind. Bei Wistaria und Apios erscheinen die Blätter gefiedert und sind deshalb beide Geschlechter in der Gruppe der Phaseolen, wohin alle drei gehören und wo die gedreiten Blätter vorherrschend vorkommen, etwas abnorm. Wistaria Nutt. besteht aus holzigen Lianen, deren Blätter mit zeitig abfallenden Nebenblätter versehen sind, während das nur aus einer krautartigen Liane bestehende Genus Apios Moench die kleinen Nebenblätter behält und sich ausserdem noch dadurch auszeichnet, dass der lange Kiel mit den Staubfäden und den Griffel spiralig zusammenrollt.

Es möchte endlich noch bemerkt werden, dass die bei uns gebräuchliche Schreibart Wisteria falsch ist, da der Name von Nuttall zu Ehren eines zu Anfange dieses Jahrhundertes an der pensylvanischen Universität zu Philadelphia lebenden Professors, Caspar Wistar, gegeben wurde.

Drei neue Koniferen.

Unter dem Namen Illustrazione delle piante nuove o rare dell' orto botanico di Padova hat Professor Visiani zu Padua ein Schriftchen herausgegeben, in dem unter Anderem auch 3 neue Koniferen beschrieben sind. Bei dem Interesse, was jetzt diese Familie bei Botanikern und Gartenfreunden in Anspruch nimmt, ermangeln wir nicht, dieselben hier zu nennen und kurz zu beschreiben.

1. Pinus Parolinii stammt von dem Berg Ida in Bithynien und ist ein Exemplar von 3 Jahren und mit einer Höhe von 30 Fuss. Durch ihren dem der Pinien ähnlichen Wuchs unterscheidet sich die Kiefer von P. Pallasiana und Halepensis, von letzterer ausserdem noch durch längere und stärkere Nadeln und durch sitzende Zapfen. Die ersteren sind ziemlich hart, haben einen

knorpelartig gesägten Rand und werden von ziemlich langen Scheiden eingeschlossen. Die eirund-länglichen Zapfen sitzen zu 2 einander gegenüber, oder zu 3 in einem Quirl, und sind etwas kürzer als die Nadeln. Die Apophysis der Schuppen ist auf der obern Seite konvex, scharf gekielt und glänzend. Der strahlenförmig-rissige Nabel erscheint von oben zusammengedrückt. Jung haben die Zapfen jedoch einen Stiel und ihre Schuppen sind mit einer rückwärts gehenden Spitze versehen. Die rautenförmigen Flügel übertreffen den Samen drei Mal an Länge und umgeben ihn an der Basis nur wenig.

2. Juniperus Bonatiana. Exemplare befinden sich im Garten zu Padua, wo der Wachholder regelmässig im Mai und Juni blüht. Von J. sabinoides, turbinata und thurifera (die aber alle 3 gar nicht verschieden sind) unterscheidet sie sich durch ihr grasgrünes Ansehen und durch nach der Basis zu sich verschmälernden und schwarzblauen Beeren. Jedoch werden die letztern in der Abbildung blaugrün und kugelrund angegeben; auch heisst es von der ganzen Pflanze wiederum arborea, glaucescens. Die eirund-rautenförmigen Blätter sind an der Spitze höckerig-3eckig und mit einer länglichen und eingedrückten Drüse auf dem Rücken versehen. An den jungen Zweigen und an den Spitzen stehen sie aber ab und sind hell stechend. Die Aeste stehen wagerecht ab und haben viereckige Verzweigungen, die höckerigen Zapfenbeeren besitzen aber einen Stiel.

3. Juniperus Cabianeae. Signor Cabianca zu Longa in der Provinz Vicenza erhielt die Pflanze als J. phoenicea aus Belgien, von der sie sich aber durch viereckige Zweige, spitze Blätter, so wie durch an der Spitze abgestutzte und selbst eingedrückte oder 2- und 3-lappige und mattgraue, endlich aber schwarzblaue Zapfenbeeren unterscheidet. Sollte es nicht Juniperus excelsa Bieb. sein? Das Gehölz ist grün und besitzt wenig abstehende Aeste und Zweige, welche letztere, namentlich, wenn sie die gestielten Beeren tragen, steif aufrecht stehen. Die eirund-rautenförmigen Blätter liegen ganz an und sind auf dem ungestielten Rücken mit einer länglichen und eingedrückten Drüse versehen.

Die gelbe Theerose Isabella Gray oder Miss Gray.

Auf der Ausstellung der Londoner Gartenbaugesellschaft in London machte diese Rose, die Low in Clapton gebracht hatte, wegen der Schönheit und Form der Blume, aber auch wegen ihrer Blüthenfülle allgemeines Aufsehen, obwohl sie durch den Transport sehr gelitten hatte. Das Exemplar besass 40 Blumen, die im Allgemeinen der alten gefüllten gelben wohl ähnlich waren, aber in jeglicher Hinsicht weit übertrafen. Die Pflanze haben Henderson und Sohn in der Wellington-Gärtnerei von Low et Comp. zum alleinigen Verkauf an sich gebracht und bieten dieselbe nun allen Rosenliebhabern an. Zu gleicher Zeit theilen sie mit, dass drei davon ganz verschiedene Rosen unter gleichem Namen in Nordamerika im Handel sind und sich vielleicht schon in Europa befinden. Ueber ihren relativen Werth weiss man noch nichts. Eine Abbildung findet sich im Junihefte des Florist, Fruitist and Garden Miscellany, die, in so fern sie getreu ist, hinlänglich Zeugniss von der Schönheit derselben ablegt.

Nach einer Mittheilung in Gardener's Chronicle (in der 27. Nummer, Seite 470a) sind die bisherigen Angaben über ihren Ursprung nicht richtig. Nach ihr verdankt sie dem frühern Obergärtner (Forman) der Handelsgärtnerei von Buist in Philadelphia, Andrew Gray, der sich seit wenigen Jahren in Charleston, der bekannten Hafenstadt in Südkarolina, etablirt hat, ihren Ursprung, indem er den Samen der Cloth of Gold-Rose, welche übrigens nicht in Amerika, sondern in Frankreich und zwar zu Angers gezüchtet und zuerst im Jahre 1841 bekannt wurde, aussäete. Von den 2 Pflanzen, denen er eine besondere Aufmerksamkeit zuwendete, erhielt die eine den Namen nach seiner Frau Jane Hardy, die andere nach seiner ältesten Tochter Isabella; die letztere ist es nun, von welcher hier die Rede ist und allen Rosenliebhabern empfohlen werden kann.

Journal-Schau.

(Fortsetzung aus No. 36)

Forsythia suspensa Vahl der 4995. Tafel ist bereits von v. Siebold in seiner japanischen Flor sehr hübsch dargestellt. Sie soll nach diesem verdienstvollen Reisenden in Japan jedoch Kulturpflanze und ursprünglich nur in China zu Hause sein. In ihrem Habitus schliesst die Pflanze sich ganz der länger in den Gärten bekannten F. viridissima Lindl. an und möchte wohl, wie diese, im freien Grunde bei uns aushalten, wenn sie nur etwas geschützt wird. Hooker erhielt sie durch Veitch.

Cirrhopetalum Cumingii Lindl. ist eine bei uns nicht bekannte Orchidee, die zuerst von Lindley (botanical Register des Jahres 1843 zur 49. Tafel) erwähnt wurde, obwohl sie schon seit 1841 vorhanden war. Cuming fand sie auf den Philippinen. Es ist ebenfalls, wie C. Medusae Lindl., eine mehr sonderbare, als schöne Pflanze. 10—12 röthlich blaue und weisse Blüthen stehen an der Spitze des Schaftes.

Im Augusthefte ist zuerst auf der 4997. Tafel wiederum eine Sikkim-Alpenrose abgebildet, und zwar Rhododendron Candelabrum Hook. fil., die jedoch später als Abart zu Thomsonii Hook. fil. gebracht wurde. Es ist eine prächtige Pflanze, die sich mit ihren tief-dunkelrothen und glockenförmigen Blüthen ganz stattlich ausnimmt. Sie blühte zuerst im April bei Mathven in Stanwell-Nursery.

Thunbergia Harrisii Hook. ist eine andere in quirlförmigen Trauben blühende Thunbergia (auf der 4998. Tafel), welche der kurz vorher erwähnten Th. laurifolia Lindl. sehr ähnlich ist, sich aber durch grössere und dichtere Blüthen, deren hellblaue Kronen einen ocherfarbigen Schlund besitzen, und durch eirund-längliche Blätter unterscheidet. Sie bildet mit genannten und anderen Arten eine eigene Abtheilung, welche durch ihren Blüthenstand und durch den abgestutzten Kelchsaum ausgezeichnet ist. Der Gouverneur von Madras, nach dem die Pflanze auch benannt wurde, sendete Samen ein. Einheimisch ist sie, wie Th. laurifolia Lindl., auf den Inseln des malayischen Archipel's.

Auf der 4999. Tafel ist die hübsche Tydaea amabilis Pl. et Lind., welche zuerst in Flore des Serres t. 1070 abgebildet wurde, dargestellt. Sie ist bereits bekannt genug, auch schon erwähnt und braucht demnach nicht weiter beschrieben zu werden.

Burtonia scabra R. Br. der 5000. Tafel wurde schon von Peter Good auf dem King George's Sund (im westlichen Süden Neuhollands) entdeckt, verlor sich aber wiederum in den Gärten. In der neuesten Zeit ist die Pflanze wiederum von Philipps eben daselbst aufgefunden; Samen davon wurde dem Trinity-College zu Dublin mitgetheilt und die Pflanze von hier aus vom Neuen verbreitet. Ausser der blaurothen Farbe ist die Blüthe schön roth gefärbt. Diese Burtonie ist nicht zu empfehlen.

Coelogyne elata Lindl. ist endlich die zuletzt abgebildete Pflanze des Augustheftes. Sie wurde zuerst von Wallich in Bhutan entdeckt und dann von dem jüngern Hooker in Sikkim, ebenso von Strachey und Winterbottom in Kamaon aufgefunden. Sie ist in den Gärten Berlin's verbreitet und besitzt die gelblich-weissen Blüthen in einseitigen Trauben.

Im Septemberhefte ist eine der Alpenrosen, welche Booth im Gebirge von Bhutan fand, abgebildet, nämlich Rhododendron calophyllum Nutt. Es blühte bei Nuttall in Nutgrove, Rainhill, und ist dem Rh. Jenkinsii Nutt. und Maddenii Hook. fil. sehr nahe verwandt, doch hat es einen etwas abweichenden Habitus und kürzere Blumen. Hauptsächlich zeichnet es sich aus durch die Triebe, welche zwischen den Deckblättern der endständigen Blüthenköpfe hervortreten, aus. Wie jene besitzt die Pflanze aber blendend-weisse Kronen, die denen des Rh. Maddenii (was auf der 4807. Tafel abgebildet ist) sehr gleichen, so dass man sie kaum für verschieden halten möchte.

Die nächste (5007.) Tafel bringt eine blassblühende Abart (pallidiflorum) des Dendrobium nobile Lindl., welche Parker in Hornsey mitgetheilt hatte. Dieselbe Form hat übrigens auch van Houtte in Gent verbreitet. Sie steht dem D. crepidatum Hook., was auf der 4993. Tafel dargestellt ist, sehr nahe.

Viola pedunculata Torr. et Gr. ist ein hübsches und ziemlich grosses Veilchen von gelber Farbe, was aber auf den beiden obern Blumenblättern nach aussen zu braungefärbt erscheint. Obwohl entfernt dem Stiefmütterchen ähnlich, gehört die Pflanze doch zur Abtheilung Chamaemelanium, also neben chrysantha Hook. und canadensis L. Die Blumenblätter sind etwas gezähnet. Zuerst wurde die Pflanze von Douglas in Kalifornien gefunden, und zwar kurz vorher, ehe dieser nach den Sandwichinseln reiste, um dort seinen Tod zu finden. Eingeführt wurde die Pflanze jedoch durch William Lobb.

Auf der nächsten 5007. Tafel ist eine kalifornische Azalee unter dem Namen Azalea occidentalis Torr. et Gr. dargestellt. Zuerst wurde die Pflanze bei Gelegenheit der Reise des Kapitain Beechey entdeckt, aber in der Aufzählung der Pflanzen dieser Expedition als Azalea calendulacea irriger Weise bestimmt. Später haben sie Douglas und Hartweg in Kalifornien, Burke hingegen im Oregon-Gebiet entdeckt. In der neuesten Zeit wurde sie wiederum bei Gelegenheit der Expedition, welche Lieut. Whipple behufs Anlegung einer Eisenbahn vom Mississippi nach dem grossen Ocean machte, durch Bigelow und endlich von W. Lobb wiederum in Kalifornien gefunden. Während bei der nahe stehenden Azalea calendulacea Mich., die Krone aber gelb oder orangefarben ist, erscheint sie hier weiss und mit rothen Streifen versehen. Ausserdem hat sie auf dem obern Theile nahe dem Schlunde, also nach innen, einen gelben, sich allmählig verwachsenden Fleck.

Agave densiflora Hook. der nächsten (5008.) Tafel wird schon länger in dem Garten von Kew kultivirt und stammt wahrscheinlich aus Mexiko. Sie steht wegen des einfachen Blüthenschaftes der Agave yuccaefolia Red. und spicata Cav. nahe, besitzt aber mehr fleischige, gezähnte und spitz zulaufende Blätter. Der Schaft ist mit kleinen lanzettförmigen Schuppenblättchen besetzt und trägt an seinem obern Ende die dicht gedrängte Aehre. Die grüngelbe Blume ist doppelt kürzer als die langen und fleischrothen Staubgefässe.

Grevillea alpestris Meisn., stammt von Süd-Australien, wo sie von verschiedenen Reisenden, zuletzt von Müller, gefunden wurde. Es ist ein Strauch, der im Vaterlande fortwährend blühen soll und wurde ein blühendes Exemplar von Rollison dem Garten von Kew zur Verfügung gestellt. Die länglich-rundlichen Blätter sind ungestielt und haben eine schöne, grüne Farbe. An der Spitze der kleinen Zweige befinden sich 5—8 rothe Blüthen, die aber nach der umgebogenen Spitze zu allmählig in gelb übergehen.

Verlag der Nauckschen Buchhandlung. Berlin. Druck der Nauckschen Buchdruckerei.

No. 38. Sonnabend, den 19. September. 1857

Preis des Jahrgangs von 52 Nummern mit 12 color. Abbildungen 6 Thlr., ohne dieselben 5 „
Durch alle Postämter des deutsch-österreichischen Postvereins sowie auch durch den Buchhandel ohne Preiserhöhung zu beziehen.

Mit direkter Post übernimmt die Verlagshandlung die Versendung unter Kreuzband gegen Vergütung von 26 Sgr. für Belgien, von 1 Thlr. 9 Sgr. für England, von 1 Thlr. 22 Sgr. für Frankreich.

BERLINER Allgemeine Gartenzeitung.

Herausgegeben
vom
Professor Dr. Karl Koch,
General-Sekretair des Vereins zur Beförderung des Gartenbaues in den Königl. Preussischen Staaten.

Inhalt: Das Viktoriahaus im Königl botanischen Garten bei Berlin und des Oberlandesgerichtsrathes Augustin bei Potsdam. Vom Professor Dr. Karl Koch. — Blaue Hortensien. — Bücherschau: Der praktische Gemüsegärtner, the illustrated Bouquet. — Eine Neumannia maidifolia C. Koch.

Das Viktoriahaus im Königl. botanischen Garten bei Berlin und des Oberlandesgerichtsrathes Augustin bei Potsdam.

Vom Professor Dr. Karl Koch.

Aeussere Anregungen sind immer von Bedeutung, wenn sich irgend etwas Geltung verschaffen soll. Unsere Landseen und Teiche erhalten durch die weissen und gelben Wasserrosen oder Nymphäen, durch die dornigen Krebsscheren, wie in einigen Gegenden Stratiotes aloides L. genannt wird, durch den niedlichen Froschbiss (Hydrocharis Morsus ranae L.), durch die verschiedenen Arten des Wasserhähnleins (Batrachium Fries, Ranunculus aquatilis L. und die Verwandten) u. s. w., welche alle auf der Oberfläche des Wassers mehr oder weniger schwimmen oder zum Theil untergetaucht sind, so wie ferner durch das Wasserveilchen (Butomus umbellatus L.), durch das Pfeilkraut, (Sagittaria sagittifolia L.), durch den Froschlöffel (Alisma Plantago L.), die nebst einigen andern ähnlichen Arten sämmtlich mit hübschen Blüthen versehen sind, so wie durch das Kolbenrohr (Typha latifolia L. und augustifolia L.) durch mehre Simsen, besonders Scirpus lacustris L., endlich durch die verschiedenen breitblätterigen Ampfer- (Rumex-) Arten und viele anderen Wasserpflanzen, welche mehr in der Nähe des Ufers wachsen, besonders in unserem an grossen Wasserflächen so reichen östlichen Norddeutschland einen so eigenthümlichen Reiz, dass man nicht begreifen kann, wie es kommen konnte, dass selbst in dem die Natur nur nachbildenden sogenannten Englischen Gärten so wenig darauf Rücksicht genommen ist und man wohl Teiche mit freundlichen Konturen künstlich hervorgerufen hat, aber sehr häufig dabei versäumte, ihnen diesen natürlichen Schmuck ebenfalls zu verleihen.

Wenn man nun bedenkt, dass die Tropen an dergleichen Wasserpflanzen noch weit reicher sind, dass die Abwechslungen in der Form derselben überhaupt, und vor Allem in der Blüthe, aber weit mehr noch in der Färbung, grösser sind und Mannigfaltigkeit, wie überhaupt in den Tropen, so auch in Betreff der das Wasser liebenden Gewächse, an der Tagesordnung ist, so muss man sich noch mehr wundern, dass diese bis dahin in den Gewächshäusern mehr oder weniger vernachlässigt wurden. Man erbaute besondere Häuser für Palmen, Farnen, Haiden, Neuholländer u. s. w., aber die so schönen Wasserpflanzen brachte man in unscheinliche Kübel, wo sie oft kaum Platz hatten, um sich gehörig entfalten zu können. Die Nelumbien wurden in ihrer Schönheit zwar erkannt, aber trotz dem that man nur wenig oder gar nichts für die Gefässe, in denen sie gezogen wurden.

Da fand unser Landsmann, der wegen seiner vielen Verdienste in Grossbritannien zum Baronet ernannte Thüringer Sir Robert Schomburgk im Jahre 1837 auf einer Expedition im britischen Guiana auf dem Fluss Berbice eine Wasserpflanze, deren Blätter und Blüthen riesige Dimensionen besassen. Der berühmte Reisende hatte bis dahin viel Ungemach ausgehalten, aber bei dem Anblicke dieser nicht weniger grossartigen, als schönen

Pflanze vergass er mit einem Male alles Unangenehme. Er war glücklich seinem Vaterlande etwas bieten zu können, was bis dahin in Europa noch nicht gesehen war. Schnell wurde eine Beschreibung und Zeichnung angefertigt und an die geographische Gesellschaft zu London, die ihn für diese Expedition ausgerüstet hatte, gesendet. Robert Schomburgk nannte die Pflanze zu Ehren der Königin von England Nymphaea Victoria, einen Namen, den später Lindley, da dieser ausgezeichnete Botaniker hinlänglich Merkmale zur Begründung eines eigenen Geschlechtes fand, in Victoria regia umänderte.

Die weitere Geschichte dieser interessanten Pflanze liegt ausserhalb des Bereiches dieses Berichtes, zumal Abhandlungen genug darüber vorhanden sind. Die ersten Versuche, die Viktoria nach Europa überzusiedeln, misslangen. Die Pflanzen selbst, welche Schomburgk nach Europa senden wollte, waren schon zu Grunde gegangen, ehe sie nur das Meer erreicht hatten. Junge Pflänzchen, welche aus von Bolivien gesendeten Samen 1846 in Kew glücklich hervorgingen, verdarben leider ebenfalls bald. Auf gleiche Weise gelangten später aus dem Essequibo gesendete Knollen und Samen verdorben in Europa an. Endlich kamen am 28. Februar 1849 wiederum Samen aus dem Demerary in Kew an, die alsbald keimten. Am 26. März hatte man glücklich 6 junge Pflanzen, von denen eine dem Herzog von Devonshire zu Chatsworth mitgetheilt wurde.

Man kann sich kaum den Jubel denken, der zunächst die Bewohner von Chatsworth ergriff, als die Pflanze am 8. November noch desselben Jahres ihre erste Blüthe entfaltete. Es ist ein wirkliches Ereigniss in der Gärtnerei, sagt Planchon in seiner interessanten Abhandlung, es ist eine jener Thatsachen, welche mit goldenen Buchstaben in den Annalen der Wissenschaften eingetragen werden müssen. Männer der letztern und Schöngeister beeiferten sich wahrhaft, um allenthalben hin von dem noch nie Gesehenen Kunde zu geben.

Die in Europa gezogenen Pflanzen brachten keimfähige Samen hervor, die es möglich machten, dass auch der Kontinent schon im nächsten Jahre in die Lage versetzt wurde, Viktorien zu erhalten. Die erste Blüthe erzog daselbst van Houtte in seinem grossartigen Etablissement zu Gent. In Berlin entfaltete sie sich zuerst am 3. August des Jahres 1853. Wer nur irgend Sinn für Natur-Schönheiten in sich fühlte, wanderte nach dem botanischen Garten in Neuschöneberg. Die Riesen-Nymphäe war lange Zeit das einzige Gespräch in der preussischen Metropole.

Die bis dahin nur stiefmütterlich behandelten Wasserpflanzen erhielten in den grössern Gärten des Staates sowohl als der reicheren Privaten auf einmal stattliche Bassins, die von Glashäusern umschlossen wurden. In dem erwärmten Elemente schaarten sich bald die kleinern Wassergewächse um den Riesen unter den Nymphäen. Sie alle erfreuten sich auf einmal einer grössern Beachtung. Die früher schon besprochenen Nymphäen-Blendlinge des botanischen Gartens waren alsbald die erste der neuangeregten Bestrebungen. Aber nicht allein die eigentlichen Wasserpflanzen kamen zu Ehren, es wurden auch die mit schönern Blüthen hervorgesucht, welche in Sümpfen oder am Ufer von Seen und Teichen wachsen, ja selbst das feuchte Element vorherrschend liebende Blattpflanzen, um in dem geschlossenen Raume eines Viktoriahauses benutzt zu werden. Zuckerrohr, Reis, Hydrocleaund Limnocharis-Arten, Pontederien, Wasserfarne (Ceratopteris thalictroides) und andere die Ufer von Gewässern oder Sümpfe liebende Pflanzen wurden am Rande des Bassins eingesenkt und trugen zur grössern Mannigfaltigkeit des Ganzen bei. Noch nicht zufrieden, schmückte man ausserdem die Seiten im Innern des Hauses mit solchen Pflanzen, welche mit den übrigen sich in natürlicher Harmonie befanden. Bald waren es Blattpflanzen, bald Schlinggewächse, welche sich in der feucht-warmen Athmosphäre eines Viktoriahauses wohl gefielen.

Die Viktorien verbreiteten sich rasch über alle grösseren Städte, wo man der Göttin Flora nur einiger Massen huldigte. Wenn die einzelnen reicheren Privatleute fehlten, nahmen die Gartenbau-Vereine die Sache in die Hand. Man baute geschmackvolle Viktoriahäuser und suchte dann die nicht unbedeutenden Kosten durch Eintrittsgeld wenigstens einiger Massen zu decken. Selbst die Industrie ergriff die Gelegenheit, um Geld zu verdienen. Es reisten Gärtner mit Viktoriapflanzen in kleineren Städten herum, um das Wunder der Pflanzenwelt auch den dortigen Bewohnern vorzuführen. Die noch vor wenigen Jahren seltene Pflanze, deren Kultur so grosse Opfer verlangte, wurde in kurzer Zeit fast allenthalben bekannt.

Noch sind kaum 8 Jahre verflossen, wo die Viktoria zuerst in Chatsworth blühte, und bereits beginnt — eine gewöhnliche Erscheinung in der Welt — der Reiz der Neuheit sich allmählig zu verlieren. Man hat die Riesenblume nun oft gesehen und sich an ihr Erscheinen gewöhnt. Das erste Interesse ist vorbei. Die Viktoria wird zwar auch ferner gezogen und gern gesehen werden, aber man wird um desto mehr Aufmerksamkeit den Pflanzen zu wenden, welche die einmal vorhandenen Wasserbassins ebenfalls auszuschmücken vermögen. Damit ist für den Pflanzenzüchter sowohl, als für den Gartenkünstler ein neuer Zweig der bildenden Gartenkunst vorhanden, der ausgebeutet zu werden verdient. Neben Farn-, Palmen- u. s. w. Häusern haben auch die umschlossenen Wasserbassins nun eine Stelle gefunden; dem kunstsinnigen Gärtner liegt es ob, dieselben auszuschmücken, damit es jenen an Schönheit nicht nachsteht.

Wir haben in der Umgegend Berlins 3 Viktoriahäuser, von denen ein jedes seine eigenthümlichen Schönheiten in diesem Jahre besitzt. Um Beispiele darzubieten, wie man sie einrichten kann, will ich versuchen, von zweien eine möglichst getreue Schilderung zu geben. Blumen- und Pflanzenfreunden, die in der Nähe wohnen, kann ich den Besuch derselben nicht genug empfehlen; sie mögen aber nicht allein der blühenden Viktoria und den übrigen Wasserrosen ihre Aufmerksamkeit zuwenden, sondern auch die übrigen Schönheiten, die daselbst geboten, beachten. Von den Häusern befindet sich das eine im Königlichen botanischen Garten zu Neuschöneberg bei Berlin, dem der Inspektor Karl Bouché vorsteht, das andere hingegen in dem Garten des Fabrikbesitzers Borsig in Moabit, wo der Obergärtner Gaerdt schaltet, und endlich das dritte an der Wildparkstation bei Potsdam in der Gärtnerei des Oberlandesgerichtsrathes Augustin, unter der speciellen Leitung des Obergärtners Lauche.

Wir beschränken uns hier auf das erste und letzte.

I. Das Viktoria-Haus des botanischen Gartens zu Berlin.

Mitten in den an schönen Baumparthien und Gruppen so reichen botanischen Garten, eher auf einer freien offenen Stelle am Rande eines Staudenstückes und einer Rasenfläche, steht das viereckige Viktoriahaus und besitzt eine Länge von 37 und eine Breite von 34 Fuss. Die Höhe der nur aus Glas bestehenden Wände beträgt 6 Fuss 2 Zoll, der Winkel des ebenfalls aus Glas angefertigten Daches hingegen ohngefähr 22 Grad, so dass das Haus in der Mitte selbst eine Höhe von fast 12 Fuss hat. Das 16eckige und gleichseitige Bassin mit einem Durchmesser von 26 Fuss ist aus Portland-Cement angefertigt und sein Inhalt wird durch eine auf der Seite der Eingangsthür befindliche Heizung erwärmt. In den Ecken, wo eine Wand mit der Giebelseite, im rechten Winkel zusammenstossen, sind kleinere, längliche Wasserkübel aus Portland-Cement von 6 Fuss Länge und halb so breit, die, wie wir alsbald sehen werden, ebenfalls Wasserpflanzen enthalten, angebracht, so dass ein gleichmässiger runder Weg ringsum das Bassin führt. An beiden Wänden, so wie an den Giebelseiten stehen allerhand Blattpflanzen.

Ich wende mich zuerst dem Bassin selbst und seinem interessanten Inhalte zu. Das Wasser hat im Durchschnitt eine Temperatur von 24 Grad, die des Nachts nur um wenig (um 3—5 Grad) niedriger ist, die der Luft hingegen beträgt am Tage 20—25, des Nachts 17 Grad. Durch Ab- und Zufluss wird das Wasser gehörig frisch und rein erhalten. Einen grossen Theil der Wasserfläche nimmt die eine Viktoriapflanze mit ihren meist 12 ausgebildeten und 1 und 2 in der Entfaltung begriffenen Blättern ein. Diese dauern im Durchschnitt gegen 60 Tage, so dass in der Regel in dem Zwischenraum von 4 zu Tagen ein neues Blatt sich zeigt. Zwischen jedem derselben entwickelt sich meist auch eine Blüthe, so dass, da diese eine Dauer von 2 Tagen hat, immer auch ein Zwischenraum von 2 bis 4 Tagen vorhanden ist, wo die Pflanze blüthenlos erscheint. In diesem Jahre — und das ist nicht allein eine Beobachtung für die Umgegend von Berlin, sondern soll auch in andern Orten der Fall sein — bringt jedoch die Viktoria-Pflanze im Allgemeinen weniger Blüthen zur Entwickelung als früher, ein Zeichen, dass die erstern sich nicht mehr so kräftig entwickeln und dass wir wohl bald gezwungen sein möchten, aus Amerika neuen Samen zu beziehen; doch macht das Exemplar des botanischen Gartens eine Ausnahme, es scheint mir sogar, als hätte ich die Riesenpflanze mit ihren vielen flach ausgebreiteten und 6 bis fast 7 Fuss im Durchmesser haltenden Blättern nie so schön und gesund gesehen, als grade in diesem Jahre.

Nächst der Viktoria sind es hauptsächlich die Euryale ferox Salisb. und Nymphaea gigantea Hook., welche die Aufmerksamkeit der Schauenden besonders in Anspruch nahmen. Die erstere ist zwar schon eine in Europa längst bekannte Pflanze, welche Roxburgh bereits im Jahre 1809 aus ihrem Vaterlande Ostindien einführte. Die damaligen kriegerischen Zustände waren aber allen friedlichen Beschäftigungen, und so auch der Blumen- und Pflanzenzucht, nicht hold, so dass die Pflanze alsbald wiederum aus den Gärten verschwand, bis sie endlich im Jahre 1832 plötzlich wieder in Berlin, (nicht in Leipzig, wie es meist heisst), zum Vorschein kam und von da aus weiter verbreitet wurde. Der Mangel der durchaus nöthigen grössern Bassins war jedoch Ursache, dass diese in der That wunderschöne Pflanze im Allgemeinen doch unbeachtet blieb und auch wieder verschwand. Erst mit der Einführung der Viktoria wurde man vom Neuem auf die Euryale aufmerksam und Inspektor Bouché bezog wiederum im Jahre 1850 Samen aus England.

Diese in Ostindien und China einheimische Pflanze

hat sehr grosse Aehnlichkeit mit der Viktoria und ist nur in allen ihren Theilen kleiner, dagegen mehr mit Dornen besetzt, ein Umstand, der auch Ursache zur Benennung ferox, d. h. der wilden, gegeben hat. Die Blüthen haben eine blauviolette Farbe und kommen ebenso häufig zum Vorschein, als die der Viktoria. Ihre Dauer beschränkt sich ebenfalls auf zwei Tage, doch mit dem Unterschiede, dass ihre Entfaltung vor Tagesanbruch beginnt und bis Mittag bleibt, dann schliesst sie sich, um so ziemlich zur selben Zeit als am andern Tage sich erst vom Neuen wieder zu öffnen. Die Viktoria-Blüthe entfaltet sich dagegen, wie bekannt, gegen Abend und schliesst sich am andern Morgen, um gegen Abend sich vom Neuen zu öffnen, röthlich zu färben und endlich am darauf folgenden Morgen sich für immer zu schliessen.

Nymphaea gigantea Hook., verdient allerdings neben Victoria regia und selbst nicht einmal neben Euryale ferox den Namen der riesigen Wasserrose, ist aber unbedingt eine der interessantesten Pflanzen, welche in den letzten Jahren eingeführt ist. Der nun auch verstorbene neuholländische Reisende Bidwill, dem wir unter Anderem auch die Araucaria Bidwilli verdanken, entdeckte sie auf der Nordostküste Neuhollands und theilte getrocknete Exemplare nebst Samen im Jahre 1850 dem botanischen Garten zu Kew, der einen Theil auch nach dem Kontinente versendete, mit. Dort im Jahre 1852 und zwar bei van Houtte in Gent brachte sie zuerst ihre blauen Blüthen hervor.

Während die Viktoria am Abende, Euryale am Morgen blüht, hat Nymphaea gigantea am Tage, so lange es hell ist, ihre Blüthen ganz offen und schliesst sie, wie es dunkel wird. Ihre Farbe ist ein schönes dunkles Himmelblau und ähnelt sie in dieser Hinsicht den allerdings kleineren der Nymphaea stellata Willd., coerulea Sav. und capensis Thunb., (coerulea bot. Mag., scutifolia DC.), die alle vier sich in unseren Gärten befinden. Hinsichtlich der Grösse giebt sie der Viktoriablüthe nur wenig nach, denn sie hat einen Durchmesser von 8 Zoll. Ihre Dauer währt länger, nämlich meist 4 Tage.

Die Blätter haben eine grosse Aehnlichkeit mit denen der Nymphaea dentata Willd., sind also ebenfalls entfernt gezähnt. Ihr Breitendurchmesser beträgt höchstens 1½', weshalb sie mit denen der Euryale ferox Salisb. gar nicht und noch viel weniger mit denen der Victoria regia Lindl. hinsichtlich des Umfanges einen Vergleich aushalten können. Nymphaea gigantea Hook. hat aber dadurch vor beiden Pflanzen einen Vorzug, dass sie mehrgipflig ist, und dass daher zu gleicher Zeit 2 und 3 Blüthen an derselben Pflanze in voller Entfaltung erscheinen. Diese werden vermittelst eines langen Stieles gegen 1½ bis 2 Fuss hoch über die Oberfläche des Wassers getragen, während die der beiden früher genannter Pflanzen mehr dem Wasser aufliegen.

Ausser diesen 3 unbedingt interessantesten Wasserrosen befinden sich in dem Bassin auch die sämmtlichen Blendlinge, welche der Inspektor Bouché durch Kreuzung aus N. Lotus L. und rubra Roxb. gezogen hat und von denen in der 35. Nummer der Gartenzeitung gesprochen ist, nebst den Mutterpflanzen und einer Reihe anderer Arten, die alle mit ihrem blendenden Weiss und den verschiedenen Nuancirungen des Blau und Roth zu dem freudigen Grün der Blattflächen eine höchst interessante Erscheinung darbieten. Ausser den bereits genannten blau- und rothblühenden Nymphäen sind die weissblühenden zahlreich vertreten. Neben N. Lotus L., findet man hier: N. guineensis Thonn. (micrantha der Gärten zum Theil), ampla Hook., gracilis Zucc., blanda Mey., dentata Thonn. und die interessante kleine N. thermalis DC., aus den heissen Schwefelquellen von Ofen.

Am Rande stehen Ufer- und Sumpfpflanzen und befinden sich in dem erwärmten Wasser ganz wohl: das Zuckerrohr, der Reis und Panicum oryzinum Gmel., ferner Hydrocleis Humboldtii Endl., (Limnocharis Humboldtii L. C. Rich.), Limnocharis Plumieri L. C. Rich. Kth., Pontederia cordata L., Eichhornia azurea Kth und das interessante Wasserfarn Ceratopteris thalictroides Brongn. Schade, dass die sonderbare Mimosee, Desmanthus natans Willd, mit ihren gelblich-weissen, und schwimmenden Stengelgliedern von schwammiger Konsistenz, trotz aller ihr angethanenen Pflege, im vorigen Jahre zu Grunde gegangen ist und, da sie meines Erachtens nach nirgends mehr kultivirt ist, nicht wieder erhalten werden kann, denn die Pflanze trug im vorigen Jahre mit ihren gefiederten und zarten Blättern wesentlich zur Verschönerung des Ganzen bei.

Wenden wir uns nun zu den ebenfalls aus Portland-Cement angefertigten 3 Fuss hohen Wasserkübeln, welche in den Ecken, wo die Giebelseite mit den Wänden zusammenstossen, befindlich sind, zu, so befinden sich in diesen die Nelumbien, nebst zahlreichen Pistien, welche letztere sich so rasch vermehren, dass sie in kurzer Zeit fast die ganze Oberfläche bedecken. Es ist nicht zu leugnen, dass die grossen und weit über das Wasser herausragenden Blätter der Nelumbien ein stattliches Ansehen haben, zumal, wenn sie sich in solcher Ueppigkeit befinden, als es im Viktoriahause des botanischen Gartens der Fall ist. Mehr als ein Blatt hatte 2 Fuss und 2 Zoll im Durchmesser. Die rosafarbenen oder gelben Blüthen tragen ebenfalls zur Erhöhung der Reize nicht wenig bei. Von Arten werden kultivirt das asiatisch afrikanische Nelumbium speciosum Willd., nebst der Form Graf von Thun, und die nordamerikanischen N. luteum Willd. und codophyllum Raf.

Es bleibt uns nun nur noch über die Ausschmückung der Wände und Giebelseiten etwas zu sagen übrig. Blüthenpflanzen wären hier am unrechten Orte gewesen, da sie die Aufmerksamkeit auf sich gezogen und von den Nymphäen, dem eigentlichen Glanzpunkte eines Viktoriahauses, doch mehr oder weniger abgezogen hätten. Die Pflanzen an den Seiten sollten doch nur eine Staffage sein, um die nackten Wände zu decken. Natürlicher Weise wurden deshalb grosse Blattpflanzen dazu verwendet.

Hinter den Kübeln befanden sich prächtige Exemplare des Philodendron grandifolium Schott, Ph. pinnatifidum Kth, der Alocasia odora C. Koch, sowie des Cyclanthus cristatus Kl. und ragten in angenehmen Konturen über diese hervor, als sollten genannte Arten mit ihren grossen Blättern die darunter stehenden Wasserpflanzen schirmen und gegen zufälligen Schaden wehren. An den hohen Giebelseiten hatte der Inspektor Bouché höhere Pflanzen aufgestellt, ganz besonders Palmen, als Chamaedorea desmoncoides H. Wendl., Caryota urens L. und Rhapis flabelliformis, einige Musen (Musa Dacca Hort. und zebrina Hort.), Alpinia nutans Rosc. (Globb nutans L.), Alocasia metallica Schtt, verschiedene Baumlilien: Charlwoodia congesta Sweet, rigidifolia C. Koch und spectabilis Pl., Cordyline cannaefolia R. Br., C. fragrans Pl., C. salicifolia Goepp., C. Fontenesiana Pl., (nigra Hort. Berol.) und Dracaena Draco L.

Die Blattpflanzen an den Wandseiten mussten der geringern Höhe halber auch niedriger sein. Am Meisten waren hier die Arten des Geschlechtes Thalia vertreten, welche, Thalia setosa C. Koch an der Spitze, früher fälschlich als zu Phrynium gehörig betrachtet wurden und über die noch in einer der letzten Nummern (Seite 258) der Gartenzeitung gesprochen ist. Die 5 oder 6 in den Gewächshäusern kultivirten, aber, mit Ausnahme einer einzigen, noch nicht beschriebenen Arten waren sämmtlich hier vertreten.

Mit der Beschreibung des innern Raumes des Viktoriahauses im botanischen Garten zu Ende, möchte es doch auch von Interesse sein, zu erfahren, dass die Giebelseiten ausserhalb mit allerhand krautartigen Lianen bepflanzt waren, welche bis zur Höhe des Daches emporrankten und mit ihren weissen, blauen, violetten und verschiedentlich rothen Blüthen zwischen dem meist dunkelem Grün der Blätter sehr zur Verschönerung beitrugen. Neben verschiedenblüthigen Ipomöen, unter denen sich auch die grossblühende (Calonyction grandiflorum Choisy) befand, waren Trichosanthes colubrina Jacq., Lagenaria vulgaris Ser. und Cyclanthera pedata Schrad. vorhanden. Zwischen ihnen sah man die weniger hochsteigende Thunbergia alata Hook. und Lophospermum erubescens Don.

II. Das Viktoriahaus des Oberlandesgerichtsrathes Augustin.

Dieses bildet einen Flügel des grossen und im Kreuz stehenden Ausstellungshauses, wird nur im Sommer benutzt und deshalb durch eine Glaswand gegen dessen Mitte abgesperrt. Während das Viktoriahaus des botanischen Gartens im Winter leer steht und die Pflanzen in andern Warmhäusern, die Wasserrosen aber in einem kleinern und leichter zu erheizenden Behältniss aufbewahrt werden, dient das an der Wildparkstation bei Potsdam in derselben Zeit zur Aufnahme von allerhand Neuholländern und südeuropäischen Blüthensträuchern, welche während der wärmern Jahreszeit sich im Freien befinden. Es hat eine längliche Form mit einer Breite von 28½ und einer Länge von fast 44 Fuss. Die Höhe beträgt in der Mitte 12, an den Seitenwänden hingegen nur 5½ Fuss. Mitten im Hause befindet sich das viereckige Wasserbassin von 36 Fuss Länge und 15 Breite, aus dem zu gleicher Zeit 2 Tragsäulen emporsteigen. Ein Weg von 4½ Fuss Breite zieht sich rings herum, während zwischen diesem und der Seitenwand eine 1½ Fuss hohe Rabatte von 2 Fuss 8 Zoll und 2 Fuss 5 Zoll Breite befindlich ist.

Wende ich mich zuerst wiederum dem grossen Bassin zu, so ähnelt der Inhalt zwar im Allgemeinen auch dem des Viktoriahauses im botanischen Garten, ist aber an Wasserrosen weniger mannigfaltig; dagegen besitzt es dadurch ein eigenthümliches Ansehen, dass auch Nelumbien sich darin befinden und grade dadurch dem Ganzen einen andern Reiz verleihen. Man kann sich wirklich nichts Schöneres denken, als Nelumbium speciosum Willd. mit den schlanken, ein Paar Fuss über die Oberfläche des Wassers sich erhebenden Blattstielen, welche die etwas konkaven und hell-blaugrünen Blattflächen von 1½—2 Fuss Durchmesser tragen. Die Mythe konnte in der That keine treffendere Pflanze wählen. Sonderbar, dass auch dieses Nelumbium, eben so wie der ächte Papyrus der Alten, in der neueren Zeit nicht mehr in Aegypten, wo beide in ältester Zeit so häufig gewesen sein müssen, gefunden wird. Wie bei den Brahma-Anhängern in Ostindien, so spielte das Nelumbium auch bei den alten Aegyptern eine wichtige Rolle. Auf einem

Blatte wurde der ägyptische Gott der Schweigsamkeit, Harpokrates, geboren und Lakschmi, die Göttin des Ueberflusses, Tochter des Oceans und der Nacht, segelt in einer Siriacha-Blume (des Nelumbium) in das offene Meer. Brahma sowohl, als Osiris, schaukeln sich gern auf dem Nelumbiumblatte und Isis wurde damit gekrönt. Die Samen keimen im Vaterlande schon in der Frucht und gaben den Alten so das Bild der Unsterblichkeit, der Fortdauer nach dem Leben. Zu gleicher Zeit wurde Nelumbium auch als ein Symbol für die Fülle der Natur betrachtet. Da ferner die mehligen Samen gegessen werden, so war die Pflanze um so mehr eine Wohlthat für die Bewohner der Nil- und Ganges-Länder. Nur die Priester durften sie nicht anrühren. Auf gleiche Weise ass man die Samen der Nymphaea Lotus L., welche mit jenen die Lotus-Früchte der Alten darstellten. Die zuletzt genannte Pflanze war ebenfalls den Indiern heilig; aus den Fasern des Lotusstengels machte Sakontala ihre Armspangen.

Auf gleiche Weise, wie im botanischen Garten, befanden sich, einzelne Gruppen darstellend, mehre Sumpf- und Wasserpflanzen in dem Bassin eingesenkt. So Thalia dealbata Fras., Cyperus alternifolius L. und Papyrus antiquorum Willd., ausserdem aber noch Zukkerrohr, Reis, Panicum oryzinum Gmel., Ceratopteris thalictrifolia Brongn., Hydrocleis Humboldtii Endl., Lymnocharis Plumieri Endl. und Pontederia cordata L.

Eine besondere Schönheit verliehen dem Wasserbassin die beiden Rhizocarpeen: Salvinia natans Hoffm. und Marsilea aegyptiaca. Die erstere gefällt sich in dem erwärmten Wasser so ausserordentlich, dass nach der Mittheilung des Obergärtners Lauche eine Anzahl Pflanzen, welche anfangs ohngefähr einen Quadratfuss Fläche einnahmen, nach 6 Wochen schon eine Quadratruthe ausfüllten. Allen Besitzern von Viktorienhäusern ist deshalb diese einheimische Pflanze nicht genug zu empfehlen. Dicht gedrängt nebeneinander mildert sie einiger Massen gleichsam die grosse, eintönige Fläche der Viktoriablätter. Aber auch in der Nähe betrachtet, besitzt die Salvinie wegen ihrer rauhen Oberfläche und dadurch bedingten eigenthümlichen Zeichnung ein wohlgefälliges Ansehen.

Die Versuche mit unserer einheimischen Marsilea sind fehlgeschlagen. Es stellte sich alsbald die rothe Spinne ein und musste man sich deshalb beeilen, um die an und für sich kranken Pflanzen wieder herauszunehmen. Desto besser gedeiht die der deutschen ähnliche und in Aegypten wachsende Art desselben Geschlechtes.

Endlich ist auch unter den im Augustin'schen Wasserbassin kultivirten Pflanzen Vallisneria spiralis L. zu nennen. So schön sich diese Hydrocharidee in den sogenannten Aquarien ausnimmt, zumal sie auch ebenfalls darin gedeiht, so unbedeutend, obwohl sie ausserordentlich wuchert, ist sie hier, wo nur das, was auf der Oberfläche schwimmt oder aus ihr herausragt, einen Werth besitzen kann.

Die übrige Ausschmückung des Viktorienhauses ist so eigenthümlich, dass sie deshalb eine besondere Beachtung verdient, obwohl sie anderntheils für Wasserpflanzen etwas Fremdartiges darstellt und, da sie die Sonne von ihrer Einwirkung auf das Bassin und das darin befindliche Wasser, demnach auch auf die daselbst kultivirten Pflanzen, viel zu sehr beschränkt, nicht zur Nachahmung empfohlen werden dürfte. Trotzdem kann man ihr den eigenthümlichen, ich möchte sagen, pikanten Reiz nicht absprechen

Von Seiten des Besitzers sowohl, als des Gärtners, von denen beständig im Interesse der gesammten Gärtnerei allerhand Versuche, die Kultur der Pflanzen und deren aesthetische Aufstellung betreffend, gemacht werden, wollte man einmal mehre interessante krautartige Lianen aus der Familie der Cucurbitaceen besonders günstig kultiviren, um sie zu gleicher Zeit genauer kennen zu lernen. Zu diesem Zweck wurde Benincasa cerifera Savi, Cucumis anguinus L., Trichosanthes colubrina Jacqu., Momordica Charantia L. und Balsamina L. zeitig auf den Rabatten ausgepflanzt, wo sie in kurzer Zeit schon das Glasdach erreichten und alsbald in solcher Ueppigkeit sich entwickelten, dass sie von einer Seite des Hauses bis zur andern wucherten und die dichtesten Festons bildeten. Es ist nicht zu leugnen, dass die über 4 Fuss langen Nattergurken (von Trichosanthes colubrina Jacq.), die ziemlich gerade herunter hingen, und die gegen das untere Ende keulenförmig verlaufenden Schlangengurken (von Cucumis anguinus L.), welche beide zur Zeit der Reife ein orangefarbiges Ansehen erhalten und von denen die letztere ausserdem noch einen angenehmen, den Melonen ähnlichen Geruch verbreitet, auf jeden, der in das Viktoriahaus eintrat, einen eigenthümlichen Eindruck machten, und, selbst vor Allem die Aufmerksamkeit des Beschauenden auf sich zogen. Gerade das Fremdartige reizt, wie bekannt am Meisten, war aber eben deshalb den Wasserpflanzen nicht günstig.

Die beiden Mormodica-Arten der Springgurken erhalten ebenfalls zur Zeit der Reife ein orangefarbenes Ansehen, was noch dadurch erhöht wird, dass die Früchte mit 3 Klappen aufspringen und deshalb die flachen und zinnoberfarbigen Samen sichtbar werden. Beide Pflanzen dienen in Ostindien, ihrem Vaterlande, als Arzneimittel, besonders wegen des in den Blättern vorkommenden Bitterstoffes, der sogar bei M. Charantia L. von den dort wohnenden Europäern anstatt des Hopfens zu Bier benutzt wird. Die Früchte derselben werden übrigens reif und unreif als eine gesunde Speise betrachtet, während das auf die von M. Balsamine gegossene Oel früher als Wundmittel in grossem Ansehen stand und noch im Vaterlande vielfach benutzt wird.

Von der Nattergurke gehen die Früchte nur jung ein wohlschmeckendes Gemüse, wenn man beim Kochen das erste bitterschmeckende Wasser abgiesst, reif hingegen wirken sie stark purgirend und werden selbst zum Abtreiben des Bandwurmes benutzt. Die Schlangengurke schmeckt hingegen unreif ähnlich einer Gurke, reif hingegen besitzt sie den Geschmack und Geruch einer Melone.

Was endlich die Wachsgurke (Benincasa cerifera Sav.) anbelangt, so nimmt die Frucht ganz besonders unsere Aufmerksamkeit in Anspruch, da sie auf ihrer Oberfläche beständig eine wachsartige Masse ausschwitzt, ein Umstand, der ihr auch den Namen gegeben hat. Sie soll ebenfalls gegessen werden; es wird besonders der Saft als sehr erfrischend gerühmt und bei Fiebern als Getränk gegeben. Die Wachsgurke scheint ziemlich gross zu werden, denn es befindet sich bereits ein Exemplar vor, was 2 Fuss 3 Zoll lang und 8 Zoll im Durchmesser ist.

Um das einförmige Grün der fünf krautartiden Cucurbitaceen etwas zu mildern, sind noch einige Pflanzen der vierkantigen Passionsblume (Passiflora quadrangularis L.) dazwischen gepflanzt, deren schöne Blüthen ausserdem auch zur Mannigfaltigkeit beitragen. Einen ganz besonderen Schmuck verleihen aber die buntfarbigen Cissus der Sundainseln (Cissus discolor Bl.), die an der einen Giebelseite, durch welche eine Thür nach aussen führt, an der Wand emporklettern, anderntheils aber über den Raballen, ohngefähr 1½ Fuss hoch, in Form von Guirlanden angebracht sind. In der feuchten Wärme gefallen sich die Bewohner der Urwälder so wohl, dass sie einen Zustand der Ueppigkeit, wie er mir sonst noch nirgends entgegengetreten ist, angenommen haben. Das Farbenspiel auf den Blättern, ganz besonders wenn diese noch jung sind, ist doch wunderschön. Da ich übrigens Gelegenheit gehabt habe, die Pflanze blühend zu untersuchen und mir bis jetzt nur die kurze Diagnose aus Blume's Beiträgen, aber keine Beschreibung bekannt ist, so werde ich nächstens die Gelegenheit ergreifen, um letztere in diesen Blättern mitzutheilen.

Blaue Hortensien.

Seit einiger Zeit sieht man in Berlin viele hellblaue Hortensien in den Kellern und konnte man sich lange deren plötzliches Erscheinen nicht erklären, bis man endlich darauf aufmerksam wurde, dass sie nur aus solchen Gärtnereien kamen, wo das Wasser aus der grossen Wasserleitung benutzt wurde. Diese bedient sich aber grosser eiserner Röhren, um das Wasser in die entferntesten Theile der Stadt zu leiten, und enthält dasselbe, namentlich jetzt im Anfange der Einrichtung, sehr viel Eisen. Dieses Metall ist es aber grade, wodurch die rosafarbenen Hortensienblumen in blaue umgewandelt werden. Gewöhnlich setzt man, um diese zu erhalten, Eisenfeilspähne der Erde zu, worin Hortensien gepflanzt werden. Noch besser ist es, wenn man sich dazu des gewöhnlichen sogenannten Hammerschlags aus gewöhnlichen Schmieden bedient.

Interessant ist es, dass dieselbe Beobachtung auch in andern Städten, wo sich Wasserleitungen befinden, gemacht wurde. So wird ein Beispiel in dem Gardener's Chronicle (in der 26. Nummer und Seite 453b erzählt, wo ebenfalls plötzlich blaue Hortensien ohne alles Zuthun erschienen. Es war dieses in London (Tonbridge Wells) der Fall.

Interessant ist es übrigens, dass in der neuesten Zeit in England die Einwirkung des Eisens auf die Umänderung der rothen Farbe in eine blaue abgeleugnet wird, da sich blaublühende Hortensien oft mitten unter rothblühenden vorgefunden haben sollen, umgekehrt haben Versuche herausgestellt, dass trotz der Beimengung von Eisenspähnen sich keine blauen Blüthen bei Hortensien gezeigt hatten.

Bücherschau.

Der praktische Gemüsegärtner. Nach den neuesten Erfahrungen und Fortschritten von I. Jaeger. Mit sehr vielen in den Text gedruckten Abbildungen. Leipzig 1857. Preis 3 Thaler.

Der fleissige mit der Feder nicht weniger, als mit der Praxis vertraute Verfasser hat uns wiederum mit einem Buche beschenkt, das eben so, wie das bereits von uns angezeigte über den Obstbau, die Beachtung aller derjenigen verdient, die sich für Gemüse und ihrem Anbau interessiren. Es besteht eigentlich wie jenes aus 3 Bänden, von denen ein jedes etwas Abgeschlossenes in sich einschliesst und auch für sich abgegeben wird. Wir haben allerdings Bücher über Gemüsebau grade genug, und es ist auch nicht zu leugnen, ganz vorzügliche; aber doch halten wir vorliegendes für keineswegs überflüssig. Abgesehen, dass Jedermann seine eigenen Ansichten hat, die keineswegs übrigens weder schlechter noch besser zu sein brauchen und doch zu demselben Ziele führen, enthält Jäger's praktischer Gemüse-Gärtner doch Manches, was sonst in dergleichen Büchern nicht enthalten ist.

Wie in der Landwirthschaft namentlich, so ist doch auch in der Gärtnerei, die Drainirung des Bodens von sehr grossem Nutzen. In weitläufigen Anlagen kommen oft sumpfige Stellen vor, die durch Drainiren oft schon allein trocken gelegt und demnach auch benutzt werden können. Wir haben zwar landwirthschaftliche Handbücher, welche uns hierüber eine Anleitung geben, aber doch keine Gartenbücher. Deshalb füllt vorliegender Gemüsegärtner, weil er unter Anderem auch diesen Gegenstand auf eine leicht fassliche Weise enthält, in der That eine Lücke aus. Man findet aber auch noch Manches Andere darin, was wir vergebens in andern Büchern der Art suchen.

Der Raum erlaubt mir nicht, ausführlich auf den Inhalt einzugehen, es muss genügen, nur den Inhalt anzugeben. Der erste Band enthält die Grundsätze und Regeln für den Gemüsebau und zerfällt in 11 Abschnitte: 1) Begriff, Zweck und Nutzen des Gemüsebaues. 2) Art und Umfang des Betriebes. 3) Uebersicht der Gemüsepflanzen. 4) Werkzeuge und Hülfsmittel. 5) Bedingungen in Bezug auf Klima, Lage, Boden, Wasser und Schutz nach Aussen. 6) Uebernahme des Bodens in Kultur und Eintheilung des Grundstückes. 7) Wechselwirthschaft und Betriebsplan. 8) Benutzung des Landes durch gemischten Anbau, Voranbau und Nachbau. 9) Wahl der Sorten und Arten. 10) die wichtigsten beim Gemüsebau vorkommenden Verrichtungen. 11) Vertilgung und Vertreibung der schädlichen Thiere und Krankheiten der Gemüse.

Der 2. Band führt auch den Titel „Die besondere Kultur aller bekannten Gemüse-Arten im freien Lande, im Kleinen und Grossen.“ Er zerfällt in 12 Abschnitte: 1) Kohlarten. 2) Hülsenfrüchte. 3) Blätter-Salatpflanzen. 4) Spinatpflanzen. 5) Lauch- und Zwiebelarten. 6) Gurkenartige Pflanzen. 7) Rüben, Wurzeln, Knollen. 8) Spargel, Meerkohl, Rhabarber, Artischocken und Kardonen. 9) Verschiedene Suppen-, Würz- und Zusatzkräuter. 10) Erdbeeren. 11) Essbare Schwämme.

Im 3. Bande ist die Gemüsetreiberei enthalten und zwar mit einer Einleitung und in 2 grösseren Abtheilungen. Die erstere giebt allgemeine Regeln und Vorschriften und zwar: 1) Lage der Mistbeete und Treibhäuser. 2) Einrichtung und Bauart derselben. 3) Erzeugung der Wärme. 4) Ueber die Mistbeete und deren Verwendung. 5) Ueber ihre Bestellung und ihre Behandlung. 6) Auswahl der Sorten, welche sich vorzugsweise zum Treiben eignen. In der andern Abtheilung ist die Kultur der einzelnen Gemüsearten und Früchte gegeben und zwar 1) der Gemüse, 2) der Würz- und Zuthatkräuter, 3) der Champignons und 4) der Früchte.

The illustrated Bouquet.

Unter diesem Namen gaben die Besitzer der grossen Handelsgärtnerei von Henderson und Comp., welche auch in Deutschland sich mit Recht eines besonderen Rufes erfreut, eine Sammlung von Abbildungen der Pflanzen, welche daselbst gezüchtet oder erst durch sie eingeführt sind und sich durch Schönheit oder Interesse auszeichnen, heraus. Es erscheint im grossen Quartformat und ist äusserlich sehr gut ausgestattet.

Das 1. Heft enthält 5 Tafeln Abbildungen, von denen die erste die neue Theerose Isabella Gray darstellt, welche in England wegen ihrer Schönheit allgemeines Aufsehen gemacht hat und wohl auch deshalb bei uns einer Verbreitung werth ist. Auf der 2. Tafel sind 8 der schönsten Verbenen dargestellt, auf der dritten hingegen 3 Bouvardien und Veronica decussata Devoniana, auf der vierten aber 4 Pelargonien mit schön gezeichneten Blättern. Die fünfte endlich giebt eine künstlerisch-zusammengestellte Gruppe von 10 Gloxinien.

Eine Neumannia maidifolia C. Koch.

Welche Dimensionen Pflanzen oft einnehmen können, wenn sie eine vortheilhafte Kultur erhalten, beweist unter Anderem auch ein Exemplar der Neumannia maidifolia C. Koch (Pitcairnia Planch., Puya Pl. et Lind.), die sich in einem Gewächshause des Rentiers Laurentius unter der Pflege des Obergärtners Böttcher in Leipzig befindet. Dieselbe steht in einem feuchtwarmen Orchideenhause und hat eine 2 Fuss hohe Blüthenähre und nicht weniger als 5 Fuss lange Blätter.

Verlag der Nauck'schen Buchhandlung. Berlin. Druck der Nauck'schen Buchdruckerei.

No. 39. Sonnabend, den 26. September. 1857

Preis des Jahrgangs von 52 Nummern mit 12 color. Abbildungen 6 Thlr., ohne dieselben 5 -
Durch alle Postämter des deutsch-österreichischen Postvereins sowie auch durch den Buchhandel ohne Preiserhöhung zu beziehen.

Mit direkter Post übernimmt die Verlagshandlung die Versendung unter Kreuzband gegen Vergütung von 26 Sgr. für Belgien, von 1 Thlr. 1 Sgr. für England, von 1 Thlr. 22½ Sgr. für Frankreich.

BERLINER Allgemeine Gartenzeitung.

Herausgegeben vom

Professor Dr. Karl Koch,

General-Sekretair des Vereins zur Beförderung des Gartenbaues in den Königl. Preussischen Staaten.

Inhalt: Ueber Lebensbäume (Thuja und Biota). Vom Professor Dr. Karl Koch. (Fortsetzung aus Nr. 36). — Die Pflanzen- und Blumen-Ausstellung in Danzig vom 9. — 13. September 1857. Von Julius Radike, Kunst- und Handelsgärtner und Sekretair des Gartenbau-Vereins in Danzig. — Chamaecyparis thurifera Lindl. und Cupressus Benthami Endl. — Journalschau: II. Gardeners Chronicle Nr. 16—30.

Ueber Lebensbäume (Thuja und Biota).

Von dem Professor Dr. Karl Koch.

(Fortsetzung aus No. 36.)

II. Die Lebensbäume des Occidentes, also Nordamerika's und Mexiko's, unterscheiden sich schon dadurch im Habitus, dass die Flächen der Verästelungen wagerecht (nicht senkrecht mit den Rändern nach oben und unten, wie bei denen des Orientes) stehen, dass die Blätter mit einer länglichen oder rundlichen, aber stets erhabenen Drüse versehen oder drüsenlos sind, dass die Beerenzapfen kleiner und mehr in die Länge gezogen und ihre Schuppen weniger mit einander verwachsen erscheinen und dass endlich die länglichen und etwas zusammengedrückten und meist nur einzeln vorhandenen Samen von einem flügelartigen Rande umgeben werden.

4. Thuja occidentalis L., Thuja obtusa Moench, Cupressus Arbor vitae Targ. Tozz. Der Lebensbaum (Arbor vitae) oder, wie er auch im Vaterland zugleich mit Chamaecyparis sphaeroidea Spach genannt wird, die weisse oder amerikanische Ceder, war eins der ersten Gehölze, welches wir aus Nordamerika erhalten haben. Schon im Anfange des 16. Jahrhunderts soll es in Frankreich gewesen sein. Clusius erzählt nämlich, dass er es in einem königlichen Garten zu Fontainebleau gesehen und dass ihm mitgetheilt wurde, Franz I. habe es als Geschenk aus Kanada erhalten. Wegen seines im Winter und Sommer gleichen Aussehens nannte der 1563 ermordete Reisende Belon, als Bellonius bekannter, es zuerst Arbor vitae d. i. Lebensbaum. Wie Kasper Bauhin dazu kommt, es Thuja Theophrasti zu nennen, versteht man nicht recht. Der Name Thuja kommt allerdings zuerst bei Theophrast vor.

Das Gehölz verbreitete sich ziemlich rasch über alle Länder der gebildeten Welt und wurde wegen seines immergrünen Ansehens in kältern Ländern hauptsächlich anstatt der Cypresse auf Gräbern benutzt. Später diente es mit Taxbaum und der virginischen Ceder oft zu Hecken und musste selbst im verschrobenen Zeitalter Ludwig XIV. sich der Scheere fügen. Als die Englischen Gärten sich Bahn brachen, kam auch der Lebensbaum zu vielfacher Anwendung, und spielt auch jetzt noch eine gewichtige Rolle, zumal er ohne Schaden unsere kältesten und ungünstigsten Winter aushält.

Von allen Lebensbäumen ist der gewöhnliche des Occidentes am Lockersten gebaut; am meisten ähnelt er aus der Gruppe derer des Orientes der Thuja pyramidalis Ten., einer Art, die oft die flachen Zweige mehr horizontal- und nicht wie die andern vertikal-stehend besitzt und sich dann nur durch breitere Verzweigungen und hauptsächlich durch die erhabene Drüse unterscheidet. Während die verholzten und mehr rundlichen Aeste eine graugelbe Farbe besitzen, ist die der ganz flachen Verzweigungen auf der Oberfläche opak-, auf der Unterfläche blau-grün. Die schuppenförmigen Blätter der Mittelzweige sind mehr in die Länge gezogen und liegen ganz an.

Die der Fläche haben unterhalb der etwas eingedrückten, dreieckigen Spitze eine erhöhte und runde Drüse, welche ebenfalls, wenn auch nicht so sehr hervortretend, auf den kürzern Blättern der Fieder- und Endzweige deutlich hervortritt. Die schwache Vertiefung oberhalb derselben und unterhalb der Spitze fehlt aber hier.

Die Beerenzapfen kommen an der Spitze der Endzweige, und zwar meist auf der obern Seite der Fiederzweige, hervor, sind ungestielt, hängen meist etwas nach unten über und besitzen eine längliche Gestalt, an der die Spitzen der einzelnen Fruchtschuppen nur wenig hervortreten. Ihre Länge beträgt meist einen halben Zoll, die Breite aber nur halb so viel. Die einzelnen lösen sich weit früher, als bei den Bioten, und zwar bis zur Basis, um alsbald die länglichen, aber geflügelten und braunen Samen herausfallen zu lassen.

In den Gärten besitzt man mehre Abarten, doch keineswegs so viel, als von der Thuja occidentalis Ten. Als Thuja occidentalis compacta führt Carrière zuerst eine niedrige Abart von gedrängtem Wuchse und kurzen, einander genäherten Zweigen auf, die mir unbekannt ist. Unter dem Namen Thuja Llaveana besitzt man neuerdings eine Abart von gedrängterem Wuchse und mit rostfarbenen Aesten, deren Verzweigungen auch flacher und breiter sind. Sie hat grosse Aehnlichkeit mit der nächsten Art, der Thuja asplenifolia, selbst auch hinsichtlich der Form und der Breite der Blätter.

Wie bei Thuja pyramidalis Ten., so giebt es auch hier Formen mit bunten Blättern. Am Häufigsten ist die, wo die Färbung weiss ist, und wird diese auch bisweilen als Thuja argentea in den Gärten aufgeführt. Die mit gelber Färbung, welche meist als Thuja occidentalis variegata, wohl auch als Thuja variegata, vorkommt und schon früher beschrieben wurde, kennt Carrière nur klein und gedrängt, kaum bis zu 3 Fuss hoch. Sie scheint auch einen gedrängteren Wuchs zu haben und nähert sich im Ansehen der Thuja asplenifolia Hort. Beide Formen mit bunten Blättern sind übrigens sehr zart und müssen, namentlich gegen Winde, geschützt werden. Dieses mag auch die Ursache sein, dass man sie eigentlich wenig sieht.

5. Thuja odorata Marsh., Thuja plicata Donn (nicht Don, wie häufig geschrieben wird), Thuja Wareana Booth. Ich habe aus doppeltem Grunde dem Marshall'schen Namen dem Donn'schen vorgesetzt, weil zunächst der zweite erst aus diesem Jahrhunderte stammt, der erste aber bereits schon 1785 gegeben ist, und dann, weil wir als Thuja plicata zwei verschiedene Pflanzen in den Gärten besitzen. Die Pflanze unterscheidet sich sehr leicht von der vorigen durch ihren gedrängteren Wuchs, durch die rostfarbenen, von oben etwas zusammengedrückten Aeste und durch die breiteren und blaugrünen Verzweigungen. Sie ist unbedingt weit schöner als Thuja occidentalis L. und stellt eine wahre Zierde in den Gärten vor. Es kommt noch dazu, dass sie unser Klima ganz vorzüglich und selbst in den härtesten Wintern aushält. Sie wächst auf der Nordwestseite Nordamerika's, während Thuja occidentalis L. mehr auf der Ostseite und im Centrum vorkommt.

Während bei Thuja occidentalis L. der Hauptstamm mehr oder weniger gesehen werden kann, ist er bei dieser Art vollkommen gedeckt. Dagegen treten die rost- oder schmutzig-orangenfarbenen Aeste um desto mehr gegen das etwas graue Blaugrün der Verzweigungen hervor. Auch die schuppenförmigen Blätter stehen gedrängter und sind deshalb auch kürzer. Es gilt dieses selbst von den Mittelzweigen, wo die Drüse jedoch weniger hervortritt, die Vertiefung aber oberhalb derselben ebenfalls vorhanden ist. Sämmtliche Verzweigungen sind übrigens breiter, als bei der Thuja occidentalis L. und oben mehr oder weniger glänzend, während sie auf der Unterfläche eine opake und hellgrüne Farbe besitzen. An den rasch auf einander folgenden Fiederzweigen befinden sich meist nur auf der obern Seite die eben so kurz bei einander stehenden Endzweige.

Der Beerenzapfen hat im Ganzen die Gestalt derer bei Thuja occidentalis L., ist aber dicker, und hängt ebenfalls über.

Man hat bereits eine Abart mit bunten Blättern, die aber sehr zart sein soll. Mir ist sie unbekannt.

Als das Jahr der Einführung wird zwar englischer Seits das von 1796 angegeben, allein nach Deutschland scheint die Pflanze damals wenig gekommen zu sein. Erst im Jahre 1839 brachten sie James Booth und Söhne in Hamburg in den Handel; von da an verbreitete sie sich rasch weiter.

6. Thuja asplenifolia Hort., Th. lycopodioides Hort., Th. plicatilis Hort., kommt auch in den Gärten als Thuja plicata Hort. vor. Einen Zweig, den ich in meinem Herbar als plicatilis habe, stimmt so ziemlich mit der unter dem Namen Thuja plicata im Reichenheim'schen Garten kultivirten und hierher gehörigen Pflanze überein. Diese Thuja asplenifolia hat den Habitus der Thuja odorata Marsh. (plicata Donn) und besitzt wie diese einen gedrängten Wuchs und breitere Blätter, während die Farbe der Verzweigungen mehr mit der der Thuja occidentalis L., besonders der Abart Llaveana, übereinstimmt. Da die Fieder- und Endzweige zwar eben so kurz auf einander folgen, als bei der Thuja

odorata, aber weit länger erscheinen und die letztern sogar auch auf der untern Seite der ersteren vorhanden sind, ja selbst sich wieder verzweigen, so liegen diese weniger in einer gleichmässigen Fläche, als dass sie sich vielmehr zum Theil gegenseitig bedecken.

Die schuppenförmigen Blätter stehen fast noch gedrängter, als bei der früher genannten Art und glänzen nur zum Theil. Die Spitze ist weniger vorgezogen, trägt aber die freilich auch weniger hervortretende Drüse, oberhalb welcher kaum Platz zu einer Vertiefung ist, die denn auch in der Regel fehlt. Auf der hellblaugrünen Unterfläche der Verzweigungen erscheint hingegen die oft glänzende Drüse, deutlicher selbst als bei Thuja odorata Marsh.

Beerenzapfen habe ich noch nicht gesehen, daher ich auch nichts über sie anzugeben vermag. Die Zeit der Einführung ist mir ebenfalls nicht bekannt.

7. Thuja Menziesii Dougl., Thuja gigantea Hook. ist mir eine völlig unbekannte Pflanze, die wiederum vorherrschend auf der Nordwestküste Amerika's wachsen soll. Sie scheint sich nicht in unsern Gärten zu befinden und soll im Aeussern der Thuja occidentalis L. sehr ähnlich sein, aber schmälere und längere Verzweigungen besitzen. Als Hauptunterscheidungs-Merkmal wird aber der Mangel einer Drüse auf den Blättern angegeben.

8. Thuja gigantea Nutt., Thuja Craigiana Jeff., (?) Libocedrus decurrens Torr. Diese ausgezeichnete Pflanze Kaliforniens soll eine Höhe von 100—150 Fuss erreichen, muss also ein stattliches Ansehen haben. Die kleinen Exemplare, welche ich in Gärten gesehen, liessen dieses kaum vermuthen. Ob übrigens diese in der That zu Th. gigantea Nutt. gehören, lässt sich nicht mit Bestimmtheit sagen. Mit der Abbildung, welche in der Revue horticole (4. série. Tom. III., pag. 224) gegeben ist, stimmen sie nicht ganz überein, aber wohl möglich, dass die dort dargestellten Verzweigungen von ältern Exemplaren stammen.

Thuja gigantea unserer Gärten besitzt ein helles, man möchte fast sagen, graues Grün, ohne allen Glanz, da die kleinen Drüschen auf den Blättern wenig hervortreten. Die Unterfläche der Verzweigungen hat dieselbe Färbung. Ausgezeichnet ist die Art durch die mehr in die Länge gezogenen und mit einer lanzettförmigen Spitze versehenen Blätter, von denen die der Fläche ein wenig von denen der Kante übertroffen werden. Bei den letztern stehen die Spitzen von dem Zweige weit mehr ab, als es sonst bei den Lebensbäumen der Fall ist. Deshalb besitzt auch diese Art weit mehr Aehnlichkeit mit Chamaecyparis nutkaensis Spach (Thujopsis borealis Hort.), als mit einer Thuja-Art.

Da Carrière die Beerenzapfen der Thuja gigantea Nutt. nicht allein beschreibt, sondern auch abbildet, so unterliegt es keinem Zweifel, dass die Pflanze wirklich eine Thuja-Art ist. Die Beerenzapfen haben zwar im Allgemeinen dieselbe Form, sind aber noch einmal so gross und schliessen auch grössere, mehr lanzettförmige und mit einem weit überragenden Flügel versehene Samen ein.

8. Thuja Lobbii Veitch. Unter diesem Namen hat Veitch seit einem Paar Jahren eine Pflanze in den Handel gebracht, welche Lobb in Kalifornien als einen Baum von bis 100 Fuss Höhe fand. Die Pflanze steht der Thuja gigantea Nutt. sehr nahe und möchte vielleicht gar nicht verschieden sein. Mir steht nur ein kleines Exemplar im Borsig'schen Garten zur Verfügung. Darnach hat dieses das Ansehen einer Chamaecyparis nutkaensis Spach, aber weit flachere Verzweigungen. Die Oberfläche besitzt ein schönes und opakes Grün, während die Unterfläche, namentlich bei jüngern Zweigen ganz hell blaugrün ist und am Rande von Dunkelgrün umsäumt ist. Die Blätter stehen gedrängter als bei Thuja gigantea Nutt. und sind auch nicht so in die Länge gezogen, weshalb endlich die Spitze, obwohl sie deutlich vorhanden, weniger absteht. Drüsen sind nur schwach zu bemerken.

9. Unter dem Namen Thuja glauca befindet sich in einigen Berliner und Potsdamer Gärten eine Pflanze, die leider noch klein ist und noch keine Früchte getragen hat, aber wegen der weniger zusammengedrückten Endzweige sowohl, als wegen der eingedrückten, aber nur eine kurze Furche bildenden Drüsen ohne Zweifel zu den Chamäcyparissen gehört, also mit der Abart glauca, die Carrière unter Thuja orientalis aufführt, nichts gemein hat. Die blaugrüne Farbe findet sich jedoch nur bei jungen Pflanzen, besonders wenn diese warm stehen, vor. Die Zweige sind weit weniger zusammengedrückt, indem sich die schmälern schuppenförmigen Blätter der Fläche nach der Mitte zu erheben und unterhalb der eingedrückten und elliptischen Vertiefungen oft noch gekielt sind. An den ältern und mehr unten am Stengel befindlichen Zweigen stehen die noch schmälern, lanzettförmigen Blätter etwas ab. Ein Vergleich mit der als Thujopsis borealis in den Gärten befindlichen Pflanze macht es wahrscheinlich, dass die Thuja glauca der Berliner und Potsdamer Gärten derselben sehr nahe steht, und wahrscheinlich sogar eine und dieselbe Art mit ihr darstellt. Ob die von Carrière beschriebene Chamaecyparis glauca verschieden ist, weiss ich nicht; man möchte es aber nach der Beschreibung kaum vermuthen. Wäre auch diese identisch, so hätten wir wiederum ein Beispiel, dass

eine und dieselbe Pflanze unter 4 Namen und zwar selbst nebeneinander kultivirt werden kann, denn bekanntlich ist auch Thujopsis borealis Hort. gar nichts weiter, als die zuerst von dem verstorbenen Akademiker Bongard in Petersburg beschriebene Thuja excelsa, die Spach mit Recht später mit dem Beinamen nutkaënsis zu Chamaecyparis gebracht hat.

Die Pflanzen- und Blumen-Ausstellung in Danzig vom 9.—13. September 1857.

Von Julius Radike, Kunst- u. Handelsgärtner und Sekretair des Gartenbau-Vereins in Danzig.

Danzig, die alte Hansestadt, die in ihrer Glanzperiode wichtig und bedeutend war, verlor leider in der Folge viel von ihrem Ansehen, namentlich im Vergleich mit Städten, wie Stettin, welche schon zeitig durch Eisenbahnen mit den grössern Orten des Binnenlandes und hauptsächlich mit der Metropole des preussischen Staates in Verbindung standen. Mit dem Augenblicke aber, wo es in das Eisenbahnnetz gezogen und mit der grossen Ostbahn verbunden wurde, machte sich vom Neuen ein bald bemerkbarer Aufschwung geltend. Damit hob sich auch die Gärtnerei.

Die Leichtigkeit in den Verbindungen mit andern Städten, namentlich solchen, wo bedeutendere Handelsgärtnereien existiren, wirkte alsbald auch auf die hiesige Gartenkultur günstig ein; so manche schöne Pflanze, die seit Jahren schon wo anders kultivirt wurde, fand mit einem Male in unseren Gärten Eingang, da sie früher ohne Eisenbahn und wegen der Schwierigkeit des Transportes gar nicht bezogen werden konnte. Bald fand sich ein Verein von Männern, namentlich von solchen, denen die Heranziehung von Pflanzen und Blumen ein Gewerbe ist und die an und für sich Priester der freundlichen Göttin Flora sind, zusammen; man hielt es für nothwendig, den Bewohnern von Danzig von Zeit zu Zeit eine Schaustellung vorzuführen, um diesen zu zeigen, dass auch Danzig's Gärtner den heutigen grössern Anforderungen nicht zurückgeblieben sind, und um Liebe zur Blumenzucht noch mehr hervorzurufen, als es bis dahin der Fall gewesen.

Es kam im Januar eine Vereinigung zu Stande. Die versammelten Gärtner sahen die Nützlichkeit eines gemeinschaftlichen Wirkens und Strebens ein und beschlossen demnach einen Gartenbau-Verein ins Leben zu rufen. Der Königliche Garteninspektor Schondorff zu Oliva wurde zum Vorsitzenden ernannt, während mir auf eine nur ehrenvolle Weise das Sekretariat übertragen wurde. Es geschah am 18. Januar. Das, was der Verein will, ist wohl dasselbe, was alle andern Schwester-Vereine wollen, und bedarf deshalb wohl keiner weiteren Auseinandersetzung.

Im Laufe des Sommers wurde der Beschluss gefasst, in den Tagen vom 9.—13. September eine Pflanzen- und Blumenausstellung ins Leben zu rufen und fand dieselbe auch in der That statt. Aller Anfang ist schwer und so darf man von einem Erstlinge nicht das verlangen, was an andern Orten, wo schon seit vielen Jahren Ausstellungen stattgefunden haben, geleistet wurde. Ein Ueberblick möchte aber doch zeigen, dass Danzig zunächst Private und Gärtner vom Fache besitzt, die gern bereit sind, wo es gilt, etwas für das Allgemeine zu thun.

Es hatten sich betheiligt:

1) Kaufmann Max Behrend, (Kunstgärtner Brückner).
2) Kommerzienrath v. Frantzius, (Kunstgärtner Koppelwieser).
3) Kommerzienrath Hepner, (Kunstgärtner Bong).
4) Kommerzienrath Hoene, (Kunstgärtner Wernecke).
5) Rittergutsbesitzer v. Kries, (Obergärtner Fintelmann).
6) Kunst- und Handelsgärtner Lischke.
7) " " " Julius Radike.
8) " " " A. Rathke.
9) " " " Gebr. Reiche.
10) " " " Rohde.
11) Lotterie-Einnehmer Rotzoll (Kunstg. Raymann).
12) Garten-Inspektor Schondorff.
13) Rittergutsbesitzer v. Tiedemann, (Kunstgärtner Zander).

Die Aufstellung fand in einem Saale von gegen 80 Fuss Länge und 40 Fuss Breite statt und standen die Pflanzen auf stufenartigen Stellagen an den Wänden herum und zwar so von den Ausstellern selbst gruppirt, dass Jeder seine Pflanzen zur Gruppe zwar für sich zusammenstellte, jedoch immer auf eine Weise, dass das Ganze sich in harmonischer Verbindung befand. Die Mitte des Saales nahm ein langer Tisch ein, der für Schaupflanzen, so wie zu Obst, Gemüse und abgeschnittenen Blumen bestimmt war.

Am Eingange rechts beginnen wir mit der vom Kaufmann Max Behrend (Kunstgärtner Brückner) und vom Kommerzienrath Hepner (Kunstgärtner Bong) kombinirten Gruppe.

In derselben traten als besonders interessant hervor:

Allamanda neriifolia, Columnea splendens, beide reich blühend, ein starker Papyrus antiquorum, Hedychium Gardnerianum, Philodendron pinnatifidum und Maranta zebrina, letztere besonders üppig; ausserdem ein Sortiment von 12 schönblühenden Achimenen. Im Ganzen enthielt die Gruppe gegen 140 gut kultivirte Blattpflanzen.

Hieran schlossen sich zwei Gruppen von dekorativen Blattpflanzen des Rittergutsbesitzers v. Kries (Obergärtner Fintelmann). Darin waren besonders beachtenswerth: Aralia trifoliata, Caladium nymphaefolium, Begonia hernandiaefolia und ricinifolia, Dracaena spectabilis und australis und eine Sammlung gut kultivirter Farnen, als: Dicksonien, Aspidien, Nephrodien und Pteris. Die Gesammtzahl betrug gegen 70 Arten in 150 Exemplaren.

Zwischen diesen beiden Gruppen befand sich die des Kunst- und Handelsgärtners A. Rathke in halbrunder Form und bestand aus Blattpflanzen. In derselben zeichneten sich schöne Exemplare vom Musa zebrina, paradisiaca und Cavendishii, von Anthurium longifolium, Billbergia splendida, Philodendron pinnatifidum, Chamaedorea splendens und Pandanus javanicus fl. varieg. aus. Sämmtliche Pflanzen waren in starken und üppigen Exemplaren vorhanden, so dass das Ganze einen imposanten Anblick gewährte.

Hiermit war die eine Seite des Saales geschlossen. Dem Eingange gegenüber hatte am Ende des Saales der Garten-Inspektor Schondorff eine Mittelgruppe, bestehend aus Palmen, Farnen und Gräsern, arrangirt, wozu verschiedene Aussteller die schönsten Exemplare geliefert hatten. Aus derselben erhoben sich die Büsten Sr. Majestät des Königs und Ihrer Majestät der Königin. Es ist nicht zu leugnen, dass grade diese Gruppe sich durch Geschmack, Leichtigkeit und gelungene Aufstellung als eine der am Meisten gelungenen bezeichnet werden konnte.

Rechts und links davon standen 2 runde Tische mit blühenden Modepflanzen von Rotzoll (Kunstgärtner Raymann) besetzt. Die neuesten französischen und deutschen Petunien, so wie Fuchsien und Verbenen, ferner Phygelius capensis und Cuphea eminens waren in gut blühenden Exemplaren zur Schau gestellt.

Daneben befanden sich 2 seitliche Tischen, und zwar hatte man auf dem einen einige officinelle und sonst wichtige Pflanzen, wie Kaffeebaum (Coffea arabica), Johannisbrotstrauch (Ceratonia Siliqua), ächten Drachenbaum (Dracaena Draco), Baumwollenstaude (Gossypium herbaceum), Reispflanzen (Oryza sativa) u. s. w. aufgestellt, die besonders das Interesse des Publikums auf sich zogen. Auf dem anderen sah man einzelne Exemplare neuerer Pflanzen und zwar: von Curcuma Roscoeana, Begonia Twaitbesii, Thyrsacanthus barlerioides, Alloplectus speciosus, Calladium metallicum, von älteren ausserdem noch Calladium bicolor, C. picturatum und haematostigma. Beide Tische waren vom Garten-Inspektor Schondorff besetzt.

Auf der linken Seite schlossen sich hieran zwei halbrunde Blattgruppen vom Kunst- und Handelsgärtner Lischke, in denen an besonders schönen Exemplaren bemerkenswerth waren: Ficus Murrayana, Heliconia Bibai, Sinningia Helleri, Juanulloa (Datura) aurantiaca und 4 verschiedene Calladien; überhaupt 60 Species in 140 Exemplaren.

Zwischen beiden war in der Mitte eine grössere Gruppe vom Kunst- und Handelsgärtner Julius Radike arrangirt, die gegen 70 Arten in 150 Exemplaren enthielt. Es traten besonders darin hervor: 2 gegen 10 Fuss hohe Dracaena australis, Monstera Lennea oder Philodendron pertusum als ansehnliche Pflanze, Alocasia odora; an Neuheiten: Begonia Twaithessii, B. fuchsioides, acuminata, verschiedene Achimenen, besonders Ambroise Verschaffelt, Dr. Thomas und endlich eine Sammlung hübscher, besonders zur Dekoration geeigneter Farnen, die sich ausserdem durch kräftigen Wuchs auszeichneten.

Die Schlussgruppe am Eingange links bildeten Koniferen vom Kunst- und Handelsgärtner A. Rathke, von denen Pinus blanca, Cedrus libanotica, Juniperus echinoformis und Cupressus Goveniana bemerkenswerth waren.

Auf dem in der Mitte befindlichen Tische sah man gegen 40 Obstsorten aus der Baumschule des Lotterie-Einnehmers und Gutsbesitzers Rotzoll (Gärtner Raymann), die sich des allgemeinen Beifalls erfreuten.

Ausserdem wurde die Aufmerksamkeit auf verschiedene Früchte und Gemüse gezogen, die von den Kommerzienräthen Hoene und von Frantzius, von dem Rittergutsbesitzer v. Tiedemann, so wie endlich von den Handelsgärtnern Rohde und Gebr. Reiche eingeliefert waren. Die ausgestellten Produkte liessen hinsichtlich ihrer Qualität nichts zu wünschen übrig.

Ferner waren noch ein recht hübsches Sortiment blühender Gloxinien und das Farn Hemitelia Klotzschiana vom Rittergutsbesitzer v. Kries, (Obergärtner Fintelmann), 2 Solanum hyporrhodium vom Kunst- und Handelsgärtner A. Rathke, eine Araucaria brasiliensis von Lickfelt, eine Achimenes ignea und 2 blühende Stanhopea oculata und Wardii vom Garten-Inspektor Schondorff, als Schaupflanzen zu beachten.

Von abgeschnittenen Sortimentsblumen sahen wir recht gute Georginen, so wie französische Astern und Verbenen vom Garten-Inspektor Schondorff, ferner Malven, Verbenen und französische Astern von Rotzoll.

Nehmen wir am Schlusse noch einmal die Gesammtmasse der ausgestellten Pflanzen zusammen, so waren gegen 450 Arten in 1300 Töpfen vorhanden. Besucht wurde die Ausstellung von ungefähr 2000 Personen.

Preise wurden nicht vertheilt, da hier zuerst ein Fond durch die Vereinskasse gebildet werden soll.

Die allgemeine Anerkennung und der Beifall von Seiten des Publikums, der sich überall aussprach, lässt hoffen, dass wir mit verdoppelter Anstrengung im Stande sein werden, unsere Ausstellungen mehr und mehr zu vergrössern und auszudehnen.

Chamaecyparis thurifera Endl. und Cupressus Benthami Endl.

In England wird seit dem vorigen Jahre eine Cypresse, Chamaecyparis thurifera Endl. (Cupressus thurifera Humb. et Bonpl.), wegen ihres schönen Ansehens empfohlen, während seit längerer Zeit unter dem Namen Cupressus thurifera Pflanzen kultivirt wurden, die keineswegs jedoch mit denen übereinstimmen, welche Alexander v. Humboldt und Bonpland in den Wäldern der Umgebung von Mexiko fanden und in den nova Genera et Species (2. Band. Seite 3) beschrieben haben. Sie unterscheiden sich wesentlich dadurch, dass sie ächte Cypressen sind, und zwar aus der Abtheilung, wo die äussersten Verzweigungen nicht, wie bei den Lebensbäumen, in einer Fläche liegen. Die Humboldt'sche Pflanze hat dagegen das Ansehen eines Lebensbaumes und gehört wegen der nicht zahlreichen Samen an jeder Fruchtschuppe zu Chamaecyparis, wo sie auch Endlicher in seiner Monographie der Koniferen als Ch. thurifera untergebracht hat. Die zuletzt genannte Art wird als ein hoher Baum bezeichnet, während die Cupressus thurifera, welche Bentham später in den Plantis Hartwegianis unter diesem Namen aufführt und welche eben von Endlicher als eine von der zuerst als C. thurifera bekannten Art verschiedene Pflanze als Cupressus Benthami beschrieben hat, nur bis 45 Fuss hoch wird.

Beide Pflanzen befinden sich schon seit dem Jahre 1845 in dem botanischen Garten zu Neuschöneberg bei Berlin und zwar jetzt in sehr ansehnlichen Exemplaren. Chamaecyparis thurifera Endl. besitzt bereits eine Höhe von 18 Fuss, während Cupressus Benthami Endl. nur wenig niedriger ist. Man sieht der ersteren das raschere Wachsthum an; die beiden grössten Exemplare derselben möchten bald zu hoch für das Gewächshaus, was sie im Winter einschliesst, werden. Leider wollen an und für sich schon alle exotischen Waldbäume, wenn sie zu hoch wachsen, zuletzt nicht mehr recht in den Töpfen gedeihen.

Von Chamaecyparis thurifera Endl. und Cupressus Benthami Endl. hat der damalige preussische Ministerresident v. Gerolt (jetzt in Washington) Samen aus Mexiko an den botanischen Garten gesendet. Die zuerst genannte Pflanze scheint ausserdem nirgends in Europa kultivirt worden zu sein. Vor einigen Jahren wurden aber Samen derselben von Botteri aus der mexikanischen Provinz Orizaba an die Londoner Gartenbaugesellschaft geschickt. Man hat aus diesen Pflanzen herangezogen, die zuerst im vorigem Jahrgange des Gardener's Chronicle (S. 772) beschrieben sind. Von da aus wurden diese weiter verbreitet und von Handelsgärtnern als ganz neu empfohlen.

Professor v. Schlechtendal in Halle hat im 12. Bande der Linnaea von Seite 486 bis 496 die auf einer Reise von Schiede und Deppe und ausserdem von Ehrenberg gesammelten Koniferen Mexiko's in einer vorläufigen Abhandlung bearbeitet. In der Abhandlung wird eine Cypresse zweifelhaft zu C. thurifera Humb. et Bonpl. gestellt. Von den damaligen Sendungen habe ich weder im botanischen Garten, noch im Königlichen Herbar Exemplare gesehen, vermag deshalb nicht darüber zu urtheilen. Nach Endlicher ist die obige mit der identisch, welche Bentham von den Hartweg'schen Pflanzen unter Cupressus thurifera bekannt gemacht hat und er C. Benthami nennt. V. Schlechtendahl bezweifelt, dass die von genannten Reisenden gesammelten Cypressen mit der Humboldt's einerlei seien. Dr. Klotzsch unterscheidet jedoch hiervon wiederum die Hartweg'sche Pflanze unter Nr. 437 und hält sie für gleich mit der, welche Lindley im botanical Register des Jahres 1839 und in der Appendix Seite 64 aufgeführt, aber nicht beschrieben hat; er nennt sie Cupressus Lindleyi. Aber schon Gordon führt diese Cypresse in seiner systematischen Aufzählung der Koniferen (Journal of the horticultural society. Tom. V. pag. 199—229) als Synonym der Cupressus thurifera auf; nicht weniger hält sie Lindley in oben citirter Zeitschrift für durchaus nicht verschieden von Cupressus Benthami Endl.

Die Pflanzen, welche sich im botanischen Garten aus v. Gerolt'schen Samen unter dem Namen Cupressus thurifera und Ehrenbergii befinden, leider aber noch keine Früchte angesetzt haben, gehören wegen ihres Thuja-Ansehens, was nach Lindley die jungen Pflanzen der als Chamaecyparis thurifera in dem Garten der Londoner Gartenbaugesellschaft aus mexikanischen Samen erzogenen Exemplare ebenfalls besitzen, ohne Zweifel zu der genannten Art und keineswegs zu Cupressus Benthami Endl., die keine in einer Fläche liegende Verzweigungen hat. Wahrscheinlich sind Samen der letzteren auch von dem jüngern Ehrenberg gesammelt, dem

Bruder des bekannten Forschers des Kleinsten im thierischen Leben, welcher ersterer sich mehre Jahre lang in Mexiko befand und damals unter Anderem besonders Kakteen sammelte. Ohne Zweifel möchte es auch Link gewesen sein, der den Namen Cupressus Ehrenbergii gab, aber unseres Wissens nach nirgends die Pflanze beschrieben hat.

Cupressus Benthami Endl. befindet sich, wie schon gesagt, besonders in England, schon seit langer Zeit als Cupressus thurifera, auf dem Kontinente auch oft als Cupressus tetragona und Uhdeana in dem Handel. So weit sich die Arten aus dem schwierigen Geschlechte Cupressus ohne Früchte feststellen lassen, stimmen die fast 18 Fuss hohen Exemplare des botanischen Gartens ohne Namen, welche aus v. Gerolt'schen Samen erzogen wurden, mit den kleinern mir zu Gebote stehenden der ächten C. thurifera Benth. oder Benthami Endl. überein und zweifle ich deshalb nicht an deren Identität. Wahrscheinlich möchte auch Cupressus Lambertiana der Gärten, von der übrigens im Berliner botanischen Garten ebenfalls ein 14 Fuss hohes Exemplar vorhanden ist, nicht verschieden sein, wohl aber die mit Unrecht zu letzterer gezogene C. macrocarpa Hartw., welche der C. Goveniana Gord., weit näher steht.

Journal-Schau.

II. Gardener's Chronicle. In der 16. Nummer sind 2 Orchideen und 1 Amygdalee beschrieben, die wir empfehlen können. Die letztere führt den Namen des Pflaumenbaumes mit 3-lappigen Blättern, Prunus triloba Lindl. Ausser der Eigenthümlichkeit, dass es eine Prunus-Art mit eingeschnittenen Blättern ist, die wahrscheinlich aber mehr an jüngern Zweigen vorkommen und sonst eine längliche Gestalt, so wie einen gesägten Rand haben, besitzt das Gehölz noch eine zweite: nämlich, ähnlich den Pfirsichen, mit Filz überzogene Früchte. In dieser Hinsicht steht es der Prunus trichocarpa nahe. Das Verdienst es eingeführt zu haben, gehört der Gärtnerei von Glendinning zu Chiswick, die es von dem bekannten Reisenden Fortune aus China erhielt. Die Pflanze wird in ihrem Vaterlande viel angebaut und besitzt halbgefüllte, einzeln stehende Blüthen von hellrosafarbigem Ansehen, was übrigens auch der unbehaarte Kelch mit glockenförmiger Röhre mehr oder weniger hat. Blätter und junge Triebe sind behaart.

Epidendron decipiens Lindl., ist bereits in den Foliis orchideceis No. 221 beschrieben und wurde von v. Warszewicz in Guatemala entdeckt, der sie an Loddiges mittheilte. Die Blüthen sollen von besonderer Schönheit und im Allgemeinen denen des E. Schomburgkii ähnlich sein; demnach besitzen sie eine helle Aprikosenfarbe, die nur durch zwei karmoisinrothe Flecken an der Basis der Lippe unterbrochen wird. Im Habitus schliesst sich die Art dem E. radicans und crassifolium an.

Dendrobium xanthophlebium Lindl., wurde von Th. Lobb in Mulmain entdeckt und Exemplare an Veitch in Exeter gesendet. Die etwas kleinen, paarweise bei einander sitzenden Blüthen von weisslicher Farbe sind auf der 3-lappigen, an der Basis zottigen Lippe mit orangefarbigen Adern durchzogen. Alle Blumenblätter laufen am obern Ende spitz zu. Der ziemlich hohe Stengel ist gefurcht und schwach mit schwarzen Haaren besetzt, während die schmalen Blätter schief zweilappig erscheinen.

In derselben Nummer wird angefragt, warum Pirus japonica nicht auf Hochstämmen von Quitten oder Birnen veredelt wird, da der Anblick einer über und über mit Blüthen bedeckten Krone in der That grossartig sein muss. Bei uns in Deutschland mag wohl der Umstand beigetragen haben, dass das Gehölz, wenn es im Winter nicht bedeckt wird, sehr leicht erfriert und zu Grunde geht. Man könnte jedoch diesem dadurch vorbeugen, dass man den Stamm mit der Krone bis zur Erde neigte, also grade so verführe, wie mit den südlicheren Remontanten-Rosen. In diesem Falle muss man es nur jedes Mal nach derselben Seite, als es früher geschehen, thun, um das Brechen zu vermeiden. Geschieht diese Vorsicht, so können dann nicht unbeträchtliche Stämme regelmässig im Spätherbste zur Erde niedergebogen werden. Es wäre in der That zu wünschen, dass einmal dergleichen Versuche mit Pirus japonica bei uns angestellt würden, denn ohne Zweifel würde es im ersten Frühjahre ein brillanter Anblick sein.

In No. 19 und 20 wird aufmerksam gemacht, dass die Beeren der Berberis dulcis nicht allein essbar seien, sondern sogar einen angenehmen Geschmack haben. In der Nähe von Shirley bei London befindet sich ein Exemplar, dessen Zweige mit Beeren ganz bedeckt sind. Einige haben den Durchmesser von fast einem halben Zoll und erhalten sie reif eine tiefpurpurblaue Farbe. Ein Zeichen ihres süssen und angenehmen Geschmackes ist es, dass die Vögel sie begierig fressen und man sie kaum vor diesen schützen kann.

Dieser Sauerdorn, der schon vor Sweet von Lamarck B. buxifolia genannt wurde, blüht auch bei uns in Norddeutschland im Frühjahre ausserordentlich reich, wenn er nur einiger Massen im Winter gedeckt war, und giebt dann im Herbste wieder den Johannisbeeren ähnliche Früchte. Man sieht ihn viel zu wenig in unsern Gärten.

In No. 22 wird mit Recht Thujopsis dolabrata empfohlen, eine japanische Konifere aus der Gruppe der Lebensbäume, welche selbst Libocedrus Doniana und chilensis noch an Schönheit übertrifft. Eine ganz vorzügliche Abbildung dieser nicht genug zu empfehlenden Pflanze besitzen wir bereits in Siebolds leider nicht fortgesetzten Flora von Japan. Nach diesem Reisenden findet sich die Pflanze auch in den Gärten Japan's nur in Kultur, besonders in Zwergform und von einer Höhe von 3—6 Fuss. Nach Thunberg, der sie bereits in den Jahren 1775 und 1776 in Japan sah und sie zuerst als Thuja dolabrata beschrieb, so wie nach Siebold, bildet sie aber ausserdem einen schönen hohen Baum, als welcher er besonders auf der Insel Nippon gefunden wird.

In No. 26 findet sich die interessante Mittheilung, dass in Algerien während der trocknen Zeit von Juni bis Ende August, wo alle Kräuter, wenn sie nicht begossen oder berieselt werden können, zu Grunde gehen, ein Landwirth sein Vieh mit unbewehrten Kaktus-Pflanzen ernährt hat. Für uns möchte allerdings dieses keinen praktischen Werth haben, wohl aber für die Algier'schen Kolonien, so wie für die englischen Besitzungen in Neuholland und selbst in Südafrika.

In No. 29 wird erzählt, dass die kalifornische Rosskastanie, welche schmackhafte Früchte trägt, im vorigen Jahre zuerst in England geblüht und in diesem vom Neuen Blüthen hervorgebracht hat, und dass die Blüthen schön seien. Leider scheint dieses im Vaterlande geschätzte Gehölz bei uns nicht auszuhalten, denn im botanischen Garten zu Berlin ist es nun zum zweiten Mal den Winter über fast bis zur Wurzel heruntergefroren.

In Salter's Versailles Gärtnerei zu Hammersmith werden Pflanzen mit bunten Blättern mit Vorliebe kultivirt. Es dürfte von Interesse sein, diejenigen kennen zu lernen, welche dort im Freien verwendet werden, obwohl ein Theil davon bei uns nicht aushalten dürfte. Für Beete und zu Einfassungen sind zu empfehlen: Ageratum coelestinum variegatum, Aegopodium Podagraria variegatum, Alyssum variegatum, Arabis alpina und lucida fol. varieg., Arundo Donax versicolor, Artemisia vulgaris variegata, Barbarea vulgaris fol. varieg., Cineraria maritima argentea, Convallaria majalis fol. var. (macht sich noch hübscher im Topfe), Epilobium hirsutum fol. var., Funkia albo-marginata, ovata und undulata (mit einem grossen weissen Flecken in der Mitte der Blätter), Hemerocallis fulva fol. var., Koniga maritima variegata, Melissa officinalis fol. var und secunda (eine zwergige Pflanze mit weissgefleckten Blättern und reichlich mit Rosablüthen versehen), Mentha officinalis (?) aurea, Mentha sylvestris und rotundifolia variegata, Pulmonaria sibirica fol. var., Saponaria officinalis fol. var., Salvia fulgens fol. var., Spiraea Ulmaria fol. var. und Veronica spicata fol. var.

In Felsenpartien wird von Pflanzen mit bunten Blättern empfohlen: Ajuga reptans, Carex sp. (wahrscheinlich die auch in Berlin befindliche, noch nicht näher bestimmte Art aus Japan), Dactylis glomerata, Festuca glauca, Galeobdolon luteum, Glechoma hederaceum (auch zu Ampeln passend), Linaria Cymbalaria (eben so), Molinia coerulea, Polemonium coeruleum, Saxifraga umbrosa, Tussilago Farfara, Vinca major elegantissima und reticulata, Vinca minor aurea und argentea (alle Vinca-Arten sind ebenfalls für Ampeln zu empfehlen).

Nro. 30 bringt einen neuen windenden Senecio aus Mexiko unter dem Namen Senecio Tagetes. Die Pflanze hat Skinner eingeführt und befindet sich dieselbe bereits in dem Garten der Londoner Gartenbaugesellschaft zu Chiswick, wo sie aber noch nicht geblüht hat. Ihre gestreiften Stengel verholzen an der Basis und sind, wie auch die Blätter, völlig unbehaart, während ein trockenes, von Skinner gesammeltes Exemplar weichhaarig erscheint. Die gestielten, eirunden Blätter sind zwar gezähnt, aber kaum buchtig, und die vielköpfigen Scheindolden werden von einer weichhaarigen Hülle umgeben. Wahrscheinlich haben die 14 Strahlenblüthchen eine orangengelbe Farbe. Der allgemeine Blüthenboden ist grubig und trägt weichhaarige Achenien.

Ueber die mexikanischen Koniferen spricht sich ein von Besserer unterschriebener Artikel dahin aus, dass, da diese prächtigen Gehölze im Durchschnitt auf einer Höhe über 7000 Fuss wachsen, sie sämmtlich auch in England, Frankreich und Süddeutschland im Freien aushalten müssen. Nach Lindley verhält sich Pinus Lindleyana in dieser Hinsicht sogar, wie die Schottische Tanne. Aus dieser Ursache muss es allen Liebhabern der Koniferen wünschenswerth sein, dass ein tüchtiger Gärtner sich in der Nähe von Mexiko niedergelassen hat und sich hauptsächlich mit der Erforschung der Pflanzen dieser höchst interessanten Familie beschäftigt. Das Verzeichniss der zum grössten Theil neu entdeckten Arten, was Rösl an botanische und sonstige Gärten nach Europa gesendet hat, führt nicht weniger als einige und 80 auf, während wir überhaupt kaum gegen 20 kennen.

Verlag der Nauckschen Buchhandlung. Berlin. Druck der Nauckschen Buchdruckerei.

No. 40. Sonnabend, den 3. Oktober. 1857

Preis des Jahrganges von 52 Nummern mit 12 color. Abbildungen 6 Thlr., ohne dieselben 5 „
Durch alle Postämter des deutsch-österreichischen Postvereins sowie auch durch den Buchhandel ohne Preiserhöhung zu beziehen.

Mit direkter Post übernimmt die Verlagshandlung die Versendung unter Kreuzband gegen Vergütung von 20 Sgr. für Belgien, von 1 Thlr. 8 Sgr. für England, von 1 Thlr. 22 Sgr. für Frankreich.

BERLINER Allgemeine Gartenzeitung.

Herausgegeben
vom
Professor Dr. Karl Koch,
General-Sekretair des Vereins zur Beförderung des Gartenbaues in den Königl. Preussischen Staaten.

Inhalt: Die Aufgaben der zweiten Versammlung deutscher Pomologen und Obstzüchter. — Ueber einige Orchideen. Vom Professor Dr. Reichenbach fil. in Leipzig. I. Oncidium longipes Lindl. und Janeirense Rchb. fil. II. Zu Macodes marmorata Rchb. fil. (Dossinia marmorata Morren.) — Viola Rothomagensis Desf., das Stiefmütterchen von Rouen. — Verschaffelt's Kamellien. Januar-, Februar- und Märzheft. — Journalschau: Gardeners Chronicle Nr. 33. 34.

Die Aufgaben der zweiten Versammlung deutscher Pomologen und Obstzüchter.

Man versammelt sich jetzt so viel und zu so vielen Zwecken, dass es in der That überflüssig erscheinen könnte, zu den Versammlungen, welche in verschiedenen Zeiträumen, meist alljährlich, zusammen kommen, auch noch eine Versammlung der deutschen Pomologen und Obstzüchter ins Leben zu rufen. In den meisten Versammlungen deutscher Land- und Forstwirthe, zumal in den drei letzten zu Kleve, Prag und Koburg, ist auch der Obstbau ein Gegenstand der Verhandlungen gewesen, so dass ausserdem die eben ausgesprochene Meinung eine nicht unbedeutende Unterstützung erhält. Es kommt noch dazu, dass viele Versammlungen ihrem ursprünglichen Zwecke bereits mehr oder weniger untreu geworden und Forschung nebst Mittheilung leider nicht immer die Hauptsache geblieben sind. Gesellige Vergnügungen, Besichtigungen der Umgegend u. s. w. nahmen häufig bei dergleichen Zusammenkünften weit mehr Zeit in Anspruch, als es gut war.

Dass Vereinigungen von Fachgenossen, selbst wenn dergleichen Missbräuche stattfinden, immer noch sehr wichtig und fördernd sind, unterleidet wohl keinem Zweifel. Das lebendige Wort wird nie durch die Schrift ersetzt; beim Lesen können allerhand Zweifel und Missverständnisse entstehen, die meist sehr leicht durch gegenseitigen Austausch zu beseitigen sind. Die persönliche Bekanntschaft nähert oft Männer der Wissenschaft, die vielleicht in ihren Meinungen bisher sich schnurstracks gegenüberstanden, wenn sie gegenseitig sich aussprechen können; interessante Vorträge begeistern junge Leute, führen sie zu weiteren Untersuchungen und geben ihnen Veranlassung zum Nachdenken. Es wird überhaupt angeregt und dadurch gefördert.

Eine Versammlung von Pomologen und Obstzüchtern nimmt aber ein besonderes Interesse in Anspruch. Der Obstbau im Grossen ist eben so gut ein Theil der Landwirthschaft, als der im Kleinen ein Theil der Gärtnerei darstellt. Diese letztere will von dem Boden den möglichst grössten Vortheil ziehen durch speciellere Sorge und Pflege der darauf befindlichen Pflanzen; eben deshalb verlangt sie auch mehr Arbeit und muss sich demnach auf einen kleineren Raum beschränken. Wenn der Landwirth sich die Massenerzeugung zur Aufgabe gesetzt hat, so ist für den Gärtner die Anzucht feinerer Sorten die Hauptsorge. Der Landwirth zieht hauptsächlich Wirthschaftsobst, der Gärtner dagegen Tafelobst. Schon daraus geht hervor, dass der Gärtner dem Landwirthe mehr oder weniger vorarbeiten kann.

Grade die Versammlungen deutscher Land- und Forstwirthe zu Kleve, Prag und Koburg haben uns gezeigt, dass der Obstbau zwar daselbst allerdings vielfach besprochen wurde und sehr interessante Fragen zur Sprache kamen, dass aber eigentliche Resultate fehlten. Die Landwirthschaft hat ein so grosses Feld, dass nothwendiger

Weise nicht alle Zweige gleich vertreten werden können und dass, namentlich ein Theil, der an und für sich schon bisher so stiefmütterlich behandelt wurde, auch gar nicht zur Geltung kommen konnte. Es musste aber vor Allem dahin gearbeitet werden, den Obstbau zu der Anerkennung zu bringen, die ihm mit der Zeit werden muss.

Dreierlei ist es hauptsächlich, was dem Obstbau bisher so nachtheilig und so hinderlich gewesen ist: der Anbau der vielen schlechten Sorten, die Unkenntniss in der Verwerthung und der Wirrwarr in der Nomenklatur. Was zunächst den ersten Punkt anbelangt, so unterliegt es keinem Zweifel, dass schlechte Aepfel und Birnen, abgesehen davon, dass sie, namentlich in Obstgegenden, nur eine geringe Einnahme geben, gewiss Gartenbesitzer und begüterte Landwirthe ohnmöglich veranlassen können, sich Anpflanzungen zu machen. Man sollte es kaum glauben, dass es günstig gelegene Gegenden giebt, wo man nichts als schlechtes Obst findet. Es ist dieses selbst in Mitteldeutschland der Fall, wo Männer, wie Sickler und Dittrich, lebten und vor Jahren einen wahrhaft wohlthätigen Einfluss auf die Förderung des Obstbaues ausübten.

Fragt man sich, wie es gekommen ist, so liegt der Grund einfach darin, dass der Obstbau damals sich noch keineswegs als Bedürfniss in der Weise herausgestellt hatte, als es jetzt der Fall zu werden scheint, dass deshalb auch mit dem Tode genannter Männer das Interesse fehlte. Die Bäume wurden nicht mehr wie früher mit der Sorgfalt behandelt und brachten mit der Zeit unscheinliche Früchte hervor. Die guten Baumschulen gingen allmählig ein und des Obstbaues unkundige Männer traten mit ihren schlechten Obstsorten an ihre Stelle. Man zog es auch vor, wohlfeile Stämmchen zu kaufen, und scheute die wenigen Groschen, die der Ankauf besserer veranlasst hätte. Man bedachte nicht, dass ein starkes und kräftiges Stämmchen schon in einem Paar Jahren die Mehrausgabe hinlänglich ersetzt und dass derselbe Baum, der schlechtes Obst trägt, auch gutes geben kann. Herumziehende Verkäufer, die auch nicht im Geringsten eine Sicherheit gewährten, bethörten reichere Leute, indem sie Obstsorten mit fremden, meist französischen Namen als vorzüglich anpriesen. Da nun leider der Deutsche sich zu der Ansicht hinneigt, dass das Fremde besser als das Einheimische und Vaterländische ist, so wurden solche Verkäufer, meist Franzosen, ihre Obststämmchen, die sie in der Regel aus inländischen Baumschulen bezogen, ja selbst zum Theil erst in Dörfern aufgekauft hatten, oft um hohe Preise los und die Käufer, die sehnsüchtig den ersten Früchten entgegensahen, fanden sich nach 4 und 6 Jahren ruhigen Harrens betrogen. Man darf sich nicht wundern, dass solche noch so enthusiastische Obstzüchter endlich, wenn sie nach wiederholten Täuschungen auch alle Lust verloren, Obst zu ziehen. Sie hätten sich aber lieber sagen sollen, dass alle Schuld an ihnen selbst läge. Noch vor einigen Jahren hat ein Franzose in Berlin auf diese Weise grosse und einträgliche Geschäfte gemacht. Was mir bis jetzt von diesem zu Gesicht gekommen ist, war zum grossen Theil sehr mittelmässig.

Man kann allen Obstzüchtern nicht genug Vorsicht anempfehlen. Obststämmchen dürfen nur aus anerkannten Baumschulen und nicht zu wohlfeil bezogen werden. Starke, kräftige und gesunde Stämmchen bedürfen stets, ehe sie das werden, der Pflege, geben aber, einmal angepflanzt, auch schon bald einen Ertrag, der oft schon im ersten Jahre ihrer Benutzung die Mehrausgabe von wenigen Groschen reichlich ersetzt, abgesehen davon, dass sie auch ein und selbst zwei Jahre früher tragen. Möchten doch dieses alle die, welche Obstanpflanzungen machen wollen, beherzigen.

Nach dem Programme, was der Verein zur Beförderung des Gartenbaues in Berlin behufs der zweiten Versammlung deutscher Pomologen und Obstzüchter in Gotha ausgegeben hat, ist aber dieser Gegenstand ebenfalls wiederum, wie zu Naumburg a. d. S., eine Hauptaufgabe derer, die dort zusammenkommen. Man will zunächst die Erfahrungen über die 10 Sorten Aepfel und 10 Sorten Birnen kennen, welche in dem Verlaufe von 4 Jahren, also zwischen der ersten und zweiten Versammlung gemacht sind, und dann noch eben so viel neue Sorten zum Anbau empfehlen. So erweitert sich allmählig der Kreis der Sorten, damit bei dem verschiedenen Gebrauche des Obstes auch die bekannt werden, welche für die eine oder andere Benutzung am Meisten tauglich sind. Da Aepfel und Birnen auch eine bestimmte Zeit haben, wo sie den besten Wohlgeschmack besitzen und wo sie eigentlich erst gegessen werden sollen, so ist es auch nothwendig, für jeden Monat die Sorten zu kennen, die ihre besondere Reifzeit darin haben.

Nicht minder wichtig ist es zweitens, das Obst hinsichtlich der Verwerthung kennen zu lernen. Wie eine Weinrebe vorzügliche Tafeltrauben liefert, welche gekeltert einen mittelmässigen, ja selbst schlechten Wein geben, so hat man umgekehrt weniger gut schmeckende Trauben, deren Beeren trotz dem hauptsächlich zur Weinbereitung benutzt werden. Auf gleiche Weise verhält es sich mit dem Obste. Die sogenannten Härtlinge, welche in der Rheinprovinz vor Allem zur Anfertigung des sogenannten Obst-Krautes, d. h. der eingedickten Obstsäfte, dienen, würden selbst als Wirthschaftsäpfel einen sehr untergeordneten Werth besitzen, am allerwenigsten auf die Tafel passen; und doch liefern sie nach dem Gutachten, was in der letzten December-Versammlung des Vereines zur Beförderung des Gartenbaues abgegeben wurde, ein vorzügliches Fabrikat.

Es giebt Gegenden, wo in einigen Jahren eine solche Menge Obst gebaut wird, dass man schlechterdings nicht weiss, was damit angefangen werden soll. Man fütterte 1853 in einigen Gegenden, wo der Scheffel an Ort und Stelle nur mit 6 Silbergroschen bezahlt wurde, die Schweine mit Obst. Verstände man eine bessere Verwerthung, so würden gewiss dergleichen Dinge nicht vorkommen. Obstzüchter könnten einen höhern Gewinn erreichen, abgesehen davon, dass das Obst überhaupt, wenn ein Theil auf irgend eine Weise verwerthet wird, dadurch eine grössere Nachfrage und damit einen höhern Preis erhält. In mehrern Orten wird bereits deshalb in diesem Jahre der Scheffel um das Doppelte des früheren Preises bezahlt.

Der Bedarf an Aepfelwein hat sich so sehr gesteigert, dass seine Bereitung auch in solchen Ländern und Gauen lohnt, wo das Obst an und für sich einen höhern Werth besitzt. Nicht alle Sorten sind aber gleich gut und ist es deshalb ebenfalls wünschenswerth, dass die in Gotha versammelten Pomologen den Gegenstand ins Auge fassen und die Sorten bekannt machen, welche besonders dazu verwendet werden. Würtemberg und der Rheingau, so wie die Umgegend von Frankfurt a. M., sind, wie bekannt, die Gegenden, wo man schon seit Jahren darin Erfahrungen gesammelt hat.

Es gehört aber auch dazu, dass man weiss, wie die Bereitung des Aepfelweines am Besten geschieht. Aus dieser Ursache sind Schriften, wie das von dem Garteninspektor Lucas in Hohenheim bei Stuttgart über die Benutzung des Obstes ganz besonders zu berücksichtigen. Es kommt noch dazu, dass der Verfasser nicht allein mit Sachkenntniss schreibt, sondern auch in der Art und Weise der Darstellung für Jedermann, selbst für den einfachen Landmann, fasslich und verständlich geworden ist. Demselben Pomologen verdanken wir übrigens in der neuesten Zeit noch ein anderes Schriftchen über das Dörren des Obstes, was nicht weniger empfohlen werden kann.

Es bleibt endlich noch der dritte Punkt übrig, der hier angedeutet werden soll und gewiss in Gotha, wenn auch nur zum Theil, eine Lösung erhalten wird, es ist dieses der Wirrwarr in der Benennung der verschiedenen Sorten, also in der Nomenklatur. Wenn schon in dieser Hinsicht Blumenliebhaber mit Recht klagen, dass sie bei den Ankäufen von Pflanzen so oft getäuscht werden, so haben Besitzer von Obstgärten noch weit mehr Ursache in dieser Hinsicht, über die häufigen Täuschungen alle Lust zum weitern Anbau zu verlieren. Der Pflanzenkäufer sieht doch wenigstens gleich im Anfange, dass er betrogen ist, während der Liebhaber guter Obstsorten erst, wie, oben schon gesagt, nach Jahren die Täuschung erfährt.

Seit dem Tode Diel's, Sickler's und anderer ausgezeichneter Pomologen und Obstzüchter, welche zugleich Baumschulen besassen, sind viele Sorten verloren gegangen und andere mit demselben Namen an ihre Stelle getreten, die oft einen untergeordneten Werth haben. Die Beschreibungen und selbst die Abbildungen lassen aber nie mit Bestimmtheit die Art herausfinden, was genannte Pomologen unter einem bestimmten Namen verstanden haben. Ihre Baumschulen waren eingegangen und so konnte man sich nicht weiter belehren. Dazu kam nun eine gewisse Gleichgültigkeit, welche man vor 1 und 2 Jahrzehenden in vielen Ländern für den Obstbau an den Tag legte. Männer von Bedeutung, die Geist und Kenntnisse hinlänglich besessen hätten, um sich eine Autorität zu verschaffen, fehlten damals.

Es entstand auf diese Weise eine Verwirrung in der Benennung, die trotz der grössern Anzahl von tüchtigen Pomologen, welche wiederum in der neuesten Zeit vorhanden sind, nur gelöst werden kann, wenn ein gemeinschaftliches Wirken stattfindet. Wenn nun schon in dieser Hinsicht die erste Versammlung in Naumburg a. d. S., im Jahre 1853 segensreich gewirkt hat, so sind wir gewiss noch weit mehr berechtigt, dieses von der zweiten zu Gotha zu erwarten, und zwar um so mehr, als wohl die meisten Pomologen Antheil nehmen und beitragen werden.

Nicht minder wirkte nachtheilig ein, dass zufällig Sämlinge nicht veredelt wurden und diese später zum Theil gute, zum Theil aber auch schlechte Früchte hervorbrachten. Die letzteren erhielten Provinzial-Namen oder wurden wohl auch mit bereits vorhandenen verwechselt. Die Zahl dieser weder von Diel, noch von Dittrich oder sonst beschriebenen Sorten ist gar nicht gering und spielen in einigen Gegenden eine Hauptrolle. In Berlin ist ziemlich ein Viertel des dort zu Markte gebrachten und meist aus Böhmen oder aus der Altmark stammenden Obstes noch nicht beschrieben, leider zum grossen Theil auch so schlecht, dass man dessen Verbreitung auch gar nicht wünschen kann. In allen Obstausstellungen, welche in der neuesten Zeit stattfinden, sieht man dergleichen unbeschriebenes Obst, was bei den Aepfeln meist als Muss-Obst bezeichnet wird, ebenfalls in nicht geringer Anzahl vertreten.

In Belgien und Frankreich gab und giebt es sogar noch Anstalten und Privatpersonen, welche fortwährend

Versuche mit Aussaaten machen, um neue Sorten heranzuziehen. Am Meisten ist in dieser Hinsicht, und zwar nach einem besonders angewendeten Verfahren, von van Mons geschehen, was später von der belgischen Regierung fortgesetzt wurde. Ich will keineswegs die ausserordentlichen Verdienste in Abrede stellen, welche dieser geistreiche Obstzüchter sich um den Obstbau erworben hat, aber gewiss ist auch ihm ein Antheil der Verwirrung, welche jetzt in Betreff der pomologischen Nomenklatur herrscht, zuzuschreiben.

Noch fortwährend erhalten wir aus Frankreich und Belgien neue Sorten, besonders von Birnen. Man möchte aber in der That wünschen, dass nun einmal mit der Anzucht von neuem Obste Einhalt gethan wird. Wir besitzen bereits so viel gute und nach allen Richtungen vorzügliche Sorten, dass der Bedarf hinlänglich erfüllt ist. Ganz besonders ist die Zahl der vorhandenen Birnen so gross, dass jede Vermehrung vollständig unnütz erscheinen muss. Bedenkt man nun noch, dass von den vielen neuen Sorten, die namentlich von Belgien und Nancy aus, empfohlen werden, nur sehr wenige vorzüglich, die übrigen aber zum Theil schlecht sind, so könnte man mit Recht unseren deutschen Baumschulen empfehlen, sich zunächst gar keine neuern Sorten aus dem Auslande zu verschaffen und selbst in der Auswahl der ältern eine möglichst grosse Auswahl zu treffen.

Leider haben auch Obstbaumschulbesitzer bei uns die im Allgemeinen so schädliche Sucht, in ihren Verzeichnissen möglichst viel Sorten und für diese neue, zum Theil ausländische Namen zu besitzen. Wo das im hohen Grade der Fall ist, möchte man von vorn herein jedem, der sich neue Obstbaumanpflanzungen machen will, den Rath geben, seinen Bedarf nicht daher zu ziehen. Ueberhaupt hüte man sich vor allem dem, was gar nicht oder nur wenig bekannt ist, und halte sich lieber an die Sorten, welche sich bereits eines Rufes erfreuen. Die von Oberdieck und Lucas redigirte Monatsschrift für Pomologie, welche keinem Obstzüchter fehlen sollte, giebt in dieser Hinsicht hinlänglich Anleitung.

Ueber einige Orchideen.

Vom Professor Dr. Reichenbach in Leipzig.

I.

Oncidium longipes Lindl. und Janeirense Rchb. fil.

Bei Aufstellung des Oncidium Janeirense Rchb. fil. (Bonplandia II. 1. April p. 90) wurde ausdrücklich hervorgehoben: aff. longipedi ex descriptione insufficienti non intelligibili.

Als Professor Lindley an die Gattung Oncidium ging, wurde ihm das Hauptoriginalexemplar übersendet und von diesem ganz einfach unter das für uns noch immer räthselhafte und unbekannte longipes untergebracht, mit dem Bemerken, das Exemplar habe fünf Blüthen, während die beschriebene Art deren nur zwei besitze.

In Folge dessen wurde im Kataloge der Schiller'schen Sammlung auch die Pflanze einfach als Synonym unter O. longipes Lindl. gesetzt.

Zunächst widersprach dem der einsichtsvolle Obergärtner Stange in Konsul Schiller's Garten. Die Kopie der Originalzeichnung des Oncidium longipes Lindl. war unterdessen erlangt, und ein neuer Blüthenstand des ächten O. Janeirense Rchb. fil. (oxyacanthosmum Hort. Verschaff.) zeigt in der That, dass die Arten wirklich verschieden sind. Kennt man beide erst gehörig, so wird man sie selbst in jenen verwelkten Einzelblüthen erkennen, durch deren Uebersendung Manche sich zur Forderung einer sichern Bestimmung legitimirt halten.

Oncidium longipes führt den Namen in der That. Das Blüthenstielchen nebst dem Fruchtknoten ist dreimal so lang, als die Lippe, die Säule ist lang und schlank, die Sepalen von schmalem Grunde schmal fortgehend, der Blüthenstiel zwei- bis einblüthig. Nächste Verwandtschaft mit O. uniflorum Lindl. und Croesus Rchb. fil. Oncidium Janeirense hat die Lippe nur halb kürzer, als das Blüthenstielchen, die Säule ist kurz und tiefer, die Sepalen von schmalem Grunde plötzlich eiförmig. Blüthenstiel vier- bis achtblüthig. Deckblätter scheidig, gross. Dabei sind die Schwielen der Lippe wesentlich verschieden.

Man könnte folgende Beschreibungen aufstellen:

Oncidium longipes Lindl.: pedunculo uni-bifloro, bracteis abbreviatis, ovariis pedicellatis labio triplo longioribus, sepalo summo a lineari basi apice spathulato dilatato, sepalis lateralibus medium usque in laminam linearem connatis, ibi divisis, dorso minute unicarinatis, tepalis cuneato-lanceolatis acutis, labelli pandurati lobis posticis ovatis retrorsis, isthmo a basi angustiuscula angustato barbato, portione antica semirotunda postice hastata, callo baseos lineari antice tricruri, carina in medio proposita, additis utrinque carinis geminis abbreviatis una ante alteram, gynostemio gracili elongato, alis minute lobulatis obliteratis, pede elongato.

Oncidium Janeirense Rchb. fil.: pedunculo 4—8 floro, bracteis spathaceis, ovariis pedicellatis labio duplo longioribus, sepalo summo a lineari basi ovato acuto, sepalis lateralibus medium usque in laminam linearem connatis, ibi divisis, oblongis, acutis, dorso valde unicarinatis, tepalis cuneato-ovatis latis, labelli pandurati lobis posticis ovatis patentibus, isthmo a basi lata angustato barbato, portione antica reniformi emarginata, callo baseos cuneato retuso multidentato, carina anteposita crenata, carinis serratis divergentibus extus, carinulis serratis intus, gynostemio brevi, alis minute lobulatis obliteratis, pede abbreviato.

II.

Zu Macodes marmorata Rchb. fil.

(Dossinia marmorata Morren).

Schöne Blüthenstände aus dem Schiller'schen und gräflich Thun'schem Garten gaben die Möglichkeit, für die Xenia Orchidacea eine allgemeine Zeichnung und eine recht genaue Analyse zu entwerfen. Die nach dem Leben verfasste Beschreibung ist folgende:

Alabastrum perigoniale conicum basi postica (axi appressa) saccatum didymum. Sepala ovata acuta. Tepala linearia acuta. Labellum basi ventricosa saccatum lobis erectis antice acutis, postice cum gynostemio connatis, utrinque gyroso-sulcatis, canalem intra limbum antice replicitum permittentibus; lobus medius ab ungue, canaliculato subquadratus fronte emarginatus. Callus conicus utrinque in latere parietis sacci lateralis, callus triangulus bidentatus, medio in fundo inter lobos laterales. Gynostemium clavatum. Androclinium immersum in cucullum obliquum; rostellum retusum medio in processum elongatum utrinque apice unidentatum, corpore ancipitem excavatum (nunc in duos fissum). Fovea sub rostello angusto margine inferiore quadratulo insiliente, margines sub fovea membranacea marginati in processum excavatum ligulatum apice retusum, utrinque nunc dentatum extensi. Anthera oblonga apiculata bene quadrilocularis. Pollinia gemina in cruce caudiculae apice bifidae, basi glanduliferae, sectilia.

Viola Rothamagensis Desf., das Stiefmütterchen von Rouen.

In der Umgegend von Rouen, besonders bei St. Adrian, wächst auf den Sandbänken der Seine sehr häufig eine Art Stiefmütterchen, was sonst sich nur noch in der Nähe von Paris, hauptsächlich bei Mantes, Liancourt und Meaux, wild vorfindet und sich von dem gewöhnlichen, der Viola tricolor L., dadurch unterscheidet, dass es perennirend ist und durch einzeln stehende Haare ein grau-grünes Ansehen besitzt. Vaillant hat es zuerst in seinem Botanicon Parisiense vom Jahre 1723 als Art unterschieden. Desfontaines nannte es Viola Rothomagensis d. i. Stiefmütterchen von Rouen, Lamarck hingegen in seiner Flore française Viola hispida. Ob die Pflanze aus der Umgegend von Spaa bei Lüttich und bei Dünkirchen, wo de Candolle sie gefunden haben will, dieselbe ist, möchte, da sie als einjährig angegeben wird, bezweifelt werden. Freilich giebt auch Chevallier in seiner Flore de Paris Viola Rothamagensis Desf. ebenfalls einjährig an.

In eigentliche Kultur ist die Pflanze wenig gekommen, obwohl Desfontaines sie schon 1789 nach den Jardin des plantes verpflanzte und sie daselbst viele Jahre kultivirte. Erst im Jahre 1840 wurde man nach der Revue horticole im Parke von Villiers auf sie aufmerksam und benutzte sie zu Einfassungen. Man muss sich auch in der That wundern, dass eine Pflanze, welche ihre hübschen Blüthen das ganze Jahr hindurch, wenigstens vom Mai bis Oktober, entfaltet, bis jetzt so vernachlässigt wurde. Sie ist selbst um so mehr zu empfehlen, als sie sich durch Samen sehr leicht fortpflanzen lässt und diesen alljährlich reichlich bringt.

Wenn sie an ihren Standorten auch nur eine Höhe von 4—5 Zoll erreicht, so wird sie doch auf gutem Gartenboden 8 und selbst 10 Zoll hoch. Sie besitzt ein leichtes, man möchte sagen, graziöses Ansehen und dürfte deshalb auch auf sogenannten Schmuckplätzen mit andern Blumen abwechselnd, ganz an ihrer Stelle sein, zumal sie sich ausserordentlich bestaudet und den Boden vollkommen deckt. Die länglichen Blätter sind gekerbt, wie die Stiele und die grossen, leierförmig fiederspaltigen Nebenblätter, von einem mehr grau-grünen Ansehen und mit einzeln stehenden Haaren besetzt. Auf langen Stielen, welche mit zwei Deckblättern versehen sind, stehen die schönen blauen und violetten Blüthen, deren Sporn ziemlich lang und grade ist.

Verschaffelt's Kamellien.

Im Januar des Jahres 1849 erschien das erste Heft einer neuen Ikonographie der Kamellien (nouvelle iconographie des Camellias) von dem Besitzer der bekannten grossen Handelsgärtnerei von van Geert zu Gent und enthielt 4 der neuesten und schönsten Kamellien beschrieben und abgebildet. Alle Monate wurde späterhin ein gleiches Heft ausgegeben, so dass ein Jahrgang von 48 Abbildungen erschien. Im darauf folgenden Jahre ging das Werk an Alexander Verschaffelt, ebenfalls in Gent über und ist dasselbe nun seit jener Zeit ununterbrochen auf gleiche Weise bis zu diesem Jahre fortgesetzt worden, was gewiss nicht allein für die vorzügliche Auswahl anter den stets neu gezüchteten Sorten spricht, sondern auch die Anerkennung des Blumen liebenden Publikum's in Rücksicht auf die Kamellien bezeugt.

Das ganze Werk ist ohngefähr auf 500 Abbildungen berechnet und würde demnach nun bald vollendet sein. Dass derselbe Plan bei seiner Bearbeitung unverändert bis jetzt fest gehalten wurde, gereicht ihm ebenfalls zum Vortheile. Wenn auch bisweilen früher Verspätungen in der Ausgabe erfolgten, so sind diese sehr leicht aus der Schwierigkeit des Unternehmens selbst zu erklären; erfreulich ist es dagegen, dass in diesem Jahre die Ausgabe der einzelnen Hefte ziemlich rasch auf einander erfolgt ist, denn wir besitzen bereits das Juliheft, so dass noch das vom August und September nachgesendet werden muss. Wir empfehlen deshalb vorliegendes Werk allen Kamellien-Liebhabern auf das Angelegentlichste, zumal dasselbe auch den mässigen Preis von 22 Frank für Belgien und 26 Frank für die übrigen Länder Europens besitzt.

Der Raum erlaubt uns nicht auf die früheren Jahrgänge zurückzugeben, zumal diese auch bereits in andern Zeitschriften zur Genüge besprochen sind; wir beschränken uns auf den Jahrgang 1857 and geben das, was darin enthalten ist, im Auszuge.

I. Das Januarheft beginnt mit der Camellia Carega superba. Sie stammt von dem bekannten Kamellienzüchter Franchetti in Florenz und hat bereits im Frühjahre des vorigen Jahres bei Verschaffelt reichlich geblüht; gewiss auch ein Vorzug einer Pflanze, wenn sie mit der Hervorbringung ihrer Blüthen nicht sparsam ist. Die Farbe der Blume ist zwar ein zartes Rosa, aber gemischt mit einem leisen Hauch von Blau. Dunkelere Adern und zum Theil einzelne Striche durchziehen die einzelnen Blumenblätter.

Camellia Centifolia rosea. Verschaffelt erhielt diese Sorte vor 3 Jahren von dem Grafen B. Lechi zu Brescia. Sie blüht leicht und sehr reich. Ihre grossen Blüthen mit etwas zurückgebogenen Blumenblättern haben in der That eine nicht geringe Aehnlichkeit mit einer Centifolia, besitzen aber weniger deren Farbe, daher der Beiname „rosea“ unpassend ist, als vielmehr, wie es auch in der Beschreibung angegeben ist, ein angenehmes Kirschroth, was gegen den Rand hin heller erscheint.

Camellia Barchi. Diese Kamellie von ächt dachziegelförmigen Bau stammt ebenfalls aus Italien und blüht nicht weniger reichlich und leicht. Es kommt noch dazu, dass sie ein besonders schönes Laub besitzt. Ihre Farbe ist mehr ein frisches Kirsch-, als dunkeles Rosenroth, besonders der mehr am Umkreise befindlichen Blumenblätter. Nach dem Mittelpunkte der Blüthe haben die letztern in der Mitte breite weisse Streifen, und zwar von der Spitze nach der Basis zu, und werden überhaupt heller.

Camellia l'Innaspettata (d. h. die unerwartete). Ein Erzeugniss von Franchetti in Florenz. Die sehr grossen Blüthen sind locker gebaut und bestehen aus sehr breiten und ausgerandeten Blumenblättern. Ihre Farbe ist ein angenehmes, aber wie es scheint, weniger lebhaftes Rosenroth, was durch eine dunkele Nervatur nur ausserordentlich wenig verändert ist. Nach der Mitte zu erhalten die Blumenblätter oft von der Emarginatur nach der Basis zu eine weisse Färbung.

II. Im Februarheft beginnt Camellia Amadryos di Cusano. Wiederum hat Franchetti in Florenz diese Kamellie gezüchtet. Sie zeichnet sich durch reichliches und leichtes Blühen aus und die Blüthen besitzen eine mittelmässige Grösse mit einer lockern Rosenform. Auch hier sind die breiten Blumenblätter an der breiten Spitze ausgerandet und besitzen ein mehr zum Karmin sich hinneigendes Rosa. Ausser der dunkeln Nervatur hat fast jedes Blatt von der Emarginatur ausgehend einen breiten weissen Streifen.

Camellia Comte de Chambord. Eine prächtige Kamellie von dachziegelförmigen Bau, welche vor mehrern Jahren in Frankreich gezüchtet wurde. Bei Verschaffelt blühte sie zuerst im vorigem Herbste und zeichnete sich die Pflanze neben dem Blüthenreichthume noch durch das prächtige Grün des Laubes aus. Die wenig ausgekerbten Blumenblätter besitzen mehr eine Ponceaufarbe und haben ein sammetartiges Ansehen. Nach der Mitte der Blüthe zu haben sie hier und da noch einzelne Lilastreifen.

Camellia Virginia Philippson. Verschaffelt erhielt diese eigenthümliche Sorte von Franchetti in Florenz, der sie selbst gezüchtet hat. Die äussern Reihen der Blumenblätter stehen zwar weniger gedrängt in Dachziegelform, aber doch regelmässig, was mit denen nach der Mitte zu durchaus nicht der Fall ist. Die erstern haben auch eine angenehme und zarte Rosafarbe, während die letztern heller erscheinen, zuletzt ganz blass werden und ausserdem mit weissen und breiten Längsstreifen versehen sind.

Camellia Caroline de Montel. Diese Ranunkelblüthige Kamellie mit mehr einwärts gebogenen Blumenblättern hat ebenfalls Franchetti mitgetheilt. Die Blüthe besitzt eine mittelmässige Grösse und hat ganz besonders in der Mitte die Blumenblätter so gedrängt, dass sie einer grossen Centifolien-Rose gar nicht unähnlich erscheint, zumal auch die Farbe ein zartes Rosa darstellt. Der umgebogene Rand sowohl, als auch die Mitte der Blumenblätter ist weit blasser.

III. Im Märzhefte ist zuerst **Camellia Targioni** abgebildet. Sie stammt aus Italien und wurde vor einigen Jahren in Belgien eingeführt. Die ziemlich grosse Blüthe mit Dachziegelform hat eine weisse Farbe, die einzelnen, nach oben weniger breiten, bisweilen aber ausgerandeten Blumenblätter besitzen jedoch einzelne rothe Längsstreifen. Die Pflanze zeichnet sich durch reichliches Blühen und schönes frisches Laub aus.

Camellia Contesse Negroni blüht eben so reichlich als leicht und wurde von **Franchetti** an **Verschaffelt** mitgetheilt. Die mittelmässig grossen Blüthen haben eine regelmässige Dachziegelform und bestehen aus grossen, länglichen, daher am obern Theile nicht breitern, aber stets ausgerandeten Blumenblättern, die namentlich gegen die untere Hälfte hin eine schöne Rosafarbe besitzen, nach oben jedoch blasser erscheinen. Die äussern sind von oben nach unten von hellern, die innern hingegen von weissen Längsstreifen durchzogen.

Camellia Broggbi. Eine wunderliebliche, mehr kleine Blüthe von prächtiger und sammetartiger Ponceaufarbe, die eine ganz regelmässige Dachziegelform besitzt. Dadurch dass die Mitte der oben breiten und etwas ausgeschweiften Blumenblätter von einem verhältnissmässig breiten Mittelstreifen durchzogen ist, erscheint die ganze Blüthe breit 7 und 8 strahlig. Die Sorte gewinnt ausserdem noch durch ihr reichliches und leichtes Blühen und durch den prächtigen Gegensatz in der Farbe der Blüthe und des tief grünen Laubes.

Camellia Kossuth wurde von **B. Lechi** zu Brescia zunächst an **van Geert** mitgetheilt, der sie seinerseits wiederum an **Verschaffelt** übergab. Die ziemlich grosse Blüthe ähnelt in ihrer Bildung etwas der oben beschriebenen **Caroline de Montel**, indem die mittlern Blumenblätter mehr nach innen sich neigen. Dadurch dass sie aber weniger gedrängt stehen, und dafür um so grösser sind, ähnelt die Blüthe weniger der Ranunkel, als vielmehr einer Päonie. Auch die äussern, aber ein wenig zurückgebogenen Blumenblätter sind sehr gross, am obern Theile breit und ausgerandet. Ihre Farbe ist ein schönes, nach der Basis zu selbst dem Karmin sich zuneigendes Rosa, während die, welche gegen die Mitte hin stehend und an dem obern Ende grob gezähnt erscheinen, am Rand heller und ganz weiss sind, auch weisse Streifen haben.

(Fortsetzung folgt.)

Journal-Schau.

(Fortsetzung aus Nr. 39.)

Es ist bereits schon in Nro. 28 der Gartenzeitung von den **Rözl**'schen Koniferen gesprochen worden, daher wir hier nur das aus der Abhandlung **Besserer**'s hervorheben, was dazu dient, auf diese interessante Sammlung noch mehr aufmerksam zu machen. Von sämmtlichen Arten, welche in dem mächtigen Gebirge, was den Kessel von Mexiko einschliesst, also in dem Nevada de Toluca, in der Sierra u. s. w. wachsen, sind in Europa noch keine kultivirt, ja selbst nur einige wenige beschrieben. Ueber die **Taeda**-Gruppe mit 3 zusammenstehenden Nadeln und schwarz-violetten Zapfen, welche an der äussersten Vegetations-Gränze an den Vulkanen Popokatepetl und Iztacihuatl auf einer Höhe von 13—14000 (engl.) Fuss wachsen, sucht man selbst in der sonst so vorzüglichen Monographie von **Carrière** vergebens eine Notiz.

Trotz dem haben Bäume, wie **Pinus resinosa, scoparia, Iztacihuatli, Standishi, Amecaënsis, Papolini** und **Aculcensis** mit einer Höhe von 120 bis 150 Fuss einen nicht unbedeutenden Werth auch für uns. Sie besitzen sämmtlich einen schlanken, senkrecht emporsteigenden Stamm und eine höchst malerische Verzweigung, so dass sie in unseren Anlagen eine grosse Zierde darstellen würden. Ihr Holz hat wegen seines grossen Gehaltes an Harz einen besonderen Werth und wird das, was von einem Baume gesammelt wird, oft bis zu 10 Pfund Sterling verkauft.

Aus der **Strobus**-Gruppe kennen wir nur **Pinus Ayacahuite** aus den Provinzen Chiapas und Oaxaca, welche in Mittelfrankreich nach **Carrière** aushalten soll. Geeigneter für freiem Grund sind auf jeden Fall **Pinus Popocatepetli** und **Veitchii**, welche in ihrem Vaterlande auf einer Höhe von 11- und 12000 Fuss vorkommen. Diese, nebst **Pinus Don Pedrii, Lindleyi** und andern, welche auf der Sierra auf einer Höhe von 7 und 8000 Fuss vorkommen, besitzen ein wohlgefälliges Ansehen und erinnern mit ihren blau-grünen Blättern an **Pinus excelsa** und an die **Himalaya-Ceder** oder **Deodara**. Das Holz derselben führt wegen seiner Güte bei den Eingebornen den Namen Palo fino d. h. vorzügliches Holz, und kann mehre Monate lang der Hitze und der Feuchtigkeit ausgesetzt werden, ohne zu reissen.

In der Ausstellung der Lincoln-Gartenbaugesellschaft stellte der Vikar von Bracebridge, **Bromehead**, eine **Glockenblume** (Canterbury-Bell) aus, die gefüllt war, eine blaue Farbe besass und eine enorme Grösse hatte. Sie erhielt nach dem Züchter den Namen **Campanula**

Bromeheadeana. In der nächsten Nummer giebt der Züchter selbst die Art und Weise an, wie er die eigenthümliche Form erhalten hat.

Es wurde eine Pflanze von gutem Aussehen und reich mit grossen Blüthen besetzt auserlesen und eine der letztern mit dem Blumenstaube der Blüthe einer andern, aber in Gestalt und sonst sehr ähnlichen Pflanze befruchtet, während alle übrigen weggenommen wurden. Aus dem dadurch erhaltenen Samen gingen im andern Jahre Pflanzen mit halbgefüllten Blüthen hervor. Von diesen wurden die zur Gewinnung von Samen auserwählt, welche auch um den Griffel herum kleine Blättchen angesetzt hatten, während die andern wiederum weggeschnitten wurden. Im dritten Jahre erhielt der Züchter aus dem gewonnenen Samen Pflanzen, deren Blüthen noch mehr gefüllt waren. Auf gleiche Weise wurde verfahren, als im vorigem Jahre. Aus dem nun gewonnenen Samen gingen endlich im vierten Jahre die Pflanzen mit den grossen und dicht gefüllten Blumen hervor.

Auf gleiche Weise hat der Vikar Bromehead eine weisse Glockenblume erhalten, die sich aber erst im 3ten Jahre der Vervollkommnung befindet, aber gleich ansehnlich und gefüllt zu werden verspricht, als die blaue. Er schlägt für sie den Namen Campanula Kenningtonia vor.

Unter Canterbury-Bell verstehen die Engländer unsere Marienglocke (Campanula Medium), die leider bei uns in den bessern Gärtern gar nicht mehr so häufig gesehen wird, als früher; dagegen findet man sie in seltener Vollkommenheit und Grösse der Blüthe noch auf dem Lande und in einigen Gärten der kleineren Städte, So sahen wir sie im vorigen Jahre zu Weimar in einer Schönheit, dass es uns leid that, diese dankbar blühende und schon seit sehr langer Zeit kultivirte Pflanze nicht mehr oder wenigstens seltener in den bessern und eleganteren Gärten zu finden. Wir haben allerdings die englischen Pflanzen nicht gesehen, bezweifeln aber, dass diese so schöne und in der That so dicht und gedrängt gefüllte Blüthen gehabt haben, als wir in obiger Stadt gesehen.

In Nro 34 wird eine Anleitung über Anzucht und Behandlung der jetzt so sehr beliebten Sorten von Phlox gegeben, auf die wir vielleicht später einmal zurückkommen. Für jetzt wollen wir hier nur die Sorten nennen, die daselbst empfohlen sind. Abdul Medschid Chan, Admiral Linois, Alice Alain, Amabilis, Antagonist, Colonel Dundas, Countess of Home, Criterion, Dr. Leroy, General Brea, Harold, Leonida, Lychniflora, Madame Coulin, Masterpiece, Monsieur Fontaine, President M'Carel, Princess Mathilde, Queen Victoria und Rubra.

Auf gleiche Weise ist in der nächsten Nummer über die strauchigen Calceolarien gesprochen worden und führen wir auch hier die Sorten auf, welche in der Abhandlung als besonders schön genannt werden: Orange Boven, King of the Yellows, King of Sardinia, Gem, Yellow prince of Orange, Beauty of Montreal, Orange Perfection, Eclipse, Hawk, Yellow dwarf, Heywood-Hawkings und Aurea floribunda.

Alonsoa Warszewiczii ist, wie bekannt, auch bei uns eine wegen ihres Blüthenreichthumes beliebte Pflanze, die Regel, damals noch in Zürich, aus von v. Warszewicz in Peru gesammelten Samen erzog und zuerst verbreitete. Wenn ihre Vermehrung durch Stecklinge und Samen auch keineswegs schwierig ist, so dürfte doch noch ein anderes Verfahren, was E. Persac in Exeter mittheilt, unsere Berücksichtigung verdienen. Es wurden nämlich Samen der Warszewicz'schen Alonsoa im Frühlinge des Jahres 1856 in 8-zöllige Töpfe ausgesäet. Die Pflanzen blühten den ganzen Sommer hindurch und lieferten auch viel Samen. Im Herbste wurden sie heruntergeschnitten und die Töpfe in einen trockenen und kalten Kasten gestellt. Im Frühlinge schlugen sie von Neuen aus und blühten den ganzen Sommer hindurch im Freien. Jetzt haben sie vom Neuen Samen angesetzt.

Alonsoa Warszewiczii ist zuerst in der Illustration horticole und zwar im 2. Bande auf der 60. Tafel abgebildet. Bei uns werden die Pflänzchen gewöhnlich frühzeitig pikirt und, so bald sie grösser geworden, ausgekneipt. Will man sie recht vollblüthig haben, so geschieht dieses im zweiten Jahre noch einmal.

Verlag der Nauckschen Buchhandlung. Berlin. Druck der Nauckschen Buchdruckerei.

No. 41. Sonnabend, den 11. Oktober. 1857

Preis des Jahrgangs von 52 Nummern mit 12 color. Abbildungen 6 Thlr., ohne dieselben 5 „. Durch alle Postämter des deutsch-österreichischen Postvereins, sowie auch durch den Buchhandel ohne Preiserhöhung zu beziehen.

Mit direkter Post übernimmt die Verlagshandlung die Versendung unter Kreuzband gegen Vergütung von 26 Sgr. für Belgien, von 1 Thlr. 9 Sgr. für England, von 1 Thlr. 22 Sgr. für Frankreich.

BERLINER

Allgemeine Gartenzeitung.

Herausgegeben vom

Professor Dr. Karl Koch,

General-Sekretair des Vereins zur Beförderung des Gartenbaues in den Königl. Preussischen Staaten.

Inhalt: Ein Ausflug nach Thüringen. Von dem Professor Dr. Karl Koch. — Verschaffelt's Kamellien (Fortsetzung aus Nr. 40.) April- bis Juliheft. — Journalschau: Gardeners Chronicle Nr. 39—38. Hooker's Journal of Botany and Kew-garden Miscellany. — Eine Gruppe im v. Thielmann'schen Garten in Wilmersdorf bei Berlin. — Samen-Bau.

Ein Ausflug nach Thüringen.

Von dem Professor Dr. Karl Koch.

Die zweite Versammlung deutscher Pomologen und Obstzüchter zu Gotha in den Tagen vom 9. bis 13. Oktober gab mir Gelegenheit, vom Neuen einige der interessanteren Gärten Thüringens, und zwar von Privaten, so wie von Gärtnern vom Fache, zu sehen; es dürfte Manchem doch vielleicht wünschenswerth erscheinen, darüber etwas Näheres zu erfahren. Ich muss jedoch gleich von vornherein bemerken, dass ich keineswegs vollständig über Alles, was in gärtnerischer Hinsicht in dem schönen Thüringer Lande wichtig und bemerkenswerth ist, berichten kann. Wenn mir auch die dortigen Gärten und Gärtnereien schon von früher her keineswegs unbekannt gewesen sind und ich fast alljährlich einen grossen Theil derselben immer vom Neuen besuche, so liefert doch jetzt der Zeitraum eines Jahres stets so viel und so Verschiedenes, dass nicht Tage, sondern Wochen dazu gehören, um nur einiger Massen in dem, was man sagt, vollständig zu werden. Daher kann und will ich auch nur das schildern, was mir mehr zufällig, als absichtlich ausgesucht, vor den Augen vorüber gegangen ist. Die Gärtnereien, welche ich, namentlich von Gotha und vor Allem von Erfurt, nicht erwähne, sind deshalb keineswegs weniger interessant, als die, wohin meine Schritte mich führten und über die ich jetzt einige Worte sagen will. Bedaure ich doch ungemein, nicht einmal Arnstadt mit seinen aufblühenden Gärtnereien besucht zu haben.

Thüringen, dessen Bewohner sich stets durch Betriebsamkeit und Fleiss auszeichneten, hat von jeher sich eines grossen Rufes hinsichtlich seiner Privatgärten und Handelsgärtnereien erfreut; es ist in der That auch das Land, wo in gärtnerischer Hinsicht vielleicht die meisten Geschäfte in Deutschland gemacht werden. Ich nehme selbst Berlin und Hamburg nicht aus. In Thüringen wurden schon im vorigen Jahrhunderte die steifen Gärten aus Ludwigs XIV. Zeitalter verdrängt und durch natürliche Anlagen ersetzt. Ein Fürst, der Herzog, später Grossherzog von Sachsen-Weimar, Karl August, schuf in der Nähe seiner Residenz mehre Gärten, die zum Theil noch jetzt als Muster dienen können. Da er selbst Botaniker war, verdanken wir ihm eine Menge von Ziersträuchern, die er in eigner Person sich aus England holte. Dort an Ort und Stelle hatte er die Englischen Gärten studirt und trug dadurch wesentlich bei, dass auch diese in Deutschland bald Eingang fanden. Göthe, der Verfasser und Gründer der Lehre von der Metamorphose der Pflanze, unterstützte seinen Fürsten im Streben nach Natürlichkeit. So kamen nach und nach die Anlagen in Belvedere und Tieffurt, so wie der Weimarische Park, zu Stande.

Die Regierungszeit Karl August's war überhaupt für Thüringen eine so eigenthümliche und grossartige, wie wohl sie nie wieder kommen wird. In allen Zweigen des menschlichen Wissens und der Kunst, aber auch der Industrie, waren damals grosse Männer vorhanden. Ueber sie zu sprechen, ist mir aber hier der Raum nicht gestattet; es möchte jedoch zu bemerken sein, dass auch in Weimar ein Sckell in gärtnerischer Hinsicht wirkte, dass Sickler, zu Klein-Fahnern in der Nähe von Gotha, seine Studien in der Pomologie machte, in seinem Wohnorte eine vorzügliche Baumschule, ins Leben rief und einen segensreichen Einfluss auf den Obstbau seines engern Vaterlandes ausübte, dass endlich Bertuch, der Gründer des geographischen Institutes zu Weimar, sich sehr viele Verdienste um die Gärtnerei und vor Allem um den Obstbau erworben hat. In Eisenach lebte ferner Dr. Friedrich Gottlieb Dietrich und gab daselbst sein berühmt gewordenes Lexikon der Gärtnerei und Botanik heraus, während der Küchenmeister Johann Georg Dittrich, der Verfasser des systematischen Handbuches der Obstkunde wiederum in Gotha wohnte.

Ich beginne in meinen Schilderungen mit Eisenach. Wenn die Umgegend auch stets dieselbe geblieben ist und dieselben Schönheiten sich auch früher schon dem darnach sehnsüchtigen Auge darboten, so ist doch in der neuesten Zeit, und ganz besonders durch den Kunstsinn des jetzigen Grossherzogs, ungemein viel geschehen, um die reizenderen und interessanteren Punkte der Umgebung mit einander zu verbinden. Die Wiederherstellung der alten Wartburg steht oben an und stellt unbedingt den Glanzpunkt in dem ganzen Thüringer Lande dar. Doch es ist nicht meine Sache, grade hier über das zu berichten, was in dieser Hinsicht seit wenigen Jahren geschehen. In so einer herrlichen Gegend, als die Umgebungen von Eisenach darbieten, liess sich nichts weiter machen, als die schönsten Punkte durch Lustpfade mit einander zu verbinden, so dass auch weniger geübte Spaziergänger nicht ermüdeten und gern die weitläufigen Räume durchgingen. Der verstorbene Forstrath König hat zuerst von der Wartburg aus Wege nach der sogenannten Hohen Sonne auf dem Rücken des Thüringer Gebirges und nach dem Grossherzoglichen Lustschlosse Wilhelmsthal gebahnt und das enge Annathal den Fremden erschlossen. Fürst Pückler-Muskau fand später noch manchen schönen Punkt, der bisher noch nicht in das Netz der Wege gezogen war, und Hofgärtner Jäger, dem, so viel wir wissen, die Aufsicht über die Anlagen anvertraut ist, bemüht sich noch fortwährend, Schönes herauszufinden und mit dem Uebrigen zu verbinden.

Von bemerkenswerthen Gärten hat Eisenach zwei, die wir jedem Reisenden nicht genug empfehlen können. Obwohl Privatgärten, so werden sie doch ohne Zögern jedem, der sich dafür interessirt, geöffnet. Der eine gehörte in ältern Zeiten einem Karthäuser Kloster und führt deshalb noch jetzt den Namen der Karthause. Seit mehreren Jahren ist es ein Grossherzoglicher Garten, der in der Zeit, wann der Hof in Wilhelmsthal sich aufhält, häufig besucht wird. Der Garten liegt der Wartburg gegenüber, von deren Berge er nur durch das hier beginnende Marienthal getrennt wird, und bietet grade nach dieser Seite hin die schönsten Ansichten dar. Wie man sich wohl denken kann, ist er keineswegs eben, aber auch nicht steil, sondern mehr wellenförmig, so dass die Wege leicht und bequem begangen werden können.

Die Karthause ist nicht gross, aber doch umfassend genug, um längere Zeit darin spazieren gehen zu können. Hübsche Rasenplätze, die selbst in diesem trockenem und dürrem Jahre ihr frisches Grün nicht verloren hatten, wechselten mit Boskets und kleinen Hainen ab. Einzelne Bäume und Gruppen von Blatt- und Blüthenpflanzen folgten auf einander und erhöhten dadurch den Werth der Parthien.

Man sollte meinen, dass ein Garten, wenn auch noch so schön, wenig oder selbst gar keinen Eindruck mehr machen könnte, so bald man aus einer so reizenden und romantischen Gegend, als das Marien- und das Annathal darstellen, in ihm eintritt. Ich gebe zu, dass es keine leichte Aufgabe für den Gärtner ist, mit der Natur in die Schranken zu treten, dass sie aber gelöst werden kann, dafür bürgt der Karthäuser Garten. Grade der Gegensatz des Lieblichen im Rosengrunde, in den Boskets, in den Blumen- und Blattpflanzen-Gruppen u. s. w. zu dem Grossartigen und Romantischen in der Umgegend thut einem beschauenden und empfänglichen Gemüthe wohl. Draussen im Marien- und Annathale, auf den Höhen des Königsteines, der Wartburg, so wie des Berges, der seiner beiden auf der Spitze befindlichen Felsen halber „Mönch und Nonne" heisst, erhält man einen Eindruck nach dem andern; man hat nirgends Ruhe, diese zu sammeln und schaut eben stets nur vor sich hin, ohne sich in dem Augenblicke von dem, was man sieht, Rechenschaft geben zu können. Da tritt man, vielleicht noch von langer Wanderung ermüdet, in den Karthäuser Garten ein und kommt allmählig in der freundlichen Umgebung wieder zu sich. Der Uebergang von dem Grossartigen zu dem Lieblichen ist nicht plötzlich; man sieht anfangs noch die Waldbäume der Thäler und Berge, merkt aber gar bald, dass der Mensch hier schaltet und waltet und es um sich wohnlich gemacht hat. Die fremden Blumen- und Blattpflanzen stehen nicht im Widerspruche mit den andern, die ursprünglich in Thüringen wachsen, und ersetzen sie eigentlich nur.

Es wäre wohl werth, den Karthäuser Garten auch in seinen Einzelnheiten zu schildern. Der Hofgärtner Jäger, dessen Pflege er speciell anvertraut ist, wacht sorgsam darüber, dass nicht fremde Elemente hineinkommen, und ist deshalb in der Auswahl der von ihm benutzten exotischen Pflanzen wählerisch. Was aber einen ganz besonders angenehmen Eindruck auf den, der den Garten besucht, macht, dass ist die grosse Sauberkeit, welche selbst in den späten Oktobertagen sich noch auf Wegen und Rasen kund that, und allen Anlagen nicht genug empfohlen werden kann.

Der zweite Garten, dessen Besuch wir jedem Reisenden nicht weniger empfehlen können, gehört dem Fabrikbesitzer Julius Eichel, und kann um so leichter besucht werden, als er ganz in der Nähe des Eisenbahnhofes und auch der Karthause liegt. Er heisst auch nach seinem frühern Besitzer Pflug's Berg und unterscheidet sich wesentlich von dem eben beschriebenen dadurch, dass er den ziemlich steilen Abhang eines bewachsenen Hügels einnimmt. Wer das St. Gallener Land in der Schweiz kennt, wird bei dem Besuche des Eichel'schen Gartens an Manches erinnert werden, was er daselbst gefunden. Dort und hier sind prächtige Matten, die von einzelnen Bäumen, Gehölzpartlieen und kleineren Hainen unterbrochen werden. Selbst die fremden Bäume, wie Magnolien, Tulpenbäume u. s. w., welche man hier und da findet, thuen dem Vergleiche keinen Abbruch.

Die Wege führen Berg auf, Berg ab und von einer Aussicht zur andern. Die Stadt Eisenach mit ihren vielen rothen Dächern ist es bald, welche sich vor den Blicken ausbreitet, und über die Höhen, überall mit Laub- und Nadelholz bewachsen, emporsteigen, bald ist es die Wartburg, welche gegenüber sich präsentirt, oder endlich ein Theil des Marienthales mit seinen Felsen. Aber auch für die nächste Umgebung ist gesorgt, denn der Rasen ist durchaus schön und das Gehölz wird allenthalben in bester Ordnung gehalten.

Auffallend war mir das frische Grün der meisten Bäume und Sträucher. Die grosse anhaltende Dürre hatte bei uns im Nordosten Deutschlands besonders Allee-Bäume, als Rosskastanien, Linden, Ahorn, selbst Ulmen, frühzeitig entlaubt; schon im August boten viele einen Anblick dar, wie wir ihn nur im Spätherbste gewöhnt waren. Ganz anders erschien es hier und überhaupt in ganz Thüringen. Das Laub, nachdem es einmal die trockene Zeit überstanden, schien um desto fester angeheftet zu sein und auch gar nicht die sonst gewöhnliche gelbe Farbe angenommen zu haben. Viele Bäume, und ganz besonders Lärchen, hatten aber, wie bei uns nicht wenige Rosskastanien und Linden, einen zweiten Trieb gemacht und besassen auf diese Weise ein so lebhaftes und frisches Grün, wie man es sonst nur im Frühjahre erschaut.

Blumenbeete waren, selbst in der Nähe der Wohnung, nicht von Bedeutung vorhanden und möchten auch ganz und gar am unrechten Orte gewesen sein. Die Einfachheit des Wohnhauses that mir wohl, da sie mit dem Ganzen im Einklange stand. Auch der Salon, welcher auf einer Höhe mit besonders schöner Aussicht befindlich ist, war äusserlich einfach, so geschmackvoll und reich er auch im Innern eingerichtet erschien.

II. In Gotha bietet sich dem Kenner vom Fache so Mancherlei dar, was Interesse besitzt. Die Stadt besass von jeher zwar viele reiche Einwohner welche Liebe zu Blumen und Pflanzen in sich tragen, Gärten von Bedeutung hat es aber meines Wissens nach ausser den Anlagen zu keiner Zeit in Gotha gegeben und giebt es auch jetzt noch nicht; dagegen sind in neuerer Zeit einige strebsame Gärtnereien entstanden.

Die Anlagen, welche sich besonders im Süden des herzoglichen Schlosses befinden, erfreuten sich in diesem Oktober fast durchaus noch eines frischen Grünes, wie man es in andern Jahren kaum 4 Wochen früher noch findet. Sie bilden einen sogenannten Englischen Garten, der mit der sich um die ganze Stadt herumziehenden Promenade in Verbindung steht. Fehlen auch zum grossen Theil Gruppen von Blumen und krautartigen Blattpflanzen, so sieht man um so mehr freundliche Gehölzparthien. Rasen ist verhältnissmässig nur wenig vertreten. Dieser findet sich aber mit jenen in dem amphiteatralisch-eingerichteten Orangerie-Garten, wo leider jetzt die Orangeriebäume nicht im besten Zustande sind.

Von den Gärtnereien, welche Handel treiben, steht die Müller'sche oben an. Sie hat den Vortheil, dass sie in der Nähe der Eisenbahn liegt und daher ihre Versendungen mit leichter Mühe und schnell machen kann. Hinsichtlich ihres Umfanges sowohl, als ihrer Verbindungen nimmt sie, selbst unter den grössern Anstalten der Art in Deutschland, mit Recht einen Platz ein und besitzt deshalb verschiedene Gewächshäuser für Kalt- und Warmhaus-, so wie für Wasserpflanzen. Das für letztere, gewöhnlich Viktoriahaus genannt, ist ganz von Glas und hat eine rundliche Gestalt. Was schon früher bei Gelegenheit der Beschreibung des Viktoriahauses im botanischen Garten bei Berlin und an der Wildparkstation bei Potsdam gesagt ist, dass nämlich die in Europa gezogenen Samen der Victoria regia nicht mehr so gesunde Pflanzen hervorbringen, als früher es der Fall war, und dass wir wohl bald einmal gezwungen sein möchten, unsern Bedarf vom Neuen aus Amerika zu beziehen, schien sich auch hier zu bestätigen, denn die hier befindlichen Viktoriapflanzen waren klein und weniger kräftig. Desto mehr gediehen aber die andern Pflanzen im erwärmten Wasserbassin. Ausser einigen Nymphäen und Nelumbien war die Oberfläche hauptsächlich von in üppigster Fülle wuchernden Pistien eingenommen. Am Rande standen Gruppenweise und mit einander abwechselnd: Papyrusstaude, rothstengeliges Zuckerrohr, Cyperus alternifolius und Pontederien, während Hydrocleis oder Limnocharis Humboldtii mit ihren gelben, zwar oft erscheinenden, aber nur kurz dauernden gelben Blüthen die Räume dazwischen ausfüllte.

Von den übrigen Pflanzen, welche mir als bemerkenswerth erschienen, nenne ich eine Cassia, deren Samen aus Westindien stammte und die nur eine Blüthenperiode durchzulaufen scheint. Wie die Cassia alata, der sie übrigens sehr nahe steht, vielleicht sich specifisch gar nicht verschieden erweisen möchte, ist sie nur schwierig den Winter durch zu bringen und geht meist schon in der ersten Zeit des Decembers zu Grunde und zwar, ehe sie noch ihre Blüthen entfaltet. Der diesjährige lange und anhaltend schöne Sommer scheint aber auch auf diese Pflanze einen wohlthätigen Einfluss ausgeübt zu haben, denn nicht weniger als 3 Exemplare standen bei Müller in Gotha in Blüthe. Die Art verdient wohl eine grössere Verbreitung und besitzt schon wegen ihrer oft 2 Fuss langen und gefiederten Blätter ein stattliches Ansehen, was noch weit mehr hervortritt, so bald aus den Winkeln der obern Blätter die oft Fuss langen und längern und lockern Blüthenähren von prächtiger Goldfarbe und auf noch längern Stielen stehend, sich ziemlich grade in die Höhe strecken. Vielleicht wird mir noch später Gelegenheit, diese wunderschöne Pflanze einmal näher zu beschreiben.

Zum ersten Mal sah ich ferner in Blüthe die mir in dieser Hinsicht nur aus dem botanical Magazin bekannte Saurauja spectabilis, eine brasilianische Ternströmiacee. Man liebt jetzt die Sauraujen in unsern Warmhäusern als Blattpflanzen wegen ihrer schönen und grossen Blätter, die an die mehrer Dillenien erinnern.

Fagraea auriculata, eine Loganiacee aus Sumatra, ist unbedingt eine der schönsten Blattpflanzen, welche wir besitzen, zwar schon länger bekannt, aber doch erst seit wenigen Jahren im Handel. Daher steht sie auch noch hoch im Preise. Wenn man jedoch bedenkt, was man oft für weit weniger schöne Pflanzen zahlt, so ist gewiss für ein so stattliches Exemplar, als sich in der Müller'schen Gärtnerei befindet und jedem Warmhause eine Zierde sein würde, der Preis von 25 Thaler nicht zu hoch. Man bedenke, wie hoch z. B. Ficus Roxburghii, Leopoldi u. a. Blattpflanzen früher bezahlt wurden, und doch stehen diese gewiss an Schönheit und Eleganz der Fagraea auriculata nach. Die dicklichen und grossen Blätter mit ihrem freudigen Grün und den grossen Blattohren an der Basis und den Stengel umfassend geben der Pflanze ein, man möchte sagen, pikantes Ansehen.

Brassaiopsis (nicht, wie gewöhnlich geschrieben wird, Brassiopsis) speciosa gehört zu den neuern Araliaceen, die jetzt als Blattpflanzen sehr beliebt sind, und hat das Ansehen einer Gastonia und noch mehr eines Sciodaphyllum. Bevor Decaisne und Planchon das Genus Brassaiopsis aufstellten, kultivirte man auch die Pflanze als Gastonia longifolia in den Gärten. Ausser in Berlin und Potsdam habe ich diese Araliacee nicht gesehen; sie gehört demnach wohl zu den seltnern.

Noch nicht näher bestimmt, fand ich auch eine Cissus-Art mit grossen, in der Gestalt denen des Ahorn oder noch mehr denen eines Pterospermum ähnlichen Blättern, die aber ausserdem, wie bei vielen aus Java stammenden Arten desselben Geschlechtes ziemlich dick und mehr oder weniger filzig erschienen. Besonders war es die Unterfläche, welche bei jungen, eben erst aus der Knospe heraustretenden Blättern, eine prächtige silberweise Färbung besass. Später, also bei ältern, ging diese allmählig in eine hellbräunliche über. Die Verwendung der tropischen Cissus-Arten als Lianen an den Wänden der Warmhäuser ist noch keineswegs in der Weise geschehen, als es wünschenswerth erscheint.

Als Schaupflanze sah ich ferner ein stattliches Exemplar der Escallonia macrantha. Diese ziemlich verbreitete Malastomatee verdient noch mehr Berücksichtigung, als sie bisher erhalten hat, da sie, was nicht Jedermann bekannt sein dürfte, in der Regel zwei Mal im Jahre blüht. Man fängt jetzt an, den einzelnen Familien als solchen mehr Aufmerksamkeit zu schenken und kultivirt Orchideen, Farne, Aroideen, Palmen, Nadelhölzer u. s. w. in besondern Häusern oder wenigstens in bestimmten Räumen. Sie gewinnen an Interesse, wenn man sie in ihrer Mannigfaltigkeit neben einander sieht. Man möchte wohl wünschen, dass auch Liebhaber sich fänden, welche einmal die vielen, aber sehr zerstreuten Melastomateen sammelten und neben einander kultivirten. Wir besitzen bereits aus dieser Familie eine so grosse Menge von Arten, die sich bald als Blüthen-, bald als Blattpflanzen auszeichnen, dass eine Zusammenstellung nicht allein Interesse haben, sondern auch auf Schönheit Anspruch machen dürfte.

Hippeastrum robustum fand sich ebenfalls in mehrern Exemplaren blühend vor. Der botanische Garten zu Berlin erhielt diese Amaryllidee zuerst aus St. Katharina in Brasilien von dem Dr. Blumenau daselbst und verbreitete sie als Amaryllis sp. de St. Catharina und

Blumenanana. Dr. A. Dietrich hielt sie für eine gute Art und gab ihr zuerst den Namen Amaryllis robusta, den er später in Hippeastrum robustum umänderte. Später bekam auch Topf in Erfurt Zwiebeln dieser Art aus Brasilien und nannte sie zu Ehren des Regierungsrathes Tettau in Erfurt: Amaryllis Tettani. Da dieses Hippeastrum wegen seines kräftigen Wachsthumes und seiner schönen, im Herbste erscheinenden Blüthen eine grössere Verbreitung verdient, zumal es ausserdem oft auch noch im Frühlinge zum zweiten Male blüht, so ist sie bereits schon seit geraumer Zeit gezeichnet worden, um als Abbildung der Gartenzeitung beigelegt zu werden. Dass übrigens Hippeastrum robustum von H. aulicum specifisch verschieden ist, möchte ich bezweifeln.

Cupressus funebris war auch in der Müller'schen Gärtnerei mit Früchten vorhanden, und zwar in einem ansehnlichen Exemplare. Ob die Trauercypresse unserer Gärten die ächte Cupressus pendula Staunt. ist, welche Endlicher später Cupressus funebris nannte, möchte ich eben so bezweifeln, als dass es die Pflanze Fortune's ist, von der er in seinem Berichte über die Pflanze so entzückt spricht. Nach diesem und nach der 41. Taf in Staunton's Gesandschaftsreise nach China hängen ihre Zweige eben so zierlich herunter, als bei der Trauerweide, was bei allen auf dem Festlande kultivirten, zum Theil ziemlich hohen Exemplaren unserer Cupressus funebris durchaus nicht der Fall ist. In Kew und sonst kultivirt man übrigens als Cupressus funebris vera eine ganz andere Pflanze von dem Ansehen einer ächten Cypresse, die allerdings mehr hängende Zweige zu haben scheint und sich seit Kurzem auch in der Königlichen Landesbaumschule bei Potsdam befindet. Da mir von der ersteren Früchte zu Gebote stehen, so werde ich hoffentlich später noch zu bestimmten Resultaten kommen und diese dann weiter veröffentlichen. (Forts. f.)

Verschaffelt's Kamellien.

(Fortsetzung aus Nr. 40.)

IV. Im Aprilhefte beginnt Camellia la Graziosa. Von Geeradale, ein eifriger Kamellienliebhaber zu Gent, erhielt die Sorte vor mehrern Jahren aus Italien. Die Blüthe gehört wohl mehr zu den rosenartigen und hat wegen ihrer Panachirung eine nicht geringe Aehnlichkeit mit den sogenannten Bandrosen. Die äussern Blumenblätter sind wenig nach aussen, die übrigen hingegen um desto mehr nach innen gebogen. Die Grundfarbe ist ein schönes Kirschroth, was aber, besonders an den innern Blättern, durch breite Bandstreifen von weisser Farbe unterbrochen wird.

Camellia Possii vera wurde im Jahre 1856 an Verschaffelt aus Italien gesendet, wo sie im nächsten Frühjahre zuerst blühte. Der Bau der Blüthe ist die regelmässige Dachziegelform. Die am obern Ende ziemlich breiten und ausgerandeten Blumenblätter haben eine prächtige und zarte Rosafarbe, und zwar die gegen die Peripherie hin sowohl, als die der Mitte. Ausser der dunkeleren Aderung ist die ganze Blüthe gleichmässig.

Camellia Roi des Blancs. Eine der schönsten Kamellien, welche in der neueren Zeit gezüchtet wurden und welche wegen der schneeigen Farbe der Blüthen mit Recht diesen Namen „Königin unter den weissen" führt. Sie wurde von dem Gärtner Helleboyck zu Gentbrügge lez-Gand aus Samen gezogen und zuerst an Vervaene mitgetheilt, von dem wiederum Verschaffelt eine Pflanze im Jahre 1850 erhielt. Die Blüthe ist ziemlich gross und besitzt einen regelmässigen Bau in Dachziegelform. Die einzelnen Blumenblätter sind nach oben sehr breit und ausgerandet. Ausgezeichnet ist die Sorte durch ihr leichtes Blühen und durch die Fülle der Blüthen.

Camellia Targioni rosea. Von Franchetti in Florenz gezüchtet, kam diese Sorte 1853 an Verschaffelt, wo sie seitdem jedes Frühjahr reichlich blühte. Die grosse Blüthe ist zwar sehr regelmässig, aber wegen der ansehnlichen und mehr eirunden Blumenblätter etwas lokker gebaut. Die letztern sind, mit Ausnahme der innersten und mehr in die Höhe stehenden, leicht rückwärts gebogen und machen demnach eine sanfte Wölbung. Ihre Farbe ist ein dunkeles Rosa.

V. Das Maiheft beginnt mit Camellia Princesse Mathilde, die mit der ziemlich gleichen Namens, nämlich mit Camellia Principessa (nicht Princessa) Mathilde, nicht verwechselt werden darf. Letztere ist im Julihefte des Jahres 1855 abgebildet und besitzt weisse, aber karmoisinroth gestreifte Blumenblätter, während diese bei Princesse Mathilde die schönste rothe Farbe haben und sich durch ihre höchst regelmässige und dachziegelförmige Lage auszeichnen. Es giebt gewiss nur wenig Sorten, die einen so wohlgefälligen Bau besitzen. Es kommt noch dazu, dass das sehr dunkele Grün der verhältnissmässig kleinen Blätter gegen das Roth der ziemlich grossen Blüthen angenehm absticht. Die Sorte ist italienischen Ursprungs.

Camellia Mistress Gunnel ist wahrscheinlich amerikanischen Ursprunges und wurde an Verschaffelt von England aus mitgetheilt. Sie schliesst sich hinsichtlich des Baues der Blüthe und der Farbe der Camellia Roi des blancs an, hat aber grössere Blumenblätter, weshalb der Bau auch etwas lockerer ist, und besitzt in der weissen Farbe, besonders nach der Mitte zu, noch einen gelblichen Teint. Die Blätter des Laubes sind ziemlich gross und haben eine schöne Färbung.

Camellia Enrico Dendolo wurde von Franchetti in Florenz mitgetheilt und zeichnet sich durch leichtes und reichliches Blühen, so wie durch angenehmes Laub aus. Die Blüthe ist gross und hat einen regelmässigen und wohlgefälligen Bau, obwohl die Blumenblätter ziemlich gross und an ihrem obern Theile weniger breit und ganz oder nur leicht ausgerandet sind. Wenngleich es sehr viele ähnliche Sorten giebt, so ist diese doch zu empfehlen. Ihre Farbe ist ein angenehmes Rosa, was aber in der Mitte der Blumenblätter durch einen breiten weisslichen oder zart- und licht- rosafarbigen Streifen unterbrochen wird.

Camellia Marchese Isembardi wurde im Jahre 1856 aus Italien an Verschaffelt gesendet und empfiehlt sich durch grosse und weniger intensiv-gefärbte Laubblätter. Die regelmässig in Dachziegelform gebaute und ziemlich grosse Blüthe besitzt auch ansehnliche, nach oben mehr breite und ausgerandete Blumenblätter, die eine zarte und blasse Rosafarbe haben, aber ausserdem durch eine dunkele Aderung und durch einen sehr breiten, weissen Streifen in der Mitte sich auszeichnen.

VI. Das Juniheft beginnt mit Camellia Manara, einem Erzeugnisse des Grafen B. Lechi in Brescia, welche erst im Herbste 1856 an Verschaffelt mitgetheilt wurde und schon im nächsten Frühlinge reichlich blühte. Die mittelmässig-grossen Blüthen besitzen eine regelmässige Dachziegelform mit dicht gedrängten, aber keineswegs kleinen Blumenblättern. Diese sind nach oben ziemlich breit und ausgerandet und haben mit Ausnahme einiger wenigen, vielleicht nur zufälligen, blässern oder rosafarbenen Längsstreifen derer, die mehr gegen die Mitte hinstehen, eine gleichmässige Kirschfarbe.

Camellia Enrichetta Ulrich möchte vielleicht des deutschen Namens „Henriette Ulrich" halber auch deutschen Ursprunges sein, obwohl die Sorte erst durch Franchetti an Verschaffelt kam. In jedem Frühjahre blüht sie so ausserordentlich reichlich und dankbar, dass sie nicht genug empfohlen werden kann. Die Blüthen haben eine mittelmässige Grösse und einen ausserordentlich regelmässigen Bau mit der beliebten Dachziegelform, obwohl die Blumenblätter nach oben weniger breit und gar nicht oder nur leicht ausgerandet erscheinen. Die Farbe der letztern ist ein dunkeles Rosa, was aber durch hellere und bisweilen fast weisse Längsstreifen unterbrochen wird.

Camellia Marchese Costabile ist wiederum eine Sorte mit grossen Blüthen von regelmässigem Bau in der Dachziegelform, die sich zu gleicher Zeit auch durch leichtes und sehr reichliches Blühen auszeichnet. Nicht weniger empfiehlt sie sich durch die grossen und dunkelgrünen Laubblätter, zwischen denen die weisse Farbe der Blüthen sich anmuthig ausnimmt. Die Blumenblätter sind mit Ausnahme derer, welche die äusserste Reihen bilden, nach oben weniger breit und abgerundet, ja selbst in eine kurze Spitze auslaufend und haben zum Theil weisse Streifen. Die Sorte stammt von Lussati in Florenz und befindet sich seit dem November 1853 in dem Besitze von Verschaffelt.

Camellia Rosetta nova unterscheidet sich von der ältern Sorte dieses Namens in Farbe der Blüthen und sonst im Ansehen und stammt aus Italien. Ihre verhältnissmässig kleinen Blüthen haben ebenfalls wiederum einen regelmässigen Bau der Dachziegelform und zeichnen sich durch ihre gleichmässige Farbe, die zwischen Kirschroth und Dunkelrosa steht, aus. Im Frühjahre blüht sie sehr leicht und sehr reichlich.

VII. Im Julihefte erhalten wir zuerst die Camellia Theodolini, die van Geersdaele, einer der grössten Kamellien-Liebhaber in Belgien und zu Gent wohnend, aus Italien erhielt und im letzten Frühjahre eine über und über blühende Pflanze an Verschaffelt mittheilte. Nach ihm soll sie jedes Jahr sich mit Blüthen reich bedecken und auch diese leicht hervorbringen. Die prächtigen rosafarbigen, aber deutlich dunkler geaderten Blumenblätter sind mehr rundlich und nur bei denen, welche ganz nach aussen stehen, wenig ausgerandet. Sie legen sich mit sanfter Wölbung über einander und bilden demnach eine reine Dachziegelform.

Camellia Contessa Calini darf nicht mit der in Form der Blüthe und des Laubes verschiedenen Camellia Contessa Carini verwechselt werden. Es wäre aber doch zu wünschen, dass dergleichen ähnliche, oder auch wohl, wie bei der Camellia Rosetta, ganz gleiche Namen auch bei Sortenblumen vermieden würden und möchten wir dem verdienstvollen Herausgeber dieser Blätter selbst in dieser Hinsicht das Recht, einen solchen Namen willkürlich zu ändern, vindiziren. Wenn nun schon der Liebhaber dadurch oft getäuscht wird, so hat es, namentlich bei den Zusprechungen von Preisen in Ausstellungen, den grossen Nachtheil, dass alle Sorten, die gleiche Namen mit neueren besitzen, unwillkürlich bevorzugt werden können. Vorliegende Camellia Contesse Culini blühte im letzten Frühjahre zum ersten Male bei Verschaffelt, der die Pflanze von dem Grafen B. Lechi in Brescia erhalten hatte. Trotz der grossen, nach oben zu ziemlich breiten und meist ausgerandeten Blumenblätter hat die Blüthe doch die regelmässige, aber allerdings etwas lockere Dachziegelform. Die Farbe ist mit der Ausnahme der Mitte, welche einen gelben Teint zeigt, ein schneeiges Weiss. Gerühmt wird die Sorte noch wegen ihrer Blüthenfülle.

Camellia Carlo Alberto befindet sich schon seit längerer Zeit in dem Besitze von Verschaffelt und blüht seitdem alle Frühjahre in gleicher üppiger Fülle, so dass sie nicht genug empfohlen werden kann. Es kommt noch dazu, dass die dunkelgrünen und ziemlich grossen Blätter mit den einfarbigen Rosablüthen einen angenehmen Kontrast bilden. Der Bau ist zwar dachziegelförmig, aber etwas locker, und in der Mitte wenig unregelmässig. Die Blumenblätter sind länglich oder eirund und nach oben wenig breit und abgerundet, seltner leicht ausgerandet. Die Sorte stammt aus Italien; sonst weiss man nichts von ihr.

Camellia Demetrio Bouturlin blüht seit 5 Jahren in den Kalthäusern Verschaffelt's sehr reichlich und gehört wegen ihrer ausserordentlich grossen Blüthen und des nicht minder grossen und dunkelen Laubes zu denen, welche mit Recht empfohlen werden können. Sie wurde von Luzzati in Florenz gezüchtet. Die grossen Blumenblätter haben zwar eine schöne Rosafarbe, diese wird aber hier und da und mehr gegen die Mitte der Blüthe hin, als am Umkreise, durch grosse weisse Mittelstreifen und Flecken unterbrochen. Obwohl nach oben ziemlich breit, so sind doch nur leichte oder gar keine Auskerbungen vorhanden. Ihr Bau ist locker, so dass die ganze Blüthe mehr die Form der Päonien erhält.

Journal-Schau.

(Fortsetzung aus Nr. 40.)

Mandevilla suaveolens Lindl. Diese bereits im botanical Register (26. Band und auf der 7. Tafel) und im botanical Magazin (auf der 3797. Tafel) abgebildete Apocynee aus Buenos-Ayres wird häufig viel zu warm kultivirt, weshalb man sie selten in Gewächshäusern schön findet. In der Regel wird sie dann auch von der rothen Spinne und den Blattläusen sehr heimgesucht und theilt diese lästigen Insekten auch den andern Pflanzen mit. Die Pflanze gehört aber durchaus ins Kalthaus und bildet daselbst eine der Lianen, welche sich durch rasches Wachsthum und durch eine Fülle weisser Blüthen auszeichnen. In England hat man Versuche gemacht, sie im Freien zu kultiviren und dadurch die schönsten und üppigsten Pflanzen erhalten. In unserem viel rauherem Klima ist dieses aber schon längst geschehen und gehört dem Inspektor des botanischen Gartens bei Berlin, Karl Bouché, das Verdienst, die Pflanze schon 1843 während der bessern Jahreszeit zuerst ins Freie gebracht zu haben. Uebrigens hat der jüngere de Candolle in seiner Monographie der Apocyneen (Prodromus regni vegetabilis Tom. VIII, pag. 462) das Genus Mandevilla wiederum eingezogen und mit Echites vereinigt. Die Pflanze heisst deshalb jetzt nach ihm Echites suaveolens.

Spiraea ariaefolia ist eine der schönsten Spiersträucher, welche um so mehr Beachtung verdient, als sie später blüht, als die übrigen Arten und sich durch ihr leichtes Ansehen auszeichnet. Sie wird hochstämmig empfohlen und soll dann mit hochstämmigen Rosen abwechselnd einen reizenden Anblick darbieten. Wir können deshalb diese Zusammenstellung um so mehr empfehlen, als sie uns in Deutschland noch nicht vorgekommen ist.

In Nro. 37 erfahren wir, dass auch Planchon Versuche angestellt hat, Blendlinge aus Aegilops ovata und Weizen zu erziehen, die mit der früher als Aegilops triticoides beschriebenen Art übereinstimmen. Wie bekannt, haben schon früher Godron und Regel ähnliche Resultate erzielt. Allmählig fangen nun auch die englischen Botaniker an, von ihrer lange Zeit hartnäckig vertheidigten Ansicht, dass Weizen aus Aegilops hervorgegangen sei, abzukommen. Es war auch in der That unbegreiflich, dass sonst so ausgezeichnete Botaniker, wie Henslow, Lindley u. a., etwas vertheidigen konnten, dessen Unhaltbarkeit ihnen auch ohne alle Versuche klar sein musste.

Von Interesse dürfte auch für Gärtner nicht weniger, als für Botaniker, sein, dass Professor Grisebach in Göttingen eine Flora der Westindischen Inseln und Prof. Harvey in Dublin eine Flora des Vorgebirges der guten Hoffnung vorbereiten. Eben so ist die Nachricht erfreulich, dass einer der Assistenten des botanischen Gartens in Kew, Chas. Wilford, der britischen Mission nach Japan beigegeben ist, um Pflanzen zu sammeln. Ausser China, ist kein Land grade für die Gärtnerei so wichtig, als Japan, da in beiden schon seit Jahrhunderten diese gehegt und gepflegt wird.

In diesem warmen Sommer haben sich in verschiedenen Gegenden Grossbritanniens Schwärme von Heuschrecken gezeigt und sind viele Landbebauer deshalb in Sorge gerathen. Die anhaltende heisse Jahreszeit war der Entwickelung dieser gefrässigen Thiere sehr günstig: wir brauchen uns aber nicht der Befürchtung hinzugeben.

dass die Heuschrecken eine Landplage wie in Amerika und im Oriente werden, denn ein einziger kalter Winter vernichtet sie sämmtlich. Die Erscheinung ist übrigens nicht neu und hat sich immer von Zeit zu Zeit wiederholt.

In der 38. Nummer wird angefragt, was für ein Thier oft an den besten Rosen im Frühjahre die Augen so glatt abfrisst, als diese nur irgend mit dem Finger ausgekneipt werden können. Wie bekannt ist es ein besonderer Rüsselkäfer, der am Tage sich in der Erde versteckt, um des Nachts aufwärts zu steigen und die Augen herauszufressen. Es giebt kein anderes Mittel, als spät am Abend ein Tuch unter den Rosenstock, wo man dieses bereits bemerkt hat, zu legen und dann an dem letztern zu schütteln. Die herabgefallenen Rüsselkäfer müssen sogleich getödtet werden.

Noch bequemer ist es, wenn rund um den Rosenstock eine muldenförmige Vertiefung gemacht und in dieser die Erde fest geschlagen und geglättet wird, doch so, dass ganz besonders um den Stamm herum keine lockere Stelle mehr vorhanden ist, durch die die Rüsselkäfer leicht in die Erde dringen könnten. Nun legt man Erdklumpen oder auch unebene Steine dicht an einander in die Vertiefung, um jene am andern Morgen wiederum mit den Käfern, die darunter eine Zuflucht genommen haben, wegzunehmen und letztere zu tödten.

II. Hooker journal of botany and Kew-garden Miscellany. Das Januarheft ist bereits in der 8. Nummer besprochen. Der jüngere Hooker hat unter Anderem 2 neue australische Dilleniaceen von Interesse beschrieben: Trisema coriaceum und Hemistemma candicans, letzteres auch abgebildet.

Im Märzhefte erfahren wir, dass zu Durris-House bei Abberdeen Abies nobilis reife Zapfen und auch einige keimfähige Samen im Freien hervorgebracht hat. Der 16 Jahr alte Baum ist 22 Fuss hoch und hatte gegen 40 Zapfen zum ersten Male getragen. Zu gleicher Zeit erfahren wir, dass auch eine Abies Douglasii, welche nahe an der See steht und ebenfalls 16 Jahre alt ist, aber eine Höhe von 42 Fuss besitzt, in den beiden letzten Jahren zwar auch Zapfen, aber keine keimfähigen Samen darin hervorgebracht hat.

Im Maihefte wird nach brieflichen Mittheilungen einer Ersteigung des Chimborazo durch den Professor Remy und seinen Begleiter Bronchley Erwähnung gethan, die um so interessanter ist, als genannte Reisenden sich wahrscheinlich auf der höchsten Spitze befanden, ohne es zu wissen. Nachdem sie am 2. November des vorigen Jahres die ansehnliche Höhe von 15420 Fuss erreicht hatten, versuchten sie am am andern Tage, die Spitze zu erklimmen. Leider stellten sich alsbald Nebel und bald darauf heftige Gewitter ein, die selbst die nächsten Umgebungen so verdunkelten, dass sie diese kaum noch wahrnehmen konnten. Trotzdem stiegen die muthigen Männer immer vorwärts, bis sie endlich von der späten Tageszeit gemahnt wurden umzukehren. Sie suchten noch die Höhe mit Hülfe des kochenden Wassers zu bestimmen und erfuhren dadurch, als sie wiederum unterhalb der Schneelinie angekommen waren und genauere Berechnungen anstellten, dass sie auf der Spitze gewesen sein mussten, denn ihre Rechnung wies mit dem Unterschied von ein Paar hundert Fuss die trigonometrisch gemessene Höhe des Chimborazo nach. Wie bekannt, versuchte Al. v. Humboldt und A. Bonpland am 23. Juni 1802 die erste und Boussingault am 15. December 1831 die zweite Ersteigung. Erstere kamen nur 19357, letzterer hingegen 19700 Fuss hoch. Da Professor Remy ausgezeichneter Botaniker ist, so haben wir wohl auch eine botanische, vielleicht und hoffentlich sogar eine gärtnerische Ausbeute zu erwarten.

Eine Gruppe im v. Thielmann'schen Garten in Wilmersdorf bei Berlin.

Hübsche Gruppen von Blatt- und Blüthenpflanzen zieren einen Garten ungemein und doch findet man sie so selten oder wenigstens nicht geschmackvoll und gut zusammengestellt. Der genannte Garten steht unter der speciellen Leitung des Obergärtners Pilder und zeichnet sich aber ganz besonders dadurch aus. Wir werden später einmal Gelegenheit haben, hauptsächlich deshalb ausführlicher von ihm zu sprechen, und beschränken uns jetzt nur auf eine, die noch im Spätherbste sich durch Schönheit auszeichnete. In der Mitte befanden sich nämlich einige gegen 4 bis 6 Fuss hohe Exemplare des Abutilon venosum striatum und darum ein Kranz der braunblätterigen Perilla arguta von 2 Fuss Höhe, der wiederum von niedrigen Pelargonien mit weissgeränderten Blättern eingeschlossen wurde.

Saamen-Bau.

Verlag der Nauckschen Buchhandlung. Berlin. Druck der Nauckschen Buchdruckerei.

No. 42. Sonnabend, den 17. Oktober. 1857

Preis des Jahrganges von 52 Nummern mit 12 color. Abbildungen 6 Thlr., ohne dieselben 5 „ Durch alle Postämter des deutsch-österreichischen Postvereins sowie auch durch den Buchhandel ohne Preiserhöhung zu beziehen.

Mit direkter Post übernimmt die Verlagshandlung die Versendung unter Kreuzband gegen Vergütung von 26 Sgr. für Belgien, von 1 Thlr. 8 Sgr. für England, von 1 Thlr. 22 Sgr. für Frankreich.

BERLINER Allgemeine Gartenzeitung.

Herausgegeben vom

Professor Dr. Karl Koch,

General-Sekretair des Vereins zur Beförderung des Gartenbaues in den Königl. Preussischen Staaten.

Inhalt: Ein Ausflug nach Thüringen. Vom Professor Dr. Karl Koch (Fortsetzung). — Ueber neue Cattleyoiden aus Brasilien: Cattleya Schilleriana Rchb. fil., Lindleyana Rchb. fil., porphyroglossa Rchb. fil. und praestans. Vom Prof. Dr. Reichenbach fil.

Ein Ausflug nach Thüringen.

Vom Professor Dr. Karl Koch.

(Fortsetzung.)

III. Erfurt hat hinsichtlich seines Samen- und Pflanzenhandels sich in der neuesten Zeit einen solchen Ruf erworben, dass es in der That einzig dasteht. Mögen auch Berlin nebst Potsdam mit seinen Massen von sogenannten Marktpflanzen, die es jährlich fast in gleicher Menge nach auswärts sendet, zum Theil auch durch sogenannte neue Einführungen, und Hamburg, hauptsächlich durch letztere, noch einen Vorzug haben, so unterliegt es doch keinem Zweifel, dass in Erfurt, wie schon gesagt, die meisten und grössten gärtnerischen Geschäfte gemacht werden. Es gilt dieses auch hinsichtlich des Gemüses, in Betreff dessen es mit den in dieser Hinsicht berühmten Städten, Bamberg und Nürnberg, rivalisirt. Allein im vorigen Jahre sind aus Erfurt mehre tausend Centner Blumenkohl nur auf der Eisenbahn versendet worden. Die Ausfuhr auf andern Wegen kennt man eben so wenig, wie den Verbrauch dieses herrlichen Gemüses in der Stadt selbst.

Alljährlich etabliren sich neue Handelsgärtnereien und gedeihen in der Regel schon nach kurzer Zeit. Die Anzucht, namentlich von Sämereien, beschränkt sich aber nicht allein, auf die Gärtner vom Fache, sondern eine grosse Anzahl der Bewohner Erfurts benutzt den sparsam zugemessenen Raum eines kleinen Gartens, oder selbst nur die Vorsprünge an den Fensterbrüstungen, um Sämereien, besonders von Levkojen, heranzuziehen und später zu verwerthen. Mehre Erfurter, die früher ein Handwerk trieben, verschafften sich dadurch mit der Zeit eine grössere Einnahme, als ihnen dieses einbrachte, und gaben alsbald dasselbe auf, um sich nun allein der Gärtnerei zu widmen. Ich könnte mehre von den jetzt renommirtesten Gärtnern Erfurts nennen, die es erst seit den letzten 5 und 10 Jahren geworden sind.

Ein Industrie-Zweig hat sich in der neuesten Zeit von Erfurt aus Anerkennung verschafft, der noch vor wenigen Jahren kaum dem Namen nach in Deutschland überhaupt bekannt war, aber seit langer Zeit schon in Frankreich, und ganz besonders in Paris, eine Stätte gefunden hatte; es ist dieses die Anfertigung von Bouquets und Garnirungen aus Immortellen. Man glaubte bisher, dass alles, was auf Eleganz und Geschmack Anspruch macht, nur in Frankreich, und wiederum hauptsächlich in Paris, seine Vollendung erhalten könnte; Feuilletonisten und Schöngeister, die sonst gute Deutsche sein wollen und selbst sich als solche brüsten, haben noch in neuester Zeit Abhandlungen über das Ungeschick, die Unbeholfenheit und den schlechten Geschmack der Deutschen geschrieben, ohne nur im Geringsten zu wissen, dass neuerdings auch in dieser Hinsicht in unserem Vaterlande sehr viel geschehen ist. Ich will keineswegs damit den anerkannten Vorzügen der Franzosen in dieser Hinsicht, und namentlich ihrer Gewandtheit, zu nahe treten; wir dürfen aber unsererseits nicht das Vaterländische darüber vergessen. Man bedenke, dass auch bei dem Geschmacke viel von der Gediegenheit, einer Tugend, die gewiss dem Deutschen mehr zu kommt, als den Franzosen, abhängt und ein gediegener Geschmack mehr gilt, als ein leichter und wandelbarer.

Diese Gediegenheit der Deutschen macht sich auch in den Bouquets aus Immortellen, nicht weniger jedoch in denen aus frischen Blumen, geltend, die in neuester Zeit, hauptsächlich in Erfurt, Berlin und Dresden, angefertigt werden und sich bereits hin und wieder selbst in der Metropole des neuen Kaiserreiches Eingang verschafft haben. Die Bouquets und Garnirungen, welche vom Kunst- und Handelsgärtner **Schmidt** in Erfurt angefertigt und in Gotha ausgestellt waren, erhielten, selbst von Franzosen, eine solche Anerkennung, dass einige derselben angekauft und mit nach Paris genommen wurden. Das Verlangen nach solchen Bouquets hat sich in der neuesten Zeit so gesteigert, dass bereits eine grössere Anzahl von Handelsgärtnereien, besonders die von **Benary**, **Moschkowitz & Siegling** und **Bahlsen**, den neuen Industriezweig sich angeeignet und Massen von Bouquets nach allen Gegenden hin versendet haben; trotzdem waren sie im vorigen Winter nicht mehr im Stande, dem Bedürfnisse vollständig nachzukommen.

Obwohl man, namentlich in diesem Jahre, auf die Anzucht von Immortellen und anderu dazu nothwendigen Pflanzen viel Land verwendet hat, so reicht das darauf gebaute Material für das Bedürfniss noch keineswegs aus; man hat sich gezwungen gesehen, besonders die Blüthenstände von Helichrysum orientale, saxatile und ähnlichen Arten, aus Frankreich zu beziehen. Unser Klima ist leider für den Anbau vieler Immortellen, und ganz besonders der genannten, auch nicht so günstig, als Frankreich. Dieses wird immer deshalb einen Vorzug haben und uns auch später noch mit Material versehen müssen.

Die deutschen Immortellen-Bouquets besitzen nach dem, was mir in dieser Hinsicht aus Frankreich bekannt ist, hauptsächlich dadurch einen Vorzug, dass sie mannigfaltiger und sinniger gruppirt sind. Ausser Blumen, die nicht verwelken, sind besonders die Aehrchen vieler Gräser, hauptsächlich von Briza-, Eragrostis-, Stipa-, Molinia- u. s. w. Arten mit Geschick verwendet; selbst Moose hat man hier und da benutzt. Meiner Ansicht nach ist das Feld, aus dem man sich Material schaffen kann, noch keineswegs erschöpft. Wir besitzen selbst noch manche wildwachsende Pflanze, die grade für unsere Immortellen-Bouquets eine Anwendung finden könnte.

Unter den Handelsgärtnern, welche sich hauptsächlich mit Gemüsezucht beschäftigen, stehen die verschiedenen **Haage's** und **Döppleb** oben an. Wer Erfurt besucht, versäume ja nicht, die Gegend des Dreienbrunnens am Steiger zu besuchen, denn hier wird unbedingt das feinste Gemüse gezogen, was in Deutschland existirt. Vor Allem ist es der Blumenkohl, der sich eines grossen Rufes erfreut. Die Sorte, welche als Erfurter Zwerg-Blumenkohl bekannt ist, stellt das Zarteste dar, was man sich in dieser Hinsicht nur wünschen kann. Es kommt noch dazu, dass diese Sorte selbst in diesem heissem und trokkenem Jahre, wo alles Gemüse, und auch der Blumenkohl wenig gerathen ist, sich bewährt hat als die, welche den grössten Ertrag gab.

Es ist erfreulich, wie betriebsam die dortigen Gärtner sind. Schon am frühesten Morgen und wiederum bis spät in die Nacht arbeiten sie auf ihren Feldern und gewinnen diesen einen Ertrag ab, der in der That erstaunenswerth ist. Eine vierfache Aernte gehört keineswegs am Dreienbrunnen zu den Seltenheiten; ja selbst Blumenkohl wird von demselben Stück Landes zwei Mal im Jahre gewonnen. Nach der ersten Aernte haben sich die dazwischen gepflanzten Kohlrabi-, u. s. w. Pflanzen so weit ausgebildet, dass sie schon nach wenig Wochen geärntet werden können, um wiederum Blumenkohl und dann endlich Sellerie oder anderem Gemüse Platz zu machen. Der Preis des Grund und Bodens hat sich in der neuesten Zeit deshalb, besonders am Dreienbrunnen, so sehr gesteigert, dass selbst die Thüringische Eisenbahn-Gesellschaft es vorzog, bei der Anlegung ihrer Bahn einen kostspieligen Umweg, und zwar durch einen Bergabhang, zu machen, anstatt diese in grader Richtung durch das Land des Dreienbrunnen's zu führen, weil sie dabei wohlfeiler bauen konnte.

In den breiten Gräben, welche zwischen den einzelnen Gemüsefeldern sich hinziehen, wird auch die berühmte Erfurter Brunnenkresse gezogen. Es ist diese aber eben so gut eine Kulturpflanze und wird eben so gehegt und gepflegt, wie jedes andere Gemüse. Auf das Sorgsamste sucht man die ursprünglich wilde Brunnenkresse heraus und entfernt sie; denn diese hat keineswegs das saftige Blatt und das Angenehme im Geschmacke, als die nun schon sehr lange angebaute Kulturpflanze. Wie bekannt, ist die Erfurter Brunnenkresse seit der Zeit der französischen Okkupation auch in Paris eingeführt worden und wird daselbst mit demselben Erfolge kultivirt. Hunderte von Wagen, mit Brunnenkresse beladen, gehen alle Wochen auf die Märkte der jetzt kaiserlichen Metropole.

Ausser allen Kohlarten wendet man in Erfurt ganz besonders den Kulturpflanzen aus der Familie der Cucurbitaceen noch seine Sorgfalt zu. Nur Arnstadt rivalisirt in dieser Hinsicht. Aus der Gärtnerei von **Döppleb** befanden sich auf der Gothaer Obstausstellung 6 Kürbisse-

die zusammen über 1000 Pfund wogen. Ein einziger hatte allein das Gewicht von 230 Pfund.

Wenn ich nun zu einigen andern Gärtnereien übergehe, so muss ich nochmals bemerken, dass es mir unmöglich war, in dem Zeitraume eines Tages auch nur die zu besuchen, die des Wichtigeren und des Interessanteren reichlicher aufzuweisen haben. Mehr der Zufall, als die Absicht, führte mich zu denen, von denen ich jetzt Einiges bemerken will. Kann ich doch von der ältesten und anerkanntesten, von der des Fr. A. Haage jun., die so viel besitzt, was ich gern gesehen hätte, nur wenig sagen, weil der kurze Tag mir nur eine sehr oberflächliche Ansicht erlaubte. Vor Allem wäre für mich eine genauere Durchsicht der reichen Koniferen-Sammlung daselbst erwünscht gewesen.

Ich begann meine Wanderung mit der Gärtnerei von Benary. Gleich am Eingange zu derselben erfreuten mich die beiden Ricinus-Exemplare mit rothen Stengeln, Blattstielen, Blattrippen und Fruchtrispen (Ricinus sanguinea der Gärten) durch ihren bedeutenden Umfang und durch das schöne Ansehen. Die eine Pflanze besass eine Höhe und einen Durchmesser von über 10 Fuss. Die Fruchttraube, welche aus den obern Blättern herausragte, hatte nicht weniger als 21 Zoll Länge. Obwohl diese Abart der Palma Christi, wie Ricinus communis auch gewöhnlich genannt wird, unbedingt die schönste ist und sich namentlich als Einzelpflanze auf Rabatten und auf Rasen gut präsentirt, so wird sie doch seltner gesehen. Möchte sie mehr benutzt werden!

Im Verhältniss mit gleicher enormer Grösse waren rothe und weisse Hahnenkämme vorhanden. Obschon die schönsten und besten bereits weggenommen sein sollten, so sah ich doch noch Exemplare mit 20 Zoll im Durchmesser; gewiss eine respektable Grösse!

Auf gleiche Weise nahm eine Kulturpflanze des Phygelius capensis meine Aufmerksamkeit in Anspruch, denn das Exemplar hatte eine Höhe von 3½ und einen Durchmesser von 6 Fuss. In dieser Weise vermögen wir die beliebten Pentstemon's nie herzustellen, und möchte deshalb die Pflanze doch immer neben diesen unsere Beachtung verdienen. Wenn ich daher früher in diesen Blättern mich gegen ihre Kultur ausgesprochen habe, so muss ich doch jetzt den Ausspruch zurücknehmen, nachdem ich mich von ihrer bessern Benutzung überzeugt habe.

Tetranema mexicanum Benth., als Pentstemon primulinus in den Gärten bekannter und zuerst von van Houtte verbreitet, ist eine interessante Scrophularinee vom Ansehen einer Gesneracee, als welche die Pflanze in der Regel auch angesehen wird, und Pflanzenliebhabern zu empfehlen. Es mag wohl mehr der Habitus dem berühmten Monographen dieser schwierigen Familie dazu bestimmt haben, als der Mangel des 5. Staubgefässes, die Art als den Typus eines besonderen Geschlechtes „Tetranema (d. i. Vierfaden)“ zu betrachten und von den andern mit 5 Staubgefässen (Pentstemon oder eigentlich Pentastemon d. i. fünf Staubgefässe) zu trennen.

Unter den Koniferen zeichnete sich ein stattliches Exemplar der Cupressus macrocarpa von 11 Fuss Höhe aus. Eine andere Cypresse aus Peru unter dem Namen Cupressus pyramidalis war mir vollkommen unbekannt, da, so viel ich weiss, von der Südwestseite Amerika's bis jetzt noch keine Art dieses Geschlechtes beschrieben ist. Was als Thuja Meldensis kultivirt wurde, stimmt nicht mit der gegebenen Beschreibung genannter Abart der Thuja orientalis überein und möchte eher eine Retinospora, vielleicht auch eine Juniperus sein. Hübsch sah eine virginische Ceder mit hängenden Zweigen aus, zumal diese über und über mit blauen Früchten bedeckt erschienen. Zum ersten Male erschaute ich ferner die beiden zuerst von Peter Lawson in Edinburgh als Samenpflanzen verbreiteten Pinus-Arten aus dem nordwestlichen Amerika: Pinus Beardsleyi und Jeffreyi, die durch ihre gestreiften, ich möchte fast sagen, eckigen Nadeln sich vor allen andern Kiefern auszeichnen. Die zuerst genannte Art hat noch dadurch ein besonderes Interesse, dass in dem Samen bisweilen 2 und selbst mehr Keime enthalten sind. Ein solcher Samen, aus dem 2 Pflänzchen herauskamen, wurde mir vor ein Paar Jahren aus Edinburgh zugesendet.

Recht hübsch nahm sich eine buntblättrige Smilax mauritanica als Liane aus und ist dieselbe allen Besitzern von Kalthäusern zu empfehlen.

2. In der Handelsgärtnerei von Moschkowitz und Siegling, die sich wegen der Mannigfaltigkeit ihrer Florblumen, besonders der Astern, Petunien, Phlox, Verbenen u. s. w. mit Recht eines Rufes, auch ausserhalb Deutschland, erfreut, fand ich zunächst ein Sortiment von Swainsonien, Pflanzen, die allmählig anfangen, eine grössere Berücksichtigung zu finden, obwohl immer noch nicht in dem Masse, als sie es verdienen. Ich habe schon oft ausgesprochen, dass, so schön auch Gruppen im freien Lande sich ausnehmen, wenn sie möglichst mannigfaltig sind, doch auch Zusammenstellungen von Pflanzen aus einem Geschlechte oder auch aus einer kleinern Abtheilung einer Familie ihren eigenthümlichen Reiz haben. Obwohl die 6 oder 7 Swainsonien in genannter Gärtnerei keineswegs zu einer Gruppe vereinigt erschienen, sondern in einer Linie standen, so gaben sie doch ein

freundliches Bild und — was für einen Botaniker Hauptsache ist — man konnte leicht unterscheiden, was Art und Synonym war. Da die Besitzer mir eine besondere Abhandlung über die Swainsonien versprochen haben, so wird späterhin noch Gelegenheit sein, an einer andern Stelle ausführlich über diese hübschen und krautartigen Schmetterlingsblüthler zu sprechen. Als gute Arten stellten sich bei genauerer Betrachtung schon jetzt heraus: Swainsonia galegifolia R. Br., coronillaefolia Salisb., lessertiifolia DC., grandiflora R. Br., Greyana R. Br. und Osbornii Th. Moore.

Unter den übrigen Pflanzen, welche mir, bei freilich flüchtiger Durchsicht, auffielen, waren besonders die grosse Anzahl von Sorten interessant, welche man in der neuesten Zeit aus der gewöhnlichen Strohblume (Helichrysum bracteatum) erzogen hat. In Frankreich kultivirte man zwar seit sehr langer Zeit bereits einige Sorten, eine solche Mannigfaltigkeit in den Farben aber, als man seit wenigen Jahren, ganz besonders in Erfurt und Arnstadt, erzielt hat, besitzt man meines Wissens nach selbst dort nicht. Der Handel mit den abgeschnittenen Blüthenkörbchen (oder sogenannten nie verwelkenden Blumen) ist bei dem grossen Bedarfe zu den Bouquets so sehr erweitert worden, dass die Anzucht derselben zu den lohnendsten Kulturen gehört.

Die hübsche Bignoniacee, Amphicome Emodi Lindl, welche Wallich zuerst in den Bergen des obern Himalaya vor fast nun 30 Jahren entdeckte und Incarvillea Emodi in seinem Verzeichnisse nannte, war blühend vorhanden und verdiente wohl wegen ihrer schönen und grossen Blüthen mit gelblicher Röhre und rosafarbenem Rande und wegen ihrer gefiederten, mehr grangrünen Blätter unsere volle Aufmerksamkeit. Die Pflanze ist übrigens erst seit 2 Jahren im Handel und wurde im Jahre 1852 in Kew aus Samen, den Major Vicary eingesendet hatte, erzogen.

Unter dem Nam.n Ageratum Genidco war eine Pflanze vorhanden, die man aus Nancy bezogen hatte. Sie gehört zu den weissblühenden und glattblättrigen und scheint reichlich zu blühen, daher sie wohl zu empfehlen sein möchte. Ob die Art von Eupatorium glabellum und glaucum der Gärten, die gewiss einerlei sind und noch nicht beschrieben zu sein scheinen, verschieden ist, möchte ich bezweifeln. Nahe steht sie auch ferner dem später blühenden und ebenfalls noch nicht beschriebenen Eupatorium biceps.

Wenige Pflanzen haben so schnell sich Eingang verschafft, als die Kryptomeria aus Japan. Bereits hat man auch schon eine Reihe von Varietäten, unter denen Cryptomeria Lobii wegen ihres schnellen Wachsthumes und ihrer geringern Empfindlichkeit gegen Kälte oben an steht. In der neuesten Zeit besitzt man auch eine Abart mit in die Länge gezogenen und, wie es scheint, hängenden Zweigen, welche den Namen Cryptomeria araucarioides erhalten; was ich hiervon an mehrern Orten sah, war noch klein und konnte keineswegs auf Schönheit Anspruch machen.

3. Bei Appelius fand ich vor Allem die Neuholländer reich vertreten, zumal ihr Besitzer fortwährend bemüht ist, aus dem Vaterlande Samen zu beziehen. Besonders von den Arten, welche der bekannte neuholländische Reisende und Sammler, Müller, auf seiner Expedition in das Innere des Landes zum Theil erst aufgefunden und Samen davon nach England gesendet hat, sieht man in der Appelius'schen Gärtnerei eine grosse Auswahl. Lässt sich auch von Samenpflanzen über den spätern Werth in gärtnerischer Hinsicht meist mit Bestimmtheit noch nicht urtheilen, so waren doch gewiss einzelne Arten vorhanden, die viel versprachen. Da ihr Besitzer in der nächsten Zeit ein Verzeichniss seiner neuholländischen Samenpflanzen drucken lässt, so möchte ich ganz besonders die Direktoren der botanischen Gärten, aber auch alle Liebhaber von sogenannten Neuholländern, als: von Akazien, Genisteen, Myrtaceen, Diosmeen, Polygaleen, Epacrideen u.s.w. auf die Appelius'sche Sammlung aufmerksam gemacht haben.

Unter den übrigen Pflanzen bemerkte ich ein hübsches Exemplar der interessanten Acanthacee, Dilivaria ilicifolia Pers., aus Ostindien, eines kleinen, unserer Ilex Aquifolium, noch mehr aber der Berberis ilicifolia ähnlichen Strauches, der bei uns seltener gefunden wird, in Frankreich und England dagegen häufiger ist. Er gehört ins Warmhaus und stellt daselbst eine freundliche Erscheinung dar, weshalb ich auch ihn allen Liebhabern von dergleichen Pflanzen empfehlen will.

Unter dem Namen Thunbergia Bumeriana war eine mir auch dem Namen nach gänzlich unbekannte Liane dieses Geschlechtes vorhanden. Appelius hatte den Samen aus Lissabon erhalten; wahrscheinlich gehört aber die Pflanze, wie Th. alata und fragrans, zu den Bewohnern des südlichen Afrika's.

Eben so unbekannt war mir die aber sonst zu empfehlende Oenothera Samesii, von der aus Petersburg der Samen bezogen war. Eine Verstümmelung des Namens Simsii (oder vielmehr Simsiana) konnte es nicht gut sein, da diese Pflanze mit Oenothera corymbosa Sims. der O. spectabilis der Gärten, identisch ist und verschieden schien. Auch die beiden Salvien, von denen die eine zu splendens gehört und unter dem Beinamen Crochot eine ausgezeichnete Spielart darstellt, die andere aber wahrscheinlich aus Lille stammt und deshalb den Namen Salvia Lilleana führt, sind gute Akquisitionen. Die letztere scheint jedoch von Salvia azurea kaum verschieden zu sein.

Die Statice Halfordii, die sich seit wenigen Jahren sehr verbreitet hat, habe ich, so schöne Schaupflanzen mir auch vorgekommen sind, doch nirgends so vorzüglich gefunden, als hier. Das Exemplar hatte ein gedrungteres Wachsthum und näherte sich deshalb mehr der St. fruticans Webb (als frutescens von Lemaire in Flore des serres abgebildet) einer der Stammältern; wie bekannt, wurde St. Halfordii zuerst von van Houtte verbreitet und soll ein Blendling der St. macrophylla Brouss. und fruticans Webb sein. Ob die Appelius'sche St. brassicaeformis, da diese, so viel ich weiss, erst in neuerer Zeit durch Dr. Bolle eingeführt wurde, ächt war, bezweifle ich; auf jeden Fall stellte aber die Pflanze eine Art dar, welche nicht genug empfohlen werden kann. Die Staticen überhaupt fangen mit Recht an, mehr beliebt zu werden. Die Sammlung, welche Dr. Bolle neuerdings aus Madeira und den Kanaren nach Deutschland gebracht hat, wird wesentlich dazu beitragen, dass die Staticen noch mehr und häufiger verwendet werden. Man kann sich in der That nichts Schöneres, sowohl für Gewächshäuser, als für das freie Land, namentlich auf Gruppen, denken, als die rosettenartig dem Boden aufliegenden Blätter, aus deren Mitte der dicht mit röthlichen oder mehr violetten und nicht verwelkenden Blüthen ein und zwei Fuss emporsteigt.

Endlich erwähne ich noch der stengellosen Agavee, Beschorneria tubiflora, welche der verstorbene Ehrenberg aus Mexiko einführte und welche zuerst von Seiten des botanischen Gartens zu Berlin als Fourcroya tubiflora verbreitet wurde, da sie in einigen schönen Exemplaren vorhanden war.

4. Die Handelsgärtnerei von Thalacker hat sich in der neuesten Zeit durch seine durch Aussaaten gewonnene Ranunkel-Astern bekannt gemacht. Diese mehr zwergige Sorte hat dadurch einen Vorzug, dass ihre kleinen, kaum mehr als 1 Zoll im Durchmesser enthaltenden Blumen (eigentlich Blüthenkörbchen) sich zu Bouquets eignen, zumal sie eine weit längere Dauer besitzen. Ich habe dergleichen Wochen lang in feuchtem Sande aufbewahrt, ohne dass sie wesentlich von ihrer Schönheit verloren hatten.

Die späte Jahreszeit besass zwar nur noch wenige Florblumen, die aber noch von der frühern Schönheit Zeugniss ablegten. Es waren hauptsächlich Petunien und Verbenen, die allen Anforderungen nachkamen.

Im freien Lande fand ich ein mehre Fuss im Durchmesser enthaltendes Exemplar des Solanum laciniatum, einer ursprünglich neuholländischen Pflanze, welche mit ihren bald fiederspaltigen, bald schmal-lanzettförmigen Blättern ein eigenthümliches Ansehen besitzt. Als Gruppenpflanze macht sie sich sehr gut, zumal sie an und für sich einen ziemlich grossen Raum einnimmt und gegen den Herbst hin blaue Blüthen und den Kirschen ähnliche gelbe Früchte zu gleicher Zeit besitzt.

5. In der Gärtnerei von Alfred Topf nahm so Mancherlei meine Aufmerksamkeit in Anspruch, was ich gern bei mehr Zeit näher betrachtet hätte. Am Meisten interessirte mich die Sammlung von Sämlingen orientalischer Eichen. Diese gehörten wohl sämmtlich zur Gruppe der Quercus coccifera und Ilex, von welcher letzteren Q. Suber, die Korkeiche, ohne Zweifel nur eine Abart darstellt. Wer weiss, wie sehr die Eichen an und für sich abändern, da selbst die Früchte, auf welche man bisher ein so grosses Gewicht legt, keineswegs so konstant sind, als man glaubte, wird die Unmöglichkeit einsehen, schon jetzt mit bestimmten Namen aufzutreten. Es ist sehr leicht möglich, dass mehre der neuern Arten, welche besonders von Kotschy und mir aus dem Oriente als solche aufgestellt sind, sich darunter befinden, wodurch unbedingt die Sammlung an Interesse gewinnen dürfte. Aber selbst als Formen verdienen sie unsere Aufmerksamkeit, zumal es scheint, als wenn ein Theil während der kalten Jahreszeit nur bedeckt bei uns aushalten dürfte.

Nicht weniger interessant ist die schöne und reiche Sammlung von Koniferen, welche ein ziemlich langes Haus ganz allein einnimmt. Der Besitzer der Gärtnerei ist seit langer Zeit ein besonderer Liebhaber dieser interessanten Pflanzenfamilie und fortwährend bemüht, diese zu vervollständigen. Weil aber die Koniferen in der neuesten Zeit vielfach verlangt werden und man leider, wie fast immer, nur nach Neuem trachtet, so hat sich mit der Zeit in der Nomenklatur ein solcher Wirrwarr, wie schon einige Mal es auszusprechen Gelegenheit gegeben war, geltend gemacht, dass es in der That schwierig ist, durchzukommen. Möchten daher doch die Besitzer grosser Sammlungen recht bemüht sein, gleiche Pflanzen, die sie nur unter verschiedenen Namen haben, ohne Weiteres als solche anzuerkennen. Nicht die Zahl der vermeintlichen Arten, sondern die Richtigkeit in der Benennung und die gute Kultur giebt den Werth.

Die neue Kamellie mit blendend weisser Blüthe, welche den Namen „Prinzess von Preussen" erhalten hat und zuerst durch Topf ausgegeben ist, war in zahlreichen Exemplaren vorhanden, und wird das einzelne, je nach der Grösse, zu 10 und 5 Thaler abgegeben.

b. Von vorzüglicher Schönheit in jeglicher Hinsicht ist bei Fr. A. Haage jun, ebenfalls die Sammlung von Koniferen. Hoffentlich wird mir später einmal Gelegenheit geboten, ausführlich von ihr zu sprechen. Ohne Zweifel ist sie nach der der Königlichen Landesbaumschule bei Potsdam, welche unbedingt die grösste und vollständigste nicht allein auf dem Festlande, sondern auch für Grossbritannien ist, und mit der von James Booth in Flottbeck bei Hamburg, die umfangreichste und ansehnlichste, die wir in Deutschland besitzen.

Eine ächte Schaupflanze bildete ein stattliches Exemplar der strauchartigen Iridee: Witsenia corymbosa, da sie bei nicht unbedeutendem Umfange nicht weniger als einige und 30 dicht mit schönen und blauen, wenn auch nicht grossen Blüthen bedeckte Aeste besass. Es ist eigenthümlich, dass diese interessante Pflanze im Ganzen doch nur wenig kultivirt wird, da sie für Kalthäuser den ganzen Winter hindurch eine grosse Zierde darstellt. In gleich grossen und ansehnlichen Exemplaren soll sie sich auch in Hamburg bei James Booth & Söhne befinden. Neu und unbekannt war mir Anona coelestis, aber auf jeden Fall ein zu empfehlendes Gehölz.

Zum ersten Male fand ich die bekannte, aber mehr in botanischen Gärten kultivirte Eucnida bartonioides im eigentlichen Sinne des Wortes schön und empfehlenswerth. Die Pflanzen, welche ich bis jetzt gesehen, hatten stets kein freundliches Ansehen; ihre Blätter waren mehr oder weniger verwelkt oder gegilbt, so dass sich die sonst grossen, goldgelben und denen der Argemonen nicht unähnlichen Blüthen ziemlich nackt an der Spitze der Aeste befanden. Nach Haage's Angabe verdient aber die Eucnida auch von Blumenliebhabern alle Berücksichtigung, da sie, ordentlich behandelt, vom ersten Frühjahre an bis spät in den Herbst hinein in reichlicher Fülle Blüthen entfaltet und auch ausserdem einen angenehmen Habitus besitzt. Zu diesem Zwecke muss sie aber ganz trocken gehalten und darf selbst in einem so regenlosen Sommer, als der diesjährige war, nicht gegossen werden, ein Umstand, der allerdings mit ihrem Vorkommen auf den dürren und trocknen Hochebenen Mexiko's übereinstimmt. In der Haage'schen Gärtnerei waren selbst in diesem Jahre die Pflanzen, welche Samen bringen sollten, noch mit Glasfenstern bedeckt, um auf jeden Fall alle Feuchtigkeit von oben abzuhalten.

Als Einfassung zu Rabatten war Calliopsis bicolor nana benutzt. So wenig mir bisher dieser Zwerg des beliebten Christusauges, wie genannte Pflanze im gewöhnlichen Leben meist genannt wird, gefiel, so verdient sie doch, richtig behandelt, alle Berücksichtigung. Jedes Exemplar war im Durchschnitt nur einige Zoll hoch, aber so kugelig gewachsen, dass es in der Regel breiter als hoch erschien. Trotz ihres niedrigen Wachsthumes war die Pflanze mit ganz kurz gestielten Blüthen dicht besetzt.

IV. Es sei mir vergönnt, noch einige Worte über den Grossherzoglichen Garten zu Jena, der zu gleicher Zeit als botanischer von Seiten der Universität benutzt wird, zu sprechen. Obwohl keineswegs klein, so hat doch auch hier das Bedürfniss eine Vergrösserung nothwendig gemacht. Durch diese grenzt er unmittelbar an den sogenannten Prinzessinnen- oder früher Griesbach'schen Garten, und wird wohl auch mit der Zeit mit diesem vereinigt werden. Er liegt wunderhübsch im Norden der Stadt, dicht an der rings um dieselbe sich hinziehenden Promenade und ist nicht allein den Studenten, sondern auch dem Publikum im Allgemeinen geöffnet. Die Blicke, welche man nach Osten zu in das prächtige Saalthal zu den gegenüberliegenden und dieses auf jener Seite einschliessenden Bergen mit den Ruinen des Fuchsthurmes und der Kunitzburg erhält, sind allein schon hinreichend, um auch Fremden den Besuch anzuempfehlen.

Ich habe wenig Gärten gesehen, die sich einer solchen Ordnung erfreuten, als der Jena'sche botanische Garten. Mitte Oktober war bereits vorbei, als ich ihn in diesem Jahre besuchte; es ist dieses aber grade eine Zeit, wo die Pflanzen im Lande allmählig absterben, die Blätter von den Bäumen abfallen und eine Reihe Umstände ausserdem eintreten, die nicht immer erlauben, einen Garten in gehöriger Ordnung und Reinlichkeit zu erhalten. Als ich eintrat, fand ich die Wege, und zwar nicht allein die grössern, sondern auch die kleineren im Staudenstücke, glatt und nirgends mit Unkraut bewachsen oder von abgefallenen Blättern verunreinigt. Auf den Beeten selbst hatte man sorgsam die abgestorbenen Stengel entfernt; nur sparsam ragten beblätterte oder auch noch in Blüthe oder Frucht stehende Pflanzen hervor. Die Stellen, wo während der wärmern Jahreszeit Kalthauspflanzen gestanden, waren vom Neuen geebnet. Nicht weniger zufrieden stellend erschien das Innere der Häuser. Der Inspektor Baumann, dessen Pflege der botanische Garten anvertraut ist, kommt aber auch in ästhetischer Hinsicht allen Anforderungen nach und hat sich überhaupt um die Verschönerungen Jena's, und besonders der dortigen Promenaden, Verdienste erworben. Es kommt noch dazu, dass Anlagen und Pflanzen mit verhältnissmässig geringen Mitteln erhalten werden.

Von den Pflanzen im Freien nahm ein Gingkobaum vor Allem meine Aufmerksamkeit in Anspruch. Er hatte einen Stamm von 1 Fuss fast im Durchmesser und war zwar weniger hoch, da er kaum 12 bis 14 Fuss mass, besass aber einen um desto breitern Durchmesser. Weil er in der Nähe der Mauer steht, so wurden Aeste und Zweige gezwungen, sich mehr nach der innern Seite des Gartens auszubreiten. Da die letzteren weniger abstanden, als vielmehr ziemlich grade herunterhingen, so hatte der ganze Baum das Ansehen einer Laube angenommen, der um so schöner sich ausnahm, als das Laub von seinem frischen Ansehen eigentlich gar nichts verloren. Nach dem Inspektor des botanischen Gartens bei Berlin, Bouché, haben aber alle Gingkobäume die Eigenthümlichkeit der herunterhängenden Zweige, wenn sie aus Stecklingen hervorgegangen sind.

Nicht weit vom Wohnhause am Ende einer Terrasse steht ein herrliches Exemplar der Gleditschia horrida und breitet seine sehr abstehenden Aeste weit hinaus, so dass er im Sommer hinlänglich kühlenden Schatten zu geben vermag. Die Gleditschien halten, wie bekannt, sämmtlich unsere Winter aus und können wegen ihres fein gefiederten, dem der ächten Akazien ähnlichen Laubes auch für kleinere Lustgärten, besonders als Einzelpflanzen, nicht genug empfohlen werden.

Schade dass ein schöner Tulpenbaum im hintern Theile des Gartens plötzlich eingegangen war. Er stand an einer niedrig-gelegenen Stelle und hatte man die nicht weit davon befindliche Erhöhung nach Norden etwas abgetragen, so dass der obere Theil des Baumes nun dem stärkeren Luftzuge ausgesetzt und wahrscheinlich deshalb zu Grunde gegangen war. Man sieht hieraus, wie sehr man bei Veränderungen im Terrain vorsichtig sein muss.

Die Anhäufung von Pflanzen hatte auch im botanischen Garten zu Jena die Erbauung eines neuen Gewächshauses nothwendig gemacht. Mir schien dieses sehr vortheilhaft eingerichtet, da es zur Aufnahme von möglichst vielen Pflanzen, ohne dass diese zu sehr sich gegenseitig beeinträchtigten, besonders bequem war. An den beiden Giebelwänden ragten einzelne Backsteine weit heraus, so dass sie als Ständer für Pflanzen benutzt werden konnten. Sonst bringt man an ihrer Statt Bretter an, die allerdings noch mehr Pflanzen aufnehmen können. Ausserdem liebe ich die Giebelwände verdeckt von Lianen und Epiphyten, besonders Farnen. Das Haus hatte Satteldach.

In dem einen Warmhause, ebenfalls mit Satteldache, war auf der Westseite und dicht unter dem Fenster der ganzen Länge derselben entsprechend, ein langes aus Portland-Cement angefertigtes Bassin von fast 3 Fuss Breite angebracht. Dass darin weder Viktorien, noch Euryale ferox oder Nymphaea gigantea gezogen werden konnten, versteht sich von selbst, es reichte aber grade aus, um kleinere Wasserpflanzen, deren wir ebenfalls eine nicht unbedeutende Anzahl besitzen, aufzunehmen. Es kommt noch dazu, dass ein solches Bassin durch die Luft des Hauses stets gehörig feucht erhalten wird. In seltener Ueppigkeit sah ich in dem Wasserkübel Aponogeton distachyos, dessen Blüthenähren mit blendend weissen Blumenblättern einen angenehmen und feinen Geruch aushauchten. Es ist diese Eigenschaft genannter Pflanze weniger bekannt; sie möchte aber grade deshalb für Viktoria-Häuser eine angenehme Zugabe sein.

Es erlaubt mir der Raum nicht, die interessanteren Pflanzen, welche sich in den Gewächshäusern des botanischen Gartens ausserdem zu Jena vorfanden, ausführlicher zu besprechen, ich erwähne aber noch die hübsche Bignoniacee, welche der berühmte Reisende v. Martius in München in den Urwäldern Brasiliens entdeckte und zu Ehren des Königs von Preussen Fridericia Guilelma nannte.

Ueber neue Cattleyoiden aus Brasilien.

Vom

Professor Dr. Reichenbach fil.

1 Cattleya Schilleriana.

Pseudobulbo Cattleyae Acklandiae, flore Cattleyae guttatae sed tepalis valde undulatis, labelli lobis lateralibus oblongo-triangulis gynostemium circumvolventibus, lobi medii isthmo perparvo, lamina subquadrata emarginata, crispula, denticulata, laevi.

Pseudobulbus bipollicaris, sulcatus. Folia cuneata oblonga, margine cartilagineo revoluto crispula. Spatha submembranacea abbreviata. Flos florem Cattleyae guttatae Russelianae aequans. Sepala oblonga acuta flavida, margine brunnea (seu olivacea!), atrosanguineo guttata. Tepala undulata, subaequalia. Labellum laeve, tantum supra nervos loborum lateralium carinulatum, album, extus praesertim supra laminam lobi medii pulcherrime violaceopurpureo venosum, marginibus loborum lateralium purpureis. Gynostemium clavatum, antice crenulatum, album, purpureo limbatum, antice pulchre purpureo striatum.

Denke man sich eine Pflanze der Cattleya Acklandiae, gebe ihr eine grosse Blüthe von Cattleya guttata Leopoldi, aber mit ganz krausen Sepalen und Tepalen, und dazu eine Lippe von Laelia elegans — so hat man unsere Pflanze. Wir sahen sie mit grünem und braunem Grundton des Perigons.

Sie ist bei allem ihrem wiederholtem Schmucke unter den Cattleyen ein durchaus originelles, durchaus unerwartetes Geschöpf.

Erst in diesem Herbste erschien sie in Konsul Schiller's Sammlung, kürzlich erst eingeführt, zur Blüthe gebracht von dem wackern Kultivateur Stange.

Wir haben die Art um so lieber dem Konsul Schiller gewidmet, dem die Kenntniss der Orchideen so viel Förderung verdankt, als die Cattleyen so sehr seine Lieblinge sind, dass dieselben mit ihren Schwestern, den Laelien, ein eigenes Haus in seinem Garten bewohnen.

2. Cattleya Lindleyana Rchb. fil.

Auf die an uns gerichtete Frage, ob diese nicht eine Leptotes sei, antworten wir, dass zwar der Vergleich recht hübsch ist, aber eben nur ein fast treffender Witz. Leptotes hat eine Anthere, die fast ganz in die tiefe Grube des Androclinium eingelegt ist, und dazu sechs Pollenmassen. Unsere Pflanze ist aber eine Cattleya, daher eben der Name Cattleya Lindleyana und nicht Leptotes Lindleyana.

3. Cattleya porphyroglossa Lind. Rchb. fil.

Diese Art ist nunmehr auch in Konsul Schiller's Sammlung erschienen und hat ihre Kennzeichen bewährt als eigene Art.

4. Laelia praestans.

Aff. Laeliae pumilae Rchb. fil. (Cattleyae pumilae Lindl.) perigonio horizontaliter explanato, labello circa gynostemium omnino convoluto, antice quadrilobo, incurvo, circa idem accreto, carnoso (non nisi centrali linea persecta explanando), carinis quaternis per discum, externis obliteratis, internis serrulatis extrorsum decumbentibus (tamen haud semper bene evolutis), ante lobi medii basin abruptis, callis geminis in ima basi, gynostemio crasso abbreviato, auriculis posticis apicilaribus sibi incumbentibus, processu rostellari elongato.

Trugknollen und Blätter wie bei Laelia pumila. Die Blüthe grösser, fleischiger, etwas blasser, als dunkel gefärbte Laelia pumila. Sepalen und Tepalen flach horizontal. Die Tepalen viel breiter. Die Lippe völlig geschlossen um die Säule, gekrümmt nach Art eines Kuhhorns, die seitlichen (stumpfen, lappigen und gezähnelten) Lappen über einander, der mittlere breit, kurz, gezähnelt, vorn ausgerandet. Aeusserlich ist die Lippe blasspurpurn, der Bauch derselben hellgelb; die Innenfläche tief-orangegelb, mit prächtig purpurnem Saume. Man kann die Lippe nicht ausbreiten ohne sie bis zu ¾ vom Grund aus in der Mitte aufzuschneiden. Die Säule ist kurz und dick, keulig, grün. Sehr ausgezeichnet ist an ihr die Lage der hintern Oehrchen des Androclinium, die, querliegend, einander decken. Der Staubbeutel ist kleiner, als bei Laelia pumila, die Pollenmassen sind ungleich. — Nicht immer sind die Leisten der Lippe entwickelt.

Die verwandte Laelia pumila wäre nun so zu diagnosticiren:

Laelia pumila: perigonio aperto perpendiculariter explanato, labello gynostemium non omnino involvente, recto, trilobo, lobis lateralibus obtusangulis, basi gynostemii adnato nec circa idem, carinis ternis per discum labelli integerrimis, ante lobi medii basin evanescentibus, gynostemio gracili elongato, auriculis posticis androclinii erectis apice serrulatis, processu rostellari abbreviato.

Die Gestalt der Lippe ist ganz verschieden. Man kann dieselbe, ohne sie zu zerschneiden, ausbreiten. Die Säule ist schlank. Der bei Laelia pumila dunklere Purpur des Lippenvorderstücks sticht ab von dem blass-ochergelben weissen, und blass amethystfarbigen Hinterstück. Während Laelia praestans ihre Sepalen und Tepalen in einer Horizontalebene flach trägt, und die Lippe sich nach oben krümmt, stehen bei Laelia pumila Sepalen und Tepalen immer perpendicular, die Lippe nach vorn oder unten.

Bereits im Winter 1856 — 57 sahen wir Laelia praestans prächtig blühend bei Herrn Laurentius, der sie direkt eingeführt. So sehr sie uns auffiel, wagten wir nicht, sogleich eine neue Art zu publiciren, da immerhin nach Allem, was wir erlebt, eine Monstrosität denkbar war. Allein heuer blüht sie ebendaselbst wieder, gezogen von Herrn Böttger, und noch erhielten wir sie aus Berlin, aus Herrn Moritz Reichenheim's Sammlung, kultivirt von Herrn Schulz.

Wir halten nun die schöne Pflanze mit gutem Gewissen für eine ausgezeichnete Neuigkeit.

Verlag der Nauck'schen Buchhandlung. Berlin. Druck der Nauck'schen Buchdruckerei.

No. 43. Sonnabend, den 24. Oktober. 1857

Preis des Jahrgangs von 52 Nummern mit 12 color. Abbildungen 6 Thlr., ohne dieselben 5 -. Durch alle Postämter des deutsch-österreichischen Postvereins sowie auch durch den Buchhandel ohne Preiserhöhung zu beziehen.

Mit direkter Post übernimmt die Verlagshandlung die Versendung unter Kreuzband gegen Vergütung von 26 Sgr. für Belgien, von 1 Thlr. 9 Sgr. für England, von 1 Thlr. 22 Sgr. für Frankreich.

BERLINER Allgemeine Gartenzeitung.

Herausgegeben vom

Professor Dr. Karl Koch,

General-Sekretair des Vereins zur Beförderung des Gartenbaues in den Königl. Preussischen Staaten.

Inhalt: Welche Vermehrungs- und Erziehungsart der gemeinen Hauszwetsche oder Bauernpflaume wäre für die allgemeine Landeskultur räthlich? Von dem Kreisgerichtsofficial Johann Schamal zu Jungbunzlau in Böhmen. — Eugenia Ugni Hook. Briefliche Mittheilung des Professor Dr. Reichenbach fil. zu Leipzig. — Ueber Vermehrung der Thuja-Arten. Von dem Obergärtner Reuter in Sanssouci. — Ueber Gurken- und Melonen-Kultur in Russland. Von dem Freiherrn von Fölkersahm auf Papenhof in Kurland. — Hymenocallis Moritziana Kth. — Verkauf von Amaryllis in Berlin.

Welche Vermehrungs- und Erziehungsart der gemeinen Hauszwetsche oder Bauernpflaume wäre für die allgemeine Landeskultur räthlich?

(Von dem Kreisgerichtsofficial Johann Schamal zu Jungbunzlau in Böhmen.)

In der Versammlung des land- und forstwissenschaftlichen Vereines zu Jungbunzlau vom 17. März habe ich versucht, diese Frage zu beantworten. Sie ist so wichtig, dass ich nicht anstehe, meine Ansichten hierüber auch in diesen Blättern zu veröffentlichen.

Der wesentliche und vielseitige Nutzen der gemeinen Hauszwetsche (Haus- oder Bauerpflaume) ist schon so häufig besprochen und anschaulich gemacht worden, dass jede weitere Erörterung darüber rein überflüssig ist; desto dringender fordert die bekannte kurze Lebensdauer der Zwetschenbäume und die allseits ungemein gesteigerte Nachfrage nach Baumsetzlingen, welche bei der bisher üblichen Anzucht nur nothdürftig und grösstentheils unvollkommen befriedigt werden konnte, zur Untersuchung der Frage auf: „Welche Vermehrungs- und Erziehungsart ist wohl allgemein anzurathen, um dem Bedürfnisse in jeglicher Hinsicht zu genügen?"

Folgende Ansichten dürften einen Fingerzeig geben: Seit undenklichen Zeiten wurde die Vermehrung

1. am häufigsten durch Wurzelausläufer,
2. seltener durch Aussaat der Zwetschensteine,
3. noch seltener aber durch Veredelung vorgenommen.

Es handelt sich nun um die Frage: welche von diesen drei Vermehrungsarten ist im Stande, am sichersten, schnellsten und billigsten zur Anzucht einer entsprechend grossen Menge kerngesunder und der Landeskultur in jeder Beziehung zusagender Zwetschenstämmchen zu führen? Zu diesem Behufe will ich die drei Vermehrungsarten etwas näher betrachten.

Zu 1. Die meisten jetzt in Böhmen und vielleicht ganz gleichartig auch in andern Ländern existirenden Zwetschenbäume haben meist folgenden Ursprung.

Jeder fleissige Grundwirth, der seinen gewöhnlich mehr oder minder mit Zwetschenbäumen bepflanzten Garten zeitweilig besucht, findet darin eine Menge junger, aus Wurzelausläufern emporgewachsener Zwetschenpflänzchen. Von diesen sucht er nun gewöhnlich die schwächeren zu unterdrücken, die stärkeren aber zu schonen, zu beschneiden, und die krumm wachsenden an beigesteckte Pfähle zu befestigen. Nach etwa 6 bis 8 Jahren hat er hieraus schöne Hochstämme gezogen, mit denen er die im Garten leer gewordenen Plätze und allenfalls auch seine Feldraine bepflanzt. Auf diese Weise ist er jeder Auslage für Ankauf der Bäume aus fremden Gärten nicht allein gänzlich enthoben, sondern er hat noch den Vortheil, dass er bei der gesteigerten Vorliebe für die Obstzucht und bei der Nachfrage nach guten Zwetschenstämmchen eine seinen Bedarf übersteigende Mehrzahl herangezogen hat und durch deren Verkauf einen bedeutenden Gewinn für seine Mühewaltung zu sichern im Stande ist.

Weil nun solche Zwetschenstämmchen gewöhnlich

im Grasboden und unverpflanzt standen, überdies auch grösstentheils von benachbarten Hochstämmen stark überschattet wurden, so haben die meisten von ihnen nur ein höchst spärliches, nicht selten sogar angefaultes Wurzelvermögen und am Stamme eine durch besagte Ueberschattung sehr weichlich oder schwammig gebildete Rinde. Die sichere Folge davon ist, dass eine geringe Anzahl solcher ausgepflanzten Stämmchen wegen schlechter Anwurzelung gleich in den ersten Jahren zurückbleibt, andere aber wegen ihrer sehr empfindlichen Rinde gegen die auf ihren bleibenden Standorten gewöhnlich vorherrschenden, scharfen atmosphärischen Einwirkungen den Frost- und Krebsschäden oder anderen Krankheiten über kurz oder lang unterliegen. Dies ist ein wesentlicher Uebelstand, weil deshalb viele Jahre nach einander alljährlich Bäume eingehen und diese immer vom Neuen nachgepflanzt werden müssen, was wiederum nicht wenig Kosten macht. Und kaum ist Alles ersetzt, so fangen schon wieder mehre der älteren Stämme in Folge ihrer bisher verborgen gewesenen Frost- und Gummischäden vom Neuen zu kränkeln an und gehen zu Grunde. Man erlebt daher eigentlich niemals wahre Freude an seiner Pflanzung. Alle Zwetschenbäume, die von Hausirern oder auf den Märkten gewöhnlich spottwohlfeil verkauft werden, haben auf gleiche Weise unzählige Gebrechen. Der Käufer ist fast immer der Betrogene; es kann daher nicht genug vor solchen Einkäufen gewarnt werden.

Den vorerwähnten Uebelständen suchen einsichtsvolle Baumzüchter dadurch zu begegnen, dass sie die noch jungen Wurzelausläufer in den Gärten herausgraben, gehörig einstutzen und vorläufig in einer Baumschule einpflanzen. Hier bekommen sie nun freilich ein mehr oder minder geregeltes Wurzelvermögen und, weil sie keiner Ueberschattung ausgesetzt sind, auch eine entsprechend abgehärtete Rinde am Stamme. Eine derlei baumschulgerechte Kultur der Zwetschenbäume ist im Nothfalle ziemlich vortheilhaft, und kann schon immerhin, wenigstens ausnahmsweise, der allgemeinen Landeskultur anempfohlen werden; dieselbe hat aber dennoch, wie ich mich praktisch genau überzeugt habe, nachstehende Uebelstände.

a) Bei der sorgfältigsten Auswahl der Wurzelausläufer geschieht es häufig, dass viele schlecht bewurzelt gewesene Pflänzlinge gleich im ersten Pflanzjahre eingehen und in der Baumschule leere Plätze hinterlassen, die nicht mehr anderweitig benutzt werden können. Wollte man diese leeren Plätze im nächstfolgenden Jahre durch Nachsatz ausfüllen, so käme dieser Nachsatz schon in den Schatten der älteren Stämmchen und müsste verbutten.

b) Obwohl derlei Setzlinge in der Baumschule regelmässig ein besseres Wurzelvermögen erhalten, so ist dasselbe dennoch bei vielen ziemlich einseitig oder sonst mangelhaft, und erheischt daher bei Pflanzungen zum Bleiben noch immerhin einen oft mehrjährigen Nachsatz.

c) Ist man von der Diskretion der alten Zwetschenbäume nur zu sehr abhängig, indem man alljährlich zusehen muss, ob und in wie weit es ihnen gefällig ist, uns mit einigen Wurzelausläufern zu beglücken. Dies ist vorzüglich dann der Fall, wenn man blos Ausläufer von einzelnen besseren Sorten zu erlangen wünscht. In dieser letzteren Beziehung kannte ich Baumzüchter, die noch sehr kräftige Zwetschenbäume ganz nahe an der Erde abgehauen hatten, um hiedurch die übrig bleibenden Stöcke zu reichlicheren Wurzelausläufern zu vermögen.

d) Uebrigens habe ich, wenn nicht bei allen, doch bei vielen Baumzüchtern die Wahrnehmung gemacht, dass sie nicht so sehr aus praktischer Ueberzeugung, als vielmehr aus angewohnter Bequemlichkeit die Zwetschenbäume lieber ganz gemächlich aus Wurzelausläufern, die die Natur ohne alle Mühe hergiebt, als durch Aussaat von Samen, heranziehen, indem letztere vermeintlich langsam von Statten geht und bei nicht gehörigem Verfahren zuweilen theilweise oder wohl auch gänzlich missglückt. So habe ich z. B. einen in mehrfacher Beziehung geachteten Baumzüchter gekannt, der im Jahre 1841, wo die Zwetschen gerade äusserst selten und theuer waren, 3 Strich der ausgesucht schönsten zu dem (aus meiner Baumschule schon längst gänzlich verabschiedeten) Legen ganzer Früchte verwendet, im nächsten Frühjahre aber nur 7 schwache Zwetschenpflänzchen zum Lohne erhalten hatte. Wie viel Zwetschenmuss ging da für seinen Haushalt ganz muthwillig verloren? —

Zu 2. Die Aussaat der Zwetschensteine, wenn sie zweckmässig durchgeführt wird, ist im Vergleich zur Kultur durch Wurzelbrut in mehrfacher Hinsicht vortheilhafter. Zweckmässig durchgeführt wird sie, wenn man die Zwetschensteine auf die gewöhnliche Art, entweder breitwürfig oder in seichte Furchen (Rinnen), und zwar bedeutend gedrängt, in einem lockeren, ziemlich sandhaltigen Saatbeete schon im Herbste und höchstens ½ Zoll tief unterbringt und die aus ihnen im Frühjahre gekeimten Sämlinge den Sommer hindurch unter fleissiger Beseitigung des Unkrautes daselbst lässt. Im zweiten Frühjahre werden sie, gewöhnlich Strohhalm stark, in frisch umgestochene Beete, etwa 6 Zoll von einander, nachdem zuvor sowohl die Pfahlwurzel, als auch der Schaft je auf etwa 3 Zoll Länge eingekürzt worden ist, mit einem gewöhnlichen Setzholze, wie Gemüsepflanzen, übersetzt (piquirt) und angegossen. Dieses Angiessen wird auch in den ersten 4 bis 6 Wochen, jedoch nur für den Fall, wenn der Boden, (was in manchem Frühjahre fast gar nicht Statt findet), merklich austrocknen sollte, wiederholt. Uebrigens müssen die Pflänzlinge abermals den ganzen Sommer durch fleissiges Jäten und Lockern des Bodens rein gehalten werden, wo sie dann bedeutende Stärke und vorzüglich schöne Bewurzelung erlangen, so zwar, dass sie gleich im Herbste desselben Jahres oder im nächstfolgenden Frühjahre etwa 2 Fuss von einander in die eigentliche Baumschule verpflanzt und von da nach 5 bis 6 Jahren zum Bleiben ausgesetzt werden können.

Man könnte zwar, um einen bedeutenden Vorsprung im Wachsthume zu gewinnen, die Zwetschensämlinge gleich mit ihren Samenlappen, wenn sie nämlich zwischen diesen letzteren 2 bis 3 Blättchen entwickelt haben, aus ihrem Saatbeete herausheben und auf vorbesagte Art 6 Zoll von einander piquiren, so wie ich es überhaupt mit den meisten Baumpflänzlingen zu thun pflege. Allein gerade bei den Zwetschensämlingen, die sehr unregelmässig, manche erst im zweiten Frühjahre, keimen, ist dieses Piquiren, bei welchem sehr viele zu Grunde gehen, bedeutend schwieriger. Ich lasse sie daher gewöhnlich das erste Jahr in ihrem Saatbeete ganz unberührt. Die auf dem nach erfolgter Verpflanzung der sämmtlichen einjährigen Sämlinge leer gewordenen Saatbeete nachträglich, daher schon im zweiten Jahre, emporkeimenden Pflänzchen werden entweder auf ein kleines Beet piquirt, oder aber beim Umstechen des Saatbeetes ganz unbeachtet versetzt.

Die Vorzüge des vorbeschriebenen Verfahrens sind folgende.

a) Durch dieses Piquiren erhalten die Sämlinge schon im besagtem Pflanzenbeete schön geregelte Wurzelkronen, welche

b) nach der abermaligen und baumschulgerechten Verpflanzung um so schöner werden.

c) Gelegenheitlich ihrer dritten Auspflanzung, nämlich zum Bleiben, sind sie so wunderschön bewurzelt und so lebensfroh kräftig, dass sie sicherlich alle, ohne jeden Nachsatz, muthig fortwachsen und eine lange Lebensdauer erwarten lassen, daher alle aus Wurzelausläufern gezogenen Stämme weit überflügeln müssen. Solche Zwetschenstämmchen sind daher der allgemeinen Landeskultur am zuträglichsten, und dies um so mehr, als

zu 3. die Vermehrung durch Veredlung den mit derselben betrauten Arbeitern gewöhnlich nicht zusagend gelingen will, daher nur im kleineren Massstabe bei besonderen Zwetschensorten für Pomologen und sonstige Liebhaber ihre entsprechende Anwendung findet.

Gegen die besagte Vermehrungsart durch Samen werden die bisher noch zahlreichen Freunde der Wurzelausläufer ihre Stimmen erheben und nachstehende zwei wichtige Einwendungen vorbringen.

A) Durch die von der freigebigen Natur ohne alle menschliche Bemühung jährlich gespendeten und höchst zahlreichen Wurzelausläufer gelangt man, vorzüglich bei Verwendung älterer und stärkerer Triebe, um mehre Jahre früher zu schönen Zwetschenhochstämmen. Die Aussaat der Zwetschensteine dagegen ist in manchen Jahrgänge höchst misslich; selbst bei gutem Gelingen wachsen dennoch die Sämlinge äusserst langsam und verlangen jahrelang nicht unbedeutende Pflege, bevor sie zu schönen Hochstämmen heranwachsen.

B) Durch die Ausläufer, welche man nur von den edelsten und besten Sorten nehmen kann, gelangt man zu den besten und edelsten Früchten, deren Werth fast doppelt so gross ist. Die Zwetschensämlinge hingegen liefern ein Gemengsel von Früchten, die durch Grösse, Geschmack, Reifzeit und Löslichkeit vom Steine, daher auch durch einen mehr oder minder niedrigen Marktpreis so sehr von einander abweichen, dass es auffällt, wie man noch eine solche Vermehrungsart, nämlich die durch Samen, bevorzugen kann.

Doch gerade von diesen wichtig sein sollenden Einwendungen finde ich alljährlich in meiner Baumschule das auffallendste Gegentheil, denn

zu A) die zuvor zu 1 unter a und b angedeuteten Uebelstände haben sich bei mir so häufig und so nachtheilig wiederholt, dass ich nach Bezahlung eines ziemlich hohen Lehrgeldes die Vermehrung durch Wurzelausläufer dermal fast gar nicht mehr, und dies um so weniger anwende, als mir alljährlich meine stets grossartigen Aussaaten von Zwetschen- und Pflaumensteinen aller Art massenhaft emporkeimen und ohne besondere Pflege eben so schnell, ja fast noch schneller, als die Wurzelausläufer, zu so kräftigen Hochstämmen heranwachsen, dass nichts mehr zu wünschen übrig bleibt.

Zu meiner Pflaumenzucht lasse ich gewöhnlich schon im August und Anfang September die Steine von allerlei Pflaumen- und frühreifenden Zwetschensorten durch Kinder auf dem Obstmarkte einsammeln. Die später im September schon unvermischt eingesammelten, so wie auch beim Musskochen frisch herausgelösten, daher ganz reinen Zwetschensteine — zuweilen 2 bis 4 niederösterreichische Metzen (2—4½ Scheffel) — werden ganz abgesondert ausgesäet und die aus ihnen gewonnenen Sämlinge unveredelt als reine Zwetschenbäume behandelt.

Aus dem gleichfalls 2 bis 4 Metzen betragenden Gemengsel, dessen Einsammlung schon im August den

Anfang nahm, keimen nun im nächsten Frühjahre ganz verschiedenartige Pflaumensämlinge empor, die in der Zeitfolge auch verschiedenartige, mehr oder minder gute Früchte liefern. Solchen Pflaumensämlingen verdanken unter andern auch die Schamals Frühzwetsche und Schamals Spätpflaume ihr Dasein. Viele von diesen Sämlingen wachsen so ungemein stark und so kerzengerade, dass sie mit der im 2ten Bande der Monatsschrift für Pomologie und praktischen Obstbau vom Jahre 1855, Seite 423, angedeuteten Washington und Imperiale blanche füglich wetteifern und schon als dreijährige, 6 bis 7 Fuss hohe Sämlinge in der Kronenhöhe mit Aprikosen und verschiedenartigen Pflaumen oder Zwetschen veredelt werden können. Was kein schönes Wachsthum andeutet, oder überhaupt was mir nicht gefällt, wird bei meinem massenhaften Vorrathe von derlei Sämlingen oft zu Tausenden weggeworfen.

Nun sei mir hier noch nachstehende kleine Abschweifung erlaubt. Als ich vor 12 Jahren den Entschluss fasste, die Pfirsich- und Rosenzucht im grösseren Massstabe zu betreiben und hiebei die bisher für unpraktisch gehaltene Kopulation ausschliessend in Anwendung zu bringen, besuchten mich zufällig einige geübte Rosenzüchter und gewahrten hiebei die Pflanzung meiner einjährigen, noch sehr schwachen Hagebuttensämlinge (Rosa canina). Mit Achselzucken machten sie die Bemerkung, dass ich wenigstens 8 bis 10 Jahre warten müsse, bevor ich aus diesen Sämlingen hohe Rosenstöcke heranzubilden im Stande wäre.

Das Gegentheil dieser Bemerkung veroffenbarte sich jedoch schon nach 2 und 3 Jahren, indem ich um diese Zeit bereits 6 Fuss hohe Pyramiden mit wahrhaft unzähligen Blüthen bedeckt aufzuweisen im Stande war.

Mehre Jahre darnach machte ein hoher Mäcen und grosser Kulturen-Kenner, welcher zur Zeit der Rosenflor alljährlich meinen Garten besuchte, mir den Vorwurf, ich stehe im Verdachte, durch geheime Mittel meinen Gartenboden derart zu präpariren, dass nur darin und sonst in keinem andern Garten die Rosen so üppig fortwüchsen und wunderschön blühten. Doch ich bewies ihm sogleich im Beisein eines achtbaren täglichen Gastes, der mein Verfahren in allen jenen Haupt- und Nebenzweigen vollkommen zu bestätigen im Stande war, dass in meinem stark sandigen Gartenboden mit grobkiesiger Unterlage und bei mässiger Düngung mit Gassenkehricht durch gar kein geheimes Mittel, sondern blos durch die mit Vorliebe betriebene Anzucht von piquirten, daher reichlich bewurzelten und kerngesunden Sämlingen, dann durch ein zweckmässiges Isoliren und Reinhalten derselben von Unkraut nicht nur diese Rosenstöcke, sondern auch die zufällig in der Nähe gepflanzt gewesenen häufigen Zwetschensämlinge sich eines kräftigen Daseins erfreuen.

Zu B). Hat es wohl seine volle Richtigkeit, dass man durch die blos von den edelsten und besten Sorten genommenen Wurzelausläufer ganz bequem zu den edelsten und besten Früchten gelangen kann. Allein dies passt nicht für die allgemeine Landeskultur, sondern blos für kleinere Anlagen, weil derlei edle Ausläufer nicht in genüglicher Menge zu haben sind. Den sichtlichen Beweis hievon liefern sehr viele mit der Anzucht von solchen Bäumen sich befassende Händler, welche durch Herausgrabung der Wurzelausläufer ohne allen Unterschied die Gärten vollends plündern, um sogestaltig ihren für den Absatz benöthigenden grösseren Vorrath zu decken. Die Seite 45 der erwähnten Monatsschrift vom Jahre 1855 dürfte diesfalls einige Licht- oder Schattenseiten andeuten.

Eben von den vorbesagten Händlern bekommen fast alle Käufer derlei hochstämmig gezogener Bäume ein Gemengsel von Früchten, die durch ihre Grösse, durch Geschmack, Reifzeit und Löslichkeit vom Steine ganz gleichartig, wie ihre Mutterstämme, von einander abweichen. Es ist daher gerade derselbe Uebelstand, den man absichtlich bei den von Sämlingen erhaltenen Früchten so wesentlich hervorhebt. Die zum Markte in grossen Massen gebrachten Zwetschenfrüchte, sowohl von Wurzelausläufern, als von Sämlingen, tragen daher gewöhnlich dieselben Gebrechen zur Schau. Doch sind diese Gebrechen wahrlich nicht so wesentlich, folglich nicht so grell in die Augen springend, und werden eben deshalb beim Einkaufe fast gänzlich übersehen. Man greift nur gewöhnlich nach grösseren Früchten, wiewohl nicht selten die kleineren, wenn sie von gut gedeckten Lagen herkommen, bedeutend besser sind. Die Aufzählung einiger von mir diesfalls erlebten und höchst auffallenden Beispiele wäre wohl interessant genug; doch würde dies gar zu weit vom Ziele führen. Der Standort giebt einen wesentlichen Ausschlag. Viel schöner und schmackhafter sind die Früchte im kultivirten Gartengrunde oder in anderen geeigneten, durch Wohn- und Wirthschaftsgebäude oder durch Hügelabhänge geschützten Lagen, als auf offenen und allen Luftstrichen zugänglichen Feldrainen und Hutweiden.

Eben deshalb ist es auch erklärlich, warum die sogenannte „Dolaner Zwetsche“, die in ihrem Stammorte — dem reichlich angeschlemmten und durch Bergabhänge gegen Nordwinde höchst vortheilhaft geschützten Moldauthale — so hoch berühmt ist, und am Prager Obstmarkte so sehr gesucht wird, an allen andern minder günstig gelegenen Orten, und folglich auch in meinem hoch und frei gelegenen Garten nur ganz unbedeutende Früchte, wie jeder andere einheimische Zwetschenbaum liefert, obwohl mir durch gütige Mittheilung des Br. von Trauttenberg ganz ächte Reiser, die er von den berühmtesten Bäumen in Dolan selbst geschnitten hatte, zugekommen sind. Es liesse sich daher füglich behaupten, dass alle unsere Zwetschenbäume — nach „Dolan" verpflanzt — vielleicht eben so grosse und köstliche Früchte zu tragen und eben denselben Beifall zu erlangen im Stande wären, der dem Dolaner Dorfrichter zu Theil wurde, als derselbe im Jahre 1836 zur Zeit der Krönungsfeierlichkeit in Prag eine Parthie Dolaner Zwetschen auf die kaiserliche Tafel geliefert und dem zugleich anwesend gewesenen verstorbenen Kaiser Nicolaus von Russland zwei Obstkörbchen voll derlei Zwetschen verehrt hatte. Letztere wurden als eine Seltenheit — nachdem besagter Richter mit einer goldenen mit Brillanten besetzten Tabatière huldvoll beschenkt worden ist — nach St. Petersburg verführt.

Aus dem, was eben gesagt ist, dürfte nun genug hervorgehen, dass die überaus reichlich bewurzelten und durch kräftiges Fortwachsen eine lange Lebensdauer versprechenden Zwetschensämlinge, deren massenhafter Anzucht kein Hinderniss im Wege steht, vor denen im Nothfalle freilich nicht zu verwerfenden und aus Wurzelausläufern baumschulgerecht gezogenen Schwächlingen für die Landeskultur immerhin einen wesentlichen Vorzug verdienen. Von der fast gänzlichen Verwerflichkeit der im Grasboden zwischen oder wohl gar unter alten Bäumen unverpflanzt gezogenen Zwetschenstämmchen gilt das gleich im Anfange zu 1 Gesagte.

Auch können diesfalls die in der mehrbesagten Monatsschrift vom Jahre 1856 Seite 286 vom Pfarrer Karl Fischer entwickelten Ansichten über den Obstbau in Böhmen verglichen werden, und dies um so mehr, als auch im Bunzlauer Kreise unzählige und zwar vorzugsweise aus den Wurzelausläufern gezogene Zwetschenbäume dem ungewöhnlichen Winter 18[illegible] gänzlich unterlagen.

Sollte indessen Jemand aus was immer für Gründen die Anzucht der Wurzelausläufer in der Baumschule dennoch bevorzugen, so wäre ihm gerathener, sie nicht gleich baumschulgerecht zu verpflanzen, sondern vorläufig, ganz gleichartig, wie die zu 2 erwähnten einjährigen Zwetschensämlinge, zu piquiren. Durch das in diesem Pflanzenbeete wegen schlechter Bewurzelung häufig Zurückgebliebene wird den seinerzeitigen häufigen Lücken in der Baumschule vorgebeugt, und die gut fortgekommenen Stämmchen werden durch ein sogestaltiges mehrmaliges Verpflanzen um so besser bewurzelt.

Schliesslich muss ich nur noch bemerken, dass ich die vorbeschriebene Anzucht der Zwetschenstämmchen blos von dem Standpunkte meines eigenen pomologischen Gartens mit sandiger Krume und grobkiesigem Unterboden, worin alle Sämlinge und Zimmerkopulanten regelmässig über alle Erwartung gut gerathen, betrachtet und beschrieben habe. Ein anderer mehr lehm- oder thonhaltiger Boden und andere Lagen mögen immerhin wesentliche Abweichungen nothwendig machen. So hat z. B. der Apotheker Siebenfreund zu Tyrnau in Ungarn, Mitarbeiter an der vorbesagten Monatschrift, laut seiner mir erst kürzlich zugekommenen brieflichen Mittheilung mit der Anzucht der Zwetschenunterlagen sich Jahre lang geplagt, mit den Ausläufern der Hauspflaume total fiasco gemacht, und ebenso auch mit den Steinen niemals gute Resultate erlebt, indem dieselben — auf alle mögliche Weise behandelt und gelegt — nur in ganz geringer Menge aufgegangen sind.

Es muss daher bei der Anzucht der Zwetschensämlinge die Wahl eines zweckmässigen Fürganges nach mehrfachen abweichenden, den Lokalverhältnissen zusagenden Versuchen, durch welche auch ich sehr häufig ein kostspieliges Lehrgeld zahlte, jedem denkenden Baumzüchter überlassen bleiben. Er wird sicherlich, wie es bereits mehre mir bekannte Baumzüchter thun mussten, sich endlich hinein zu schicken wissen. Wer jedoch einen ähnlichen, ziemlich kultivirten Sandboden, wie ich, hat, der ahme ganz getrost nur mir nach, und er wird bestimmt die glänzendsten Resultate erleben.

Eugenia Ugni Hook.

Briefliche Mittheilung vom Professor Dr. Reichenbach fil.

Erlauben Sie mir die Mittheilung, dass ich im November vorigen Jahres reife Ugnifrüchte in Acton Green bei London öfters genoss, welche in der That — freilich nicht allzu stark — den feinen Geschmack besassen, der an Ananas und Erdbeeren gleichzeitig erinnert. Die Topfpflanze wurde vom Professor Lindley in einem Beete kultivirt, welches mit Glasfenstern während ungünstiger Witterung gedeckt wurde.

Wenn nun ein so zuverlässiger Beobachter, wie der Berichterstatter neulich, in Nr. 36 der Gartenzeitung, das Gegentheil versichert, so bleibt zu untersuchen, in welchen Verhältnissen das verschiedene Resultat begründet ist.

Ueber Vermehrung der Thuja-Arten.

Von dem Obergärtner Reuter in Sanssouci.

Es dürfte nicht uninteressant sein und grade für eine Gartenzeitung passend erscheinen, wenn nach einer ausführlichen botanischen Auseinandersetzung über die Thuja-Arten, wie sie in der 36. und 39. Nummer gegeben ist, für diese schönen Gehölze auch eine Anweisung in gärtnerischer Hinsicht erfolgte. Ob ich den Männern vom Fache damit etwas Neues bieten kann, lasse ich dahin gestellt sein; auf jeden Fall möchten aber Liebhaber von Jemand, dem seit Jahren schon die Vermehrung, besonders der feinern Gehölze, in der Landesbaumschule bei Potsdam, mit obliegt, die Mittheilung von Erfahrungen Interesse darbieten. Jedermann hat seine eigene Weise bei jedem Verfahren, was nach allen Seiten hin beleuchtet, eben dadurch klarer wird.

Die Thuja-Arten oder die Lebensbäume im Speciellen haben schon, wie aus dem botanischen Aufsatze über diesen Gegenstand hervorgeht, sehr lange Zeit die Aufmerksamkeit der Gartenliebhaber auf sich gezogen und werden auch stets für die Gärtnerei ihre Wichtigkeit behalten. In der neuesten Zeit haben wir zu den bekannteren noch eine Menge Formen, und selbst mehre Arten, kennen gelernt, so dass jetzt eine weit grössere Auswahl zu Gebote steht, als früher. Man hat sogar aus ältern und neuern Arten neue Geschlechter (Thujopsis, Libocedrus, Callitris und Frenela) gemacht. Aber auch ausserdem haben wir aus den Geschlechtern Cupressus und Chamaecyparis Arten kennen gelernt, welche ebenfalls das Ansehen der Lebensbäume haben, d. h. die Verzweigungen der einzelnen Aeste in einer Fläche liegend besitzen.

Wie alle diese Arten und Formen in ihrem äussern Erscheinen eine grosse Uebereinstimmung haben, — nur die Callitris und Frenela-Arten weichen ab —, so können sie auch bei Veredlungen willkürlich gegenseitig benutzt werden. Es ist dieser Umstand ausserordentlich gewichtig und viel werth, da wir dadurch ein Mittel besitzen, auch die seltenern und feineren Arten und Sorten rasch zu vervielfältigen. Thuja occidentalis ist ein ganz gewöhnliches Gehölz und überall vorhanden; es kann sehr gut als Unterlage für alle übrigen Lebensbäume oder Thuja-Arten im weiteren Sinne dienen. Der Lebensbaum des Abendlandes wird auch in der Landesbaumschule hauptsächlich dazu benutzt und deshalb auf alle mögliche Weise vermehrt, um bei den grossen Nachfragen auch stets den gehörigen Vorrath zu besitzen. Ihm wende ich mich deshalb zuerst zu.

Seine Vermehrung durch Samen geschieht im genannten Institute ziemlich grossartig und werden alljährig Massen junger Pflanzen herangezogen. Sobald es das Wetter im Frühjahre erlaubt, richten wir zur Aufnahme von Samen besondere Rabatten ein, indem wir die gewöhnliche Erde gehörig mit Haide- und Lauberde vermengen. Die Samen liegen nicht lange, sondern keimen unter günstigen Umständen sehr bald. Die Sämlinge lassen wir ungestört den ganzen Sommer und Winter hindurch stehen, um sie im nächsten Frühjahre auf andere Beete zu bringen.

Hat man Samen von andern Lebensbäumen, die zarter sind, zur Hand, so verlangen diese auch eine sorgsamere Behandlung. Wir bringen ihn zunächst nicht ins freie Land, sondern säen ihn in Kästen oder in Schalen, und zwar schon im März, aus, um diese in ein warmes Haus oder in einen Mistbeetkasten zu stellen. Hier keimen sie noch rascher, so dass die Sämlinge bereits im Mai in Kästen oder in ähnliche Gefässe überpiquirt werden können. Im Anfange darf man sie nicht gleich der freien Luft aussetzen, sondern muss sie erst allmählig daran gewöhnen, so dass sie im Juni bereits unbedeckt bleiben können. Auf diese Weise erstarken sie und können nachher weniger günstiges Wetter ohne allen Nachtheil vertragen.

Die Vermehrung durch Ableger ist bei allen im Freien aushaltenden Arten, ganz besonders aber bei Thuja plicata und Wareana, mit Vortheil anzuwenden. Gewöhnlich geschieht es im Frühjahre, und zwar ziemlich zeitig; sind die Verhältnisse nur einiger Massen günstig, so haben sich die Ableger im Herbste des zweiten Jahres vollständig angewurzelt, so dass sie leicht abgenommen und weiter verbraucht werden können.

Wir bedienen uns noch eines anderen Verfahrens, was ich nicht genug empfehlen kann. Wir nehmen ältere Pflanzen, die tief unten am Stamme sich vielfach verästelt haben, und setzen diese so tief in die Erde ein, dass die untern Aeste gänzlich von dieser bedeckt sind. Bei gehöriger Feuchtigkeit treiben die letztern schon bald Wurzeln, die sich später in der Weise vermehren, dass schon nach Jahresfrist sie als Ableger entfernt und dann als selbstständige Pflanzen benutzt werden können.

Noch leichter und bequemer ist die Vermehrung sämmtlicher Thuja-Arten und Abarten durch Stecklinge, da diese leicht anwachsen und gleich in Massen angefertigt werden können. Bei feinern und zarteren Sorten thut man wohl, wenn man die Mutterpflanzen, welche man zu Stecklingen benutzen will, in Töpfen kultivirt, da sie einestheils dadurch gedrängter wachsen und anderntheils im Herbste frühzeitiger reifes Holz machen. Pflanzen, die im Freien stehen, sind unter ungünstigen Witterungsverhältnissen nicht immer in der Verholzung ihrer Jahrestriebe so weit gediehen, dass diese hinlänglich reif und deshalb brauchbar wären.

Die beste Zeit zu Stecklingen ist unbedingt der September, wo man immer noch auf einige gute Tage rechnen kann. Die dazu benutzten Zweige dürfen allerdings nicht mehr weich, sondern müssen vollständig verholzt sein. Die Stecklinge werden in besondere Gefässe gebracht und in diesem Zustande in geschlossenen Räumen überwintert, und zwar mit einer Temperatur, die nur wenig Grad über den Gefrierpunkt beträgt. Erst im Frühjahre bringt man sie in einen warmen Mistbeetkasten oder wohl auch in ein warmes Haus, wo sie dann allmählig anfangen, aus dem Callus Wurzeln herauszubilden, so dass sie in einigen Monaten brauchbar sind.

Wir bedienen uns in der Landesbaumschule einer Methode, die weniger bekannt ist, aber nichts desto weniger rascher zum Ziele führt. Wir machen nämlich von Pflanzen, die wir zu diesem Zwecke in Töpfen bereit halten, im December die Stecklinge und können dann überzeugt sein, dass das Holz vollständig reif ist. Die Stecklinge werden in einen Kasten, der nur reinen Sand enthält und eine Beetwärme von 15 bis 20 Grad R. besitzt, gebracht.

Die Bewurzelung geschieht hier so ausserordentlich rasch, dass die Stecklinge oft schon in 4, meist aber in 6 Wochen bereits ordentlich angewurzelt sind. Man hat jedoch hauptsächlich darauf zu achten, dass in der ganzen Zeit die Temperatur gleichmässig bleibt und stets die nöthige Feuchtigkeit gegeben wird. Nach Umständen muss man die Stecklinge, damit nicht im Geringsten Fäulniss eintreten und dann die Bildung des Callus ungestört vor sich gehen kann, ein und auch zwei Mal umstecken und sich von dem gesunden Zustande des unteren Endes überzeugen. Während der Zeit thut man auch gut, das ganze Beet mit dem Sande durchzuarbeiten, so dass alle unreinen Stoffe, die der Neubildung von Zellen im Callus hinderlich sein könnten, entfernt werden.

Was nun das Veredeln der verschiedenen Lebensbäume anbelangt, so ist dieses sehr leicht, da es auf gleiche Weise, nämlich durch Anplatten, geschieht, wie bei den Kamellien. Wir wenden es jedoch in der Baumschule fast gar nicht an, da die Vermehrung selbst der zarteren Arten und Sorten, viel rascher durch Stecklinge geschieht. Zur Vervollständigung des Ganzen theile ich diese Vermehrungs-Methode aber doch mit. Als Unterlage sind 2- und 3-jährige Sämlinge des Lebensbaumes aus dem Abendlande, also der Thuja occidentalis, am Besten. Die Veredelung selbst geschieht im August und September.

Die veredelten Pflanzen bringt man in die Kästen der Vermehrungs- oder anderer warmen Häuser, am Besten fast liegend, weil sie auf diese Weise am wenigsten Raum einnehmen. Die Verwachsung des Edelreises mit der Unterlage geschieht binnen 6 und 8 Wochen, worauf sie aufgerichtet werden, um sie nach und nach an die freie Luft zu gewöhnen. Zu gleicher Zeit nimmt man den oberhalb der Veredelungsstelle gebliebenen wilden Kopf in Zeiträumen von 4 zu 4 Wochen allmählig weg und entfernt damit endlich auch den Verband.

Es bleiben noch einige wenige Worte über die Art und Weise der Kultur der Lebensbäume zu sagen übrig. Am Besten gedeihen sie in einer Erde, welche aus einer Mischung von gleichen Theilen Laub- und Haide-Erde, so wie von guten Wiesenlehm besteht, denen man zur gehörigen Lockerung die nöthige Menge von Sand zusetzt.

Die beste Zeit des Verpflanzens junger und auch alter Exemplare ist der März; will man recht buschige Pflanzen haben, so ist es gut, die Verpflanzung der ersteren gegen das Ende Juli oder Anfang August noch einmal vorzunehmen.

Die Ueberwinterung der Topfpflanzen ist, da diese wenig Licht verlangen, sehr leicht und bequem. Wer kein besonderes Gewächshaus, was nur frostfrei erhalten werden muss, besitzt, kann die Thuja-Arten auch in einen, aber nicht dumpfen und zu geschlossenen, sondern möglichst luftigen Keller unterbringen. Nur die Thuja articulata oder Callitris quadrivalvis, deren Holz in der neuesten Zeit wegen seines hübschen Ansehens sehr viel aus Afrika in Frankreich, und zwar unter dem Namen Cedernholz, eingeführt wird, macht hiervon eine Ausnahme, da diese grade viel Licht auch im Winter verlangt und deshalb in dieser Zeit an eine helle Stelle eines Kalthauses gebracht werden muss, wenn keine Stockungen bei ihr eintreten sollen.

Die meisten Arten kann man im Herbste auch nur einfach einschlagen, wenn man sie im nächsten Frühjahre zum Verpflanzen ins Freie benutzen will. Sie leiden im Winter auch nicht im Geringsten durch die Kälte und sonstiges ungünstiges Wetter.

Frühe Gurken- und Melonen-Kultur in Russland.

Briefliche Mittheilung des Freiherrn v. Fölkersahm auf Papenhof in Kurland.

Es ist bekannt, dass man in den grössern Städten Russlands schon im Februar Gurken besitzt und dass im Mai Melonen auf den Märkten gar keine seltenen Erscheinungen sind. Die Treibereien von Gemüsen und Früchten haben überhaupt in Russland eine Vervollkommnung erhalten, wie wir sie kaum in London und Paris vorfinden und wie sie in Deutschland noch weit weniger angetroffen werden. Man hat fast den ganzen Winter hindurch in Petersburg und Moskau schmackhafte Erdbeeren und Kirschen; und eben so gehören Spargel und Blumenkohl in dieser Zeit keineswegs zu den Seltenheiten.

Es dürfte daher für die deutschen Gärtner, welche sich mit Treibereien beschäftigen, nicht uninteressant sein, zu wissen, wie man in Russland verfährt, um möglichst frühzeitig Gurken und Melonen zu erhalten. Man hat zunächst die Erfahrung gemacht, dass Stecklingspflanzen weit schneller Früchte hervorbringen, als die, welche aus Samen erzogen sind und von denen man jene oft erst anfertigte; deshalb werden in Russland zum Treiben in Kästen und warmen Häusern nur Stecklingspflanzen genommen.

Zu diesem Zwecke schneidet man gegen 8 und 9 Zoll lange Endzweige, die 3 Augen haben, ab, und zwar dicht unter einem Auge, und bringt sie ohngefähr 4 Zoll tief in der Weise in die Erde, dass 2 Augen von dieser bedeckt werden und nur das dritte oberhalb derselben noch heraussieht. Man benutzt dazu kleine Töpfe mit einer möglichst fruchtbaren und nahrhaften Erde, die überhaupt alle Kulturpflanzen aus der Familie der Cucurbitaceen verlangen, und bringt die Stecklinge in Mistbeetkästen, die nicht zu warm sind. Hier werden die Pflanzen noch mit Glasglocken bedeckt, um den Pflanzen zum Anwachsen möglichst viel feuchte Luft zu geben. Das Anwurzeln geschieht binnen weniger Tage, so dass schon nach Verlauf einer Woche die Pflanzen ausgetopft werden können, was wiederum in einen warmen Mistbeetkasten oder in ein warmes Beet eines Gewächshauses geschehen muss.

Man sucht nun nicht viel, sondern möglichst bald Früchte dadurch zu erlangen, dass man fortwährend die Spitzen auskneipt, bis die Fruchtansätze sich deutlich ausgebildet haben. Die Befruchtung geschieht stets künstlich. Auch später lässt man die Pflanze nie üppig wuchern, und gestattet ihr nur so viel Raum, als sie braucht.

Hymenocallis Moritziana Kth.

Wir haben schon mehrmals Gelegenheit gehabt, auf die Arten dieses Geschlechtes aufmerksam zu machen, und kommen auch jetzt wiederum auf eine zurück, die schon seit einem Paar Wochen im botanischen Garten zu Neu-Schöneberg bei Berlin blüht und allen Blumenliebhabern nicht genug empfohlen werden kann. Es ist die, welche der bekannte Pflanzensammler Moritz vor nun 10 Jahren aus Karakas sendete und die der verstorbene Professor Kunth ihrem Entdecker zu Ehren Hymenocallis Moritziana genannt und im 5. Bande seiner Enumeratio plantarum (Seite 668) beschrieben hat. Sie gehört zu der Abtheilung dieses aus nahe 30 Arten bestehenden Geschlechtes, welche breite und nach der Basis zu in einen Stiel sich verschmälernde Blätter besitzt. Da diese eine angenehme freudig-grüne Farbe und eine ziemliche Länge haben, so nimmt sich der gradaufstrebende Schaft, zumal er eine grössere Anzahl (10—15) Blüthen von blendend weisser Farbe trägt, noch weit hübscher aus, als es bei den Arten der Fall ist, wo die ungestielten Blätter im Verhältniss zum Schaft eine geringere Grösse besitzen. Wie alle Hymenocallis-Arten einen angenehmen, leider oft nur gar zu starken Geruch besitzen, so auch die nach Moritz genannte, der ganz besonders mit dem, den die Vanille aushaucht, zu vergleichen ist. Die 4½ Zoll lange und schlanke Blumenröhre ist etwas länger, als die anfangs steif wagerecht abstehenden und schmalen, aber später gegen die Mitte hin in einen Bogen graziös zurückgeschlagenen Blumenblätter.

Verkauf von Amaryllis in Berlin.

Verlag der Nauckschen Buchhandlung. Berlin. Druck der Nauckschen Buchdruckerei.

No. 44. Sonnabend, den 31. Oktober. 1857

Preis des Jahrganges von 52 Nummern mit 12 color. Abbildungen 6 Thlr., ohne dieselben 5 -
Durch alle Postämter des deutsch-österreichischen Postvereins sowie auch durch den Buchhandel ohne Preiserhöhung zu beziehen.

Mit direkter Post übernimmt die Verlagshandlung die Versendung unter Kreuzband gegen Vergütung von 24 Sgr. für Belgien, von 1 Thlr. 8 Sgr. für England, von 1 Thlr. 22 Sgr. für Frankreich.

BERLINER Allgemeine Gartenzeitung.

Herausgegeben vom

Professor Dr. Karl Koch,

General-Sekretair des Vereins zur Beförderung des Gartenbaues in den Königl. Preussischen Staaten.

Inhalt: Die zweite Versammlung deutscher Pomologen und Obstzüchter in Gotha, in den Tagen vom 9. bis 13. Oktober. Von dem Professor Dr. Karl Koch. — Einige Worte über Bromeliaceen, besonders über Pitcairnia cinnabarina A. Dietr. und Moritziana C. Koch et Bouché. — Bücherschau: Meyer's rationeller Pflanzenbau; Weber's Grundlinien der Landwirthschaft; Metz Bericht über neuere Nutzpflanzen; Oberdieck und Lucas Monatsschrift für Pomologie und praktischen Obstbau.

Die zweite Versammlung deutscher Pomologen und Obstzüchter in Gotha,

in den Tagen vom 9. bis 13. Oktober.

Von dem Professor Dr. Karl Koch.

In der 29. Nummer der Gartenzeitung wurde das Programm veröffentlicht und in der 40. sind die Aufgaben, welche man sich gestellt hatte, näher erörtert worden. Die Versammlung, verbunden mit einer Ausstellung von Obst und Gemüsen, hat stattgefunden; wir wollen sehen, in wie weit die Aufgaben erfüllt sind und man den Erwartungen, welche man gehegt, entsprochen hat? Wenn man schon Monate vorher in allen Zeitschriften, die den Obstbau für einen Gegenstand auch ihrer Besprechung halten, auf die Wichtigkeit der Versammlung hinwies, wenn fast in allen Ländern und Gauen Deutschlands Vorbereitungen dazu getroffen wurden, wenn ferner das Centralorgan der Versammlungen deutscher Pomologen und Obstzüchter, der Verein zur Beförderung des Gartenbaues zu Berlin, von Zeit zu Zeit vorläufige Nachrichten über dieselben gab und durch diese zu grossen Hoffnungen berechtigte, so konnte man doch kaum vermuthen, dass die Versammlung in der Weise gelingen würde, als sie in der That, wenn man nicht zu grosse Forderungen macht, zufrieden gestellt hat.

Man sieht, wie zeitgemäss es war, die Sachverständigen der Obstkenntniss sowohl, als des Obstbaues, einmal wieder zusammenzuberufen, um zu vernehmen, was ist in dem Zeitraume von der ersten Versammlung zu Naumburg a. d. S. im Jahre 1853 bis jetzt zur Hebung und Förderung beider geschehen? und was soll man weiter thun, um diesem so ausserordentlich wichtigen Gegenstande, ganz besonders für den menschlichen Haushalt und überhaupt für die Nationalökonomie, den Standpunkt anzuweisen, den er am Ende einnehmen muss, um heil- und segenbringend zu wirken. Es verhält sich mit dem Obstbaue anders als mit der Landwirthschaft, für die sich, seit dem die Menschen ihr Nomadenleben aufgegeben und sich feste Wohnsitze erbaut haben, mit der Zeit ein bestimmter Stand herausbilden musste, der an den Besitz eines möglichst umfangreichen Grundstückes gebunden war.

Wenn nicht weniger auch der Obstbau Grund und Boden verlangt, so ist er doch keineswegs allein auf grosse Strecken gebunden, sondern kann selbst noch da Anwendung finden, wo Land der Kleinheit halber sonst mehr oder weniger unbenutzt bleiben müsste. Wie viele Ränder und Wege giebt es nicht, die, mit Obstbäumen bepflanzt, eine nicht unerhebliche Einnahme geben könnten? Wie viele unbenutzte Stellen hat man nicht überhaupt, und besonders auf dem Lande, von denen man durch Anpflanzung, wenn vielleicht auch nur eines Obstbaumes, einen Vortheil haben würde? Selbst in Gärten und Anlagen sind Obstbäume, die, neben der gar nicht abzuleugnenden und keineswegs hinlänglich erkannten ästhetischen Seite, auch noch eine Nutzen bringende haben, gar nicht in der Weise verwendet, als es im Interesse der Besitzer wünschenswerth wäre. Ihr Anbau im Grossen auf Feldern, die dann noch anderweitig zu verwenden sind, hat erst in wenigen Ländern, wie namentlich in Württemberg, in Hessen, in dem Rheingau, in Böhmen u. s. w., Wurzel gefasst und klar dargelegt, welche erbliche Einnahmen damit geschafft werden können, aber trotz dem noch nicht die Nacheiferung gefunden, als man denken sollte.

Anstatt zu versuchen, klagt man meist über schlechte Bodenverhältnisse, über ungünstiges Klima u. s. w., und sieht doch, wie Andere unter gleichen oder wohl noch schlechteren Bedingungen nicht unbedeutende Erträge erhalten. Grade der in dieser Hinsicht so verrufene Nordosten Deutschlands hatte vor 4 Jahren in Naumburg und hat jetzt wiederum in Gotha Beweise geliefert, dass, wenn auch nicht alle, doch viele Sorten des Obstes daselbst sogar vorzüglich werden können. Das Sortiment aus Neuvorpommern, was der Garteninspektor Jühlke zu Eldena in Gotha ausgestellt hatte, erregte des vorzüglichen Aussehens halber, hauptsächlich der Aepfel, mit Recht allgemeines Aufsehen.

Der Obstbau muss allgemeiner sein, als die Landwirthschaft; er muss Gemeingut aller derer werden, die überhaupt Grund und Boden, und wenn auch das kleinste Stück Erde, ihr eigen nennen können. Der Obstbauer bildet keinen Stand für sich, wie der Landmann und Oekonom, sondern muss in allen Ständen der menschlichen Gesellschaft vertreten werden. Er kann zwar für sich bestehen, aber am Vortheilhaftesten ist er da, wo er ergänzt. Wenn die erste Versammlung in Naumburg noch keineswegs von Sachverständigen genügend besucht war, so zeigte dagegen die zweite in Gotha, welches Interesse alle die, denen der Obstbau am Herzen lag, besassen und wie sie alle bemüht waren, durch ihr Kommen ein Scherflein beizutragen. Wenn man einen Blick auf die Liste der Mitglieder, d. h. derjenigen, welche an den Verhandlungen Theil nahmen, wirft und die Zahl von 113 näher betrachtet, so stellt sich heraus, dass selbst, wenn man die Herren aus Gotha, die nur das Interesse in die Versammlung führte, ohne Sachverständige zu sein, nicht mit einrechnet, immer noch einige und 80 Männer übrig bleiben, die theils den Pomologen, theils aber den wissenschaftlicheren und rationellen Obstzüchtern angehören. Rechnet man hingegen wiederum die hinzu, denen die Zeit nicht erlaubte, die 5 Tage lang an den Verhandlungen Theil zu nehmen und nur von den ausgestellten Sammlungen Kenntniss nahmen, so betrug deren Zahl gewiss wiederum so viel, als in Abrechnung gekommen waren. Die Zahl 100 ist demnach für die Pomologen und rationellen Obstzüchter, die in Gotha waren, wenigstens nicht zu gross.

Die Verhandlungen, welche in den einzelnen Sitzungen geführt wurden, waren keineswegs so einseitig, wie man sie sonst gar nicht ungewöhnlich findet, wenn der Gegenstand nur Männer eines und desselben Standes zusammenführt, sondern gewannen wesentlich an Interesse, da sich Theilnehmer aus allen Ständen, von dem Grafen herab bis zum gewöhnlichen Landmanne und Dorfschullehrer, eingefunden hatten. Praxis und Theorie waren in Gotha gleich vertreten. Es giebt gewiss, wie angedeutet, nur wenig Wissenschaften, die so auch in allen Ständen ihre Jünger haben, als die Pomologie und der rationelle Obstbau. Das oben erwähnte Verzeichniss weist den Adel eben so gut als den Bürger, den Landmann und den Gelehrten nach. Selbst Juristen, unter denen es sonst von allen Ständen die wenigsten Naturforscher giebt, waren hier ziemlich zahlreich durch Kreisgerichts-Direktoren, Bürgermeister und Assessoren vertreten. Ausserdem bewegten sich Superintendenten, katholische und evangelische Pfarrer, Gymnasial- und Dorfschul-Lehrer, Aerzte, Kaufleute, Offiziere, vor Allem aber Gutsbesitzer und natürlich Gärtner vom Fache, die alle aus fast allen Ländern und Gauen unseres grösseren Vaterlandes zusammengekommen waren, neben und mit einander, um Belehrendes zu vernehmen oder Anderen aus dem Bereiche ihrer Kenntnisse und Erfahrungen Mittheilungen zu machen.

Bei einem Gegenstande, wie der Obstbau, der so sehr von Bodenverhältnissen und Klima abhängt, war es wichtig, dass Männer aus dem äussersten Norden sowohl, wie aus dem fernen Süden, aus Westen, wie aus Osten, an den Verhandlungen Theil nahmen. Grade deshalb fand man, dass selbst eine und dieselbe Sorte Obst im preussischen Litthauen an der russischen Gränze, wie im warmen Tyrol jenseits des Hauptzuges der Alpen, gedeihen kann, während das Vorkommen einer andern nur auf einen kleinern Raum, oft kaum auf eine Provinz, beschränkt ist. Man erfuhr, dass der Thüringer Wald, wie er in pflanzengeographischer Hinsicht eine gewichtige Scheide bildet, auch für viele Obstsorten, besonders für Aepfel, eine Gränzlinie darstellt, über die hinaus nördlich oder südlich dieselbe nicht mehr gut gedeihen will. Bald waren aber es die Niederungen, welche sich einer Obstsorte günstig zeigten, bald wiederum wurden grade in höher gelegenen Gegenden und im Gebirge Aepfel und Birnen vorzüglich.

Es dürfte vielleicht nicht ohne Interesse sein zu erfahren, wer von den Pomologen und wissenschaftlicheren Obstzüchtern in Gotha an den Verhandlungen Theil nahm; es muss freilich aber gleich dazu bemerkt werden, dass ausserdem noch Männer gegenwärtig waren, die vielleicht eben so mit Fug und Recht genannt zu werden verdienten, aber hauptsächlich wegen Kürze der Zeit sich darauf beschränken mussten, nur die Ausstellungsräume zu besichtigen. Auch soll Niemand in seiner Kenntniss beeinträchtigt werden, wenn er hier nicht namentlich aufgeführt wird. Die Pomologen und rationellen Obstzüchter haben noch wenig Gelegenheit gehabt, um sich bekannt zu machen; sie fangen selbst zum grossen Theil erst an, aus ihrem Isolirtsein herauszutreten und sich gegenseitig in Verbindung zu setzen und die Erfahrungen sich mitzutheilen.

Thüringen war, wie man sich denken kann, am Meisten vertreten durch Gärtner vom Fache: durch Fr. A. Haage, Benary, Topf, Appelius, Döpleb und Sieglinj in Erfurt, durch Müller in Gotha, Möhring in Arnstadt, Maurer in Jena, die Hofgärtner Jaqnot in Frankenhausen und Buttmann in Meiningen, ausserdem aber durch Pfarrer Koch in Burgtonna, Medizinalassessor Jahn in Meiningen, Lieutenant Danner in Koburg u. s. w. Aus dem Herzogthume Altenburg hatten sich Professor Lange in Altenburg, Hofgärtner Köhler in Hummelshain und Gutsbesitzer Pinckert in Etsdorf, aus den Anhaltinischen Herzogthümern die Hofgärtner Schoch, Kilian und Schmidt, so wie der Handelsgärtner Göschke in Köthen, aus Mecklenburg Präpositus Kliefoth und Dr. Rudolphi, aus Travemünde Handelsgärtner Behrens, aus Hamburg Handelsgärtner L. Booth, aus Hannover Superintendent Oberdieck aus Jeinsen und Hofgartenmeister Borchers in Herrenhausen, aus Bayern Kooperator Trossner in Pleistein, aus Tyrol Kaufmann Bauer aus Botzen, aus Württemberg Garteninspektor Lucas, aus Baden Professor Bender in Weinheim, aus Hessen Dr. Pfeiffer in Kassel u. s. w. eingefunden. Preussen war mit Ausnahme von Posen in allen seinen Provinzen durch Pomologen oder rationelle Obstzüchter vertreten, am Reichsten die Provinz Sachsen (ausser Erfurt, woher schon die Repräsentanten angeführt sind) durch den Rektor Schultze in Mühlhausen, Hofgärtner Knnicke in Wernigerode, Stadtrath Thränhardt und Kaufmann Köhlmann in Naumburg, Kunstgärtner Dieskau in Althaldensleben u. s. w., ausserdem Pommern durch den Garteninspektor Jähike in Eldena und Oberförster Schmidt bei Tantow, Ostpreussen durch den Rittergutsbesitzer von Hoverbeck in Nickelsdorf, die Mark durch Obergärtner Gaerdt, Handelsgärtner Hoffmann, den Landesökonomierath Dr. Lüdersdorf, Geheimen Oberregierungsrath Kette und Professor Dr. Koch in Berlin, durch Obergärtner Zarnack in Geltow bei Potsdam, Gutsbesitzer von Türk bei Potsdam, Graf von Schlippenbach auf Arendsee und Kreisgerichtsdirektor Baath in Perleberg; Schlesien durch Professor Fickert in Breslau und Rheinpreussen durch den Vikar Schuhmacher in Ramrath bei Düsseldorf, Lehrer Brauer aus Dhorn bei Düren und Oekonom Höller bei Lindlar. Frankreich war durch Lepère aus Montreuil bei Paris vertreten.

Die zweite Versammlung und Ausstellung zu Gotha hatte deshalb einen Vorzug vor der ersten in Naumburg, dass man vorbereitet und sich klarer bewusst war, was man eigentlich sollte und thun musste, um den Obstbau und die Kenntniss der verschiedenen Sorten zu fördern. Aller Anfang ist nicht allein schwer, er muss auch mehr oder weniger unvollkommen sein. Der Zeitraum von 4 Jahren, der dazwischen lag, hatte dem Centralorgan für diese Versammlungen, dem Vereine zur Beförderung des Gartenbaues in Berlin, Gelegenheit gegeben, sich mit dem Zustande des Obstbaues selbst und seinen Mängeln vertrauter zu machen und damit vorbereiteter die zweite Versammlung auszuschreiben. Durch den leider viel zu früh verstorbenen Generallieutenant a. D. v. Pochhammer, bis zu seinem Tode vor 2 Jahren Vorsitzender des Obstausschusses, waren Aufrufe an alle die erlassen, welche sich für den Obstbau interessiren, die Namen derjenigen Obstsorten zu nennen, die in ihren Gegenden zu empfehlen seien. Aus dem, was einging, wurde ein Verzeichniss angefertigt und dieses durch die Verhandlungen des Vereines zur Beförderung des Gartenbaues zu Berlin ebenfalls veröffentlicht.

Aber auch alle die, welche es mit dem Obstbaue redlich meinten, wurden auf Manches aufmerksam, was sie bis dahin unbeachtet gelassen, und erkannten die Nothwendigkeit einer engern Verbindung Aller gleichen Strebens an. Nur Wenige, deren Verhältnisse nicht gestatteten, nach Gotha zu kommen, sind zurückgeblieben und haben sich an den Vorschlägen zur grössern Belebung des Obstbaues leider nicht betheiligen können. Wer aber irgend vermochte, hat gern und willig dem Aufrufe des Berliner Vereines Folge geleistet und in Gotha sein Scherflein beigetragen.

Die erste Ausstellung in Naumburg war sehr reichlich beschickt und stand an der Menge des Obstes nur wenig der zweiten in Gotha nach. Wenn auch damals nicht eine so vielseitige Betheiligung aus allen deutschen Ländern, wie dieses Mal stattgefunden hatte, so waren doch auch für Naumburg nur wenige Länder zurückgeblieben, aus denen kein Obst eingesendet war. Etwas hatte jedoch während der ersten Ausstellung nicht stattgefunden, was grade in Gotha ausserordentlich wichtig wurde und wesentlich dazu beigetragen haben mag, dass die Ausstellung nutz- und segenbringender wirkte. In den meisten Provinzen Preussens und den übrigen Ländern Deutschlands waren nämlich Vereine für ihre Gegenden an die Spitze getreten, um alles das verschiedene Obst, was daselbst gebaut wurde, zu sammeln, provisorisch zu bestimmen und, so gesichtet und meist in Begleitung eines Abgeordneten, nach Gotha bringen zu lassen. In einigen Gauen hatten sich sogar erst zu diesem Zwecke rasch pomologische Vereine gebildet, in andern waren es einzelne Männer gewesen, die bei gleichem Streben weder Mühe noch Kosten scheuten, um ebenfalls für ihr specielles Vaterland die Angelegenheit in die Hand zu nehmen.

So kamen grosse Sammlungen aus ganzen Ländern und Provinzen an und gestatteten, in den günstigen Räumen des herzoglichen Theaters ausgestellt, Jedermann Kenntniss zu nehmen von dem Obste, was dort gebaut wurde. Wenn nun schon die Vergleichungen belehrend sein mussten, so war dieses Verfahren aber um so nützlicher und fördernder grade für den Obstbau und die Obstkenntniss der verschiedenen Länder. Den Abgeordneten selbst lag die Berichtigung des ihnen anvertrauten Obstes am Herzen und bemühten diese sich, hauptsächlich im Vereine mit den tüchtigeren Obstkennern, die Namen zu berichtigen. Einer unserer grössten Krebsschäden für den Obstbau ist der Wirrwarr in der Nomenklatur: es giebt ältere und gute Sorten, von denen man in der That nicht mehr weiss, wie sie aussehen, und die deshalb fast allenthalben unter verschiedenen Gestalten erscheinen. Wenn auch der rationelle Obstzüchter, bereits durch Erfahrung klug geworden, weniger Nachtheile daraus erhält, so ist es doch hauptsächlich für den Liebhaber und für den, der eben erst anfängt, Obstbäumchen anzupflanzen, abschreckend, wenn er gute Sorten zu pflanzen meint und nach ruhigem Harren von 3 bis 6 Jahren endlich schlechtes Obst erhält und sich getäuscht sieht. Nicht Jedermann hat aber die Ausdauer, um noch ein- und selbst zwei Mal eine gleiche Zeit abzuwarten. Dadurch, dass die Abgeordneten der verschiedenen Länder zunächst, so weit möglich, für ihr Obst feste und sichere Namen erhielten und dieses auf gleiche Weise für alle geschah, wurde eine grössere Einheit in der Nomenklatur angebahnt. Gewiss ein gewichtiger Schritt vorwärts!

Es versteht sich von selbst, dass nicht alles Obst, was eingesendet wurde, revidirt werden konnte, so sehr auch die Männer, denen die Kenntnisse dazu nicht fehlten, mit der grössten Bereitwilligkeit sich dem Amte des Bestimmens unterzogen. Es wurde auch gleich anfangs der Beschluss gefasst, dass vereinte Sammlungen den Vorzug haben sollten. Voraus war es jedoch nothwendig, dass die Männer vom Fache bei der oft unsicheren Nomenklatur sich selbst erst über die Benennung, welche sie festhalten wollten, vereinigten und deshalb die mitgebrachten Sammlungen gemeinschaftlich durchmusterten. Nächstdem wurde das Obst, was Baumschulen, namentlich grössere, aus denen Massen von Stämmchen jährlich verbreitet werden, geliefert hatten, durchgemustert und die Nomenklatur ebenfalls berichtigt. Man darf sich wohl der Hoffnung hingeben, dass zwar immer noch aus den Baumschulen Obst mit falschen Benennungen und schlechte Sorten für gute ausgegeben werden, dass aber dieses gewiss nicht mehr in der Weise geschieht, als früher.

Einen grossen Fehler begehen viele unserer selbst tüchtigsten Obstbaumschulbesitzer dadurch, dass sie zu viel fremdes Obst, namentlich aus Belgien und Frankreich, wo — man könnte sagen — ordentliche Fabriken, um neue Sorten aus Samen zu erziehen, bestehen, sich kommen lassen und mit französischen, oft schön klingenden Namen verbreiten, ohne sich selbst erst von der Güte der Sorte überzeugt zu haben. Wir haben jetzt so viel vorzügliches Obst, dass man alles weitere Heranziehen neuen Obstes mit Fug und Recht für überflüssig erklären kann. Hoffentlich wird in der dritten Versammlung der Pomologen und Obstzüchter auch diesem Unwesen gesteuert.

Für die dritte Versammlung und Ausstellung möchte überhaupt noch Manches wünschenswerth sein, was eben deshalb schon jetzt eine Besprechung verdient. Wie in Naumburg, so auch in Gotha, sind wiederum viele Sammlungen, besonders von Privaten, unberücksichtigt geblieben: gewiss werden einige der Besitzer sich darüber beklagen, dass man nicht auch auf sie Rücksicht genommen hat. Wenn sie zum Theil selbst daran Schuld gehabt haben, indem die Einsendungen nicht in der Weise geschahen, als es geschehen muss, nämlich mit doppelten Verzeichnissen, was Namen und Nummern enthält, und die letztern oder, noch besser, beide zugleich auf das Obst geschrieben, so bleibt es immerhin bedauerlich. Solche Sammlungen freilich, die gar kein Verzeichniss oder dieses nur mit Nummern hatten und die letzteren dem Papiere, worin sie eingewickelt lagen, aufgeschrieben waren, wo der Besitzer sich nicht einmal die Mühe gegeben hatte, sein eigenes Obst zu sichten und zu vergleichen, wo dieselbe Sorte unter 2 und 3 Nummern vorkam, mussten ohne Weiteres unberücksichtigt bleiben; bei einem solchen Verfahren hilft auch ein Bestimmen nichts, da man voraussetzen kann, dass dieses doch nicht so sorgsam bewahrt wird, als es im Interesse des eigenen Obstbaues wünschenswerth sein müsste. Wie schon in Naumburg solche Sammlungen, mit denen man auch gar nichts machen konnte, eingesendet waren, so auch wiederum in Gotha.

Die Berichtigung des Obstes und eine übereinstimmende Nomenklatur wird immer eine Hauptaufgabe der

Versammlungen sein. Dass, mit Ausschluss des Sonntages, 4 Tage aber eine viel zu kurze Zeit sind, um solche Mengen Obstes, als nach Gotha eingeliefert waren, durchzusichten, wird Jedermann zugeben, auch wenn er gesehen hat, mit welcher Bereitwilligkeit und Opferwilligkeit die Pomologen gearbeitet haben. Für die Fachmänner ist demnach die Zeit von 4 und 5 Tagen viel zu kurz; es wäre überhaupt wünschenswerth, wenn die Ausstellung jedes Mal erst eröffnet werden könnte, so bald die Revision des Obstes bis zu einem gewissen Punkte stattgefunden hätte.

Man kann aber ohnmöglich den Männern zumuthen, dass sie, nachdem sie schon durch den Zeitaufwand, sowie durch Reise und Aufenthalt an dem Orte der Versammlung, nicht geringe Opfer gebracht haben, sich noch im allgemeinen Interesse und zum Besten des Staates und seiner Bewohner wenigstens eine Woche vorher einfinden, um dem Bedürfnisse abzuhelfen. Mögen auch Einige sein, die für die Versammlung in Gotha, sei es vom Staate oder von dem Vereine, der sie gesendet hatte, eine Reise-Unterstützung erhielten, die meisten von denen, die grade am Thätigsten waren, haben zu ihren sonstigen Opfern auch noch die Kosten der Reise getragen.

Wenn man den Einwand vernimmt, dass Baumschulbesitzer, denen durch Betheiligung an den Versammlungen und Ausstellungen zunächst ein grosser Vortheil entstehen muss, weil ihnen dabei Gelegenheit gegeben ist, ihre Obstsammlung mit richtigen Namen zu erhalten, und sie ferner auch beim Obstbau treibenden Publikum bekannter werden, so sind diese Gründe wohl gewichtig und allerdings zu beherzigen. Zunächst haben aber die meisten derer, welche grade hauptsächlich zur Berichtigung der Nomenklatur des nach Gotha gesendeten Obstes beitrugen, gar keinen materiellen Vortheil davon gehabt; diese brachten nur sich und ihre Zeit zum Opfer. Der Staat greift immer da ein, wo es das allgemeine Wohl gilt, und hat bereits mit vielem Gelde Institute ins Leben gerufen, die ebenfalls nicht augenblicklich materiellen Vortheil darbieten. Sollte er nicht auch anerkannten Pomologen Reisegeld geben können? Wie sehr aber der Obstbau bereits ins Leben greift, und künftighin eine national-ökonomische Wichtigkeit erhalten wird? soll später mit einigen schlagenden Beispielen erörtert werden.

Nothwendig ist es daher immer, dass bei den später ins Leben zu rufenden Versammlungen und Ausstellungen auch die Regierungen, resp. die landwirthschaftlichen und Gartenbauvereine, sich der Sache noch mehr annehmen, als es bis jetzt der Fall gewesen ist, indem sie einestheils Männer dahin senden, welche, mit den nöthigen Kenntnissen versehen, Hand ans Werk legen können, anderntheils aber Andern Gelegenheit geben, sich da, wo so viel geboten wird, zu belehren und das, was sie gelernt haben, zurückgekehrt in Anwendung zu bringen, oder nur mitzutheilen. Es haben zwar bereits einige Pomologen, wie gesagt, für Gotha eine Reise-Unterstützung erhalten; hoffentlich wird dieses aber bei der dritten Versammlung im reichlicherem Masse und vielseitiger geschehen. Der **Verein zur Beförderung des Gartenbaues** in Berlin hat sich, um die Versammlung und Ausstellung nach Gotha auszuschreiben und die doch stets nicht unbedeutenden Kosten derselben decken zu können, einer Unterstützung von Seiten eines **hohen Ministeriums der landwirthschaftlichen Angelegenheiten** erfreut; ausserdem sind von dem **Thüringischen Gartenbau-Vereine** zu Gotha selbst, wie gewiss rühmlichst anerkannt werden muss, ebenfalls noch Opfer gebracht worden, abgesehen davon, dass namentlich die gärtnerischen Mitglieder desselben **Müller**, **Bürkner**, **Sauerbrei**, **Mend**, **Barth** u. a., den Vorsitzenden Professor **Hassenstein** an der Spitze, nicht allein während der Ausstellung, sondern auch mehre Tage, namentlich vorher, aber auch nachher, ihre ganze Zeit gern und willig zur Verfügung stellten.

Es kommt noch dazu, dass Se. Hoheit, der **Herzog von Sachsen-Koburg-Gotha** mit dem allgemein bekannten Wohlwollen auch dieses Unternehmen durch die Erlaubniss, die Rotunde des Theaters zur Ausstellung zu benutzen, wesentlich unterstützt hat. Der Mangel an grösseren Hilfsmitteln hat sich leider auch dieses Mal dadurch fühlbar gemacht, dass zu wenig Leute angenommen werden konnten, um allenthalben bei den grossen, in dieser Weise keineswegs erwarteten und auch zahlreichen Sendungen die durchaus nothwendige Ordnung einhalten zu können. Es kam noch dazu, dass, gegen die Vorschriften des Programmes, die grösste Zahl der Einsender sich der Eilfracht beim Transporte bedient hatte und dass dadurch bedeutende Kosten entstanden, die wiederum nicht gestatteten, noch nachträglich brauchbare Leute, ganz besonders auch zur Aufsicht während der 6 Tage, anzunehmen. Wie gern hätte man z. B. noch eine besondere Aufstellung aller eingelieferten Aepfel und Birnen aus den vorhandenen Sammlungen gemacht, wie es in Naumburg, wo weit mehr Kräfte sich zur Verfügung gestellt hatten, geschah, damit Jedermann sich mit leichter Mühe über den Namen einer Obstsorte belehren konnte!

(Fortsetzung folgt.)

Einige Worte über Bromeliaceen, namentlich über Pitcairnia cinnabarina A. Dietr. und Moritziana C. Koch et Bouché.

Es ist bereits schon einige Mal auf die nicht weniger interessante, als auch eine Reihe schöner Arten einschliessende Familie der Bromeliaceen hingewiesen worden und kommen wir wiederholt auf die eine oder andere Art zurück. Der Inspektor des botanischen Gartens zu Berlin, Karl Bouché, hat in seiner Abhandlung über ihre Kultur auf einen Umstand aufmerksam gemacht, der gewiss beitragen muss, die Bromeliaceen unseren Gewächshäusern noch mehr zu empfehlen, weil es bei den meisten Arten in der Hand des Gärtners liegt, die Blüthezeit willkürlich um Monate hinauszuschieben oder zu beschleunigen. Schon früher (im Jahre 1849) hat auch Inspektor Otto in Hamburg in der von ihm redigirten allgemeinen Garten- und Blumenzeitung, im 5. Bande und Seite 561, auf die Bromeliaceen aufmerksam gemacht und daselbst ein dankenswerthes Verzeichniss aller damals kultivirten Arten geliefert. Zerstreute Aufsätze über sie und ihrer Kultur findet man auch in verschiedenen Jahrgängen der Revue horticole.

Wir besitzen für Orchideen, Palmen, Farne u. s. w. besondere Liebhaber, die deshalb, oft mit nicht unbedeutenden Kosten, sich Gewächshäuser, nur für die eine oder andere dieser Familien bestimmt, erbauen. Dort werden die Arten mit besonderer Liebe und Sorgfalt gehegt und gepflegt; diese können auch dann mit ihren Eigenthümlichkeiten und Schönheiten mehr erfasst und erkannt werden, als wenn man sie mit andern Pflanzen, und leider dann noch, wie es grade hier geschieht, in Winkeln hinter den Stellagen, ja selbst unter denselben, zusammengestellt sieht. Es ist nicht immer gut, wenn Pflanzen gegen Zurücksetzungen oder wenigstens gegen eine geringere Beachtung weniger empfindlich sind, denn dann werden sie auch gleichgültiger behandelt. So geht es in der That den Bromeliaceen, die ich eigentlich fast nirgends an solchen Stellen gefunden habe, wo sie den ihnen gebührenden Platz eingenommen hätten. Nur da, wo man einige wenige schönere Arten kultivirt, findet man sie, aber auch nur meist während ihrer Schmuckzeit, besser gestellt.

In dem Berliner botanischen Garten werden die Bromeliaceen allerdings mit Sorgfalt behandelt und man sucht emsig eine möglichst vollständige Sammlung derselben sich zu verschaffen; allein es fehlt in diesem Institute, wo man eben alle Familien gleich berücksichtigen soll, trotz der umfassenden Gewächshäuser, doch immer der nöthige Raum. In Wien möchte vielleicht der einzige Garten sein, wo sie Jahr aus Jahr ein eine und dieselbe, zu jeder Zeit günstige Stelle erhalten haben, denn der dortige, auch in Norddeutschland hinlänglich bekannte Pflanzenliebhaber, Rentier Beer, widmet grade dieser Familie, und zwar sowohl in Bezug auf ihre wissenschaftliche Bestimmung, als auch auf ihre Kultur, eine besondere Aufmerksamkeit. Ausserdem hat aber der bekannte Professor und Akademiker Brongniart in Paris sich schon seit vielen Jahren in wissenschaftlicher Hinsicht mit den Bromeliaceen beschäftigt. Ihm verdanken wir auch die Verbreitung einer grossen Anzahl von Arten. Wenn Jemand befähigt ist, eine so interessante und wichtige Familie zu bearbeiten, so ist es gewiss Brongniart, dem die Wissenschaft, und besonders die Systematik, schon so viel Ausgezeichnetes verdankt; möchte derselbe nur recht bald seine Untersuchungen durch eine Bearbeitung der Bromeliaceen zur Kenntniss der Botaniker und Gärtner bringen!

Wie bekannt, besitzen wir unter den Bromeliaceen Arten, die wegen der schönen, meist rothen Färbung der Herzblätter, wie Caraguata und Nidularium, als Blattpflanzen beliebt sind, der grösste Theil zeichnet sich aber durch prächtige, zum grössten Theil hochrothe, weniger gelbe und blauviolette Blüthen aus, die oft um so grössere Aufmerksamkeit auf sich ziehen, als auch ebenfalls grosse und in die Augen fallende, vorherrschend rosen-, zinnober- oder hochrothe Deckblätter vorhanden sind. Die Genera Billbergia und Pitcairnia sind es hier hauptsächlich, welche durch eine grosse Anzahl sehr schöner Arten sich auszeichnen. In der 9. Nummer der Gartenzeitung ist bereits bei Gelegenheit der Beschreibung der Billbergia longifolia von dem zuerst genannten Genus überhaupt gesprochen worden, während an einer andern Stelle (Nro. 15) von Pitcairnia die Arten des Untergeschlechtes Lamprocomus, welche Beer mit denen der Neumannia unter dem Namen Phlomostachys begreift, einer nähern Betrachtung unterworfen sind. Wir machen jetzt auf zwei Arten von den eigentlichen Pitkairnien aufmerksam, da sie allen Warmhausbesitzer empfohlen werden können, und zwar um so mehr, als die eine in der Beer'schen Monographie der Bromeliaceen übersehen, die andere aber noch neu ist, nämlich auf Pitcairnia cinnabarina A. Dietr. und Moritziana C. Koch et Bouché.

Die erstere mag wohl, wie viele andere Pitkairnien und überhaupt Bromeliaceen, aus Brasilien oder doch aus dem tropischen Amerika stammen, und wurde zuerst von der bekannten Handelsgärtnerei Ohlendorf & Söhne in Hamburg verbreitet. Zu Ende der 40ger Jahre kam sie nach Berlin in Privatbesitz und von da in den botanischen Garten daselbst. A. Dietrich beschrieb sie als neue Art Seite 201 des 18. Bandes der von **Friedrich Otto** und ihm redigirten Allgemeinen Gartenzeitung. Schon der letztere sagt, dass sie zu den schönsten Pflanzen gehöre, die in neuester Zeit eingeführt sind, und dass sie um so mehr Beachtung verdiene, als sie sogar im einem Zimmer und ohne viele Mühe verlangt zu haben, einen reich mit Blüthen besetzten Schaft hervorgebracht habe.

Die Beschreibung ist an besagter Stelle so vollständig gegeben, dass um so mehr auch darauf verwiesen werden kann. Es möchte vielleicht nur noch zu bemerken sein, dass die Pflanze gern einen kurzen Stengel macht, dass ferner die Blätter der Stolonen ganz ohne alle Dornen am Rande sind und mit ihrer obern Hälfte wenig abstehen. Die Art gehört deshalb weniger zu der ersten Abtheilung der **Inermes** der von mir in der Appendix zum Samen-Verzeichnisse des botanischen Gartens in Berlin zum Jahre 1856 gegebenen Eintheilung, als vielmehr zur dritten der **Graminifolia**. Am Nächsten steht sie übrigens der **P. flammea Mart.**, die ebenfalls zu derselben Abtheilung gehört, unterscheidet sich aber im blühenden Zustande sehr leicht durch die sehr deutlich und scharf gekielten Kelchblätter.

Nicht weniger zu empfehlen ist **Pitcairnia Moritziana** C. Koch et Bouché und zwar nicht allein wegen der prächtigen scharlachrothen Blüthen, sondern auch wegen der meist graziös in einen Bogen nach aussen gehenden Blätter, so dass die ganze Pflanze oft, freilich in Miniatur, das Ansehen der **Dracaena umbraculifera** erhält. Sie gehört in die Abtheilung der **Sursum spinescentes**, weil die Stolonen-Blätter mit aufwärts gerichteten und hakenförmigen Dornen besetzt sind. Sie wurde von dem bekannten Pflanzensammler in Guatemala, **Moritz**, entdeckt und dem botanischen Garten zu Berlin mitgetheilt.

Ein Exemplar blühte im vorigen Winter und zwar, wie es sich später herausgestellt hat, unvollkommen; nach diesem wurde die in der Appendix zum oben bezeichneten Samen-Verzeichnisse des Berliner botanischen Gartens vorhandene Diagnose und Beschreibung angefertigt. Das damals anhaltend trübe Wetter mag Schuld gewesen sein, dass die Farbe der Krone nicht die prächtige rothe Farbe erhielt, welche sie eigentlich besitzt, sondern mehr gelb erschien. Es ist deshalb dieses in der genannten Appendix gegebenen Beschreibung (Seite 4) dahin zu berichtigen. Ein schönes, in diesem Spätsommer blühendes Exemplar gab Gelegenheit, die wahre Farbe der Blüthe festzusetzen.

Bücherschau.

Der rationelle Pflanzenbau. 1. Theil. Die Lehre von der Entwässerung des Bodens (Drainirung) für Landwirthe, Guts- und Gartenbesitzer u. s. w., von **J. G. Meyer.** Mit 4 Tafeln Zeichnungen und einem Anhange über das Nivelliren. **Erlangen 1857.** 16 Sgr.

Bücher von Praktikern für die Praxis haben stets einen Vorzug vor allen übrigen, und wenn diese von noch so gelehrten Männern ausgehen; daher begrüssen wir auch vorliegendes und empfehlen es allen Gärtnern und Gartenliebhabern auf das Angelegentlichste. Beide besitzen oft versumpften oder wenigstens übermässig feuchten Boden, mit dem sie sonst nichts oder nur sehr wenig anfangen können. Wenn es aber nun Mittel giebt, das an Feuchtigkeit, was zu viel ist, zu entfernen und dadurch den Boden für alle Kulturen fähig zu machen, so ist viel gewonnen. Das Büchelchen ist klein, denn es zählt nur 60 Seiten, aber nichts desto weniger verständlich und deshalb brauchbar, zumal noch eine Anleitung über das Nivelliren, ohne welches alles Drainiren nicht geschehen kann, beigegeben ist. Möchte der Verfasser auf gleiche Weise die übrigen Theile des rationellen Pflanzenbaues rasch auf einander folgen lassen.

Theorie und Praxis oder Grundlinien der Landwirthschaft in gemeinfasslicher Sprache, besonders für den kleineren Landwirth von Dr. Weber. Zweite vermehrte Auflage. Düsseldorf 1857. 1 Thlr.

Im Mai des vorigen Jahres erschien die erste Auflage und wurden 1000 Exemplare gedruckt. Schon nach 12 Wochen machte sich eine dreifach stärkere Auflage nothwendig, zumal der landwirthschaftliche Central-Verein für Rheinpreussen allein 1000 Exemplare bestellt hatte und als Anerkennung dem Verfasser die silberne Medaille zugesprochen wurde. Schon im Frühlinge dieses Jahres erschien eine zweite umgearbeitete und vermehrte Auflage. Dieses spricht gewiss für die Brauchbarkeit der Schrift. Wenn wir auch in einer Gartenzeitung landwirthschaftliche Bücher besprechen, so geschieht es ausnahmsweise, und zwar nur dann, wo wir uns veranlasst finden, ein solches Gärtnern und Gartenliebhabern zu empfehlen. Der Gärtner muss heut zu Tage mehr oder weniger Landwirth sein und greifen eine Reihe landwirthschaftlicher Arbeiten auch in der Gärtnerei ein. Bodenkunde und die Lehre vom Dünger sind dem Gärtner eben so gewichtig als dem Landwirthe; beide haben aber in vorliegender 388 Seiten enthaltender Schrift eine lehrreiche Besprechung gefunden. Nicht weniger ist der Anbau von Gemüsen und

Obst, so wie von technischen Pflanzen, ganz besonders für Gärtner auf dem Lande, ein beachtenswerther Gegenstand, abgesehen davon, dass ihm gut ist, wenn er mit den Fortschritten der Landwirthschaft sich vertraut macht; eingeweiht in derselben soll und muss er an und für sich sein.

Berichte über neuere Nutzflanzen, insbesondere über die Ergebnisse ihres Anbaues in verschiedenen Theilen Deutschlands. Herausgegeben von **Metz & Comp.** Jahrgang 1857. **Berlin.**

Wenn Samenhandlungen Versuchsfelder besitzen, so ist es stets ein sie empfehlender Umstand. Man sieht, dass es den Besitzern Ernst ist, sich selbst über alles Neue, was zum Anbau empfohlen wird, zu belehren und dann selbst über die Brauchbarkeit ein Urtheil zu haben. Sie verbreiten dann nicht Sämereien, von deren Anbau sie nicht befriedigende Resultate erlangt haben, sobald sie sich offen über ihren relativen Werth aussprechen. Wenn wir auch die verschiedenen neuern Getreide-Arten und Futterkräuter, als uns zu fern liegend, nicht berücksichtigen können, so nehmen um so mehr die Nachrichten über neuere Hülsenfrüchte, über Knollen- und Rübenpflanzen, auch die Aufmerksamkeit des Gärtners in Anspruch. Das nur 64 Seiten umfassende Büchelchen hat aber noch dadurch einen besonderen Werth, dass es auch die Erfahrungen Anderer gesammelt und mitgetheilt hat.

Monatsschrift für Pomologie und praktischen Obstbau, herausgegeben von J. G. C. Oberdieck und Ed. Lucas. Stuttgart. Dritter Jahrgang.

Wenn wir überhaupt ein Unternehmen freudig begrüssen können, so ist es gewiss vorliegendes. Bei dem Aufschwunge, den besonders seit der ersten Versammlung deutscher Pomologen und Obstzüchter zu Naumburg a. d. S. im Jahre 1853 der Obstbau genommen hat und den er, vom Neuen angeregt, durch die zweite Versammlung zu Gotha, fortwährend nimmt, ist ein Organ, auch wenn es nur in monatlichen Heften erscheint, durchaus nothwendig, um einestheils die Interessen des Obstbaues zu wahren, anderntheils aber den verschiedenen Pomologen, welche zerstreut im ganzen grossen Deutschlande wohnen, Gelegenheit zu geben, um ihre gegenseitigen Ansichten auszutauschen, mit dem Neueren und Besseren, was geschieht, rasch bekannt zu machen und minder Erfahrene zu belehren. Die Namen der beiden Herausgeber sind als Praktiker und Theoretiker auch im Auslande bekannt und besitzen bei uns einen guten Klang. Die tüchtigsten Pomologen haben ausserdem nicht allein dem Unternehmen ihren Beistand zugesagt, sondern sind auch zum grossen Theil thätige Mitarbeiter, die die Zeitschrift selbst als den Mittelpunkt ansehen, um den sie sich schaaren wollen. Männer wie v. **Flotow** in Dresden, **Jahn** in Meiningen, **de Jonghe** in Brüssel, **Jühlke** in Eldena, **Lange** in Altenburg, **Liegel** in Braunau, v. **Trapp** in Wiesbaden u. a. m. haben bereits Abhandlungen geliefert, welche nicht allein die Praxis, sondern auch die Theorie, die Wissenschaft, gefördert haben. Eine Durchsicht der bis jetzt erschienenen Hefte des Jahrganges 1857 zeugt von der Umsicht der beiden Herausgeber in der Auswahl des Gegenstandes und von dem guten Willen der Mitarbeiter, Brauchbares zu liefern. Eine Fülle von Erfahrungen ist darin niedergelegt, deren Beachtung und weitere wissenschaftliche Verfolgung wir auch dem Botaniker, und namentlich dem Physiologen, empfehlen möchten. Es erlaubt uns aber weder die Zeit, noch der Raum auf den Inhalt speciell einzugehen, zumal eine Auswahl bei der Gediegenheit des Ganzen ebenfalls nicht angeht.

Die Monatsschrift für Pomologie und praktischen Obstbau wurde auch in Gotha als das Organ der in unbestimmten Zeiträumen wiederkehrenden Versammlungen deutscher Pomologen erklärt und sprach sich die ganze, zum ersten Male wohl in dieser Vollständigkeit vertretene pomologische Versammlung dahin aus, dass es Aufgabe und Pflicht dessen, der es ernstlich mit dem Obstbaue meint, sei, auch seine Kräfte derselben zu widmen. Es kommt nun noch dazu, dass der Preis des Jahrganges von 24 Bogen, in gross Oktav und mit kolorirten und schwarzen Abbildungen versehen, so niedrig gestellt wurde, dass selbst der weniger Bemittelte im Stande ist, die Monatsschrift sich anzuschaffen; er beträgt frei durch die Post zugesendet nur 4 Fl. 12 Xr. oder 2 Thlr. 15 Sgr.

Verlag der Nauckschen Buchhandlung. Berlin. Druck der Nauckschen Buchdruckerei.

No. 45. Sonnabend, den 7. November. **1857**

Preis des Jahrgangs von 52 Nummern mit 12 color. Abbildungen 6 Thlr., ohne dieselben 5 -. Durch alle Postämter des deutsch-österreichischen Postvereins sowie auch durch den Buchhandel ohne Preiserhöhung zu beziehen.

Mit direkter Post übernimmt die Verlagshandlung die Versendung unter Kreuzband gegen Vergütung von 26 Sgr. für Belgien, von 1 Thlr. 9 Sgr. für England, von 1 Thlr. 22 Sgr. für Frankreich.

BERLINER
Allgemeine Gartenzeitung.

Herausgegeben

vom

Professor Dr. Karl Koch,

General-Sekretair des Vereins zur Beförderung des Gartenbaues in den Königl. Preussischen Staaten.

Inhalt: Die zweite Versammlung deutscher Pomologen und Obstzüchter zu Gotha in den Tagen vom 9. bis 13. Oktober. (Fortsetzung.) Die Ausstellung. Von dem Professor Dr. Karl Koch. — Das kaltflüssige Baumwachs. Vom Garteninspektor Ed. Lucas in Hohenheim, nebst einem Zusatze des Herausgebers. — Pflanzen-Verzeichnisse.

Die zweite Versammlung deutscher Pomologen und Obstzüchter zu Gotha,

in den Tagen vom 9. bis 13. Oktober.

Von dem Professor Dr. Karl Koch.

(Fortsetzung aus Nr. 43.)

Die Ausstellung

Es kann hier nicht der Raum sein, auf all das schöne Obst, was eingesendet wurde, speciell aufmerksam zu machen, da dieses für den offiziellen Bericht bleiben muss; aber doch dürfte es nicht uninteressant sein zu erfahren, in welchem Maasse sich die verschiedenen Länder und Gaue betheiligt hatten. Zwar war es die Absicht der beiden Vereine zu Berlin und Gotha gewesen, bei dieser zweiten Ausstellung ebenfalls wiederum, wie in Naumburg, auf das Gemüse Rücksicht zu nehmen, und wurde es auch im Programme bestimmt ausgesprochen. Sei es nun aber, dass man doch glaubte, man würde in Gotha sich hauptsächlich mit dem Obste beschäftigen, oder sei es, dass die anhaltende Dürre des Jahres in der That eine gute Ausstellung von Gemüse unmöglich machte; dieses war wenig vertreten und selbst in noch geringerem Masse vorhanden, als vor 4 Jahren in Naumburg. Es thut jedoch in jeglicher Hinsicht noth, dass einmal Männer sich die Aufgabe stellen, die verschiedenen Sorten von Gemüse zu prüfen und nicht weniger deren Namen zu revidiren. Nach einer Nachricht in den Frauendorfer Blättern soll im nächsten Jahre in Erfurt eine Gemüse-Ausstellung stattfinden und möchte dieser für Gemüsebau so ausserordentlich wichtige Ort auch am Besten dazu geeignet und dann auch Gelegenheit gegeben sein, die oben ausgesprochenen frommen Wünsche in Erfüllung gehen zu lassen.

Von den verschiedenen Obstsorten erschienen Aepfel und Birnen am Meisten vertreten; nächstdem waren einige vorzügliche Sortimente von Weintrauben vorhanden. Schade, dass die Sendung des Gutsbesitzers Huber vom Kaiserstuhl im Grossherzogthume Baden durchaus verunglückt war; denn sie enthielt, wie man leider noch aus den Resten der durch den langen Transport durcheinander geworfenen Trauben sah, nicht allein schöne, sondern auch vorzüglich kultivirte Sorten. Ein wahrhaft freundliches Bild gab aber vor Allem die ausserordentlich reiche Sammlung der vorzüglichsten Trauben des Stadtrathes Thränhardt in Naumburg a. d. Saale. Doch auch die des Kaufmanns Köhlmann ebendaselbst verdiente alle Beachtung. Nicht minder fielen die Trauben des Hofgärtners Karl Fintelmann am Neuen Palais bei Potsdam, trotzdem man die meisten derselben sonst nur aus südlichen Himmelsstrichen zu sehen gewöhnt ist, durch ihre Vollkommenheit auf; freilich waren sie zum Theil an Mauern, wohl auch von Fenstern gegen athmosphärische Einflüsse geschützt, gezogen. Endlich hatten Grünberg und Guben in Nordschlesien und in der Niederlausitz aus ihren Weingärten gesendet.

Aepfel und Birnen blieben, wie gesagt, die Hauptsache. Gehen wir der Reihe nach durch, was die verschiedenen Länder geliefert hatten und beginnen mit denen des Auslandes. Grossbritannien hatte durch Seine Königliche Hoheit, den Prinzen Albert, eine Anzahl vorzüglicher Birnen und Aepfel, nebst einem Paar sehr grosser Ananas, geliefert, die eben so lautes Zeugniss von vorzüglicher Obstkultur gaben, als die ungemein grossen, nichts desto weniger aber schmackhaften Birnen, welche aus Frankreich stammten und durch Lepère aus dem bekannten Obst-Orte Montreuil bei Paris der Ausstellung selbst mitgetheilt waren. In Betreff der Kultur und Vorzüglichkeit der Aepfel hat jedoch ohne Zweifel Deutschland den Vorrang.

Wir gehen zu Preussen über. Aus der Mark Brandenburg waren trotz ihres verrufenen und schlechten Bodens doch einige ansehnliche Sortimente vorhanden. Eine reiche Sammlung verdankte man dem Gutsbesitzer v. Türk bei Potsdam, geringere hingegen dem Freiherrn von Hertefeld auf Liebenberg bei Oranienburg, was, da das Obst meist holländischen Ursprunges ist, einen besonderen Werth besass, und dem Kreisgerichts-Direktor Baath in Perleberg. Wenn auch nicht reich an Sorten, so waren doch von Graf v. Schlippenbach und von Frau Präsident von Seydewitz Aepfel und Birnen ausgestellt, die wegen ihrer Kulturvollkommenheit allgemeinen Beifall einärnteten.

Aus der Lausitz hatte der Kaufmann Müller in Züllichau eine der grössten und besten Sammlungen, ganz besonders von Aepfeln, eingesendet, die wegen der Richtigkeit ihrer Namen um so mehr bedauern liessen, dass ihr Besitzer, durch Umstände verhindert, leider nicht gegenwärtig sein konnte. Eine ebenfalls ansehnliche Sammlung war von dem Gartenbau-Vereine zu Guben, was nebst Grünberg hauptsächlich den Nordosten Deutschlands, aber auch Dänemark und Schweden, mit Obst versieht, und eben so von der städtischen Baumschule zu Görlitz durch den Stadtrath Richtsteig übergeben worden.

Dass das Pommersche Obst, und ganz besonders das aus der Nähe der Ostküste, Beifall fand, ist schon früher erwähnt. Der Oberförster Schmidt bei Tantow, Besitzer einer zuverlässigen Baumschule, und Garteninspektor Jühlke in Eldena bei Greifswald hatten grosse Sammlungen eingesendet. Vom ersteren war auch ein schönes Sortiment von Haselnüssen vorhanden. Selbst das ferne Ostpreussen war nicht zurückgeblieben, da der Gartenbau-Verein zu Königsberg Beiträge geliefert hatte. Aus Westpreussen war Obst durch den Gutsbesitzer Klamann bei Marienwerder übergeben.

Schlesien schien reich vertreten. Man sah hieraus den Einfluss der Obstsektion der Schlesischen Gesellschaft für vaterländische Kultur in Breslau, aber auch die Bemühungen einiger landwirthschaftlichen Vereine um Hebung und Förderung des Obstbaues. Ausserdem hatten aber Frau Landschafts-Direktor v. Rosenberg-Lipinsky auf Gutwohne bei Oels, deren Obstgärten sich weit und breit eines besonderen Rufes erfreuen, und der Gartenbau-Verein zu Grünberg umfangreiche Sammlungen zur Verfügung gestellt.

Der Provinz Sachsen verdankte man das grösste Kontingent von Aepfeln, weniger von Birnen. Von Naumburg und Umgegend waren, wie schon gesagt, nicht allein gute Trauben, sondern auch, besonders von der städtischen Obstbaumschule und durch den Oberamtmann Jäger in Schulpforta vorzügliches Kernobst vorhanden. Erfurt bewies auch dieses Mal, dass nicht allein Gemüse mit Sorgfalt kultivirt wird, sondern dass man auch dem Obste seine Aufmerksamkeit zugewendet hat. Die schöne Sammlung von Alfr. Topf enthielt hauptsächlich belgisches und französisches Obst. Einen besondern Werth hatte die Sammlung von Oehme, weil es nur Topfobst war. Leider wird dieses, was man in frühern Zeiten so sehr liebte, jetzt gar nicht mehr so geachtet. Die goldene Aue, die fruchtbaren und breiten Thäler der Unstrut, haben von jeher gutes Obst gebaut: aus ihr sah man auch in Gotha schöne Sammlungen. In Mühlhausen haben der Gartenbauverein, in Nordhausen der landwirthschaftliche Verein und besonders der Vorsitzende des letztern, Pfarrer Steiger in Windehausen, grosse Verdienste um Förderung des Obstbaues sich erworben, nicht weniger aber der Freiherr von Berlepsch auf Seebach bei Langensalza. Von allen dreien waren reichliche Sammlungen vorhanden.

Dass auch die Harzer Gegend gutes Obst erzeugt, wissen wir schon von der grossen Naumburger und von den kleinern Berliner Obst-Ausstellungen. Zu den in dieser Hinsicht deshalb bekannteren Obstanpflanzungen der Grafen von Stollberg-Wernigerode und von der Asseburg, von denen der Hofgärtner Kunicke zu Wernigerode und der Schlossgärtner Reinhard zu Meisdorf herrliche Sortimente wiederum eingesendet hatten, kamen dieses Mal noch das nicht minder reiche des Kaufmanns Spilke in zuerst genannter Stadt und das des Handelsgärtners Grashof in Quedlinburg. Wie der Thüringer Wald, trotz seiner rauhen Lage, sich ebenfalls durch gutes Obst schon auf der Naumburger Ausstellung ausgezeichnet hatte, so geschah es auch dieses Mal, fast noch in höherem Maase. Wiederum sind es hier hauptsächlich Gartenbau-Vereine, welche den Obstbau fördern. Aus dem preussischen Antheile hat der Verein zu Suhl schon seit geraumer Zeit einen grossen Einfluss ausgeübt, da er eine Reihe von Männern besitzt, die trotz aller

Schwierigkeiten bei der Kultur des Obstes doch nicht ermüden, um endlich die Sorten festzustellen, welche auch in den höhern Thälern des Gebirges gedeihen.

Aus Westphalen stammte nur eine Sammlung, welche durch den Oberlehrer der Taubstummen-Anstalt Schwier in Soest eingegangen war, aus Rheinpreussen dagegen mehre, von denen die des Vikars Schuhmacher zu Ramrath bei Wesselinghofen zu den besten und hinsichtlich der Nomenklatur zu den richtigsten gehörte. Sogenanntes rheinisches Kraut, dem die Aepfel und Birnen beilagen, aus dem es hauptsächlich angefertigt wird, war von dem Oekonomen Höller zu Lindlar, der sich um diesen gewichtig werden wollenden Industriezweig und um den Obstbau seiner Gegend überhaupt grosse Verdienste erworben hat, eingeliefert und fand so allgemeinen Beifall, dass sogleich viele Bestellungen erfolgten.

Aus dem grossen Kaiserthume Oesterreich, was so vieles und schönes Obst baut, war leider nur wenig eingesendet worden. Namentlich wäre wohl wünschenswerth gewesen, dass von Böhmen aus, wie es doch vor 4 Jahren, wenn auch nur mässig, geschah, eine Betheiligung stattgefunden hätte, da Berlin und überhaupt der Nordosten Deutschlands hauptsächlich mit böhmischem Obste versorgt werden. Nur der Kreisgerichtsoffizial Schamal in Jungbunzlau hatte Proben seiner Wildlinge und Kopulanten eingesendet, die in einer Versammlung, wie später berichtet werden wird, in jeglicher Hinsicht als Muster erklärt wurden. Aus Wien verdankte man wiederum dem Gärtner Cinibulk in der Wiener Neustadt, der für die Art und Weise, Obst lange Zeit frisch und gut zu erhalten, ein eigenthümliches und bewährtes Verfahren besitzt, eine hübsche Sammlung von Obst; aber ganz ausgezeichnet und umfangreich erschien die des Apothekers Siebenfreud zu Tyrnau in Ungarn, eines der tüchtigsten Pomologen unserer Zeit.

Auch Bayern war weit weniger vertreten, als man gehofft. Das an Obst so reiche Franken hatte nur aus Kadolzburg bei Nürnberg, allerdings von da 2 ausgesuchte Sammlungen der in Bayern und auch auswärts anerkannten Pomologen, Leonhard und Heinrich Haffner, gesendet. Diese ersetzten durch ihre Reichhaltigkeit einigermassen den sonstigen Mangel. Die Baumschulen genannter Männer, aus denen bereits manches vorzügliche Obst, unter anderen auch die Ischiatraube, verbreitet wurde, können nicht genug empfohlen werden. Das grosse Haselnuss-Sortiment ebendaher wurde allerseits anerkannt.

Desto mehr hatte man sich von Württemberg und von Hannover aus betheiligt und überhaupt an den Bestrebungen den regsten Antheil genommen. In beiden Ländern ist es die landwirthschaftliche Centralbehörde, welche seit vielen Jahren schon einen segensreichen Einfluss auf den Obstbau ausgeübt hat. In beiden, ganz besonders aber in Württemberg, befindet sich dieser auch auf einer sehr hohen Stufe und giebt wohl verhältnissmässig die höchsten Erträge. Württemberg steht überhaupt hinsichtlich dem, wie es den Obstbau fördert und hebt, als Musterland da. Man kann nicht genug wünschen, dass die von ihm getroffenen Einrichtungen auch anderwärts Anwendung finden möchten. Freilich hat die dortige Behörde einen Mann zur Hand, der neben den durchaus nöthigen Kenntnissen auch die nöthige Ausdauer und die Liebe, ohne die einmal nichts wird, besitzt. Der Garten-Inspektor Lucas in Hohenheim hatte selbst ein ausgesuchtes Sortiment des Obstes, was wenige Wochen vorher bei Gelegenheit der Anwesenheit der Kaiser von Oesterreich und Frankreich in Kannstadt ausgestellt gewesen war, mitgebracht und ausserdem mehre andere Obstzüchter, so den Hofgärtner Neuner in Stuttgart, den Apotheker Fehleisen in Reutlingen u. A. veranlasst, lehrreiche Sammlungen einzusenden.

Von Hannover mit seiner nördlichen, zum Theil ungünstigen Lage war auch dieses Mal, wie in Naumburg, das schönste Obst mit eingesendet, was selbst mit dem des Rheingaues in die Schranken treten konnte. Der Hofgartenmeister Borchers in Herrenhausen hatte eine wahrhaft musterhafte und nicht weniger umfangreiche Sammlung zur Verfügung gestellt. Ihm und seiner Baumschule verdankt der Obstbau Hannovers überhaupt viel. Zu bemerken war ausserdem aus dem Königlichen Garten zu Linden bei Hannover noch eine 17½ Pfund schwere Melone, die, als die siebente einer und derselben Pflanze mit den andern 6 nicht weniger als 118 Pfund wog. Ganz besonders aber hat der Superintendent Oberdieck in Jeinsen bei Schloss Kalenberg sich nicht allein um Hannover, sondern um ganz Deutschland grosse Verdienste erworben, da wir ihm durch Verbreitung richtig benannter Obststämmchen, durch die Berichtigungen, welche er allem ihm zugesendeten Obste auf das Freundlichste zu kommen lässt, und vor Allem durch seine lehrreichen Schriften hauptsächlich die Anregung zum Obstbau und das endliche Zurückdrängen des alten Schlendrians verdanken. Dass grade seine Sammlung für alle Anwesende Werth hatte, versteht sich von selbst. Doch soll auch die des Rentmeister Woltmann in Zeven, obgleich nicht gross, genannt werden, da es alle die Sorten enthielt, die grade in ungünstigeren Gegenden Deutschlands gedeihen.

Das Königreich Sachsen mit seinem vielem und schönem Obste war leider nur durch 2 kleinere Sammlungen vertreten. Erfreulich waren aber die des Kurfürstenthumes und des Grossherzogthumes Hessen, da die dortigen beiden Gartenbauvereine zu Kassel und Darmstadt die Angelegenheit in die Hand genommen und die verschiedenen Obstsorten in ihren Ländern sammeln liessen oder dazu veranlasst hatten. Eben so hatte von Seiten Badens eine erfreuliche Theilnahme stattgefunden und waren einige interessante Sammlungen vorhanden, von denen die vom Kaiserstuhl, zu der vier Gutsbesitzer (Huber, Fläsch, Ens und F. Meyer) beigetragen, und die vom Pfarrer Schwerdt in Neukirchen eine besondere Beachtung verdienten.

Vom Neuen war der hohe Norden Deutschlands durch Sendungen aus Oldenburg und aus den beiden Mecklenburgs vertreten; um so mehr bedauerte man, dass aus Holstein nichts angekommen war, da grade dieses Herzogthum, bekannt durch seinen vorzüglichen Gravensteiner, ebenfalls schönes Obst besitzt. Aus Oldenburg hatte der Gutsbesitzer Detmers gesendet, während beide Mecklenburge, mehrfach, und zwar meist durch ausgezeichnete Sammlungen, vertreten waren, so durch die des Dr. Löper in Neubrandenburg, des Dr. Rudolphi in Mirow und des Organisten Müschen in Belitz bei Laage.

Aus dem Grossherzogthume Sachsen-Weimar, was ebenfalls gute Obstgegenden besitzt, stammte leider ebenfalls nur eine Sammlung, und zwar vom Kantor Lotze in Eisleben. Dagegen hatte aus den sächsischen Herzogthümern eine ausserordentliche rege Betheiligung stattgefunden. Professor Lange aus Altenburg, Lieutenant Donauer aus Koburg und Medizinalassessor Jahn aus Meiningen, drei kenntnissreiche und dem Obstbau mit ganzer Liebe ergebene Pomologen, die für die Ausbreitung des Obstbaues in ihren Gegenden sehr viel gethan haben, waren selbst mit ihren schon berichtigten und deshalb als Muster geltenden, auch sehr umfangreichen Sammlungen gekommen. Ausserdem hatten aber die Gartenbau-Vereine in Saalfeld, in Römhild und hauptsächlich in Meiningen durch Uebersendung sehr grosser Sammlungen auch um die Ausstellung sich Verdienste erworben. Man muss nur wünschen, dass Vereine, die zum Theil schon seit Jahren für die Förderung des Obstbaues viel gethan haben, auch von Seiten ihrer Regierungen nicht allein Anerkennung, sondern auch von Zeit zu Zeit Unterstützung fänden.

Dass das Herzogthum Gotha nicht zurückblieb, konnte man wohl voraussehen. Der thüringische Gartenbauverein in Gotha hat durch seine Baumschule schon seit sehr langer Zeit einen grossen Einfluss auf die Hebung des Obstes ausgeübt und stellte jetzt eine ansehnliche Sammlung aller dort angebauten Sorten zur Verfügung. Durch ihn wurden die bekannten Dittrich'schen Nachbildungen von Obst in Papiermaché ins Leben gerufen; jetzt werden wiederum die Nachbildungen in Porzellan, die einer seiner Mitglieder, der Kaufmann Arnoldi, anfertigen lässt, von ihm beaufsichtigt und befördert.

Sehr reich und vorzüglich durch gut kultivirte Exemplare vertreten waren die Sammlungen aus dem Herzogthume Nassau, und hier vor Allem die des Ministerialrathes von Trapp in Wiesbaden, eines Mannes, der wiederum um den Obstbau seines speciellen Vaterlandes fortwährend sich sehr grosse Verdienste erwirbt und dessen Obst wegen seiner richtigen Benennung ebenfalls als Muster dienen konnte. Was man hier sah, konnte auf Anerkennung Anspruch machen.

In den Anhaltischen Herzogthümern hat der in Dessau schon seit längerer Zeit existirende Gartenbau-Verein vom Neuen eine erfreuliche Thätigkeit ausgeübt und sich auch die Beförderung des Obstbaues zur speciellen Aufgabe gesetzt. Die von ihm eingesendete Sammlung war ziemlich umfangreich. Aus dem Herzogthume Braunschweig, was so schöne Obstgärten besitzt, war nichts geliefert; eben so nichts aus den Reussischen Fürstenthümern. Dagegen hatte Schwarzburg zwei sehr grosse Sammlungen eingesendet, von denen die eine man dem Hofgärtner Jaquot in Frankenhausen, die andere dem Gartenbau-Vereine in Arnstadt verdankte. Diese reizend und für den Obstbau günstig gelegene Stadt am Nordabhange des Thüringer Waldes hat seit dem letzten Jahrzehnt sich in gärtnerischer Hinsicht Anerkennung verschafft; um desto erfreulicher ist es nun, dass seine Bewohner sich auch den Obstbau noch mehr aneignen wollen, als es schon an und für sich bis jetzt der Fall war. Die von Arnstadt ausgestellte Sammlung war eine der grössten der ganzen Ausstellung.

Die übrigen kleineren Fürstenthümer hatten nichts geliefert; es bleiben demnach nur noch die 4 freien Städte übrig. Schade dass Frankfurt a. M., von woher in Naumburg vorzügliches Obst und namentlich auch Trauben eingesendet waren, sich dieses Mal ausgeschlossen hatte. Auch Lübeck war nicht betheiligt; desto mehr fanden die Sammlungen der schon von alter Zeit her berühmten und mit Recht anerkannten Flottbecker und Travemünder Baumschulen bei Hamburg und Bremen volle Anerkennung.

Das Gemüse soll an einer anderen Stelle besprochen werden. Wir können aber doch nicht umhin, wenigstens der 6 mächtigen Riesenkürbisse zu erwähnen, welche der Handelsgärtner Döpleb in Erfurt ausgestellt hatte. Sie alle wogen über 1000 Pfund und verdienten deshalb wohl ihren Namen; einer allein besass ein Gewicht von 230 Pfund.

Das kaltflüssige Baumwachs.

Vom Garteninspektor Ed. Lucas in Hohenheim.

Als ich vor 15 Jahren nach Hohenheim kam, fand ich folgende Einrichtung zum Bestreichen der Wunden bei der Frühjahrsveredelung im Gebrauche. Es wurden 3 eiserne Töpfe von etwa 1 Pfund Wasser Gehalt auf kleine, in der Baumschule zwischen einigen Steinen angemachte Feuer gestellt und darin gewöhnliches rohes Harz, wie es als Kübelharz (weil es in kleinen hölzernen Kübeln gebracht wird) von den Holzbauern aus dem Schwarzwalde verkauft wird (das Pfund zu 7—8 Kr.), warmflüssig gemacht. Mit diesem Harze bestrich man die Veredelungsstellen. Durch Beimischung von ¼—½ Pfd Schweinfett oder Rindstalg zu 1 Pfd Harz suchte ich (nach Dittrichs Rath) das Harz etwas leichter flüssig und zäher zu machen und dadurch dem früher gar zu öfterem Verbrennen der Reiser vorzubeugen, weil eine solche Mischung schon bei weit niederer Temperatur schmilzt; es erstarrt auch nicht sobald, sondern erhält sich längere Zeit flüssig.

Allein trotz dieser Beimischung wollte die Sache oft, besonders bei rauher Witterung, nicht gehen. Das Erhalten des Feuers und das öftere Warten auf das Wiederflüssigwerden des Harzes verursachte auch grosse Zeitverluste. Es wurden nun Veredlungspfännchen angeschafft, in welchen jenes Pfropfharz durch eine Oellampe warm erhalten wurde. Diese Einrichtung würde ganz entsprochen haben, wenn

1) das Oel nicht die Sache im Freien ziemlich vertheuert und ich;
2) für diese Arbeit nur immer eingeschulte Baumschularbeiter gehabt hätte.

Da jährlich nun aber eine grössere Zahl junger Landleute hierherkommen, um sich zu Baumwärtern zu bilden, und eigentliche eingeübte Arbeiter nicht gehalten werden, so wurden trotz dem noch, wenn auch weniger wie früher, manche Reiser durch Auftragen von zu heissem Harze total verbrannt.

Schon seit Jahren sprach ich daher mit Chemikern darüber, ob sie nicht eine Lösung von Harz wüssten, welche sich zum Gebrauche als Baumwachs eigne und das gewöhnliche warm aufzustreichende Wachs oder Harz ersetzen könne, aber auch billig genug sei und möglichst schnell trockne. Auf alle Fragen erhielt ich keine genügende Auskunft; die Lösung von Harz in Weingeist meinten die Chemiker wäre die billigste, würde aber nicht schnell genug fest werden und zu lange klebrig bleiben. Proben, die ein mir befreundeter und in der Chemie sehr bewanderter junger Landwirth machte, führten zu keinem Resultate. Im Herbste und Winter 1854 machte ich nun nach dem Rathe eines Artikels in den Frauendorfer Blättern, mit K unterzeichnet, Lösungen von Harz und Weingeist zurechte und veranlasste einige Freunde, dasselbe zu versuchen; allein anfangs wollte es nicht recht gehen. Einer der letzteren sagte mir geradezu, dass an der ganzen Sache nichts sei. Auch der Superintendent Oberdieck in Jeinsen war mit dem Erfolge seiner Versuche gar nicht zufrieden.

Damals that ich und auch Andere, denen ich die Sache mitgetheilt, fein gestossenes Harz in eine Bouteille und dazu soviel Weingeist, dass sich das Harz so ziemlich auflösen konnte, und liess dann diese Flasche mit ihrem Inhalte auf einem erwärmten Platze und unter öfteren Umschütteln eine Zeit lang stehen.

In der pomologischen Monatsschrift (I. Jahrgang, 4tes Heft und Seite 115) machte ich zuerst auf meine damaligen Erfahrungen bezüglich der Bereitung und Anwendung des kaltflüssigen Baumwachses aufmerksam und bat, die Erfolge anderweitiger Versuche hier mitzutheilen. Im 2ten Jahrgange giebt Superintendent Oberdieck in Jeinsen (Seite 329) in einem Artikel (Johannis 1856 geschrieben) an, dass ihm das kaltflüssige Baumwachs durchaus nicht genügt habe, da sich das Harz in Weingeist nicht leicht auflöse. In einer Bemerkung hierzu machte ich jedoch aufmerksam darauf, dass das Harz, wenn es vorher warmflüssig gemacht werde, sich sehr gut mit Weingeist verbinden lasse und so eine dickflüssig bleibende und zähe Masse bilde, die sich beim Bestreichen der Veredlungen vortrefflich bewährt habe.

In einem späteren Aufsatze der pomologischen Monatsschrift (1857) sagt dagegen Oberdieck: „Ich will in Beziehung auf einen früheren Aufsatz bei dieser Gelegenheit erwähnen, dass ich in diesem Jahre auch meinerseits recht günstige Resultate von dem Gebrauche des kaltflüssigen Baumwachs gehabt, auch gelernt habe, es rasch zu bereiten, indem ich zu ¼ Pfd flüssig gemachten Kolophoniums, dem, damit es nicht schon in noch sehr heissem Zustande zu steif werden möchte, 1 Loth Rindertalg und Terpenthinöl 1 kleinen Esslöffel voll beim Schmelzen zugesetzt war, eben wenn es anfangen wollte zu erstarren, unter beständigem Umrühren nach und nach 4—5 Loth Spiritus vini zusetzte und die Masse dann in die in der Baumschule zu brauchenden weithalsigen Gläser goss. Diese Mischung war bald, wenigstens Tags darauf, schon brauchbar.“ Ich habe abgeschnittene Veredlungen von 1857 durch Oberdieck erhalten, die mit solchem Harz bestrichen waren, die überaus schön verwachsen waren und vorzüglichen Callus auf der Wunde gebildet hatten.

Auch Pastor Goerges in Lüneburg nahm Kolophonium und etwas Terpenthin und setzte diesen den Weingeist erst zu, um eine zufrieden stellende Masse zu erhalten. Der Medicinalassessor Jahn in Meiningen sagt in der pomologischen Monatsschrift, August 1857, über seine Erfahrungen beim Gebrauche des kaltflüssigen Baumwachses Folgendes: „Mit dem von dem Pfarrer Kötgens im Jahre 1851 in den Frauendorfer Blättern vorgeschlagenen kaltflüssigen Baumwachse, nämlich Pech in Spiritus gelöst mit Zusatz von dickem Terpenthin), habe ich damals sogleich Proben gemacht und zwar mit ganz gutem Erfolge, auch bei der Veredlung. Von den aufgesetzten, in solcher Weise überpinselten Propfreisern geriethen eben so viele, als in der alten Weise mit Anwendung von warmgemachten Baumwachse; es macht sich eine Mischung aus 1 Theil 90 grädigen Sprits, 1 Theil gepulverten Kolophoniums und 2 Theilen zerstossenen, aber trockenen weissen Fichtenharzes und in einem erwärmtem eisernen Mörser durch Anreiben mit dem Spiritus aufgelöst, besonders gut. Ich fand jedoch, dass schon mehr Aufmerksamkeit auf das Ueberpinseln zu verwenden ist und dass bisweilen 2 mal aufgestrichen werden muss, wenn die Decke gehörig dicht werden soll, weil sich die halbflüssige Mischung, besonders bei warmem Wetter, in das Verbandmittel einsaugt oder, wo sie Feuchtigkeit trifft, sich zusammenzieht, so dass unbedeckte Stellen entstehen. Wenn ich dieselbe also auch stets vorräthig halte und bei einzelnen Veredlungen immer anwende, so mache ich doch, wenn es sich um Hunderte von Bäumen in der Baumschule handelt, davon nie Gebrauch, weil sich das einmal warmgemachte gewöhnliche Baumwachs (wozu ich nur wenig Wachs, dagegen viel Pech oder Kolophonium mit etwas Talg oder Oel und dicken Terpenthin nehme) viel rascher auftragen lässt, nicht nochmals nachgesehen zu werden braucht, auch schneller darzustellen ist und auch nicht theuerer zustehen kommt."

Ich habe diese verschieden lautenden Urtheile hier mitgetheilt, weil ich vermuthe, dass es manchen andern Baumzüchter mit dem kaltflüssigen Baumwachse in ähnlicher Weise ergangen ist.

Was nun meine bisherigen Erfahrungen anbetrifft, so will ich, gleich von vorn herein bekennen, dass ich mich auf vergleichende Versuche mit kalt- und warmflüssigen Baumwachse nur wenig berufen kann; die ersten Resultate bei gehöriger Zubereitung machten mir jedes andere Baumwachs vollkommen entbehrlich: ich kann solche Proben über die äusserst günstigen Einflüsse des kalt aufgestrichenen Harzes vorlegen, so dass jeder Kenner sofort sagen muss, derartige schnelle Callusbildungen, und eine solche totale Gesunderhaltung der Wundplatten, sind bei dem Gebrauche von warmflüssigen Baumwachse nicht oder nur äusserst selten zu finden.

Beweise solcher schnellen und ungemein schönen Vernarbungen von Wunden, die nicht länger als 3 Wochen alt sind, sende ich mit diesem Aufsatze an den verehrten Herausgeber dieser Zeitschrift und bin überzeugt, dass er gern im Interesse der Sache bestätigen wird, dass 1. die Callusbildung über Erwarten schön und reich ist, dass 2. das darunter liegende Holz der Wundplatte ganz gesund ist und nicht sich entfärbt zeigt. Voriges Jahr Anfangs September zeigte ich einem der ausgezeichnetsten Forstmänner Preussens solche Vernarbungen von Wunden, welche Ende Juli geschnitten und mit kaltflüssigem Baumharze bestrichen worden waren. Dieser erklärte sie für Vernarbungen von Wunden, die ungefähr 5 Monate alt wären, d. h. von im Frühjahre geschnittenen Wunden.

Das von mir angewendete kaltflüssige Baumwachs oder richtiger Baumharz wurde aber stets nur aus gewöhnlichem Fichtenharze, wie es aus den Waldungen genommen und in kleinen hölzernen Fässern durch die Holzbauern versendet wird, und aus Weingeist bereitet.

Kolophonium ist Harz, welches ungleich spröder ist, da dasselbe eines Theils seines Terpenthinöls und seines Gehaltes an Wasser beraubt ist. Bedient man sich seiner, so ist es natürlich, dass, um diesem seine grössere Sprödigkeit zu nehmen, etwas Terpenthinöl zugesetzt werden muss, wenn man kaltflüssiges Baumwachs bereiten will. Früher fürchtete ich (und dieses war auch die Ansicht eines Chemikers), wenn die Lösung von Harz in Weingeist auf frische Wunden der Bäume aufgebracht werde, so würde das in den verletzten Zellen befindliche Eiweiss koaguliren und dieser Umstand der Heilung der Wunden hinderlich sein. Allein dieses ist, wie tausendfache Erfahrung zeigte, nicht der Fall, indem die weitere Bildung der Zellen, was der Gärtner Granulation nennt, so schnell geschah und eine Vereinigung der Wundränder so schnell von Statten ging, dass man schon nach 3—4 Tagen die ersten Spuren davon durch die dünne Harzdecke hindurch mit blossem Auge wahrnehmen konnte. Gerade in dem sehr dünnen Auftragen einer zähen und nicht leicht abspringenden, nur allein die Luft abschliessenden Decke liegt ein grosser Vortheil dieser Art Baumwachses: ein 2 maliges Austreichen habe ich niemals, wenn das Erstemal ordentlich die Wunde überstrichen war, nöthig gefunden; nur bei nachlässiger Anwendung wurde es nöthig, die nicht oder nur ungeschickt bestrichenen Stellen ein zweites Mal zu überziehen.

Die Mischung, die ich seither, namentlich seit 1847,

sowohl bei Veredlungen, als beim Bestreichen der Seiten- und Zapfenwunden in der Baumschule, als auch bei dem Beschneiden der jungen Bäume im Frühjahre, wie im Sommer, anwendete, wurde in folgender Weise zubereitet.

1 Pfund Harz wurde langsam warmflüssig gemacht, dazu nun 6—7 Loth (je nach seiner Stärke) Weingeist zugeschüttet und Beides tüchtig untereinander gerührt, sodann in weithalsigen Flaschen wohlverschlossen aufbewahrt.

In seinem richtigen Zustande soll das kaltflüssige Harz die Konsistenz eines dicken Syrupes oder dicken Terpenthins haben, so bald es erkaltet ist. Anfangs, so lange das Harz noch warm ist, erscheint es stets dünnflüssiger, als nach dem völligen Erkalten. Dieses kaltflüssige Harz kann bei warmem, wie kühlem, bei nassem, wie trockenem Wetter gleich gut aufgestrichen werden; es verbrennt keine Wunde, kein Reis; es dringt auch, wenn es gut bereitet ist, nicht in kleine Spalten ein, sondern bildet eine sich schnell schliessende feine Decke, die in kurzer Zeit fest wird, aber da sie dünn ist, wie schon erwähnt, auch zäher bleibt und nicht leicht abspringt, wie bei dicker aufgetragenem Harze.

Ausser diesem nächsten Zwecke zum Ueberdecken der Wunden an jungem Holze (auch bei Spalierbäumen fand ich es gut und leicht anzuwenden.) hat der bekannte Pomolog Pastor Hoerlin in Siudringen von diesem Harze eine ganz besondere Anwendung gemacht, indem er Edelreiser, um sie gegen das Austrocknen durch Verdunstung zu schützen, mit gutem Erfolge mit kaltflüssigem Baumwachse dünn überzog. Sie trieben trotz sehr später Veredlung, wie ich mich überzeugte, grossentheils recht schön aus, ohne dass diese dünne Harzdecke dem Hervorbrechen der Augen ein Hinderniss gewesen wäre.

Mit fein gesiebter Asche sowohl, als mit geschabter Kreide (zu gleichen Theilen Baumwachs und eines dieser Materialien) vermischt, giebt das kaltflüssige Baumwachs einen Kitt, welcher sich sehr gut an Glas, Holz und Eisen anlegt und zum Verstreichen von allerlei kleinen Fugen, Spalten oder beim Tropfen der Mistbeet- und Glashausfenster, auch von rinnenden Röhren u. dgl., verwenden lässt.

In Paris wurde unter dem Namen „Mastix L'homme Lefort und Mastix liquide pour greffer à froide, quérir et cicatriser les plaies des arbres et arbustes, auf der Ausstellung 1855 von der Fabrik Rue de Pré 1. zu Belleville (bei Paris) ein kaltflüssiges Baumwachs ausgestellt, welches mit der silbernen Medaille 1ster Klasse gekrönt wurde. Ich erhielt eine Büchse davon und konnte vergleichende Versuche mit diesem und unserm Baumwachse anstellen. Durch dieselben stellte sich deutlich heraus, dass

1) das hier beschriebene, von uns bereitete kaltflüssige Baumwachs schneller trocknete und nicht so leicht von der Sonnenwärme wieder aufgeweicht wurde, als das französische, wozu schon die dunkelbraune Farbe des letzteren viel beiträgt, während das unsrige gelb ist.
2) Dass sich unser Harz leichter und besser aufstreichen lässt. (nach Angabe des Fabrikanten streicht man den Mastix liquide mit einem Messer oder einem Spatel auf) und
3) dass die Reiser, welche mit unserem Harze verstrichen worden waren, entschieden besser anwuchsen, als jene, welche von derselben Sorte und an gleichem Tage veredelt und mit französischem kaltflüssigen Baumharze bedeckt wurden.

Fasse ich noch schliesslich die Vortheile unseres kaltflüssigen Baumwachses gegen das warmflüssige zusammen, so ist:

1) das gleiche Quantum weit billiger, als die meisten Arten von Baumwachs, (1 Pfund kommt auf 12 bis 15 Kr., also 3 bis 4 Sgr., 1 Pfund Harz 7 bis 9 Kr., 6 Loth Weingeist 5 bis 7 Kr.).
2) es bedarf nicht des Erwärmens, also auch nicht der damit verbundenen Kosten und Mühen;
3) es lässt sich in gut verkorkten Flaschen vortrefflich lange Zeit aufbewahren (über ½ Jahr bewahrte ich schon solches auf). Eine dünne Haut, welche sich bald oberhalb bildet, schützt auch das übrige Harz vor weiterer Verdünstung.
4) Man reicht mit 1 Pfunde so weit, wie mit 2 Pfund warmen Harz und Fett, so wie mit 1½ Pfd Baumwachs, da kein erwärmtes Harz so dünn aufgestrichen werden kann, als das kaltflüssige.
5) Die Wunden, seien es Veredlungs- oder andere Wunden, Hirn- oder blosse Rindenwunden, verheilen überaus schnell, schön und weit besser als bei Anwendung von warmflüssigem Harze oder Wachse.
6) Es kann ohne Beschwerde überall hin mitgenommen werden, indem man es in einem hölzernen Zündholzbüchslein in der Tasche stets bei sich tragen kann.

Möchte diese Mittheilung zu recht zahlreichen Versuchen führen; die Baumschulzüchter im Norden und Süden werden mir gewiss dafür dankbar sein, dass ich sie ganz besonders auf die Vorzüge dieses Materials zum Bedecken der Veredlungs- und andern Wunden am grünen Holze aufmerksam gemacht habe. Auch wird wohl bis jetzt Niemand so ausgedehnte Erfahrungen gemacht haben mit der praktischen Anwendung des kaltflüssigen Baumwachses, wie ich, da hier dieses Frühjahr allein gegen 3000 Veredlungen in der Baumschule gemacht und alle Wunden ohne alle Ausnahme damit überdeckt wurden.

Zusatz des Herausgebers.

Der Inspektor Lucas war so freundlich, mir Proben seiner Veredlungen und ein Fläschchen seines kaltflüssigen Baumwachses zu übersenden, und hatte ich dadurch Gelegenheit das letztere mit dem Pariser von l'Homme Lefort, was mir ebenfalls zugesendet worden war, zu vergleichen. Das Lucas'sche hat schon in so fern einen Vorzug, als es Jedermann sich selbst machen kann und sich den Bedarf nicht erst um vieles Geld zu verschaffen braucht.

Ich habe die Veredlungen untersucht und mich vollständig von dem guten Zustande derselben überzeugt. Es kann aber auch unter diesen Umständen gar nicht anders sein. Die Verwachsung des Edelreises, resp. Auges, mit der Unterlage geschieht einfach durch Ineinanderschieben der Zellen beider auf der Wundfläche und zwar an den Stellen, wo bildungsfähige Zellen, sogenannte Kambialschichten, vorhanden sind, also zwischen Splint und Rinde. Je ungestörter die Bildung der zarten, ich möchte sagen, sulzigen Zellen geschehen kann, je besser, um mich gärtnerisch auszudrücken, die Granulirung stattfindet, um so fester wird die Verbindung sein. Die Natur hat eine zum grossen Theil aus Korkzellen bestehende, also gegen die äussern Einflüsse schützende Rinde um die Kambialschicht der Gehölze, die man in der Zeit, wo besonders Neubildungen geschehen, im gewöhnlichen Leben, in der Meinung, es sei kein Zellgewebe, sondern nur eine dicke sulzige Masse, Frühjahrs- und August- oder ersten und zweiten Saft, auch wohl ersten und zweiten Trieb nennt, oder beim Auge sogenannte Tegmente um die eigentliche Knospe gelegt, um ganz besonders die austrocknende Luft, aber auch sonst die von aussen kommenden Einflüsse, abzuhalten. Es kommt also hauptsächlich darauf an, bei der Verbindung des Edelreises, resp. des Auges, mit der Unterlage, alles abzuhalten, was schädlich sein könnte und demnach die Wunde vollständig gegen die äussere Luft abzuschliessen im Stande ist. Jede Wunde sucht die Natur durch Zuführung einer grösseren Menge von Nahrungssaft möglichst schnell zu heilen. Da nun dieses im ersten Frühjahre, wo die im vorigen Jahre entstandenen Neubildungen zur weiteren Entwickelung kommen, und wiederholt im August vorherrschend geschieht, so ist an und für sich ein rascherer Stoffwechsel in der Pflanze, und damit auch zur Neubildung von Zellen eine grössere Menge von Nahrungsstoffen, vorhanden. Man wählt deshalb grade die beiden Zeiten zum Veredlen.

Die frühere Methode des Veredelns, wo man mit einer Pfanne mit geschmolzenem Harze oder Kolophonium umherging, hatte, wie der Inspektor Lucas klar und deutlich auseinander gesetzt hat, ungemeine Nachtheile, und werden namentlich Baumschulbesitzer für seine kaltflüssige Masse ihm zu grossem Danke verpflichtet sein. Im Besitze dieses Baumwachses braucht man auch keineswegs mit der Zeit der Veredlung so ängstlich zu sein. Der Stoffwechsel in der Pflanze und die Neubildung von Zellen hört nur vollständig auf, wenn der Saft gefroren ist; sonst gehen beide fortwährend, wenn auch in geringerem Grade als zu den obengenannten Zeiten, von Statten. Bei luftdichter Absperrung können namentlich Okulationen noch lange nach dem Augusttriebe geschehen. Das Anwachsen geschieht zwar langsamer, aber sicher. Man braucht auch gar nicht so ängstlich zu sein, dass beim Pfropfen und Kopuliren die Kambialschichten des Reises und der Unterlage immer genau auf einander passen. Ich habe Beispiele gesehen, wo diese sich anfangs gar nicht berührt hatten, aber doch durch Weiterbildung der Zellen von Seiten der Schnittfläche der Unterlage bis zur Kambialschicht des Reises eine Verwachsung geschehen war. Auf denselben Umstand beruht auch das vom Kunstgärtner Forkert zu Berlin angegebene und bereits in der Gartenzeitung (Seite 278) besprochene Verfahren beim Okuliren.

Verlag der Nauckschen Buchhandlung. Berlin. Druck der Nauckschen Buchdruckerei.

No. 46. Sonnabend, den 14. November 1857

Preis des Jahrganges von 52 Nummern mit 12 color. Abbildungen 6 Thlr., ohne dieselben 5 „ Durch alle Postämter des deutsch-österreichischen Postvereins sowie auch durch den Buchhandel ohne Preiserhöhung zu beziehen.

Mit direkter Post übernimmt die Verlagshandlung die Versendung unter Kreuzband gegen Vergütung von 26 Sgr. für Belgien, von 1 Thlr. 8 Sgr. für England, von 1 Thlr. 22 Sgr. für Frankreich.

BERLINER Allgemeine Gartenzeitung.

Herausgegeben

vom

Professor Dr. Karl Koch,

General-Sekretair des Vereins zur Beförderung des Gartenbaues in den Königl. Preussischen Staaten.

Inhalt: Die zweite Versammlung deutscher Pomologen und Obstzüchter zu Gotha in den Tagen vom 9. bis 13. Oktober. (Fortsetzung.) Die Verhandlungen. Von dem Professor Dr. Karl Koch. – Einiges über Swainsonen. Von dem Professor Dr. Karl Koch und dem Kunst- und Handelsgärtner Siegling in Erfurt. – Die neuern Orchideen der Schiller'schen Sammlung in Ovelgönne bei Hamburg. Von dem Obergärtner Stange daselbst.

Die zweite Versammlung deutscher Pomologen und Obstzüchter zu Gotha,

in den Tagen vom 9. bis 13. Oktober.

Von dem Professor Dr. Karl Koch.

(Fortsetzung aus Nr. 45.)

Die Verhandlungen.

Nachdem der Professor Koch, Generalsekretär des Vereines zur Beförderung des Gartenbaues in Berlin, für die ganze Dauer der Versammlung zum Vorsitzenden, und zur Prüfung der eingegangenen Gegenstände die verschiedenen Sektionen ernannt waren, wurden die Verhandlungen über die im Programme vom 20. Juli d. J. aufgestellten Fragen eröffnet. Es muss jedoch vorausgeschickt werden, dass an 4 Tagen, den dazwischen liegenden Sonntag also ausgenommen, täglich 2 Mal Sitzungen, die eine am Vormittage, die andere gegen Abend, statt fanden und diese stets von den meisten, wenn nicht allen anwesenden Pomologen und Obstzüchtern besucht wurden.

1. Die erste Frage,

welche weitere und sichere Erfahrungen können über die in Naumburg empfohlenen Obstsorten mitgetheilt werden?

gab eine Reihe von Beobachtungen, die zum Theil das volle Interesse in Anspruch zu nehmen im Stande waren, leider aber nur zum geringen Theil weiter verfolgt werden konnten, da immer auf die Hauptsache, auf die Frage, zurückgeführt wurde. Es stellte sich zunächst vor Allem heraus, dass die vor 4 Jahren zum allgemeinen Anbau empfohlenen 20 Sorten von Aepfeln und Birnen in der Zwischenzeit, also von 1853 bis jetzt, hauptsächlich in den verschiedenen Gegenden angepflanzt worden waren; nach den Berichten anwesender Baumschulbesitzer und nach schriftlichen Mittheilungen war die Nachfrage nach ihnen so gross gewesen, dass, obwohl man sich schon im folgenden Jahre speciell dafür eingerichtet hatte, man zuletzt dem Verlangen gar nicht mehr genügen konnte. Dass man in Naumburg gleich mit bestimmten Sorten hervortrat, gab Veranlassung zu vielen grössern und kleinern Anpflanzungen. Manche waren früher schon dadurch, dass sie sich bei einer Auswahl von weit über 1200 Aepfeln und fast 1000 Birnen rathlos fühlten, von jedem Versuche, in dem vollen Sinne des Wortes, abgeschreckt worden und unterliessen es, Obst anzubauen, weil sie sich nicht der Möglichkeit einer Täuschung aussetzen wollten.

Seit 1853 haben sich zwar Stimmen gegen die eine oder die andere der vorgeschlagenen Sorten erhoben; der grössere Theil, namentlich derer, die nicht Kenner waren und doch gern Obst bauen wollten, hat sich aber nicht darum gekümmert und stets nur die vorgeschlagenen 10 Sorten Aepfel und 10 Sorten Birnen angepflanzt. Selbst im Auslande würdigte man hier und da den Ausspruch der Naumburger Versammlung. Die Erfahrung wird lehren, dass sie sich nicht getäuscht haben, zumal das Endresultat der jetzigen Verhandlungen dawar, dass auch ferner dieselben 10 Sorten von Aepfeln und von Birnen vor Allem empfohlen werden sollen. Diese sind:

A. Aepfel.

1. Die Pariser Rambour-Reinette hat eine vorzügliche Frucht und muss, obwohl sie in einigen Gegenden sich gegen Kälte empfindlich zeigt und am Stamme dann leicht krebsige Schäden entstehen, möglichst viel angebaut werden. Unter dem Namen Kanada-Reinette ist sie ebenfalls sehr bekannt, eben so als Lotharinger.

2. Der Grosse Rheinische Bohnenapfel ist namentlich auch an Chausseen gut zu gebrauchen, da er auf jedem Boden, vielleicht leichten Sandboden ausgenommen, reichlich trägt.

3. Der Luiken-Apfel, wie bekannt, in ganz Württemberg allgemein angepflanzt und beliebt, war leider doch noch immer zu unbekannt und erhielt nach in andern Gegenden, namentlich im Norden, gemachten Erfahrungen nicht die allgemeine Anerkennung, weshalb er zwar noch ferner empfohlen, aber auch weiter beobachtet werden soll.

4. Der Danziger Kantapfel ist eine so vorzügliche Frucht, dass man nur bedauern muss, dass so häufig unter dem Namen andere Aepfel verkauft werden.

5. Die Englische Wintergold-Parmäne ist keineswegs so zart, als man hier und da glaubt, und liefert eine im Aussehen und im Geschmacke eine vorzügliche Frucht.

6. Die Karmeliter-Reinette scheint nicht auf moorigem und sandigem Boden gut zu gedeihen und dann weniger zu tragen. Im Süden und Osten Deutschlands wird die Frucht sehr viel angebaut.

7. Die Grosse Kasseler Reinette trägt schon frühzeitig und wurde allseitig als vorzüglich anerkannt. Nur ist es Schade, dass eine ähnliche, aber schlechte Frucht häufig als solche verkauft wird.

8. Der Rothe Wintertauben-Apfel (Pigeon rouge). So vorzüglich die Sorte auch ist, so scheint doch der Boden einen grossen Einfluss auf die Tragbarkeit des Baumes auszuüben.

9. Der Edle Winterborsdorfer wird leider gar nicht mehr so häufig angebaut, da der Baum erst spät trägt, aber dann auch sehr lange und einen um so höhern Ertrag giebt. Man kannte Bäume von 100 Jahren. Am Besten wird er in Mitteldeutschland, während er im äussersten Süden, trotz seines noch schönen Aussehens, keineswegs das bekannte Aroma in der Weise besitzt, wie in Sachsen und Thüringen.

10 Der Gravensteiner ist wiederum ein Apfel, der im Norden Deutschlands fast unter allen Verhältnissen gedeiht und trägt. Er scheint in der Form abzuändern und auch in Mecklenburg, Holstein u. s. w. mehr länglich vorzukommen; aber immer bleibt er an seinem Wohlgeschmacke und noch mehr an dem eigenthümlichen Geruche leicht zu erkennen.

B. Birnen.

1. Die Weisse Herbstbutterbirn (Beurré blanc) ändert sehr nach Boden und Klima und verlangt der Baum eine gute Behandlung, wenn er reichliche und schmackhafte Früchte tragen soll. Hohe und sehr nördliche Lagen verträgt er nicht gut und muss dann lieber am Spalier gezogen werden. In Frankreich schneidet man ihn der schwachen Triebe halber sehr zurück.

2. Die Grumbkower Winterbirn gedeiht bis hinauf in den hohen Norden Deutschlands, scheint aber auch allmählig sich nach den Süden hin auszubreiten.

3. Capiaumont's Herbstbutterbirn kann nicht genug empfohlen werden

4. Coloma's Herbstbutterbirn scheint hier und da weniger zu tragen, ist aber eine der vorzüglichsten und lohnendsten Früchte.

5. Napoleons Herbstbutterbirn ist im Norden gegen Kälte empfindlich, hält aber sonst Stürme aus und ist dem Krebse nicht unterworfen.

6. Die Forellenbirn. Der Baum wächst rasch und trägt fast immer reichlich.

7. Colomo's köstliche Winterbirn (Suprème Coloma) verdient ihren Namen und muss noch weit mehr angepflanzt werden, als es bisher der Fall gewesen ist. Der Name Liegels Winterbutterbirn ist später gegeben.

8. Hardenpont's Winterbutterbirn trägt und dauert leider nicht so gut, als die vorige; die Frucht ist aber noch vorzüglicher im Geschmacke. Der Name Kronprinz Ferdinand muss, als ganz falsch und weit später gegeben, wegfallen.

9. Der Katzenkopf ist unbedingt von allen Wirthschaftsbirnen am Meisten zu empfehlen und hat auch in Deutschland, noch mehr aber in Frankreich, eine grosse Verbreitung.

10. Die Winter-Gute-Christbirn (Bon chrétier d'hiver). In Deutschland gedeiht diese Kochbirn allenthalben gut und wird sehr geliebt, während das letztere zwar auch in Frankreich der Fall ist, aber doch der Baum nur an Spaliere gut fort kommen soll.

II. Welches sind die nächsten 10 Sorten von Aepfeln und Birnen, welche man a) als Tafel- b) als Wirthschafts-Obst empfehlen könnte?

Es wurde zunächst, um die Verhandlungen nicht zu sehr auseinander gehen zu lassen, ein Ausschuss ernannt, um die geeigneten Vorschläge zu machen. Zu gleicher Zeit sprach man den Wunsch aus, vor Allem dabei auf die Sorten Rücksicht zu nehmen, welche nach dem Aufrufe des Vereines zur Beförderung des Gartenbaues in Berlin an alle Pomologen und Obstbaumzüchter Deutschlands vom 18. Mai 1854, die meisten Stimmen erhielten, und deren Namen in einer besonderen, von dem verstorbenen General-Lieutenant v. Pochhammer noch verfassten Abhandlung (s. Verhandlungen des Vereines, neue Reihe, 2. Jahrgang, Seite 271) bekannt gemacht sind.

A. Aepfel.

1. Die Ananasreinette wurde schon in Naumburg als eine zu empfehlende Frucht genannt und erhielt in der oben bezeichneten Abhandlung 11 Stimmen. Der Baum ist aber nicht an Chausseen zu gebrauchen, da er keine Beschädigungen verträgt und die schöne Frucht sehr lockt.

2. Der Goldzeugapfel ist leider noch viel zu wenig bekannt, da er nur 6 Stimmen erhielt; als Tafel- und Wirthschafts-Obst ist er gleich gut. Der Baum trägt reichlich und wächst ziemlich schnell.

3. Der Virginische Sommer-Apfel ist als Wirthschafts- und Tafel-Obst gleich gut, aber im Allgemeinen weniger verbreitet als der Astrachanische Sommer-Apfel, der sonst die gleichen Eigenschaften besitzt und nur schneller mehlig wird. Nach dem Aufrufe erhielt der letztere auch 12, der erstere hingegen nur 4 Stimmen. Auch der gestreifte Sommerzimmet-Apfel, der 5 Stimmen erhalten hatte, wurde als ein vorzüglicher Apfel erkannt, reift aber, wenigstens in Mittel- und Norddeutschland, erst im September, ist daher kein eigentlicher Sommer-Apfel. Die Versammlung entschied sich für den ersteren.

4. Der Prinzen-Apfel, im Süden Nonnen-Apfel, ist sehr tragbar und, da er einen aromatischen Geschmack besitzt, einer der besten Wirthschaftsäpfel. Er erhielt in Folge des Aufrufes zwar nur wenige Stimmen, ist aber ziemlich verbreitet und wurde deshalb auch von den Anwesenden ganz besonders empfohlen. Mit ihm wurden auch der Rothe Herbstkalvill und der Kaiser Alexander als die bezeichnet, welche eine grössere Verbreitung verdienten. Der erstere hatte 21, der andere 12 Stimmen in Folge des Aufrufes erhalten, was gewiss für ihre Empfehlung spricht. Leider wird der Baum des Rothen Herbstkalvills in manchen Bodenarten krebsig. Kaiser Alexander, obwohl mehr Wirthschafts-Obst, zeichnet sich auch durch seine Grösse und seinen Wohlgeschmack, so wie der Baum durch seine Tragbarkeit, aus.

5. Der rothe Eisapfel, unter vielen Namen bekannt, besonders noch als Rother 3 Jahre lang dauernder Streifling und als Paradies-Apfel, ist ohnstreitig die Frucht, welche am Längsten aufbewahrt werden kann. In Folge des Aufrufes erhielt er nur 3 Stimmen. Mit ihm zugleich kamen der Pommersche Krummstiel, der Winter-Citronen-Apfel und der Purpurrothe Winter-Cousinot zur Sprache. Wer den erstern kannte, sprach sich auch für ihn aus: aber eben weil der Apfel noch zu wenig bekannt ist, empfahl man ihn zunächst den Pomologen zu Versuchen, um ihn in der dritten Versammlung näher besprechen zu können.

6. Die Champagner-Reinette dauert ebenfalls oft 2 Jahre und ist hauptsächlich auch zu Obstwein zu verwerthen.

7. Die Englische Spitalreinette mit 11 Stimmen im Aufrufe: trägt leider nur ein Jahr ums andere, ist aber sonst sehr zu empfehlen.

8. Der Königliche rothe Kurzstiel, eine Goldreinette, die nicht allein, wie man meist glaubt, in Süddeutschland, sondern auch im Norden und selbst in Sandboden gedeiht. Er hatte 4 Stimmen in Folge des Aufrufes erhalten.

9. Die Orleans-Reinette mit 16 Stimmen. Ein ganz vorzüglicher Apfel.

10. Harberts Rambour-Reinette. Ebenfalls eine vorzügliche Frucht; sie hatte in Folge des Aufrufes nur 6 Stimmen erhalten.

B. Birnen.

Obwohl nach dem Programme nur 10 Sorten noch empfohlen werden sollten, so glaubte man doch bei der verschiedenartigen Gebrauche sowohl, als hinsichtlich dem Dauer, Grund zu haben, die Zahl auf 12 zu erhöhen.

1. Die Grüne fürstliche Tafelbirn scheint in dem Aufrufe ganz übergangen zu sein, obwohl sie eine sehr vorzügliche Frucht und auch nicht wenig verbreitet ist. Neben ihr kamen die Sommer-Dechantsbirn oder Sommer-Beurré blanc und Sparbirn zur Sprache. Erstere hatte 9, letztere sogar 11 Stimmen in Folge des Aufrufes erhalten, beide wurden aber der Grünen fürstlichen Tafelbirn nachgestellt, obwohl die

2. Sommerdechantsbirn dann als die bezeichnet wurde, welche hierauf zu empfehlen sei. Die Sommer-Eierbirn, welche besonders in den Rheingegenden angebaut wird und auch 9 Stimmen erhalten hatte, war zu wenig für die verschiedenen Länder Deutschlands erprobt, um jetzt schon allgemein empfohlen werden zu können, aber auf jeden Fall eine gute Birn.

3. Die gute Grauebirn (Sommer-Beurré gris). Ist um so mehr zu empfehlen, als der Baum, besonders, wenn er frei steht, einen bedeutenden Umfang erreicht und daher sehr reichlich trägt. Sie hatte 8 Stimmen in Folge des Aufrufes erhalten.

4. Der Punktirte Sommerdorn mit 9 Stimmen; ist unbedingt noch dem Rothen Sommerdorne vorzuziehen.

5. Der Wildling von Motte, eine Herbstbirn mit 13 Stimmen, ist im Anfange weniger dankbar und hat durch die längere Dauer der Frucht einen besonderen Werth.

6. Die Köstliche von Charneu gedeiht in jedem Boden und liefert stets gute Früchte, daher sie auch vor der Marie Louise, welche bisweilen aufspringt und gar zu häufig unter falschen Namen vorkommt, den Vorzug erhielt. Sie erhielt auch in Folge des Aufrufes 7, letztere nur 4 Stimmen.

7. Die Regentin eine Winterbirn mit 10 Stimmen, die in Nord- und Süddeutschland gleich gedeiht. Schon junge Bäume tragen.

8. Nelis Winterbirn mit 5 Stimmen, hat deshalb einen Vorzug, da sie selbst noch in Norddeutschland gedeiht.

9. Winter-Dechantsbirn erhielt zwar 7 Stimmen in Folge des Aufrufes, möchte aber doch hauptsächlich in Norddeutschland nur als Pyramide und geschützt, so wie am Spalier, gut werden.

10. Bosc's Flaschen- oder Butterbirn wurde zwar in Folge des Aufrufes gar nicht genannt und erhielt auch hier einigen Widerspruch. Da sie aber den besten Früchten zur Seite gesetzt werden kann, ihre eigentliche Reifzeit Mitte November fällt, sie also eine späte Herbstbirn darstellt und der Baum auch allenthalben zu gedeihen scheint, so wurde sie doch empfohlen. Mit ihr wurde die wenig bekannte Jean de Witte empfohlen, aber als zu wenig erprobt verworfen.

11. Der Kuhfuss ist für den Sommer, obwohl sie in Folge des Aufrufes nur genannt wurde, die vorzüglichste Wirthschaftsbirn, die deshalb auch allgemein verbreitet ist und häufig als Pfundbirn vorkommt.

12. Campervenus erhielt ebenfalls in Folge des Aufrufes nur eine 1 Stimme, ist aber für den Winter die beste Wirthschaftsbirn und nicht genug zu empfehlen.

Einiges über Swainsonen.

Von dem Professor Dr. Karl Koch und dem Kunst- und Handelsgärtner Siegling in Erfurt.

Das was wir haben, ist noch keineswegs in der Weise benutzt, als es geschehen könnte; und doch hascht man fortwährend nach dem Neuen, als wenn das Neue eben nur unseren Gärten die Schönheiten verleihen könnte, nach denen wir unaufhörlich trachten und streben. Wie arm waren unsere Väter an Pflanzen? Mit wie wenigen Arten musste man sich noch vor einem Paar Jahrzehenden begnügen, wenn man das dagegen hält, was man jetzt in Anwendung bringen kann? Man möchte in der That einmal wünschen, dass ein Stillestand gemacht würde, um nur erst zu sehen, was man besitzt, und um dieses in Ruhe zu geniessen.

Für die Wissenschaft möchte es nicht weniger von grossem Nutzen sein, denn die wenigen Systematiker, die grade in einer Zeit, wo sie am Nöthigsten sind, aus der sonst grossen Anzahl Botaniker existiren — denn Jedermann soll heut zu Tage Physiolog sein — können ja gar nicht mehr durchkommen. Daher die gränzenlose Verwirrung in den Namen, die immer den Gärtnern in die Schuhe geschoben wird, obwohl diese mit ihren Kulturen grade genug zu thun haben und sich um eine richtige Nomenklatur gar nicht bekümmern können! Doch was hilft alles Mahnen und zu was versucht man noch guten Rath zu geben in einer Zeit, wo Alles vorwärts strebt und ein Jahrzehend mehr bringt, als in der sogenannten guten alten Zeit ein Jahrhundert. Es werden neue Pflanzen eingeführt und die alten verdrängt, um vielleicht schon in einem Paar Jahren ebenfalls ersetzt zu werden.

Unter den Pflanzen, die zum Theil vor längerer Zeit eingeführt wurden und einen dauernden Werth besitzen möchten, zeichnen sich die Swainsonen aus. Man schreibt gewöhnlich Swainsonien, mit Recht, wenn man sieht, wie gewöhnlich Namen von Männern entlehnte Benennungen gebildet werden, mit Unrecht, so bald man weiss, dass der, der den Namen gab, auf jeden Fall auch verlangen kann, dass seine Schreibart beibehalten werde. Dieses war der bekannte, zu Ende des vorigen und zu Anfang dieses Jahrhundertes lebende Botaniker Englands, Salisbury, der im Jahre 1806 die erste Pflanze dieses Geschlechtes zu Ehren Isaac Swainson's, eines damaligen ausgezeichneten Militärs und Zoologen, Swainsona nannte. Salisbury erhielt die erste blühende Pflanze einer Art dieses Geschlechtes aus dem Garten des genannten Swainson, zu Twickenham in Middlesex, welcher ersterer ausgezeichnet gewesen sein muss, da er seinen Besitzer mit dem zu Linné's Zeit lebenden Bürgermeister Amsterdams, Cliffort, vergleicht. Von der Pflanze selbst hatte Banks im Jahre 1802 Samen aus Neusüdwales eingesendet. Salisbury nannte die Art wegen ihrer Aehnlichkeit im Aeussern mit unserer gewöhnlichen Kronwicke (Coronilla varia) Swainsona coronillaefolia. Eine andere dahin gehörige Pflanze, die ein Paar Jahre früher durch Samen, den die bekannte Gärtnerei Lee und Kennedy in Hammersmith ebenfalls aus Neusüdwales bezogen hatte, in England eingeführt wurde, ist die von Andrew Vicia, von Sims Colutea galegifolia genannte Pflanze. welche aber nun, schon nach Salisbury, den Namen Swainsona galegifolia führen muss.

Das Genus Swainsona ist ein Schmetterlingsblüthler (Papilionacee) aus der Abtheilung der Galegeen, die sich durch unpaarig-gefiederte Blätter, durch 10 oder nur 9 verwachsene Staubgefässe (indem in letzterem Falle der zehnte ziemlich frei ist) und durch eine regelmässige Hülse auszeichnen und bildet mit Colutea, Lessertia, Clianthus und einigen andern wiederum eine besondere Gruppe, deren Arten sich durch mehr oder weniger aufgeblasene Hülsen unterscheiden. Clianthus, wie Swainsona, ein neuholländisches Genus und in den Gärten hinlänglich durch einige Arten, welche sich durch Blüthenpracht auszeichnen — ich erinnere nur an den bekannten Clianthus magnificus — bekannt, unterscheidet sich durch die mit grossen Blüthen dicht besetzten, meist etwas überhängenden Trauben, aber hauptsächlich durch die quer geaderten Hülsen. Die Unterscheidung der beiden andern Genera ist weit schwieriger und beruht eigentlich nur auf unscheinlichen Merkmalen, obwohl beide ein entgegengesetztes Vaterland haben. Colutea kommt nämlich besonders in Südeuropa und im Oriente, Lessertia in Südafrika vor, während Swainsona, wie bereits gesagt, aus Neuholland stammt. Die botanischen Merkmale zur Unterscheidung sind dem Griffel und der Narbe entlehnt: Colutea besitzt die letztere mehr seitlich, während der Griffel unterhalb derselben und nach hinten behaart erscheint. Die beiden anderen Genera haben aber die Narbe gipfelständig; Lessertia besitzt ausserdem nach vorn und unterhalb derselben eine bärtige Behaarung, während Swainsona hingegen wiederum auf der hinteren Seite des Griffels bärtig ist.

Die Swainsonen hat man bis vor wenigen Jahren mehr oder weniger vernachlässigt, denn selbst die beiden zu Anfange dieses Jahrhundertes eingeführten Arten wurden fast nur in den Gewächshäusern der botanischen Gärten kultivirt; damals wagte man noch gar nicht, sie im Sommer ins Freie zu bringen, obwohl sie grade hier an ihrer Stelle sind und die ganze gute Zeit hindurch bis spät in den Herbst, bis der Frost ihrem fernern üppigen Gedeihen ein Ende macht, mit Blüthen besetzt sind. Dazu kommt nun noch ein schönes Laub, was zu der rosaartigen oder mehr dunkelrothen Farbe jener einen freundlichen Kontrast bildet. Die Pflanzen mit den hübschen und gefiederten Blättern nehmen sich gut aus und passen ganz besonders zu Gruppen. Da sie auch leicht zu kultiviren sind und sie wenig Mühe machen, so sollten sie eigentlich in keinem Garten eines Privatmannes fehlen. Sehr schön werden sie, wenn man sie häufig aus Samen, den man alle Jahre sich selbst verschaffen kann, heranzieht und die Pflanzen, um sie buschiger zu machen, einige Mal einstutzt.

Swainsonen aus dem Freien darf man nicht wieder einsetzen, sondern muss sie erfrieren lassen, denn sie geben eingepflanzt, wo sie doch nur schwer anwurzeln, immer schlechte Pflanzen, die noch dazu auch viel zu viel Raum einnehmen. Sollte man keinen reifen Samen haben, um sich schon zeitig im Herbste Sämlinge zu verschaffen, so macht man sich Stecklinge, die in einem lauwarmen Kasten leicht anwachsen. Die Ueberwinterung verlangt einen hellen Ort in einem Kalthause von nur 3 bis 6 Grad Wärme; sie kann übrigens eben so gut in einem, freilich nicht bewohnten und frostfreien, Zimmer geschehen, in so fern nur die Fenster, in deren nächsten Nähe sie stehen müssen, Licht und möglichst viel Sonne haben. Ins Freie dürfen sie im Frühjahre nicht zu zeitig kommen; wenigstens muss man sie, wenn das Thermometer unter Null zu kommen scheint, zur rechten Zeit decken.

Die Swainsonen lieben zwar eine nahrhafte Gartenerde, doch darf diese auf keinen Fall zu schwer sein. Man thut deshalb gut, sie auf jeden Fall, und zwar nach dem Bedarf, mit klarem Flusssand zu vermischen. Die Ueppigkeit des Wachsthumes kann man ungemein erhöhen, wenn man von Zeit zu Zeit mit sehr verdünnter Jauche oder einer ganz schwachen Lösung von Guano oder Chilisalpeter giesst.

Wir kennen bis jetzt 12 Arten dieses Geschlechts; eine dreizehnte ist als Sommergewächs in dem Verzeichnisse der Dr. Müller'schen Pflanzen, was 1853 J. F. Drege in Altona herausgegeben hat, unter dem Namen Swainsona viciaefolia, eine vierzehnte hingegen als Sw. phacaefolia von Müller selbst aufgeführt, aber nicht beschrieben. Die beiden ältesten sind schon erwähnt, nämlich Swainsona, coronillaefolia und galegaefolia. Von der ersteren wurde im Jahre 1826 auch eine weissblühende Form bekannt, die von G. Don als eine selbstständige Art betrachtet wurde und den Namen Swainsona albiflora erhielt.

Aber schon 2 Jahre früher befand sich eine Art von zarterem Ansehen als Swainsona tessertifolia in den Gärten und wurde von de Candolle dem ältern beschrieben. 1845 fand Kapitain Grey, der Kapitain Sturt auf seiner Expedition in das Innere Neuhollands begleitete, eine neue Art mit grössern Blüthen und behaarten Blättern und 1851 kam eine andere nach Fulham. Die erstere erhielt den Namen nach ihrem Entdecker, die andere nach Osborn zu Fulham, wo die Pflanze zuerst kultivirt wurde und wo sie Th. Moore erhielt, der sie deshalb in dem Garden-Companion (I, 65 mit einer Abbildung) Swainsona Osborni nannte. Ferner bekam die Gärtnerei von Fröbel und Komp. in Zürich durch Würth zu Adelaide in Neuholland Samen einer 6. Art, die von Regel, der damals noch in Zürich war, den Namen Swainsona Froebelii erhielt und in der Gartenflora vom Jahre 1854 abgebildet wurde. Zu diesen 6 sich in Gärten befindlichen Swainsonen kommen nun noch 2, die zugleich mit S. Greyana R. Br. während der Expedition Sturt's in das Innere Neuhollands entdeckt wurden und von R. Brown beschrieben sind, nämlich: Sw. grandiflora und laxa. Dann hat Bentham in Mitchell's Journal of tropical Australia eine 9. Art unter dem Namen S. phacoides beschrieben, während Ferd. Müller, der als Botaniker eine englische Expedition in das Innere Neuhollands begleitete, im 25. Bande der Linnaea ebenfalls eine Beschreibung von 2 Arten: Sw. stipularis und tephrotricha, gegeben hat. Endlich ist noch eine Art aus der Expedition der Vereinigten Staaten durch Asa Gray aus Neu-Südwales bekannt worden, nämlich Sw. microphylla.

1. Sw. coronillaefolia Salisb. ist selbst in der Jugend fast gar nicht behaart. Die 23 mehr oder weniger abwechselnden Blättchen besitzen eine längliche Gestalt und sind an der Spitze meist etwas ausgerandet. Die auf zarten Stielen befindlichen Blüthen haben weniger eine Rosafarbe, mit der sie Salisbury in seinem Paradisus abgebildet hat, als vielmehr eine violett-rothe, wie sie auch G. Don angiebt. Die Fahne besitzt in der Mitte und gegen die Basis hin einen weisslich-grünen Fleck und dieselbe Farbe zieht sich auf dem Rücken des Schiffchens hin. Die unbehaarten und ziemlich aufrecht stehenden Hülsen sind klein, kaum einen Zoll lang, gegen 4½—5 Linien breit und stehen auf einem 3 Linien langem Stiele, der kürzer als die bleibenden Staubfäden ist.

Hiervon giebt es eine Abart mit weissen Blüthen.

2. Sw. galegaefolia R. Br. grösser und stärker als die vorige, ist sie in der Jugend auch mehr behaart und zeigt selbst noch später am allgemeinen Blattstiele, und namentlich am Kelche, einzelne Härchen. Die 23 ebenfalls länglichen und an der Spitze meist ausgerandeten Blättchen sind zwar länger als bei denen der vorigen Art, aber schmäler. Die Blüthentraube erscheint weit länger und die grössern Blüthen, auf denen bei mehr reinrother Färbung dieselbe grünlich-weisse Zeichnung vorkommt, stehen auf weniger schlanken Stielen, an deren Basis auch deutlichere Deckblätter sich befinden. Die unbehaarte Hülse ist oft über 2 Zoll lang, gegen 10 Linien breit und steht auf einem oft über 5 Linien langen Stiele, der wenigstens so lang als die bleibenden Staubfäden erscheint. An der Basis sehr zurückgebogen, so dass sie eine fast horizontale Lage erhält. Der bleibende Griffel erscheint kurz. In den Gärten kommt diese Art meist als Swainsona rosea vor.

3. Sw. Greyana Lindl. ist noch robuster als die vorige und ausgezeichnet durch die starke Behaarung, die übrigens bei Kulturpflanzen doch nicht so bedeutend erscheint, als sie besonders auf der von Lindley im botanical Register gegebenen Abbildung dargestellt ist. Selbst bei jüngern Blättern ist die Oberfläche meist vollkommen unbehaart, dagegen sind Blatt- und Blüthenknospen, so wie der Kelch, dicht mit weissen und wolligen Haaren besetzt. Die über ¾ Zoll langen und 6 Linien in der Mitte breiten Blättchen sind länglich, an der Spitze fein ausgekerbt und zu 7—10 Paar vorhanden. Die ziemlich grossen und etwas violett-rothen Blüthen stehen auf kurzen Stielchen, die kaum länger als die sie an der Basis stützenden Deckblättchen sind, und besitzen dieselbe Zeichnung als Sw. galegaefolia. Die unbehaarten Hülsen haben einen Stiel, der die bleibenden Staubgefässe an Länge übertrifft.

4. Sw. grandiflora R. Br. befindet sich bei uns nicht in Kultur und scheint der vorigen sehr nahe zu stehen, da sie sich nur durch relative Merkmale unterscheidet, indem die Deckblätter kürzer als die Blüthenstielchen sind und die Kelchzähne nicht die Länge der Kelchröhre besitzen. Bei Sw. Greyana erscheinen die ersteren sehr spitz und länger als die letztere.

5. Sw. tessertiaefolia DC. ist noch zarter als Sw. coronillaefolia, steht aber wegen der, wenn auch sich im Alter verlierenden Behaarung wiederum der Sw. Greyana näher. Die 13—15 länglichen und schmalen Blättchen sind am obern Ende ziemlich stumpf, die Nebenblättchen hingegen aber eirund und abgerundet. Die schön roth und ziemlich dicht blühenden Trauben überragen die Blätter mehrmals und stehen auf gestreiften Stielen. Die Kelchzähne sind ziemlich breit und die Fahne, welche sonst bei den übrigen Arten an der Basis zweischwielig erscheint, ist hier und bei der nächsten Art schwielenlos. Die Hülse besitzt einen sehr kurzen Stiel.

6. Sw. Froebelii Rgl. Steht der vorigen Art ausserordentlich nahe, hat aber in der Regel nur 11 oder höchstens 13 längliche Blättchen, die wegen eines zurückgeschlagenen Spitzchens am obern Ende abgestutzt erscheinen. Unterscheidend sind ferner die lanzettförmigen Nebenblätter und die weit lockern und weniger reichblüthigen Trauben, deren violette Blüthchen fast kürzer gestielt sind, als der mit anliegenden Haaren besetzte Kelch lang ist. Der Fruchtknoten besitzt, wahrscheinlich auch die Hülse, nur einen kurzen Stiel.

7. Sw. Osbornii Th. Moore ist, wie die beiden vorigen Arten mehr krautartig und in allen ihren Theilen zarter und völlig unbehaart. Die 29—31 einander mehr gegenüberstehenden Blättchen sind in der Mitte nur wenig breiter, kaum 1½ Linie breit, gegen 5 Linien lang und am obern Ende ausgerandet. Die unbedeutenden Nebenblättchen erscheinen abgestutzt. Die schönen purpurblauen Blüthen stehen auf längeren und zarteren Stielchen, welche an der Basis mit ausserordentlich kleinen Deckblättchen versehen sind, während die über Zoll langen und kaum 5 Linien breiten Hülsen 3½ Linien lange Stiele, die kürzer als die bleibenden Staubgefässe erscheinen, besitzen und eine ziemlich grade Richtung haben.

8. Sw. laxa R. Br. ist ebenfalls unbehaart, scheint aber sonst der Sw. Froebelii und lessertiaefolia ähnlich zu sein, zumal auch hier die Fahne an ihrer Basis keine Schwielen besitzt. Die Zahl der Blättchen beträgt 13 bis 15. An den sehr langen Trauben sind die Blüthchen ziemlich entfernt von einander auf sehr kurzen Stielchen befindlich und werden von pfriemenförmigen Deckblättchen gestützt.

9. Sw. phacoides Benth. unterscheidet sich von allen übrigen Arten dadurch, dass sie auf der Erde niederliegt; sonst ist sie behaart, wie Sw. Greyana, und besitzt 13—15 sehr schmale Blättchen, die oben abgestutzt erscheinen. Die Trauben überragen die Blätter etwas und besitzen auch nur wenige Blüthen. Ausgezeichnet ist diese Art wiederum und deshalb leicht zu erkennen, dass die kurzgestielten Hülsen zottig behaart sind.

10. Sw. stipularis Ferd. Müller. Diese Art stimmt am Meisten mit Sw. phacoides überein, besitzt aber die Staubgefässe der von Ferd. Müller nur genannten Sw. phacaefolia. Nach ihrem Entdecker hat die Pflanze durch anliegende Haare eine graugrüne Farbe. Ihre schmalen und linien-keilförmigen, aber an der Spitze eingekerbten Blättchen bilden an einem Blatte 5 oder 6 Paare und die grossen und dreieckigen Nebenblätter sind mit wenigen, aber grossen Zähnen versehen. Nur 6 bis 9 Blüthen stehen traubenartig an der Spitze eines langen Stieles. Die hintere Seite des Griffels ist nur an der Spitze bärtig. Die Hülse kennt man noch nicht.

11. Sw. tephrotricha Ferd. Müll. Wurde ebenfalls von dem bekannten Reisenden Ferd. Müller mehr im Innern des südlichen Neuhollands entdeckt und bildet eine kleine ½ bis 1 Fuss hohe Pflanze mit mehrern zu gleicher Zeit aus der Wurzel hervorkommenden Stengeln. Die 5- bis 9-paarigen, länglich-keilförmigen, fast 1 Zoll langen, aber nur 2 bis 3 Linien breiten Blättchen sind mit anliegenden und graugrünen Härchen besetzt. Die dreieckig-lanzettförmigen Nebenblättchen laufen in eine verlängerte Spitze aus. Die dunkel-rosafarbenen Blüthen werden später noch röther und haben einen Kelch, der zugleich mit schwarzen und steifen, so wie mit weissen und gekräuselten Haaren besetzt ist. Lange Haare ziehen sich auf der hintern Seite des Griffels bis zur Basis herab. Der weissfilzige Fruchtknoten hat keinen Stiel. Die Hülse kennt man weder von dieser, noch von der vorigen Art.

12. Sw. microphylla Asa Gr. Eine kleine, nur Spannen hohe, fast ganz unbehaarte Pflanze. Die Blätter mit 6 bis 12 Paar umgekehrt-herzförmigen und nach der Basis zu keilförmig sich verschmälernden Blättchen werden an Länge von den vielblüthigen Trauben übertroffen. Die eiförmigen und herabgebogenen Hülsen haben eine unbehaarte und lederartige Schale.

Die neuern Orchideen der Schiller'schen Sammlung in Ovelgönne bei Hamburg.

Von dem Obergärtner Stange daselbst.

Empfehlenswerthe Orchideen, die in den beiden letzten Jahren, (neu) eingeführt oder die doch in dieser Zeit zuerst in Deutschland geblüht haben, sind:

1. Ada aurantiaca Lindl. Pamplona. Pflanze, Blüthenstand und Blüthen der Brassia Keiliana Rchb. fil. ähnlich, in der Form, Blumen aber scharlachroth; blüht im Winter.

2. Aërides Lindleyanum Wight. Kartairy Falls (Ostindien). Aehnlich Aërides crispum Lindl.; Blüthenrispe grösser, ästig; Farben intensiver.

3. Anectochilus Veitchii? Paxt. Wahrscheinlich eine Macodes. Zeichnung wie Macodes marmorata Rchb. fil. mit weissen Längs- und Queradern auf saftgrünem Grunde.*)

4. Arpophyllum cardinale Rchb. fil. Ocanna. Noch nicht geblüht.

---

*) Ist wahrscheinlich der in der 1. Nummer der Gartenzeitung beschriebene Anectochilus argyroneurus C. Koch.

5. **Batemania fimbriata** Rchb. fil. (Zygopetalum fimbriatum Hort.). Oceana. Von eigenthümlicher Form. Labellum weiss, rothbraun gestreift.

6. **Cattleya Schilleriana** Rchb. fil. 1857. Brasilien. Im Wuchse ähnlich der C. Aclandiae Lindl. Sepala und Petala grün, rothbraun gefleckt; Labellum gross, weiss mit lila Adern.

7. **Coelogyne pandurata** Lindl. Borneo. Eine der merkwürdigsten Orchideen-Blüthen in einer Rispe wie Coelogyne asperata Lindl. aber grösser, lebhaft grasgrün, Labellum mit grossen schwarzen Flecken.

8. **Chysis Limminghii** Linden. Central-Amerika. Ist vielleicht als Art von Chysis aurea Lindl. nicht verschieden, worüber sich Professor Reichenbach noch nicht bestimmt ausgesprochen hat, doch die schönste Form derselben. Farbe der Blüthe von Goldgelb in Violett übergehend.

9. **Cypripedium hirsutissimum** Lindl. 1857. Calcutta.

10. **Cypripedium villosum** Lindl. Moulmein. Beide Arten sind dem Cypripedium insigne Wall. ähnlich, ersteres mehr im Habitus der Pflanze, zweites in der Blüthe, die bei beiden stark behaart erscheint.

11. **Cypripedium Lowei** Lindl. Borneo. Eine nobele Pflanze, ebenfalls Cypripedium insigne ähnlich. Blüthe violett mit dunklen Flecken und 6 Zoll Durchmesser.

12. **Cypripedium superbiens** Rchb. fil. Java. Blätter bunt, ähnlich Cypripedium purpuratum Lindl.; ebenso die Blüthe, jedoch grösser und intensiver gezeichnet.

13. **Disa grandiflora** Lindl. Hat wenigstens zum ersten Male in Deutschland geblüht.

14. **Dendrobium lituiflorum** Lindl. (**Danburyanum** Rchb. fil.). Calcutta. Sehr schöne Farbe der Blüthen, ähnlich D. nobile, aber intensiver. Diese grösser und reichlicher, an langen und dünnen Knollen.

15. **Dendrobium viridi-roseum** Rchb. fil. Amboina. Aehnlich Dendrobium secundum Lindl., eine leicht wachsende und sehr zu empfehlende Art. Es macht alle Jahr wie die andern Dendrobien neue Triebe; die alten wachsen jedoch fortwährend mit fort, ohne zu ruhen. Im Sommer erscheinen an sämmtlichen Knollen die Blüthenköpfe, aus vielen rosafarbigen Blüthen mit grünen Spitzen bestehend.

16. **Laelia Schilleriana** Rchb. fil. Brasilien. Knollen einen Fuss lang. Blüthenstand wie Laelia crispa Rchb. fil.; Blüthen grösser, rein weiss, mit lilafarbigen Mittellappen des Labellum.

17 und 18. **Odontoglossum leucopterum** und **O. auropurpureum** Rchb. fil. haben beide noch nicht geblüht.

19. **Oncidium Croesus** Rchb. fil. Brasilien. Aehnlich Oncidium longipes Lindl. Blumen orange, mit fast schwarzen (braunen) Flecken.

20. **Phajus Blumei** Lindl. Java. Aehnlich Phajus grandifolius Lour.

21. **Pescatoria cerina** Rchb. fil. Costa Rica. Aehnlich einer Warscewiczella. Blüthen gross. Sepala und Petala weiss, Labellum gelb. Xenia Orchidacea Taf. 65.

22. **Zygopetalum aromaticum** Rchb. fil. Xenia Orchidacea Taf. 73. Pflanze ähnlich Warscewiczella cochlearis Rchb. fil. Blüthen weiss mit schönem, blauem Labellum.

Nachfolgende Arten sind solche Orchideen, die Professor Reichenbach seit Mai 1855 aus der Schiller'schen Sammlung neu benannt hat:

Acampe intermedia.
Angraecum campyloplectron.
Ansellia gigantea β. lutea.
Bolbophyllopsis Morphologorum.
Catasetum triodon.
Cattleya Schilleriana.
Cleisostoma latifolia Cumingii.
Cypripedium superbiens.
Dendrobium Aclinia.
„ lineolatum.
„ modestum.
„ viridi-roseum.
Dendrochilum longifolium.
Echioglossum muticum.
Epidendrum isochilum.
„ Giroudianum.
„ Pipio.
„ variegatum β. lineatum.
„ Strophinx.
„ virgatum pallens.
Galeandra Stangeana.
Gongora gratulabunda.
Hexadesmia rhodoglossa.
Laelia Schilleriana.
Maxillaria guareimensis β. atropurpurea.
„ superflua.
Oncidium Croesus.
Ornithocephalus chloroleucus.
Palumbina candida.
Phajus cupreus.
Pholidota crotalina.
„ Pholas.
Pleurothallis loranthophylla.
„ trichorrhachis.
Polystachya subclavata.
Restrepia ophiocephala β. violacea.
Rodriguezia Stangeana.
Sarcanthus armeniacus.
„ insectifer.
Sarcopodium purpureum.
Trichopilia hymenantha.
Vanda alpina Lindl. β. acuta.

Verlag der Nauckschen Buchhandlung. Berlin. Druck der Nauckschen Buchdruckerei.

No. 47. Sonnabend, den 21. November. 1857

Preis des Jahrganges von 52 Nummern mit 12 color. Abbildungen 6 Thlr., ohne dieselben 5 „. Durch alle Postämter des deutsch-österreichischen Postvereins sowie auch durch den Buchhandel ohne Preiserhöhung zu beziehen.

Mit direkter Post übernimmt die Verlagshandlung die Versendung unter Kreuzband gegen Vergütung von 26 Sgr. für Belgien, von 1 Thlr. 9 Sgr. für England, von 1 Thlr. 22 Sgr. für Frankreich.

BERLINER Allgemeine Gartenzeitung.

Herausgegeben vom

Professor Dr. Karl Koch,

General-Sekretair des Vereins zur Beförderung des Gartenbaues in den Königl. Preussischen Staaten.

Inhalt: Die zweite Versammlung deutscher Pomologen und Obstzüchter zu Gotha in den Tagen vom 9. bis 13. Oktober. (Schluss der Verhandlungen.) Von dem Professor Dr. Karl Koch. — Pflanzen, besonders blühende Orchideen im Garten des Fabrikbesitzers Borsig zu Moabit bei Berlin. — Spartothamnus junceus All. Cunn. — Bücherschau: Notice pomologique. Der unterweisende Zier- und Nutzgärtner, von Karl Friedrich Förster.

Die zweite Versammlung deutscher Pomologen und Obstzüchter zu Gotha,

in den Tagen vom 9. bis 13. Oktober.

Von dem Professor Dr. Karl Koch.

(Schluss von Nr. 46.)

III. Was ist in den verschiedenen Ländern zur Hebung der Obstkultur geschehen und was hat sich am Meisten bewährt?

Es wurde sehr bedauert, dass diese Frage, welche schon in Naumburg aufgeworfen wurde, auch jetzt wiederum fast durchaus nur mit „nichts" beantwortet werden konnte. Mit Ausnahme Württembergs, was eben deshalb aber auch schon in jeglicher Hinsicht reichliche Früchte ärntet, ist in fast allen Ländern von den Regierungen wenig oder gar nichts geschehen. Der ganze Obstbau befindet sich zum grossen Theil noch in der Hand von Unverständigen; man darf sich deshalb gar nicht wundern, dass er fast allenthalben auch noch auf ziemlich tiefer Stufe steht und keineswegs dem Staate das geworden ist, was er werden könnte. Grade in einer Zeit, wo alle Lebensmittel in hohem Preise stehen und der Unterhalt den Familien gegen 2 Jahrzehende zurück das Doppelte kostet, muss man darauf bedacht sein, einer Noth zu steuern, die von Jahr zu Jahr drohender wird. Nichts ist aber so sehr berufen, als grade der Obstbau.

Es geschieht in neuester Zeit für Handel und Gewerbe, so wie für Landwirthschaft, zwar noch keineswegs Alles, aber doch sehr viel. Wir haben landwirthschaftliche Akademien und Ackerbauschulen, polytechnische, Handels- und Gewerbeschulen, aber an einer Anstalt, wo Obstbau gelehrt und Liebe dazu erweckt wird, fehlt es ganz und gar. Der Unterricht in den städtischen Seminarien für Landschullehrer in der Obstbaumzucht und Obstkenntniss ist durchaus ungenügend. Man darf sich deshalb gar nicht wundern, wenn das Grundstück, was in jedem Dorfe in Preussen und auch sonst dem Schullehrer für Obstbau und Gemüsezucht überwiesen wird, auch gar nicht der ursprünglich guten Absicht entspricht und meist nutzlos daliegt. So lange in den Seminarien nicht selbst ein guter Obst- und Gemüse-Garten mit einem Lehrer, der Liebe dazu hat und Liebe zu erwecken weiss, existirt, sind wohl auch alle auf den Unterricht verwendeten Kosten und eben so die Zeit zum grossen Theil umsonst ausgegeben. Unsere sämmtlichen Schulen, so viel auch in der neuesten Zeit geschehen ist, leiden an dem einen und grossen Uebel, dass man in ihnen mehr in der Idee, als in der Wirklichkeit lebt, dass man in ihnen mehr für die Schule, als für das Leben lernt. Nicht das viele, sondern das brauchbare Wissen ist, namentlich den Volks-Schulen, nicht genug anzuempfehlen. Aber grade der Lehrer auf dem Lande scheint dazu berufen zu sein, den Obstbau zu fördern. Das Wenige, was dieser an Grund und Boden zugewiesen erhält, bringt ihm in landwirthschaftlicher Hinsicht eine viel zu geringe Einnahme; er muss es deshalb gärtnerisch, d. h. für Obstbau und Gemüsezucht, zu verwerthen suchen.

Ein Umstand ist es aber noch ganz besonders, der dem Obstbau auf dem Lande eine gewichtige Stelle anweisst; es ist dieses sein Einfluss auf die Sittlichkeit der Landbewohner. Obstbäume pflanzen und pflegen fordert beständig eine gewisse Aufmerksamkeit dessen, dem sie gehören, und wirkt hauptsächlich auf das Gemüth. Junge Leute, die gleich anfangs darauf hingewiesen werden und damit an den von ihnen gepflanzten und gepflegten Bäumen Freude gefunden haben, bringen ihre Freistunden am Abende oder am Sonntage lieber in der Nähe ihrer Bäume zu und werden eben dadurch von dem Besuche der Wirthshäuser und von lärmenden Vergnügungen zurückgehalten. Es ist immer ein gewisser Segen für das Dorf, wenn Jemand, besonders ein Lehrer, mit Vorliebe der Pflege von Blumen und Obstbäumen ergeben ist und mit gutem Beispiele vorangeht, um Nacheiferungen zu erwecken. Es ist eine und auch allgemein erkannte Thatsache, dass Obstbau und Blumenpflege die Menschen bessert. Schon deshalb sollte man, wie oben schon gesagt, bei Heranziehung der Lehrer für das Land nicht versäumen, grade hierin praktischen Unterricht, aber nur von Leuten, die Liebe zur Sache haben, geben zu lassen.

Der Obstbau ist zwar von Einzelnen in seiner Wichtigkeit erkannt, er muss aber Gemeingut werden. Die Liebe zu ihm hat sich in der neuesten Zeit gehoben; in allen Ländern fast existiren Männer, die von dem regsten Interesse dafür ergriffen sind und sich fortwährend bemühen, ihm die Aufmerksamkeit zuzuwenden, welche ihm zum Vortheile des Staates und seiner Bewohner endlich werden muss. Es gilt zunächst diese Männer gleichen Strebens zu vereinigen. Wo der Einzelne, als solcher, nichts oder nur wenig vermag, hat er in Verbindung mit andern einen um desto grössern Einfluss. Die Versammlung der Pomologen und Obstzüchter mit ihren Organen, nämlich der bereits ins Leben gerufenen Zeitschrift für Pomologie und Obstkunde und dem in Angriff genommenen Handbuche, hat bereits das Band um alle die, die es ernstlich meinen, geknüpft; es gilt nur darauf zu wachen, dass es nicht wieder gelockert werde. Daher machen sich, aber nicht alle Jahre, um es nicht zur blossen Gewohnheit werden zu lassen, von Zeit zu Zeit Zusammenkünfte nothwendig, um sich über die gemachten Erfahrungen und über das, was man gelernt hat, Mittheilungen zu machen und um es zu verwerthen. Das lebendige Wort thut mehr als die Schrift und ist namentlich dazu geeignet, Begeisterung zu erwecken. Ohne diese, um etwas Gutes zu schaffen, geht es nun einmal nicht ab. Der gewöhnliche Alltagsmensch, der aus seinen Formen nicht herauszugehen vermag, hat noch nie etwas Grosses zu Wege gebracht, am Allerwenigsten auf die Jugend einen Einfluss ausgeübt.

Der Garteninspektor Lucas von Hohenheim setzte mit beredter Zunge und klar auseinander, was zur Förderung des Obstbaues in Württemberg geschehen, und wünschte nichts weiter, als dass die dort getroffenen Einrichtungen auch in andern Ländern Anwendung finden möchten.

Zweierlei thut noth; es müssen stets zunächst die nöthigen und zwar zuverlässigen Baumschulen vorhanden sein, aus denen man den Bedarf beziehen kann; nichts desto weniger verlangt aber zweitens auch der Obstbau Männer, die der Pflege der Obstbäume und der Veredlung kundig sind, und zu jeder Zeit dem, der ein Verlangen, belehrt zu werden, hat, zu Gebote stehen. Man besitzt botanische Gärten, die dem Staate oft sehr viel Geld kosten und leider bisweilen doch nur mehr Luxus-Artikel sind, als dass sie die Wissenschaft fördern und Liebe zu Pflanzen und Blumen wecken; aber rationell-betriebene Gärten für Obst- und Gemüsebau fehlen noch überall. Die wenigen Anstalten der Art, welche man mit den landwirthschaftlichen Akademien verbunden hat, sind nicht für ausreichend zu erkennen, da sie einen ganz andern Zweck verfolgen und gar nicht für den gemeinen Mann, dem es am Meisten grade noth thut, bestimmt sind. Obst- und Gemüse-Gärten sollte aber jeder Staat, jede Provinz als Muster und zur Belehrung haben.

Die Baumschulen der Privaten mögen manche Vorzüge besitzen; aber sie sollen Geld einbringen und können demnach nicht kostspielige Versuche machen oder nur nebenbei einem Gegenstande ihre Aufmerksamkeit zuwenden, wenn dieser auch vielleicht nur Zeit in Anspruch nimmt, denn auch die Zeit ist kostbar. Jedes Land, ja selbst jeder Gau hat seine Eigenthümlichkeiten, die grade auf den Obstbau Einfluss haben und deshalb erprobt, sowie erkannt werden müssen. Für diese muss vom Staate oder von der Provinz ganz besonders eine Baumschule eingerichtet werden. Der Bauer bedarf andere Sorten Obst, als der Liebhaber und reichere Grundbesitzer. Für beide müssen in der Baumschule besondere Abtheilungen sein, aus denen Jeder nach seinem Bedarfe sich verschaffen kann. Der Garteninspektor Lucas verlangte sogar besondere Baumschulen für Bauern, denen man an die Hand gehen müsse, damit sie nicht etwa durch eigenes Un- oder durch Missgeschick abgeschreckt werden.

Staatliche Baumschulen mit sogenannten Standbäumen bleiben, wenn auch der, unter dessen Aufsicht sie stehen, stirbt, nicht aber die, welche Privaten gehören. Wären Christ, Diel, Dittrich und andere ausgezeichnete Pomologen vom Staate angestellt gewesen, so würden sich ihre so vorzüglich eingerichteten Baumschulen erhalten haben und wir uns keineswegs in der traurigsten Verwirrung der Namen befinden. Es ist dieser Umstand grade für das Einrichten weniger von Baumschulen, die gleich denen der Privaten, allein Handel treiben sollen, als von pomologischen Gärten wichtig, die einen Einfluss auf die Länder und Provinzen haben müssen, in denen jene sich befinden. Freilich sind Männer und kann dieses nicht genug hervorgehoben werden, an ihrer Spitze nothwendig, die es verstehen, Wissenschaft in Anwendung zu bringen und theoretisch, wie praktisch, sich gleich gebildet haben. An denen fehlt es leider aber noch in dieser sonst so praktischen Zeit, wenigstens in Deutschland, gar zu sehr.

Sind aber pomologische Gärten vorhanden, dann ist man aber auch mehr berechtigt, Männer zu besitzen, von denen man hoffen darf, sie sind zu jeder Zeit bereit, Unkundige zu belehren und ihnen mit Rath und That an die Hand zu gehen. Damit ist aber, wenigstens für die Länder, wo bereits der Obstbau mehr Wurzel gefasst hat, noch nicht Alles gethan. Soll dieser die Früchte bringen, welche man erwartet, so müssen vor Allem die Gemeinden mit gutem Beispiele vorangehen und Anpflanzungen machen. Welche Gemeinde existirt wohl, die sagen könnte, dass sie allen ihr zur Verfügung stehenden Grund und Boden so benutzt hätte, dass nicht noch der eine oder andere Obstbaum einen Platz fände? Sind die Schullehrer so weit vorgebildet, dass sie den ihm vom Staate überwiesenen Garten so benutzen, als es ihnen vorgeschrieben ist, so können diese die Aufsicht über die Gemeinde-Anpflanzungen übernehmen und belehrend da eintreten, wo es nothwendig ist. Sind aber einmal erst alle Wege bepflanzt, liegt nichts mehr unbenutzt da, so sind sogenannte Baumwärter, wie sie in Württemberg zum Segen des ganzen Landes existiren und die in den pomologischen Gärten erzogen werden, an ihrem Platze.

Welchen Nutzen die Baumwärter in Württemberg bringen, schilderte der Garteninspektor Lucas mit hellen Farben. Wenn man, namentlich in Mitteldeutschland, aber auch sonst, Obstgärten durchgeht und Bäume mit durcheinandergewachsenen Aesten und mit Flechten und Moosen bis in den Gipfel mehr oder minder überzogen, sieht, so bemerkt man auf den ersten Augenblick, es fehlen die Baumwärter, welche die ihnen überwiesenen oder eigenen Pflanzungen in Ordnung halten und dadurch andern zum Beispiel dienen. Könnten die Besitzer solcher Gärten mit eigenen Augen sehen und Vergleiche mit den Erträgen anstellen, sie würden rasch zum Messer greifen und ihre Bäume von den anhängenden Schmarotzern befreien.

In Bayern hat man eine Zeit lang reisende Baumgärtner gehabt, die in die Provinzen geschickt wurden, um den Besitzern von Obstgärten zur Hand zu gehen, hat aber davon gar keinen Erfolg gehabt. Der reisende Baumgärtner wurde bezahlt und hielt in der Regel sein Interesse höher, als das der Gärten, deren Besitzer umgekehrt eine Ausgabe vermieden, die ihnen auch nicht Ersatz gab. Das einmalige oder seltene Durchmustern bringt keine Vortheile. Will man einen möglichst hohen Ertrag von seinem Obstgarten haben, dann muss dieser beständig beaufsichtigt werden und kann nicht warten, bis zufällig ein reisender Baumgärtner kommt, um aufmerksam zu machen.

IV. Auf welche Weise wird das Obst in den verschiedenen Obstbau treibenden Gegenden verwendet und wie verhalten sich die eingeführten Verwerthungs- und Benutzungsarten zu einander?

Wenn auch der erste Theil der Frage von den anwesenden Pomologen und Obstzüchtern sehr leicht beantwortet werden konnte, so beruhte der zweite auf genaue statistische Notizen und musste man sich daher in der Debatte nur auf allgemeine Mittheilungen beschränken. Wie in Schlesien der Maisbau und die Benutzung der Körner als Nahrungsmittel für Menschen eine grössere Bedeutung erhielt, als die in Oberschlesien vor einigen Jahren ausgebrochene Hungersnoth und die damit in Verbindung stehenden hohen Preise unserer gewöhnlichen Getreide-Arten die Menschen zwang, auf Ersatzmittel zu denken und zu diesem Zwecke aus dem nahen Ungarn Massen der dort von Arm und Reich allgemein genossenen Speise, des Maises, kommen zu lassen, so zwingt uns auch jetzt der andauernd hohe Preis der Nahrungsmittel, und ganz besonders des Fleisches und der Butter, darauf zu sinnen, wie man sich wohl Ersatz schaffen und auf andere Weise nähren könne.

Man hat von jeher Obst gedörrt und sein Fleisch als Mus oder den Saft eingedickt als sogenanntes Kraut benutzt, ferner auch einen eigenen Wein, meist Cyder genannt, daraus hergestellt, aber doch, mit Ausnahme von vielleicht einigen Gegenden, fast nirgends es in der Weise und in der Vollständigkeit gethan, dass das verwerthete Obst eine allgemeine Anwendung gefunden hätte. Endlich war man bei den immer höher steigenden Preisen der gewöhnlichsten Lebensmittel darauf bedacht, im Obste ein Surrogat sich zu schaffen, dass gleich gesund als nahrhaft sei. Es kam noch dazu, dass das Fehlschlagen der Weinärnten während vieler Jahre hinter einander einen bedeutenden Ausfall an Wein gab, der bei der zunehmenden Nachfrage ebenfalls wiederum auf irgend eine Weise gedeckt werden musste. Da war es wiederum Obst, und zwar vor Allem waren es die Aepfel, welche ein Getränk lieferten, das zur Anfertigung eines falschen Reben-Weines benutzt wurde. Nicht weniger steigerten endlich auch den Bedarf des letztern die bald erkannten, wenn auch zum Theil illusorischen Eigenschaften des Apfelweines.

Wenn früher, namentlich das Kernobst, in den eigentlichen Obstgegenden während der fruchtbaren Jahre kaum zu verwerthen war, wenn noch im Jahre 1853 der Scheffel keineswegs schlechter Aepfel in einer Stadt von 12000 Einwohnern mit 6 Sgr. verkauft wurde, wenn man ferner auf dem Lande die Schweine mit Fallobst fütterte, das schlechtere sogar gleichgültig zu Grunde gehen liess, so haben sich, ganz besonders in den letzten beiden Jahren, die Verhältnisse so bedeutend geändert, dass die Preise des Obstes in diesem so ausserordentlich gutem Jahre keineswegs niedriger stehen, als in den zuletzt vergangenen, wo man schlechte Aernten hatten. In Gegenden, wo man das Obst zu verwerthen versteht, hat sich sogar der Preis gar nicht unbedeutend, in Grünberg und Guben, so wie an vielen Orten Thüringens, um ein Drittel, im Bergischen am Rhein sogar um das Doppelte gesteigert.

Ganz besonders sind es die Fabrikationen von Cyder oder Apfelwein, welche den Ankauf von Massen Obstes nothwendig machten und dadurch dessen Preis namentlich erhöhten. In vielen Gegenden des Rheines hat aber auch die Fabrikation des sogenannten Krautes, d. h. also der eingedickten Kernobstsäfte, einen solchen Aufschwung genommen, dass nach den Mittheilungen des Oekonomen Höller in Schlüsselsberg bei Lindlar, einzelne Fabrikanten, um die grosse Nachfrage nur einiger Massen zu genügen, sich Kessel haben bauen lassen, in denen 4000 Pfund auf einmal eingedampft werden können. Wenn man nun bedenkt, dass diese Arbeit den ganzen Winter hindurch geschieht und eine Menge Leute in den Dörfern für eine Zeit, wo sie sonst nur wenig und selbst gar nichts zu verdienen vermögen, beschäftigt werden, so muss man auch hier den heilsamen Einfluss des Obstbaues anerkennen. Ein Dorf im Oberberg'schen Neukirchen führte wöchentlich für gegen 800 Thaler Marktobst und zwar fast den ganzen Winter hindurch aus und fertigte ausserdem mit 11 Pressen täglich im Durchschnitt für 90 Quart Kraut an, womit gegen 100 Tage lang fortgefahren wurde, was demnach allein bei dem jetzt gewöhnlichen Preise von 10 Sgr. das Quart Kraut einen Ertrag von 3000 Thalern gab. Schon in frühern Jahren haben einzelne Obstgartenbesitzer für den Morgen im Durchschnitt 200 Thaler in mässig-guten Jahren, wo das Hundert Pfund Aepfel mit 17 und 20 Sgr. bezahlt wurde, an Obst Erlös gehabt; in diesem an Obste so reichem Jahre wird dasselbe Gewicht mit 1 Thaler bezahlt, und muss sich deshalb der Ertrag ganz bestimmt weit höher herausstellen.

Gleiche Beispiele liegen aus dem Württemberg'schen vor. Sie alle deuten darauf hin, wie wichtig der Obstbau noch zu werden verspricht, wenn ihm auch von Seiten des Staates die Aufmerksamkeit zu Theil wird, welche den landwirthschaftlichen Zweigen in der neuesten Zeit geworden ist. Die gewöhnlichen Einwürfe, dass das Obst nicht an allen Orten gedeiht, haben sich während der Verhandlungen als vollkommen ungegründet gezeigt. Nicht alle Sorten passen für jede Gegend, aber jede, auch die hinsichtlich des Bodens und der klimatischen Verhältnisse verrufendste Gegend hat ihre bestimmten Sorten, die, wenn sie auch vielleicht mehr Pflege verlangen, gedeihen. Wo das nicht der Fall ist, fehlen nur die rechten Männer mit der durchaus nöthigen Liebe und Ausdauer. Es ist schon eines Beispieles gleich im Anfange gedacht worden. Seit einem Jahrzehende besitzt Neu-Vorpommern so vorzügliches Obst, als man in diesem Theile Deutschlands bisher nicht gesucht hat. Ohne Eldena und seinen Einfluss möchte es nicht vorhanden sein. Man frage in Schlesien nach, wie es vor einem Paar Jahrzehenden dort mit dem Obstbaue stand und wie es jetzt steht? Selbst in dem sonst ungünstigen Oberschlesien, seit dem eine Reihe von Männern, aber auch mehre Frauen, mit grosser Liebe sich dem Obstbaue und seiner Förderung ergeben haben, wird jetzt vorzügliches Obst gebaut. Wir wollen auch nicht vergessen, dass es namentlich die Obstsektion der Schlesischen Gesellschaft für vaterländische Kultur in Breslau und mehre landwirthschaftliche Vereine sind, die überhaupt in Schlesien Einfluss ausgeübt haben.

Doch giebt es noch mehr schlagende Beispiele. Mitten im Thüringer Walde liegt Suhl mit einem rauhem Klima, wo späte Maifröste gar keine seltene Erscheinung sind; und doch fand man in Gotha Obst aus dieser Gebirgsstadt, wenn auch nicht in so grosser Auswahl, als von günstiger gelegenen Orten, aber doch ziemlich reich an Sorten vertreten und zum grossen Theil auf Schönheit sogar Anspruch machend. Fragt man, wie es möglich war, so findet man es einzig und allein in dem Zusammenwirken gleichgesinnter Männer, die zu diesem Zwecke einen Gartenbau-Verein stifteten. Die Zahl derer, die dieses Mal zur Ausstellung in Gotha beigetragen hatten, war noch grösser als früher bei der in Naumburg. Also auch hier hatte das gute Beispiel Nacheiferung gefunden. Ostpreussen mit Litthauen haben gewiss mit vielen klimatischen Schwierigkeiten zu kämpfen, wenn auch hier der Obstbau dereinst zur Blüthe kommen soll. Die Anwesenheit einiger Männer, die neben der Thatkraft auch die Mittel besitzen, um mit gutem Beispiele voranzugehen, wird auch in dieser nordöstlichsten Provinz Preussens für den Obstbau eine Morgenröthe hervorrufen, die dereinst ihr Segen bringen wird. Wir werden sehen, in welchem Zustande im nächsten Jahrzehende der Obstbau sich daselbst befindet.

V. Welche neuen praktischen und wichtigen Entdeckungen sind in den verflossenen 4 Jahren im Bereiche des Obstbaues gemacht?

Dieser ausserordentlich wichtigen Frage konnte leider aus Mangel an Zeit kaum ein Paar Stunden gewidmet werden, zumal auch noch andere Gegenstände Zeit in Anspruch nahmen. Manches Interessante, was aber für den umfassenden Bericht aufgeschoben werden muss, kam jedoch zur Sprache. Wichtig waren die Angaben über die besten Methoden der Behandlung eines Obstbaumes vom ersten Jahre bis zu seiner vollen Tragbarkeit. Der Kreisgerichtsofficial Schamal in Jungbunzlau hatte Pfirsichstämmchen und Zimmerkopulanten, die beide von allen Anwesenden für wahre Muster erklärt wurden, eingesendet.

Von grossem Interesse war auch ein Vortrag des Medizinal-Assessors Jahn aus Meiningen über die Klassifikation der Birnen nach naturhistorischen Prinzipien. Allseitig wurde der Wunsch ausgesprochen, dass der Redner keineswegs mit der Herausgabe dieser seiner auf Erfahrung gegründeten Ansichten zögern sollte. Man sprach sogar allgemein den Wunsch aus, dass dieselben Prinzipien, die hier bei der Klassifikation der Birnen angewendet worden waren, auch bei der des übrigen Obstes zur Geltung gebracht werden möchten, Professor Fickert aus Breslau stellte sogar den Antrag, dass, wie die erste Versammlung der Pomologen und Obstzüchter in Naumburg Veranlassung zur Gründung der Monatsschrift für Pomologie und Obstbau gewesen wäre, die zweite in Gotha die Herausgabe eines pomologischen Handbuches in die Hand nehmen sollte. Das Bedürfniss wurde allseitig anerkannt und ein besonderer Ausschuss zur Vorberathung ernannt, in Folge dessen jeder anwesende Pomologe ersucht wurde, sein Scherflein beizutragen, während Superintendent Oberdieck in Jeinsen und Garteninspektor Lucas in Hohenheim speciell den Auftrag erhielten, die Redaktion zu übernehmen.

Von Seiten eines hohen landwirthschaftlichen Ministeriums zu Berlin waren dem Vereine zur Beförderung des Gartenbaues zu Berlin 3 silberne und 6 bronzene Medaillen behufs der Vertheilung zur Verfügung gestellt; ausserdem hatte der letztere noch 10 der Diplome, welche von ihm als Zeichen der Anerkennung bei seinen Ausstellungen vertheilt werden, beigegeben. Ein besonderer Ausschuss sprach beide zu und übernahm es der Vorsitzende des Vereines zur Beförderung des Gartenbaues in Berlin, Geheime Oberregierungsrath Kette, den Ausspruch mitzutheilen. Demnach erhielten:

I. Silberne Medaillen.

1. Der Superintendent Oberdieck zu Jeinsen, für sein gut bestimmtes Kernobstsortiment.
2. Der Oberförster Schmidt in Forsthaus Blumberg, eben so.
3. Stadtrath Thränhardt in Naumburg, für ein Sortiment Trauben.

II. Bronzene Medaillen.

1. Handelsgärtner Benary in Erfurt, für ein Sortiment Gemüse.
2. Hofgartenmeister Borchers in Herrenhausen, für ein Sortiment Kernobst.
3. Medizinal-Assessor Jahn in Meiningen, desgleichen.
4. Garteninspektor Lucas in Hohenheim, desgleichen.
5. Kaufmann Müller in Züllichau, desgleichen.
6. Vikar Schuhmacher in Ramrath, desgleichen.

III. Diplome.

1. Sr. Königlichen Hoheit, Prinz Albert in London, für ein Sortiment Kernobst.
2. Baumschulbesitzer Behrens in Travemünde, desgleichen.
3. Apotheker Siebenfreud in Tyrnau, desgleichen.
4. Der Gartenbau-Verein in Arnstadt, desgleichen.
5. Der Gartenbau-Verein in Meiningen, desgleichen.
6. Die Obstbau-Sektion der Schlesischen Gesellschaft für vaterländische Kultur in Breslau, desgleichen.
7. Kunstgärtner Lepère in Montreuil bei Paris, desgleichen.
8. Ministerialrath v. Trapp in Wiesbaden, desgleichen.
9. Gutsbesitzer v. Türk in Glienicke bei Potsdam, desgleichen.
10. Lieutenant Donauer in Koburg, desgleichen.

Schliesslich lenkte der Vorsitzende für die Verhandlungen in Gotha, Professor Koch aus Berlin, die Aufmerksamkeit der Anwesenden auf die nächste und dritte

Versammlung deutscher Pomologen und Obstzüchter. Man war allgemein der Meinung, dass diese wiederum erst in einem längern Zeitraume stattfinden dürfe, damit man auch im Stande wäre, Erfahrungen zu sammeln und lehrreiche Mittheilungen zu machen. Auch müsse man den Kostenpunkt sowohl für den Berliner Verein, als auch für die einzelnen Pomologen, die keine Reiseunterstützung erhielten, wohl berücksichtigen. Wünschenswerth möchte es wohl sein, dass man das nächste Mal in einer Stadt im Süden und, wo möglich, auch im Westen zusammenkomme. Der Ministerialrath v. Trapp lenkte die Aufmerksamkeit auf Wiesbaden und zwar um so mehr, als die Regierung daselbst bereits eine Summe zu diesem Zwecke ausgeworfen habe. Er glaube übrigens, und darin wurde ihm allseitig beigestimmt, dass man am Besten thue, die ganze Angelegenheit wiederum in die Hände des Vereines zur Beförderung des Gartenbaues in Berlin zu legen. Dieser möge, so bald er es für gut und wünschenswerth halte, die Versammlung ausschreiben und näher bestimmen. Wie man dieses Mal und schon früher dem Rufe gern und freudig gefolgt wäre, so würde auch jeder Pomologe und jeder rationelle Obstzüchter, wenn irgend möglich, auf der dritten Versammlung erscheinen oder doch wenigstens die Ausstellung beschicken.

Pflanzen, besonders blühende Orchideen im Garten des Fabrikbesitzers Borsig zu Moabit bei Berlin.

1. Preptanthe vestita Rchb. fil., gewöhnlich noch mit dem ältern Namen Calanthe vestita Wall. in den Gärten, wurde 1846 durch Veitch eingeführt, der sie aus Ostindien erhalten hatte. Wir besitzen bereits 3 Formen: eine mit blendend-weissen Blüthen, eine wo an der Basis der Lippe und an der Spitze der Columella ein rother, und endlich eine, wo ein gelber Fleck daselbst vorhanden ist. Im Borsig'schen Garten blüht eben die mit rothem Auge, wie man gewöhnlich sagt, und ist es auch die Abart, welche zuerst eingeführt wurde. Sie stellt ein ziemlich ansehnliches Exemplar dar.

2. Cattleya labiata Lindl., ein wahres Riesen-Exemplar mit einigen 30 Blüthentrauben, von denen eine 6 Blüthen im Durchschnitt trägt, was einen wahrhaft imposanten Anblick darbietet. Es ist zwar eine schon 1818 durch Swainson aus Brasilien eingeführte Pflanze, aber trotz dem wird sie eine der grössten Zierden unserer Gewächshäuser sein und bleiben. Die Farbe der Blüthenblätter ist, wie bekannt, hellpfirsichroth, während die Lippe eine sammetartige Purpurfarbe besitzt.

3. Warrea Lindeni Lindl., wurde erst vor wenig Jahren aus Neu-Granada eingeführt und gehört zu den bessern Akquisitionen. Die Blüthe ist weiss mit Ausnahme der blauvioletten Lippe.

4. Aganisia pulchella Lindl. Wenn auch die Pflanze, obwohl immer schön blühend, durch viele andere Orchideen hinsichtlich der Blüthenpracht übertroffen wird, so darf sie doch in keinem Orchideenhause fehlen. Sie gehört mehr zu den kleinblüthigen, aber lieblichen Formen, die aber dadurch einen besonderen Werth besitzt, dass sie mehre Mal im Jahre ihre Blüthen entfaltet. Das Exemplar, von dem hier die Rede ist, blühte bereits zum dritten Male in diesem Jahre. Die Farbe der Blüthe ist blendend weiss und nur in der Mitte der Lippe befindet sich ein gelber Fleck. Eingeführt hat die Pflanze Loddiges und zwar schon im Jahre 1836 aus Demerara.

5. Phalaenopsis equestris Rchb. (Ph. rosea Lindl.), ist zwar kleiner als die übrigen bekannten Arten dieses Genus, aber nichts desto weniger interessant und schön. Das Borsig'sche Exemplar hat das ganze Jahr hindurch geblüht. In dem Masse, als die untern Blüthen abfallen, wächst die Blüthentraube an der Spitze fort und entfaltet immer neue von zarter Rosafarbe. Th. Lobb entdeckte sie auf Manilla und theilte sie 1848 an Veitch mit.

6. Phalaenopsis grandiflora Lindl. Eine wunderschöne Art, welche gegen das Jahr 1845 aus Java eingeführt und lange Zeit als Abart der Ph. amabilis Bl. betrachtet wurde. Ihre blendend weissen Blüthen besitzen nur am vordern Rande der seitlichen Lippenlappen eine gelbe Färbung. Auch diese Art kann man wie Ph. amabilis Bl. das ganze Jahr hindurch blühend besitzen, wenn man nur, so bald keine rechte Vegetation an der Spitze der Blüthentraube sich mehr zeigt, diese zurückschneidet. In diesem Falle kommen in der Nähe der Stellen, wo Blüthen gesessen haben, Aeste hervor, die schon bald Blüthen-Knospen zeigen. Es kommt nun noch hinzu, dass auch die einzelnen Blüthen eine ziemlich lange Dauer haben.

7. Vanda tricolor Lindl. Ein schönes und prächtiges Exemplar, was hinsichtlich seiner Blüthen ebenfalls eine lange Dauer besitzt. Die Art wurde in der Mitte der vierziger Jahre von Th. Lobb auf Java entdeckt und zuerst in England bei Veitch kultivirt.

8. Angraecum distichum Lindl. Wie bekannt, eine Orchidee von eigenthümlichem Ansehen, welche entfernt an einige Aloen erinnert. Die fleischigen und dicken Blätter stehen nämlich ziemlich dicht gedrängt, und aus ihren Winkeln kommen die kleinen Blüthen von grünlich-weisser Farbe hervor. So unscheinlich die letztern auch an und für sich erscheinen, so nimmt sich eine ziemlich

grosse Pflanze, wie die Borsig'sche ist und wo die Blüthen in so reichlicher Anzahl hervortreten, doch sehr hübsch aus. Eingeführt in Europa wurde sie aus Sierra Leone und verbreitet durch Loddiges.

9. Saccolabium miniatum Lindl. Wiederum ein Bewohner Java's, woher sie Veitch im Jahre 1847 erhielt. Sind die Blüthen auch grade nicht sehr gross, so ist um so mehr die eher scharlach- als mennigrothe Farbe auffallend, daher sie Orchideen-Liebhabern gar nicht genug empfohlen werden kann.

Es sei hier gestattet, noch 2 Pflanzen zu erwähnen, welche sich in dem Borsig'schen Pflanzen von besonderer Kultur vorfinden und noch zu den seltenern gehören. Ataccia cristata Kth (Tacca cristata Jack) wurde Anfangs der vierziger Jahre von W. Jack im malayischen Archipel entdeckt und bald darauf nach England gesendet. Man vermag nicht sagen, dass diese Art eine schöne Pflanze darstellt, aber gewiss kann sie allen denen, die in ihren Gewächshäusern mehr Raum haben, wegen der eigenthümlichen Färbung der Blätter und der in einer dichten Dolde stehenden Blüthen empfohlen werden. Dieses Braun, was hier in der Blume, weniger schon in den Hüllblättern, intensiv auftritt, hat etwas Eigenthümliches, Schreiber dieses keineswegs Wohlgefälliges. Die vielen hier 13 Zoll langen und den Beinen grosser Spinnen nicht unähnlichen Blumenfäden tragen noch dazu bei.

Die zweite Pflanze ist die in den Zeitungen viel besprochene Ouvirandra fenestralis Pet. Th., eine unter dem Wasser vegetirende Art der grossen Insel Madagaskar, welche sich dadurch auszeichnet, dass das Parenchym zwischen den regelmässig in die Länge und Quere sich ziehenden Nerven allmählig verschwindet und das Blatt dadurch ein gegittertes Ansehen erhält. Sehr interessant wird deshalb die Pflanze auch Gartenfreunden, besonders aber Botanikern wohl bleiben, ob sie aber wirklich blumistischen oder überhaupt gärtnerischen Werth besitzt, ist eine andere Frage. Sie verdient fortwährend in botanischen Gärten kultivirt zu werden, wird aber gewiss allmählig wiederum aus den Gärten der Liebhaber, wo sie an und für sich wegen ihres hohen Preises und ihrer schwierigen Kultur selten bleiben wird, verschwinden. Das Exemplar im Borsig'schen Garten ist sehr hübsch und verdient von allen, die sich für den Gegenstand interessiren, in Augenschein genommen zu werden.

Spartothamnus junceus All. Cunn.

In dem botanischen Garten zu Neu-Schöneberg bei Berlin befindet sich jetzt ein gegen 2½ Fuss hoher Strauch aus Neuholland, über und über mit kleinen und hochrothen Beeren bedeckt, der bei der sehr langen Dauer der letztern und dem eigenthümlichen Ansehen auch eine Beachtung von Seiten der Pflanzenliebhaber verdient. Auf dem ersten Anblick ist man eher geneigt, zumal wenn die Beeren noch nicht ihre hochrothe Farbe angenommen haben, die Pflanze für eine der sparrigen Spartium- oder Retama-Arten zu halten, wie sie in Südeuropa und im Oriente vorkommen. Ihr Entdecker gab ihr deshalb auch den Namen Spartothamnus d. i. Pfriemen-Gehölz. Blüthenbildung und namentlich die 4-fächrige und 4 samige Beere weisen ihr aber eine Stelle unter den Myoporinen an.

Bücherschau.

Notice pomologique. Unter diesem Namen hat der bekannte französische Obstzüchter, M. J. de Liron d'Airoles zu Nantes, 2 Schriften bekannt gemacht und in 4 Heften ausgegeben, von denen die erstere: „Description succincte de quelques fruits inédits, nouveaux ou très peu répandus avec figures des fruits décrits“ schon sehr bald eine zweite Auflage erlebte. Die Franzosen sind uns Deutschen in der Heranzucht feiner Birnsorten (und vorliegende Schrift handelt nur über diese) weit überlegen, sei es auch nur deshalb, wie einige deutsche Obstzüchter meinen, weil in Frankreich das Klima ein vortheilhafteres ist und weil daselbst gute, namentlich aber grosse Früchte um einen höhern Preis verkauft werden können. Man ist in Frankreich, wie in Belgien, auch fortwährend bemüht, neue Sorten aus Kernen zu erziehen, um möglichst bessere Früchte zu erzielen. Eine grosse Anzahl dieser neuen Sorten hat sich auch in der neuesten Zeit in Deutschland verbreitet.

De Liron d'Airoles hat sich nun ein grosses Verdienst erworben, dass er in dieser Notice pomologique uns eine genaue Beschreibung dieser neuen Birnen, unter denen wir jedoch auch einige ältere, aber doch immer empfehlenswerthe finden, giebt und dieser wenigstens einen Umriss der Form beifügt. Als Einleitung erhalten wir endlich noch ein Kapitel nützlicher Erfahrungen. Die Zahl der beschriebenen Birnen beträgt 162, von denen 32 Butterbirnen sind, 6 Bergemotten, 4 Besi's, 3 Gute Christbirnen, 2 Kalbassen, 4 Kolmar's, 5 Dechantsbirnen und 2 Zuckerbirnen.

In diesem Jahre erschien eine zweite Notice pomologique als Liste synonyme historique des diverses variétés du poirier anciennes, modernes et nouvelles und wurde in 3 Heften ausgegeben. Als Einleitung wird Mancherlei über Obstbaum- und ganz besonders Birnzucht mitgetheilt, so über die Nützlichkeit des Umarbeitens des Bodens, der Drainage u. s. w., über die Kunst, Birnen möglichst lange aufzubewahren, über die Kreuzung durch Insekten u. s. w. Der eigentlichen Liste gehen geschichtliche Notizen voraus, worauf eine etwas kurze Beschreibung und Angabe der Synonymie von 245 Sorten Birnen folgt, von denen nur sehr wenige in der ersten Notice bereits beschrieben sind. Hierauf ist ein Verzeichniss von 422 Birnen gegeben, deren Ursprung man gar nicht oder wenigstens nicht näher kennt. Endlich werden noch 282 Sorten genannt, die der Verfasser selbst nicht näher kennt und deren Untersuchung er Anderen empfiehlt. Ein Verzeichniss der Birnen, welche zur Bereitung von Cyder empfohlen werden können, macht den Schluss.

Der unterweisende Zier- und Nutzgärtner. Vollständiges Lehr- und Handbuch des Gartenbaues in allen seinen Zweigen und Verrichtungen. 4te Auflage. Bearbeitet von Karl Friedr. Förster.

Der Verf. ist uns durch seine frühern Bearbeitungen des Gruner'schen Blumengärtners, aus dem vorliegendes Werk selbst, zum Theil wenigstens, hervorging, hinlänglich und, man darf sagen, vortheilhaft, bekannt und hat sich bemüht, das was in der neuesten Zeit in der Gärtnerei geschehen, in möglichster Kürze, aber stets klar, vorzutragen. Die grosse Menge des Materiales machte es aber nothwendig, dass, nachdem 3 Auflagen vergriffen waren, bei der Herausgabe der vierten eine Trennung in 2 Bänden stattfand. Der erste erschien unter dem besonderen Titel: „Der instruktive Führer durch das Gesammtgebiet der allgemeinen Vorkenntnisse, Grundregeln und Vortheile zum erfolgreichsten Betriebe der Zier- u. Nutzgärtnerei" (1¼ Thlr.) und wenden wir uns ihm zunächst zu.

Ansprechend erschienen uns die Paragraphen über Erden und ihre Mischungen und über Krankheiten, zweien Gegenständen, die noch keineswegs hinlänglich berücksichtigt wurden. Wir hätten nur gewünscht, dass das Drainiren etwas ausführlicher behandelt worden wäre. Um eine Einsicht über das, was das Buch sagt, zu geben, theilen wir die Ueberschriften der 10 Abschnitte, in die das Buch zerfällt, mit.

1. Anlage, Bedürfnisse und Vorarbeiten. 2. Vertheilung und Aufstellung der Pflanzen. 3. Wechselkultur. 4. Pflege und Wartung der Pflanzen. 5. Konservation und Winterschutz der Pflanzen in Lokalen und im Freien. 6. Fortpflanzung der Gewächse durch Vermehrungs- und sogenannte Veredelungs-Methoden. 7. Samenzucht und Bastard-Erzeugung. 8. Kenntniss, Vertilgung und Abhaltung der lebenden und leblosen Pflanzenzerstörer. 9. Die hauptsächlichsten Krankheiten der Pflanzen, ihre Entstehung, Verhütung und Heilung. 10. Wissensnöthige Notizen.

Der zweite Band hat als selbstständiges Buch auch den Titel:

„**Die naturgemässe und künstliche Gemüse-, Blumen-, Obst- und Weinzucht in ihren einzelnen ertragreichsten Kultur-Methoden im Freien, Frühbeete, Treibhause u. s. w.**" (25 Sg.) Wir hätten wohl gewünscht, dass er etwas umfassender und dadurch zu dem fast doppelt so starken ersten Theile in besserem Verhältnissen gewesen wäre; er musste deshalb um Alles zu haben, ebenfalls wieder mehr allgemein gehalten werden. Man bekommt dadurch aber mehr eine Ueber- als eine Einsicht, die erstere allerdings aber auf eine so prägnante und fassliche Weise, dass man das Buch namentlich Praktikern, nicht genug empfehlen kann, in so fern diese sich im Allgemeinen belehren wollen. Das Inhalts-Verzeichniss wird es bestimmter zeigen.

Das Buch zerfällt zunächst in 2 Abtheilungen. In der ersten sind die künstlichen oder Treiberei-Kulturen behandelt, und zwar nach einer kurzen Einleitung, die Obst-, Beeren-, Ananas-, Gemüse-, Champignon- und Blumentreiberei. Dass den Gemüsen und Blumen hier hauptsächlich Aufmerksamkeit gewidmet ist, versteht sich wohl von selbst. Unter den ersteren findet man auch die Melonen, die aber zu den Früchten gehören, ferner die Würz- und Suppenkräuter und endlich die Pflanzen, welche Kaffee-Surrogate liefern. Die 2. Abtheilung mit den naturgemässen Kulturen zerfällt in 3 Abschnitte, von denen der zweite, welcher die Kultur der Gemüsepflanzen behandelt, mit Vorliebe geschrieben ist und deshalb den meisten Raum einnimmt. Die Eintheilung in Wurzel-, Blatt-, Mark-, Blumen-, Sprossen-, Salat- und Frucht-Gemüse, so wie in Gemüse-Zwiebelpflanzen ist unnatürlich, zumal eine und dieselbe Pflanze dann in 2 und mehr Abtheilungen passt. Die Cardone ist aber kein Blumengemüse, da man fast nur die gebleichten Blattstiele und Blattrippen geniesst. — Der 1. Abschnitt behandelt die Zierblumen, der 3. hingegen die Obstpflanzen.

Verlag der Nauck'schen Buchhandlung. Berlin. Druck der Nauck'schen Buchdruckerei.

No. 48. Sonnabend, den 28. November. 1857

Preis des Jahrganges von 52 Nummern mit 12 color. Abbildungen 6 Thlr., ohne dieselben 5 „
Durch alle Postämter des deutsch-österreichischen Postvereins sowie auch durch den Buchhandel ohne Preiserhöhung zu beziehen.

Mit direkter Post übernimmt die Verlagshandlung die Versendung unter Kreuzband gegen Vergütung von 26 Sgr. für Belgien, von 1 Thlr. 3 Sgr. für England, von 1 Thlr. 22 Sgr. für Frankreich.

BERLINER Allgemeine Gartenzeitung.

Herausgegeben vom Professor Dr. Karl Koch,
General-Sekretair des Vereins zur Beförderung des Gartenbaues in den Königl. Preussischen Staaten.

Inhalt: Alocasia metallica Schott. Von dem Professor Dr. Karl Koch und Obergärtner Gaerdt. (Nebst einer Abbildung.) — Ländliche Zierden an Wohnhäusern in England. Von Theodor v. Spreckelsen, Kunst- und Handelsgärtner in Hohenluft bei Hamburg. Nebst einem Zusatze des Herausgebers. — Journalschau: Florist, Fruitist and Garden-Miscellany. April- bis Juliheft. — Bücherschau: Der unterweisende Monatsgärtner, von Förster. Der Königl. botanische Garten in Breslau von Göppert

Alocasia metallica Schott.

Von dem Professor Dr. K. Koch und Obergärtner Gaerdt.

(Nebst einer Abbildung.)

Vor 5 Jahren machte eine Pflanze mit metallischem Schimmer um so mehr Aufsehen, als sie einer Familie angehörte, aus der bis jetzt dergleichen Erscheinungen noch nicht vorgekommen waren, und doch auch im eigentlichen Sinne des Wortes eine Blattpflanze darstellte. Wenn wir nicht sehr irren, hatte sie van Houtte in Gent direkt von Borneo bezogen und verbreitete sie zuerst unter dem Namen Caladium sp. e Borneo. In Berlin war sie schon im Jahre 1853, und zwar im botanischen Garten, von wo aus sie sich ebenfalls rasch weiter verbreitete.

Der verstorbene Direktor Otto in Berlin bemerkte zuerst, dass unter dem Namen Caladium sp. e Borneo, eine Benennung, die übrigens van Houtte selbst später in Caladium metallicum umänderte, verschiedene Pflanzen ausgegeben seien, und brachte dem einen der beiden Verfasser dieser Abhandlung ein Blatt mit kupferröthlicher Färbung aus dem Gewächshause des Kaufmanns Moritz Reichenheim. Die genauere Vergleichung der Pflanze selbst mit der andern, wo besonders die Unterfläche der Blätter ein bleifarbenes Ansehen besass, machte um so mehr die Verschiedenheit beider klar. Ein zweites Exemplar der Art mit kupferröthlicher Färbung besass damals auch der Universitätsgärtner Sauer in Berlin. Diese letztere wurde, da die Nervatur der Blätter und die Einfügung des Blattstieles so ziemlich unterhalb der Mitte der Blattfläche auf eine Art des Genus Caladium hinwiess, Caladium cupreum genannt und später in der Appendix zum Samenverzeichnisse des Berliner botan. Gartens vom Jahre 1854 beschrieben. Die andere Pflanze mit der Bleifärbung erhielt, um sie damit gleich von jener zu unterscheiden, den Beinamen plumbeum. Der Beiname metallicum hatte damals noch nicht durch eine Beschreibung der Pflanze Berechtigung erhalten, abgesehen davon, dass er sehr leicht zur Verwechselung Veranlassung geben konnte. Diese zweite jetzt allgemein verbreitete Art besitzt nur jung schildförmige Blätter, wo der Stiel aber keineswegs nahe der Mitte in der Fläche, sondern ziemlich am untern Viertel derselben angeheftet ist; später erscheinen diese jedoch herzförmig, d. h. also mit dem Blattstiele in dem Ausschnitte der Fläche selbst. Es ist dieses ein Umstand, der allerdings darauf hindeutet, dass die Pflanze zum Genus Alocasia gehört.

Im Jahre 1856 führte Schott in Schönbrunn bei Wien in seiner Synopsis Aroidearum (Seite 46) eine neue Pflanze als Alocasia metallica auf. Obwohl er keineswegs ausspricht, dass die Pflanze als Caladium metallicum bereits in den Gärten befindlich ist, so besagter Stelle auch nur eine sehr kurze Diagnose, welche nicht einmal sagt, was grade für Alocasia sehr wichtig ist, dass die Pflanze einzieht und keinen Stengel macht, gegeben und endlich auch eine Abart der mit deutlichem Stengel versehenen A. odora C. Koch (neglecta Schott) dazu gebracht hat, so wird hier doch einstweilen der Namen A. metallica Schott beibehalten, da nach eingezogenen

Nachrichten in der That die oben bezeichnete Pflanze in Schönbrunn unter dieser Benennung kultivirt sein soll.

Alocasia gehört in die Abtheilung der Aroideen, welche sich durch eine ziemlich entwickelte Blumenscheide (Spatha), durch monöcische Blüthen und durch 4—6 mit dem Rücken verwachsene Staubgefässe auszeichnen und gewöhnlich unter dem Namen **Caladieae** aufgeführt werden. Eigenthümlich und hinlänglich unterscheidend von den übrigen Abtheilungen dieser Familie ist die Nervatur der Blätter, über welche bereits in einer frühern Abhandlung „die Kolokasien und Xanthosomen" und Seite 12 der Gartenzeitung ausführlicher gesprochen wurde und auf die demnach hier zurückgewiesen werden muss. An eben bezeichneter Stelle sind auch die genannten Genera näher charakterisirt worden. **Alocasia**, was Schott zuerst von **Colocasia** getrennt hat, steht in so fern zwischen beiden genannten Geschlechtern, als es (ob auch bei allen Arten?) die ersten Blätter bei jungen Pflanzen schild-, bei den spätern aber herzförmig besitzt. Ausserdem hat der obere Theil des Kolbens durch Fehlschlagen und Bildung der Staubgefässe eine labyrinthartige Zeichnung, die bei den Arten der **Colocasia** fehlt. Bei **Caladium** und **Xanthosoma** ziehen sich fruchtbare Staubgefässe bis an die Spitze des Kolbens.

Alocasia metallica Schott. Vegetatio periodica; Acaulis, tuberosa; Folia magis adulta ovato-cordata, supra cinereo-viridia, subtus colore rubro-plumbeo nitentia, plerumque ad nervos paululum violaceo-rubro micantia; Spatha, parte sexta infera convoluta excepta, elongata, oblonga, denique reflexa; Appendix corrugata, longitudine ceterum spadicem aequans; Pistilla discreta.

Wie schon gesagt, zieht die Pflanze meist in der Winterzeit ein und unterscheidet sich deshalb wesentlich von der **Alocasia odora** mit allen ihren Abarten, da diese einen deutlichen Stamm bildet. Bei guter Pflege und ganz besonders, wenn ihr die nöthige feuchtwarme Luft geboten wird, entwickeln sich die Blätter zu der nicht unbedeutenden Grösse von 1 Fuss Länge und 1 bis 1¼ Fuss Breite oberhalb des untern Viertels. Die mehre Zoll langen und breiten Blattohren stehen ziemlich grade und sind mehr oder weniger abgerundet. Bisweilen erscheint die Blattfläche gegen den Rand hin etwas wellenförmig.

Der Blattstiel ist an der scheidenartigen Basis mit offenen Rändern oft fast zolldick und verschmälert sich allmählig nach oben. Im Allgemeinen besitzt er die Länge der Blattfläche und eine grau-violett-grünliche Färbung, welche bisweilen sich noch mehr zum Röthlichen neigt. Unmittelbar von dem Knollen entspringend, aber zwischen den scheidenartigen Rändern des Blattstieles zu 2 und 3 heraustretend und von einer schmalen und verlängerten Blattscheide von bräunlich-grünlicher Farbe umgeben, kommen die Blüthenschafte von 8—12 Zoll Länge hervor.

Die Blüthenscheide hat in der Regel die Länge eines halben Fusses und besteht aus 2 sehr ungleich-langen Theilen, von denen der untere von der Länge eines Zolles mit Ausnahme der braunen Ränder eine hellgrüne Farbe besitzt, zusammengerollt erscheint und die Pistille nebst dem grössten Theile der Staminodien einschliesst. Der obere fünf Mal längere und mehr hautartige Theil steht anfangs aufrecht, ist mehr oder weniger konkav, weshalb er den obern Theil des Kolbens etwas umgiebt, und besitzt eine gelblich-weisse, später röthliche und an der zusammengezogenen Spitze rothbraune Farbe. Seine Breite beträgt im Durchschnitt einen Zoll. Später wird er allmählig flacher, steht bald ab und schlägt sich sogar zurück, sich selbst zuletzt rückwärts zusammenrollend.

Der Kolben ist nur wenig kürzer als die Scheide, besteht zum grössten Theile aus der sogenannten Appendix von ockerartig-gelblicher Farbe und ist in der Mitte wenig dicker als nach der Spitze und nach der Basis zu. An der erstern befindet sich aber noch ein kurzes, borstenförmiges Spitzchen. Die labyrinthartige Zeichnung ist sehr fein und oft kaum mit blossen Augen zu erkennen.

Der untere und der eigentliche Blüthen tragende Theil ist noch einmal so kurz und oben mit zu 4 und 5 verwachsenen Staubgefässen, unten hingegen mit Pistillen besetzt, während der mittlere und am Meisten dünne Theil verlängerte Staminodien trägt. Die Staubgefässbündel bilden 4- und 5-eckige, oben abgestutzte und sehr kurze Säulen und haben eine weisse Farbe. Ringsherum ziehen sich 8 oder 10 oben breitere und nach der Basis zu sich verschmälernde Beutel herab, die an der Spitze mit einem rundlichen Loche aufspringen. Blumenstaub hatte sich in keinem Staubgefässe entwickelt, ein Umstand, der bei aus heissen Gegenden stammenden Pflanzen sehr häufig vorkommt und keineswegs immer das Zeichen eines Blendlinges ist.

Die umgekehrt-eirunden Pistille sind an der Basis mehr oder weniger zusammengedrückt und hängen gar nicht mit einander zusammen. Die grosse sitzende Narbe ist ziemlich flach. Gewöhnlich befinden sich in der einen Fruchtknotenhöhle 6 hemianatrope und deshalb meist horizontal abstehende Eichen, welche mit einem ziemlich dicken Stiele der grundständigen Placenta aufsitzen.

Was die Kultur der **Alocasia metallica** anbelangt, so ist diese ziemlich gleich der der Xanthosomen und Kolokasien; Versuche, sie im Freien, gleich den genannten Pflanzen, zu kultiviren, sind noch nicht gemacht; es möchte aber gar nicht zweifelhaft sein, dass sie eben so zu Gruppen im freiem Lande verwendet werden kann. Im Allgemeinen liebt die Pflanze allerdings eine feuchtwarme Luft gar sehr und gedeiht in dem Viktoriahause des Borsig'schen Gartens ganz vorzüglich.

Im Topfe kultivirt ist für sie eine Wiesenrasen-Erde gemischt mit Phagnum-Erde, wenn ausserdem noch gehöriger Sand untermischt wird, die beste Mischung. Junge Pflanzen kann man sich in einem Warmbeete schnell heranziehen. Wasser verlangen sie sehr viel und muss man nie versäumen, sie zu rechter Zeit zu giessen, am Allerwenigsten darf man aber den Ballen austrocken lassen. Alle Woche vielleicht etwas Guano dem Wasser zugesetzt, befördert die Vegetation ungemein.

Gegen den December hin fangen die Pflanzen an, nicht mehr recht zu gedeihen und keine Blätter mehr zu machen. Es tritt die Zeit des Einziehens ein. Man giebt allmählig weniger Wasser, bis man gar nicht mehr giesst und den Topf an einen trocknen, aber mässig warmen Ort stellt. Im Frühjahre erwacht die Vegetation von selbst und bringt man demnach die Pflanze wiederum in günstigere Verhältnisse. Die Vermehrung ist ausserordentlich leicht, da man die sich bildenden kurzen Schösslinge eben so abnimmt, wie es bei den Kolokasien und Xanthosomen geschieht.

Fig. 1. der untere Kolben nach Wegnahme der Scheide. Fig. 2. ein Staubgefässbündel in jugendlichem Zustande und sehr vergrössert. Fig. 3. der Stempel weniger vergrössert. Fig. 4. Durchschnitt eines sehr vergrösserten Fruchtknotens. Fig. 5. Eichen, noch mehr vergrössert. Die Blätter sind verkleinert, leider aber auf der Unterfläche viel zu braunroth gemacht, da die Farbe hier eine röthlich-bleifarbene ist. Der Kolben mit der zurückgeschlagenen Scheide hat natürliche Grösse.

Ländliche Zierden an Wohnhäusern in England.

Von Theodor v. Spreckelsen, Kunst- und Handelsgärtner in Hohenluft bei Hamburg.

Mannigfach, wie die ersten Eindrücke sind, die dem fremden Gärtner bei seinem erstmaligen Besuche in England sich aufdrängen, ist es namentlich dreierlei, was seinem Auge überall begegnet und ihn immer von Neuem erfreut. Es ist dieses der üppig-grüne Wuchs der Nadelhölzer mit den stets und immer wiederkehrenden grünen Gruppen, der weiche Rasenteppich und endlich auch der rege Sinn für Schling- und Kletterpflanzen an den Wohnhäusern. Man könnte in der That mit Recht sagen, es ist den Engländern förmlich zur Leidenschaft geworden. Niemand hängt selbst mit grösserer Pietät an diesen Lieblings-Neigungen, als grade der Arbeiter, bei dem man den Sinn für ein einladendes Bild seines bescheidenen Häuschens weit weniger vermuthen sollte, wenn er müde und oft erst nach langem Marsche der heimischen Stätte zueilt, als bei denen, die bei mehr Musse und bei grösserer Geistesbildung eher sich mit den Verschönerungen des häuslichen Sitzes beschäftigen können. Aber dem ist nun so. Manches zufriedene Lächeln sieht man auf den Gesichtern der Aermeren, wenn die Monatsrosen im November ihnen in die Fenster schauen, oder auch die langen Zweige des Jasmin mit ihren weissen Blüthen duftig von der Mauer herunterhängen, denn er besitzt einen Tag in der Woche, der nur ihm und seiner Familie gehört, den Sonntag, wo er ungestört seiner Musse und seiner Häuslichkeit leben kann.

Es sind hauptsächlich 3 Sträucher, die man in England vorherrschend an den Landhäusern findet. Vor Allem die Monatsrosen, die selbst, wenn auch in spärlichen Dolden, den ganzen Winter hindurch, sobald dieser nur einiger Massen mild erscheint, fortblühen und in den Marschgegenden, wo fetter Lehm bis an den Grund des Hauses geht, oft bis in die Dachgiebel emporsteigen. Dann ist es der ächte Jasmin mit den weithin duftenden Blüthen, der von der Landstrasse aus gesehen sich sehr hübsch macht. Man lässt ihn in der Regel frei wachsen und heftet ihn wenig oder gar nicht an, denn es liegt ein eigenthümlicher Reiz in dieser wilden Regelmässigkeit, wo die Sommerzweige abwärts hängen und an ihren Spitzen die weissen Blumen tragen, die, von weitem gesehen, immer auf dem Grün des Laubes ruhen. Mich dünkt, schon in dem Anblicke eines Jasmins liegt etwas Duftiges. Wem sollte der liebliche Wohlgeruch unbekannt sein? Wir haben nur wenige Pflanzen, die zwei Sinne des Menschen zu gleicher Zeit auf eine so angenehme Weise in Anspruch nehmen.

Der dritte im Bunde der Gehölze, welche sich in England einer allgemeineren Kultur erfreuen, ist der Feuerdorn, Crataegus Pyracantha Pers. Von Hoch und Niedrig wird er gleich gern als Zierde an dem eigenen Hause gesehen. Ueberall, wohin mich auch meine Wege führen mochten, sowohl in den waldigen und parkartigen Gegenden der Grafschaft Nottingham, in dem Kirschendistrikte Kent's mit dem trockenem Kreide-Untergrunde, wie auch in den felsigen Fabrikdistrikte Lancashire's, bekundeten überall die Bewohner die Liebe für die Verschönerung ihrer Wohnungen und hatten auch den Feuerdorn angepflanzt. Eben deshalb glaubte ich, dass es am passenden Orte sein würde, ihn mit seinen orangefarbenen Apfel-Beeren auch den Deutschen ans Herz zu legen; grade an den Mauern der Häuser schien er mir einen besondern Effekt zu machen. Ich wurde in meiner Absicht, ihn der Aufmerksamkeit zu empfehlen, um so mehr bestärkt, als ich die belehrende Zusammenstellung der schönsten Weissdorn-Arten und ihre Verwendung als Zierden auf Rasen und in den Gehölz-Partien in Nr. 23 dieser Blätter las und den Feuerdorn nicht darunter fand*). Bekannt ist derselbe aber in England, wie kaum ein anderes Gehölz. Man sieht ihn, fast in allen Verhältnissen, bald unbeschränkt im Wachsthume als Einzel-Pflanze oder in hübsch gezogener Zwerg-Pyramide, bald in dem Vordergrunde dunkelgrüner Tannengruppen. Unendlich zierend ist derselbe aber auch an der weissübertünchten Wand eines Strohdachhauses. Man hat nur hauptsächlich auf eine regelmässige Vertheilung des jungen Holzes zu sehen, damit er allenthalben im Herbste mit Beeren bedeckt ist und nicht etwa eine Seite leer erscheint. Man muss sehen, mit welcher Vorliebe der Engländer seinen Feuerdorn pflegt, damit derselbe an allen Seiten und Zweigen reichlich trägt. Es würde sich auch bei uns bezahlt machen, wenn Handelsgärtner speciell junge Bäumchen spalierförmig heranzögen, und sie nach einem Paar Jahren Käufern anheimstellten, die Sinn für dergleichen Verschönerungen haben. Ich bin überzeugt, die schöne Sitte würde auch bei uns Wurzel fassen.

Nächst diesen drei Gehölzen findet man aber auch noch andere, die der Engländer an Wohnhäusern liebt. Die japanische Quitte, Cydonia japonica Pers. und den Bocksdorn oder Teufelszwirn Lycium vulgare Dun., sieht man zunächst recht häufig. Erstere mehr an den Häusern des Mittelstandes, letztere hingegen weit häufiger an den Hütten der arbeitenden Klassen. Ich bin vollständig mit der in Nr. 33 und Seite 259 der Gartenzeitung ausgesprochenen Meinung einverstanden, dass der Bocksdorn in allen seinen Verwendungen zierend ist, namentlich, wenn, wie es an angegebener Stelle einladend beschrieben ist, die langen und ruthenförmigen Aeste mit den scharlachrothen Beeren dicht besetzt herabhängen. Aber auch im Vordergrunde von dichten und grünen Lauben, wie sie z. B. von Waldreben gebildet sind, bieten ganz besonders die grossbeerigen Sorten eine angenehme Erscheinung auf dem grünen Hintergrunde.

So viel, wie mir erinnerlich ist, habe ich weder in Preussen und Sachsen, noch in irgend einem anderem Lande Deutschlands den japanischen Quittenstrauch (Cydonia japonica) aus Haus gepflanzt gesehen. Auf Rasen und als Winterpflanze in Töpfen ist sie auch bei uns Deutschen allgemeiner Liebling, aber am Hause sieht man sie nicht; und doch ist sie namentlich mit flach ausgebreiteten Zweigen an Häusern ausserordentlich zierend. Gegen Frost ist sie hier noch leichter zu schützen, als sonst, wenn sie am Draht oder an Lattenwerk gezogen ist. Im Hamburgischen wenigstens müssen die Blüthen hauptsächlich vor den Frühlings-Nachtfrösten geschützt werden. Eine Lage nach Nordost am Hause, möchte am Geeignetsten sein, denn hier würden die Blüthen eher retardirt und kämen nicht zu früh zum Vorschein.

Auch die Kornelkirsche, oder der Dürlitzenstrauch, Cornus mascula L., müsste sich an Häusern trefflich machen, zumal wenn einige Zweige in oder an die Veranda's geleitet würden, und dort die kirschrothen Früchte mehr zum Vorschein kommen könnten. Es kommt noch dazu, dass die letztern essbar sind und diese in vielen Gegenden sehr gern gegessen werden. Bei unsern veränderlichen und häufig kühleren Sommern ist ein warmer Standort, wie der an der Mauer, wohl eine Bedingung für das Gedeihen der Kornelkirsche, und namentlich wenn speciell auf eine gute Aernte gerechnet wird.*)

Schliesslich möchte ich die Redaktion noch um Aufschluss über die richtige Benennung eines Gehölzes bitten, was schön ist und viel zu selten angebaut wird, wenngleich es hierher eigentlich nicht so recht passt.

Es ist dieses nämlich Pirus depressa, die aber auch als Cerasus depressa aufgeführt wird. Das Letztere ist besonders in den Verzeichnissen einiger Baumschulbesitzer in England der Fall.

Als noch das treffliche Blatt, the Gardener's and Farmers' Journal, existirte, wurde von Robert Marnock oft und in warmen Worten auf das herrliche Farbenspiel gewisser Baumarten aufmerksam gemacht, und sind die Vorzüge derselben in Park- und Bosquet-Anlagen in speciellen Artikeln besprochen. Damals freute man sich auf jede neue Nummer, die diesem praktischen Gärtner durch die Hände gegangen war. Unter andern empfahl er auch im Jahrgange 1852, wenn ich nicht irre, in einer Oktober-Nummer, diese Pirus depressa als eine ungemeine Zierde, wenn ihre Blätter das intensivste Hochroth annehmen und dann

*) Der Feuerdorn (Cotoneaster Pyracantha Spach, Crataegus Pyracantha Pers.) gehört wissenschaftlich nicht zu den Weissdorn- (Crataegus-) Arten, sondern zu den Zwergmispeln (Cotoneaster), oder bildet vielleicht auch den Typus eines besonderen Geschlechtes. Aus dieser Ursache wurde er in der citirten Abhandlung auch nicht genannt. Anm. d. Red.

*) Der Dürlitzenstrauch leidet wenigstens in Mitteldeutschland gar nicht von Kälte, und trägt in allen Lagen jedes Jahr reichlich, so fern ihm nur einige Aufmerksamkeit zugewendet wird. Anm. d. Red.

noch schöner als die der Ampelopsis hederacea leuchten. Er schrieb von einem Exemplar, das im Versuchsgarten der botanischen Gesellschaft im Regent's Park stand, folgendermassen:

„Die Klasse, in die diese Species gehört, umfasst meistentheils Bäume von zwergartigem Wuchse. Das in Frage stehende Exemplar hat im hiesigen Garten nun schon zehn Jahre gestanden und ist nur etwa 5 bis 6 Fuss hoch geworden. Auf der Vogelbeere veredelt (Mountain Ash oder Sorbus aucuparia) bei einer Höhe von 5 bis 6 Fuss wüssten wir wenige Bäumchen, die mehr imponiren könnten, als die in Rede stehende Art, wenn sie im Frühling in der schneeweissen Blüthenhülle prangt, und wiederum im Herbst, wie jetzt, von Weitem gesehen, wie ein Scharlachgewand sich ausnimmt."

Es fällt mir auf, dass Marnock die Vogelbeere als Grundstamm erwähnt, während man doch eher einen Malus vermuthen sollte, wie z. B. den Paradiesapfel, um den ohnehin zwerghaften Habitus durch eine verwandschaftliche Unterlage zu befördern.

Zusatz des Herausgebers

Pirus depressa Lindl. und Prunus (Cerasus) depressa Pursh sind ganz verschiedene Pflanzen, welche leider aber in den Handelsgärtnereien oft mit einander verwechselt werden. Letztere ist mit Prunus Susquehanae Willd. identisch und eine Abart der ächten Prunus pumila L. oder Cerasus glauca Moench, daher eine Zwergkirsche, während die erstere, von der im vorliegenden Aufsatze die Rede ist, nach der neueren Nomenklatur eine Aronia darstellt und als Pirus arbutifolia L. bekannter ist. Lindley hat in den Verhandlungen der Londoner Gartenbau-Gesellschaft, und zwar im 7. Bande von Seite 228 an, ausführlich über die Aronia-Arten, welche er noch unter Pirus begriff, gesprochen und wahrscheinlich nur Formen der einen Linné'schen Pirus arbutifolia als selbstständige Arten aufgeführt. Hauptsächlich unterscheiden diese sich durch die Farbe der Früchte und wurde die, wo die letztern tief purpurroth gefärbt sind, Pirus depressa genannt.

Der Verfasser obigen Aufsatzes hat ganz Recht, wenn er auf Aronia pirifolia Pers. und arbutifolia Pers. (Pirus arbutifolia L.), aber dann auf alle Formen, aufmerksam macht, da diese in allen ihren Stadien nicht genug empfohlen werden können. Das glänzende und tief dunkelgrüne Laub macht, wenn die weissen Blüthen sich entfaltet haben, sich sehr schön, während die dunkelrothe Färbung der Blätter während der Herbsttage in der That einen eigenthümlichen Reiz verleiht. Die Pflanze ist allerdings nur ein niedriger Strauch, möchte aber hoch veredelt, ähnlich der bekannten Cerasus Pseudo-Cerasus, meist als Prunus pendula jetzt bekannter, einen noch schöneren Anblick darbieten. Wir möchten deshalb ganz besonders Baumschulbesitzer, die an und für sich nach Neuem streben, darauf aufmerksam machen. Einmal bekannt, zweifeln wir gar nicht daran, dass sich bald eine starke Nachfrage herausstellen wird.

Journal-Schau.

Im Aprilhefte des Florist, Fruitist and Garden-Miscellany wird wiederum die im Januarhefte abgebildete Bowood-Muscat-Traube, über die schon in Nr. 15 der Gartenzeitung gesprochen ist, empfohlen und angezeigt, dass dieselbe vom Oktober an um 21 Schilling (also um 7 Thlr.) bezogen werden kann. Der Abbildung und Beschreibung nach muss sie allerdings vorzüglich sein. Als Abbildung ist diesem Hefte die Bouvardia Oriana Pers., welche in der nächsten Nummer ausführlich besprochen wird, beigegeben.

Das Maiheft schliesst eine Abbildung und kurze Beschreibung des Haiden-Blendlinge: Erica Ingrami, ein, welche der Inspektor des Königlichen Gartens zu Frogmore, Ingram, aus Samen erzog, den er durch Befruchtung einer E. hyemalis Hort., mit dem Blumenstaube der tubiflora Salisb. (Bedfordiana und Linnaeana superba unserer Gärten E. perspicua Wendl.) erzog. Sie steht der Mutterpflanze, die ja ebenfalls ein Blendling der tubiflora Salisb. sein mag, sehr nahe und scheint noch dankbarer zu blühen, als E. hyemalis Hort., die wie bekannt, namentlich in Berlin, in grosser Menge zu Marktpflanzen herangezogen wird. Aus dieser Ursache ist auch Erica Ingrami den Handelsgärtnern sehr zu empfehlen.

Von besonderem Interesse sind die Beschreibung zweier Gärten, für alle die, welche für England in dieser Hinsicht eine Vorliebe haben, nämlich des zu Bicton in Devonshire und des zu Frogmore. Der erstere gehört der Lady Rolle und ist bekannt durch seine Koniferen-Sammlung und Ananastreiberei; neuerdings ist man wiederum durch die sonderbar gestaltete Colletia Bictoniensis, welche, so viel wir wissen, aber nirgends beschrieben ist, auf den Garten aufmerksam geworden. Der Königliche Garten zu Frogmore hat prächtige Treibereien, namentlich für Früchte und Blumen, und erfreut sich deshalb schon seit langer Zeit eines besonderen Rufes.

Im Junihefte ist die gelbe Theerose: Isabelle Gray abgebildet, welche bereits in der 37. Nummer der Gartenzeitung besprochen wurde. Weiter folgt eine Aufzählung der besseren Sorten unter den neueren Aurikeln, die wir hier mittheilen wollen:

Sir John Moore, Sammetpurpurblau mit grünem Rande und orangenfarbener Röhre.

Lady Blücher, der vorigen Sorte ähnlich, aber im Laube ganz eigenthümlich gebildet.

Lycurgus, roth violett und hellgrün umsäumt.

Apollo, dunkelviolett und grün umsäumt, aber orangefarbige Röhre.

Admiral Napier, schönroth und smaragdgrün umsäumt.

Unique, violett und grau umsäumt, mit hellorangenfarbiger Röhre.

Maria, hellviolett und grau umsäumt, mit gelblichgrüner Röhre.

Sophia, violett und grau umsäumt, mit hellgelber Röhre.

Richard Headley, roth violett und grau umsäumt. Blüht später, aber schön.

George Lightbody, dunkelviolett und grau umsäumt.

Mrs. Headley, dunkelviolett und weiss umsäumt.

Countess of Dunmore, rothbraun und weiss umsäumt.

Blackbird, dunkelbraun; eine der schönsten Sorten.

Sir Colin Campbell, scharlach-karmoisin; ebenfalls eine der vorzüglichsten Sorten.

Bessy Bell, ähnlich dem Blackbird, aber minder schön.

Metropolitan, purpurblau; lockerblühend.

Sturrock, röthlich karmoisin.

Von den ältern Sorten zeichnen sich in Grün aus: Page Champion, Colonel Taylor, Prince of Wales, Smith's Waterloo, Hogg's Waterloo und Booth's Freedom; in Grau: Complete, Lancashire Hero, Maria Anna und Ne plus ultra; in Weiss: Glory, Earl Grosvenor, Delight und Robert Burns. Besonders schöne Blüher waren: Requcar, Smiling Beauty und True Brighton, mit reinen Farben (nicht umsäumt): Othello, Eclipse und Jupiter.

Ein anderer Aufsatz eines Liebhabers empfiehlt folgende Rosen von Remontanten:

William Griffith, hell-lilarosa.

Prince Léon, lebhaft karmoisin.

Madame Laffay, reichrosa.

Géant des batailles, cochenillroth.

Pius IX., glänzend karmoisin.

Jules Mergottin, glänzendkarmin.

Caroline de Sansalles, fleischroth.

Baronne Prevost, rosa.

Duchess of Sutherland, gefleckt blassroth.

Augustine Mouchelet, hellrosa-karmoisin.

William Jesse, karmoisin mit Lila-Schein.

Jacques Lafitte, glänzend karminrosa.

Auguste Mie, fleischroth.

Général Cavaignac, dunkelfleischroth.

L'enfant de Mont Carmel, dunkelkarmoisin.

Prince Albert, sammetartig-tiefkarmoisin.

Madame Trudeaux, brillant-karmin.

Comtesse Duchatel, rosa in schöner Form.

Dr. Juillard, tief-rosa.

Sidonie, brillant und seidenartig hellroth.

Général Jacqueminot, scharlach karmoisin, aber nicht so gefüllt.

Diesen schliessen sich China-Hybride an:

Paul Ricot, karmoisin-scharlach.

Coup de Hebé, zartrosa.

Kean, ganz dunkel-scharlach.

Triomphe de Jaussens, brillant karmoisin.

Madeleine, weiss und karmin umsäumt.

Nach Richelieu in Brüssel sind die Zeichen einer guten Rose:

1. wenn die Blumenblätter dicklich, breit und glatt umsäumt sind.
2. wenn die Blüthe einen guten Geruch besitzt.
3. wenn die Blüthe hoch, auch in der Mitte gefüllt und die Blumenblätter wohlgefällig gestellt sind.

Im Julihefte befindet sich die Abbildung einer China-Azalee aus der Abtheilung der Azalea variegata oder vittata unter dem Namen Queen Victoria, die sich von den ähnlichen Sorten durch grössere Blüthen und schönern Bau auszeichnet. Am Nächsten steht diese der A. Admiration. Während diese nebst der rosafarbigen und weiss-umsäumten A. Criterion von Ivery in Dorking gezüchtet wurde, verdankt die Königin Viktoria ihre Entstehung dem Ivery in Peckham. Andere Sorten der A. vittata, welche von Ivery in Dorking verbreitet wurden und zu empfehlen sind: Iveryana mit rothen, Barclayana mit violetten und Beauty of Reigate mit rosafarbigen Streifen. Nächstdem sind von den streifigen Sorten anderer Züchter Beauty of Europe (Beauté de l'Europe) hellroth mit karminfarbenen, Striata formosissima, weiss mit tief purpurblauen Streifen, und Madame Mielles, weiss und geflammt, vorzüglich.

(Fortsetzung folgt.)

Bücherschau.

Der unterweisende Monatsgärtner. Ein immerwährender Gartenkalender von Heinr. Gruner. Auf's Neue bearbeitet von Karl Friedr. Förster. 6te sehr verm. u. verb. Aufl. Leipzig.

Das wegen seiner Brauchbarkeit ganz besonders für den Laien sehr zu empfehlende Buch schliesst sich eigentlich „dem unterweisenden Zier- und Nutzgärtner“ als dritten Band an. Damit erhält der Blumenliebhaber eine vollständige Unterweisung in allem, was die Gärtnerei zu wissen verlangt. Wenn der 1. Band des obengenannten Buches das „Wie“ dessen, was im 2. enthalten ist, bringt, so erfährt man durch den Monatsgärtner das „Wann.“ Es werden der Reihe nach die Arbeiten, die sich in den verschiedenen Monaten nöthig machen, und zwar 1. für den Gemüse-, 2. für den Obst-, 3. für den Blumen-, 4. für den Wein- und für den Hopfengarten, aufgeführt und dabei die Anweisungen gleich mitgegeben. Eine angenehme Zugabe enthalten die übrigen Abtheilungen. In der 2. bekommt man nämlich eine alphabetisch geordnete Zusammenstellung zur Kultur der Gemüsepflanzen, in der 3. hingegen eine Anweisung zur vortheilhaftesten Benutzung und Aufbewahrung der Früchte und Gemüse, in der 4. endlich nützliche Gartenmiscellen.

Der Königliche botanische Garten der Universität Breslau von H. R. Göppert. Görlitz 1857. Preis ⅔ Thlr.

Wiederum erhalten wir hiermit eine kleine Schrift des uns schon mehrfach bekannten Verfassers, der Direktor des botanischen Gartens zu Breslau ist und diesen trotz der verhältnissmässig geringen Mittel auf eine früher nie erreichte Höhe gebracht hat. Dem Professor Göppert gehört überhaupt das Verdienst, den botanischen Gärten die Stelle angewiesen zu haben, welche sie in den heutigen Tagen einnehmen sollen und müssen. Wie die Wissenschaft nicht für die wenigen dazu berufenen Männer, welche sich speciell damit beschäftigen, vorhanden ist, sondern Gemeingut aller Menschen werden soll, so sind es nicht weniger auch die wissenschaftlichen Institute. Die ursprünglichen Zwecke der botanischen Gärten, Wissenschaft zu fördern, ganz besonders aber der studirenden Jugend die Mittel zur weitern Belehrung in die Hand zu geben, müssen zwar auch später noch oben an stehen, aber ausserdem liegt es ihnen heut zu Tage noch ob, überhaupt botanische Kenntnisse zu verbreiten und auf die Bildung im Allgemeinen einzuwirken. Ganz besonders ist es die Aesthetik der Pflanzenwelt, die leider in den meisten botanischen Gärten vernachlässigt oder wenigstens in den Hintergrund gestellt wird, aber heutigen Tages in unser eigentliches Leben auch sehr eingreift und durch diese gefördert werden muss. Aus ihr geht die bildende Gartenkunst, die Landschaftsgärtnerei, hervor. Es ist hier aber wiederum der Verfasser vorliegenden Schriftchens, der in den botanischen Gärten diese Seite der wissenschaftlichen Botanik berücksichtigt haben will. Möchte sie nur auch an andern Orten Nachahmung finden.

Die Beschreibung des botanischen Gartens zu Breslau ist aus obigen Gründen nicht allein für die studirende Jugend bestimmt; denn durch sie soll auch dahin gewirkt werden, dass das grössere gebildete Publikum in der Förderung seiner botanischen Kenntnisse die nöthige Unterstützung erhalte und die Scientia amabilis, wie Linné so schön die Botanik nannte, bei allen Menschen, die etwas Höheres in ihrer Brust tragen, noch mehr Anerkennung und Eingang finde. In einer Zeit, wo die Gärtnerei einen so hohen Aufschwung erhalten hat, wie jetzt, und Gemeingut bald aller, die nur etwas Grund und Boden besitzen, zu werden scheint, ist es um so nothwendiger, dass auch die Kenntniss der Pflanzen selbst möglichst verbreitet werde.

Was den Inhalt des Büchelchens anbelangt, so zerfällt es in 11 Kapitel, von denen das 1. die Gründung, das 2. Lage und Umfang des Gartens enthält, während in dem 3. die Zahl der daselbst kultivirten Gewächse, im 4. die Wohngebäude, Gewächshäuser und deren Inhalt, im 5. aber Personal und Etat des Gartens angegeben ist. Interessant sind die beiden nächsten Kapitel und demnach besonders zu empfehlen: Wissenschaftliche Benutzung, so wie Einrichtung des Gartens und Leitfaden zum Besuche und Rundgang durch denselben. Das 8. Kapitel enthält die Thierwelt, d. h. eine Aufzählung der Thiere, welche im Garten vorkommen, namentlich der Vögel und Insekten. Im 9. Kapitel ist ein Register der angeführten Pflanzen, im 10. ein Verzeichniss der botanischen Schriften des Verfassers und endlich im 11. wiederum eine Erläuterung des früher erwähnten Profiles der Steinkohlenformation.

Ferd. Freiherr v. Biedenfeld's neuestes Garten-Jahrbuch. Zehntes Ergänzungsheft. Weimar 1857. Preis 1 Thlr.

Wir begrüssen dieses letzte Heft eines ziemlich alle Jahre erscheinenden Sammelwerkes, von dem wir das vorletzte (das neunte) bereits in der 11. Nummer der Gartenzeitung besprochen haben, um so freudiger, als es auch ein allgemeines Register zu allen Ergänzungsheften und dem Hauptwerke enthält. Da bereits an angezeigter Stelle im Allgemeinen etwas über das Werk gesagt ist, so können wir hier auf jene Besprechung verweisen. Vorliegendes Heft unterscheidet sich von den frühern aber dadurch, dass die erste Abtheilung, welche in den frühern Heften aus der neuesten Gartenliteratur „Mancherlei für Gärtner und Gartenfreunde" enthält, dieses Mal ganz fehlt und dagegen die Aufzählung der neuen Arten, unter denen sich auch dieses Mal einige alte vorfinden, in so fern diese durch irgend etwas vom Neuen das Interesse in Anspruch nehmen, als erste Abtheilung erscheint. Wie in dem vorletzten Hefte, so sind auch dieses Mal wiederum gegen 600 Arten hier aufgeführt und zum Theil beschrieben.

Die zweite Abtheilung enthält das Generalverzeichniss des ganzen Werkes mit den Ergänzungsheften und zwar ein dreifaches: 1. der neu eingeführten und neu empfohlenen Zierpflanzen, 2. der neueren Obste von Nordamerika und 3. des Mancherlei für Gärtner und Gartenfreunde. Damit bekommt das Werk erst seinen Werth, und ist deshalb nicht allein Gärtnern und Gartenliebhabern, sondern auch Botanikern, zu empfehlen. Es kostet zusammen 11 Thlr. 27½ Sgr. Bei der zerstreuten gärtnerischen und botanischen Literatur, wo man oft lange, und dann noch dazu bisweilen ganz vergebens, nach der Beschreibung einer neuen Pflanze sucht, welche letztere, weil sie sich zufällig nicht getrocknet in dem Herbar irgend einer Anstalt oder eines Botanikers, sondern lebendig in dem Garten eines Liebhabers, befand, auch in keinem botanischen Werke genannt wurde, muss ein Werk, was namentlich gärtnerische Zeitschriften des In- und Auslandes benutzt hat, besonders willkommen sein.

Beiträge zur Hebung der Obstkultur von Oberdieck und Lucas. Mit einer lithographirten Abbildung eines pomologischen Gartens. Stuttgart 1857. Preis 12 Sgr.

Vorliegende Schrift unserer beiden tüchtigsten Pomologen wurde der Gothaer Obstausstellung und Versammlung deutscher Pomologen vorausgeschickt und konnte auch in der That nicht willkommener sein. Sie beantwortet eine der in dem Programme gestellten Fragen, die in Gotha zur Verhandlung kommen sollten, und zwar, was ihr einen besonderen Werth giebt, von einem Theoretiker und von einem Praktiker. Welche Mittel haben sich erfahrungmässig zur Emporbringung und Verbreitung des Obstbaues bereits bewährt und welche wären zur Erreichung dieses Zweckes noch zu versuchen? Diese Frage sucht der Superintendent Oberdieck theoretisch auseinander zu setzen, indem er die Mittel und Wege angiebt, wie am Meisten geschehen könne. Der Obstbau ist in nationalökonomischer Hinsicht, wie auch bereits in den letzten Nummern der Gartenzeitung hinlänglich auseinander gesetzt wurde, so gewichtig, dass man darüber kein Wort mehr zu verlieren braucht, es handelt sich demnach nur noch um das Wie? Wenn er dabei auf den Einfluss der Volksschullehrer und der Gemeindebaumschulen einen besonderen Werth legt, so kann Ref. ihm nur beistimmen: man sehe sich nur einmal im gesammten Deutschland um und man wird immer finden, dass allenthalben, wo Lehrer Interesse für den Obstbau haben, dieser auch in der ganzen Umgegend vorherrschend getrieben wird und dann nicht wenig zum grössern Wohlstand der Landbewohner beiträgt. Ref. könnte zu den in vorliegenden Büchelchen genannten Lehrern noch viele andere aufführen, sieht sich aber veranlasst, dagegen eine Beobachtung mitzutheilen, die darin besteht, dass derselbe dann auch in der Nähe solcher Lehrer die Sittlichkeit der Ortschaften in einem bessern Zustande fand, als da, wo der Obstbau vernachlässigt wurde.

Im zweiten Abschnitte tritt der praktische Garteninspektor Lucas sogleich mit einem bestimmten Vorschlage hervor, indem er für Länder und Provinzen auf die Nothwendigkeit eines pomologischen Gartens hinweisst. Soll der Obstbau in der That gedeihen und die Früchte bringen, welche er, gut betrieben, bringen muss, so ist auch die Anlegung eines pomologischen Gartens durchaus nothwendig. Mit diesem ist eine gewisse Stabilität gegeben. Der ganze Obstbau hängt nicht mehr allein mit von dem Einflusse eines oder einiger für den Obstbau sich besonders interessirender und aufopferungsfähiger Männer ab, so dass nach deren Tode ein Stillstand einzutreten braucht. Leider haben wir nicht einzelne Beispiele von Gegenden, wo der Obstbau aus obigem Grunde einmal blühte, und nach dem Tode dessen, der den Antrieb gegeben, allmählig wieder in Verfall kam. Möchte man doch eben deshalb recht vielseitig berücksichtigen, was in dem Büchelchen mit so viel Liebe und Sachkenntniss ausgesprochen ist.

Erklärung auf die an uns ergangene Anfrage wegen der zu liefernden Abbildungen.

Die zu den von der Redaktion im Prospekt angegebenen 12 Original-Abbildungen noch fehlenden werden nunmehr in rascher Folge in diesem und dem nächsten Monat erscheinen.

Die Verlagshandlung.

Verlag der Nauckschen Buchhandlung. Berlin, Druck der Nauckschen Buchdruckerei.

Hierbei die illuminirte Beilage Alocasia metallica Schott für die Abonnenten der Illustr. Ausgabe der Allg. Gartenz.

No. 49. Sonnabend, den 5. December. 1857

Preis des Jahrganges von 52 Nummern mit 12 color. Abbildungen 6 Thlr., ohne dieselben 5 „ Durch alle Postämter des deutsch-österreichischen Postvereins sowie auch durch den Buchhandel ohne Preiserhöhung zu beziehen.

Mit direkter Post übernimmt die Verlagshandlung die Versendung unter Kreuzband gegen Vergütung von 20 Sgr. für Belgien, von 1 Thlr. 6 Sgr. für England, von 1 Thlr. 22 Sgr. für Frankreich.

BERLINER Allgemeine Gartenzeitung.

Herausgegeben

vom

Professor Dr. Karl Koch,

General-Sekretair des Vereines zur Beförderung des Gartenbaues in den Königl. Preussischen Staaten.

Inhalt: Erklärung. — Hippeastrum aulicum Ker. β robustum A. Dietr. Nebst einer Abbildung. Vom Professor Dr. Karl Koch. Bouvardia Oriana Pars. — Der Candis-Kürbis. Briefliche Mittheilung des Schlossgärtners Lauche in Crüden. — Journalschau: The Florist, Fruitist and Garden-Miscellany, Juli bis December. (Fortsetzung.) — Pflanzen-Verzeichnisse. — Preis-Courant.

Erklärung.

Leider fühlt sich die Redaktion gezwungen, folgende Mittheilung zu machen. Im vorigen Frühjahre wurde von Seiten der Verlagshandlung der Antrag gestellt, anstatt der Original-Abbildungen einige ältere, bereits vor Jahren in belgischen Gartenschriften veröffentlichte bildliche Darstellungen von Pflanzen der Gartenzeitung beizulegen, aber als mit den Verpflichtungen gegen die Abonnenten im Widerspruche und deshalb mit der Ehre der Redaktion unverträglich, abgelehnt. Wenn nun trotzdem, wie leider erst jetzt der letzteren bekannt wurde, die Verlagshandlung in Nro. 20 der Gartenzeitung, wo über Dioscorea Batatas gesprochen wird, die Gelegenheit benutzt, eine von ihr aus Belgien bezogene und bereits in einer dortigen Zeitschrift benutzte Abbildung der Wurzel der genannten Pflanze beizulegen, so hat sie dieses ohne Wissen und gegen den Willen der Redaktion*), also ganz unbefugter Weise, gethan. Wenn ferner die Ausgabe nicht wöchentlich geschehen, wie es der Prospekt zu der Zeitung und der Kontrakt mit der Verlagshandlung verlangen und von den Abbildungen bis jetzt nur die Hälfte geliefert ist**), so bedauert dieses Niemand mehr als die Redaktion.

*) Die Verlagshandlung legte die Abbildung der Dioscorea Batatas der Nr. 20 gratis zur Veranschaulichung dieser interessanten Pflanze und zwar nur denjenigen unserer Abnehmer bei, die nicht bereits durch die illust. Gartenzeitung pro 1855 in den Besitz dieser bis jetzt einzig bekannten Abbildung kamen.

**) Die Schwierigkeit für die Pflanzen-Abbildungen geeignete Zeichner zu bekommen, die der Verlagshandlung genügten, wird das verspätete Erscheinen entschuldigen.

Die Verlagshandlung

Hippeastrum aulicum Ker. β robustum A. Dietr.

Nebst einer Abbildung.

Von dem Professor Dr. Karl Koch.

In der 9. Nummer der Gartenzeitung sind bereits die Blendlinge, welche mit verschiedenen Arten des Rittersterns oder des Genus Hippeastrum, besonders in dem Garten des Kommerzienrathes Westphal zu Berlin, gezüchtet wurden, von dem Kunst- und Handelsgärtner Priem beschrieben; dieses Mal haben wir es hingegen mit einer Abart zu thun, die direkt aus ihrem Vaterlande, aus Brasilien, bezogen wurde. Die ersten Zwiebeln der Pflanze erhielt der botanische Garten zu Berlin im Jahre 1848 aus der deutschen Kolonie Santa Katharina durch den dortigen Arzt Dr. Blumenau. Aus dieser Ursache wurde die Pflanze auch anfangs als Amaryllis sp. de Santa Catharina, später als A. Blumenauana verbreitet und gelangte zunächst in mehre Privatgärten Berlins, so auch in den des Geheimen Oberhofbuchdrucker's Decker. Dort fand sie Dr. A. Dietrich, einer der Mitarbeiter der frühern allgemeinen Gartenzeitung, und beschrieb sie im 18. Jahrgange derselben und Seite 41 unter dem Namen Amaryllis robusta, eine Benennung, die der Autor selbst später in den Walpers'schen Annalen (im 3. Bande und Seite 610) in Hippeastrum robustum umänderte. Später kam die Pflanze auch, und zwar direkt, in den Besitz des Kunst- und Handelsgärtners A. Topf in Erfurt und wurde von diesem als Amaryllis Tettaui, zu Ehren eines Blumenfreundes, des Regierungsrathes Tettau in Erfurt, genannt, verbreitet.

Hippeastrum Herb., gehört zu den lilienartigen Gewächsen mit 6 Staubgefässen und unterständigen Fruchtknoten, zu den Amaryllideen, und bildete anfangs eine Abtheilung von Amaryllis, später aber ein selbstständiges Geschlecht. Die grosse, aus nahe 700 Arten bestehende Familie der Amaryllideen, die Reichenbach der Aeltere ganz treffend Schönlilien nennt, ist hauptsächlich in den Tropen Amerika's und in Südafrika vertreten und zerfällt in 3 natürliche Gruppen, von denen diejenigen, welche mit einem beblätterten Stengel versehen sind und in der Regel auch keine Zwiebel haben, als Alstroemeriaceae eben so gut, wie manche andere, eine eigene Familie darstellen könnten. Sie sind hauptsächlich in den Tropen Amerika's einheimisch. Die zweite Gruppe, der Galantheae, umfasst nur wenige Arten besonders der wärmern Länder der nördlichen gemässigten Zone der Alten Welt, und zeichnet sich durch eine 6-blättrige Blume und durch auf dem Fruchtknoten stehende, also epigynische, Staubgefässe aus. Die dritte und umfangreichste Gruppe sind die Amarylleen (also im engern Sinne). Sie haben, wie die vorigen, sämmtlich Zwiebeln und einen Blüthenstiel, der unmittelbar und ohne Blätter aus jener hervortritt. Grosse Blüthen kommen hier hauptsächlich vor und besitzen einblättrige, aber sechstheilige Blumen, so wie in der Regel diesen angefügte, also perigynische Staubgefässe.

Die Amarylleen kann man recht gut wiederum in 3 Abtheilungen bringen. Eine grosse Anzahl von Arten besitzen vorherrschend weisse und gelbe Blumen, in deren Schlund durch Zusammenwachsen der am untern Theile hautartigen Staubfäden eine zweite Blume, nur kleiner und zarter, gewöhnlich Corona d. i. Kranz genannt, entsteht. Es sind dieses die Narcisseen oder Pankratieen. Bei den andern kommt zwar in der Blume ebenfalls noch die weisse Farbe bisweilen vor, diese besitzt aber in der Regel schon einen Uebergang zur Rosa- und Fleischfarbe; ausserdem ist das Rothe mit allen Nuancirungen hauptsächlich vertreten. Bisweilen befinden sich am Schlunde der Krone auch schuppenartige, selten verwachsene Organe oder Haare, nie aber eine Corona im obigen Sinne. Ein Theil der hierher gehörigen Pflanzen besitzt den Blüthenstiel oder Schaft hohl, ein anderer hingegen fest. Darnach kann man nun im erstern Falle die Hippeastreen, im letztern Falle die Crineen unterscheiden. Die letzteren besitzen auch meist dickliche, selbst fleischige Samen, während die ersteren sich durch flachgedrückte und schwarze auszeichnen.

Das alte Linné'sche Geschlecht Amaryllis hat im Verlaufe der Zeit manche Veränderungen erfahren, bis der Name endlich von Herbert nur für ein Paar Pflanzen Südafrika's, welche einen festen, also nicht hohlen, Stengel und einen ziemlich nackten Schlund in der Blume besitzen, beibehalten wurde. Zu ihnen gehört die wohl bekannte Amaryllis Belladonna L. Ausserdem sind aber aus den Arten des alten Genus Amaryllis noch 7 Genera gebildet worden. Von ihnen gehört Lycoris Herb., deren beide Arten einen, aber nicht durch die Staubfäden entstandenen, hautartigen Kranz besitzen, noch zu der Abtheilung mit festem Stengel, also zu den Crineen. Die übrigen Geschlechter sind Hippeastreen: 5 von ihnen haben aufrechte Blüthen mit ziemlich regelmässigen Abschnitten. Zephyranthes besitzt einen nackten Schlund, während bei Pyrolirion und bei Habranthus Schuppen oder ein Ring, bei Vallota endlich eine eigenthümliche erhabene Zeichnung vorhanden ist. Cyrtanthus zeichnet sich durch eine sehr lange Blumenröhre, dagegen durch kurze Abschnitte aus und hat aufrechte und hängende Blüthen. Mehr oder weniger abwärts gebogen sind die letztern bei Hippeastrum und Sprekelia, bei welchem letzterem Geschlechte die Blumenabschnitte ausserdem zu 3 und 3 mehr oder weniger einander lippenartig gegenüberstehen. Zu der Abtheilung der Hippeastreen gehört übrigens auch das Genus Phaedranassa, was in der neuesten Zeit wiederum eine beliebte Pflanze geliefert hat. Seine Arten sind an den spathelförmigen und nach der Basis zu mit den Rändern zusammengewickelten Blumenabschnitten leicht zu erkennen. Was das Vaterland der Arten aller dieser Geschlechter anbelangt, so kommen die von Lycoris in China, die von Amaryllis, Cyrtanthus und Vallota in Südafrika und die aller übrigen in den wärmern Ländern Amerika's vor.

Wenden wir uns nun den Hippeastren oder Rittersternen, wie der Kunst- und Handelsgärtner Priem die Arten dieses Genus treffend in der Uebersetzung nennt, speciell zu, so ist es jetzt sehr schwierig, unter den zahlreichen Formen und Blendlingen die reinen Arten zu unterscheiden. Es ist schon wiederholt in diesen Blättern darauf hingewiesen worden. Wir sollen zwar in beifolgender Abbildung eine selbstständige Art vor uns haben, da namentlich die direkte Einführung aus Brasilien dafür spräche, aber doch ist es mir ziemlich gewiss, dass Hippeastrum robustum A. Dietr. nichts weiter als eine kräftige Abart des H. aulicum Herb. (Amaryllis aulica Ker) darstellt. Für die Selbstständigkeit der Art spricht ferner, so sagt man, der Umstand, dass die Pflanze nicht im Frühjahre, wie die andern Rittersterne, sondern grade im Herbste ihre Blüthen entfaltet und dass sie eigentlich nicht einzieht. Es ist aber gar nicht selten, dass sie ebenfalls im Frühjahre zum zweiten Male blüht; liesst man die ältern englischen Schriften, in denen über H. aulicum gesprochen wird, nach, so findet man auch hier die Bemerkung, dass dieses ebenfalls im Herbste blühte und dann auch nicht die Blätter einzog.

Die Rittersterne lassen sich sehr gut in 2 Abtheilungen bringen, indem einige Arten eine sehr kurze Blumenröhre und diese auch mehr oder weniger durch kurze Schuppen, welche eine Art Kranz oder Corona bilden, verschlossen besitzen, so dass eben nur die Staubgefässe und der Griffel durch die Oeffnung herauskommen können. Die grössere Anzahl hat jedoch eine längere Blumenröhre und deren Schlund offen oder höchstens mit Haaren oder Wimpern besetzt. Zu den erstern gehört H. aulicum Herb., d. i. der Ritterstern für Schlösser, ein Name, der wegen der ausserordentlichen Schönheit der Blüthen recht passend gewählt ist. Sie unterscheidet sich durch ihre prächtigen und rothen Blüthen sehr leicht von den beiden andern Arten derselben Abtheilung, von H. psittacinum Herb. und calyptratum Herb., welche grün und roth gezeichnete Blüthen besitzen. Die kräftige Abart, Hippeastrum aulicum Herb. β. robustum ist eine sehr interessante Abart, die, da sie schon im Oktober, also zu einer Zeit, wo wir sonst wenig Zwiebelblumen besitzen, ihre Blüthen entfaltet, oft noch im sonst an Blumen armen November blüht, und dieses gar nicht selten auch im Frühjahre zum zweiten Male geschieht, nicht genug empfohlen werden kann.

Am Nächsten steht H. robustum A. Dietr. der Abart von H. aulicum, welche Herbert und Lindley mit dem Beinamen platypetalum, d. i. des grossblumigen belegen. Die Blumenabschnitte sind aber bei dieser, obwohl eben so ansehnlich, kürzer, dafür aber breiter. Die Oeffnung der Blume bei robustum besitzt gar nicht selten einen Durchmesser von 9 Zoll und mehr. In Farbe und Zeichnung finde ich geringe Unterschiede, eben so wenig sonst in der Form, da bei beiden Abarten, bei robustum sowohl, als bei platypetalum, 3 Blumen-Abschnitte mehr nach oben und 3 mehr nach unten stehen und dadurch eine Neigung zur Lippenform, wie sie bei unserer beliebten Amaryllis, jetzt Sprekelia formosissima Herb. noch deutlicher erscheint, gegeben ist. Ob demnach das Genus Sprekelia in der That ein selbstständiges bleiben kann, möchte man trotz der auch in ihm epigynischen Staubgefässe bezweifeln.

H. robustum A. Dietr. bildet, wie auch der Name schon sagt und bereits ausgesprochen ist, eine stattliche Pflanze, bei der das wunderschöne und etwas glänzende Grün der Blätter das wenig grelle Roth der Blume noch mehr mildert. Die erstern stehen zu 4—6 so ziemlich in 2 Reihen und sind anfangs aufrecht, biegen sich aber im obern Drittel etwas über. Ihre Länge beträgt oft 2' die Breite hingegen 2''. Zur Seite der Blätter kommt der bis 2 Fuss hohe, unten ½ Zoll im Durchmesser enthaltende, stielrunde und nur oben etwas zusammengedrückte Schaft hervor und ist mit einem zarten, bläulichen und sehr leicht abwischbaren Reif überzogen. Gewöhnlich trägt er 2 Blüthen; oft habe ich deren aber auch, sowohl bei Pflanzen, welche der botanische Garten bei Berlin gezogen, als auch hauptsächlich bei denen, welche von Erfurt aus als Amaryllis Tettaui in den Handel kamen, 3 und 4 gesehen. Diese sind kurz gestielt und hängen anfangs weniger, später jedoch eben so sehr über, als die der meisten andern Rittersterne. Aufrecht, wie sie von A. Dietrich angegeben werden, sind sie nie. 2 hautartige Deckblätter, welche meist bis zur Oeffnung der Blume reichen, bilden eine Art Hülle (Involucrum), während ausserdem noch jede einzelne Blüthe von einem kleinen Deckblatte gestützt wird.

Der dunkelgrüne und unbereifte Fruchtknoten ist ohngefähr 6—7 Linien lang und 4¼ Linie dick und trägt die Blume mit den Staubgefässen. Die erstere erscheint tief 6-theilig, so dass nur eine sehr kurze Röhre von grüner Farbe, die nach innen durch den oben schon erwähnten, ursprünglich aus 6 grünlich-weisslichen, dicklichen und mehr oder weniger verwachsenen Schuppen bestehenden Kranz geschlossen wird, vorhanden ist. Von den 6 Abschnitten, die gleich anfangs sich sehr ausbreiten, sind die 3 äussern schmäler, als die innern, wobei aber das oberste oder hinterste der letzteren am Breitesten, das unterste oder vorderste der erstern am Schmalsten ist. Ihre Farbe ist ein schönes, aber mehr mattes und durchaus nicht sehr grelles Roth, was durch dunkelere, mehr oder weniger deutlich würfelartig vereinigte Quer- und Längslinien unterbrochen wird. Die Basis ist grün und wird nach oben durch eine schwärzliche Zeichnung, die strahlenartig sich im Roth verliert, begränzt. Auf dem Rücken findet sich dafür ein grüner Längsstreif. Diese grüne und schwarz ausstrahlende Basis aller Abschnitte nennt man auch hier, wie bei andern Hippeastren, den Stern und hat dieselbe hauptsächlich zur Benennung Hippeastrum, d. i. Ritterstern, Veranlassung gegeben. Hippeastrum equestre Herb., besitzt ihn besonders schön. Die Form der Blumen-Abschnitte ist länglich-elliptisch und erscheint nur noch die meist auch grünliche Spitze etwas kappenförmig zusammengezogen. Sonst sind sie flach und nur bisweilen mit den Rändern etwas nach innen gebogen. Die Länge der einzelnen Abschnitte beträgt gegen 4, die Breite des grösseren in der Mitte gegen 1¼ Zoll.

Die 6 rothen Staubfäden legen sich, wie sie aus dem Kranze herausgetreten sind, nach unten und steigen wiederum mit dem obern Drittel in einem Bogen nach oben. Ihre aufliegenden Beutel sind violett, schliessen aber einen gelben Blumenstaub ein. Jene überragt der dreiseitige Griffel etwas und besitzt dieselbe Lage und Farbe. An seiner Spitze spaltet er sich in 3 keulenförmige und abstehende Narben von mehr rosenfarbigem Ansehen.

In den 3 Fächern des Fruchtknotens befinden sich zahlreiche und wagerecht von der Mittelsäule abstehende Eichen in 2 Reihen dicht übereinander und zwar so, dass sie sich etwas in einander einschieben. Ausserdem sind sie sehr zusammengedrückt und gehören zu den umgekehrten oder anatropischen. Frucht und Samen sind mir unbekannt.

Da über Amaryllis-Kultur so viel, auch in diesen Blättern, geschrieben ist, so übergehe ich hier alles Weitere und bemerke nur noch, dass die Pflanze, da sie nach dem Blühen nicht einzieht, auch keine eigentliche Zeit der Ruhe hat und demnach fortwährend die nöthige Feuchtigkeit, wenn auch weit weniger, wie zur Zeit der Blüthe, erhalten muss. Sie verhält sich demnach in diesem Falle ähnlich, wie die ebenfalls nicht einziehenden Crinum-Arten.

In dem Novemberheft des Florist, Fruitist and Garden-Miscellany befindet sich ein interessanter Aufsatz von Clevelands über die Rittersterne. Nach diesem scheint es, als wenn man für diese Zwiebelblumen in England nicht mehr die Vorliebe hegte, wie vor 10, 20 und mehr Jahren. Der Verfasser bedauert ungemein, dass sie so ausserordentlich wenig in sogenannten Schauhäusern, so wie in Vor- und Gesellschaftszimmern, angewendet würden, da doch grade die Mannigfaltigkeit in der Farbe der Blumen ein reichliches Material darbiete. Ganz besonders nehmen sich die Rittersterne mitten unter Blattpflanzen, namentlich unter Farnen, gut aus und bilden die lebhaften Farben der erstern zu dem Grün der letztern einen angenehmen Kontrast.

In Berlin und auch ausserdem hat die Liebe zu den Rittersternen wiederum zugenommen, seitdem aber auch eine Zeit, wo man ihnen weniger Aufmerksamkeit zugewendet, vorübergegangen ist. Wir besitzen namentlich 2 Handelsgärtnereien, die von Priem und die von Hoffmann, wo sie mit besonderer Vorliebe gehegt und fortwährend Blendlinge erzogen werden. Von ihnen ist auch bereits früher in diesen Blättern gesprochen.

In England erfreuen sich Garaway und Mayes von der Bristol-Gärtnerei eines grossen Rufes hinsichtlich ihrer Amaryllis- oder Rittersternn-Blendlinge, und zwar schon seit langer Zeit. Besonders ist es Mayes, der weder Zeit noch Mühen scheut, um bei grosser Ausdauer fortwährend neue Formen heranzuziehen. Der Blendling, welcher unter dem Namen Ackermanni bekannt ist, wird, obwohl er schon 1835 gezüchtet wurde, fortwährend am Meisten kultivirt. Von ihm hat Mayes aber wiederum eine Form erzogen, welche noch schöner sein soll und deshalb den Namen Ackermanni pulcherrimum erhielt.

Ausserdem werden von Clevelands folgende Formen und Blendlinge empfohlen.

1. Aulicum platypetalum.
2. Aetna.
3. Delicatum.
4. Elegans.
5. Intermixtum latipetalum.
6. Lineatum.
7. Magnificum perfectum.
8. Marginatum conspicuum.
9. Marginatum venustum.
10. Psittacinum vittatum.

Erklärung der Abbildungen.

Die ganze Pflanze ist im verkleinerten Massstabe, die einzelne Blüthe hingegen fast in natürlicher Grösse gezeichnet. 1. ein vergrösserter Staubbeutel mit dem obern Theile des Fadens; 2. derselbe allein, von der Seite gesehen; 3. Durchschnitt des Eichens; 4. Längsdurchschnitt der Blumenröhre mit dem Kranze und der Basis der Staubgefässe; 5. Querdurchschnitt und 6. Längsdurchschnitt des Fruchtknotens.

Bouvardia Oriana Pars.

Das Aprilheft des Florist, Fruitist and Garden-Miscellany by Charles Turner and John Spencer bringt die Abbildung einer hübschen Bouvardie unter dem Namen Bouvardia Oriana. Sie ist ein Blendling der B. leiantha Humb. Bonpl. et Kth und der longiflora Benth., so viel wir wissen, der erste Bouvardien-Blendling. Sie wurde vor Kurzem von Parsons in Brighton gezüchtet und ging bald darauf in den Besitz von Henderson und Sohn über. Wenn man die Abbildung genau betrachtet, so ist man eher geneigt, die Pflanze für ein üppiges Exemplar der B. leiantha Benth. mit zahl-

und Lehm,
n und der
müssen sie,
eingestutzt
en werden.
achdem sie
l bringt sie
dmischung.
n nöthigen
l Schatten,
dann all-
September
d das Ver-
in Blüthe

m Norden
nicht recht
den Win-
ist es für
jahre eine
ge werden
sie kaum
nem Treib-
ei mässiger
entwickelt
ine Töpfe
gestellt zu
he Grösse
das Ver-
besitzen.
muss man
n und die
enstrahlen

Seite 43
sführliche
lben sind
amen, die
kultivirt.
rten sich
angu-
ha Mart.
H. B. K.
a Benth.,
is Lind.,
inque-
ra Hort.
r.). Dazu
na Pav.

reichheren und etwas grösseren Blüthen, als für einen Blendling oben genannter Art und der wegen einzelner und weissen Blüthen unter den Bouvardien abnorm stehenden B. longiflora Hartw. zu halten, da sie von der zuletzt genannten eigentlich gar nichts besitzt, als die grösseren Blumenabschnitte. Trotz dem ist sie aber sehr zu empfehlen und bleibt immer eine der bessern Akquisitionen der neuern Zeit.

B. Oriana wird im Sommer für das freie Land empfohlen. In Berlin und Umgegend benutzt man die wenigen in den Gärten kultivirten Arten, ähnlich den Cupheen und Verbenen, schon längst auf diese Weise und erfreut sich deshalb, da sie den ganzen Sommer hindurch blüht, besonders die alte Houstonia coccinea Andr. (Bouvardia Jacquini H. B. K. oder ternifolia Schlecht.) einer Beachtung. Es ist auch nicht zu leugnen, dass die Pflanze auf sogenannten Schmuckplätzen zu ganzen Beeten verwendet, einen sehr hübschen Anblick darbietet. Da nun B. Oriana robuster ist, weil grössere Doldentrauben besitzt und überhaupt voller zu blühen scheint, so kann sie auch um so mehr benutzt werden.

Aber nicht allein für's Freie ist Bouvardia Oriana eine dankbare Pflanze, sie kann auch vortheilhaft in Töpfen gezogen und zu Aufstellungen in Vorräumen, Hallen, auf Treppen u. s. w. angewendet werden. Endlich stellt sie nicht weniger im Kalthause den ganzen Winter hindurch durch ihr fortwährendes Blühen eine freundliche Erscheinung dar, in so fern man die Pflanze nur zu diesem Zwecke heranzieht.

Die Farbe der Blume ist anfangs fleischfarben, wird aber allmählig dunkler und feuriger roth. Nach Henderson haben die Blüthen einen um so grössern Werth, als sie abgeschnitten eine sehr lange Dauer besitzen, wenn man ihnen nur immer frisches Wasser giebt. Sie kann deshalb besonders Gärtnern empfohlen werden, die sich speciell mit Anfertigung von Bouquets beschäftigen, da die Blumen sich gegen 10 Tage ganz frisch erhalten sollen.

Nach Turner macht man für die Anzucht für Pflanzen, die man im nächsten Sommer zu Beeten ins freie Land verwenden will, Schnittreiser und zwar gegen das Ende des Monats August, und behandelt diese ganz ähnlich, wie die zu gleichen Zwecken zu verwendeten Heliotropien, Verbenen u. s. w. Will man sie in Vorhallen, auf Treppen benutzen, so verlangen sie mehr Beachtung, da hier durch Einstutzen u. s. w. mehr buschige Exemplare nothwendig sind. Gut ist es immer dabei, sie gleich in etwas grössere Töpfe zu bringen, als sie eigentlich verlangen.

Kräftige Exemplare erhält man auch, wenn man die jungen Pflanzen in der letzten Woche des Mai's auf schmale Rabatten, die aus einer Mischung von Rasenerde und Lehm, auch wohl von Baumerde und Torf, bestehen und der Sonne ausgesetzt sind, pflanzt. Auch hier müssen sie, eben so, als wenn sie in Töpfen ständen, oft eingestutzt und namentlich bei heissem Wetter viel begossen werden. Im August und September nimmt man sie, nachdem sie gehörig angegossen sind, vorsichtig heraus und bringt sie in die gehörigen Töpfe, welche dieselbe Erdmischung, ausserdem aber des Abzuges halber noch den nöthigen Sand haben. Nun stellt man sie in Schutz und Schatten, so lange als bis sie angewurzelt sind, um sie dann allmählig an die Sonne zu gewöhnen. Ende September bringt man sie in das Kalthaus und man wird das Vergnügen haben, sie den ganzen Winter hindurch in Blüthe zu besitzen.

Bei uns in Deutschland und besonders im Norden wird das Holz der jungen Triebe im Herbste nicht recht reif, daher Stecklinge schwierig anwachsen und den Winter hindurch nicht gut durchkommen; deshalb ist es für uns vortheilhafter, von alten Pflanzen im Frühjahre eine Wurzelvermehrung zu machen. Die Schnittlinge werden wie Stecklinge eingepflanzt, aber so tief, dass sie kaum aus der Oberfläche der Erde heraussehen. In einem Treibkasten oder warmen Mistbeete werden sie dann bei mässiger Befeuchtung angetrieben, um, wenn sie sich entwickelt haben und die Triebe stark genug sind, in kleine Töpfe gesetzt und mit diesen in ein kaltes Mistbeet gestellt zu werden. Haben die Pflanzen hier eine ansehnliche Grösse erlangt, so topft man sie ins Freie aus und hat das Vergnügen, sie gleich im ersten Sommer blühend zu besitzen. Will man sie weiter für den Winter haben, so muss man sie wiederum mit dem Ballen vorsichtig einsetzen und die ersten Tage gegen den direkten Einfluss der Sonnenstrahlen schützen.

In der Linnaea, und zwar im 26. Bande von Seite 43 bis 126, hat v. Schlechtendal eine sehr ausführliche Monographie der Bouvardien gegeben. In derselben sind 31 Arten aufgeführt, zu denen aber noch 6 kommen, die noch zweifelhaft sind. Von ihnen werden 17 kultivirt, in so fern nicht wiederum einige aus den Gärten sich verloren haben. Die Namen sind: Bouvardia angustifolia H. B. K., bicolor Kunze, chrysantha Mart., crocata van Houtte, flava Dec., hirtella H. B. K., Houtteana Schlecht., Jacquini Kth., leiantha Benth., linearis H. B. K., longiflora H. B. K., mollis Lind., multiflora Schult. (Cavanillesii DC.), quinqueflora Dehnh., splendens Grah., tenuiflora Hort. Berol. und versicolor Ker (mutabilis Hort. Ber.). Dazu kommen nun ausser dem Blendlinge B. Oriana Par.

noch 8 Arten, die in den Gärten kultivirt werden, aber noch keiner botanischen Kontrole unterlagen, nämlich: aurantiaca, glabra, laevigata, mollissima, stricta, strigulosa und venusta. B. myrtifolia Hort. möchte wohl mit B. mollis Lind. zusammenfallen, dagegen wird in den botanischen Gärten eine triphylla kultivirt, die sich doch am Ende als specifisch verschieden von Jacquini H. B. K. erweisen möchte. Während die letztere ein mehr freudig-grünes Ansehen besitzt, ähnelt die B. triphylla wegen ihres graugrünen Ueberzuges mehr den andern Arten. Näheres über die letztere behalten wir uns vor.

In dem botanischen Garten zu Berlin werden ausser der schon genannten B. Jacquini H. B. K., noch kultivirt: flava Dne, hirta Hort., Houtteana Hort., leiantha Benth., multiflora Schult., tenuiflora Hort. Berol., triphylla Hort. Berol. und versicolor Ker.

Der Candia-Kürbis.

Briefliche Mittheilung des Schlossgärtners Lauche zu Crüden bei Seehausen in der Altmark.

Wenn bei uns die Kürbisse nicht in der Weise verwendet werden, als es in andern Ländern, besonders in Nordamerika, in Neuholland u. s. w. der Fall ist, so liegt der Grund wohl darin, dass wir nur Sorten kultiviren, welche einestheils im Allgemeinen zu weich sind und deshalb zu viel Wasser enthalten, anderntheils aber, und grade eben deshalb, nicht lange dauern. Sollen solche Sorten benutzt werden, so muss man sie auch schnell wegessen. Am allerwenigsten finde ich deshalb die englischen Mark- oder die griechischen Fleischkürbisse anwendbar, obwohl sie wegen ihres sonst nicht unangenehmen und süsslichen Geschmackes frisch benutzt eine angenehme Speise liefern.

Am Besten sind noch der sogenannte Melonen- oder Zentner-Kürbis, der in grössern Städten, namentlich in Berlin, auch deshalb viel auf den Markt gebracht wird, und der vorzügliche Valparaiso-Kürbis, den man sogar nach der Mittheilung des Inspektor Lucas in Hohenheim mit Vortheil unter das Brod gebacken haben soll. Ich weiss nicht, ob und wie weit man diese Versuche fortgesetzt hat; mir will es nicht recht scheinen, so vorzüglich auch genannte Sorte als Speisekürbis sein mag.

Mir ist aber in der neuesten Zeit eine Sorte bekannt worden, die ich noch über den Valparaiso-Kürbis stelle und die deshalb gar nicht genug empfohlen werden kann. Ich erhielt den Samen von dem Generalsekretär des Vereines zur Beförderung des Gartenbaues, vom Professor Koch zu Berlin, mit andern Sämereien unter dem Namen Kürbis von Candia. Wie dieser mir mittheilt, hat derselbe ihn von dem bekannten Gemüsezüchter, dem Obristlieutenant v. Fabian in Breslau, dem wir auch die Einführung des Valparaiso-Kürbis verdanken, erhalten.

Der Kürbis hat eine hübsche Gestalt, die der einer kurzen Birn oder eines Kreisels nicht unähnlich ist, und besitzt bei einer Länge von 1 Fuss nach oben einen Durchmesser von 9 Zoll. Er ist ziemlich glatt und gelbgefärbt; doch ziehen sich weniger deutliche hellgrünliche Streifen herab. Da er im Geschmacke ganz vorzüglich ist, eine feste Textur besitzt und gekocht einen feinen Geschmack wie Weizenmehl hat, so erlaube ich mir, in diesen Blättern auf ihn aufmerksam zu machen und ihn, ganz besonders zum Anbau auf dem Lande, zu empfehlen.

Nachschrift der Redaktion. Ein Candia-Kürbis wurde zu gleicher Zeit mit der brieflichen Mittheilung an die Redaktion gesendet und derselbe alsbald zu einem Pudding versucht. Das harte Fleisch fiel besonders auf und war das Resultat günstig, denn der Kürbis lieferte eine sehr angenehme Speise. Aus dieser Ursache stimmen auch wir der Empfehlung bei und wünschen, dass er eine grössere Verbreitung finde. Liebhaber mögen sich deshalb an den Schlossgärtner Lauche wenden, der gewiss Samen in grösserer Menge gewonnen hat.

Journal-Schau.

(Fortsetzung aus Nr. 48.)

Was die einfarbigen anbelangt, so werden empfohlen:

Gem, hellpurpurblau.
General Williams, hellscharlach.
Rosy Circle, purpurblau.
Sir Charles Napier, lachsfarbig.
Eulalie van Geert, roth und gefleckt.
Symmetry, dunkelrosa.
Stanleyana, orangescharlach.
Chelsoni, ebenfalls.
Louis Napoléon, karmoisin violett, halbgefüllt.
Juliana, orange-scharlach.
Empress Eugenie.
Beauty of Dropmore.
Impératrice Josephine, kirschroth.
Marie, karmin und gefleckt.
Rosalie, lachsfarbig.
Crispiflora, roth.
Duke of Wellington, scharlach und feingefleckt.

Trotteriana, violettrosa.

Magnifica.

Petuniaeflora.

Princess Royal, lachsfarbig mit cochenillrothen Flecken.

Ueber Azaleen findet man übrigens in der 20. Nummer der Gartenzeitung eine ausführliche Abhandlung, in der die schönsten Sorten ebenfalls näher beschrieben sind.

Weiter findet sich eine Abhandlung über die verschiedenen neuern Aurikel in diesem Hefte, wo 16 der neuern grün, 15 der grau und 4 der weiss umsäumten, so wie 5 der einfarbigen Sorten beschrieben werden.

Wie sehr in Grossbritannien Blumenzucht Gemeingut geworden ist und selbst von den Armen Blumen gezogen werden, ersieht man daraus, dass sich besondere Vereine gebildet haben, welche sich nur die Kultur bestimmter Pflanzen als Zweck gesetzt haben. So existirt ein schottischer Verein für Stiefmütterchen oder Pensées und ein National-Verein für Tulpen. Der erstere hielt am 10. Juli seine 13. Bewerbung, wo bestimmte Preise ausgesetzt waren. Tausende verschiedenfarbiger Stiefmütterchen schmückten am genannten Tage den zoologischen Garten in Edinburgh. Am 29. Mai hingegen fand zu Manchester in dem botanischen Garten eine Ausstellung von Tulpen statt, die trotz der späten Zeit ausserordentlich reich beschickt war. Es ist nicht zu leugnen, dass, wenn man sich eine solche specielle Aufgabe setzt, man auch mehr leisten kann; es darf uns daher nicht wundern, wenn die Engländer grade in der Blumenzucht sehr viel geleistet haben.

Fancy-Pelargonien mit weissem Rande sind im Augusthefte abgebildet. Seit wenigen Jahren haben diese Fancy-Pelargonien eine grosse Vollkommenheit erhalten, indem aus den früher mehr zarten, zwar voll-, aber immer kleinblüthigen Pflanzen mit der Zeit, ganz besonders durch Kreuzung, stärkere Exemplare erzogen sind, die, richtig behandelt, auch mit ihren grossen Blumen den ganzen Sommer hindurch blühen. Man muss die Pflanzen, so wie sie abgeblüht haben, nur von den Resten der Blüthen durch Abschneiden befreien und dann umsetzen.

Princess Royal besitzt die 3 untern Blumenblätter weiss, die beiden obern schön rosa, aber weiss umsäumt. Acme hat alle Blumenblätter purpurviolett, aber in der Mitte der Blume, besonders nach unten zu, befindet sich ein grosser und gezackter weisser Flecken, während der Rand ebenfalls, etwa eine Linie breit, weiss erscheint. Mrs. Turner ist sehr ähnlich, aber anstatt der purpur-violetten Farbe ist Kirschroth vorhanden.

Von Fancy-Pelargonien werden ausserdem empfohlen:

1. Englische Sorten.
   - Attraction, rosafarbig.
   - Beauty of Slough, karmoisin.
   - Bridesmaid, rothlila.
   - Cloth of Silver, weiss.
   - Crimson King, scharlachpurpurblau.
   - Celestial, lila.
   - Cassandra, karmoisin und weiss.
   - King, karmoisin, scharlach.
   - Omer Pascha, ebenfalls.
   - Purpureum album, dunkelpurpurblau und weiss.
   - Queen of Roses, rosa.
   - Madame Rougière, purpurroth.
   - Mrs. Colman, dunkel.
   - Madame Sonntag, hell.
   - Emperor, dunkel.
2. Französische Sorten.
   - Chauvieri.
   - Feu incomparable.
   - Eugénie Duval.
   - Gloire de Bellevue.
   - Napoléon III.
   - Pescatore.
   - Ernest Duval.
   - Guillaume Severyns.
   - James Odier.
   - Madame Furtado.
   - „ Pescatore.
   - Roi des feu.

Zwei prächtige Nelken bringt das Septemberheft: Miss Eaton und Miss Nightingale. Während die Nelken bei uns in Deutschland erst in der neuesten Zeit wiederum mehr Modeblumen geworden sind, sind sie von den Engländern stets mit Sorgfalt gehegt und gepflegt worden. Obwohl auch deutsche Gärtner, und ganz besonders in Erfurt, mit Vorliebe Nelken heranziehen, so werden doch immer zum grossen Theil die englischen einen Vorzug haben. Berühmt ist in dieser Hinsicht Dr. Maclean in Colchester, dem man auch die beiden genannten verdankt. Diese sind einander sehr ähnlich, indem die Mitte der einzelnen nelkenfarbigen Blumenblätter durch einen gezackten und breiten Flecken von der Form eines wenig gebogenen Halbmondes und von weisser Farbe gezeichnet ist. Ausserdem erscheint auch der äusserste, kaum über eine halbe Linie breite Rand weiss gesäumt. Die Sorte Miss Nightingale hat grössere Blüthen und am Rande hellere Blumenblätter.

Von ältern Sorten aus derselben Zucht werden empfohlen: Criterion, New Criterion, Mrs. Maclean, Narboro' Buck und Colchester Buck, neuer hingegen sind: Purity, Napoléon, John Ball, Gem und Eugenie.

Im Oktoberhefte ist eine gefüllte Pfirsiche abgebildet, die in der That Alles übertrifft, was man bis jetzt der Art gesehen hat, es ist die Kamellienblüthige, einen Namen, den die Pflanze in der That verdient. Es ist ein kleiner Baum, den Fortune aus China eingeführt hat. Die Blüthe hat 2 Zoll im Durchmesser, ist sehr gefüllt und besitzt ein tiefes Karmoisin. Die Pflanze befindet sich nur noch im Besitze von Glendinning in Chiswick und wird dieser sie hoffentlich bald in den Handel bringen. Ausserdem sollen daselbst noch 2 gefüllte Pfirsichen aus China, die nicht weniger schön sein sollen, kultivirt werden. Die eine hat rosa-, die andere fleischfarbige Blüthen.

In demselben Hefte befindet sich noch eine interessante Beschreibung des Königlichen Gartens zu Frogmore mit seinen Treibereien.

Das Novemberheft bringt die Abbildung eines neuen Achimenes-Blendlinges, welchen ebenfalls Parsons im Danesbury-Park gezüchtet hat und welche den Namen Achimenes Meteor erhielt. Sie verdient ihren Namen, da sie unbedingt eine der schönsten Farben besitzt, welche man in der neuesten Zeit erhalten, denn die reichen, zwar nicht übermässig grossen, aber doch über 1 Zoll im Durchmesser enthaltenden Blumen von brillanter rother Farbe treten aus dem dunkeln Grün der Blätter lebhaft hervor. Der Blendling wurde aus dem Sir T. Thomas, dessen Narbe Parsons mit dem Blumenstaub einer ächten coccinea befruchtete, erzogen.

Das Decemberheft endlich enthält die Abbildung einer eigenthümlich-gefärbten Georgine unter dem Namen „Jupiter." Sie gehört zu den sogenannten Fancy-Georginen, also zu einer Reihe von Formen, die im Jahre 1845 Onkley's Surprise eröffnete. Wir können die Bezeichnung „Fancy," welche man in England jetzt bestimmten Sorten von Florblumen beilegt, nicht anders bezeichnen, als durch Zufall entstandene Formen, die sich wesentlich durch irgend etwas Wohlgefälliges von den andern unterscheiden: es sind, um bei dem Worte Fancy zu bleiben, „Kinder der Laune." Bei den Georginen müssen die Fancy neben einem sehr regelmässigen Bau und bei mittlerer Grösse bunte Blumenblätter haben. Diese bunten Zeichnungen können aber wiederum verschieden sein. So unterscheiden die Engländer selbst schon unter der sehr grossen Anzahl von Fancy-Georginen die am ganzen Rande oder nur an der Spitze anders gefärbten (edged und tipped), die gestreiften (striped) und die klein-, so wie gross- gefleckten (spotted und blotched).

Jupiter gehört zu den Fancy-Georginen, die nur an der Spitze des Randes der einzelnen Blumenblätter anders gefärbt sind. Während diese sonst eine dunkelviolette Farbe haben, ist hier die breite Spitze weiss. Gezüchtet wurde sie von Rawlings. Leider haben die Fancy-Georginen im Verhältniss zu den einfarbigen wenig Beständigkeit. Die besten Formen sind: Charles Perry, Lady Paxton, Cleopatra, Comet, Duchess of Kent, Baron Alderson, Miss Frampton, Mignon, Butterfly, Kaiserin von Oesterich e, Magizian and Conqueror.

Pflanzen-Verzeichnisse.

Den Herren Blumenfreunden, Samenhändlern, Land- und Forstwirthen, mit welchen ich noch nicht die Ehre hatte, in Verbindung zu stehen, die ergebene Anzeige, dass nachbenannte Verzeichnisse im November und December zur Ausgabe auf frankirte Briefe bereit liegen und franko zugesandt werden. Indem ich um eine recht zahlreiche Aufforderung bitte, sichere ich meinerseits eine stets solide und prompte Bedienung zu.

1) Preisverzeichniss über Sämereien en gros.
2) Der grosse Samen- und Georginen-Katalog (25. Jahrgang) über alle gangbaren Sämereien, Georginen, Kartoffeln und Sortiments-Pflanzen,
3) Verzeichniss über meine schöne Nelkensammlung (Blätterkarten liegen zur Ansicht bereit) und
4) über meine Sammlung von freien Land-, Kalt- und Warmhaus-Pflanzen, Topf- und Landrosen.

Carl Appelius
Samenhandlung und Handelsgärtnerei in Erfurt.

Preis-Courant.

Der Preis-Courant für 1858 über Blumen-, Feld- und Wald-Samen von Friedrich Adolph Haage jun. in Erfurt ist jetzt im Druck begriffen und wird zur gewohnten Zeit, mit Beginn des neuen Jahres, zur Ausgabe bereit sein.

Es ist das Verzeichniss des umfassendsten Lagers von allen im Handel vorkommenden Samen, welche zum grossen Theil, insbesondere die feineren Blumen- und Gemüse-Sorten, selbst gebaut, und welche in einigen Gegenden im In- und Auslande als eigenthümlich vorkommende Sorten, direkt von den zuverlässigsten Züchtern bezogen sind.

Den bekannten Geschäftsfreunden der obigen Firma wird der Preis-Courant, wie früher, ohne weitere Aufforderung zugehen, und steht derselbe noch unbekannten Gartenliebhabern und Landwirthen gratis und franco zu Dienste.

Verlag der Nauckschen Buchhandlung. Berlin. Druck der Nauckschen Buchdruckerei.
Hierbei die Illum. Beilage Hippeastrum aulicum Ker, β robustum A. Dietr. f. d. Abonnenten d. illustr. Ausgabe.

No. 50. Sonnabend, den 12. December. 1857

Preis des Jahrgangs von 52 Nummern mit 12 color. Abbildungen 6 Thlr., ohne dieselben 5 .
Durch alle Postämter des deutsch-österreichischen Postvereins sowie auch durch den Buchhandel ohne Preiserhöhung zu beziehen.

Mit direkter Post übernimmt die Verlagshandlung die Versendung unter Kreuzband gegen Vergütung von 26 Sgr. für Belgien, von 1 Thlr. 3 Sgr. für England, von 1 Thlr. 22 Sgr. für Frankreich.

BERLINER Allgemeine Gartenzeitung.

Herausgegeben

vom

Professor Dr. Karl Koch,

General-Sekretair des Vereins zur Beförderung des Gartenbaues in den Königl. Preussischen Staaten.

Inhalt: Galphimia hirsuta Cav. (Galphimia mollis Hort.) Vom Professor Dr. Karl Koch. Nebst einer Abbildung. — Blühende Orchideen des Augustin'schen Gartens an der Wildparkstation bei Potsdam. — Journalschau: Annales d'horticulture et de botanique ou Flore des jardins du royaume des Pays-Bas. — Bücherschau: Hülfs- und Schreibkalender für Gärtner und Gartenfreunde auf das Jahr 1858. Herausgegeben vom Prof. Dr. K. Koch. — Programm. — Preis-Courant.

Galphimia hirsuta Cav. (Galphimia mollis Hort.)

(Nebst einer Abbildung.)

Von dem Professor Dr. Karl Koch.

Es fehlt unsern Gewächshäusern meist im Oktober, und noch mehr im November, an blühenden Pflanzen, nicht etwa, weil es deren überhaupt wenige giebt, sondern hauptsächlich wohl, weil die Gärtner in der Regel vom September an zu sehr mit dem Einräumen der im Freien gewesenen Pflanzen, aber auch sonst, beschäftigt gewesen sind und daher wenig Zeit haben, um Schau-Exemplare heranzuziehen. Der Gärtner muss aber stets Blumen in seinen Gewächshäusern haben und deshalb auch für Ausschmückung derselben in den Monaten Oktober, November und December bedacht sein. Es sind ja nicht immer solche Schaupflanzen nöthig, wie man, besonders im März und April, aus verschiedenen Geruchhaiden oder Diosmeen, aus neuholländischen Schmetterlingsblüthlern, aus kapischen Thymeläaceen u. a. mit vieler Mühe und nach langer Sorgfalt heranzieht; es giebt Pflanzen, die gar nicht erst mit besonderer Aufmerksamkeit zugestutzt werden müssen, um dem gärtnerischen Begriffe von Schönheit genügen, sondern an und für sich ein hübsches Aussehen haben und daher ganz besonders für den Spätherbst zu empfehlen sind. Es ist schon mehrfach von solchen Pflanzen gesprochen worden und fügen wir dieses Mal noch eine hinzu, die durch Laub und reichliches, so wie langes Blühen sich auszeichnet.

Galphimia hirsuta Cav. ist zwar eine schon längst bekannte Pflanze, welche der Madrider Botaniker Cavanilles zu Ende des vorigen Jahrhundertes zuerst beschrieben hat, welche aber wohl erst seit einem Paar Jahrzehenden sich in botanischen Gärten befindet, wo sie gewöhnlich unter der falschen Benennung Galphimia mollis kultivirt wurde. In Privatgärten scheint sie noch gar nicht gelangt zu sein; nach den Exemplaren des botanischen Gartens bei Berlin aber verdient sie um so mehr darin einen Platz zu finden, als sie auch dem Verlangen der Pflanzenliebhaber nach Mannigfaltigkeit genügen kann. Es ist nämlich die Pflanze aus einer Familie, die sonst wenig vertreten ist und bei Privaten kaum, selbst in botanischen Gärten nur wenig, gefunden wird. Wenn auch die Malpighiaceen im Allgemeinen keine grossen Blüthen besitzen, so nehmen doch die meist gelben, weniger rothen und weissen Trauben am Ende der kurzen und belaubten Zweige sich recht hübsch aus.

Galphimia ist durch Umsetzung der Buchstaben aus Malpighia entstanden, während das zuletzt erwähnte Genus von Plumier zu Ehren des bedeutendsten Pflanzen-Physiologen und Anatomen des 17. Jahrhundertes genannt und von Linné auch beibehalten wurde. Marcello Malpighi war lange Zeit Professor der Medicin zu Bologna und starb 1693 als Leibarzt des Pabstes Innocenz XII. zu Rom. Sein berühmtes Werk über die Anatomie der Pflanzen ist das erste der Art und hinlänglich bekannt.

Wir besitzen eine vorzügliche Monographie der Malpighiaceen, die wir dem Gliede einer berühmten Familie, dem Adrian von Jussieu verdanken. Dieser geistreiche Botaniker bringt die Arten dieser Familie in 2 Gruppen, je nachdem die ursprünglichen 10 Staubgefässe sämmtlich, wenn auch zum Theil ohne Staubbeutel, vorhanden sind (Diplostemones d. i. mit doppelten Staubgefässen) oder nur wenige zur Entwickelung kommen (Meiostemones d. i. mit weniger Staubgefässen). Die erstern haben bald ungeflügelte (Apterygiae), bald geflügelte Früchte, und zwar befinden sich die Flügel entweder an den Seiten (Pleuropterygiae) oder ziehen sich dem Rücken entlang (Notopterygiae). Zu den Arten mit flügellosen Früchten gehören Malpighia L. und Galphimia Cav. Beide Genera unterscheiden sich durch die Staubgefässe und durch die Früchte. Die erstern sind bei Malpighia zum Theil in einen Ring verwachsen, die letztern hingegen Steinfrüchte mit 3 Steinen, während Galphimia meist ganz freie Staubgefässe und eine 3-knöpfige Frucht besitzt, deren einzelne Theile auf dem Rücken aufspringen.

Die Zahl der bekannten Malpighiaceen beträgt über 700 und kommen die meisten derselben in den heissen, weniger in den wärmern Ländern Amerika's vor. Fast alle sind holzartig und bilden zum Theil hohe Bäume, zum Theil winden sie sich auch; die meisten scheinen jedoch Sträucher zu sein. Von Malpighia kennt man 20, von Galphimia 11 Arten. Die letztern stehen sich zum Theil so nahe, dass vielleicht manche sich später, wenn man sie mehr im Leben untersucht hat, nur als Abarten oder als Formen herausstellen möchten.

Galphimia hirsuta Cav. Frutex; Folia elliptica, sicut Rami et Racemi hirsuti; Pedicelli pubescentes, infra medium articulati; Petala omnia breviter unguiculata, ovata-oblonga, concoloria.

Bei der Pflanze, welche Adr. v. Jussieu beschreibt, hat die Behaarung ein röthliches Ansehen, bei der Pflanze des botanischen Gartens zu Berlin aber ein graugrünes Ansehen, daher ich diese Form als virescens, jene hingegen als rufa unterscheiden möchte. Cavanilles hat wohl nur die erstere gekannt, da er die Farbe der Behaarung gar nicht weiter erwähnt.

Der Strauch scheint keine bedeutende Höhe zu erreichen, aber sehr buschig zu wachsen, indem eine Menge Aeste und Zweige sich bilden und dicht mit Blättern besetzt sind. Die ältern Aeste und der Stamm verlieren allmählig die Behaarung, bei den jüngern Zweigen findet sie sich aber stets vor und setzt sich selbst bei den Blüthentrauben fort, wird jedoch an den Blüthenstielchen und am untern Theile des Kelches kürzer und mehr anliegend.

Die Blätter stehen einander über und werden bis zu 2 Zoll lang, aber nur die Hälfte so breit. Nach der Basis und der Spitze zu verschmälern sie sich, so dass der grösste Breitendurchmesser genau in der Mitte sich befindet. Dadurch unterscheidet sie sich von der sonst ähnlichen G. Humboldtiana Bartl., wo beide Enden mehr abgerundet erscheinen. Der Rand ist ganz, aber auch eben. Die Oberfläche besitzt ein graues Grün, die Unterfläche erscheint hingegen heller und neigt sich selbst zum Blaugrünen. Der Blattstiel erreicht ohngefähr ein Drittel, bisweilen auch die Hälfte der Länge von der Blattfläche und ist etwas über der Mitte, und zwar auf beiden Seiten, mehr über einander, als genau gegenüber, mit einer verhärteten bräunlich-grünlichen Drüse versehen. Ebenfalls mehr im Winkel, als zur Seite der Basis des Blattstieles, befinden sich die kleinen und langhaarigen Nebenblätter.

Die Blüthen bilden end- und seitenständige und im jugendlichen Zustande etwas eingerollte Trauben von 2½ bis 3 Zoll Länge, entfalten sich von unten nach oben und haben einen Durchmesser von 5—6 Linien. Ihre Stielchen sind etwas länger und stehen in einem Bogen ab. Unterhalb der Mitte sind sie mit einem Gliede versehen, an dem der obere Theil sich sehr leicht ablöst und abfällt. An dem untern Theile bemerkt man in der Regel 2, aber auch 3 kleine und anliegende Deckblättchen. Ausserdem findet sich jedoch noch ein Deckblatt an der Basis des Blüthenstieles vor. Die sonst auch sehr ähnliche G. paniculata Bartl. besitzt die Blüthen in zusammengesetzten Trauben.

Der unbedeutende Kelch besteht aus 5 länglichen und etwas dicklichen Blättchen und ist mehrfach kleiner als die flach abstehenden und durchaus schön gelben Blumenblätter. Diese haben einen sehr kurzen Stiel und eine eirund-längliche und flache Platte, die auf der Rückseite einen ziemlich dicklichen und bräunlichen Kiel besitzt und am obern Ende abgerundet erscheint. Die ebenfalls verwandte G. glandulosa Cav. hat das oberste Blumenblatt anders gefärbt.

Die 10 fruchtbaren Staubgefässe sind an der Basis vollkommen frei, aber an Grösse ungleich, indem die längern die Hälfte der Länge der Blumenblätter erreichen die andern aber kürzer sind. Alle tragen längliche Staubbeutel, die mehr an der Spitze mit einer Spalte und zwar dem Pistill zugewendet aufspringen und ganz unbehaart erscheinen.

Der eirundliche und völlig unbehaarte Stengel besteht

zwar aus 3 Theilen, die aber so innig mit einander verwachsen sind, dass die Furchen nur unbedeutend erscheinen, zumal auch vom Rücken eines jeden Theiles eine Längslinie, an der später die Frucht aufspringt, sich herabzieht. Aus seiner Mitte entspringen in einem Bogen nach aussen 3 fadenförmige Griffel, welche am obern Theile sich verschmälern und daselbst die Narben bilden. Die eirunden Eichen hängen einzeln von oben und nach innen angeheftet herunter, sind anatropisch und haben eine eiförmige Gestalt. Die Frucht ist mir unbekannt.

Erklärungen der Abbildungen.

1. Ein Blüthenstielchen vergrössert mit dem Gliede und einem Deckblättchen. 2. Eine vollständige Blüthe doppelt so gross. 3. Ein kleines Staubgefäss vor der Emission des Blüthenstaubes. 4. Ein grosses Staubgefäss nach derselben. Beide einige Mal vergrössert. 5. Stempel vergrössert. 6. Querdurchschnitt desselben. 7. Eichen sehr vergrössert.

Blühende Orchideen des Augustin'schen Gartens an der Wildparkstation bei Potsdam.

In den schönen Gewächshäusern des Oberlandesgerichtsrathes Augustin, die sich alle Jahre durch An- und Neubauten vergrössern und bereits so ziemlich einen Flächenraum von einen Morgen umfassen, nimmt auch die Zahl der Pflanzen beträchtlich zu. Waren bisher Palmen, Farne und Aroideen, nebst zahlreichen Blüthensträuchern, besonders Kamellien, Azaleen und Rhododendren, mit Vorliebe kultivirt, so hat jetzt auch sich eine grössere Vorliebe für Orchideen geltend gemacht, als sie bisher vorhanden war. Die Zahl derselben, welche in dem Verzeichnisse des vorigen Jahres noch nicht das halbe Tausend erreicht hatte, ist seitdem beträchtlich höher gestiegen. Eben jetzt blüht eine grössere Anzahl, so dass wir uns veranlasst sehen, darüber zu berichten.

Beginnen wir mit den Frauenschuhen, den Cypripedien, so nehmen 2 Arten uns in Anspruch, die erst vor Kurzem aus Brüssel eingeführt wurden. Cypripedium Jairieanum, noch ganz neu und so viel wir wissen, auch nirgends beschrieben, ist eine sehr schöne Pflanze aus Assam, deren Einführung wir Linden verdanken. Die 3 obern Blumenblätter haben zwar eine weissliche Grundfarbe, die aber durch purpurblaue Quer- und Längsadern schachbrettartig unterbrochen wird, während das unterste einfarbig-weiss erscheint. Die Lippe besitzt dagegen eine grünlich-gelbe Farbe. Wir enthalten uns hier einer nähern Beschreibung, um unserem tüchtigsten Orchideen-Kenner, dem Professor Dr. Reichenbach in Leipzig, nicht vorzugreifen.

Cypripedium Schlimii hat bereits in der Schiller'schen Sammlung in Ovelgönne bei Hamburg geblüht und ist von Reichenbach zu seinem Geschlechte Selenipedium gestellt worden. Es gehört zu den behaarten Arten und besitzt grünlich-weisse Blumenblätter, aber eine pfirsichrothe Lippe, die wegen ihrer kugelrunden Gestalt etwas Unheimliches hat. Es kommt noch dazu, dass das goldgelbe Griffelsäulchen einen eigenthümlichen Gegensatz bildet. Auch diese Art hat Linden aus Neugranada eingeführt.

Von andern interessanteren Cypripedien blühen mehrfach und ziemlich reich: Cypripedium insigne Wall. so wie venustum Wall. und villosum Lindl., von welchem letzteren der Kommerzienrath Reichenheim auf der Frühjahrs-Ausstellung des Vereines, ein ächtes Schauexemplar ausgestellt hatte.

Das sonderbare Uropedium Lindenii Lindl., was sich ebenfalls wie Selenipedium caudatum Rchb. fil. durch einige fadenförmige Blumenblätter auszeichnet und in den Gärten diesem vorherging, fing eben an, seine interessanten Blüthen zu entfalten.

Von Epidendren sehen wir ebenfalls einige interessante Arten. E. armeniacum Lindl., eine brasilische Pflanze, befindet sich zwar schon seit einigen und 20 Jahren in unsern Gärten, ist aber nicht sehr verbreitet und zeichnet sich durch eine hängende, ziemlich dicht mit kleinen Blüthen von pfirsichrother Farbe besetzte Traube aus.

Ziemlich neu und wiederum von Linden aus Venezuela eingeführt, aber von Lindley in seinem Schriftchen über Linden'sche Orchideen beschrieben, ist E. Sceptrum, wahrscheinlich so genannt, weil die Traube mit den bunten Blüthen grade in die Höhe steigt.

Dazu kommt noch eine neue noch nicht beschriebene Art mit hellgelben Blüthen, welche aus Guatemala stammt.

Noch zahlreicher waren die Oncidien vertreten, deren verästelte, oft rankenartig sich weithin ausbreitende Blüthenstände jedem Orchideenhause zum besondern Schmucke gereichen.

Oncidium Schillerianum Rchb. fil. fing eben an, seine Blüthen zu entfalten und wird später besprochen werden. O. Batemannianum Lindl., ein Mexikaner, ist in der That eine prächtige Pflanze, zumal seine Blüthen für das Geschlecht ziemlich gross sind. Dagegen gehört O. cheirophorum Rchb. fil. zu denen, die zwar ebenfalls gelbe, aber kleinere und ziemlich gedrängt stehende Blüthen haben. Vaterland ist Mexiko.

Wiederum eine Art mit grossen gelben Blüthen, die aber nur eine kurze und aufrechte Rispe bilden, ist O. bicallosum Lindl.; den Namen hat sie von den beiden getrennten Höckern des Kammes. Sie stammt aus Guatemala.

Eine liebliche Erscheinung bildet Oncidium ornithorrhynchum H. B. K., welches zwar schon von A. v. Humboldt in Mexiko entdeckt, aber doch erst viel später durch Skinner in Europa eingeführt wurde. Die schöne, kaum über ½ Fuss lange Rispe besteht aus kleinen hellviolett-pfirsichrothen Blüthen.

Gongora Boothiana scheint eine noch nicht beschriebene Art zu sein; wenigstens haben wir sie vergebens im Schiller'schen Verzeichniss und in den uns sonst zu Gebote stehenden Schriften gesucht. Die bronzenen Blumenblätter sind roth gefleckt, während die Lippe eine weisse Farbe besitzt.

Restrepia ophiocephala Rchb. fil., in den Berliner Gärten unter dem Namen Pleurothallis puberula, den Dr. Klotzsch gab, bekannter, hat kleine schmutziggelbe Blumenblätter und gehört eben so wenig, wie Pleurothallis hemirrhoda Lindl., die umgekehrt Dr. Klotzsch für eine Restrepia erklärte und nuda nannte, zu den empfehlenden Arten, so interessant sie auch den Botanikern sein mögen.

Masdevallia melanoxantha Lindl. stammt aus Venezuela. Die beiden unteren und zusammengewachsenen äussern Blumenblätter haben eine purpur-braune, das obere hingegen eine gelbe Farbe, während die der innern Reihe sehr klein sind und eine hellgelbe Farbe, die Lippe aber wiederum eine braune besitzen.

Coelogyne Gardneriana Lindl. besitzt eine 6 bis 8 Zoll lange Traube, deren blendend weissen Blüthen mehr einseitig sind, ziemlich dicht stehen und von grünlich-weissen Deckblättern zum Theil gedeckt werden.

Stenorrhynchus speciosus Rchb. fil., eine alte schon von Jacquin als Neottia speciosa beschriebene Erdorchidee des tropischen Amerika, nimmt sich mit den dunkelrothen Blüthen und den helleren Deckblättern, welche beide eine etwas steife Traube bilden, recht hübsch aus.

Brasavola nodosa Lindl., deren Kenntniss zwar schon Linné aus ältern Schriften entlehnte und die er als Epidendron nodosum beschrieb, ist zwar darnach eine längst bekannte Pflanze, aber doch erst seit 1828 in Europa eingeführt, seitdem aber eine vielfach verbreitete und immer zu empfehlende Pflanze. Die weisslich-grünlichen Blüthen duften des Nachts sehr angenehm.

Gomeza recurva bot. mag. eine brasilische Orchidee, die erst 1835 eingeführt wurde, hat ebenfalls helle, aber grünlich-schwefelgelbe Blüthen.

Burlingtonia rigida Lindl. stammt ebenfalls aus Brasilien, von woher sie ein Jahr später eingeführt wurde, und besitzt wiederum weisse, aber rosafarbig schattirte Blüthen, die grosse und hängende Trauben bilden.

Huntleya Meleagris Lindl., auch eine brasilische Orchidee, erinnert in ihrer Schachbrett ähnlichen Zeichnung an die Schachbrettblume (Fritillaria Meleagris L.). Sie wurde 1838 eingeführt. Die noch ganz neue Lüddemannia Pescatori wollte eben ihre Blüthen entfalten.

Angraecum bilobum Lindl. ist ein Bewohner des tropischen Afrika's, besass 10 Blüthen an einer Traube, welche erstere sich durch ihren weissen und spitzzugehenden Blumenblätter und durch den grossen, an seinem oberen Ende getheilten Sporn auszeichnen und einen angenehmen Geruch verbreiten.

Xylobium squalens Lindl., die Reichenbach nach Hooker mit Maxillaria vereinigt, ist eine mehr sonderbare, als schöne Orchidee, deren Blüthen Trauben bilden und einiger Massen hinsichtlich der Form an die der Hyacinthen erinnern, während die sonst im Pflanzenreiche seltene Farbe grosse Aehnlichkeit mit der der Iris squalens L. besitzt. Sie stammt ebenfalls aus Brasilien und befindet sich schon seit länger als 30 Jahren in unseren Gärten.

Von andern Maxillarien blühten 4 Arten, die eine Erwähnung verdienen.

Maxillaria pallidiflora Hook. gehört ebenfalls zu den Xylobien und ist schon seit 30 Jahren in unsern Gärten, kam aber als Maxillaria stenobulbon Klotzsch von Neuen in die Gärten Berlins. Sie gehört zu den Arten mit unscheinlichen Blüthen, die deshalb grade nicht empfohlen werden können.

Dagegen besitzt die Maxillaria triangularis Lindl. aus Guatemala schöne Blüthen, die einzeln aus den Achseln unvollkommener Blätter kommen und eine schöne hellbraun-orangenartige Farbe besitzen.

Maxillaria venusta Rchb. fil. ist eine noch ganz neue, erst von Linden eingeführte Art aus Neugranada, die ihren Namen verdient und in keinem Orchideenhause von Bedeutung fehlen sollte. M. picta Hook. aus Brasilien befindet sich dagegen schon längst (seit 1830) in unsern Gärten. Die einzelnen langgestielten Blumenblätter haben auf der Aussenseite eine hellgelbe Grundfarbe, die aber durch braune Flecken unterbrochen wird; auf der innern Seite sind sie hingegen ochergelb.

Phajus cupreus Rchb. fil. (Ph. Augustinianus

Galphimia hirsuta Cav

Klotzsch) blühte reichlich in mehrern Exemplaren. Die ziemlich grossen Blüthen haben anfänglich eine schmutzige Pfirsichfarbe, werden aber allmählig kupferbräunlich. Vaterland ist Amboina, die mit andern Inseln eine besondere Gruppe der Molukken bildet.

Eine andere Art mit breiten Blättern begann eben die Blüthen zu entwickeln und möchte zu Calanthe gehören. Sie befand sich in einer Kiste mit Farnen, welche Dr. Hasskarl aus Java geschickt hatte.

Dass die buntblättrigen Orchideen aus der Gruppe der Neottieen im Augustin'schen Orchideenhause reich vertreten sind, ist schon früher und zwar in der ersten Nummer erwähnt worden. Mehre haben seitdem geblüht; auch Anecochilus argyroneurus C. Koch, dessen Lippe noch mehr gefranzt, als bei A. setaceus Bl. ist. Wie er sich zu diesem verhält, wird Professor Reichenbach in Leipzig, dem die Blüthen zugesendet sind, später uns mittheilen.

Zu der einen Pogonia discolor Bl., welche übrigens nicht Blass in Elberfeld, wie Seite 5 gesagt ist, sondern Willink in Amsterdam eingeführt hat, kommen nun noch 2 Arten: Pogonia concolor Bl. und Nervilae, über die wir später einmal berichten werden.

Journal-Schau.

Annales d'horticulture et de botanique ou Flore des jardins du royaume des Pays-Bas.

Im Doppelhefte des Mai und Juni ist auf einem grossen Blatte eine schwarze Abbildung der Wormia excelsa Jack gegeben. Die Einführung dieser gleich schönen Blüthen- und Blattpflanze vor 2 Jahren in Leiden verdankt man dem Garteninspektor Teysman in Buitenzorg auf Java. Sie gehört in die Familie der Dilleniaceen und bildet auf Java grosse Bäume. Aber schon früher hatte Reinwardt das Gehölz ebendaselbst, Blume hingegen auf der kleinen Insel Nussa Cambangan entdeckt. Der letztere nannte es zu Ehren des damaligen holländischen Gouverneurs, des nun verstorbenen Baron van der Capellen: Capellia multiflora, einen Namen, den Hasskarl richtiger in Capellenia umänderte. Jack fand den Baum endlich auf Sumatra und nannte ihn Wormia excelsa einen Namen, den Hooker und Thomson ebenfalls annahmen und damit auch das Genus Capellia oder Capellenia wiederum einzogen.

Die Pflanze gehört, wie man schon aus dem Vaterlande ersehen kann, in das Warmhaus und könnte daselbst neben Dillenia speciosa, den Sauraujen, den grossblättrigen Ficus-Arten, den Brodbäumen u. s. eine passende Stelle finden. Möchte man nur in Leiden bald Vermehrung haben, so dass die hübsche Blattpflanze auch in die Gärten Deutschlands kommt.

Zu Ende des Doppelheftes befindet sich eine sehr interessante Abhandlung des Professor de Vriese über die Einführung der Mutterpflanze der Chinarinde auf Java. Wie bekannt hat Dr. Hasskarl, der sich jetzt, um seine Gesundheit wiederum herzustellen, in Deutschland befindet, aber später wiederum ebenfalls nach Java gehen wird, das Verdienst, unter grossen Schwierigkeiten den Chinarindenbaum aus seinem Vaterlande nach Java übergesiedelt zu haben. Seit Anfang Oktober ist nun auch de Vriese nach derselben Insel gegangen und dürfen wir deshalb eine Bereicherung unserer Gärten nicht weniger, als der Wissenschaft, erwarten.

Für Juli und August ist wiederum ein Doppelheft erschienen, in dem die Geschichte der Einführung obengenannter Pflanze auf Java fortgesetzt wird. Dann kommt aus der englischen Zeitung „Times" die Angabe eines gewissen Forster über die Ausfuhr von Pflanzenöl aus der freien Neger-Republik auf der Westküste Afrika's. Seitdem der Sklavenhandel dort abgeschafft ist, beginnt auch die Bevölkerung zuzunehmen; diese beschäftigt sich hauptsächlich damit, aus den Früchten der Oelpalme, (Elaeis guineënsis), und aus den Samen der Erdpistazie (Arachis hypogaea) Oel zu pressen. Alljährlich wird dadurch ein Umsatz von 3 Millionen Pfund Sterling erreicht. Erdpistazien-Oel wird allein über eine Million Centner ausgeführt.

Eben so wird über die Gutta-Percha Singapur's berichtet. Die Mutterpflanze ist, wie bekannt Isonandra Gutta, eine Sapotacee, die auf Singapur und sonst im Malayen-Archipel wächst. Leider gehen die Eingebornen so wenig vorsichtig mit diesem Baume, welcher ihnen eine so reichliche Einnahme bringt, um, indem sie ihn, um den Saft zu gewinnen, und noch dazu vor der Reife der Früchte, abhauen. Dadurch wird selbst die Möglichkeit genommen, dass junge Pflanzen entstehen. Und doch könnte man den Saft der Gutta-Percha durch Einschnitte eben so leicht erhalten. Man darf sich deshalb nicht wundern, wenn die Ausfuhr schon in diesem Jahre abgenommen hat. Nach dem Berichte eines gewissen Karl Wilson mag in diesem Jahre die Ausfuhr kaum 3000 Centner betragen, während sie sich 1855 auf 3800 belief. Der Centner gute Gutta-Percha wird mit 30 Thaler im Durchschnitte bezahlt.

Weiter befindet sich in diesem Doppelhefte eine interessante Notiz, wenn auch erst der Belgique horticole entlehnt, über die Geschichte der baumartigen Gichtrose, Paeonia Moutan. Diese erst in der neuern Zeit mehr bekannt gewordene Pflanze ist bereits schon im Jahre 1656 durch einen Holländer, Nieuhoff, der die erste holländische Gesandtschaft nach China begleitete, bekannt und beschrieben worden. In die Gärten Hollands scheint die baumartige Gichtrose damals nicht gekommen zu sein, da sie in keinem der Verzeichnisse jener Zeit aufgeführt wird.

Diese jetzt auch bei uns so beliebt gewordene Blume war und ist es noch jetzt in weit höherem Grade in China, wo die Liebhaberei damit eben so ausartete, wie bei uns mit den Tulpen in der frühern Zeit. Einzelne besonders schöne Sorten sollen mit 100 Unzen Gold bezahlt worden sein. Deshalb war man fortwährend bemüht, durch Samen neue Formen zu erziehen, so dass man jetzt in China nicht weniger als 250 Hauptsorten unterscheidet. Aber auch bei uns in Europa wurde sie im Anfange hoch bezahlt und verkaufte Noisette in Paris die ersten Pflanzen mit 100 Stück Louisd'or.

Interessant ist es, dass man auch in China die baumartige Gichtrose nur aus Gärten kennt und sie noch nirgends wild gefunden hat. Nach einigen soll sie aus der krautartigen erst hervorgegangen sein, nach andern aber in nördlichen, jedoch entfernten Gebirgen wachsen. In Kultur soll sie sich in China seit 1400 Jahren befinden.

Eingeführt wurde sie im Jahre 1789 durch Joseph Banks, der Kaufleuten so lange den Auftrag gab, ihm die Pflanze zu verschaffen, bis es auch gelang. Die ersten Pflanzen gingen aber bald zu Grunde und so wurden 5 Jahre später andere nach Europa gebracht.

Als Beilage wird dazu gegeben die Abbildung einer weissen Gichtrose, welcher v. Siebold den Namen Prinzess Marie der Niederlande gegeben hat. Die Blume hat eine blendend-weisse Farbe, die nur durch die wenigen Staubgefässe mit gelben Beuteln unterbrochen wird, und besitzt einen Durchmesser von 8 Zoll. Die einzelnen breiten Blumenblätter sind doppelt gezähnt.

Das Septemberheft bringt nachträglich die Abbildung der Cinchona Calasaya Wedd., mit der eben die Kulturversuche auf Java gemacht werden, hat ausserdem aber nur Uebersetzungen aus andern Zeitschriften. Dasselbe ist mit dem Oktoberhefte der Fall, in dem ein Auszug aus der höchst interessanten und in dem Bulletin der französischen botanischen Gesellschaft zu Paris abgedruckten Abhandlung über das Absterben der Bäume auf öffentlichen Promenaden von dem Grafen Jaubert enthalten ist. Als Abbildung ist die erst im nächsten Doppelhefte beschriebene Aralia Mitsde Sieb. gegeben.

Unter der Ueberschrift „Araliaceen aus Japan und zu Leiden in Kultur" sind nämlich 2 Arten beschrieben und durch schwarze Abbildungen erläutert. Die Araliaceen sind jetzt beliebte Blattpflanzen und in neuerer Zeit in grosser Menge eingeführt worden. Verschiedene Bearbeitungen, die zum Theil vorläufiger Natur sind oder nur Bruchstücke liefern, aber nichts desto weniger meist eine neue Nomenklatur bringen, haben leider auf diese einen sehr nachtheiligen Einfluss gehabt. Die Genera, welche Decaisne und Planchon vorläufig im 3. Bande der neuen (vierten) Reihe der Revue horticole aufgestellt haben, sind von de Vriese und v. Siebold nicht in gleicher Weise angenommen und ist es daher sehr zu wünschen, dass die beiden genannten Herren nicht zu lange auf eine ausführliche Monographie warten lassen.

Aralia Mitsde Sieb. wurde in dem Seite 3 aufgeführten Verzeichnisse der in den Niederlanden kultivirten Araliaceen Java's und Japan's fragweise zu Fatsia gestellt, ist aber hier als eine ächte Aralia behandelt. Die Pflanze bildet einen unbewehrten Halbstrauch mit lederartigen, auf der Oberfläche glänzenden und dunkelgrünen Blättern, die tief 3-theilig sind, so dass der mittlere Abschnitt die beiden seitlichen an Länge übertrifft, und hauptsächlich nur an der Spitze der Zweige und ziemlich gedrängt erscheinen. Zwischen ihnen kommen die aus 1, 2 und mehr kopfartigen Dolden bestehenden Blüthenstände hervor.

Aralia pentaphylla Thunb. ist ein hübsches Gehölz, was einer nicht rankenden Ampelopsis hederacea gar nicht unähnlich aussieht. Von Stacheln, welche der Stengel haben soll, sieht man, wenigstens in der Abbildung, nichts. Von den zu 5 an der Spitze des allgemeinen Blattstieles befindlichen und an der oberen grössern Hälfte gesägten Blättchen ist das mittelste am Grössten, und meistens über einen Zoll lang. Sie haben sämmtlich eine hübsche grüne Frabe. Die langgestielten Dolden kommen mit den zu 4 und mehr büschelförmig vereinigten Blättern aus einer Knospe, deren Tegmente auch später noch bleiben.

In demselben Hefte befindet sich auch eine sehr kurze Beschreibung der Art und Weise, wie auf der Insel Amboina der Sago gewonnen wird, nachdem schon im Doppelhefte des Juli und August die Abbildung, die van Houll geliefert hatte, gegeben war.

Mit diesem Doppelhefte ist nicht allein der Jahrgang geschlossen, auch das ganze Werk. Der Professor de Vriese ist bereits, wie schon gesagt, Anfang Oktober nach Java abgereist, um daselbst lange sich aufzuhalten. Dies mag wohl die Ursache der kurzen Dauer einer Zeitschrift sein.

Bücherschau.

Hülfs- und Schreibkalender für Gärtner und Gartenfreunde auf das Jahr 1858.

Herausgegeben vom Professor Dr. Karl Koch.

Zum vierten Male erhalten wir hiermit einen Kalender, der gleich im Anfange seines Erscheinens sich als Bedürfniss herausstellte und sich in dem Verlaufe von 3 Jahren, seit dem er eben besteht, noch mehr als Bedürfniss erkannt und sogar Gärtnern und Gartenliebhabern Gewohnheit geworden ist. Seine Einrichtung hat sich gar nicht verändert, weshalb wir auf die frühere Anzeige verweisen können. Das Verzeichniss der Jahrmärkte ist dieses Mal, und zwar mit Recht, ganz weggeblieben; dafür sind aber die beiden Gesetze über den neuen Münzfuss und über die Gewichte eingeschaltet, deren Gebrauch mit dem 1. Juli, mit Ausnahme Mecklenburgs, Holsteins und der 3 nordischen freien Städte, für ganz Deutschland, so wie für die preussischen und österreichischen nicht deutschen Landestheile, vorgeschrieben ist. Wir machen deshalb ganz besonders auf die beiden Gesetze aufmerksam.

Der zweite Theil enthält eine Reihe gärtnerischer Abhandlungen von mancherlei Interesse und aus fast allen Gebieten der Gärtnerei. Gleich vorn beginnt wiederum die Statistik der deutschen Handelsgärtnereien möglichst berichtigt. Obwohl der Kalender in diesem Jahre keineswegs zu früh ausgegeben wurde, so liefen doch mehre Berichtigungen zu spät ein und konnten demnach nicht benutzt werden. So sehr auch der Nutzen einer statistischen Aufzählung der deutschen Handelsgärtnereien anerkannt ist und von Seiten der Redaktion mehrmals Aufforderungen zur Vervollkommnung oder Berichtigung derselben erlassen wurden, so hat man doch leider diese nicht in der Weise unterstützt, als es im allgemeinen Interesse wünschenswerth gewesen wäre.

Die 2. Abhandlung über Kultur und Verwendung einiger Gräser zur Verzierung der Blumenbouquets hat den Garteninspektor Jühlke in Eldena zum Verfasser. Wer Anlage zur Anfertigung von Bouquets besitzt, erhält damit Winke zur Benutzung der Gräser, die noch keineswegs, so sehr sie es auch verdienen, in der gewünschten Weise benutzt werden. In der 3. Abhandlung liefert der Herausgeber selbst eine Geschichte der Astern, welche in der neuesten Zeit wiederum vorherrschend Lieblingsblumen geworden sind.

Der Hofgärtner G. A. Fintelmann hat einen interessanten Aufsatz über Zimmerpflanzen, insbesondere über deren Pflege im Zimmer, geliefert, den wir zwar vor Allem den Damen, die nun einmal vorherrschend damit sich befassen, empfehlen, der aber nichts desto weniger auch für Gärtner belehrend und anziehend ist. In gewandter Rede giebt der Verfasser nicht allein allerlei Regeln über die Pflege selbst, sondern belehrt auch, welche Pflanzen besonders dazu benutzt werden können; wir erfahren ferner, wer wohl zuerst Blumen und Pflanzen in besonderen Gefässen gezogen haben mag und wie sich im Verlaufe der Zeit die Zimmerpflanzen verändert und ihre Zahl sich vermehrt hat. Heut zu Tage ist man gar nicht mehr mit Rosengeranien, mit Levkoje, Reseda u. s. w., selbst nicht mehr mit dem Gummibaum, zufrieden; man will auf besondern Stellagen, Tischen oder Blumenkörben Repräsentanten aus den edlern Pflanzenfamilien der Palmen, Farne, baumartigen Lilien u. s. w. haben.

Recht passend schliesst sich diesem ein anderer Aufsatz des Obergärtners Gaerdt im Borsig'schen Garten zu Moabit bei Berlin über Schmuckplätze (Pleasure-Ground der Engländer) an. Liebhaber erhalten hier aus dem Leben genommene Beispiele und sind dadurch leichter in den Stand gesetzt, sich etwas Aehnliches zu verschaffen. Mancher mag sich jedoch wundern, wenn er hier erfährt, was doch an Pflanzen eigentlich zu einer solchen, allerdings sehr anmuthigen Verschönerung gehört. Eine beiliegende Zeichnung macht die Beschreibung klarer.

Obergärtner Stelzner im van Houtte'schen grossen Etablissement hat „Mittheilungen über Englands Gärtnereien" geliefert. Dem Verfasser wurde auf seinen Reisen in England mannigfache Gelegenheit geboten, England in gärtnerischer Hinsicht kennen zu lernen. Er giebt uns anziehende Schilderungen der grössern und schönern Privatgärten und hat versprochen, später weitere Mittheilungen zu machen. Möchte derselbe in dem nächsten Jahrgange demnach eine Beschreibung der Handelsgärtnereien Englands geben.

Eine Auswahl der neuern und neuesten Pflanzen, von dem Herausgeber selbst, erhalten wir als Schluss. Mit Vorliebe sind besonders die modernen Blüthensträucher behandelt. Wer weiss, wie weit es die Gärtnerei in der neuesten Zeit in der Hervorbringung neuer und schöner Formen gebracht und wie in der That bei den meisten die Zahl derselben eine Höhe erreicht hat, dass selbst Gärtner, die täglich damit umgehen, nicht Alles kennen können, wird gewiss dem Verfasser Dank wissen, wenn er ihm hilft, aus dem Labyrinthe herauszukommen, um die bessern und schönern Sorten herauszufinden. Da nicht allein die Namen genannt werden, sondern man auch über die Farben, hier und da auch über die Formen, Belehrung erhält, so wird die Wahl nicht wenig erleichtert.

Programm der Blumen- und Pflanzen-Ausstellung des Gartenbau-Vereins in Mainz,

am 4. bis 7. April 1858.

1. Die Eröffnung der Ausstellung ist auf Sonntag, den 4. April 1858 des Morgens 11 Uhr und der Schluss auf Mittwoch, den 7. April Abends 7 Uhr festgesetzt.

2. Der Eintrittspreis beträgt 12 Kreuzer für die Person. Vereins-Mitglieder geniessen für ihre Person freien Eintritt. Gleiches Recht haben diejenigen, welche Pflanzen, Modelle, Pläne etc. zur Ausstellung eingesendet.

3. Es ist jeder ohne Ausnahme befugt, Blumen, Pflanzen, Garten-Instrumente, Garten-Verzierungen, Vasen, Modelle, Pläne zu Gartenanlagen etc. zur Ausstellung einzusenden.

4. Die Einsender sind ersucht, die zur Ausstellung bestimmten Gegenstände bis längstens Freitag, den

2. April einzuliefern, dieselben deutlich zu bezeichnen und jeder Sendung ein genaues Verzeichniss derselben beizufügen.

Blumenbouquette, Garteninstrumente, Modelle, Gartenpläne etc. treffen noch am 3. April des Vormittags rechtzeitig ein. Später eingesendete Gegenstände werden zwar, so viel es der Raum gestattet, noch aufgestellt, sind aber von der Konkurrenz um die Preise ausgeschlossen.

5. Am 8. April haben die Einsender sämmtliche aufgestellte Gegenstände in dem Ausstellungslokale abzuholen.

6. Der Gartenbau-Verein übernimmt von auswärts einzusendenden Gegenständen die Transportkosten hierher und zurück.

7. Bei Zusprechung der Preise ist besonders Rücksicht auf geschmackvolle Aufstellung, Kulturvollkommenheit, Blüthenfülle, Neuheit mit blumistischen Werth zu nehmen und sollen nur diejenigen Gruppen gekrönt werden, welche den Bedingungen des Programmes vollständig entsprochen haben.

8. Für diese Ausstellung sind folgende Preise ausgesetzt, welche von den dazu ernannten Preisrichtern zuerkannt werden.

Der Mainzer Frauenpreis,

sowie das Accessit, aus werthvollen Gegenständen bestehend.

Der schönsten Sammlung von Rosen in Töpfen in mindestens 24 Sorten von remontirenden Rosen.
24 „ Bourbon-Rosen.
12 „ Thée- und eben so viel Moosrosen.

I. Preis 60 fl.

Der schönst aufgestellten Gruppe von mindestens 36 Species, welche die meisten schönst kultivirten, reich blühenden Pflanzen in grösster Mannigfaltigkeit enthält.
Erstes Accessit: 35 fl.; zweites Accessit: 20 fl.

II. Preis 60 fl.

Der schönsten Sammlung von mindestens
30 Sorten Kamellien,
30 „ Rhododendrum arboreum und Hybriden
und 15 „ Azalea indica.
Erstes Accessit: 35 fl.; zweites Accessit: 20 fl.

III. Preis eine goldene Medaille.

Der schönsten Liebhabergruppe, welche folgende Pflanzen enthält: mindestens
6 Sorten Rhododendrum arboreum und Hybride.
10 „ Kamellien.
10 „ Azaleen.
Accessit: silberne Medaille.

IV. Preis 30 fl.

Der schönsten Sammlung Azalea indica in mindestens 50 Sorten. Accessit: 20 fl.

V. Preis 20 fl.

Der schönsten Sammlung dekorativer Blattpflanzen in mindestens 20 Species. Accessit: 10 fl.

VI. Preis eine goldene Medaille.

Der geschmackvollst aufgestellten Gruppe eines Liebhabers mit mindestens 20 verschiedenen Species.
Accessit: eine silberne Medaille.

VII. Preis 10 fl.

Der schönsten Sammlung Cinerarien in mindestens 30 Sorten. Accessit: 5 fl.

VIII. Preis eine goldene Medaille.

Der schönsten Sammlung von mindestens
12 Sorten Viola altaica.
6 „ Primula acaulis flore pleno.
12 „ Aurikeln.
Accessit: eine silberne Medaille.

IX. Preis 5 fl.

Der reichhaltigsten und schönsten Sammlung von getriebenem Gemüse.

X. Preis 5 fl.

Der reichhaltigsten Sammlung getriebenen Obstes, dabei mindestens 6 Sorten Erdbeeren.

XI. & XII. Preis jeder von 5 fl.

Zur freien Verfügung der Preisrichter.

Der Neubert'sche Lehrlingspreis, (ein Buch) wird demjenigen Gärtner-Lehrling zuerkannt werden, welcher durch Binden eines Bouquets Proben seiner Fertigkeit ablegen wird. Accessit: ein Bild.

9. Der 3te, 6te, 9te und 10te Preis kann nur einem wirklichen aktiven Vereinsmitgliede zu Theil werden.

10. Es steht jedem Aussteller frei, für die zuerkannten Preise, statt eines Werthes von 10 fl. eine grosse silberne Medaille und statt eines Werthes von 5 fl. die kleine silberne Medaille zu nehmen.

11. Die Pflanzen, welche zur Konkurrenz für die ausgesetzten Preise bestimmt sind, müssen genau mit Namen versehen sein.

12. Diejenigen Pflanzen, welche bereits gekrönt, sind von der Konkurrenz um die folgenden Preise ausgeschlossen.

13. Keiner der Preisrichter kann um irgend einen der in diesem Programme ausgesetzten Preise konkurriren.

14. Mit dieser Ausstellung soll wieder eine Blumen-Verloosung verbunden werden, worüber das Nähere später bekannt gemacht wird.

Mainz, im November 1857. Der Verwaltungsrath.

Verlag der Nauckschen Buchhandlung. Berlin. Druck der Nauckschen Buchdruckerei.

Hierbei die illum. Beilage Galphimia hirsuta Cav. (Galphimia mollis Mort.) f. d. Abonnenten d. illustr. Ausgabe.

Alocasia metallica . Schott

No. 51. Sonnabend, den 19. December. 1857

Preis des Jahrgangs von 52 Nummern mit 12 color. Abbildungen 6 Thlr., ohne dieselben 5 -
Durch alle Postämter des deutsch-österreichischen Postvereins sowie auch durch den Buchhandel ohne Preiserhöhung zu beziehen.

Mit direkter Post übernimmt die Verlagshandlung die Versendung unter Kreuzband gegen Vergütung von 26 Sgr. für Belgien, von 1 Thlr. 9 Sgr. für England, von 1 Thlr. 22 Sgr. für Frankreich.

BERLINER Allgemeine Gartenzeitung.

Herausgegeben vom

Professor Dr. Karl Koch,

General-Sekretair des Vereins zur Beförderung des Gartenbaues in den Königl. Preussischen Staaten.

Inhalt: Monstera pertusa de Vr. (Monstera Klotzschiana Schott, Dracontium pertusum L. ex p.) Vom Professor Dr. Karl Koch. (Nebst einer Abbildung.) — Coelogyne assamica Lind. Rchb. fil. — 360. und 361. Versammlung des Vereines zur Beförderung des Gartenbaues in Berlin. — Van Mons und die belgische Aussicht neuer Sorten. Briefliche Mittheilung des Kunst- und Handelsgärtners de Jonghe in Brüssel. — Zur Verständigung. — Programm. — Pflanzen-Kataloge. —

Monstera pertusa de Vr.

(Monstera Klotzschiana Schott, Dracontium pertusum L. ex p.).

Vom Professor Dr. Karl Koch.

(Nebst einer Abbildung.)

So häufig auch die durchlöcherte Monstera Blüthenstände in den Gewächshäusern hervorbringt, so kommen diese doch nur selten zur vollkommenen Ausbildung. Ihre Blüthezeit fällt meist in die düstern November- und Decembertage, wo in der Regel nicht viel Sonnenschein existirt und wo daher auch der Blüthenstand sich auch nicht vollständig entwickeln kann. Erst dieser warme Sommer, wo eine Menge tropischer Pflanzen, die sonst nur äusserst selten bei uns blühen, dieses gethan haben, und wo ausserdem die Blüthezeit von andern Arten vorgerückt wurde, hatte auch ich Gelegenheit, einen vollständig entwickelten Blüthenstand der Monstera pertusa de Vr. genau zu untersuchen und darnach meine früher schon in der Bonplandia (im 4. Jahrgange und Seite 3) gegebenen Andeutungen zu berichtigen. Was ich damals schon (im Anfange des Jahres 1856) vermuthete, ist zur Gewissheit geworden. Monstera Klotzschiana Schott unterscheidet sich nicht von der von Philipp Miller in dessen Icones auf der 296. (in der deutschen Ausgabe vom Jahre 1763 auf der 294.) Tafel abgebildeten und Seite 291 beschriebenen Pflanze, die Linné wahrscheinlich lebend kannte und Dracontium pertusum nannte. Mit der Phil. Miller'schen Abbildung citirt Linné allerdings auch die von Plumier in dessen amerikanischen Pflanzen auf der 56. und 57. Tafel, die aber unbedingt verschieden ist und wohl die Art sein muss, welche von Schott unter dem Namen Monstera Adansonii bekannt gemacht wurde.

Ueber die Abtheilung der Callieen aus der Familie der Aroideen ist bereits bei Gelegenheit der Beschreibung und Abbildung der Monstera Lennea C. Koch gesprochen worden, weshalb hier auf die 24. Nummer der Berliner allgemeinen Gartenzeitung hingewiesen werden kann. Ich habe nur noch hinzuzufügen, dass die beiden Subgenera Eumonstera und Coriospatha wegen der unsichern Charaktere wohl zusammenfallen möchten. Die Arten beider Untergeschlechter besitzen nämlich einen 2-fächrigen Fruchtknoten, der in jedem Fache 2 grundständige Eichen einschliesst, unterscheiden sich aber nach der dort gegebenen Diagnose nur durch die Beschaffenheit der Blüthenscheide oder Spatha, welche bei dem erstern haut-, bei dem andern lederartig sein soll. Aber auch die Arten der Coriospatha besitzen anfangs mehr hautartige und weichere Blüthenscheiden, die erst, wenn sie die ochergelbe Farbe angenommen haben und damit vollständig entwickelt sind, auch lederartig werden. Bei Monstera pertusa de Vr., die ich früher in die Abtheilung Eumonstera brachte, ist dieses gerade der Fall. Vollkommen ausgebildete Blüthenscheiden von Pflanzen aus dem botanischen Garten bei Berlin und aus der Hoffmann'schen Gärtnerei besassen dieselbe lederartige Blüthenscheide, wie Monstera Lennea C. Koch. Ob diese auch die erst neu von Schott aufgestellten Arten desselben Subgenus Eumonstera, wie M. fenestrata u. s. w. besitzen, kann man aus der kurzen Diagnose nicht ersehen.

Abgesehen von der Berichtigung hinsichtlich des Namens, ist diese, zwar schon alte, Art immer noch für unsere Gewächshäuser zu empfehlen, da, wie es scheint, sie wahrscheinlich nur im Norden Deutschlands, in den Niederlanden, wo Professor de Vriese sie zuerst in dem Hortus Spaarn-Bergensis vom Jahre 1839 beschreibt, und in Grossbritannien kultivirt wird, nicht aber im Süden Deutschlands, da sie Schott nur aus einem getrockneten Exemplare des Königlichen Herbariums zu Berlin kennt. Die Abbildung von ihr giebt dieses Mal ein besseres Bild, als die früher gegebene von Monstera Lennea, obwohl diese allerdings an Schönheit jene übertrifft.

Ob Monstera pertusa de Vr. auch in Zimmern aushält, darüber haben wir noch keine Erfahrung; Versuche wären allerdings interessant, da man sie vielleicht mit mehr Erfolg, ähnlich dem Epheu, als Schlingpflanze benutzen könnte. Sie wächst weit rascher als Monstera Lennea und überzieht in Gewächshäusern schnell die Giebelwände. Hier ist sie aber gar nicht genug zu empfehlen und befinden sich Exemplare in den Gewächshäusern des Geheimen Medizinalrathes Dr. Casper und des Kommerzienrathes Reichenheim in Berlin u. s. w., die an den Giebelwänden weit hin gewuchert haben und mit andern Schlingpflanzen und Epiphyten, besonders Farnen, Bromeliaceen u. s. w., dieselben vollständig decken. Sie gedeihen hauptsächlich, wenn in der Nähe Wasserbehälter stehen, deren stets ausdunstende Feuchtigkeit den Pflanzen gut bekommt. In dem Orchideenhause des botanischen Gartens bei Berlin und in dem Warmhause des Hoffmann'schen Gartens ist es der Fall. In diesem Falle scheinen sie auch leichter zu blühen.

Monstera pertusa de Vr. Scandens; Folia oblonga, integerrima, magis adulta uno alterove latere 2—3 foraminibus praedita; Pedunculus brevis, a spatha concava longitudine superatus; Pistillum obconicum, stylo brevissimo lato pyramidali coronatum. Die Pflanze rankt unter günstigen Umständen, besonders in der Jugend, sehr und besitzt dann Blätter von geringerem Umfange und mit scheidenartigen Blattstielen. Gewöhnlich haben sie in diesem Falle eine längliche oder elliptische Gestalt und bei einem Breitendurchmesser von 2 bis 2½, eine Länge von 4 bis 6 Zoll, welche letztere in der Regel auch der des Blattstieles gleicht. Sie stehen anfangs mehr oder weniger, oft einige Zoll, entfernt von einander. Später nähern sie sich aber und werden damit grösser, so dass sie eine Länge von 1 Fuss und mehr und einen Breitendurchmesser von 7 bis 9 Zoll erhalten. In diesem Zustande besitzen sie längliche und bis 1¼ Zoll lange Löcher auf beiden Seiten der Mittelrippe, die auf der Unterfläche mehr hervortritt, und zwar am Häufigsten in der Weise, dass auf der einen Seite nur eins, auf der andern aber zwei sich vorfinden. Die Substanz des Blattes selbst ist etwas fleischig und saftig, weniger lederartig, die Farbe aber ein schönes dunkeles Grün, was auf der Unterfläche wenig heller erscheint.

Aus der scheidenartigen Basis eines der obersten Blätter kommt nur ein Blüthenstiel hervor, der eine hellgrünliche Farbe besitzt und gegen 2 Zoll lang ist. Die kahnförmige, am obern Ende aber etwas zusammengezogene und dicht lederartige Blumenscheide von ochergelber Farbe ähnelt der der Monstera Lennea gar sehr in Form und Farbe; nur ist sie im Durchschnitt um ein Drittel kleiner, also ohngefähr 5 Zoll lang und hat 2¼ Zoll im Durchmesser. Wenn das Wetter trübe ist und der Blüthenstand nicht zur vollen Entwickelung kommt, so behält die Blüthenscheide ihre grüne Farbe und öffnet sich nur am obern Theile. Auch bleibt die Substanz mehr oder weniger hautartig.

Der über Zoll dicke und über 3 Zoll lange Kolben sitzt mit der Basis an, ist am obern Ende abgerundet und hat eine etwas mehr ins Bräunliche gehende ochergelbe Farbe. Er ist dicht und in einer Spirale herumgehend mit Zwitterblüthen besetzt, denen aber, wie es bei allen Arten der Abtheilung Calleae der Fall ist, die Blumenhülle ganz und gar fehlt, so dass die Anzahl der Staubgefässe nur schwierig bestimmt werden kann, zumal hier und da der eine oder andere bisweilen noch zu verkümmern scheint. Zu einem Stempel also zu einer Blüthe, gehören 4 Staubgefässe; da jener aber von 6 andern Fruchtknoten im Kreise umgeben ist, und ein jeder von diesen in der Regel ein Staubgefäss dem mittlerem Stempel zuwendet, so zählt man um einen Stempel herum meist 10 Staubgefässe. Diese haben breite hautartige Fäden und ragen mit ihren gelben Beuteln oben heraus, bleiben jedoch stets kürzer, als die Spitzen der pyramidenförmigen Griffel. Sie springen am obern Theile etwas nach innen, aber doch mehr nach der Seite zu und zwar, anfangs mit einer kleinern Spalte, auf, die sich allmählig nach unten verlängert.

Der meist undeutlich 4- bis 6-eckige Stempel ist am obersten Drittel, von dem aus der kurze und kegelförmige Griffel entspringt, am Breitesten und verschmälert sich besonders vom untern Drittel an bis über die Hälfte. Seine Länge beträgt 4, sein breitester Durchmesser 2 Linien. Die beiden Fächer, von denen jedes 2 grundständige Eichen einschliesst, befinden sich im untern schmalen

Drittel, während das mittelste und breiteste eine ziemlich kompakte Masse bildet, welche in der Mitte einen engen und dunkelbräunlich-gefärbten Kanal besitzt. Nach aussen zu befinden sich in dem Zellgewebe der obern Fruchtknotenhälfte eine grosse Menge sehr harter, nach beiden Enden scharf zugespitzter und verholzter Zellen von 1 bis 11 Linien Länge, wie sie, freilich im sehr vergrössertem Maassstabe, in Fig. 3 der Doppeltafel dargestellt sind. Diese verholzten Zellen hat man lange Zeit für Rhaphiden gehalten und ihr Vorkommen sogar mit in die Diagnose aufgenommen. Es giebt Arten des Schott'schen Genus Scindapsus, die ich in der oben erwähnten Abhandlung im Subgenus Cacoraphis untergebracht habe und wo diese verholzten Zellen so hart sind, dass sie in die Haut stechen. Wahrscheinlich bricht ähnlich, wie bei der Brenn-Nessel, die Spitze derselben ab und es ergiesst sich der Saft der Zelle in die Wunde, so dass ausserdem dadurch ein unangenehm juckendes Gefühl entsteht. Bei den Arten des Genus Anthurium kommen diese verholzten Zellen sogar in der dritten, ausserordentlich zarten Eihaut vor.

Die Eichen selbst erscheinen keineswegs so deutlich amphitrop, wie bei M. Lennea, sondern mehr anatrop. Die Früchte sind mir unbekannt und vermuthe ich nur, dass der untere Theil des Stempels, der eigentliche Fruchtknoten, eben so wie bei genannter Pflanze beerenartig wird.

Erklärung der Abbildungen.

Die ganze Pflanze ist um ein Drittel verkleinert.

Fig. 1. Stellt ein sehr vergrössertes Staubgefäss vor.

Fig. 2. Zwei Eichen, noch mehr vergrössert.

Fig. 3. Eine Raphiden ähnliche verholzte Zelle des Stempels.

Fig. 4. Den doppelt so grossen Stempel.

Coelogyne assamica Lind. Rchb. fil.

Racemosa, sepalis oblongo-lanceolatis acutis, lateralibus supra nervum medium carinatis, tepalis linearibus acutis subfalcatis, labello ambitu oblongo basi utrinque semicordato, medio constricto (hinc ob isthmum parvum trilobo), lobis lateralibus acutis, lobo medio semiovato hastato, callis planis linearibus depressis, nitidis cinnamomeis omnino humilibus parallelis, a basi in basin isthmi (si mavis ligulis incrassatis latis nitidis), callo medio breviori, columna clavata, arcuata, androclinio subtrilobo.

Blüthe ochergelb, braungewölkt. Die eigenthümlichen Platten auf dem Lippengrunde höchst charakteristisch.

Näheres über die Verwandtschaft hoffentlich nächstens. Wir erhielten die Spitze einer Inflorescenz mit drei Blüthen. Deckblätter abgefallen und unbekannt. Blüthen so gross, wie die einer sehr grossblüthigen Coelogyne flaccida.

Der Director Linden führte diese Art von Assam ein. Sie blühte so eben im December.

---

360. und 361. Versammlung des Vereines zur Beförderung des Gartenbaues in Berlin.

Von ausgestellten Pflanzen waren in der Versammlung am 25. Oktober unter Anderem vorhanden: Statice brassicaefolia Webb. Dr. Bolle hatte den Samen von dieser und vielen andern Pflanzen im vorletzten Jahre auf den Kanarischen Inseln gesammelt und sowohl dem botanischen-, als auch dem Vereinsgarten mitgetheilt. Die genannte Art ist unstreitig eine der schönsten unter den zahlreichen Arten des Genus Statice, die Liebhabern nicht genug empfohlen werden kann, zumal sie in Gärten sehr selten ist. Was man unter diesem Namen in der Regel daselbst kultivirt, ist meist St. macrophylla Brouss. oder der von ihr und St. fruticans Webb (arborea Willd.) im van Houtte'schen Etablissement zu Gent erzeugte Blendling St. Halfordii. Es befand sich aber auch unter den Dr. Bolle'schen Pflanzen noch die ächte St. arborescens Brouss., ferner St. macroptera Webb und eine neue Art, die ihr Entdecker Alex. von Humboldt zu Ehren genannt hat. Sämmtlich sind sie gute Akquisitionen unserer Gärten.

Ausserdem waren unter den Pflanzen des botanischen Gartens noch Lyperia microphylla Benth., ein netter Maskenblüthler (Scrophularinee) von Südafrika, den zwar schon Thunberg als Manulea microphylla beschrieben hat, der aber erst durch Ecklon und Drege in unsere Gärten gekommen ist.

Es giebt Pflanzen, welche oft weit schöner sind, als andere, die man mit Vorliebe in den Gärten pflegt, und doch zu keiner allgemeinen Verbreitung kommen können. Zu diesen gehört Beaufortia splendens Baxter, welche der frühere Inspektor des botanischen Gartens bei Berlin, Direktor Otto, bereits 1834 empfiehlt und in der allgemeinen Gartenzeitung (im 2. Bande und Seite 274) unter diesem Namen beschreibt. Er hatte sie als Metrosideros capitata aus England bezogen. So sehr die Pflanze wegen der schönen rothen Farbe ihrer Blüthen und wegen der langen Dauer derselben alle Beachtung von Seiten der Gärtner verdient, und der Name ebenfalls für ihre Schönheit spricht, so findet man sie doch weder in Prirat-, noch in Handelsgärten. Der Name Beaufortia splendens muss übrigens wiederum eingezogen werden, da die Pflanze Rob. Brown, wie Professor Schauer nachgewiesen hat, bereits als B. sparsa beschrieben hat. Ohne Zweifel ist diese neuholländische Myrtacee schöner als Metrosideros linearis, die sich auf den Märkten Berlins gar nicht selten befindet.

Aus dem Danneel'schen Garten hatte der Obergärtner Pasewaldt eine über und über blühende Baccharis multiflora, eine Begonia annulata und einige andere Pflanzen ausgestellt. Nach genauerer Untersuchung zeigte es sich, dass die erste Ageratum mexicanum Sims darstellte, also eine Pflanze, die früher schon einmal häufig in den Gärten kultivirt wurde, in der neuesten Zeit aber fast ganz aus diesen verschwunden war, bis sie nun wieder mit diesem falschen Namen erschien. Die Art ist von Ageratum conyzoides L., womit sie de Candolle d. A. vereinigt, verschieden. Das ausgestellte Exemplar war übrigens eine so ausgezeichnete Schaupflanze, dass sie den Monatspreis erhielt.

Begonia annulata (die von Henderson eingeführte B. picta), in der That eine der schönsten Arten, wird neuerdings, seitdem Hooker sie im botanical Magazin als B. Griffithii abgebildet und beschrieben hat, wiederum unter dem letzteren Namen aus England verbreitet, weshalb wir hier besonders darauf aufmerksam machen wollen, um Täuschungen zu vermeiden. Beschrieben ist sie zuerst in der Gartenzeitung und zwar bereits schon in der 10. Nummer.

Der Kunst- und Handelsgärtner Benary in Erfurt hatte Proben von Etiketten und Blumenstäben eingesendet, welche für beigesetzte Preise durch ihn zu beziehen sind. So kostet das Schock (60 Stück) 4 Zoll langer Etiquetten nur 1 Sgr., 7 Zoll langer 1½, 9 Zoll langer 2½, 1 Fuss langer 4 Sgr. In gleichem Verhältnisse sind die noch längeren im Preise erhöht. Für 1 Schock Fuss langer Blumenstäbe zahlt man 2, für 1½ Fuss langer 3, für 2 Fuss langer 3 Sgr. u. s. f. Bei grösserer Abnahme erfolgt sogar noch eine Preisermässigung. Der Professor Koch empfahl, um die allerdings geringe Dauerhaftigkeit der Hölzer zu erhöhen, dieselben eine Zeit lang in eine Auflösung von schwefelsaurem Kupfer zu legen. Man bedient sich jetzt fast allgemein dieser Auflösung auch zum Tränken der Eisenbahnschwellen und wird das Verfahren nach dem, der es zuerst gethan, Kyanisiren genannt. —

In der 361. Versammlung am 29. November wurde zunächst eine lebhafte Debatte über die Art und Weise, den Obstbau zu fördern, geführt. Hofgärtner G. A. Fintelmann von der Pfaueninsel hielt es für durchaus nothwendig, dass der Obstbau nur von Seiten der grössern Grundbesitzer getrieben werde, denn durch diese könne es allein rationell geschehen, was nothwendig sei, wenn er gedeihen solle. Hier gebe er auch allein lohnende Erträge und der Obstbauer habe Gelegenheit, sich die nöthigen Absatzquellen zu verschaffen, was dem Einzelnen gar nicht möglich sei. Der Bauer habe nicht den nöthigen Raum dazu, verstehe den Obstbau nicht recht und gebe sich auch gar nicht die Mühe. Nach Professor Koch werde aber grade der Obstbau erst eine Wohlthat der Bewohner, wenn er allgemein und auch von dem ärmsten Bauer betrieben werde. Absatzquellen für das Obst fänden sich dann von selbst; wo diese doch fehlten, müsse man es zum Nutzen des eigenen Haushaltes oder, um sich dadurch ein Nebenverdienst zu verschaffen, auf irgend eine Weise zu verwerthen suchen. Der Landmann, der wenig Obstbäume habe, könne diese mehr beaufsichtigen und werde grade dadurch von andern Dingen abgehalten. Wenn ein Anderer in den Freistunden das Wirthshaus besuche, pflege der Obstbauer seine Bäume. Es sei Thatsache, dass in den Dörfern, wo jeder Bauer wenigstens ein Paar Bäume besitze, mehr Sittlichkeit herrsche, als in solchen, wo kein Obstbau vorhanden.

Unter den ausgestellten Pflanzen machte der Inspektor Bouché auf die 2 Gesneraceen des Nauen'schen Gartens, welche der Obergärtner Gireoud gesendet hatte, aufmerksam und wurde denselben auch der Monatspreis zugesprochen. Naegelia cinnabarina ist erst von Linden eingeführt und besitzt zwar nicht das brennende Scharlach der Blüthen vieler anderer Arten, hat aber dagegen, wie der Name sagt, ein etwas ins Ochergelbe sich neigendes Zinnoberroth. Hervorzuheben ist die lange Dauer, wo die Pflanze mit ihren Blüthen erfreut. Die zweite Gesneracee war eine eigenthümliche Form der bekannten Achimenes picta Benth., wo die Zeichnung auf den Blättern noch markirter und regelmässiger als bei der Hauptart erschien. Sie stammte noch von dem bekannten Reisenden v. Warszewicz aus dem tropischen Amerika.

Aus dem Danneel'schen Garten hatte der Obergärtner Pasewaldt ebenfalls eine hübsche und auch ziemlich neue Gesneracee Tydaea amabilis Pl. et Lind. in voller Blüthe ausgestellt; ausserdem aber noch ein Sammetblatt, Physurus pictus Lindl., und zwar die Abart, wo der silberglänzende Ueberzug sich fast über die ganze obere Blattfläche erstreckt und welche von dem jüngern Reichenbach deshalb holargyros genannt wurde, so wie endlich eine über und über blühende Sonerila margaritacea Lindl. Schade dass

die durch ihre Blattzeichnungen so schöne Pflanze dann die Blätter zum Theil verliert.

Der Lehrer Becker aus Jüterbogk hatte einen Leim eingesendet, der wegen seiner lange dauernden Zähigkeit sich hauptsächlich dazu eignet, auf Bandagen für Obstbäume benutzt zu werden, um die Weibchen des Frostschmetterlinges abzuhalten. Welchen Schaden die Raupen dieses Wicklers alljährlich den Obstbäumen thun, wenn es ihnen gelingt, ihre Eier an die Tragknospen zu legen, weiss Jedermann, eben so, dass alle die verschiedenen Leimarten, welche man dazu benutzt, nicht sehr lange ihre Zähigkeit behalten. Die Bandagen müssen deshalb immer wiederum vom Neuen mit zähem Leim bestrichen werden. Verhält sich der Leim des Lehrers Becker demnach in der That so, wie es scheint, so kann er nicht genug empfohlen werden, zumal er so wohlfeil ist, dass um die Bandage eines Baumes damit zu bestreichen, es nur einige Pfennige kostet. Der Kaufmann Meiser in Jüterbogk hat den alleinigen Verkauf.

Der Professor Koch legte die Blüthenstände einiger Cycadeen vor. Aus der berühmten Gärtnerei von James Booth in Hamburg war ihm ein männlicher Zapfen des Encephalartos caffer Lehm. gesendet worden, während er einen weiblichen Blüthenstand der Cycas circinnalis L. und einen männlichen der Cycas revoluta Thunb. aus dem Garten des Freiherrn v. Spiegel auf Seggerde bei Wevelinghofen im Magdeburgschen durch den Obergärtner Schrader daselbst erhalten hatte. Es ist bemerkenswerth, wie viele Pflanzen aus den Tropen oder aus wärmern Ländern überhaupt in diesem so anhaltend warmen Sommer geblüht haben, und ist schon mehrmals auch in diesen Blättern, darüber berichtet worden.

Van Mons
und die belgische Anzucht neuer Sorten.

Briefliche Mittheilung

des Kunst- und Handelsgärtners de Jonghe in Brüssel.

Ich habe gestern 4 Nummern der Berliner allgemeinen Gartenzeitung (Nr. 39 bis 42) auf einmal erhalten. In dem Berichte der Gothaer Obstausstellung finden sich von Seite 313 bis 316 zwei Stellen, die meine Aufmerksamkeit ganz besonders in Anspruch genommen zu haben.

Die erste Stelle heisst: „Gewiss ist auch ihm (van Mons) ein Antheil der Verwirrung, welche jetzt in Betreff der pomologischen Nomenklatur herrscht, zuzuschreiben.“ Eine so schwere Beschuldigung müsste sich, glaube ich, auf Beweise stützen; es ist dieses eine Anklage, gegen die auszusprechen ich mich gezwungen fühle.

Ich habe van Mons sehr gut gekannt; ich weiss, was er im Verlaufe eines halben Jahrhundertes in Brüssel und Löwen gethan, eben so was er seit 1818 bis 1836 geschrieben hat, und kann demnach auch solchen Beschuldigungen getrost entgegentreten. Wenn unter den Obstsorten, welche van Mons gezüchtet und später durch ihn verbreitet sind, jetzt eine Verwirrung herrscht, so ist dieses nicht seine Schuld, sondern derer, die aus Unwissenheit, aus persönlichem Interesse oder aus irgend einem andern Grunde Sorten, die sie selbst erst bezogen hatten, beim Wiederverkauf nicht den ursprünglichen Namen liessen, sondern diesen beliebig umänderten.

Durch die Schriften Diel's, ganz besonders durch dessen Kernobstsorten, die in den Jahren 1801 bis 1825 zu Frankfurt, Tübingen und Stuttgart erschienen sind, wurden auch die Werke und die neu gezüchteten Obstsorten von van Mons in Deutschland bekannt. Viele damaligen Obstzüchter, welche für den Obstbau ein höheres Interesse hatten, bezogen direkt oder indirekt durch Freunde, auch durch die Konsulate, Pfropfreiser von ihm. Aus dem genannten Diel'schen Werke, besonders in den letzten Heften, ersieht man, dass auch ihr Verfasser diese erhielt; man findet aber nirgends eine Stelle, wo Diel sich über Täuschung oder sonst beklagt hätte.

In den Obstgärten des van Mons, welche in Brüssel den Namen „la Fidelité“ führten, herrschte eine meisterhafte Ordnung, wie Jedermann, der sie in Augenschein genommen, bezeugen wird. Als durchaus chemisch-gebildeter Apotheker war er sein eigener Herr und hatte Zeit genug, die gehörige Aufsicht in seinen Obstgärten zu führen und die Anpflanzungen darin selbst zu leiten. Was damals durch ihn versendet wurde, das geschah mit ausserordentlicher Gewissenhaftigkeit; es beweisen dieses namentlich sowohl die Sendungen an Diel, als auch die an die Gartenbaugesellschaft zu London. Originalbriefe von van Mons existiren noch in dem Archive der letztern, eben so wie in dem Garten derselben zu Chiswick sich noch die meisten Originalbäume vorfinden.

Auf gleiche Weise sind Originalpfropfreiser nach Amerika gegangen, und hat man die Namen daselbst sorgfältig und mit einer gewissen Pietät aufbewahrt, wie man ebenfalls aus den pomologischen Werken der tüchtigeren Pomologen besonders von Downing ersieht. Die Werke dieser Männer sind bekannt und hat man gar keinen Grund, an ihren Angaben zu zweifeln.

Später wurde van Mons an der Universität zu Löwen zum Professor der Chemie ernannt und sah sich derselbe nun gezwungen, seine Obstbäume von Brüssel dahin zu verpflanzen. Es geschah dieses im Jahre 1819. In Folge dieser Umpflanzungen gingen leider, wie man sich denken kann, mehre Sorten wiederum verloren. Van Mons hat dieses selbst in seinem Werk Pomonomie belge (à Louvain en 1835 und 1836) ausgesprochen. Man wird ferner leicht begreifen, dass trotz der grössten Sorgfalt bei einer so grossartigen und ausgedehnten Verpflanzung Verwechslungen nicht ausbleiben konnten.

Da van Mons übrigens sein Obst selbst sehr genau kannte, so bedurfte es nur einer kurzen Zeit, um die frühere Ordnung in der Nomenklatur wieder herzustellen. Leider lagen ihm zu Löwen als Professor der Chemie Pflichten ob, die er nicht versäumen durfte; deshalb blieb ihm aber auch nur wenig Zeit für seine Obstgärten, die er leider nicht mehr, wie früher, mit gleicher Sorgfalt und Liebe pflegen konnte. Auf gleiche Weise konnte die Versendung der Pfropfreiser nicht mehr mit derselben Gewissenhaftigkeit geschehen. Um aber doch Verwechslungen zu vermeiden, wurde der Gärtner, dem die Oberleitung anvertraut war, speciell damit b traut und derselbe beauftragt, auf die angehängten Etiketten stets genau die Nummer des Mutterstammes zu schreiben. Alle Obstzüchter, die mit van Mons in Verbindung standen, erhielten Verzeichnisse, die gedruckt waren. Die ersten 3 Abtheilungen seines Verzeichnisses erschienen nebst einem Supplemente zu Löwen im Jahre 1823.

Wiederum war van Mons, und zwar sogar zwei Mal, gezwungen, Umpflanzungen vorzunehmen, Grund genug, um die Herausgabe der vierten Abtheilung immer mehr hinauszuschieben und endlich ganz und gar aufzugeben. Es kam noch dazu, dass allerhand in den Weg gelegte Hindernisse und sonstige Unannehmlichkeiten ihm mehr oder weniger doch seinen Obstbau verleidet hatten. Er starb im September 1844 und legte seinen Erben in dem Testamente als Pflicht auf, für die Herausgabe der vierten Abtheilung Sorge zu tragen. Im folgenden Jahre wurden die Obstbäume des van Mons'schen Gartens verkauft und nun zum vierten Male verpflanzt. Sie kamen in den Besitz von Bivort zu Geest St. Remy, wo sie sich noch heut zu Tage befinden.

Nach dem Urtheile aller seiner Zeitgenossen war van Mons ein Mann von ausgezeichneten Geistesgaben und ganz unfähig täuschen zu wollen. Man kann ihn doch unmöglich für die Fehler und Betrügereien, die Andere vielleicht in seinem Namen und mit seinen Obstsorten gethan haben, verantwortlich machen! Das Leben eines noch so thätigen und intelligenten Mannes, wie van Mons unzweifelhaft war, bleibt doch immer zu kurz, um ein solches auch noch so gutes Werk vollständig zu Ende zu führen.

Wenn man die unermüdliche Thätigkeit und den grossen Eifer, die beide van Mons die ganze Zeit seines Lebens hindurch an den Tag legte und ausserdem auch noch die bedeutenden pekuniären Opfer, die namentlich bei den Umpflanzungen nothwendig wurden, bedenkt, wenn man ferner weiss, welche vorzüglichen Früchte und zwar in reichlicher Auswahl er heranzog und die letztern mit der grössten Liberalität unter Freunde und Liebhaber, meist ohne jede Entschädigung, vertheilte, so muss man in der That tief bedauern, dass grade ihm, dem ehrwürdigen Patriarchen der Pomologie, nachgesagt wird, er habe Antheil an der Namenverwirrung der neuern Pomologie gehabt.

Was nun die zweite Stelle anbelangt, so heisst diese in besagter Abhandlung: „wir besitzen bereits so viel gute und nach allen Richtungen hin vorzügliche Sorten, dass der Bedarf hinlänglich erfüllt ist". Was hier gesagt wird, steht in direktem Widerspruche mit den unaufhaltbareren Fortschritten, welche den Geist unseres Jahrhundertes beherrschen. Weder in der Wissenschaft, noch in der Kunst, hat man die möglichen Gränzen einer Vollkommenheit erreicht. Es gilt dieses nicht weniger von den verschiedenen Theilen der Gärtnerei, als ganz besonders von der Obstbaumzucht. Wenn man die Fortschritte bedenkt, welche die letztere im Vergleich mit der frühern Zeit in den letzten 10 Jahren gemacht hat, und fortwährend noch jedes Jahr macht, so kann man in der That nicht begreifen, wie Jemand den Stillstand verlangen kann und haben will, dass wir uns mit dem begnügen sollen, was wir bereits besitzen.

Man kann allerdings nicht leugnen, dass heut zu Tage eine grosse Anzahl von Früchten vorhanden ist, welche vorzüglich sind in Form, Geschmack und sonstigen Eigenschaften; darf man aber behaupten, dass damit alles erschöpft sei und noch vorzüglichere Früchte zu erhalten, im Bereiche der Unmöglichkeit liege? Fahren wir deshalb nur muthig fort auf dem Wege, den van Mons uns zur Erziehung guter Früchte gezeigt; der Erfolg wird lehren, ob wir doch nicht noch Erfolge haben, die das, was wir bis jetzt erzielt, übertreffen. Ich bin meiner Seits wenigstens fest davon überzeugt und in dieser meiner Ueberzeugung um so mehr bestärkt worden, als Niemand die Erfolge, welche alle Anhänger der van Mons'schen Theorie gehabt, leugnen kann. Es giebt allerdings Leute genug, die glauben auf gleichem Wege zu gehen, aber schlechte oder wenigstens keine bessern Sorten heranziehen und verbreiten. Ich habe deshalb eine besondere Abhandlung über die Erfordernisse einer neugezüchteten Birn geschrieben und diese in dem Bulletin der Gartenbaugesellschaft des Sarthe-Departements von diesem Jahre abdrucken lassen; auf sie will ich besonders aufmerksam machen.*)

Zur Verständigung.

Der Berichterstatter der Gothaer Obstausstellung und Versammlung deutscher Pomologen und Obstzüchter ist weit entfernt, den Verdiensten eines Mannes, wie van Mons war, nur im Geringsten zu nahe zu treten und ist es sich auch bewusst, dieses nicht in der Weise gethan zu haben, wie aus den vorliegenden Mittheilungen hervorzugehen scheint. Im Gegentheil kennt derselbe nicht allein das, was van Mons für den Obstbau selbst gethan, sondern auch das Gute, was seine Theorie hervorgebracht, vollkommen an. Es gilt dieses nicht weniger von allen den Schülern und Anhängern van Mons's, als auch ganz besonders von dem Verfasser der brieflichen Mittheilungen, die alle in den Geist dessen, was dieser seltene Mann ausgesprochen, eingedrungen und ihn in seinen Fährten verfolgt haben.

Aber alles dieses konnte ohnmöglich den Berichterstatter abhalten, auch die Schattenseiten zu berühren. Dass aber in Folge der van Mons'schen Neuzüchtung von Obst damit ein grosser Missbrauch getrieben ist und fortwährend getrieben wird, kann Niemand ableugnen. Alle die, welche in Gotha waren und das viele mittelmässige, zum Theil selbst schlechte Obst neueren Ursprungs sahen, haben eben die Ueberzeugung gewonnen, dass man mit der Neuzüchtung einhalten müsse. Dass man dadurch Niemanden Zwang authun will und kann, versteht sich von selbst. Die, welche sich dazu berufen fühlen, mögen aber nicht mittelmässige Sorten in die Welt schicken und die Heranzüchtung als eine Spekulation betrachten, wie es leider meist geschieht. Die genaue Ausführung der van Mons'schen Theorie ist kostspielig und erfordert Mittel und Kenntnisse, die nicht ein Jeder hat. Damit fällt aber auch der zweite Vorwurf, als sei der Berichterstatter gegen den Fortschritt, von selbst, denn in der Verbreitung schlechter, wenn auch neugezüchteter Sorten liegt kein Fortschritt.

Programm
der zweiten Blumen- und Pflanzen-Ausstellung,
veranstaltet
von der Gartenbau-Gesellschaft „Flora."
in Frankfurt a. M., vom 1. bis 6. April 1858.

Die günstige Aufnahme, welche die von der Gartenbau-Gesellschaft Flora im Frühjahr 1857 hervorgerufene erste Blumenausstellung bei den Ausstellern wie bei dem Publikum gefunden hat, veranlasst die Gesellschaft, auch im Frühjahr 1858 eine solche zu veranstalten, und ladet hiermit zur recht lebhaften Betheiligung an derselben ergebenst ein.

§. 1. Die Eröffnung der Ausstellung findet Donnerstag den 1. April, Nachmittags 2 Uhr statt und wird am Dienstag den 6., Abends 7 Uhr dieselbe geschlossen.

§. 2. Es kann Jedermann Blumen, Pflanzen, Garten-Instrumente etc., und andere in das Gartenfach einschlagende Gegenstände zur Ausstellung einsenden.

§. 3. Für diejenigen Pflanzen, welche von Auswärts eingeschickt werden, übernimmt die Gesellschaft die Pflege während der Ausstellung.

§. 4. Die Einsender sind ersucht, die zur Ausstellung bestimmten Gegenstände längstens bis Mittwoch den 31ten März einzuliefern; Bouquet's, Obst und Gemüse können auch noch am Donnerstag den 1. April bis Morgens 8 Uhr aufgestellt werden.

§. 5. Mittwoch den 7. April beliebe man die Gegenstände wieder abholen zu lassen.

§. 6. Die Einsender werden ersucht, ihre Pflanzen deutlich zu bezeichnen.

§. 7. Diejenigen Pflanzen, die einmal gekrönt, sind von der Konkurrenz um die folgenden Preise ausgeschlossen.

§. 8. Die ausgesetzten Preise werden von hierzu ernannten Preisrichtern zuerkannt.

§. 9. Kulturvollkommenheit, Blüthenreichthum und Neuheit mit blumistischem Werth sollen bei Zuerkennung der Preise besonders berücksichtigt werden.

§. 10. Mit dieser Ausstellung wird eine Pflanzenverloosung verbunden werden, worüber zu seiner Zeit das Nähere bekannt gemacht wird.

Folgende Preise sind für die Ausstellung ausgesetzt:

A. Erster Preis: Zehn Dukaten.

Derjenigen Pflanzen-Gruppe, die sich durch Blüthenreichthum, Kulturvollkommenheit, grösste Mannigfaltigkeit auszeichnet und mindestens 30 Arten enthält.

Zweiter Preis: Fünf Dukaten.

B. Erster Preis: Sechs Dukaten.

Der schönsten und reichhaltigsten Sammlung Rosen in mindestens 24 Sorten remontirender Rosen,
12 „ Bourbon-Rosen,
6 „ Theerosen,
3 „ Moosrosen,
3 „ Noisette-Rosen.

Zweiter Preis: Drei Dukaten.

C. Erster Preis: Fünf Dukaten.

Der reichhaltigsten, bestkultivirten und reichblühendsten Sammlung Azalea indica.

Zweiter Preis: Drei Dukaten.

D. Erster Preis: Vier Dukaten.

Der schönsten und bestkultivirten Sammlung Kamellien.

Zweiter Preis: Drei Dukaten.

E. Erster Preis: Vier Dukaten.

Der reichhaltigsten und reichblühendsten Gruppe von Rhododendron arboreum und dessen Hybriden.

Zweiter Preis: Drei Dukaten.

*) Eine Uebersetzung besagter Abhandlung wird in den ersten Nummern des nächsten Jahrganges erscheinen.

F. Erster Preis: Vier Dukaten.

Denjenigen Kulturpflanzen, die sich durch Blüthenreichthum und besondere Vollkommenheit auszeichnen.

Zweiter Preis: Zwei Dukaten.

G. Erster Preis: Drei Dukaten.

Der reichhaltigsten Sammlung dekorativer Blattpflanzen, in mindestens 30 Species.

Zweiter Preis: Zwei Dukaten.

H. Erster Preis: Drei Dukaten.

Derjenigen gemischten Pflanzengruppe, die zugleich die reichhaltigste Sammlung Eriken enthält.

Zweiter Preis: Zwei Dukaten.

I. Einen Preis: Drei Dukaten.

Der schönsten Sammlung Koniferen in mindestens 30 Species.

K. Einen Preis: Zwei Dukaten.

Der reichblühendsten Gruppe Azalea pontica in mindestens 16 Sorten.

L. Einen Preis: Zwei Dukaten.

Der schönsten Gruppe von Zwiebel-Gewächsen, als: Amaryllis, Hyacinthen, Tulpen etc.

M. Einen Preis: Einen Dukaten.

Der reichhaltigsten Sammlung Viola altaica.

N. Einen Preis: Einen Dukaten.

Der schönsten Sammlung Aurikeln.

O. Einen Preis: Zwei Dukaten.

Der reichsten Sammlung getriebenen Obstes, in mindestens 4 Arten.

P. Erster Preis: Zwei Dukaten.

Der reichhaltigsten Sammlung von getriebenem Gemüse.

Zweiter Preis: Einen Dukaten.

Q. Zwei Preise: Jeder Einen Dukaten.

Zur freien Verfügung der Preisrichter.

R. Ehren-Urkunden.

1) Für das schönste, in natürlicher Form gebundene Bouquet.
2) Für das schönste, in künstlicher Form gebundene Bouquet.
3) Für den geschmackvollst gearbeiteten Kopfputz von lebenden Blumen.
4) Für den geschmackvollst arrangirten Blumentisch.
5) Für den best gezeichneten Gartenplan.
6) Für die deutlichste und richtigste Bezeichnung der Pflanzen.

Frankfurt a. M., im September 1857.

Die Verwaltung der Gartenbaugesellschaft „Flora“.

Pflanzen-Kataloge.

Der Preis-Courant für 1858 über Blumen-, Feld- und Wald-Samen von Friedrich Adolph Haage jun. in Erfurt ist jetzt im Druck begriffen und wird zur gewohnten Zeit, mit Beginn des neuen Jahres, zur Ausgabe bereit sein.

Es ist das Verzeichniss des umfassendsten Lagers von allen im Handel vorkommenden Samen, welche zum grossen Theil, insbesondere die feineren Blumen- und Gemüse-Sorten, selbst gebaut, und welche in einigen Gegenden im In- und Auslande als eigenthümlich vorkommende Sorten direkt von den zuverlässigsten Züchtern bezogen sind.

Den bekannten Geschäftsfreunden der obigen Firma wird der Preis-Courant, wie früher, ohne weitere Aufforderung zugehen, und steht derselbe noch unbekannten Gartenliebhabern und Landwirthen gratis und franco zu Diensten.

Der Katalog des Bloss'schen Gartens in Elberfeld pro 1858 ist erschienen und auf portofreies Verlangen franco zu erhalten. Derselbe enthält die neuesten Warmhauspflanzen, welche der Garten seinen zahlreichen Einführungen verdankt. Die Sammlungen enthalten circa 800 Arten Farrn (60 Arten Baumfarrn), circa 200 Species Palmen, sehr viele Aroideen, Orchideen und Pflanzen anderer Familien. Die Preise sind sehr mässig. Anecochilus mit goldgezeichneten Blättern (Lobbianus und intermedius) sind im Dutzend mit 30 Thlr. notirt.

Das neueste Verzeichniss für 1858 über die umfassendsten Sortimente schönster Georginen, Florblumen, Blumen und Gemüsesamen mit allen ihren Neuheiten von Christian Deegen in Köstritz ist erschienen und kann entweder von der Verlagshandlung, Nauck'sche Buchhandlung in Berlin, oder von Ch. Deegen in Köstritz selbst bezogen werden.

Herr Ernst Benary in Erfurt erlaubt sich auf sein der heutigen Nummer beiliegendes Verzeichniss von Pflanzen und Samen für das Jahr 1858 ergebenst aufmerksam zu machen. Indem er dasselbe zur geneigten Durchsicht empfiehlt, bittet er, Aufträge ihm gefälligst recht bald zugehen zu lassen und wird er solche in gewohnter Weise prompt und reell ausführen.

Verlag der Nauckschen Buchhandlung. Berlin. Druck der Nauckschen Buchdruckerei.

Hierbei 1) die illuminirte Beilage Monstera pertusa de Vr. für die Abonnenten der illustrirten Ausgabe der Allg. Gartenz.
2) Die Preisverzeichnisse der Kunst- und Handelsgärtner Gebrüder Villain und Ernst Benary in Erfurt.

Phajus cupreus Rchb. Fil

No. 52. Sonnabend, den 26. December. 1857

Preis des Jahrganges von 52 Nummern mit 12 color. Abbildungen 6 Thlr., ohne dieselben 5 „ Durch alle Postämter des deutsch-österreichischen Postvereins sowie auch durch den Buchhandel ohne Preiserhöhung zu beziehen.

Mit direkter Post übernimmt die Verlagshandlung die Versendung unter Kreuzband gegen Vergütung von 26 Sgr. für Belgien, von 1 Thlr. 9 Sgr. für England, von 1 Thlr. 22 Sgr. für Frankreich.

BERLINER Allgemeine Gartenzeitung.

Herausgegeben
vom
Professor Dr. Karl Koch,
General-Sekretair des Vereins zur Beförderung des Gartenbaues in den Königl. Preussischen Staaten.

Inhalt: Erklärung des Herausgebers. — Phajus cupreus Rchb. fil. (Phajus Augustinianus Klotzsch.) Vom Prof. Dr. Karl Koch. Nebst einer Abbildung. — Allgemeines Verzeichniss: 1) Verzeichniss der Autoren. 2) Verzeichniss der Abhandlungen. 3) Verzeichniss der besprochenen und im Auszuge benutzten Zeitschriften. 4) Verzeichniss der besprochenen Bücher. 5) Verzeichniss der aufgeführten und beschriebenen Pflanzen.

Erklärung des Herausgebers.

Leider fühle ich mich gezwungen, am Schlusse des ersten Jahrganges der Berliner Allgemeinen Gartenzeitung von Neuem zu erklären, dass die Ausführung der meisten Zeichnungen meine Billigung nicht erhalten hat und nach meiner Ansicht keineswegs der entspricht, welche sowohl im Kontrakte zwischen der Verlagshandlung und der Redaktion, wo nur von feinen Zeichnungen in Kupfer oder Stein die Rede ist, als auch in dem Prospekte, ausgestanden wurde. Von der letzten Abbildung hat mir nicht einmal eine Korrektur vorgelegen und bin ich deshalb selbstverständlich an den dortigen Unrichtigkeiten ausser Schuld.

Auf mehrfach an mich gerichtete Anfrage, ob, da ich mit Herrn Hofgärtner G. A. Fintelmann von der Pfaueninsel die Wochenschrift für Gärtnerei und Pflanzenkunde herausgebe, die Berliner Allgemeine Gartenzeitung auch ferner unter meiner Redaktion erscheinen werde, fühle ich mich ausserdem noch veranlasst, die Erklärung abzugeben, dass ich kontraktlich dazu verpflichtet bin.

Phajus cupreus Rchb. fil.
(Phajus Augustinianus Klotzsch.)

Vom Professor Dr. Karl Koch.

(Nebst einer Abbildung.)

In den 80ger Jahren des vorigen Jahrhunderts befand sich in Cochinchina ein portugiesischer Mönch mit Namen Loureiro und gab, zurückgekehrt, im Jahre 1790 eine Flora des Landes heraus, wo er sich lange Zeit aufgehalten hatte. In ihr wird zuerst das Genus Phajus aufgestellt und der Name, welcher dunkel- oder eigentlich schwarzbraun im Griechischen bedeutet, wegen der dunkeln Farbe auf der Innenseite der Blumenblätter gegeben. Die Pflanze selbst, welche Loureiro als die erste dieses Geschlechtes beschreibt, ist der bekannte Phajus grandiflorus, der jedoch schon früher nicht allein bekannt, sondern auch bereits von Swartz in den Verhandlungen der Upsaler Akademie (im 6. Bande auf Seite 79), aber als Limodorum Tankervillae, beschrieben war. Im Jahre 1778 befand sich auch Phajus grandiflorus Lour. in England in Kultur und wurde derselbe durch Fothergill unmittelbar aus China eingeführt. Ob er übrigens in China wild wächst, weiss man nicht; Loureiro giebt ihn daselbst und in Cochinchina nur kultivirt an.

Phajus cupreus Rchb. fil. wurde ziemlich zu gleicher Zeit doppelt eingeführt. Der Konsul Schiller in Ovelgönne bei Hamburg erhielt die Pflanze direkt aus Java und hatte die Freude, sie im Jahre 1855 blühend zu besitzen. Eine Blüthentraube wurde an den jüngern Reichenbach nach Leipzig zur Bestimmung gesendet. Auf dem Wege dahin nahmen wahrscheinlich sämmtliche offene Blüthen die kupferröthliche Farbe an, welche sie sonst nur haben, wenn sie im Abblühen begriffen sind, weshalb der bekannte Orchideenkenner, der augenblicklich einen Phajus erkannte, den Beinamen „cupreus" d. i. kupferröthlich, gab. Er wurde in der Bonplandia, im Jahrgange 1855 und Seite 226 aphoristisch charakterisirt.

In demselben Jahre, aber erst gegen das Ende, blühte die Pflanze auch in dem Orchideenhause des Oberlandesgerichtsrathes Augustin an der Wildparkstation bei Potsdam und wurde eine Blüthe dem Kustos des Königlichen Herbariums zu Berlin, Dr. Klotzsch, zur Bestimmung übergeben. Dieser, wahrscheinlich durch den Beinamen „cupreus“, den allerdings nur die eben verblühende Pflanze verdient, getäuscht, hielt den Phajus für neu und nannte ihn zu Ehren seines Besitzers Phajus Augustinianus. Beschrieben wurde er in Otto und Dietrich's allgemeiner Gartenzeitung, im 24. Jahrgange und Seite 9. Oberlandesgerichtsrath Augustin erhielt die Pflanze übrigens aus England und zwar aus der Handelsgärtnerei von Low in Clapton bei London.

Phajus cupreus Rchb. fil. Spicae solitariae ex axillis foliorum superiorum, patulo-curvatae; Perigonium unicolor, opaco-carneum, post anthesin cupreum; Labellum pallidum, tubiforme, trilobum, lacinia majore media bifida.

Die Art gehört, wie die andern dieses Geschlechtes und die Arten der nahe verwandten Bletia, zu den sogenannten Erd-Orchideen, die aber nicht, wie die meisten Arten unserer nördlichen gemässigten Zone und Südafrika's, sogenannte Scheinknollen, d. h. in diesem Falle mit Nahrungsstoffen dicht gefüllte Adventivwurzeln, besitzen, sondern kriechende Rhizome oder Wurzelstücke von der Dicke oft eines Zolles. Aus diesem treten mehre grade aufsteigende Stengel hervor, von oft 3 Fuss und mehr Höhe, während ihr Durchmesser oberhalb der Basis wenigstens 6 bis 8 Linien beträgt. Die abwechselnd und unten gedrängter, oberhalb des ersten Drittels aber entfernter (bis zu 4 Zoll und mehr) stehenden Blätter sind oberhalb der Basis mehr schuppenartig, klein und kaum ein Paar Zoll lang. Weiter nach oben am Stengel bildet sich allmählig eine deutliche Blattfläche aus, die sich gegen die Basis hin stielförmig verschmälert und in einen scheidenartigen Theil endiget. Ganz oben sind sie am vollkommensten entwickelt, haben eine elliptische Gestalt, d. h. nach beiden Enden sich verschmälernd und in der Mitte am Breitesten (bis über 4 Zoll breit), und besitzen eine Länge von oft 2 Fuss. Nur die obersten stehen in einem Bogen ab, während die anderen mit deutlicher Blattfläche eine mehr horizontale Richtung haben. Ihre Farbe ist auf beiden Seiten mehr ein Hellgrün, während die Konsistenz etwas härtlich erscheint und die Fläche durch 5 starke Längsnerven durchzogen wird.

Aus dem Winkel der obern Blätter kommt eine aufrechte, aber nach aussen gebogene Blüthenähre von 2 Fuss Länge hervor und ist an dem 6—10 Zoll langen allgemeinen Stiel mit einigen schön-grünen und anliegenden Deckblättern besetzt, die 1—1½ Zoll lang sind, eine länglich-lanzettförmige Gestalt haben und mehrnervig erscheinen. 12—15 kurzgestielte und anfangs mattfleischrothe, im Verblühen aber kupferröthliche Blüthen haben sämmtlich eine Richtung nach aussen und besitzen ohne Fruchtknoten die Länge von 1—1½ Zoll, oben jedoch, wo sie am Breitesten sind, den Durchmesser von 9 Linien. Dieser selbst hat mit Einschluss des 4 und 5 Linien langen Stieles eine Länge von etwas über 1 Zoll, ist walzenförmig, aber deutlich 6-furchig und gegen die Mitte etwas gebogen. Sein Durchmesser beträgt 2¼ Linien.

Gestützt werden die Blüthen durch Deckblätter, die aber schon vor der Entfaltung der erstern abfallen. Sie sind gegen 1 Zoll lang, gestreift und liegen der Blüthenknospe, dieselbe mehr oder weniger einhüllend, an. Oben erscheinen sie am Breitesten und verschmälern sich nach der Basis zu.

Die äussern Blumenblätter sind über 1 Zoll lang und 3 bis 3½ Linie breit, länglich, aber doch am obern Drittel etwas breiter und mit einer stumpfen Spitze versehen. In der Abbildung der einzelnen aus einander gelegten Blüthe sind die beiden seitlichen äussern Blumenblätter leider ganz unrichtig und viel zu schmal angefertigt, da sie in der Natur doppelt so breit sind, wie die beiden innern. Gegen den Rand wölbt sich die Blattfläche nach aussen, während in der Mitte sich eine längliche, fast 2 Linien breite Vertiefung zeigt, welche auf jeder Seite durch einen Nerv begränzt ist. Die beiden innern Blumenblätter erweitern sich nach oben sehr wenig, sind aber ausserdem linien- oder verlängert-zungenförmig, und kaum mehr als die Hälfte so breit, als die äussern.

Die Lippe steht senkrecht in die Höhe, hat die gleiche Länge wie die glockenförmig zusammengeneigten Blumenblätter, von denen sie ringsum umgeben wird, und schlägt sich mit den Rändern nach innen, so dass diese fast zusammenstossen und so scheinbar eine Röhre bilden. Auf dem Rücken zieht sich hingegen eine seichte Vertiefung von länglicher Form herab. Der entsprechend wiederum zieht auf der innern Seite eine mit ochergelben Haaren besetzte Linie sich herab. Mit Ausnahme des obern Drittels, welches dieselbe fleischrothe Farbe besitzt, ist die Lippe ganz blassrosa, nach vorn dunkler besprenkelt und oben auf den Seiten schwachlappig, während auf dem Rücken der wiederum zweitheilige Mittellappen sich ebenfalls grade erhebt. Seine beiden Theile sind abgerundet. Nach unten läuft in ziemlich senkrechter Richtung der pfriemenförmige, aber am untern Ende abgestutzte und über ½ Zoll lange Sporn von ochergelber Farbe herab.

Die keulenförmige, 9—10 Linien lange, an der Basis über 1, am obern Drittel aber gegen 3 Linien breite Griffelsäule steht zwar grade, aber doch etwas nach vorn gebogen, und ist nach hinten gewölbt, nach vorn jedoch flach, bisweilen etwas erhaben, besonders da die scharfen Ränder, und zwar hauptsächlich nach oben, sich flügelartig erweitern. Diese hautartigen Flügel sind am Ende unregelmässig und schwach gekerbt. Die ganze Griffelsäule ist vorn blassfleischfarben, nach hinten fast ganz weiss.

Ueber dem obern Drittel in der Mitte befindet sich nach innen eine längliche Fläche, deren unterer Theil glänzend ist und die Narbe (Gynizus darstellt, während der obere von dem Staubbeutel eingenommen ist. Dieser zeigt den Rücken, stellt also eigentlich eine Art Deckel dar, hat eine ziemlich kreisrunde Gestalt und verlängert sich nach unten in ein vierlappiges und kleines, etwas nach vorn gebogenes Anhängsel (Schnäbelchen, Rostellum), was genau auf einem andern, das sich von der Höhlung, in der der Staubbeutel liegt, ebenfalls herunterzieht, liegt und so jene schliesst. Der Staubbeutel selbst besteht aus 2 grossen rundlichen Fächern, die nach der Höhlung zu offen sind, und sich weiter in 2 schmale Fächer theilen, von denen nun ein jedes 2 über einander liegende, schmallängliche Pollinien einschliesst. Die 4 Pollinien jeder Seite hängen an der Basis zusammen (siehe die Figur links) und bilden so ein Bündel, das nun wiederum an der Basis mit dem des danebenliegenden verwachsen ist.

Von den 8 Fächern, welche in der Diagnose von Phajus angegeben werden, habe ich hier keine Spur gefunden. Eigentlich sind nur 2 vorhanden und ist nur jedes derselben, wie schon gesagt, aber mehr im Hintergrunde, wiederum durch eine Scheidewand in 2 Abtheilungen gebracht. Die vergrösserte Abbildung (Figur rechts) des Staubbeutels ist in Betreff der Fächer ganz verfehlt.

Erklärung der Abbildungen

Die Blüthentraube wenig verkleinert, links ein Umriss der ganzen Pflanze natürlich sehr verkleinert. Von den beiden kleinern Zeichnungen stellt die eine rechts einen Staubbeutel, aber mit unrichtiger Angabe in Betreff der Fächer, links ein Pollinienbündel dar. Oben rechts ist eine einzelne Blüthe mit der Lippe flach auseinander gelegt.

Allgemeines Verzeichniss.

I. Verzeichniss der Autoren.

Karl Bouché, Inspektor des botanischen Gartens zu Berlin, 40. 97.
de Jonghe, Kunst- u. Handelsg. zu Brüssel, 46. 246. 253. 403.
Ender, S., Kunst- und Handelsgärtner in Königsberg i. Pr., 185.
Euston, Kunstgärtner in Bart bei London, 113.
v. Fabian, Obristlieutenant a. D. in Breslau, 61.
v. Fölkersahm, Rittergutsbesitzer auf Popenhof bei Libau in Kurland, 184. 343.
Gadau, Kunstgärtner in Lossen bei Brieg, 224.
Gaerdt, Obergärtner im Borsig'schen Garten zu Moabit bei Berlin, 377.
Geitner, Kunst- und Handelsgärtner in Planitz bei Zwickau, 216.
Dr. Göppert, Geheimer Medizinalrath, Direktor des botanischen Gartens und Professor zu Breslau, 21. 240.
Dr. Hanstein, Privatdozent an der Universität zu Berlin, 235.
Dr. Hasskarl, Direktor der Königlich-niederländischen Anbau-Versuche auf Java, 212.
Hoffmann, Kunst-und Handelsgärtner zu Berlin, 30.
Jühlke, Garteninspektor zu Eldena bei Greifswald, 13.
Dr. Karsten, Privatdocent an der Universität zu Berlin, 25.
Dr. Koch, Professor, Adjunkt des Direktors am botanischen Garten zu Berlin und Generalsekretär des Vereines zur Beförderung des Gartenbaues, 1. 9. 19. 33. 41. 51. 54. 57. 65. 73. 81. 83 93. 97. 103. 121. 129. 134. 137. 141. 145. 153. 161. 172. 177. 181. 189. 193. 201. 209. 213. 217. 225. 233. 241. 243. 249. 257. 258. 265. 275. 281. 287. 289. 297. 305. 321. 329. 345. 353. 361. 364. 369. 377. 385. 393. 400. 409.
Krauts, Obergärtner im Krichelldorf'schen Garten zu Magdeburg, 9. 19.
Lauche d. A., Obergärtner in Cräden bei Seehausen, 390.
Lauche d. J., Obergärtner des Augustin'schen Gartens an der Wildparkstation bei Potsdam, 1. 141. 145. 101. 217. 243. 245. 285.
Linke, Kakteenhändler zu Berlin, 239.
Lucas, Garteninspektor in Hohenheim bei Stuttgart, 337.
Metz, Obergärtner in der Geitner'schen Handelsgärtnerei zu Planitz bei Zwickau, 43.
Moschkowitz und Siegling, Besitzer der Handelsgärtnerei d. N. in Erfurt, 69. 85.
Dr. Niedt in Berlin, 237.
Pasewaldt, Obergärtner im Dannenberg'schen Garten zu Berlin, 41. 153. 271.
Petzold, Parkinspektor zu Muskau, 77.
Priem, Kunst- und Handelsgärtner in Berlin, 89.
Radicke, Kunst- und Handelsgärtner in Danzig, 368.
Dr. Reichenbach fil., Professor an der Universität zu Leipzig, 116. 118. 316. 335. 341. 355. 403.
Reinecke, Obergärtner des Decker'schen Gartens in Berlin, 82. 183.
Reuter, Obergärtner in der Königlichen Landesbaumschule, 275. 342.

Schamal, Kreisgerichtsofficial in Jungbunslau, 255. 337.
Schrader jun., Obergärtner im Freih. v. Spiegel'schen Garten zu Seggerde bei Weverlingen, 187.
Schneider, Hofgärtner in Oranienbaum bei Dessau, 37.
Siegling, Kunst- und Handelsgärtner in Erfurt, 384.
v. Spreckelsen, Kunst- und Handelsgärtner in Hohenluft bei Hamburg, 379.
Stange, Obergärtner im Schiller'schen Garten zu Ovelgönne bei Hamburg, 367.
Walcb, Revisor zu Gotha, 101.
......g, 17. 89. 103. 163. 374.

2. Verzeichniss der Abhandlungen.

Abutilon plauiflorum C. Koch et Bouché, ein neuer Blüthenstrauch, vom Professor Dr. K. Koch und Inspektor Bouché. Nebst einer Abbildung, 97.
Alocasia metallica Schott. Vom Prof. Dr. Koch und Oberg. Gaerdt. Nebst einer Abbildung, 377.
Akazie, Pyramiden-, 151.
Amaryllis-Blendlinge, die Hoffmann'schen, 76.
Amaryllis-Blendlinge, die Westphal'schen, vom Kunstgärtner Priem, 69.
Ameisen, Vertilgung der, in den Baumschulen und Baumgärten. Vom Kreisgerichtsoffizial Schamal, 255.
Anisstrauch, der heilige und braunblüthige, Illicium religiosum Sieb. et floridanum L. Vom Kunstgärtner Reinecke, 83
Ansellia africana Lindl., 78.
Aron, Flecken-, der rachenblüthige und frühzeitige, (Arisaema ringens et praecox Sieb.), vom Prof. Karl Koch, 83.
Aronspflanzen oder Aroideen, neue, vom Prof. Dr. K. Koch, 134. 172. 180. 233.
Argyranthemum pinnatifidum Webb, vom Prof. Dr. K. Koch und Obergärtner Pasewaldt, 40.
Aster, Kultur der deutschen Röhren-, für Ausstellungen in England, 166.
Aster, die neue Kronen-, von den Handelsgärtnern Moschkowitz und Siegling, 85.
Ausflug nach Thüringen, vom Prof. Dr. Karl Koch, 321. 329.
Ausstellung des Vereins der Gartenfreunde zu Berlin, vom 20—23. März, 109.
Ausstellung, die grosse Fest-, von Pflanzen, Blumen, Obst, Gemüse u. s. w. des Vereins zur Beförderung des Gartenbaues zu Berlin, am 21. u. 22. Juni. Vom Prof. Koch, 201. 209.
Ausstellung, die Frühjahrs-, des Vereins zur Beförderung des Gartenbaues in Berlin, von Karl Koch, 121.
Ausstellungen, Herbst-, zu Breslau und Eldena, 286.
Ausstellung, die Pflanzen- und Blumen-, in Danzig vom 9. bis 13. Sept. 1857. Von Julius Radike, 308.
Ausstellung, die Blumen-, des Anhaltischen Gartenbauvereins zu Dessau, am 10. April d. J., 200.
Ausstellung, die Blumen- und Pflanzen-, in Dresden, vom 9. bis 14. April, vom Prof. Dr. K. Koch, 129
Ausstellung, Obst-, in Gotha, 176. 287.
Ausstellung, Herbst-, des Hannover'schen Gartenbauvereins zu Hildesheim, 264.
Ausstellung, die Pflanzen- und Blumen-, in Magdeburg, vom 21. bis 23. April, vom Prof. Dr. Karl Koch, 137.
Ausstellung, die Pflanzen- und Blumen-, des Gartenvereins in Königsberg i. Pr., am 23.—25. Mai, von S. Ender, 18?.
Azaleen, die Chinesischen oder Indischen, besonders die des Hoffmann'schen Gartens in Berlin, vom Prof. Dr. Karl Koch und Obergärtner Pasewaldt, 13.
Baumwachs, ein flüssiges, 166.
Baumwachs, das kaltflüssige. Vom Garteninspektor Ed. Lucas. Nebst einem Zusatze des Herausgebers, 357.
Balonelta, ein neues Kapparideengeschlecht. Vom Dr. Hermann Karsten. Nebst einer Abbildung, 25.
Billbergia longifolia C. Koch und die verwandten Arten. Nebst einer Abbildung. Vom Prof. Dr. K. Koch, 6?.
Bromeliaceen, einige Worte über, besonders über Pitcairnia cinnabarina A. Dietr. und Maritzians C. Koch et Bouché, 350.
Bromeliaceen, die Kultur derselben. Vom Inspektor Karl Bouché, 49.
Caukrienia chrysantha de Vriese, die Kaiserprimel, vom Prof. Dr. Karl Koch, 81.
Cattleya (?) Lindleyana, vom Prof. Dr Reichenbach fil. 118.
Cattleyoiden, über neue, aus Brasilien. Vom Prof. Dr. Reichenbach fil., 333.
Chamaecyparis thurifera Endl. und Cupressus Benthami Endl., 310.
Chariels heterophylla Cass. flore roseo, die Asmuthsblume mit Rosastrahlen, 44.
Chermes coccineus und viridis, die rothe und grüne Fichtenrindenlaus. Vom Kunstgärtner Gaden in Lossen bei Brieg, 224.
Cibotium Schiedeanum Schlecht. et Cham. Von dem Obergärtner Lauche, 245.
Coelogyne assamica Rchb. fil. 403.
Cryptomeria japonica Don und Lobbii. Hort. angl. Vom Hofgärtner Schneider, 37.
Dasylirion acrotrichon Zucc., 208.
Dasylirion acrotrichon und Victoria regia Schomb., 240.
Dioon edule Lindl. 118.
Dresdener botanischer Garten. Einige interessante Pflanzen des, 252.
Epiphyllum truncatum Haw., die Veredlung desselben auf Pereskia aculeata. Vom Kunst- u. Handelsg. Hoffmann, 39.
Erbsen, die Moskauer getrockneten, vom Freih. v. Fölkersahm, 181.
Erythrochiton brasiliensis N. et Mart. und Pterospermum acerifolium Willd., 149.
Eugenia Ugni Hook. Briefl. Mitth. vom Prof. Dr. Reichenbach fil., 343.
Eugenia Ugni Hook. et Arn. und Myrtus filifolia Lind. Vom Oberg. Lauche, 283.
Eupatorium ageratifolium DC. β. texanum. Von dem Oberg. Pasewaldt in Berlin, 271.
Farfugium. grande Lindl., 108.
Fisch-Guano, 46.
Franciseeen, die, in den Gärten. Von dem Prof. Dr. Koch und dem Oberg. Reinecke, 193.
Franciscea der Gärten, Weitere Bemerkungen über die, Briefl. Mittheilung von de Jonghe in Brüssel, 253.
Frühlingspflanzen, über Verwendung von, vom Prof. Dr. Göppert in Breslau, 240.
Gänsekraut, das weissliche, mit bunten Blättern, 136.
Galphimia hirsuta Cav. (G. mollis Hort.). Nebst einer Abbildung, 393.
Garten, der, des Fabrikbesitzers Borsig zu Moabit bei Berlin, Pflanzen, besonders blühende Orchideen. Von ......g. 374.
Garten, über den, zu Buitenzorg auf Java. Briefliche Mittheilung des Dr. Hasskarl, 212.
Garten, der, des Geh. Ober-Medicinalrathes Casper zu Berlin von ......g. 189.
Garten, der Decker'sche, in Berlin, von ......g. 78.

Gärtnerei, die Laurentius'sche in Leipzig, 216.
Garten, der Laurentius'sche Garten zu Leipzig. Vom Revisor Walch, 101. 216.
Garten, der, des Kommerzienrathes Lienau in Frankfurt an der Oder, 46.
Gärtnerei, einige neue Pflanzen aus der Linden'schen, zu Brüssel. Vom Prof. Dr. Koch, 211.
Garten, der Nauen'sche, in Berlin, von ....g, 165.
Garten, der, des Kommerzienrathes Leon. Reichenheim zu Berlin, 61.
Garten, der Schloss-, zu Tetschen. Vom Prof. Dr. Koch, 289.
Garten, eine Gruppe in von Thielmann'schen, in Wilmersdorf bei Berlin, 328.
Gartenbaugesellschaften, die französischen, vom Prof. Dr. Karl Koch, 84.
Gemüse, über einige neue, Melonen, Erdbeeren und Pfirsiche, vom Prof. Dr. Koch, 103.
Gewächshäuser, die Augustin'schen, an der Wildparkstation bei Potsdam, von ....g, 89.
Gurken- und Melonenkultur, frühe, in Russland. Briefl. Mitth. des Freih. v. Fölkersahm, 343.
Gurke, die Waschbader, Poppya Fabiana C. Koch. Vom Prof. Dr. K. Koch und Obristlieutenant v. Fabian, 37.
Harbke, ein Besuch in, vom Prof. Dr. Koch, 263.
Heckensträucher, zwei, der Hagen- und Weissdorn, 94. 99.
Hippeastrum aulicum Herb. β. robustum A. Dietr. Nebst einer Abbildung. Vom Prof. Dr. Koch, 385.
Hortensien, blaue, 303.
Hymenocallis expansa Herb. und die ähnlichen Arten, von Karl Koch, 181.
Hymenocallis Moritziana Kth., 344.
Kakteenkunde, zur, 237.
1. Zwei neue Echinops-arten. Von Dr. Niedt, 237.
2. Sechs neue Kakteen, von August Linke, 239.
Kartoffel, die, aus Algier. Vom Oberg. Reuter, 274.
Kartoffel, die Chinesische, und der Bergreis, 206.
Kastanien, vom Neuen blühende, 236.
Katalogen der Handelsgärtnereien, über die Nomenklatur in den, vom Prof. Dr. Göppert, 21.
Körbelrübe, die Sibirische, vom Garteninspektor Jühlke, 13.
Kolokasien und Xanthosomen, vom Prof. Dr. Karl Koch und Obergärtner Kreutz, 9. 19.
Koniferen, drei neue, 294.
Kürbis, Kandis-, vom Oberg. Lauche sen., in Crüden, 390.
Laurustin, der grossblühende, 151.
Lebensbäume, (über Thuja und Biota), vom Prof. Dr. Koch, 281. 305.
Lepachys columnaris T. et Gr. β. pulcherrima, 8.
Linden'sche, Pflanzen, neueste, 280.
Luculia gratissima Sweet, als Schaupflanze, von Euston, 115.
Maranta, Thalia, Phrynium und Calathea, Bemerkungen im Allgemeinen, ihre Kultur und Beschreibung einiger neuen Arten. Vom Prof. Dr. Karl Koch und Obergärtner Lauche, 141. 145. 161.
Micranthella lanceolata Naud. und Chaetogastra Geitneriana Schlecht. Vom Obergärtner Metz, 49.
Monstera Lennea C. Koch, 96.
Monstera Lennea C. Koch, eine schöne Blattpflanze für Gewächshäuser und Zimmer. Nebst einer Abbildung. Vom Prof. Dr. Koch und Oberg. Lauche, 217. 243.
Monstera pertusa de Vr. (Monstera Klotzschiana Schott, Dracontium pertusum L. ex p.) Vom Prof. Dr. Karl Koch Nebst einer Abbildung, 401.
Musa Cavendishii Paxt., eine blühende, 92.
Musen noch zwei chinesische, mit Früchten. Briefliche Mittheilung von Inspektor Petzold, 77.
Nelken, die, von Appelius und Lorenz, in Erfurt, 13.
Neumannia maidifolia C. Koch, 364.
Nymphäenblendlinge, die Bouché'schen, im Borsig'schen Garten zu Moabit bei Berlin. Vom Prof. Dr. Koch, 272.
Obstbaumschulen, zwei, 87.
Orchideen, über einige, vom Prof. Dr. Reichenbach in Leipzig, 318.
Orchideensammlung, die Borsig'sche, zu Moabit bei Berlin, von ....g. 17.
Orchideensammlung, die Keferstein'sche, zu Kröllwitz bei Halle a. d. S., 88.
Orchideen, die neueren, der Schiller'schen Sammlung in Ovelgönne bei Hamburg. Von dem Oberg. Stange, 129. 367.
Orchideen, blühende, des Augustin'schen Gartens an der Wildparkstation bei Potsdam, 394.
Ouvirandra fenestralis über, und über einige andere Pflanzen der Geitner'schen Gärtnerei in Planitz bei Zwickau. Briefliche Mittheilung des Besitzers, 210.
Petola Arten und Sammetblätter (Anoectochilus- und Physurus), die in Gärten kultivirten Von Karl Koch und Bouché, 1
Petola-Arten und Sammetblätter. Einige Bemerkungen zu Koch's und Lauche's Abhandlung über die, vom Prof. Dr. Reichenbach fil., 116.
Petunien, mit gefüllten bunten Blumen, 216.
Petunienformen, neue, 248.
Pflanzen- und Samen-Ankäufe aus Neuholland. Vom Prof. Dr. K. Koch, 54.
Pflanzen-Ankäufe von Appun und Horn, 31.
Pflanzen, Verkauf von, und Gewächshäusern in Paris, 280.
Phacelien und Gilierresien, als Schmuck- und Nutzblumen, vom Prof. Dr. K. Koch und den Kunst- und Handelsgärtnern Moschkowitz u. Siegling, 32.
Phajus cupreus Rchb. fil. (Phajus Augustianus Klotzsch). Vom Professor Dr. K. Koch. Nebst einer Abbilung, 409.
Phrynium trifasciatum C. Koch und weitere Bemerkungen über die Marantaceen. Vom Prof. Dr. Koch. Nebst einer Abbildung, 257.
Pitcairnia Altensteinii Lem. und densiflora Brogn., mit verwandten Arten, 113.
Pomologische Kongress, der, zu Lyon, 41.
Pomologische Kongress, der, zu Lyon. Briefliche Mittheilung von de Jonghe in Brüssel, 246.
Programm für die zu Gotha vom 9.–13. Okt. 1857 stattfindende zweite allgemeine Obst-, Wein- und Gemüseausstellung und Versammlung deutscher Pomologen und Obstzüchter, 231.
Programm über die zu haltende Ausstellung von Pflanzen, Blumen, Früchten und Gemüsen, vom 9.–14. April 1857 in Dresden, 80.
Programm zur Preisbewerbung zu der Frühjahrsausstellung des Vereins zur Beförderung des Gartenbaues, am 5. April 1857, 67.
Programm zur Preisbewerbung für das 35te Jahresfest des Vereins zur Beförderung des Gartenbaues in Berlin, am 21ten Juni 1857, 139.
Programm der zweiten Blumen- und Pflanzen-Ausstellung, veranstaltet von der Gartenbaugesellschaft „Flora" in Frankfurt a. M. vom 1–6. April 1858
Programm der Blumen- und Pflanzen-Ausstellung des Gartenbauvereins in Mainz, 399.
Quamasch, der, Camassia esculenta Lindl., 167.
Roezl's mexikanische Sämereien von Koniferen, 223.
Robinia hispida L. und macrophylla Schrad., 188.
Schiefblätter, 3 neue, oder Begonien. Vom Prof. Dr. Koch, 72.
Schmarotzerblumen, Einiges über, besonders Rafflesien. Vom Prof. Dr. K. Koch, 33.
Schwefelstreuer gegen die Weinkrankheit. Von Ouin und Franc, 175.
Schwertlilie, die Holder- (Iris sambucina L.), mit ihren For-

men, besonders die Oekermann'sche u. der Harlequin, 190.
Silberbaum, der, des Orientes und Occidentes, 152.
Sonnenblume, die, (Helianthus annuus), 222.
Spartothamnus junceus All. Cun., 375.
Spoorlilie, de Jonghe's, Enchalirion Jonghii Libon, 22.
Spiersträucher, über, im Allgemeinen, besonders über die aus der Gruppe der Sp. callosa Thb. und Douglasii Hook. Nebst einem Paar neuen Blendlingen aus der Landesbaumschule bei Potsdam. Vom Prof. Dr. Koch, 213.
Stenanthera pinifolia R. Br., 127.
Sträucher, über einige weniger bekannte Formen von, und ihre Verwendung. Vom Prof. Dr. Koch, 249. 268.
Stypandra frutescens Knowl. et Westc., 107.
Sweinsconen, Einiges über, vom Prof. Dr. Koch und Kunst- und Handelsgärtner Siegling, 364.
Tapina splendens Triana und Achimenes cupreata Hook. Von Dr. Hanstein, 235.
Theerose, die gelbe, Isabella Gray oder Miss Gray, 393.
Thuja-Arten, über Vermehrung der, vom Obergärtner Reuter, 342.
Van Mons und die belgische Anzucht neuer Sorten. Briefl. Mittheilung des Kunst- und Handelsgärtner de Jonghe in Brüssel. Nebst einer Verständigung. 405.
Verein zur Beförderung des Gartenbaues in den Königl. Preussischen Staaten zu Berlin, 6. 28. 93. 276. 403.
Veronica syriaca R. et S. und Cosmidium Burldgeanum Hort., zwei neue Sommergewächse. 84.
Versammlung, die zweite, deutscher Pomologen und Obstzüchter in Gotha, in den Tagen vom 9.—13. Okt. Vom Prof. Dr. Koch, 345. 353. 361. 369.
Versammlung, die Aufgaben der zweiten, deutscher Pomologen und Obstzüchter, 313.
Viola Rothomagensis Desf., das Stiefmütterchen von Rouen, 317.
Viktoriahaus, das, des Königl. botanischen Gartens bei Berlin und des Oberlandesgerichtsrathes Augustin bei Potsdam. Vom Prof. Dr. Koch, 297.
Weissdornarten, besonders die mit gefüllten Blumen, und Beschreibung einer neuen Art. Vom Prof. Dr. Koch, 177.
Wendland, Hofgärtner Herrmann, Reise, 112.
Wistaria chinensis DC. u. Apios tuberosa Moench, 296.
Xanthosoma pilosum, C. Koch et Aug., 272.
Zapfenträger oder Koniferen, Einiges über die, insbesondere über Podocarpus koraianus. Vom Prof. Dr. Koch. Nebst einer Abbildung, 225.
Zauberbaum, der peruanische, Cantua dependens Pers. Vom Obergärtner Schrader jun., 187.
Zierden, ländliche, an Wohnhäusern in England. Von Theod. v. Spreckelsen. Nebst einem Zusatze des Herausgebers, 379.
Zwetsche, gemeine, Haus- oder Bauernpflaume. Welche Vermehrungs- und Erziehungsart wäre für die allgemeine Landeskultur räthlich? Vom Kreisgerichtsofficial Joh. Schmal, 337.

3. Verzeichniss der besprochenen und im Auszuge benutzten Zeitschriften.

Annales d'horticulture et de botanique, ou Flore des serres du royaume de Pays-Bas, par de Siebold et de Vriese:
Vol. I. livr. 1, 111.
- - - 2—4, 200.
- - - 5—12, 397.
Belgique horticole par Ch. et E. Morren, VII. année:
VII. année, 1. livr., 30.
- - 2.—4. - 111.
- - 5.—7. - 200.
- - 8. 9. - 253.
Botanical Magazin, conducted by Curtis, the descriptions from Will. Hooker:
January (tab. 4958—4962), 63.
February (tab. 4963—4968), 263.
Mars (tab. 4969—4974), 118.
Avril (tab. 4975—4979), 263.
Mai (tab. 4980—4984), 271.
Juni und Anfang Juli (tab. 4985—4991), 288.
Ende Juli, August u. September (t. 4993—5009), 328.
Cottage Gardener's and Country Gentlemen's Companion:
Nr. 413—444. 127.
Flore des serres et des jardins de l'Europe par Decaisne et van Houtte: 2. sér. II. Vol. 1. 2. livr., 198.
- - 3. - 254.
Florist, Fruitist and Garden-Miscellany:
January - Mars, 119.
Avril—Juli, 381.
Juli—Decembre, 390.
Gardeners Chronicle, for 1857:
Nr. 1—10, 70.
- 11—15, 128.
Nr. 16—30, 311.
- 31—34, 319.
- 35—38, 327.
Hooker's Journal of botany and Kew-garden Miscellany:
January, 63.
Mars—Mai, 328.
Illustration horticole, rédigé par Lemaire, publié par Ambroise Verschaffelt:
IV. Vol. 1. livr., 31.
- 2. 3. - 111.
- 4. - 230.
- 5.—7. - 248.
Journal mensuel des travaux de l'académie d'horticulture de Gand:
3. Vol. 1. 2. livr., 110.
- 3. 4. - 248.
Journal of the academy of natural science of Philadelphia. New series: Tom. III. Nr. 1—3, 71.
Journal of the proceedings of the Linnean society of London:
Tom. I, Nr. 1—3, 71.
Nouvelle Iconographie des Camellias par Verschaffelt, 1857:
1—3. livr., 317.
4.—7. - 325.

4. Verzeichniss der besprochenen Bücher.

v. Biedenfeld's, Ferd. Freiherr neuestes Gartenjahrbuch. 9. Ergänzungsheft. Weimar 1856. 88.
Desselben Werkes 10. Ergänzungsheft. Weimar 1857. 383.
P. Fr. Bouché und S. Bouché: Die Blumenzucht in ihrem ganzen Umfange. Eine praktische Anleitung zur Erziehung und Wartung der Blumen im Freien, in Glas- und Treibhäusern, wie auch in Zimmern. 2. Aufl. 1.—3. Band. Berlin 1854—1856. 23.
De Leroy d'Airoles: Notice pomologique. 1. cah. Nantes 1855. 2. édit. 2. cah. Nantes 1857. 373.

De Jonghe's praktische Grundlehren der Kultur der Kamellien. Deutsch nach der 2. Auflage von Ferd. Freih. v. Biedenfeld. Weimar 1856. 24.
Fr. Jak. Dochnahl's Kultur der schwarzen Malve oder das Tagewerk Landfläche 200 Thlr Ertrag. Nürnberg 1856. 18.
Karl Friedr. Förster: Der unterweisende Zier- und Nutzgärtner. Vollständiges Hand- und Lehrbuch des Gartenbaues in allen seinen Zweigen und Verrichtungen. 4. Auflage. 2 Theile. Leipzig 1857. 376.
Göppert: Der Königliche botanische Garten der Universität Breslau. Görlitz 1857. 383.
Göppert: Die officinellen und technisch wichtigen Pflanzen unserer Gärten, insbesondere des botanischen Gartens zu Breslau. Görlitz 1857. 24.
Gruner's unterweisender Monatsgärtner. Ein immerwährender Gartenkalender. Auf's neue bearbeitet von Karl Friedr. Förster. 6. Auflage. Leipzig 1857. 383.
Henderson: The illustrated Bouquet. 1857. 304.
Jäger's praktischer Gemüsegärtner. Nach den neuesten Erfahrungen und Fortschritten. Leipzig 1857. 303.
Jäger's Obstbau. Anleitung zur Anlage von Obst- und Baumgärten zur Kultur der Obstbäume und Sträucher jeder Art etc. Leipzig 1856. 120.
Jühlke's Gartenbuch für Damen. Praktischer Unterricht in allen Zweigen der Gärtnerei, besonders in der Kultur, Pflege, Anordnung und Unterhaltung des ländlichen Hausgartens. Mit 51 Holzschnitten. Berlin 1857. 143.
Koch's Hilfs- und Schreibkalender für Gärtner und Gartenfreunde für das Jahr 1857. Berlin 1856. 16.
Derselbe Kalender für 1858. Berlin 1857. 399.
Lehmann: Revisio Potentillarum, iconibus illustrata. Vratislaviae et Bonnae 1857. 47.
Lindley: Ferns of Great-Britain and Ireland by Thomas Moore. Naturprinted by Henry Bradbury. London 1856. 279.
Metz & Komp.: Berichte über neuere Nutzpflanzen, insbesondere über die Ergebnisse ihres Anbaues in verschiedenen Theilen Deutschlands. Jahrgang 1857. Berlin 1857. 352.
Meyer: Der rationelle Pflanzenbau. 1. Theil. Die Lehre der Entwässerung des Bodens. Erlangen 1857. 351.
Oberdieck und Lucas's Beiträge zur Hebung der Obstkultur. Mit einer lithographirten Abbildung eines pomologischen Gartens. Stuttgart 1857. 384.
Oberdieck und Lucas's Monatsschrift für Pomologie und praktischen Obstbau. 3. Jahrgang. Stuttgart 1857. 352.
Rohland: Album für Gärtner und Gartenfreunde. Ein praktischer Führer zur Anlegung und Pflege von Nutz-, Zier- und Lustgärten. Mit 21 illuminirten Gartenplänen. Leipzig 1856. 1. Lieferung. 168.
Rossmässler: Die vier Jahreszeiten. Volksausgabe. 1.—4. Heft. Gotha 1856. 47.
Siebeck: Ideen zu kleineren Gartenanlagen auf 21 kolorirten Plänen. Mit ausführlichen Erklärungen. Auf Subskription in 12 Lieferungen. Leipzig 1857. 128.
Weber: Theorie und Praxis oder Grundlinien der Landwirthschaft in gemeinfasslicher Sprache, besonders für den kleinen Landwirth. 2. Auflage. Düsseldorf 1857. 351.

5. Verzeichniss der Pflanzen.

Abies Douglasii, 328.
— hirtella, 224.
— nobilis, 328.
— religiosa, 224.
Abutilon geminiflorum Kth, 98.
— insigne Planch., 98.
— pauciflorum Hook., 98.
— planiflorum C. Koch et Bouché, 97.
— striatum Dicks., 98.
— venosum Hook., 98.
— venosum striatum, 328.
— vitifolium Presl, 98.
Acacia rotundifolia Hook., 124.
Acineta papillosa Lindl., 291.
Acer oblongum Bl., 280.
Achimenes amabilis Dne, 192.
— cupreata Hook., 235.
— picta Benth., 104.
Verschaffeltii, 222.
Aconitum hastaefolia Schott, 20.
Acroclinium roseum, 209.
Acropera Loddigesii, 209
Actaea japonica Thunb., 200.
Ada aurantiaca Lindl., 367
Adhatoda cydoniaefolia Nees, 63.
Adiantum cuneatum, 123. 283.
— macrophyllum, 283.
Aechmea surinamensis, 205
Aegilops ovata, 327.
— triticoides, 327.
Aeonium-Arten, 7
Aërides ampullaceum Roxb., 19.
— crispum Lindl., 111.
— cylindricum, 172.
— falcatum Lindl., 18.
Aërides Fox brush, 123.
— Larpentae Hort. Angl., 18.
— Lindleyanum Wight, 367.
— maculatum Lindl., 18.
— odoratum Lindl., 18. 210.
— quinquevulnerum Lindl., 291.
— rubrum Hort., 18.
— suaveolens, 216.
— suavissimum Lindl., 18.
— Schroderi Hort., 18.
Aesculus californica, 312.
Aganisia pulchella Lindl., 371.
Agave densiflora Hook., 296.
— geminiflora, 91.
— spirata Cav., 296.
— yuccaefolia Red., 296
Ageratum biceps, 332.
— conyzoides L., 404.
— Gauitro, 332.
— glabellum, 332.
— mexicanum Sims., 404.
Agnostis sinuata, 91.
Allium grandiflorum Hort., 203.
Alloplectus speciosus, 205.
Alocasia metallica Schott, 203. 279. 301. 377.
— neglecta Schott, 377.
— odora C. Koch, 20. 301. 377.
— variegata C. Koch, 136.
Alonsoa Warszewiczii, 320.
Alpinia calcarata Roxb., 200.
— magnifica Rosc., 200.
— nutans Roxb., 200.
— nutans Rosc., 200.
Alsophila obtusa, 79.
Alsophila pycnocarpa, 216.
Alstonia venenata R. Br., 278.
Amaryllis-Blendlinge, 68.
— aulica Ker, 386.
— Blumenauana, 385.
— reticulata, 277.
— robusta A. Dietr., 385.
Amphicome Emodi Lindl., 332.
Anacardium occidentale L., 32.
Andromeda calyculata L., 125.
Anoectochilus argyroneurus C. Koch, 4. 62. 131. 210. 367. 397.
— aureus Hort., 4.
— cordatus Hort., 157.
— intermedius Hort., 4. 19.
— lato-maculatus Hort., 4.
— Lobbianus Planch., 4.
— Lowii Hort., 3. 19. 210
— pictus Hort., 4.
— Roxburghii Lindl., 4. 118.
— setaceus Blume, 4. 19. 117.
— striatus Hort., 4. 117.
— Veitchii Hort., 367.
— xanthophyllus Hort., 4. 19.
Angraecum bilobum Lindl., 398.
— caudatum Lindl., 18.
— distichum Lindl., 18. 371.
— eburneum Pet. Th., 18.
Anguria Mackoyana Lem., 192.
Anona-Arten, 32.
— Cherimolia Mill., 32.
— coelestis Hort., 334.
— muricata L., 32.
— squamosa L., 32.
Anselia africana Lindl., 18. 78. 236.

Anthemis semperflorens Hort. Par., 41.
Anthoxanthum gracile, 255.
Anthurium Augustinum C. Koch et Lauche, 190.
— Bouchéanum C. Koch, 191.
— brachyspathum C. Koch, 233.
— costatum C. Koch, 203.
— Laucheanum C. Koch, 191.
— Lindenianum C. Koch, 233.
— Miquelianum C. Koch, 189.
— nymphaefolium C. Koch et Bouché, 233.
— polyrrhizon C. Koch et Aug., 192.
— Sellowii C. Koch, 190.
— signatum C. Koch et Math., 235.
— surinamense Blass, 233.
Apios tuberosa, 294.
Aponogeton distachyus, 334.
Aquilegia eximia v. Houtte, 109.
Arabis albida Stev., 136.
— caucasica Willd., 136.
Aracacha esculenta, 279.
Arachis hypogaea, 307.
Aralia integrifolia, 125.
— Mitade Sieb., 398.
— nymphaeafolia, 211.
— papyrifera, 254.
— pentaphylla Thunb., 393.
Araucaria Bidwilli, 92.
— Cunninghamii, 91.
— excelsa, 79.
— imbricata, 91.
Arbutus Andrachne, 206.
— Unedo, 206.
Ardisia hymenandra, 210.
Argemone munita Dur. et Hilg., 73.
Argyranthemum pinnatifidum Webb, 41.
Arisaema Konjac, 288.
— praecox Hort., 83.
— ringens Schott, 83.
— Sieboldii de Vr., 83.
Arpophyllum cardinale Rchb. fil., 367.
— giganteum Lindl., 19.
Aronia arbutifolia Pers., 381.
— pirifolia, 381.
Arthrotaxus selaginoides, 125.
Artocarpus incisa L., 32.
— venenosa Zoll., 300.
Arum hastaefolium Hort., 21.
Asplenium Belangeri Kze., 123.
Astilbe rosea Hook. fil. et Thoms., 63. 255.
— rubra Hook., 255.
Astrocaryum Murumuru Mart., 247.
Ataccia cristata Kth, 375.
Azalea alba Sw., 154.
— amoena, 151.
— Bealii Hort., 154.
— Breynii Planch., 154.
— calendulacea Mich., 290.
— crispiflora Hort., 154.
— Danielsiana Paxt., 154.
— indica L., 154.
— Kaempferi Planch., 155.
— ledifolia, 154.
— liliiflora Soul. Bod., 154.
— mollis Bl., 155.
— mucronata Bl., 155.
Azalea narcissiflora Hort., 154.
— occidentalis Torr. et Gr., 156.
— punctata Lour., 155.
— Thunbergii Planch., 155.
Baccharis multiflora, 404.
Balantium Karstenianum Kl., 79.
Barkeria Skinneri 62.
Batemannia imbricata Rchb. fil., 368.
Beaufortia sparsa R. Br., 404.
— splendens Paxt., 403.
Begonia alboplagiata Hort. Kew., 75.
— annulata C. Koch, 76. 125. 272. 404.
— Griffithii Hook., 272. 404.
— heracleifolia Schl. et Cham., 272.
— microptera Hook., 119.
— picta Hend., 19. 75. 272. 401.
— picta Sm., 75.
— picta vera van Houtte, 210.
— punctata Kl., 272.
— Rex Lind., 211. 272.
— rosacea Putz., 123.
— Roylei Hort., 75. 125.
— rubrovenia Hook., 74. 206.
— splendida C. Koch, 61. 125.
— Stelzneri Hook., 125.
— Thwaitesii Hook., 74. 125.
— Wageneriana Hook., 283.
— xanthina Hook., 74. 203.
— zeylanica, 74. 125.
Bejaria Mathewsii Field et Gardn., 272.
Belencita Hagenii Karst., 25.
Benincasa cerifera Sav., 302.
Berberis buxifolia Lam., 311.
— dulcis Sweet, 311.
— parviflora Lindl., 128.
Bertolonia marmorata Naud., 123.
Beschorneria tubiflora, 333.
Besleria bonodora fl. flum., 125.
Billbergia bicolor Lem., 62.
— Croyiana de Jonghe, 68.
— decora Hort., 67.
— fasciata splendens Hort., 68.
— fastuosa Beer, 68.
— Leopoldi Hort., 7.
— longifolia C. Koch, 63. 66.
— Paxtoni Beer, 66.
— pyramidalis Lindl., 66.
— punicea Beer, 68.
— rhodocyanea Hort., 68.
— Schulteisiana Lem., 67.
— splendida Lem., 66. 68.
— thyrsoidea Mart., 66. 67. 68.
Biota Meldensis, 282.
— orientalis Endl., 125. 282.
— pendula Endl., 284.
— pyramidalis Carr., 283.
Blaeropus venenata Del., 278.
Bleckera callocarpa Hassk., 203.
Boehmeria argentea, 211. 242.
— nivea, 242.
Bolbophyllum Maschallii Hort. 291.
Bombax Ceiba L., 32.
Bonapartia juncea Willd., 91.
Boronia tetrandra Lab., 124.
Bouvardia Jacquini Hmb. Bpl. Kth., 385.
— leiantha Hmb. Bpl. Kth., 386.
Bouvardia longiflora Benth., 389.
— Oriana Pars., 388.
— ternifolia Schdl., 389.
Brahea calcarata, 204.
Brassiopsis speciosa, 324.
Brassavola nodosa L., 396.
Bravoa geminiflora, 277.
Brosimum Galactodendron, 32.
Brownea grandiceps Jacq., 62.
Brugmansia arborea, 207.
Brunfelsia calycina Benth., 194. 195.
— capitata D. Don, 195.
— confertiflora Benth., 195.
— grandiflora D. Don, 195.
— eximia Bosse, 193.
— hydrangeaeformis Benth., 194.
— Hoppeana Benth., 195.
— latifolia Benth., 195.
— macrantha Benth., 195.
— macrophylla Benth., 194.
— ramosissima Benth., 194.
Bryonia laciniosa L., 254.
Buddleya Colvillei Hook. fil., 231.
— Lindleyana Fort., 232.
Burlingtonia rigida Lindl., 396.
— venusta Lindl., 18.
Burtonia scabra R. Br., 290.
Caladium colocasioides Desn., 13.
— concolor C. Koch, 135.
— cupreum C. Koch, 135. 377.
— discolor Hort., 206.
— haematostigma, 205.
— indicum Hort., 136.
— marmoratum Math., 206.
— metallicum von H., 135. 377.
— odoratissimum Hort., 19.
— pellucidum, 206.
— picturatum C. Koch, 206.
— plumbeum C. Koch, 135. 377.
— — sp. e Borneo, 135. 377.
rubricaule Hort., 208.
— violaceum Desn., 13.
Calanthe Masuka Lindl., 123.
Calathea Casupito E. Mey., 148. 164.
— colorata Fl. Flum., 149.
— discolor E. Mey., 143. 148. 164.
— erecta Fl. Flum., 149.
— fasciculata Presl., 149.
— juncea Mey., 249.
— laxa P. et Endl., 149.
— leucophaea P. et Endl., 149.
— longifolia Lindl., 148.
— lutea E. Mey., 148. 164.
— marantina C. Koch, 148. 164.
— marantifolia Fl. Flum., 149.
— pardina Planch. et Lind., 119.
— polyphylla P. et Endl., 149.
— Rossii Lodd., 149.
— strobilifera Miqu., 147.
— tuberosa Fl. Flum., 149.
— villosa Lindl., 119. 149.
Calceolaria nana Hort., 202.
Calliopsis bicolor Rchb., 84.
— — β. nana, 331.
Callitris quadrivalvis, 313.

Camellia reticulata, 111. 264.
Calonyction diversifolium Hassk., 233.
— grandiflorum Choisy, 301.
Camassia esculenta Lindl., 188.
Campylobotrys argyroneura Lindl., 211. 242.
— discolor, 242.
Canna discolor Lindl., 126.
— iridiflora R. et P., 200.
— liliiflora Warsz., 200.
Cankrienia chrysantha de Vr. 81.
Cantua buxifolia Lam., 187.
— dependens Pers., 187.
Capellia (Capellenia) multiflora Bl., 397.
Carludovica palmifolia, 204.
— Plumieri, 205.
Carpinus incisa Hort., 208.
Caryota urens, 301.
Cassia alata, 324.
Casuarina borbonica Hort., 210.
Castanea chrysophylla Dougl., 199.
Casuarina nodiflora, 205.
Catasetum Russelianum Lindl., 291.
Cattleya elegans Morr., 18.
— labiata Lindl., 18. 374.
— Lindleyana Rchb. fil., 116. 336.
— luteola Lindl., 18.
— marginata Paxt. var. Pinelli, 7.
— maxima Lindl., 18. 210. 279.
— porphyroglossa Rchb. fil., 336.
— pumila Lind., 336.
— Schilleriana Rchb. fil., 335. 368.
— Skinneri Batem., 18.
Cedrela montana, 78.
Centaurea gymnocarpa Mor. et Not., 7.
Cephalotus follicularis, 37. 216. 291.
Cerasus glauca Moch, 381.
— depressa Pursh, 381.
Ceratopteris thalictroides Brongn. 380. 302.
Cereus macracanthus A. Linke, 239.
— speciosissimus β. Jenkinsonii, 21 0.
Chaerophyllum bulbosum L., 13.
— Prescottii DC., 14.
Chaetogastra Geitneriana Schlecht., 43. 44.
Chamaecyparis glauca, 307.
— nutkaensis Spach, 307.
— sphaeroides Spach., 305.
— thurifera Endl., 282. 310.
Chamaedorea concolor, 205.
— desmoncoides, 301.
— Ernesti Augusti, 204.
— pygmaea, 205.
Chamaerops excelsa, 78.
— humilis, 211.
Charieis heterophylla Cass. fl. roseo 44.
Charlwoodia congesta Sw., 301.
— rigidifolia C. Koch, 301.
— spectabilis Pl., 301.
Cheilanthes farinosa, 19.
— Mathiewii, 216.
Cheirostylis marmorata Lindl., 4.
Chorozema ericoides Hort., 171.
— ericifolia Meisn., 171.
— Henchmanni R. Br., 171.
— ilicifolium Labill., 171.
Chrysobaphus Roxburghii Wall., 4.
Chrysoglossum villosum Bl., 293.
Chysis Limminghii Lind., 368.
Cibotium Schiedeanum, 205. 245.
Cinnamomum aromaticum, 205.
— zeylanicum, 205.
Cinchona Calisaya, 396.
Cineraria maritima L., 8.
Cirrhopetalum Cumingii Lindl., 264. 295.
— Medusae Lindl., 62. 264. 295.
Cissus discolor Bl., 303.
Citrus chinensis, 210. 268.
Clavija ornata D. Don, 62.
Clematis Guascoi, 31. 253.
Clianthus magnificus, 363.
Coelogyne assamica Rchb. fil., 403.
— Gardneriana Lindl., 396.
— elata Lindl., 206.
— Lowii Paxt., 18.
— pandurata Lindl., 368.
Coelocapnia geminiflora Lk. et O., 272.
Coleus Mackayi, 206.
Colletia Bictoniensis, 281.
Colocasia antiquorum Schott., 12.
— euchlora C. Koch, 13.
— Fontanesii Schott, 13.
— indica Kth., 13. 136.
— nymphaeifolia Hort. Bell., 13.
— — Kth., 12.
— odora Brongn., 130.
— pruinipes C. Koch, 13.
Colutea galegifolia Sims, 363.
Comparettia coccinea Lindl., 272.
— falcata Poepp. et Endl., 271.
Conradia floribunda Dne, 5.
Cordyline cannaefolia R. Br., 301.
— Fontanesiana Pl., 301.
— fragrans Pl., 301.
— salicifolia Göpp., 301.
Coreopsis tinctoria Nutt., 84.
Cornus mascula L., 380.
Corylopsis spicata S. et Z., 209.
Cosmidium Burridgeanum Hort., 84. 206.
— filifolium T. et Gr. 84.
Cosmophyllum cacaliaefolium C. Koch, 218.
Costus afer Ker, 264.
Crataegus apiifolia Borkh. 178.
— Aronia Bosc., 180.
— Azarolus L., 180.
— betulaefolia Lood., 179.
— chlorocarpa C. Koch et Lauché, 181.
— Crus galli L., 180.
— cuneifolia Ehrh., 180.
— Douglasii Lindl., 180.
— edulis Moench., 180.
— flabellata C. Koch, 180.
— flava Ait., 268.
— glandulosa Willd., 180.
— grossulariaefolia Loud., 179.
— melanocarpa Bory, 181.
— monogyna Jacq., 92. 99. 178. 180.
— nigra Willd., 181.
— Oliveriana bot. reg., 181.
— Oxyacantha L., 99. 180.
— parviflora Ait., 179.
— pentagyna flava Ren., 180.
— Pinnchow Hort., 179.
— platyphylla Lindl., 181.
— punctata Ait., 180.
— praecox Hort., 178.
— purpurea Loud., 180. 181.
— Pyracantha Pers., 179.
— Reginae Hort., 178.
— rotundifolia Moench., 171. 180.
— sanguinea Hort., 180.
— — Pall., 180.
Crataegus tanacetifolia Pers., 180.
— uniflora Duroi, 179.
— viridis Lodd., 179.
Crinum longifolium, 254.
Croton discolor Rich., 126.
Cryptochilus sanguineus Wall., 18.
Cryptolepis longiflora Hort., 278.
Cryptomeria araucarioides Hort., 332.
— Fortunei, 38.
— japonica Don, 37.
— Lobbii Hort., 37. 332.
Cucumis acutangulus L., 59.
Cucumis sanguineus L., 302.
Cupania Cunninghami, 203.
Cupressus Arbor vitae Targ. Tozz., 306.
— Benthami Endl., 310.
— Bregeoni Hort., 125.
— filiformis Hort., 284.
— funebris Hort., 325.
— Goveniana Gord., 311.
— Lambertiana Hort., 311.
— Lindleyi Klotzsch, 310.
— japonica L. fil., 38.
— majestica Hort., 282.
— macrocarpa Hartw., 311. 331.
— patula Pers., 284.
— pendula Staunt., 325.
— pendula Thunb., 284.
— pendulata Hort., 284.
— pyramidalis Hort., 331.
— tetragona Hort., 311.
— torulosa, 282.
— Thuja Targ., 283.
— thurifera Humb., 310.
— Uhdeana Hort., 311.
Curcuma americana Lam., 148.
— rubricaulis, 206.
Cuscuta-Arten, 24.
Cyanophyllum magnificum Lind., 211. 241.
Cyathea aurea, 79.
Cycas circinalis, 254. 405.
— revoluta, 254. 405.
Cyclanthera pedata Schrad., 304.
Cyclanthus cristatus Kl., 301.
Cyclobothra alba Benth., 290.
Cyclopogon ovalifolius Presl., 117.
Cycnoches viridis Hort., 291.
Cydonia japonica L., 247. 380.
— β. Mallardii, 247.
Cymbidium eburneum Lindl., 19.
— pendulum, 209.
Cyperus alternifolius L., 302.
Cypripedium hirsutissimum Lindl., 288. 368.
— Fairieanum Lindl., 395.
— insigne Wall., 288. 395.
— Lowei Lindl., 368.
— purpuratum Lindl., 18. 288.
— Schlimii Lind., 395.
— superbiens Rchb. fil., 368.
— venustum Wall., 395.
— villosum, 123. 231. 368. 395.
Cyrtodeira cupreata Hanst., 235.
— Trianae Hanst., 227.
Cytinus-Arten, 36.
Cytisus chrysobotrys A. Dietr., 174.
Daphne odora rubra, 93.
Dacrydium cupressinum, 91.
Dasylirion acrotrichum, 208. 246.
Datura albido-flava Lem., 247.
— arborea L., 247.

Datura suaveolens H. B. K., 247.
Delphinium formosum Hort., 199.
— speciosum Bieb., 199.
Dendrobium anosmum Lindl., 19.
— crepidatum Hook., 286.
— densiflorum Wall., 19.
— Falconeri Hook., 199.
— Farmeri Paxt., 19.
— Henshallii, 118.
— heterocarpum Wall., 118.
— lituiflorum Lindl., 368.
— Mac Carthiae Thwaits., 199.
— macrophyllum Lindl., 19.
— moniliforme Sw., 18.
— nobile Lindl., 18. 247. 296.
— Paxtoni Lindl., 123.
— Pierardi Roxb., 19.
— tetragonum All. Cunn., 199.
— viridi-roseum Rchb. fil., 308.
— xanthophlebium Lindl., 311.
Desmanthus natans Willd., 300.
Desmodium gyrans, 206.
Deutzia gracilis S. et Z., 123.
Dianella australis Hort., 205.
Dictyoglossum crinitum, 210.
Didymochlaena sinuata, 209.
Diervilla amabilis Carr., 199.
— grandiflora S. et Z., 199.
Dilivaria ilicifolia Pers., 332.
Dillenia speciosa, 397.
Dionaea Muscipula, 216. 291.
Dioon edule Lindl., 118.
Dioscorea Batatas Dne., 7.
Diosma thyoides, 205.
Diplacus grandiflorus, 209.
Diplazium pubescens, 209.
Disa barbata, 216.
— grandiflora Lindl., 316. 369.
— major, 216.
Dossinia marmorata Morr., 4. 117. 317.
Dracaena arborea, 205. 210.
— canariensis, 205.
— Draco L., 301.
— indivisa, 205.
— mauritiana, 291.
— nigra, 291.
— reflexa, 291.
— Rumphii, 205.
— salicifolia, 291.
— umbraculifera, 203.
Dracontium pertusum L., 218. 401.
Echeveria canaliculata Hook., 288.
— Scheerii Lindl., 288.
Echinocactus crispatus, 210.
— echinoides, 210.
— melanocanthus fl. ros., 210.
— setispinus, 210.
— Williamsii, 210.
Echinocactus Wislizeni, 210.
Echinocereus Poselgerianus A. Linke, 239.
Echinopsis grandiflorus A. Linke, 239.
— nigricans A. Linke, 239.
— simplex Niedt, 238.
— tuberculata Niedt, 237.
Echites suaveolens DC. fil., 327.
Elaeagnus angustifolia L., 188.
Eichhornia azurea Kth., 309.
Elaeis guineensis, 397.
Encephalartos caffer Lehm., 216. 401.
Encholirion Augustae Klotzsch, 22.
Encholirion Jonghii Libon, 22. 265.
— spectabile Hort., 22.
Epacris miniata Paxt., 124.
— longiflora, 124.
— refulgens Hort., 123.
Epidendrum armeniacum Lindl., 395.
— decipiens Lindl., 311.
— macrochilum Hook., 123.
— nodosum L., 396.
— Sceptrum, 395.
Epiphyllum Altensteinii Pfeiff., 40.
— truncatum Haw., 39.
Erica cylindrica Wendl., 124.
— elegans Andr., 124.
— hyemalis Hort., 381.
— Ingrami Hort., 381.
— ventricosa, 210.
— versicolor Andr., 123.
Eriocnema marmorata Naud., 124.
Eriostemon neriifolius Sieb., 124.
— scaber DC fil., 124.
Erythrochiton brasiliensis, 149.
Escallonia macrantha, 324.
Eucharis amazonica Hort., 118.
— candida, 118.
— grandiflora Pl. et Lind., 118.
Eucnida bartonioides, 334.
Eugenia Ugni Hook., 209. 285. 341.
Eupatorium ageratoides, 271.
— ageratifolium DC. β. texanum, 271.
— aromaticum L., 271.
— biceps Hort., 8. 332.
— cordifolium, 271.
— glabellum, 333.
Euryale ferox Salisb., 299. 300.
Euphorbia canariensis, 7.
— punicea Jacq., 172.
Euscaphys staphyleoides S. et Z., 200.
Evonymus nana Bieb., 251.
Fagraea auriculata, 324.
Farfugium grande Lindl., 108. 199. 247.
Ficus elastica L., 211.
— amazonica Hort., 291.
— Leopoldi, 324.
— Neumanni, 291.
— Roxburghii, 324.
— subpanduraeformis, 291.
Forsythia suspensa Vahl, 293.
— viridissima Lindl., 293.
Fortunea chinensis, 205.
Fourcroya tubiflora, 333.
Franciscea angusta, 253.
— calycina Hook., 194. 195. 23.
— confertiflora, 253.
— elegans, 253.
— eximia Scheidw., 194. 253.
— grandiflora var. H., 194.
— hydrangeaeformis Pohl, 194.
— laurifolia Hort., 253.
— latifolia Pohl, 194. 195. 253.
— macrantha Scheidw., 195. 253.
— macrophylla Ch. et Schl., 195. 253.
— Pohliana, 253.
— ramosissima Pohl, 194. 253.
— rubescens, 253.
— uniflora Pohl, 194. 253.
Freycinetia Baueriana Hort., 205.
— nitida, 204.
Friedericia Guilielma, 333.
Fuchsia Dominiana, 72.
Fuchsia galanthiflora, 111. 199.
Gaillardia aristata Pursh, 199.
— bicolor, 198.
— grandiflora, 198.
Galphimia glandulosa Cav., 394.
— hirsuta Cav., 393.
— Humboldtiana Bartl., 394.
— mollis Hort., 393.
— paniculata Bartl., 394.
Gardenia amoena Sims, 199.
— citriodora Hook., 288.
Gastonia Candollei, 205.
— longifolia, 324.
— palmata, 205.
Genista bracteolata Lk., 91.
— Atleyana Hort., 91.
Georgia cordata Lindl., 117.
— speciosa, 201.
Gesnera cinnabarina Lind., 280.
— Donckelaarii, 277.
— egregia Reg., 246.
— Kopperi, 172.
— libanensis, 246.
— splendida Hort., 123.
— zebrina Nob., 280.
Gingko biloba L., 268. 333.
Gleditschia horrida, 335.
Gleichenia microphylla R. Br., 19.
— dichotoma, 19.
Glycine Apios L., 294.
Goethea cauliflora, 205.
Goeppertia blanda Nees, 147.
— spicata Nees, 148.
Gomeza recurva B. M., 306.
Gongora Boothiana, 300.
Goodyera repens, 117.
Grevillea alpestris Meisn., 296.
— flexuosa Meisn., 125. 126.
Gutierrezia gymnospermea A. Gr., 34.
Gymnogramme lanata Klotzsch, 279.
— Mayeriana A. Br., 279.
— tartarea Willd., 279.
Habrothamnus Huegelii Hort., 123.
Haemanthus cinnabarinus Dne., 199.
Haemaria discolor Lindl. β albo-lineata, 19.
Hedychium Gardnerianum Wall., 111.
Hedysarum gyrans, 206.
Helianthus annuus L., 322.
Helichrysum bracteatum, 332.
— macranthum, 210.
Heliconia buccinata Hort., 147. 206.
— discolor Hort., 206.
Higginsia discolor, 242.
Heppiella atrosanguinea, 246.
— naegelioides hybrida Reg., 246.
Hippeastrum aulicum Herb., 323. 385. 386
— — β robustum, 385.
— calyptratum Herb., 387.
— equestre Herb., 387.
— psittacinum Herb., 387.
— reticulatum Herb., β striatifolium, 277.
— robustum A. Dietr., 324. 385.
Homalomena coerulescens, 210.
Hoteia japonica Morr. et Dne., 63.
Houstonia coccinea Andr., 389.
Hovea spicata, 187.
Hoya coronaria Bl., 118.
— grandiflora Bl., 118.
— imperialis, 250.

Hoya velutina Wight, 118.
Huntleya Meleagris Lindl., 396.
Hydnora-Arten, 36.
Hydrocleis Humboldtii Endl., 300. 302.
Hymenocallis adnata Herb., 182.
— angusta Herb., 183.
— caymanensis Herb., 182.
— Dryandri Gawl., 182.
— expansa Herb., 181. 183.
— fragrans Salisb., 182.
— insignis Kth., 181.
— littoralis Herb., 182.
— Moritziana Kth., 183. 314.
— panamensis Lindl., 183.
— pedalis Herb., 182.
— rotata Herb., 182.
— senegambica Kth., 182.
— tenuiflora Herb., 183.
Hyophorbe indica, 204.
Hypolepis amaurorrhachis, 91.
— tenuifolia, 91.
Jacaranda Clausseniana, 210.
Jatropha Curcas L., 32.
— pinnatifida, 172.
Illicium anisatum L., 83.
— floridanum L., 82.
— parviflorum Mich., 83.
— religiosum Sieb., 82.
Iris amoena Red., 197.
— aphylla L., 197.
— bohemica Schmidt, 197.
— germanica L., 197.
— Fieberi Seidl, 197.
— hungarica W. et K., 197.
— nudicaulis Lam., 197.
— Ockermanni Hort., 198.
— pumila L., 197.
— reticulata Bieb., 65.
— sambucina L., 196.
— squalens L., 197.
— Swertii Lem., 208.
— variegata L., 197. 198.
Isonandra Gutta, 397.
Juglans nigra, 268.
Juniperus Bonatiana Vis., 295.
— Cabianeae Vis., 295.
— phoenicea L., 294.
Kalmia glauca Ait., 125.
— latifolia L., 125.
Kaulfussia amelloides Nees, 44.
Kennedya inophylla, 127.
Klopstockia cerifera, 203.
Koellikeria argyrostigma, 277.
Laelia anceps Lindl., 18.
— Boothiana Rchb. fil., 18. 336.
— Brysiana Lem., 247.
— praestans Rchb. fil., 336.
— pumila Rchb. fil., 330.
— purpurascens Lindl., 19.
— Schilleriana Rchb. fil., 268.
Lagenaria vulgaris Ser., 301.
Larrea mexicana Morr., 72.
Laurus sylvestris, 131.
— Tinus, 151.
Leonea rubinioides, 205.
Lepachys columnaris Torr. et Gr., 111.
Leptotes bicolor Lindl., 123.
Leucophyta macrophylla Webb, 123.
Libocedrus chilensis, 312.
— decurrens Torr., 307.
Libocedrus Doniana, 312.
Lilium bulbiferum, 235.
— croceum, 235.
— sinicum Lindl., 235.
— tenuifolium Fisch., 247.
Limatodes rosea Lindl., 18.
Limnanthes rosea, 128.
— Douglasii, 128.
Limnocharis Humboldtii Rich., 300.
— Plumieri Rich., 300. 302.
Linosyris teretifolia Dur. et Hil., 72.
Livistonia chinensis, 79.
Lobelia cardinalis L., 263.
— graminea L., 263.
— fulgens Willd., 63.
— texensis Rafin., 263.
Lockeria magnifica Planch., 120.
Lonicera Symphoricarpos L., 251.
Lophospermum erubescens Don, 301.
Lophophytum-Arten, 37.
Luculia gratissima Sw., 115.
Luconia mammosa, 32.
Lüttemannia Peaestoria, 90.
Lupinus subcarnosus, 205.
Lycaste tetragona, 209.
Lychnis fulgens, 285.
— Sieboldii, 285.
Lycium chinense Mill., 250.
— Trewianum R. et S., 252.
— vulgare Dun., 250. 380.
Lyperia microphylla Benth., 403.
Lysimachia Leschenaultii, 209.
— nutans Nees 111.
Maclura aurantiaca Nutt., 92. 99.
Macodes marmorata Rchb. fil., 4. 117. 210. 317.
Macrostigma tupistroides Kth et Bouché, 7.
Mamillaria Bocasana, 210.
— conimamma A. Linke, 239.
— globosa A. Linke, 240.
— melanocentra, 210.
— Schaeferi, 210.
— Wegneri, 210.
Mandevillea suaveolens Lindl., 327.
Manulea microphylla Thunb., 403.
Maranta angustifolia Sims, 147.
— argyrophylla, 211. 243.
— Arouma Aubl., 149.
— arundinacea L., 145.
— bicolor Lindl., 143. 163.
— — fl. flum., 147.
— brachystachya Benth., 146.
— Cachibou Jacq., 148. 164.
— caespitosa A. Dietr., 146.
— cannaefolia Hort., 201.
— capitata Ruiz et Pav., 147.
— Casupito Jacq., 143. 148. 164.
— Casupo Jacq., 148. 164.
— clavata fl. flum., 147.
— composita Hort., 146.
— compressa A. Dietr., 147.
— cristata Nees et Mart., 143.
— cuspidata Rosc., 143.
— divaricata Rosc., 143.
— dubia R. et P., 148.
— fasciata, 211. 243.
— flexuosa Presl, 143.
— furcata Nees et Mart., 143.
— gibba Sm., 143. 211. 243.
— glumacea Hort., 163.
Maranta gracilis Rudge, 149.
— Jacquini Schult., 143.
— indica Rosc., 143.
— juncea Lam., 149.
— lateralis R. et P., 148.
— leptostachya Hort., 147. 258.
— Luschnathiana Hort., 147.
— lutea Jacq., 143.
— — Lam., 148. 164.
— metallica Hort., 201.
— micrantha fl. flum., 147.
— monophylla fl. flum., 147.
— obliqua Rudge, 149.
— pardina Hort., 143.
— petiolata Rudge, 149.
— picta Hort., 143.
— pilosa Link, 146.
— Plaecentaria A. Dietr., 146.
— prolifera fl. flum., 147.
— pulchella Hort., 211. 243.
— pumila fl. flum., 147.
— purpurascens Lk., 143.
— racemosa A. Dietr., 146.
— ramosissima Wall., 145.
— regalis Hort., 201.
— rotundifolia Hort., 147.
— sanguinea Fisch., 143. 143.
— Selloi Hort., 147. 258.
— spicata Aubl., 148.
— trifasciata Hort., 257.
— tuberosa fl. flum., 147.
Marsilea aegyptiaca, 302.
Masdevallia melanocentra Lindl., 396.
Massonia cannaefolia C. Koch, 234.
— lanceolata C. Koch, 174.
Maxillaria pallidiflora Hook., 396.
— squalens Hook., 396.
— stenobulbon Klotzsch, 396.
— triangularis Lindl., 396.
— venusta Rchb. fil., 62. 396.
Melicocca bijuga L., 32.
Mespilus flabellata Rosc., 180.
— parvifolia Willd., 179.
Meyenia erecta Benth., 111.
Metrosideros capitata Hort., 403.
— linearis, 404.
Micrantella lanceolata Naud, 43.
Microchylus pictus Morr., 5.
Miltonia anceps Lindl., 231.
— candida Lindl., 18.
— Morelliana Brogn., 18. 272.
— Pinelli, 231.
— Russelliana Lindl., 18.
Mitraria coccinea, 206. 210.
Momordica Balsamina L., 302.
— Charantia L., 302.
— Luffa L., 59.
— operculata L., 59.
Monarda didyma L., 207.
Monochaetum ensiferum Naud., 255. 280.
Monochilus regium Lindl., 117.
Monstera Adansonii Schott, 218.
— deliciosa Liebm., 220.
— fenestrata Schott, 402.
— Jacquini Schott, 220.
— Klotzschiana Schott, 219. 220. 402.
— Lennea C. Koch, 7. 96. 217. 220. 243. 401.
— pertusa de Vr., 218. 220. 401.
Musa Cavendishii Paxt., 22. 77.

Musa chinensis Sw., 22. 77.
— coccinea, 205.
Myristica moschata L., 67.
Myrtus filifolia Hort., 285.
— Ugni, 7. 209.
Naegelia amabilis Dne, 199.
— cinnabarina Lind., 230. 404.
— zebrina Reg., 246.
Nelumbium codophyllum Raf., 301.
— luteum Willd., 301.
— speciosum Willd., 301.
Nemesia versicolor, 286.
Neottia speciosa Jacq., 396.
Nepenthes Hookeri, 291.
— laevis, 291.
— phyllamphora, 291.
Neumannia maidifolia C. Koch, 304.
— sp. nov., 7.
Neuwiedia veratrifolia Bl., 200.
Nymphaea ampla Hook., 300.
— blanda E. Mey., 300.
— capensis Thunb., 300.
— coerulea Sav., 300.
— dentata Thon., 300.
— Devoniensis Hort., 273.
— gigantea Hook., 274. 299. 300.
— gracilis Zucc., 300.
— guineensis Thon., 300.
— Lotus L., 273. 300. 302.
— micrantha Hort., 300.
— rubra Roxb., 273. 300.
— stellata Willd., 300.
— thermalis DC., 300.
— Victoria Schomb., 296.
Obeliscaria pulcherrima Cass., 8.
Odontoglossum anceps Kl., 231.
— anceps Lem., 231.
— atropurpureum Rchb. fil., 364.
— auro-purpureum Rchb. fil., 368.
— Bictonense Lindl., 18.
— laeve Lindl., 123.
— leucopterum Rchb. fil., 368.
— maculatum Lindl., 231.
— pulchellum Bat., 62.
Oenocarpus altissimus, 265.
Oenothera corymbosa, 332.
— Sameeii, 331.
— spectabilis, 332.
Oleandra hirtella Miq., 19.
Oncidium Batemannianum Lindl., 363.
— bicallosum, 396.
— bifolium Lindl., 123.
— bifrons Lindl., 71.
— cheirophorum Rchb. fil., 368.
— Croesus Rchb. fil., 368.
— hastilabium Lindl., 18.
— Janeirense Rchb. fil., 316.
— Lanceanum, 279.
— longipes Lindl., 316.
— micropogon, 279.
— ornithorrhynchum H. B. K., 396.
— Papilio Lindl., 18.
— phymatochilum Lindl., 18.
— Schillerianum Rchb. fil., 395.
— sphacelatum Lindl., 18.
Oreopanax macrophyllum, 210.
Orobanche-Arten, 34.
Ouvirandra fenestralis Pet. Th., 19. 216. 375.
Oxalis corniculata, 254.
Oxalis tropaeoloides, 206. 253.
Pancratium canariense, 7.
— caribaeum L., 182.
— declinatum Jacq., 182.
— Dryandri Gawl., 183.
— expansum Sims, 183.
— littorale Jacq., 182.
— patens Red., 182.
— pedale Lodd., 182.
— speciosum Red., 182.
Pandanus furcatus, 204.
— graminifolius, 204.
— javanicus, 204.
— leucacanthus, 204.
Panicum oryzinum Gmel., 300. 302.
Papyrus antiquorum Willd., 302.
Paratropia Coronasylva Miq., 200.
— Junghuhniana Miq., 200.
— parasitica Miq., 200.
— tomentosa Miq., 200.
Passiflora laurifolia L., 63.
— quadrangularis L., 303.
— tinifolia Hook., 63.
Pentas carnea, 247.
Pereskia aculeata Plum., 39.
Periphragmos dependens, 187.
Perilla arguta, 328.
Peronia stricta Redout., 146.
Pescatoria cerina Rchb. fil., 368.
Pentstemon primulinus, 331.
Phacelia conferta D. Don, 33.
— congesta Hook., 53.
— tanacetifolia Benth., 33.
— vitifolia Paxt., 33.
Phaeocordylis areolata Griff., 37.
Phajus Augustinianus Kl., 396. 403.
— Blumei Lindl., 368.
— cupreus Rchb. fil., 3. 96. 405.
Phalaenopsis amabilis Bl., 18. 216.
— equestris Rchb. fil., 18. 374.
— grandiflora Lindl., 18. 216. 374.
— rosea Lindl., 374.
Pharbitis polymorpha Sieb. et de Vr., 200.
Philadelphus grandiflorus Hort., 123.
— verrucosus Schrad., 123.
Philodendron cardiophyllum C. Koch, 134.
— erubescens C. Koch, 134.
— grandifolium Schott, 301.
— pinnatifidum Kth., 301.
— latipes C. Koch, 210.
— pertusum Kth., 7.
Phoenix farinifera, 79.
Phrynium Achira P. et E., 147.
— Allouya Rosc., 146.
— altissimum P. et E., 146.
— capitatum Roxb., 146.
— Casupo Rosc., 161.
— coloratum Hook., 149.
— compositum Hort., 146. 234. 238.
— cylindricum Rosc., 149.
— dicephalum P. et E., 148.
— dichotomum Roxb., 146. 147. 238.
— ellipticum Roxb., 148.
— eximium C. Koch, 146. 161.
— filipes Benth., 148.
— flavescens Sw., 147.
— flexuosum Benth., 147. 148.
— floribundum Lem., 146.
— grandiflorum Rosc., 147. 149.
— hirsutum Hort., 147.
Phrynium imbricatum Roxb., 146.
— latifolium Bl., 146.
— longibracteatum Sw., 146.
— longifolium Lindl., 149.
— macilentum Sw., 146.
— marantinum Willd., 148. 163.
— metallicum Hort., 149.
— maximum, Ul., 146.
— micans Kl., 61., 146. 161.
— Myrosma Rosc., 146.
— nobile Hort., 147.
— ovatum Nees et Mart., 146.
— orbiculatum Sw., 146.
— ornatum Hort., 147.
— pardinum Pl. et L., 149.
— Parkeri Roxb., 148.
— parviflorum Roxb., 146.
— pachystachyum P. et E., 146.
— propinquum P. et E., 147.
— pubigerum Bl., 146.
— pubinerve Bl., 147.
— pumilum Hort., 61. 147.
— ramosissimum Benth., 148.
— regale Hort., 147.
— setosum Rosc., 147. 258.
— spicatum Roxb., 146.
— Tonchat Aubl., 147.
— trifasciatum C. Koch, 147. 162. 257.
— varians C. Koch, 146. 161. 162. 206.
— variegatum Hort., 147.
— velutinum P. et E., 146.
— violaceum Roxb., 146.
— virgatum Roxb., 147.
— vittatum Hort., 147.
— Warszewiczii Kl., 146. 161. 206.
— zebrinum Roxb., 146.
Phygelius capensis, 278. 331.
Phyllodes Placentaria Lour., 146.
Physurus argenteus, 5. 117.
— pictus, 5. 62. 117. 404.
Phytolacca icosandra L., 263.
Pinus Beardsleyi, 331.
— canadensis L., 268.
— Cembra, 268.
— Lindleyana, 312.
— Montezumae Lindl., 128.
— Orizabae, 128.
— Parolinii Vis., 294.
— Jeffreyi, 331.
— Strobus L., 268.
Pirus arbutifolia L., 381.
— depressa Lindl., 380. 381.
— edulis Hort., 263.
— japonica, 311.
Pitcairnia Altensteinii Lem., 113. 115.
— bracteata Ait., 114.
— cinnabarina A. Dietr., 350.
— densiflora Brogn., 113.
— fastuosa Morr., 66.
— flammea Mart., 331.
— Funkiana A. Dietr., 114.
— Giroudiana A. Dietr., 114.
— macrocalyx Hook., 114.
— Moritziana C. Koch, 350.
— sulfurea Andr., 114.
— undulata Hort. belg., 113.
— undulata Lem., 113. 114. 208.
— undulatifolia Hort., 113.
— zeifolia C. Koch, 114.
Pleurospermum scariosum S. et Z., 200.